LE LABYRINTHE DES ESPRITS

Tous ces ouvrages ont été traduits par François Maspero.

"Lettres hispaniques"

Titre original :
El Laberinto de los Espíritus
Éditeur original :
Editorial Planeta, S. A., Barcelone
© Carlos Ruiz Zafón, 2016

© ACTES SUD, 2018
pour la traduction française
ISBN 978-2-330-10334-7

CARLOS RUIZ ZAFÓN

Le Labyrinthe
des esprits

roman traduit de l'espagnol
par Marie Vila Casas

ACTES SUD

LE CIMETIÈRE
DES LIVRES OUBLIÉS

Ce livre fait partie d'un cycle de romans qui s'entrecroisent dans l'univers littéraire du *Cimetière des Livres oubliés*. Les romans qui composent ce cycle sont liés entre eux par des personnages et des fils qui tissent des ponts narratifs et thématiques, même si chacun offre une histoire complète, indépendante et se suffisant à elle-même.

Les divers romans de la série du *Cimetière des Livres oubliés* peuvent être lus dans n'importe quel ordre et séparément. Ils permettent au lecteur d'explorer le labyrinthe d'histoires en y accédant par différentes portes et différents chemins qui, mis bout à bout, le conduiront au cœur du récit.

Tout roman est une œuvre de fiction. Les quatre volumes du *Cimetière des Livres oubliés* n'y font pas exception, même s'ils s'inspirent de la Barcelone du xxᵉ siècle. En quelques occasions limitées, la physionomie et la chronologie de certaines scènes, de marques ou de circonstances ont été adaptées à la logique narrative, afin que Fermín puisse déguster ses chers Sugus quelques années avant qu'ils ne deviennent populaires, par exemple, ou que pareillement des personnages puissent descendre d'un train sous la grande voûte de la gare de France.

Photographies accompagnant les faux-titres :

Dies Irae : Vue aérienne de Barcelone, 17 mars 1938, Archives historiques de l'aéronautique militaire italienne.

Kyrie : Contre-jour sur les trottoirs de la Gran Vía de Madrid, 1953 – © Fonds photographique F. Català-Roca – Archives historiques du Collège d'architectes de Catalogne.

La Ville des miroirs : "Journée du livre, 1932", Barcelone © Gabriel Casas i Galobardes. Fonds Gabriel Casas des Archives nationales de Catalogne.

Les oubliés : Tramway de la ligne 12 (au croisement des avenues Diagonal et Sarrià), 1932-1934, Barcelone © Gabriel Casas i Galobardes. Fonds Gabriel Casas des Archives nationales de Catalogne © Núria Casas – ANC

Agnus Dei : Contre-jour dans la gare d'Atocha, Madrid 1953 © Fonds photographique F. Català-Roca – Archives historiques du Collège d'architectes de Catalogne.

Libera Me : Élégance sur la Gran Vía de Madrid, 1953 © Fonds photographique F. Català-Roca – Archives historiques du Collège d'architectes de Catalogne.

Barcelone, 23-4-1960 : Rue de l'Évêque, Barcelone, 1973 © Fonds photographique F. CatalàRoca – Archives historiques du Collège d'Architectes de Catalogne.

Francesc Català-Roca (Valls, 1922 – Barcelone, 1998) est un des grands photographes du xxe siècle ; l'univers littéraire de Carlos Ruiz Zafón a une grande affinité avec les atmosphères qu'il photographie. Gabriel Casas (Barcelona, 1892-1973) fut l'un des grands photoreporters de la période de l'entre-deux-guerres, incorporant des techniques novatrices. Son œuvre, réprimée dans l'après-guerre et sous le franquisme, a été récemment redécouverte.

LE LIVRE DE DANIEL

1

Cette nuit j'ai rêvé que je retournais au Cimetière des Livres oubliés. J'avais de nouveau dix ans et je me réveillais dans mon ancienne chambre pour sentir que le souvenir du visage de ma mère m'avait abandonné. Et je savais, comme on sait les choses dans les rêves, que c'était ma faute, seulement la mienne, parce que je ne méritais pas de m'en souvenir et je n'avais pas été capable de la venger.

Mon père entrait, alerté par mes cris d'angoisse. Mon père, qui dans mon rêve était encore jeune et en possession de toutes les réponses du monde, me prenait dans ses bras pour me consoler. Puis, alors que les premières lumières peignaient une Barcelone embuée, nous sortions dans la rue. Pour une raison que je ne parvenais pas à comprendre, mon père ne m'accompagnait que jusqu'au porche. Puis, il me lâchait la main et me faisait comprendre que c'était là un voyage que je devais faire seul.

Je commençais à marcher, mais je me souviens que mes vêtements, mes chaussures, ma peau même me pesaient. Chacun de mes pas exigeait un effort plus important que le précédent. En arrivant sur les Ramblas je remarquais que la ville était comme suspendue dans un instant sans fin. Les gens s'étaient arrêtés de marcher et ils paraissaient figés comme des silhouettes sur une vieille photographie. Une colombe qui prenait son envol n'esquissait qu'un dérisoire battement d'ailes flou. Des brises de pollen flottaient immobiles dans l'air comme une poudre de lumière. L'eau de la fontaine de Canaletas étincelait dans le vide comme un collier de larmes de cristal.

Lentement, presque comme si j'essayais de marcher sous l'eau, je réussissais à pénétrer dans la magie de cette Barcelone immobilisée dans le temps et à atteindre le Cimetière des Livres oubliés. Je m'arrêtais, épuisé. Je ne parvenais pas à comprendre ce qu'était cette charge invisible que je traînais avec moi et qui m'empêchait presque de marcher. Je saisissais le heurtoir et cognais à la porte, mais personne ne venait m'ouvrir. Je frappais plusieurs fois de mes poings le grand portail en bois, mais le gardien ignorait ma supplique. Épuisé, je tombais à genoux. Seulement alors, en examinant le sortilège que j'avais traîné sur mon passage, j'étais assailli par la terrible certitude que la ville et ma destinée demeureraient figées à jamais dans cet envoûtement et que je ne pourrais plus me rappeler le visage de ma mère.

Alors que j'abandonnais tout espoir, je le découvrais. Le petit morceau de métal était caché dans la poche intérieure de ma veste de collégien brodée en bleu à mes initiales. Une clé. Je me demandais depuis combien de temps elle était là sans que je le sache. Tachée de rouille et presque aussi lourde que ma conscience. Je réussissais difficilement à la hisser à deux mains jusqu'à la serrure, et il me fallait toute mon énergie pour la tourner. Je pensais ne jamais y arriver quand le verrou céda, laissant le portail glisser lentement vers l'intérieur.

Une galerie courbe s'enfonçait dans le vieux palais, ponctuée de bougies allumées qui dessinaient le chemin. Je plongeais dans les ténèbres et j'entendais la porte se refermer derrière moi. Je reconnaissais alors ce corridor orné de fresques d'anges et de créatures fabuleuses qui scrutaient dans l'ombre et paraissaient bouger à mon passage. Je le parcourais jusqu'à une arche qui débouchait sur une grande voûte, et je m'arrêtais sur le seuil. L'immense labyrinthe s'élevait en face de moi dans un mirage infini. Une spirale d'escaliers, de tunnels, de passerelles et d'arcs entremêlés en une ville infinie, construite avec tous les livres du monde, montait jusqu'à une grande coupole en verre.

Ma mère attendait là, au pied de la structure. Allongée dans un sarcophage ouvert, les mains croisées sur la poitrine, la peau aussi pâle que la robe blanche qui recouvrait son corps. Elle avait les lèvres serrées et les yeux fermés. Elle gisait inerte dans le repos lointain des choses mortes et des âmes perdues. J'approchais la main pour caresser son visage. Sa peau était froide comme le marbre. Elle ouvrait alors les yeux et son regard ensorcelé de souvenirs se posait sur moi. Quand elle ouvrait ses lèvres brunes pour parler, le son de sa voix était si assourdissant qu'il me heurtait comme un train de marchandises, il me soulevait de terre, me projetait dans les airs et me laissait suspendu dans une chute sans fin tandis que l'écho de ses paroles dissipait le monde.

Tu dois raconter la vérité, Daniel.

Je me réveillai en sursaut dans la pénombre de ma chambre à coucher, trempé d'une sueur froide, et je trouvai le corps de Bea allongé à mes côtés. Elle m'enlaça et me caressa le visage.

— À nouveau ? murmura-t-elle.

J'acquiesçai et pris une inspiration profonde.

— Tu parlais dans ton sommeil.

— Qu'est-ce que je disais ?

— C'était incompréhensible, mentit Bea.

Je la regardai et elle me sourit d'un air peiné, me sembla-t-il, à moins que ce ne fût seulement de la patience.

— Rendors-toi un petit moment. Le réveil ne sonne que dans une heure et demie, et nous sommes mardi.

Mardi. Cela signifiait que c'était mon tour d'accompagner Julián à l'école. Je fermai les yeux et fis semblant de dormir. Quand je les rouvris quelques minutes plus tard, je vis le visage de Bea, elle m'observait.

— Qu'est-ce qu'il y a ? demandai-je.

Elle se pencha vers moi et baisa lentement mes lèvres. Sa bouche avait la saveur de la cannelle.

— Je n'ai pas sommeil non plus, insinua-t-elle.

Je la dénudai sans hâte. J'allais écarter les draps et les jeter par terre quand j'entendis des pas légers à la porte de la chambre. Bea arrêta l'avancée de ma main gauche entre ses cuisses et se redressa en s'appuyant sur les coudes.

— Que se passe-t-il, mon chéri ?

Le petit Julián nous observait depuis la porte de la chambre avec, dans le regard, une ombre de pudeur et d'inquiétude.

— Il y a quelqu'un dans ma chambre, murmura-t-il.

Bea soupira et lui tendit les bras. Julián se précipita pour se réfugier dans l'étreinte de sa mère, et je renonçai à toute espérance conçue dans le péché.

— Le Prince écarlate ? demanda Bea.

Julián acquiesça, contrit.

— Papa va aller immédiatement dans ta chambre et il l'en fera sortir à coups de pied dans le derrière, pour qu'il ne revienne plus jamais.

Julián me lança un regard désespéré. À quoi peut bien servir un père si ce n'est à mener des missions héroïques de cette envergure ? Je lui souris, avec un clin d'œil.

— À coups de pied dans le derrière, répétai-je avec le geste le plus hargneux que je pus.

Julián s'autorisa une esquisse de sourire. Je sautai du lit et suivis le couloir jusqu'à la chambre de mon fils. Elle me rappelait tellement celle que j'avais eue à son âge, quelques étages plus bas, que je me demandai une seconde si je n'étais pas resté attrapé dans les mailles de mon rêve. Je m'assis sur le bord du lit et j'allumai la lampe de poche. Julián vivait au milieu de jouets, certains hérités de moi, mais surtout de livres. Je ne tardai pas à trouver le suspect caché sous le matelas. Je pris le petit ouvrage relié en noir et je l'ouvris à la première page.

Le Labyrinthe des esprits VII
Ariadna et le Prince écarlate

Texte et illustrations de Víctor Mataix

Je ne savais plus où cacher ces livres. J'avais beau faire preuve d'une ingéniosité toujours plus aiguë pour trouver de nouvelles cachettes, l'odorat de mon fils les détectait infailliblement. Je feuilletai l'ouvrage et les souvenirs m'assaillirent à nouveau.

Quand je revins dans ma chambre, après avoir une fois de plus enfermé le livre tout en haut de l'armoire de la cuisine – où je savais que mon fils le dénicherait tôt ou tard –, je trouvai Julián dans les bras de sa mère. Ils avaient succombé tous les deux au sommeil. Je les regardai, à l'entrée de la chambre, protégé par la pénombre. J'écoutai leur respiration profonde et je me demandai ce qu'avait bien pu faire l'homme le plus chanceux de la terre pour mériter une telle bonne fortune. Je les contemplai enlacés, étrangers au monde, et je ne pus éviter de me rappeler la peur qui m'avait envahi la première fois que je les avais vus ainsi, dans cette étreinte.

2

Je ne l'ai jamais raconté à personne, mais la nuit où mon fils Julián naquit, et que je le vis pour la première fois dans les bras de sa mère, abandonné à cette sérénité bénie de ceux qui ne savent pas encore dans quel genre d'endroit ils ont débarqué, l'envie me prit de déguerpir, de courir sans m'arrêter jusqu'au bout de l'univers. J'étais un gamin et la vie était encore trop grande pour moi, pourtant, malgré les nombreuses excuses que je pourrais ébaucher, je ressens encore l'arrière-goût amer de la honte devant le signe avant-coureur de la lâcheté qui s'empara de moi et que, même après toutes ces années, je n'ai pas eu le courage d'avouer à celui à qui je le dois le plus.

Les souvenirs que l'on enterre dans le silence sont ceux qui ne cessent jamais de nous persécuter. Le mien est celui d'une pièce au plafond sans limite avec un soupçon de lumière ocre diffusée par une lampe au plafond ; elle dessinait les contours d'un lit sur lequel gisait une jeune fille d'à peine dix-sept ans avec un enfant dans les bras. Quand Bea, vaguement consciente, leva la tête et me sourit, mes yeux s'emplirent de larmes. Je m'agenouillai au pied du lit et j'enfonçai mon visage dans sa poitrine. Je sentis que Bea prenait ma main et la serrait avec le peu de forces qui lui restait.

— N'aie pas peur, susurra-t-elle.

Mais j'eus peur et, l'espace d'un instant dont la honte m'a poursuivi jusqu'à aujourd'hui, je voulus me trouver n'importe où sauf dans cette chambre et dans cette peau. Fermín avait assisté à la scène depuis la porte et il lut probablement dans mes pensées avant que je pusse les formuler, comme à son habitude. Il me prit par le bras sans me laisser le temps d'ouvrir la bouche et, laissant Bea et le petit aux bons soins de sa fiancée Bernarda, il me conduisit dans le couloir, une longue et étroite galerie qui se perdait dans la pénombre.

— Vous êtes toujours vivant, Daniel ? demanda-t-il.

Je hochai vaguement la tête tout en tentant de récupérer mon souffle, que j'avais perdu en chemin. Quand je fis mine de vouloir revenir dans la chambre, Fermín m'arrêta.

— Écoutez, la prochaine fois que vous entrerez là-dedans, ce devra être avec un peu plus de sang-froid. Heureusement que Mme Bea est encore à moitié dans les vapes, elle n'a pas dû piger la moitié de ce qui se passait. À présent, si vous me permettez une petite suggestion, je crois qu'un petit bol d'air nous ferait du bien, pour nous débarrasser de la frousse et affronter plus brillamment notre deuxième opportunité.

Sans attendre la réponse, Fermín me saisit par le bras et me guida le long du couloir jusqu'à l'escalier qui nous mena à un balcon suspendu entre Barcelone et le ciel. Une brise fine qui mordait avec appétit me caressa le visage.

— Fermez les yeux et inspirez profondément trois fois de suite. Tranquillement, comme si vos poumons descendaient jusqu'à vos pieds, conseilla Fermín. C'est un truc que m'a expliqué un moine tibétain un jour, un sacré débauché que j'ai connu quand j'officiais comme réceptionniste et comptable dans un petit bobinard portuaire. Il était naïf, le petit coquin…

Je pris les trois inspirations profondes, et trois supplémentaires comme pourboire, aspirant à pleins poumons tous les bienfaits de l'air pur promis par Fermín et son gourou tibétain. La tête me tournait un peu, mais Fermín me soutint.

— N'allez pas non plus me tomber en catatonie ! Faites gaffe, la situation requiert calme et sérénité, mais pas de tomber dans les pommes.

J'ouvris les yeux et je découvris les rues désertes et la ville endormie à mes pieds. Il était environ trois heures du matin et l'hôpital de San Pablo était plongé dans une léthargie obscure, sa citadelle de coupoles, ses tours et ses arcs tissant des arabesques dans la brume qui se déversait depuis le sommet du Turó del Carmel. Je contemplai en silence cette Barcelone indifférente, seulement visible depuis les hôpitaux, étrangère aux craintes et aux espoirs de l'observateur, et je laissai le froid me transpercer lentement jusqu'à m'éclaircir l'esprit.

— Vous allez penser que je suis un lâche, dis-je.

Fermín soutint mon regard et haussa les épaules.

— Ne dramatisez pas. Je pense surtout que vous avez la tension trop basse et l'angoisse trop élevée, ce qui revient au même mais qui vous exonère de toute responsabilité, et des moqueries. Heureusement, j'ai ici la solution.

Fermín déboutonna sa gabardine qui recelait un insondable bazar de prodiges, tout à la fois herboristerie ambulante, musée de curiosités et resserre d'engins et de reliques pêchés dans mille marchés aux puces et salles des ventes de énième catégorie.

— Je ne sais pas comment vous faites pour porter sur vous une telle quincaillerie, Fermín.

— C'est de la physique avancée ! Ma maigre anatomie comprenant majoritairement de la fibre musculaire et cartilagineuse, ce petit arsenal renforce mon champ gravitationnel et me procure un ancrage solide contre les vents et les marées. Et ne croyez pas que vous allez m'égarer aussi facilement avec des apostilles à côté de la plaque, nous ne sommes pas montés ici pour échanger des images ou marivauder.

Cet avertissement prononcé, Fermín exhuma de l'une de ses nombreuses poches une flasque en fer-blanc dont il dévissa le bouchon. Il huma le contenu comme s'il s'agissait des effluves du paradis et il sourit d'un air approbateur. Il me tendit la petite bouteille et, me regardant dans les yeux avec solennité, il hocha la tête en signe d'acquiescement.

— Buvez maintenant ou vous le regretterez toute votre vie.

J'acceptai la flasque à contrecœur.

— Qu'est-ce que c'est que ça ? Ça sent la dynamite…

— Balivernes. Ce n'est qu'un cocktail destiné à ressusciter les défunts et les petits gamins intimidés par les responsabilités qu'impose le destin. C'est une formule souveraine de mon cru, élaborée à partir d'anisette et de diverses eaux-de-vie mélangées à un mauvais brandy que j'achète au Gitan borgne qui tient le kiosque La Cazalla, le tout relevé de quelques gouttes de ratafia et de liqueur Arômes de Montserrat pour lui conférer ce bouquet caractéristique du potager catalan.

— Jésus, Marie, Joseph !

— Allez, c'est là qu'on voit les courageux ! Et ceux qui ne sont pas à la hauteur. Cul sec, comme un légionnaire infiltré dans un banquet de mariage.

J'obéis et avalai cette mixture infernale qui sentait l'essence sucrée. La liqueur me brûla les entrailles et Fermín me fit signe de répéter l'opération, sans me laisser le temps de récupérer mes esprits. Passant outre les protestations et les secousses intestinales, j'engloutis la deuxième dose, en remerciant la torpeur et l'apaisement que ce breuvage m'apportait.

— Comment ça va ? demanda Fermín. Mieux, n'est-ce pas ? Ça, c'est l'en-cas des champions.

J'opinai du chef et m'ébrouai, déboutonnant mon col de chemise. Fermín profita de l'occasion pour boire une gorgée de son breuvage avant de remiser la flasque dans sa gabardine.

— Rien de mieux que la chimie pour dompter la poésie. Mais n'y prenez pas goût, l'eau-de-vie c'est comme la mort-aux-rats ou la générosité : plus en on use, moins elle fait effet.

— N'ayez crainte.

Fermín signala les deux havanes qui dépassaient d'une autre poche de sa gabardine, puis il fit non de la tête en m'adressant un clin d'œil.

— Je gardais pour ce grand jour ces deux Cohíba, soustraits *in extremis* de l'humidificateur de mon futur beau-père de substitution, M. Gustavo Barceló, mais je crois qu'on va les laisser pour plus tard, je ne vous vois pas très en forme et il n'est pas question de laisser un bébé orphelin le jour de son apparition.

Fermín me tapota tendrement dans le dos et il attendit quelques secondes pour laisser le temps aux effluves de son cocktail de se répandre dans mon sang et à une voie lactée de sérénité éthylique de masquer la sensation de panique sourde qui me paralysait. Dès qu'il nota l'aspect vitreux de mon regard et la dilatation de la pupille, qui précèdent l'hébétude générale des sens, il se lança dans le discours qu'il avait sûrement mijoté toute la nuit.

— Daniel, mon ami, Dieu, ou celui à qui échoit sa charge en son absence, a voulu qu'il soit plus facile d'être père et de mettre un enfant au monde que d'obtenir le permis de conduire. Une si malencontreuse circonstance se traduit par le fait qu'un nombre exorbitant de crétins, de fouille-merde et de couillons se considèrent eux-mêmes diplômés en procréation et ils arborent la médaille de la paternité, bousillant pour toujours les malheureux enfants que leurs parties honteuses engendrent. Pour cette raison, et avec l'autorité que me confère à moi aussi la possibilité d'ensemencer ma bien-aimée Bernarda dès que la gonade et le sacrosaint mariage qu'elle exige de moi *sine qua non* le permettront, et grâce à quoi je vous suivrai dans ce voyage vers la grande responsabilité de la paternité, il est de mon devoir d'affirmer et j'affirme que vous, Daniel Sempere Gispert, blanc-bec et adulte débutant, en dépit de la maigre foi que vous avez en ce moment en vousmême et en votre viabilité comme *paterfamilias*, vous êtes et serez un géniteur exemplaire, bien que novice et un peu bêta en général.

Au milieu de la péroraison, j'eus un blanc, conséquence de la formule alcoolique explosive ou de la pyrotechnie grammaticale déployée par mon bon ami.

— Fermín, je ne suis pas certain d'avoir compris ce que vous avez dit.

Il poussa un soupir.

— Ce que je voulais vous dire, c'est que je sais que vous êtes sur le point de perdre le contrôle de vos sphincters et que tout cela vous dépasse, Daniel, mais comme vous l'a dit madame votre sainte épouse, vous ne devez pas avoir peur. Les enfants, le vôtre du moins, viennent au monde coiffés, et avec un projet, et si on a un minimum de dignité et de pudeur et un cerveau dans la boîte crânienne, on trouve la manière de ne pas leur gâcher la vie et d'être un père dont ils n'auront jamais honte.

Je regardai à la dérobée ce petit homme qui aurait donné sa vie pour moi et qui trouvait toujours le mot, ou dix mille, pour résoudre tous les dilemmes ainsi que ma tendance occasionnelle à la flemme existentielle.

— Si ça pouvait être aussi simple que vous le dites, Fermín !

— Rien de ce qui vaut la peine dans cette vie n'est simple, Daniel. Quand j'étais jeune, je pensais que pour évoluer dans le monde, il suffisait d'apprendre à bien faire trois choses. Un : nouer les lacets de ses chaussures. Deux : déshabiller une femme minutieusement. Trois : lire pour savourer chaque jour des pages composées avec intelligence et habileté. J'avais l'impression qu'un homme sûr de lui, qui savait caresser et apprenait à écouter la musique des mots, vivait davantage et surtout mieux. Or les années m'ont appris que ce n'est pas suffisant, et que la vie nous offre parfois l'opportunité d'aspirer à être un peu plus qu'un bipède qui mange, excrète et occupe un espace temporaire sur cette planète. Et aujourd'hui le destin, dans son inconscience infinie, a souhaité vous offrir, à vous, cette opportunité.

J'acquiesçai, peu convaincu.

— Et si je ne suis pas à la hauteur ?

— Daniel, s'il y a une chose que nous partageons, c'est bien la chance que nous avons eue de rencontrer des femmes que nous ne méritons pas. Il est clair et archi-clair que ce sont elles qui fourniront les besaces dans ce voyage, elles qui seront à la hauteur. Nous, nous devons simplement essayer de ne pas les décevoir. Qu'est-ce que vous en dites ?

— Que j'adorerais vous croire les yeux fermés, mais que j'ai du mal.

Fermín remua la tête de droite à gauche, minimisant l'affaire.

— Ne craignez rien. C'est le mélange de spiritueux dont je vous ai gavé qui embrume votre piètre aptitude à comprendre ma rhétorique de haute volée. Mais vous savez que dans ces joutes j'affiche un beaucoup plus grand nombre de kilomètres au compteur que vous, et que, de façon générale, je tape plus juste qu'une carriole de saints.

— Ça, je ne vous le disputerai pas.

— Et vous avez raison, car vous perdriez au premier assaut. Me faites-vous confiance ?

— Bien sûr, Fermín. Aveuglément. Je vous suivrais au bout du monde, vous le savez.

— Alors croyez-moi et fiez-vous aussi à vous-même, comme je le fais.

Je le regardai droit dans les yeux et acquiesçai lentement.

— Est-ce que vous avez repris vos esprits ? demanda Fermín.

— Je crois que oui.

— Alors corrigez-moi cette triste figure, assurez-vous que votre masse testiculaire est bien à sa place et retournez dans la chambre embrasser Mme Bea et le rejeton comme il se doit, comme l'homme que vous et moi venons de faire de vous. Car soyez certain que le garçon que j'eus l'honneur de rencontrer un soir, il y a des années, sous les arcades de la Plaza Real, et qui m'a causé tant de frayeurs depuis, doit persévérer dans cette aventure, qui n'en est qu'à son prélude. Il nous reste beaucoup à vivre, Daniel, et ce qui nous attend n'est plus une affaire de gamin. Êtes-vous avec moi ? Jusqu'au bout du monde, dont rien ne dit qu'il n'est pas au coin de la rue ?

Je ne trouvai rien d'autre à faire que de l'enlacer.

— Qu'est-ce que je ferais sans vous, Fermín ?

— Vous vous tromperiez souvent. À présent, par mesure de prudence, sachez qu'un des effets secondaires les plus courants de l'ingestion du breuvage que vous venez de boire est l'amollissement temporaire de la pudeur et une certaine exubérance dans le muscle sentimental. Aussi, quand Mme Bea vous verra entrer dans la chambre, regardez-la dans les yeux pour qu'elle sache que vous l'aimez vraiment.

— Elle le sait.

Fermín fit non de la tête, patiemment.

— Croyez-moi, insista Fermín. Vous n'avez pas besoin de le dire si cela vous fait honte, car nous sommes ainsi faits, nous les mâles, et la testostérone n'exhorte pas à la poésie. Mais qu'elle le ressente. Ces choses-là, il faut les démontrer plutôt que d'en parler. Et attention, pas de Pâques aux Rameaux ! Tous les jours.

— J'essaierai.

— Faites mieux qu'essayer, Daniel.

C'est ainsi que, dépouillé de l'éternel et fragile refuge de mon adolescence par les soins de Fermín, et grâce à lui, je me dirigeai vers la chambre où m'attendait mon destin.

Le souvenir de cette nuit devait me revenir en mémoire de nombreuses années plus tard quand, réfugié à l'aube dans l'arrière-boutique de la vieille librairie de la rue Santa Anna, j'essayais une fois de plus d'affronter la page blanche, sans savoir par où commencer à m'expliquer à moi-même la véritable histoire de ma famille, une entreprise à laquelle je me consacrais depuis des mois, des années, mais à laquelle j'avais été incapable de contribuer par une seule ligne valable.

Profitant d'un accès d'insomnie, qu'il attribuait à la digestion d'un demi-kilo de rillons, Fermín avait décidé de me rendre une petite visite très matinale. Me voyant agoniser, armé d'un stylographe qui gouttait comme une vieille voiture, devant une page blanche, il s'assit à côté de moi et soupesa le flot de feuilles froissées répandues à mes pieds.

— Ne le prenez pas mal, Daniel, mais avez-vous la moindre idée de ce que vous êtes en train de faire ?

— Non, admis-je. Peut-être que si j'essayais avec une machine à écrire, ça changerait tout. Dans les publicités, ils vantent l'Underwood, le choix des professionnels.

Fermín considéra la promesse publicitaire avant de nier d'un mouvement lent de la tête.

— Il y a des années-lumière entre dactylographier et écrire.

— Merci pour vos encouragements. Et vous, que faites-vous à une heure pareille ?

Fermín se palpa le ventre.

— L'ingestion d'un goret entier à l'état de friture m'a tourneboulé l'estomac.

— Voulez-vous un peu de bicarbonate ?

— Je ne préfère pas, cela me provoque des érections nocturnes, avec toutes mes excuses, et alors il n'y a vraiment plus moyen de fermer l'œil.

J'abandonnai la plume, ainsi que ma énième tentative de rédiger une seule phrase utilisable. Je cherchai le regard de mon ami.

— Tout va bien par ici, Daniel ? Hormis la campagne infructueuse que vous menez contre le roman, je veux dire...

Je haussai les épaules. Comme toujours, Fermín avait fait son apparition dans un moment providentiel, faisant honneur à sa condition de *fripouillus ex machina*.

— Je ne sais pas vraiment comment vous demander une chose qui me trotte dans la tête depuis longtemps, hasardai-je.

Fermín mit la main devant la bouche et fit un rot bref mais appuyé.

— Si c'est en relation avec quelque combine d'alcôve, vous pouvez parler sans honte, je vous rappelle que, sur ces sujets, je suis comme qui dirait diplômé de l'université.

— Non, ce n'est pas une histoire d'alcôve.

— Dommage, car j'ai une information toute fraîche sur une ou deux petites ruses qui...

— Fermín, le coupai-je, croyez-vous que j'ai vécu la vie que je devais avoir, que j'ai été à la hauteur ?

Mon ami resta sans voix. Il baissa les yeux et soupira.

— Ne me dites pas que cette phase de Balzac raté a à voir avec ça, en réalité ? Recherche spirituelle et tout le tremblement...

— N'écrit-on pas pour se comprendre un peu mieux soi-même ? Et aussi le monde ?

— Non, pas quand on sait ce qu'on fait, ce dont vous...

— Vous êtes un piètre confesseur, Fermín. Aidez-moi un peu.

— Je croyais que vous tentiez de vous métamorphoser en romancier, pas en bigot.

— Dites-moi la vérité. Vous qui me connaissez depuis que je suis enfant, est-ce que je vous ai déçu ? Ai-je été le Daniel que vous attendiez ? Celui que ma mère aurait aimé que je sois ? Dites-moi la vérité.

Fermín leva les yeux au ciel.

— La vérité, ce sont les âneries proférées par les gens qui croient savoir quelque chose, Daniel. J'en sais autant sur la vérité que sur la taille de la *brassière*[*1] de cette femme formidable au nom et au buste pointus, celle que nous avons vue au cinéma Capitol l'autre jour.

— Kim Novak, précisai-je.

— Dieu et la loi de la pesanteur aient son âme ! Eh bien non, vous ne m'avez pas déçu, Daniel. Jamais. Vous êtes un homme bon et un véritable ami. Et si vous voulez connaître mon opinion, oui, je crois que votre défunte mère Isabella aurait été fière de vous, et qu'elle aurait jugé que vous étiez un bon fils.

— Mais pas un bon romancier, souris-je.

— Écoutez, Daniel, vous êtes romancier comme je suis moine. Vous le savez. Et aucun stylographe, aucune Underwood sous le soleil n'y changera quelque chose.

Je soupirai et m'abandonnai à un long silence. Fermín m'observait, l'air pensif.

— Vous savez, Daniel, je pense vraiment qu'après tout ce que nous avons traversé, vous et moi, je demeure ce pauvre malheureux

---

1. Les termes en italique suivis d'un astérisque sont en français dans le texte original. *(N.d.T.)*

que vous avez rencontré, allongé par terre dans la rue, et que vous avez emmené chez vous par charité, et que vous êtes encore cet enfant affligé qui allait par le monde, perdu, se heurtant à d'incalculables mystères, persuadé que s'il les résolvait par miracle, il récupérerait peut-être le visage de sa mère et la mémoire de la vérité que le monde lui avait volée.

Je soupesai ces paroles, qui avaient fait mouche.

— Ce serait si terrible, si c'était le cas ?

— Ça pourrait être pire. Vous pourriez être un romancier, comme votre ami Carax.

— Si ça se trouve, ce que je devrais faire c'est le retrouver et le convaincre d'écrire cette histoire, fis-je remarquer. Notre histoire.

— C'est ce que dit parfois votre fils Julián.

Je regardai Fermín du coin de l'œil.

— Que dit Julián ? Que sait-il de Carax ? Auriez-vous parlé de Carax à mon fils ?

Fermín prit son air officiel d'agnelet décapité.

— Moi ?

— Que lui avez-vous raconté ?

Fermín souffla, dédramatisant le sujet.

— Des broutilles. Des notes de bas de page complètement inoffensives, tout au plus. Ce qui se passe, c'est que l'enfant manifeste des dispositions inquisitrices et une grande intelligence, et bien entendu, il saisit tout et il en tire des conclusions. Ce n'est pas ma faute si le petit est dégourdi. À l'évidence, il ne tient pas ça de vous.

— Jésus, Marie, Joseph… Bea sait-elle que vous lui avez parlé de Carax ?

— Je ne mets pas mon nez dans votre vie conjugale. Toutefois, je doute qu'il existe beaucoup de choses que Mme Bea ne sache pas ou ne devine pas.

— Je vous interdis catégoriquement de parler de Carax à mon fils, Fermín.

Le petit homme porta la main à sa poitrine et opina avec solennité.

— J'avale ma langue. Motus et bouche cousue. Que l'ignominie la plus noire s'abatte sur moi si dans un moment d'égarement je rompais ce vœu solennel de silence.

— Cela dit, ne mentionnez pas non plus Kim Novak, je le connais.

— Sur ce point, je suis aussi innocent que l'agneau qui ôte le péché du monde. Ce sujet, c'est le petit qui l'aborde, il est tout sauf idiot.

— Vous êtes impossible.

— J'accepte avec abnégation vos piques injustes, car je les sais provoquées par la frustration devant la chétivité de votre propre esprit. Votre excellence aurait-elle un nom à ajouter à la liste noire des patronymes à ne pas mentionner, à part Carax ? Bakounine ? Estrellita Castro ?

— Pourquoi n'allez-vous pas dormir pour me laisser en paix, Fermín ?

— En vous laissant seul ici face au danger ? Taisez-vous, il faut au moins un adulte raisonnable dans le public.

Fermín examina le stylographe et la pile de feuilles blanches qui attendaient sur le bureau, fasciné, comme s'il s'agissait d'un ensemble d'instruments chirurgicaux.

— Avez-vous trouvé comment démarrer cette entreprise ?

— Non. J'en étais là quand vous êtes arrivé et que vous avez commencé à débiter des sottises.

— Balivernes. Sans moi, vous n'écrirez même pas la liste de courses.

Enfin convaincu, il se retroussa les manches devant la tâche titanesque qui nous attendait, il se cala sur une chaise à côté de moi et me regarda avec, dans les yeux, l'intensité de ceux qui n'ont presque pas besoin de mots pour se comprendre.

— En parlant de listes : moi, sur cette affaire de bouquin, j'en sais encore moins que sur la fabrique et l'usage du cilice, mais j'ai dans l'idée qu'avant de commencer à raconter quoi que ce soit il faudrait dresser la liste de ce qu'on veut raconter. Faire un inventaire, disons.

— Une feuille de route ? suggérai-je.

— Une feuille de route, c'est ce qu'on ébauche quand on ne sait pas bien où on va et qu'on essaie de se convaincre, soi-même et quelque autre niais, qu'on se dirige quelque part.

— Ce n'est pas une si mauvaise idée, insistai-je. L'automystification est le secret de toute entreprise impossible.

— Vous voyez ? Nous formons un tandem imbattable. Vous notez et je pense.

— Eh bien, pensez à voix haute.

— Ce machin contient-il suffisamment d'encre pour effectuer le voyage aller et retour aux enfers ?

— Suffisamment pour se mettre en route, en tout cas. Il ne reste plus qu'à décider par quoi commencer la liste.

— Si on commençait par la façon dont vous avez fait sa connaissance ? demandai-je.

— La connaissance de qui ?

— Qui cela peut-il être, Fermín ? Notre Alice dans la Barcelone des merveilles, bien sûr !

Une ombre passa sur le visage de Fermín.

— Cette histoire, je ne crois pas l'avoir jamais racontée à personne, Daniel. Pas même à vous.

— Quelle meilleure porte d'entrée alors, pour pénétrer dans le labyrinthe ?

— Un homme devrait pouvoir mourir en emportant avec lui un petit secret, objecta Fermín.

— Trop de secrets, voilà ce qui conduit l'homme à la tombe avant l'heure.

Fermín haussa les sourcils, surpris.

— Qui a dit cela ? Socrate ? Moi ?

— Non. Daniel Sempere Gispert, pour une fois, l'*Homo ploucus*, il y a seulement quelques secondes.

Fermín sourit, satisfait, et il dépapillota un Sugus au citron qu'il porta à sa bouche.

— Ça vous a pris des années, mais vous avez fini par apprendre de votre maître, petit coquin. Vous en voulez un ?

J'acceptai le Sugus car je savais que c'était le bien le plus précieux de tout le patrimoine de mon ami Fermín, et qu'il m'honorait en partageant son trésor.

— Daniel, avez-vous déjà entendu le poncif selon lequel à la guerre et en amour tout est permis ?

— Quelques fois. Généralement dans la bouche de ceux qui sont davantage partisans de la guerre que de l'amour.

— C'est bien cela, parce que, dans le fond, c'est un mensonge pourri.

— Alors la vôtre, c'est une histoire d'amour ou de guerre ?

Fermín haussa les épaules.

— Quelle différence ?

Et ainsi, protégé par la nuit, deux Sugus et des souvenirs envoûtants qui menaçaient de s'évanouir dans la brume du temps, Fermín commença à tirer les fils qui tisseraient la fin, et le début, de notre histoire...

Extrait de
Le Labyrinthe des esprits
(*Le Cimetière des Livres oubliés*, volume IV),
de Julián Carax.
Édition assurée par Émile de Rosiers Castellaine
Éditions de la Lumière, Paris, 1992.

DIES IRAE

Barcelone

Mars 1938

1

Le roulis le réveilla. En ouvrant les yeux, le passager clandestin perçut une obscurité qui se perdait à l'infini. Le va-et-vient du bateau, la puanteur de salpêtre et les griffures de la mer contre la coque lui rappelèrent qu'il n'était pas sur la terre ferme. Il écarta les sacs qui lui avaient servi de couche et il se redressa lentement, examinant la grande composition de colonnes et de voûtes qui formait la cale du cargo. La vision lui parut onirique, une cathédrale immergée peuplée de ce qui ressemblait au butin volé dans cent musées et palais. Les contours d'une écurie de voitures de luxe recouvertes de toiles semi-transparentes se profilaient au milieu d'une batterie de sculptures et de tableaux. À côté d'une grande pendule, on distinguait une cage où un perroquet au plumage magnifique l'observait d'un air sévère, interrogeant sa condition de clandestin. Un peu plus loin, il aperçut une réplique du *David* de Michel-Ange qu'un plaisantin avait couronné d'un tricorne de la garde civile. Derrière, une armée spectrale de mannequins revêtus de vêtements d'époque paraissaient figés dans une perpétuelle valse viennoise. Sur un côté, appuyée contre l'armature d'un luxueux carrosse funéraire aux parois de verre, sarcophage inclus, se trouvait une pile de vieilles affiches publicitaires encadrées. L'une d'elles annonçait une corrida dans l'enceinte de Las Arenas avant-guerre. Le nom d'un certain Fermín Romero de Torres figurait sur la liste des toréadors à cheval. Ses yeux caressèrent les lettres et le passager clandestin, connu jusqu'alors sous un autre nom qu'il devrait bientôt abandonner dans les cendres de cette guerre, forma silencieusement les mots entre ses lèvres.

Fermín
Romero de Torres

Un joli nom, se dit-il. Musical. Opératique. À la hauteur d'une existence épique et licencieuse d'éternel passager clandestin de la vie. Fermín Romero de Torres, ou le petit homme maigre au nez énorme qui adopterait prochainement ce patronyme, avait passé les deux jours précédents caché dans les entrailles de ce navire marchand parti de Valence deux nuits plus tôt. Il avait pu se glisser à bord par miracle, tapi dans un grand coffre rempli de vieux fusils, camouflé au milieu de marchandises de toute sorte. Une partie des armes étaient enveloppées dans des sacs noués afin de les protéger de l'humidité, les autres voyageaient nues, empilées les uns sur les autres, lui paraissant plus enclines à exploser à la figure du premier malheureux milicien venu, ou de lui-même s'il s'appuyait où il ne devait pas, qu'à abattre l'ennemi.

Pour se dérouiller les jambes et combattre l'engourdissement causé par le froid et l'humidité suintant des parois de la coque, Fermín s'aventurait toutes les demi-heures dans l'enchevêtrement de conteneurs et de caisses d'approvisionnement à la recherche de quelque chose de comestible ou, à défaut, de quoi tuer le temps. Lors d'une de ses allées et venues, il s'était lié d'amitié avec un raton, vétéran de ce genre de situations, qui, passé la période de méfiance initiale, s'approchait maintenant de lui, timidement, et partagea, dans la chaleur de son giron, des morceaux de fromage aigre que Fermín avait trouvés dans une des caisses de nourriture. Le fromage, ou quoi que fut cette substance caoutchouteuse et graisseuse, avait un goût de savon, et le discernement gastronomique de Fermín ne lui permettait pas de conclure qu'une vache ou un ruminant quelconque avait mis la moindre main ou sabot à la pâte pour le confectionner. Mais c'est le propre des sages de reconnaître qu'en matière de goût rien n'est écrit, et que si c'était toutefois le cas, la misère de ces temps altérait hardiment la phraséologie. Pour cette raison, les deux se régalèrent du festin avec l'enthousiasme que procurent des mois de famine accumulée.

— Ami rongeur, un des avantages des conflits belliqueux est que, du jour au lendemain, la cochonnerie semble un régal des dieux, et même une crotte savamment agencée sur une brochette exhale le *bouquet** sensationnel d'une *boulangerie** parisienne. Cette diète quasi militaire de soupes à base d'eau sale et de mie de pain coupée de sciure tanne l'esprit et développe la sensibilité du palais au point qu'on s'aperçoit un jour que même le liège couvrant les murs peut avoir la saveur de la couenne d'un porc ibérique, quand la chance ne sourit pas.

Le raton écoutait patiemment Fermín tandis qu'ils conversaient tous les deux à propos des vivres soustraits de certaines caisses en bois par le passager clandestin. Il arrivait au rongeur rassasié de s'endormir à ses pieds. Fermín l'observait, devinant que s'ils s'entendaient bien, c'était parce qu'au fond ils se ressemblaient.

— Nous sommes identiques, compère, nous endurons avec philosophie le fléau du singe *erectus* et nous grappillons ce que nous pouvons pour survivre. Dieu veuille qu'un jour pas trop lointain les primates s'éteignent d'une mornifle et qu'ils s'en aillent bouffer les pissenlits par la racine avec les diplodocus, les mammouths et les dodos afin que vous, créatures travailleuses et pacifiques qui vous contentez de manger, de forniquer et de dormir, vous puissiez hériter la terre, ou tout au moins la partager avec le cafard et quelque autre coléoptère.

Si le raton était en désaccord, il ne le manifestait pas. Sa convivialité était amiable et sans prééminence. Une entente entre gentlemen, en somme. Durant la journée, ils entendaient l'écho des pas et des voix de l'équipage qui ricochaient dans la sentine. Les rares fois où un membre d'équipage s'aventurait dans la cale, généralement pour voler quelque chose, Fermín filait se cacher dans la caisse de fusils dont il était sorti et, bercé par la mer et l'odeur de poudre, il se laissait aller à faire un petit somme. Lors de son deuxième jour à bord, explorant le bazar des merveilles cachées dans la panse de ce Léviathan, Fermín – Jonas moderne spécialiste des saintes écritures à ses moments perdus – trouva une caisse remplie de bibles finement reliées. La trouvaille lui parut pour le moins audacieuse et pittoresque, mais à défaut d'autre nourriture littéraire, il emprunta un exemplaire et, à la lueur d'une bougie également prélevée sur le chargement, il lisait à haute voix pour lui et son compagnon de traversée des extraits choisis du Nouveau Testament, qui lui avait toujours semblé beaucoup plus divertissant et truculent que l'Ancien.

— Soyez attentif, maître, car voici que survient une parabole ineffable au symbolisme profond, assaisonnée d'incestes et de mutilations en quantité suffisante pour entraîner un changement de caleçon chez les frères Grimm.

Les heures et les jours d'asile en mer passèrent ainsi jusqu'au 17 mars 1938. Fermín ouvrit les yeux et s'aperçut que son ami le rongeur était parti. Peut-être était-ce la lecture, la veille au soir, de quelques passages de l'Apocalypse de saint Jean qui avait effrayé le raton, ou alors l'intuition que la traversée touchait à sa fin et qu'il convenait de se faire oublier. Engourdi par une nouvelle nuit dans ce froid qui perçait les os, Fermín tituba jusqu'au mirador que constituait un œil-de-bœuf laissant pénétrer la lueur d'une aube écarlate. La petite fenêtre ronde se trouvait à cinquante centimètres à peine de la ligne de flottaison et Fermín vit le soleil se lever sur une mer cramoisie. Il traversa la cale dans sa largeur en évitant les caisses de munitions et un tas de bicyclettes rouillées attachées par des cordes à la paroi d'en face, et il jeta un coup d'œil. Le faisceau vaporeux du phare du port balaya la coque du navire, projetant à intervalles réguliers une rafale d'aiguilles lumineuses à travers toutes les ouvertures de la cale. Au loin, la ville de Barcelone s'étendait dans un mirage de brume rampant entre les tours de guet, les coupoles et les tours. Fermín sourit intérieurement, oublieux un instant du froid et des meurtrissures sur son corps, fruits des escarmouches et des mésaventures survenues dans son dernier port de passage.

— Lucía... murmura-t-il, revoyant les traits de ce visage dont le souvenir l'avait maintenu en vie dans les pires situations.

Il extirpa de la poche intérieure de sa veste une enveloppe qui ne l'avait pas quitté depuis son départ de Valence et il soupira. Le mirage s'évanouit presque immédiatement. Le cargo était beaucoup plus près du port qu'il ne l'avait supposé. Tout passager clandestin qui se respecte sait que le plus difficile n'est pas de se glisser à bord, mais d'en sortir sain et sauf, de quitter l'embarcation sans être vu. S'il voulait conserver l'espoir de fouler la terre ferme et avec tous ses abatis en état de marche, il lui fallait commencer à préparer sa stratégie de fuite. Les pas et l'activité de l'équipage s'amplifiaient sur le pont quand il sentit que le navire commençait à virer et que les moteurs ralentissaient l'allure en passant l'embouchure du port. Il rangea la lettre et se hâta d'effacer les traces de sa présence, cachant les restes de bougies utilisées, les sacs qui lui avaient servi de literie, la Bible, objet de ses lectures contemplatives, et les miettes de succédané de fromage et de biscuits rances. Puis il referma du mieux possible les caisses qu'il s'était enhardi à ouvrir pour chercher des vivres, frappant les clous avec le talon râpé de ses bottes éculées. Observant leur état piteux, Fermín se dit que dès qu'il aurait gagné la terre ferme et accompli sa promesse son objectif suivant serait de se dégotter une paire de chaussures qui n'aient pas d'air d'avoir été chipées dans une morgue. Tout en s'agitant dans la cale, le passager clandestin pouvait voir, à travers les œils-de-bœuf, le navire pénétrer dans les eaux du port de Barcelone. Il colla une nouvelle fois son nez contre la vitre et il frissonna en apercevant la silhouette du château et de la prison militaire de Montjuïc au sommet de la colline, surplombant la ville comme un oiseau de proie.

— Si tu ne fais pas attention, tu finiras là-bas... se mit-il lui-même en garde.

Le sommet de la statue de Christophe Colomb se profilait au loin, pointant le doigt dans la mauvaise direction, comme toujours, confondant le continent américain avec l'archipel des Baléares. Derrière ce découvreur désorienté, débutaient les Ramblas, qui montaient vers le cœur de la vieille ville où l'attendait Lucía. Un instant, il l'imagina, parfumée, entre les draps. La culpabilité et la honte écartèrent cette image de ses pensées. Il avait trahi sa promesse.

— Misérable, se dit-il à lui-même.

Treize mois et sept semaines s'étaient écoulés depuis qu'il l'avait vue pour la dernière fois, treize mois qui lui pesaient comme treize années. La dernière image qu'il vola avant de regagner sa cachette était celle de la Vierge de la Mercé, la patronne de la ville, juchée sur la coupole de sa basilique face au port, perpétuellement prête à s'envoler par-dessus les toits de Barcelone. Fermín lui recommanda son âme et sa misérable carcasse, car même s'il n'avait plus mis les pieds dans une église depuis l'âge de neuf ans, quand il avait confondu la chapelle de son village natale avec la bibliothèque municipale, il jura à qui pouvait et voulait bien l'entendre que si la Vierge – ou un quelconque émissaire, doté de pouvoirs célestes – intercédait en sa faveur et l'aidait à arriver à bon port sans contretemps graves ni lésions nécessairement mortelles, il réorienterait sa vie vers la contemplation spirituelle, et il deviendrait un client assidu de l'industrie du missel. Sa promesse conclue, il se signa à deux reprises et il se dépêcha de se cacher de nouveau dans la caisse de fusils, étendu sur la couche d'armes comme un défunt dans un cercueil. Juste avant de refermer le couvercle, Fermín aperçut son compagnon le raton qui l'observait, grimpé sur une pile de coffres entassés jusqu'au plafond de la cale.

— *Bonne chance, mon ami**, murmura-t-il.

Une seconde plus tard, il plongea dans cette obscurité qui sentait la poudre, le métal froid des fusils contre sa peau et sa chance jetée tel un dé, sans retour.

2

Tout de suite après, Fermín entendit le bruit des moteurs qui s'éteignaient, le navire balançant à la cape dans les eaux paisibles du port. D'après ses calculs, il n'avait pas encore atteint le quai. Après deux ou trois escales au cours de la traversée, son ouïe avait appris à déchiffrer le protocole et la cacophonie qui accompagnaient la manœuvre d'accostage, du dédoublement des amarres et du martèlement des chaînes de l'ancre aux gémissements de l'armature sous la tension de la coque tirée contre le quai. Au-delà d'une agitation inhabituelle de pas et de voix sur le pont, il ne parvint à reconnaître aucun de ces signes. Pour une raison quelconque, le capitaine avait décidé d'arrêter le bateau avant l'heure et Fermín serra les dents et se signa encore une fois ; il avait appris dans les quasi deux années précédentes de guerre que l'inattendu avance souvent main dans la main avec le regrettable.

— Ma petite Vierge, je renonce à mon agnosticisme irréductible et aux mauvais conseils de la physique moderne – murmura-t-il confiné dans cette sorte de cercueil qu'il partageait avec des fusils de troisième main.

Sa supplique obtint sans tarder une réponse. Fermín entendit ce qui paraissait être un bateau plus petit approcher et frôler la coque du cargo. Puis des pas lourds – martiaux presque – s'écrasant sur le pont au milieu de l'agitation bruyante de l'équipage. Fermín avala sa salive. Ils avaient été abordés.

3

"Trente années en mer, et le pire arrive toujours quand on touche la terre ferme", pensa le capitaine Arraéz en regardant depuis la passerelle le groupe d'hommes qui venaient de grimper à bâbord par l'échelle de coupée. Ils brandissaient des fusils avec des gestes menaçants, poussaient les membres d'équipage sur le côté et ouvraient la voie à celui qui devait être leur chef, supposa-t-il. Arráez était de ces hommes de mer au teint et aux cheveux brûlés par le soleil et le sel, au regard liquide paraissant toujours voilé de larmes. Quand il était jeune, il avait cru qu'on embarquait par goût de l'aventure, mais le temps lui avait appris que cette dernière vous attendait toujours dans un port, et avec une idée derrière la tête. En mer, il n'avait peur de rien. Sur la terre ferme, en revanche, et plus encore ces jours-ci, la nausée le submergeait.

— Bermejo, prenez la radio et prévenez le port qu'on nous a arrêtés momentanément, nous arriverons en retard.

Bermejo, son second, pâlit et manifesta un début de ce tremblement qu'il avait développé au cours de ces derniers mois de bombardements et de grabuge. Ancien maître d'équipage sur des bateaux de croisières fluviales sur le Guadalquivir, le pauvre Bermejo n'avait pas l'estomac pour ce travail.

— Je leur dis que nous avons été arrêtés par qui, mon capitaine ?

Arráez posa le regard sur la silhouette qui venait de fouler son pont. Revêtu d'une gabardine noire et muni de gants et d'un chapeau mou, l'homme était apparemment le seul à ne pas porter d'arme. Il le regarda traverser le pont d'un pas lent. L'expression de son visage dénotait un flegme et un détachement parfaitement calculés. Ses yeux cachés derrière des verres foncés glissaient sur les visages des membres d'équipage et ses traits ne trahissaient pas la moindre expression. Il s'arrêta enfin au milieu du pont et il leva la tête vers la passerelle, se découvrant et saluant d'un mouvement de chapeau, un sourire reptilien sur les lèvres.

— Fumero, murmura le capitaine.

Bermejo, qui paraissait avoir rétréci de dix centimètres depuis que ce personnage serpentait le long du pont, le regarda, blanc comme un linge.

— Qui ? parvint-il à articuler.

— La police politique. Descendez et dites aux hommes de ne pas faire les imbéciles. Ensuite prévenez le port par radio, comme je vous l'ai dit.

Il acquiesça, sans bouger d'un pouce. Arráez le fixa du regard.

— Bermejo, descendez. Et essayez de ne pas vous pisser dessus, pour l'amour du ciel.

— Oui, mon capitaine.

Le capitaine resta seul quelques instants sur la passerelle. La journée était claire, avec un ciel cristallin et des touches de nuages en fuite qui auraient fait le ravissement d'un aquarelliste. Il songea une seconde à prendre le révolver qu'il gardait sous clef dans l'armoire de sa cabine, mais la naïveté de cette idée lui arracha un sourire amer. Il prit une inspiration profonde, ajusta les boutons de sa veste élimée, quitta la passerelle et descendit sur le pont où l'attendait sa vieille connaissance en caressant une cigarette du bout des doigts.

4

— Capitaine Arráez, bienvenue à Barcelone.

— Merci lieutenant.

Fumero sourit.

— Commandant, à présent.

Arráez fit un geste affirmatif, soutenant le regard caché derrière les verres fumés qui empêchaient de deviner sur qui ou sur quoi se posaient les yeux acérés de Fumero.

— Félicitations.

Fumero lui tendit une de ses cigarettes.

— Non merci.

— C'est de la marchandise de qualité, invita Fumero. Du tabac blond, américain.

Le capitaine accepta la cigarette qu'il rangea dans sa poche.

— Désirez-vous examiner les papiers et les permis, mon commandant ? Tout est à jour, avec les autorisations et les tampons du gouvernement de la Généralité…

Fumero haussa les épaules en exhalant d'un air las une bouffée de fumée, observant la braise de sa cigarette avec un léger sourire.

— Je suis sûr que tous vos papiers sont en règle. Dites-moi plutôt : quel chargement transportez-vous à bord ?

— De l'approvisionnement. Des médicaments, des armes et des munitions. Et plusieurs lots de biens confisqués pour être mis aux enchères. Je tiens à votre disposition l'inventaire avec le tampon gouvernemental de la délégation à Valence.

— Je n'en attendais pas moins de vous, capitaine. Mais cela concerne les autorités portuaires et les douanes. Je ne suis qu'un simple serviteur du peuple.

Arráez approuva tranquillement sans perdre de vue qu'il ne devait pas quitter du regard ces deux verres noirs et impénétrables.

— Si le commandant daigne me dire ce qu'il cherche, je me ferai un plaisir…

Fumero lui fit signe de l'accompagner et ils déambulèrent tous deux sur le pont sous le regard des membres d'équipage qui les observaient, dans l'expectative. L'homme s'arrêta enfin, et après avoir tiré une dernière bouffée, il lança sa cigarette par-dessus bord. Il s'appuya contre le bastingage et il contempla Barcelone comme s'il ne l'avait jamais vue.

— Vous sentez, capitaine ?

Arráez attendit un moment avant de répondre.

— Je ne sais pas très bien à quoi vous vous référez, commandant.

Fumero lui tapota le bras affectueusement.

— Inspirez longuement. Tranquillement. Vous allez voir, vous sentirez.

Le capitaine échangea un regard avec Bermejo. Les membres d'équipage se regardaient entre eux, déconcertés. Fumero se retourna, les invitant du geste à prendre une grande inspiration.

— Non ? Personne ?

Arráez tenta de s'arracher un sourire qui ne parvint pas jusqu'à ses lèvres.

— Eh bien moi, je le sens, dit Fumero. Ne me dites pas que vous n'aviez rien remarqué.

Arráez fit un vague signe d'acquiescement.

— Bien sûr que si, le pressa Fumero. Bien sûr que vous le sentez. Comme moi et comme tous ceux qui sont ici. Ça sent le rat. Le rat puant que vous cachez à bord.

Arráez fronça les sourcils, perplexe.

— Je peux vous assurer…

L'homme leva la main pour le faire taire.

— Quand un rat se glisse chez soi, il n'y a pas moyen de s'en débarrasser. On lui donne du poison, il le mange. On met des pièges, il chie dessus. Le rat est ce qu'il y a de plus difficile à éliminer. Parce qu'il est lâche. Parce qu'il se cache. Parce qu'il se croit plus intelligent que nous.

Il prit quelques secondes pour savourer ses paroles.

— Savez-vous quel est le seul moyen d'en finir avec un rat, capitaine ? Comment on se débarrasse de lui une fois pour toutes ?

Arráez fit non de la tête.

— Je l'ignore, commandant.

Fumero sourit en montrant ses dents.

— Bien sûr. Parce que vous êtes un homme de mer et que vous n'avez pas besoin de le savoir. Ça, c'est mon travail. C'est la raison pour laquelle la révolution m'a mis au monde. Observez, capitaine. Observez et prenez-en de la graine.

Avant qu'Arráez n'ait pu ajouter quoi que ce soit, Fumero s'éloigna en direction de la poupe du navire, suivi de ses hommes. Le capitaine constata qu'il s'était trompé. Le commandant était armé. Il brandissait un révolver luisant dans sa main, une pièce de collection. Il traversa le pont en bousculant sans égard tous les membres d'équipage qui se trouvaient sur son chemin, et il ignora l'entrée qui conduisait aux cabines. Il savait où il allait. Sur un geste de lui, ses hommes encerclèrent la trappe qui fermait la cale et attendirent l'ordre. Fumero se pencha sur la plaque de métal et cogna doucement, comme s'il frappait à la porte d'un vieil ami.

— Surprise ! entonna-t-il.

Quand ses hommes arrachèrent pratiquement la trappe, exposant les entrailles du cargo à la lumière, Arráez repartit se cacher sur la passerelle. Il en avait assez vu et appris au cours de ces deux années de guerre. La dernière chose qu'il vit fut la façon dont Fumero se léchait les babines à la manière d'un chat juste avant de s'engouffrer, révolver à la main, dans les profondeurs du cargo.

5

Après des jours passés dans la cale, enfermé, à respirer le même air vicié, Fermín sentit le parfum d'une brise fraîche qui entrait par la trappe et se glissait par les fentes de la caisse d'armes où il s'était réfugié. Il pencha la tête légèrement de côté et il parvint à voir par la petite ouverture entre le couvercle et le bord un éventail de faisceaux lumineux poussiéreux qui balayait l'espace. Des lampes torches.

La lumière blanche et vaporeuse caressait lentement les contours du chargement et révélait des transparences sur les toiles qui recouvraient les automobiles et les œuvres d'art. Le bruit des pas et l'écho métallique qui ricochaient dans la sentine se rapprochèrent lentement. Fermín serra les mâchoires et refit mentalement tout le trajet qu'il avait suivi pour revenir à sa cachette, se remémorant toutes les étapes. Les ballots, les bougies, les restes de nourriture ou les traces de pas qu'il avait pu laisser au long des passages pratiqués dans le chargement. Il pensait n'avoir rien négligé. Ils ne le trouveraient jamais ici, se dit-il. Jamais.

Puis il entendit la voix aigrelette et familière prononcer son nom comme s'il susurrait une mélodie, et ses genoux se transformèrent en gelée.

Fumero.

La voix et les pas étaient très proches. Fermín ferma les yeux comme un enfant terrorisé par un bruit étrange dans l'obscurité de sa chambre qui ne croyait pas que cela le protégeait, non, mais qui n'osait pas reconnaître la silhouette au-dessus de son lit qui se penchait sur lui. À l'instant, Fermín perçut les pas à quelques centimètres à peine, qui allaient et venaient très posément. Les doigts gantés caressèrent le couvercle de la caisse, tel un serpent glissant sur la surface. Fumero sifflait une mélodie. Fermín retint sa respiration et garda les yeux fermés. Des gouttes de sueur tombaient de son front et il dut serrer les poings pour empêcher ses mains de trembler. Il n'osa pas bouger un seul muscle, craignant que le frôlement de son corps contre les sacs qui contenaient certains des fusils ne provoquât le moindre bruit.

Il s'était peut-être trompé. Peut-être qu'ils le trouveraient, qu'il n'existait aucun endroit au monde où se cacher et vivre un jour de plus, et que c'était une journée aussi bonne que n'importe quelle autre pour jeter l'éponge, en définitive. Cela étant, rien ne l'empêchait d'ouvrir cette caisse à coups de pied et d'affronter la situation en brandissant un des fusils sur lesquels il était couché. Mieux valait mourir criblé de balles en deux secondes qu'entre les mains de Fumero et de ses joujoux, après être resté deux semaines suspendu au plafond dans un cul-de-basse-fosse du château de Montjuïc.

Il palpa les contours d'une arme à la recherche de la gâchette et il l'empoigna avec force. Jusqu'alors, il ne lui était pas venu à l'esprit qu'elle n'était probablement pas chargée. Peu importe, se dit-il. Avec son adresse habituelle, il était presque certain de réduire en miettes son propre pied ou de ficher une balle dans l'œil de la statue de Colomb. Il sourit à cette idée et serra le fusil à deux mains contre sa poitrine, cherchant le chien. Il n'avait jamais tiré avec une arme, mais il se dit que la chance souriait toujours aux innocents et que l'acharnement valait au minimum un vote de confiance. Il tira le chien vers l'arrière et il s'apprêta à faire voler en éclat la tête de M. Francisco Javier Fumero, direction le paradis ou l'enfer.

Les pas s'éloignèrent peu après, emportant avec eux son moment de gloire putatif, lui rappelant que les grands amants, en exercice ou par vocation, ne naissent pas pour finir en héros de la dernière heure. Il s'autorisa à respirer à fond et il porta les mains à sa poitrine. Ses vêtements collaient à son corps comme une seconde peau. Fumero et ses sbires s'éloignaient. Fermín imagina leurs silhouettes qui se perdaient dans les profondeurs obscures de la cale et il sourit de soulagement. Il n'avait peut-être pas été balancé. Ce ne devait être qu'un contrôle de routine, sans plus.

Il en était là de ses réflexions quand les pas s'arrêtèrent. Il se fit un silence sépulcral, et pendant quelques secondes Fermín n'entendit plus que les battements de son cœur. Puis lui parvint, dans un soupir presque imperceptible, le minuscule picotement d'une toute petite chose légère déambulant sur le couvercle en bois, à quelques centimètres à peine de son visage. Il reconnut l'odeur ténue, à la fois douce et aigre. Son compagnon de traversée, le raton, flairait entre les fentes des planches, ayant probablement détecté l'odeur de son ami. Fermín s'apprêtait à l'éloigner par des psitt-psitt quand une détonation assourdissante envahit la cale.

La balle de gros calibre pulvérisa le rongeur sur-le-champ et troua proprement le couvercle de la caisse, à cinq centimètres du visage de Fermín. Une goutte de sang filtra entre les fissures du bois et lui éclaboussa les lèvres. Fermín ressentit alors un chatouillement sur la jambe droite. En baissant les yeux, il constata que la balle avait failli le toucher, dans sa trajectoire, brûlant la toile de son pantalon avant d'ouvrir un orifice de sortie dans le bois. Un rai de lumière vaporeuse traversait l'obscurité de sa cachette suivant le trajet de la balle. Les pas revenaient. Ils s'arrêtèrent à côté de la caisse. Fumero s'agenouilla et Fermín distingua l'éclat de sa pupille par la petite ouverture entre le couvercle et le bord.

— Des amitiés de bas étage, comme toujours, hein ? Tu aurais dû entendre les cris de ton collègue Amancio quand il nous a raconté où on te trouverait. Une paire de fils électriques dans les couilles, et les héros chantent comme des pinsons.

Affrontant ce regard, et tout ce qu'il savait de lui, Fermín sentit que s'il n'avait pas extirpé de lui le peu de courage qui lui restait dans ce sarcophage rempli de fusils, il se serait pissé dessus de peur.

— Tu sens encore plus mauvais que ton compagnon le rat, susurra Fumero. Tu as besoin d'un bon bain, il me semble.

Fermín perçut les bruits de pas et le brouhaha des hommes de Fumero qui déplaçaient les caisses et jetaient au sol les objets entreposés dans la cale. Pendant tout ce temps, le commandant ne bougea pas d'un centimètre. Ses yeux, comme ceux d'un serpent à l'entrée d'un nid, scrutaient l'intérieur de la caisse, patiemment. Puis Fermín sentit un martellement brutal sur la caisse. Il crut d'abord qu'ils voulaient la détruire. Puis il vit la pointe des clous qui s'enfonçaient dans le bord du couvercle, et il comprit qu'ils étaient au contraire en train de la sceller. En quelques secondes, les quelques millimètres d'ouverture qui restaient entre les bords et le couvercle disparurent. Ils l'avaient enterré dans sa propre cachette.

Il sentit que la caisse commençait à bouger sous les coups, et que plusieurs membres de l'équipage obéissant aux ordres de Fumero descendaient dans la cale. Il imagina aisément la suite. Il perçut le mouvement de la douzaine d'hommes qui soulevaient la caisse à l'aide de leviers, le bruit des courroies de cuir qui glissaient sur la caisse puis celui des chaînes. Enfin, la secousse soudaine de la grue qui le tirait vers le haut.

6

Arráez et son équipage contemplèrent le grand coffre rempli de fusils suspendu à six mètres au-dessus du pont qui se balançait au gré de la brise. Fumero surgit de la cale, rajustant ses lunettes aux verres teintés, un sourire satisfait aux lèvres. Il leva les yeux sur la passerelle et singea le salut militaire, l'air moqueur.

— Avec votre permission, capitaine, nous allons procéder à l'extermination du rat que vous abritiez à bord, de la seule manière réellement efficace.

Puis il indiqua au grutier de faire descendre le coffre de quelques mètres jusqu'à ce qu'il atteignît son visage.

— Une dernière volonté ? Quelques mots de contrition ?

Les membres d'équipage observaient la caisse, dans le plus profond mutisme. La seule chose qui paraissait émerger de l'intérieur était un gémissement évoquant un petit animal terrorisé.

— Allez, ne pleure pas, il n'y a pas de quoi, dit Fumero. En plus, je ne te laisserai pas seul. Tu verras, un tas d'amis t'attendent avec impatience...

Le coffre remonta dans les airs et la grue commença à tourner vers la mer. Quand il se trouva à une dizaine de mètres au-dessus de l'eau, Fumero se retourna vers la passerelle où Arráez l'observait, l'œil vide, murmurant dans sa barbe. Il parvint à déchiffrer les mots "Fils de pute".

Il fit un signe de la tête et le coffre, avec ses deux cents kilos de fusils et sa cinquantaine d'autres de Fermín Romero de Torres, fut précipité dans les eaux sombres et glacées du port de Barcelone.

7

La chute dans le vide lui laissa à peine le temps de s'accrocher aux parois de la caisse. En heurtant la surface de la mer, le tas de fusils se souleva et vint frapper violemment la partie supérieure. Pendant quelques secondes, le coffre flotta et se balança comme une balise. Fermín lutta pour se dégager de la douzaine de rifles sous lesquels il était enseveli. Une intense odeur de sel et de gazole envahit ses narines et il entendit le bouillonnement de l'eau qui pénétrait par l'orifice que la balle de Fumero avait fait. Une seconde suffit pour qu'il sentît le contact froid du liquide qui pénétrait par le sommet du coffre. La panique s'empara de lui. Il tenta de se recroqueviller pour atteindre le fond de la caisse. Ce faisant, il déplaça le poids des fusils sur un des côtés et le coffre gîta. Il se retrouva à plat ventre sur les armes, et dans le noir absolu, il palpa sous ses mains et il les écarta pour accéder au trou par lequel l'eau entrait. Mais dès qu'il réussissait à déplacer une douzaine d'armes derrière lui, elles lui retombaient dessus, le repoussaient vers le fond du caisson qui continuait d'obliquer. L'eau lui arrivait aux pieds à présent, et elle courait entre ses doigts. Elle atteignait déjà ses chevilles quand il trouva enfin le trou de la balle qu'il boucha comme il put de ses deux mains. Il entendit alors les tirs depuis le pont du cargo et les impacts sur le bois. Trois nouveaux orifices s'ouvrirent derrière lui et une clarté verdâtre filtra à l'intérieur, grâce à laquelle il aperçut l'eau qui jaillissait et lui arrivait à la taille. Il hurla de peur et de rage et il chercha à atteindre l'un des trous d'une main, mais une secousse brutale le repoussa en arrière. Le bruit qui inonda l'intérieur du coffre le transit. On aurait dit qu'une bête était en train de l'engloutir. L'eau grimpa jusqu'à sa poitrine et le froid lui coupa la respiration. L'obscurité se fit à nouveau et Fermín comprit que le coffre sombrait irrémédiablement. Sa main droite céda à la pression et l'eau glacée balaya ses larmes dans l'obscurité. Il tenta d'attraper une ultime bouffée d'air.

Le courant aspira la carcasse de bois et la tira sans relâche vers le fond. Dans la partie supérieure, il restait un espace rempli d'air de la hauteur de la main à peine, et Fermín lutta pour se hisser jusqu'à lui et arracher un soupçon d'oxygène. La caisse heurta le fond du port, elle se coucha sur un côté et s'échoua dans la vase. Fermín frappa le couvercle de ses poings et de ses pieds. Le bois solidement clouté ne céda pas d'un pouce. Les derniers centimètres cubes d'air qui lui restaient s'échappèrent entre les fentes des planches. Le noir, complet et froid, l'invitait à s'abandonner, mais ses poumons le brûlaient et il eut l'impression que sa tête allait exploser sous la pression et le manque d'air. Assujetti par la panique aveugle de la certitude qu'il ne lui restait que quelques secondes à vivre, il attrapa un fusil et se mit à frapper le bord du coffre avec la crosse. Au quatrième coup, l'arme lui glissa des mains. Il tâtonna dans le noir et ses doigts frôlèrent un des sacs. Il contenait un fusil qui flottait grâce à la bulle d'air enfermée à l'intérieur. Il l'attrapa à deux mains et recommença à frapper avec le peu de force qui lui restait, implorant un miracle qui ne se produisait pas.

La balle émit une vibration sourde en explosant à l'intérieur du sac. Le tir, presque à bout portant, perfora le bois, ouvrant un cercle de la taille d'une main. Une clarté soudaine pénétra à l'intérieur. Les mains de Fermín réagirent avant son cerveau. Il pointa le fusil vers le trou et appuya plusieurs fois sur la gâchette. L'eau remplissait déjà le sac et aucune des balles n'explosa. Il attrapa une autre arme et pressa sur la détente à travers le tissu. Les deux premiers coups furent sans effet mais au troisième il ressentit la secousse dans ses bras et vit l'ouverture dans le bois qui s'agrandissait. Il vida le chargeur jusqu'à ce que l'orifice fût assez grand pour que son corps maigre et en piteux état pût s'y glisser. Les bords du bois fendillés lui griffèrent la peau, mais la promesse de cette clarté spectrale et de la surface de lumière qu'il devinait lui aurait permis de traverser un champ semé de couteaux.

L'eau trouble du port lui brûlait les yeux, mais Fermín les garda grands ouverts. Une forêt sous-marine d'ombres et de lueurs ondoyait dans l'opacité verdâtre. Un enchevêtrement de déchets, squelettes de canots coulés et boues séculaires, s'ouvrait sous ses pieds. Il leva les yeux vers les colonnes de lumière qui tombaient d'en haut. La coque du navire marchand se découpait à la surface, telle une grande ombre. Il estima que dans cette partie du port il y avait au moins une quinzaine de mètres de profondeur, peut-être plus. S'il parvenait à remonter à la surface de l'autre côté de la coque, personne ne s'apercevrait de sa présence, peut-être, et il pourrait survivre. Il prit une impulsion en appuyant ses pieds contre la carcasse du coffre et se mit à nager. Seulement alors, tandis qu'il remontait lentement vers la surface, ses yeux captèrent la vision fugace de l'image spectrale qui se cachait sous les eaux. Ce qu'il avait d'abord pris pour des algues et des filets de pêche abandonnés étaient des corps qui se balançaient dans la pénombre. Un cimetière sous-marin de dizaines de cadavres menottés, les pieds attachés et enchaînés à des pierres ou à des blocs de ciment. Les anguilles qui glissaient entre leurs membres avaient nettoyé les visages de la chair et leurs cheveux ondoyaient dans le courant. Fermín distingua des silhouettes d'hommes, de femmes et d'enfants. À leurs pieds, gisaient des valises et des baluchons à demi enterrés dans la vase. Certains des cadavres étaient dans un tel état de décomposition qu'il ne restait que les os dépassant des lambeaux de vêtements, et encore. Les corps formaient une galerie infinie qui se perdait dans l'obscurité. Fermín ferma les yeux et une seconde plus tard il émergea à la vie pour vérifier que le simple fait de respirer était la plus merveilleuse expérience de toute son existence.

8

Durant quelques instants, il resta collé à la coque du cargo comme une bernique sur son rocher, le temps de reprendre son souffle. Une grande balise de signalisation flottait à une vingtaine de mètres de lui. On aurait dit une sorte de petit phare, un cylindre couronné d'une lanterne lumineuse appuyée sur une base circulaire abritant une petite cabine. La balise, peinte en blanc avec des bandes rouges, ondulait lentement au gré de l'eau, tel un îlot métallique à la dérive. Fermín se dit que s'il réussissait à l'atteindre, il pourrait se cacher à l'intérieur et attendre le moment propice pour s'aventurer jusqu'à la terre ferme sans être vu. Personne ne paraissait s'être aperçu de sa présence, mais il ne voulut pas forcer la chance. Il aspira la plus grande bouffée d'air que ses pauvres poumons pouvaient engranger avant de s'immerger à nouveau, et il nagea en direction de la balise dans une brasse désordonnée. Il évita de regarder en dessous de lui et il préféra penser que son esprit avait été victime d'une hallucination, que ce macabre jardin de silhouettes ondoyant dans le courant à ses pieds n'était que des filets de pêche accrochés au milieu des rebuts. Il émergea à quelques mètres de la balise et il se dépêcha de l'atteindre pour se mettre à couvert derrière elle. Il observa le pont du cargo, songeant qu'il était à l'abri pour le moment, tout le monde à bord, Fumero compris, le croyant mort. Il était en train de grimper sur la plateforme quand il avisa une silhouette immobile sur le pont. Elle le regardait. Il soutint son regard un instant. Incapable de l'identifier, il supposa, à cause des habits, que c'était le capitaine du navire. Il courut se cacher à l'intérieur de la minuscule cabine et se laissa tomber, tremblant de froid, persuadé que dans un temps très bref, quelques secondes à peine, il les entendrait qui venaient le chercher. Il aurait mieux valu mourir noyé à l'intérieur du coffre. Fumero allait l'emmener dans une de ses cellules, et il prendrait tout son temps avec lui.

Il attendit durant un temps qui lui parut une éternité, mais alors qu'il croyait que son aventure touchait à sa fin, il entendit les moteurs du cargo et le son de la corne. Il approcha timidement de la petite fenêtre de la cabine et vit le bateau qui s'éloignait vers les quais. Épuisé, il s'abandonna à l'étreinte chaleureuse du soleil qui pénétrait par le fenestron. Après tout, la vierge des incroyants avait peut-être eu pitié de lui.

9

Fermín resta sur son petit îlot jusqu'à ce que le crépuscule eût terminé de teindre le ciel et que les fanaux du port eussent allumé une résille d'étincelles à la surface des eaux. Fouillant les quais du regard, il décida que la meilleure option était de nager pour atteindre la multitude de barques attachées les unes aux autres face à la halle aux poissons et de grimper sur la terre ferme grâce à un cordage d'amarrage ou par la poulie de chalut située à la poupe de certains bateaux à l'ancre.

Il aperçut alors une forme qui se découpait dans la brume du bassin. Un canot à rame approchait lentement avec deux hommes à bord. L'un ramait tandis que l'autre scrutait l'obscurité, tenant une lanterne qui colorait le brouillard en orangé. Fermín avala sa salive. Il aurait pu se jeter à l'eau et prier pour que le voile crépusculaire le dissimulât aux regards et lui permît de s'échapper une fois de plus, mais il avait épuisé son stock de prières et son corps ne renfermait plus une once de combativité. Il sortit de sa cachette, les mains en l'air, face au canot qui approchait.

— Baisse les mains, dit la voix qui portait la lanterne.

Fermín plissa les yeux. L'homme à l'avant était celui qu'il avait vu sur la passerelle des heures auparavant. Fermín le regarda droit dans les yeux et obéit. Il accepta la main qu'il lui tendit et sauta dans le canot. Le rameur lui offrit une couverture dans laquelle il s'enveloppa.

— Je suis le capitaine Arráez, et voici mon second, Bermejo.

Fermín essaya de balbutier quelques mots, mais l'homme l'arrêta.

— Ne nous dites pas votre nom. Ce ne sont pas nos affaires.

Le capitaine attrapa une bouteille thermos et lui versa un gobelet de vin chaud. Fermín le serra entre ses deux mains et il avala la boisson jusqu'à la dernière goutte. Arráez lui remplit trois fois de suite le gobelet, et Fermín sentit la chaleur se répandre à l'intérieur de son corps.

— Vous sentez-vous mieux ? demanda le capitaine.

Fermín fit oui de la tête.

— Je ne vous demanderai pas ce que vous faisiez sur mon bateau, ni la relation que vous entretenez avec cet animal nuisible de Fumero, mais vous feriez mieux d'être prudent.

— J'essaie, croyez-moi. C'est le destin, il ne m'aide pas.

Arráez lui tendit un sac. Fermín jeta un coup d'œil à l'intérieur et distingua quelques vêtements secs, six tailles au-dessus de la sienne à l'évidence, et un peu d'argent.

— Pourquoi faites-vous ça, capitaine ? Je ne suis qu'un passager clandestin qui vous a mis dans un sale pétrin…

— Parce que ça me chante, répliqua Arráez. – Bermejo manifesta son assentiment.

— Je ne sais pas comment vous payer le…

— Ne remontez pas clandestinement sur mon bateau, ça me suffira. Allez, changez de vêtements.

Le capitaine et son second le regardèrent enlever ses vieilles hardes trempées et l'aidèrent à enfiler sa nouvelle tenue de fête, un vieil uniforme de marin. Avant d'abandonner pour toujours sa vieille veste élimée, Fermín fouilla les poches et en ressortit la lettre qu'il avait conservée durant des semaines. L'eau de mer avait effacé l'encre et l'enveloppe n'était plus qu'un morceau de papier mouillé qui se défaisait entre ses doigts. Il ferma les yeux et se mit à pleurer. Arráez et Bermejo se regardèrent, effarés. Le capitaine posa la main sur l'épaule de Fermín.

— Ne nous mettez pas dans un état pareil, le pire est passé.

Fermín fit non de la tête.

— Ce n'est pas ça…

Il s'habilla lentement et il rangea ce qu'il restait de la lettre dans la poche de sa nouvelle veste. En voyant le regard consterné de ses deux bienfaiteurs, il essuya ses larmes et leur sourit.

— Pardonnez-moi.

— Vous n'avez que la peau sur les os, lâcha Bermejo.

— C'est à cause de ce pataquès belliqueux transitoire, s'excusa Fermín, en essayant d'adopter un ton animé et optimiste. Mais maintenant que la roue tourne pour moi, j'entrevois un avenir fait de mets abondants et de vie contemplative où je m'empiffrerai de lard en relisant la fine fleur des poètes du Siècle d'or. Avec un régime de boudin et de biscuits à la cannelle, je me remplumerai en deux jours et je ressemblerai à une bouée. Tel que vous me voyez, dès que l'occasion se présente, je prends du poids plus rapidement qu'une diva.

— Si vous le dites. Savez-vous où aller ? demanda Arráez.

Exhibant son nouvel habit de capitaine, et la panse remplie de vin, Fermín hocha la tête affirmativement, avec enthousiasme.

— Une femme vous attend, n'est-ce pas ? demanda le marin.

Fermín sourit d'un air triste.

— Elle attend. Mais pas moi, répondit-il.

Arráez opina du chef.

— Cette lettre est pour elle ?

Fermín acquiesça.

— Vous avez risqué votre vie et vous êtes revenu à Barcelone pour cela ? Pour lui remettre cette lettre ?

Fermín haussa les épaules.

— Elle le mérite. Et je l'avais promis à un très bon ami.

— Il est mort ?

Fermín baissa les yeux.

— Il y a parfois des nouvelles qu'il vaut mieux ne pas annoncer, avança Arráez.

— Une promesse est une promesse.

— Depuis combien de temps ne l'avez-vous pas vue ?

— Un peu plus d'un an.

Le capitaine le regarda longuement.

— Un an c'est long, par les temps qui courent. En ce moment, les gens oublient vite. C'est comme un virus, mais qui aide à survivre.

— Si je pouvais l'attraper… ça m'irait du tonnerre, dit Fermín.

La nuit tombait quand le canot le déposa au pied de l'échelle du quai des Arsenaux. Fermín s'évanouit dans les brumes du port au milieu des dockers et des marins qui se dirigeaient vers les rues du Raval, le Barrio Chino à cette époque. Il se confondit avec eux et il déduisit de leurs conversations à voix basse que, la veille, la ville avait subi une visite de l'aviation, un assaut parmi tant d'autres vu son âge. De nouveaux bombardements étaient attendus dans la nuit. Les voix et les regards de ces hommes suintaient la peur, mais Fermín, qui avait survécu à cette journée de chien, était convaincu que rien de ce qui se présenterait dans la nuit ne serait pire. La providence voulut qu'un marchand ambulant de friandises croisât son chemin. L'homme battait déjà en retraite, poussant son chariot, mais Fermín lui ordonna de s'arrêter, et il inspecta sa cargaison avec le plus grand intérêt.

— J'ai des pralines, comme celles d'avant-guerre, proposa le marchand. Monsieur les aime ?

— Mon royaume pour un Sugus, énonça Fermín.

— Eh bien, il m'en reste justement un paquet, à la fraise.

Fermín ouvrit des yeux grands comme des soucoupes et il saliva à la seule mention d'un pareil délice. Grâce aux fonds que lui avait donnés le capitaine Arráez, il put s'offrir tout le paquet de bonbons, qu'il ouvrit avec l'avidité d'un condamné.

Aux yeux de Fermín, la lumière vaporeuse des réverbères des Ramblas avait toujours figuré au rang des choses qui méritent de vivre ne fût-ce qu'un jour de plus. À l'égal du premier mâchonnement d'un Sugus. Or ce soir-là, en remontant la Rambla, il remarqua une brigade de veilleurs de nuit munis d'échelles. Ils allaient de réverbère en réverbère et éteignaient les lumières qui se reflétaient encore sur le pavé. Fermín s'approcha de l'un d'eux pour observer sa besogne. Redescendant de son échelle, le veilleur de nuit s'aperçut de sa présence, s'arrêta net et le regarda du coin de l'œil.

— Bonne nuit, chef, entonna Fermín aimablement. Vous offenseriez-vous si je vous demandais pour quelle raison vous plongez ainsi la ville dans le noir ?

Le veilleur se contenta de pointer le doigt vers le ciel et il partit, son échelle sous le bras, à la rencontre du réverbère suivant. Fermín resta un instant à contempler le spectacle étrange des Ramblas s'enfonçant progressivement dans l'obscurité. Autour de lui, les cafés et les commerces baissaient déjà leurs rideaux de fer et les façades prenaient doucement une faible lueur de lune. Il reprit son chemin avec une certaine appréhension, et il aperçut bientôt ce qui ressemblait à une procession nocturne. Un groupe fourni de gens munis de baluchons et de couvertures se dirigeait vers la bouche du métro. Certains portaient des bougies et des chandelles allumées, d'autres marchaient dans le noir. En passant devant les escaliers du métro, Fermín posa les yeux sur un enfant de cinq ans tout au plus, accroché à la main de sa mère, ou de sa grand-mère, car dans cette maigre lueur toutes ces âmes paraissaient prématurément vieillies. Il voulut lui faire un clin d'œil, mais l'enfant gardait les yeux rivés sur le ciel. Il contemplait la toile d'araignée de nuages noirs qui s'étendait à l'horizon comme s'il allait réussir à déchiffrer le message caché. Fermín suivit son regard et il sentit le contact d'un vent froid chargé d'une odeur de soufre et de bois brûlé qui commençait à balayer la ville. Juste avant que sa mère ne le traînât dans l'escalier qui descendait vers les couloirs du métro, le garçon lança à Fermín un regard qui lui glaça le sang. Ces yeux de cinq ans reflétaient la terreur aveugle et le désespoir d'un vieillard. Fermín détourna la tête et repartit. Il croisa un garde municipal chargé de surveiller la bouche de métro. L'homme pointa son doigt vers lui.

— Si vous partez maintenant, vous ne trouverez plus de place ensuite. Les abris sont tous pleins.

Fermín hocha la tête mais il accéléra le pas et il s'enfonça dans une Barcelone qui lui parut fantasmatique, une sombreur perpétuelle dont on devinait à peine les contours à la lueur vacillante des lampes à huile et des bougies sur les balcons et à l'entrée des maisons. Sur la Rambla de Santa Mónica, il aperçut la voûte d'un portail sombre et étroit. Il soupira, affligé, et il partit à la rencontre de Lucía.

Il s'engagea à pas lents dans l'escalier étroit, sentant sa détermination et son courage se dissiper à chaque marche. Il lui fallait annoncer à Lucía que l'homme qu'elle aimait, le père de sa fille, le visage qu'elle espérait revoir depuis plus d'une année, était mort dans un cachot d'une prison de Séville. Quand il arriva sur le palier du troisième étage, il s'arrêta en face de la porte, sans oser frapper. Il s'assit sur les marches et enfouit la tête entre les mains. Il se rappelait les paroles exactes qu'il avait prononcées ici même, treize mois plus tôt, quand Lucía lui avait pris les mains et dit, en le regardant droit dans les yeux, "si tu m'aimes, fais en sorte qu'il ne lui arrive rien et ramène-le moi". Il sortit de sa poche l'enveloppe abîmée et il en contempla les restes dans la pénombre. Puis il froissa le papier entre ses doigts et le lança dans les ténèbres. Il se leva et il commença à redescendre quand il entendit la porte de l'appartement s'ouvrir derrière lui. Il s'arrêta.

Une fillette de sept ou huit ans l'observait sur le seuil de la porte. Elle tenait un livre, un doigt glissé entre les pages en guise de marque-page. Fermín lui sourit et leva la main comme une esquisse de salut.

— Bonjour Alicia, dit-il. Tu te souviens de moi ?

La petite le regarda avec une pointe de méfiance, hésitante.

— Qu'est-ce que tu lis ?

— *Alice au pays des merveilles.*

— Sans blague ! Montre-moi.

La fillette leva le livre dans sa direction, mais en le gardant précieusement contre elle.

— C'est un de mes préférés, lâcha-t-elle sans se départir de sa méfiance.

— Moi aussi, répondit Fermín. Dès qu'il est question de tomber dans un trou et de se retrouver nez à nez avec des toqués et des problèmes mathématiques, je le prends pour moi, à titre autobiographique.

La petite se mordit les lèvres pour contrôler le rire qui la gagnait en écoutant les propos de ce visiteur singulier.

— Oui, mais celui-là, il a été écrit pour moi, risqua-t-elle d'un air fripon.

— Bien sûr que oui. Ta mère est à la maison ?

Elle ne répondit pas, mais elle entrouvrit un peu plus la porte. Fermín avança d'un pas. La fillette se retourna et s'éloigna à l'intérieur de l'appartement sans dire un mot. Fermín resta sur le seuil. La maison était plongée dans l'obscurité et on apercevait à peine le clignotement de ce qui paraissait être une lampe à huile au fond d'un étroit corridor.

— Lucía ? appela Fermín.

Sa voix se perdit dans le noir. Il frappa à la porte et attendit.

— Lucía, c'est moi… répéta-t-il.

Il attendit quelques secondes, et n'obtenant pas de réponse, il entra dans l'appartement. Il avança lentement dans le couloir. De part et d'autre, les portes étaient toutes fermées. Au fond, il trouva un salon qui servait aussi de salle à manger. La lampe posée sur la table projetait un faible halo jaune qui caressait les ombres. Il distingua la silhouette d'une vieille femme de dos, assise sur une chaise face à la fenêtre. Il s'immobilisa et la reconnut.

— Madame Leonor…

La femme qu'il avait prise pour une vieillarde ne devait pas avoir plus de quarante-cinq ans. Elle avait le visage plein d'amertume et les yeux vides, fatigués de haïr et de pleurer dans la solitude. Elle le regardait sans rien dire. Fermín prit une chaise et s'assit à côté d'elle. Il lui prit la main et lui sourit faiblement.

— Elle aurait dû se marier avec toi, dit-elle. Tu es laid, mais tu as quelque chose dans le crâne, au moins.

— Où est Lucía, madame Leonor ?

La femme détourna le regard.

— Ils l'ont emmenée, il y a huit mois.

— Où ça ?

Leonor ne répondit pas.

— C'était qui ?

— Cet homme…

— Fumero ?

— Ils n'en avaient pas après Ernesto. C'est elle qu'ils voulaient.

Fermín l'enlaça, mais elle demeura immobile.

— Je vais la retrouver, madame Leonor. Je la trouverai et je la ramènerai à la maison.

Elle hocha la tête négativement.

— Il est mort, n'est-ce pas ? Mon fils.

Fermín garda le silence.

— Je l'ignore, madame Leonor.

Elle le regarda, les yeux pleins de colère, et elle le gifla.

— Va-t'en.

— Madame Leonor...

— Va-t'en, gémit-elle.

Fermín se leva et recula de quelques pas. La petite Alicia l'observait depuis le couloir. Il lui sourit et elle s'approcha lentement de lui. Elle lui prit la main et la serra avec force. Il s'agenouilla devant elle. Il allait lui dire qu'il était un ami de sa mère, ou lui raconter n'importe quelle autre histoire destinée à effacer de son visage l'expression d'abandon qui brouillait son regard, mais à ce moment précis, tandis que Leonor étouffait ses larmes entre ses mains, il entendit un bruit lointain venu du ciel. Il releva la tête vers la fenêtre et constata que la vitre commençait à vibrer.

12

Il s'approcha de la fenêtre et écarta le rideau. Il leva les yeux vers l'interstice de ciel coincé entre les corniches qui obturaient la petite rue étroite. Le bruit devenait plus intense et plus proche. Il pensa d'abord que c'était un orage venant de la mer, et il imagina les nuages noirs rampant sur les quais, arrachant les voiles et les mâts sur son passage. Mais il n'avait jamais entendu un orage tonner dans un tel raffut de métal et de feu. Le brouillard se morcela en lambeaux et, dans une trouée soudaine, il les vit qui émergeaient de la nuit comme de grands insectes d'acier volant en formation. Il déglutit et se retourna vers Leonor et Alicia. La petite tremblait, le livre toujours dans les mains.

— Je crois qu'il vaudrait mieux sortir d'ici, murmura Fermín.

Leonor fit non de la tête.

— Ils ne font que passer, dit-elle dans un filet de voix. Comme hier.

Fermín scruta à nouveau le ciel et distingua un groupe de six ou sept avions qui se séparaient de la formation. Il ouvrit la fenêtre et sortit la tête. Il eut l'impression que le vacarme des moteurs se dirigeait vers le haut des Ramblas. Un sifflement aigu se fit entendre ; on aurait dit une perceuse perforant le ciel. Alicia se couvrit les oreilles avec les mains et courut se cacher sous la table. Sa grand-mère tendit les bras pour la retenir, mais quelque chose l'arrêta. Quelques secondes avant que l'obus n'atteignît l'immeuble, le sifflement devint si intense qu'il parut provenir des murs eux-mêmes. Fermín crut qu'il allait lui perforer les tympans, mais à ce moment précis un grand silence se fit. Un impact soudain secoua tout l'édifice, comme si un train s'écrasait en tombant des nuages et traversait le toit et chacun des appartements aussi facilement que du papier à cigarette. Les lèvres de Leonor prononcèrent des mots qu'il ne put entendre. En une fraction de seconde à peine, abasourdi par une muraille de vacarme solidifié qui figea le temps, il vit le mur derrière elle qui s'écroulait dans un grand nuage blanc et une langue de feu encercla la chaise qu'elle occupait, et l'engloutit. Le souffle de l'explosion souleva la moitié des meubles qui restèrent en suspension avant de prendre feu. Une bouffée d'air brûlant comme de l'essence enflammée frappa Fermín qui fut projeté contre la fenêtre avec une telle force qu'il traversa la vitre et tomba contre les barreaux métalliques du balcon. La veste que lui avait donnée Arráez fumait et lui brûlait la peau. Quand il voulut se relever pour l'enlever, il sentit le sol qui tremblait sous ses pieds. L'instant d'après, la structure centrale de l'édifice s'effondra sous ses yeux dans une cataracte de décombres et de braises.

Fermín se releva et arracha sa veste fumante. Il se pencha vers l'intérieur de la pièce. Un linceul de fumée noirâtre et acide léchait les murs toujours debout. L'explosion avait pulvérisé le cœur de l'immeuble ne laissant que la façade et une première rangée de pièces entourant un cratère sur un bord duquel montait ce qui restait de l'escalier. Au-delà du palier par lequel il était arrivé, il n'y avait plus rien.

— Fils de pute, cracha-t-il.

Il n'entendit pas sa propre voix au milieu du crissement qui lui brûlait les tympans, mais il perçut sur sa peau l'onde de choc d'une nouvelle explosion, non loin de là. Un vent acide qui puait le soufre, l'électricité et la chair grillée parcourut la rue et Fermín vit l'éclat des flammes éclaboussant le ciel de Barcelone.

13

Une douleur atroce lui tritura les muscles. Il pénétra dans la salle en titubant. L'explosion avait projeté Alicia contre le mur. Le corps de la fillette était coincé entre un fauteuil bas renversé et le coin de la pièce. Elle était recouverte de poussière et de cendres. Fermín s'agenouilla devant elle et la prit sous les aisselles. À son contact, Alicia ouvrit des yeux rougis aux pupilles dilatées où Fermín lut le reflet de son état désastreux.

— Où est ma grand-mère ? murmura Alicia.

— Elle a dû partir. Il faut que tu viennes avec moi. On va sortir d'ici, toi et moi.

Alicia acquiesça. Fermín la prit dans ses bras et palpa son corps à travers ses vêtements pour vérifier qu'elle n'avait pas de blessures ou de fractures.

— Tu as mal quelque part ?

La petite porta la main à la tête.

— Ça va passer, dit Fermín. Tu es prête ?

— Mon livre…

Fermín le chercha au milieu des décombres. Il le trouva, couvert de suie mais raisonnablement entier. Il le tendit à Alicia qui s'y accrocha comme à un talisman.

— Ne le perds pas, hein ? Tu dois me raconter comment ça finit…

Fermín se redressa, la petite dans les bras. Ou Alicia pesait plus lourd qu'il pensait, ou il avait encore moins de forces qu'il ne croyait pour se sortir de là.

— Accroche-toi bien.

Il contourna l'énorme trou laissé par l'explosion et il s'engagea sur la partie carrelée du palier désormais réduit à une étroite corniche. Il atteignit l'escalier et découvrit que l'obus avait pénétré jusqu'au sous-sol de l'immeuble, provoquant une nappe de flammes qui couvrait les deux premiers étages. En scrutant la trouée de l'escalier, il constata qu'elles gagnaient lentement du terrain, marche après marche. Il serra Alicia fort contre lui et il se lança dans l'escalier. S'ils réussissaient à atteindre la terrasse, ils pourraient sauter sur celle de l'immeuble voisin, et s'en sortir, peut-être.

14

La porte de la terrasse était en chêne, solide, mais l'explosion l'avait dégondée et Fermín la renversa d'un simple coup de pied. Une fois sur le toit, il posa Alicia par terre et il se laissa tomber contre le mur de la façade pour reprendre son souffle. Il respira longuement et profondément. L'air avait une odeur de phosphore brûlé. Fermín et Alicia restèrent silencieux, incapables de croire ce qu'ils avaient sous les yeux.

Barcelone n'était plus qu'un manteau de noirceur percé de colonnes de feu et de panaches de fumée noire ondulant dans le ciel comme des tentacules. À deux rues de là, les Ramblas étaient métamorphosées en un fleuve de flammes rougeoyantes et de fumées qui rampait jusqu'au centre de la ville. Fermín prit la fillette par la main et la tira.

— Viens, il ne faut pas s'arrêter.

Ils firent quelques pas à peine avant qu'un nouveau grondement n'envahît le ciel, secouant la structure sous leurs pieds. Fermín regarda derrière eux et il aperçut une grande lueur qui s'élevait près de la Plaza de Cataluña. L'éclair rougeâtre balaya les terrasses de la ville en une fraction de seconde. La tempête de lumière s'éteignit dans une pluie de cendres d'où émergea de nouveau le rugissement des avions. L'escadron volait à très basse altitude, traversant le tourbillon de fumée épaisse qui recouvrait la ville. Le reflet des flammes brillait sur les ventres des fuselages. Fermín suivit sa trajectoire des yeux et il distingua les grappes de bombes qui pleuvaient sur les terrasses du Raval. À une cinquantaine de mètres de l'endroit où ils se trouvaient, une rangée d'immeubles céda sous ses yeux, comme s'ils avaient été accrochés à la mèche d'un chapelet de pétards. L'onde de choc pulvérisa des centaines de fenêtres dans une pluie de verre et arracha complètement celles qui se trouvaient alentour. Un colombier installé sur le toit de l'immeuble contigu s'effondra sur la corniche et atterrit de l'autre côté de la rue, renversant une citerne d'eau qui tomba dans le vide avant d'éclater avec fracas en heurtant le sol pavé. Il entendit les hurlements de panique dans la rue.

Ils étaient paralysés, incapables de faire un pas de plus. Ils demeurèrent dans cet état plusieurs secondes, les yeux rivés sur cette masse d'avions qui continuaient de bombarder la ville. Fermín distingua le bassin du port parsemé de cargos qui coulaient. De grandes nappes de gazole flambaient et se répandaient doucement à la surface de l'eau, engloutissant ceux qui s'étaient jetés à l'eau et nageaient désespérément pour tenter de s'éloigner. Les baraques et les hangars sur les quais brûlaient sauvagement. Une explosion en chaîne de citernes de combustible jeta au sol les grandes grues de levage. Une après l'autre, les gigantesques armatures métalliques furent précipitées sur les cargos et les barques de pêche amarrés au quai, les ensevelissant sous les eaux. Au loin, dans un brouillard de soufre et de gazole, les avions effectuaient un demi-tour au-dessus de la mer et se préparaient à faire un nouveau passage. Fermín ferma les yeux et laissa ce vent sale et brûlant assécher la sueur qui couvrait son corps. "Je suis là, bande de cafards abjects. Montrez que vous savez viser, une putain de fois pour toutes."

15

Alors qu'il pensait n'entendre que le bruit des avions une nouvelle fois à l'approche, la voix d'une petite fille à côté de lui parvint à ses oreilles. Il ouvrit les yeux et il vit Alicia. Elle essayait de le tirer de toutes ses forces et elle criait d'une voix paniquée. Il se retourna. Ce qui restait du bâtiment était en train de s'écrouler sur les flammes, tel un château de sable sapé par la marée. Ils coururent jusqu'à l'extrême bord de la terrasse et, de là, ils réussirent à sauter par-dessus le mur qui la séparait de l'immeuble voisin. Fermín atterrit en roulé-boulé et il ressentit une violente douleur à la jambe gauche. Alicia continuait à le tirer et elle l'aida à se relever. Il palpa sa cuisse. Du sang tiède coulait sous ses doigts. L'éclat des flammes illumina le mur qu'ils venaient de franchir, révélant une crête semée de tessons de verre ensanglantés. La nausée lui brouilla la vue, mais il prit une profonde inspiration et il ne s'arrêta pas. Alicia le tirait toujours. Il suivit la petite en traînant la jambe. Il laissait derrière lui une trace foncée et brillante sur les dalles. Ils traversèrent la terrasse jusqu'au mur mitoyen avec le bâtiment donnant sur la rue Arco del Teatro. Fermín se hissa comme il put sur des caisses en bois empilées contre le mur pour sauter sur la terrasse suivante où s'élevait une horrible construction, un vieux palais aux vitres occultées, dont la façade monumentale paraissait enfouie depuis des décennies au fond d'un marais. Une grande coupole en verre dépoli couronnait l'ensemble, comme un fanal surmonté d'un paratonnerre à la pointe de l'aiguille duquel ondulait un dragon.

Sa blessure à la jambe palpitait avec une douleur sourde et il dut s'accrocher à la corniche pour ne pas s'évanouir. Il sentit le sang tiède dans sa chaussure et un nouvel accès de nausée l'assaillit. Il savait qu'il allait perdre connaissance d'un moment à l'autre. Alicia le regardait, terrorisée. Fermín lui sourit comme il put.

— Ce n'est rien, dit-il. Une égratignure.

Au loin, l'escadron était de retour au-dessus de la mer, il avait passé la jetée et volait une nouvelle fois vers la ville à toute allure. Fermín tendit la main à Alicia.

— Accroche-toi.

La petite fit non de la tête, lentement.

— Nous ne sommes pas en sécurité ici. Il faut qu'on passe par la terrasse suivante pour trouver une manière de redescendre par cet immeuble jusqu'à la rue, et de là, dans le métro, dit-il, d'un ton peu convaincu.

— Non, murmura la fillette.

— Donne-moi la main, Alicia.

Elle hésita avant de la lui tendre. Fermín la serra et tira pour la hisser sur les caisses. Puis il la souleva jusqu'au bord de la corniche.

— Saute, dit-il.

Alicia serra son livre contre sa poitrine et refusa. Fermín entendit le crépitement des mitrailleuses qui tiraient sur les terrasses derrière lui. Il poussa la fillette. Quand Alicia retomba de l'autre côté du mur, elle se retourna pour tendre la main à Fermín, mais son ami n'était plus là. Toujours accroché à la corniche de l'autre côté du mur, le teint d'une pâleur de cire et les paupières tombantes, il avait toutes les peines du monde à rester conscient.

— Cours, lança-t-il dans un dernier souffle. Cours !

Il s'effondra, à genoux puis sur le dos. Il entendit le bruit des avions qui passaient juste au-dessus de sa tête, et avant de fermer les yeux, il vit une grappe de bombes tomber du ciel.

16

Alicia courut désespérément sur la terrasse en direction de la grande coupole en verre. Elle ne sut jamais où l'obus avait éclaté, si ce fut en frôlant la façade d'un des immeubles ou en l'air. La seule chose qu'elle ressentit, ce fut la charge brutale d'une masse d'air derrière elle, une bourrasque assourdissante qui la souleva et la propulsa loin devant. Une rafale de morceaux de métal brûlant l'effleura. Ce fut alors qu'elle sentit un objet de la taille d'un poing qui s'enfonçait violemment dans sa hanche. Elle traversa un rideau de verre fendu et se jeta dans le vide. Le livre lui tomba des mains.

Alicia tomba en piqué dans l'obscurité pendant ce qui lui parut une éternité, avant de heurter une toile de bâche qui amortit sa chute et ploya sous son poids Elle se retrouva allongée sur le ventre, sur ce qui ressemblait à une sorte d'estrade en bois. Au-dessus d'elle, à une quinzaine de mètres, elle aperçut le trou qu'elle avait fait dans le verre de la coupole en passant au travers. Elle essaya de se pencher d'un côté, mais elle constata qu'elle ne sentait plus sa jambe droite et qu'elle pouvait à peine bouger son corps en dessous de la taille. Elle tourna le regard et vit le livre qu'elle croyait perdu sur le bord de l'estrade.

Elle s'aida de ses bras et se traîna pour caresser le livre du bout des doigts. Une nouvelle explosion ébranla le bâtiment. Le souffle précipita l'ouvrage dans le vide. Alicia se pencha et le vit tomber, ses pages voletant vers l'abîme. Les flammes qui éclaboussaient les nuages projetèrent un faisceau de lumière qui se coula dans l'obscurité. Alicia plissa les yeux, incrédule. Si sa vue ne la trompait pas, elle avait atterri au sommet d'une énorme spirale, une sorte de grande tour articulée autour d'une infinité labyrinthique de corridors, de couloirs, d'arcs et de galeries, qui ressemblait à une grande cathédrale. Mais à la différence de celles qu'elle connaissait, elle n'était pas faite de pierres, mais de livres.

Les rais de lumière qui tombaient depuis la coupole révélèrent à ses yeux un entrelacs d'escaliers et de passerelles flanqués de milliers de volumes qui entraient et sortaient de cette structure. Au pied de l'abîme, elle distingua une bulle lumineuse qui se déplaçait lentement, puis s'immobilisa. En scrutant bien, Alicia vit un homme aux cheveux blancs qui portait une lanterne et regardait en l'air. Une douleur intense lui transperça la hanche, sa vue se brouilla. Elle ferma les yeux et perdit la notion du temps.

Elle se réveilla en sentant que quelqu'un la prenait délicatement dans ses bras. Elle entrouvrit les yeux et parvint à voir qu'ils descendaient le long d'un interminable corridor qui se subdivisait en dizaines de galeries cloisonnées par des livres et ouvertes dans toutes les directions. L'homme au crâne dégarni et au visage d'oiseau de proie qu'elle avait vu en bas du labyrinthe la portait. En arrivant au pied de la structure, le gardien des lieux traversa l'espace que surmontait la vaste coupole et il l'installa sur un lit de fortune, dans un coin.

— Comment t'appelles-tu ? demanda-t-il.

— Alicia, balbutia-t-elle.

— Moi, c'est Isaac.

L'homme examina sa blessure à la hanche d'un geste grave puis il étendit sur elle une couverture et, lui soutenant la tête d'une main, il approcha de ses lèvres un verre d'eau fraîche. Alicia but avidement. Les mains de l'homme reposèrent confortablement sa tête sur un coussin. Isaac lui souriait, mais ses yeux trahissaient la consternation. Derrière lui, dressé dans ce qu'elle crut être une basilique érigée avec toutes les bibliothèques du monde, s'élevait le labyrinthe qu'elle avait vu depuis la cime de la coupole. Isaac s'installa à côté d'elle et prit sa main dans la sienne.

— Repose-toi maintenant.

Il éteignit la lanterne et ils furent tous deux plongés dans une pénombre bleutée parsemée d'étincelles de feu qui se déversaient depuis le toit. L'impossible géométrie du labyrinthe de livres se perdait dans l'immensité et Alicia songea qu'elle rêvait. La bombe avait explosé dans la salle à manger de sa grand-mère et son ami et elles n'étaient jamais sorties de l'immeuble en flammes.

Isaac l'observait avec tristesse. Le bruit des bombes, le hurlement des sirènes et la mort qui parcourait Barcelone transperçaient les murs. Il entendit une explosion à proximité. Elle ébranla les parois et le sol sous ses pieds, soulevant des nuages de poussière. Alicia frissonna dans son lit. Le gardien alluma une bougie qu'il posa sur une petite table à côté d'elle. La flamme éclaira lentement les contours de la prodigieuse structure qui s'élevait au centre de la voûte. Isaac remarqua cette vision qui brûla dans le regard d'Alicia quelques instants avant qu'elle ne perdît connaissance. Il soupira.

— Alicia, dit-il enfin. Bienvenue au Cimetière des Livres oubliés.

17

Fermín ouvrit les yeux sur une immensité d'un blanc céleste. Un ange en uniforme lui bandait la cuisse et les brancards formaient une rangée qui se perdait à l'infini.

— Serait-ce le purgatoire ? demanda-t-il.

L'infirmière leva les yeux et le regarda à la dérobée. Elle ne devait pas avoir plus de dix-huit ans, et Fermín pensa immédiatement que, pour un ange du personnel divin, elle était beaucoup plus agréable à regarder que ne le laissaient croire les images distribuées lors des baptêmes et des communions. La présence de pensées impures ne pouvait signifier que deux choses : une amélioration du tonus physique ou une condamnation éternelle imminente.

— Il va sans dire que j'abjure mon incrédulité canaille et que je souscris au pied de la lettre à tous les testaments, le nouveau et l'ancien, dans l'ordre que votre grâce angélique estime le plus opportun.

Constatant que le patient recouvrait ses esprits et s'adressait à elle, l'infirmière fit un signe et un médecin qui avait l'air de ne pas avoir fermé l'œil de la semaine s'approcha du brancard. Il lui souleva les paupières avec deux doigts et examina le fond de son œil.

— Suis-je mort ? demanda Fermín.

— N'exagérons rien. Vous êtes un peu disloqué, mais relativement vivant, de manière générale.

— Alors ceci n'est pas le purgatoire ?

— Et puis quoi encore ? Nous sommes à l'hôpital Clínico. C'est-à-dire en enfer.

Pendant que le médecin examinait sa blessure, Fermín analysa les faits survenus et essaya de se souvenir comment il était arrivé jusque-là.

— Comment vous sentez-vous ?

— Un peu préoccupé, en vérité. J'ai rêvé que Jésus-Christ me rendait visite et que nous avions une discussion longue et approfondie.

— À quel sujet ?

— Du football, principalement.

— C'est à cause du tranquillisant que nous vous avons administré.

Fermín opina, soulagé.

— C'est bien ce qu'il m'avait semblé en entendant le Seigneur affirmer qu'il était supporter de l'Atlético de Madrid.

Le médecin sourit légèrement et chuchota ses instructions à l'infirmière.

— Depuis combien de temps suis-je ici ?

— Huit heures environ.

— Et l'enfant ?

— Le petit Jésus ?

— Non. La petite qui était avec moi ?

L'infirmière et le médecin échangèrent un regard.

— Je suis désolé, il n'y avait pas de fillette avec vous. D'après ce que je sais, vous avez été retrouvé par miracle sur une terrasse du Raval, vous vous vidiez de votre sang.

— Et on n'a pas amené de petite fille avec moi ?

Le médecin baissa les yeux.

— Vivante, non.

Fermín fit un geste pour se lever. L'infirmière et le docteur le plaquèrent sur le brancard.

— Docteur, je dois sortir d'ici. Il y a une enfant sans défense quelque part, qui a besoin que je l'aide...

Le médecin opina du chef et l'infirmière attrapa rapidement un flacon sur le chariot de médicaments et de pansements qui l'accompagnait dans son périple de brancard en brancard. Elle prépara la seringue. Fermín refusa d'un mouvement de tête mais le médecin le retint vigoureusement.

— Je crains de ne pas pouvoir vous laisser partir. C'est trop tôt. Je vais vous demander un peu de patience. Je ne voudrais pas que vous nous fassiez une frayeur.

— Ne vous inquiétez pas, j'ai plus de vies qu'un chat.

— Et moins de dignité qu'un ministre ! Je vais devoir également vous demander de cesser de pincer les fesses des infirmières quand elles changent votre pansement. C'est compris ?

Fermín sentit l'aiguille dans son épaule droite et le froid se répandit dans ses veines.

— Vous pouvez redemander, docteur, je vous en prie ? Elle s'appelle Alicia.

Le médecin relâcha sa prise et laissa Fermín reposer sur le brancard. Ses muscles se transformèrent en gélatine et ses pupilles se dilatèrent, métamorphosant le monde environnant en aquarelle soluble à l'eau. La voix lointaine du médecin se perdit dans l'écho de sa descente. Il se sentit tomber à travers des nuages cotonneux, et le blanc de la galerie s'amenuisa en une fine poussière de lumière qui se dissolvait dans le baume liquide, promesse du paradis de la chimie.

18

Ils le laissèrent sortir dans l'après-midi, car l'hôpital ne pouvait plus faire face, et toute personne non moribonde était considérée comme bien portante. Armé d'une béquille en bois et vêtu du linge de rechange prêté par un défunt, Fermín réussit à grimper dans un tramway à la porte de l'hôpital Clínico, qui le conduisit dans le Raval. Là, il entreprit de faire le tour des cafés, des épiceries et des commerces encore ouverts pour demander si quelqu'un avait vu une fillette prénommée Alicia. Devant ce petit homme maigre et décharné, les gens hochaient la tête négativement, persuadés que le pauvre malheureux cherchait en vain, comme tant d'autres, sa fille morte, une parmi les neuf cents corps dont une centaine d'enfants ramassés dans les rues de Barcelone ce 18 mars 1938.

À la tombée du jour, Fermín arpenta les Ramblas de haut en bas. Les bombes avaient fait dérailler des tramways qui gisaient encore fumants avec leur lot de passagers réduits à l'état de cadavres. Les cafés, remplis de clients des heures auparavant, n'étaient plus que des espaces fantomatiques de corps inertes. Le sang maculait les trottoirs et les gens essayaient d'emporter les blessés, de recouvrir les morts ou simplement de fuir, pour nulle part, ne se rappelant pas avoir aperçu la petite fille qu'il décrivait.

Malgré tout, Fermín ne perdit pas espoir, même quand il tomba sur une rangée de cadavres étendus sur le trottoir, en face du grand théâtre du Liceo. Aucun ne semblait dépasser les huit ou neuf ans. Fermín s'agenouilla. À côté de lui, une femme caressait les pieds d'un enfant avec un trou noir de la taille d'un poing dans la poitrine.

— Il est mort, dit la femme sans que Fermín eût besoin de lui poser la question. Ils sont tous morts.

Pendant toute la nuit, tandis que la ville déblayait lentement les décombres et que les ruines de dizaines de bâtiments cessaient progressivement de brûler, Fermín parcourut les rues du Raval, interrogeant au sujet d'Alicia, porte après porte.

Puis à l'aube, il comprit qu'il ne pouvait rien faire de plus et il se laissa tomber sur les marches de l'église de Belén. Peu après, un garde municipal au visage encore noirci d'escarbilles, l'uniforme taché de sang, s'assit à ses côtés. Quand il demanda à Fermín pourquoi il pleurait, ce dernier lui tomba dans les bras ; il voulait mourir, parce que le destin avait mis la vie d'une enfant entre ses mains et qu'il l'avait trahie, qu'il n'avait pas su la protéger. Si Dieu ou le diable possédaient encore un soupçon d'honnêteté, ce monde de merde disparaîtrait à jamais demain, ou après-demain, car il ne méritait pas de continuer à exister.

Le garde, qui avait passé de nombreuses heures à exhumer sans relâche des cadavres des décombres, dont ceux de sa femme et de leur fils de six ans, l'écouta calmement.

— Mon ami, dit-il enfin. Ne perdez pas espoir. S'il y a une chose que j'ai apprise dans cette chienne de vie, c'est que le destin se trouve toujours au coin de la rue. Comme le pickpocket, la tapineuse ou le vendeur de billets de loterie, ses trois incarnations les plus fréquentes. Et si vous décidez un jour de partir à la recherche de votre destin (parce qu'il ne fait pas de visite à domicile, ça, c'est sûr), vous verrez, il vous laissera une deuxième chance.

BAL MASQUÉ

Madrid

1959

DEL MARQUÉS

Madrid

1939

Son Excellence, Monsieur

Don Mauricio Valls y Echevarría

et

Doña Elena Sarmiento de Fontalva

ont le plaisir de vous inviter au

Bal masqué

qu'ils donneront à la

Villa Mercedes

de Somosaguas
le 24 novembre 1959
à partir de 19 heures

Prière de confirmer votre présence au service du protocole
du ministère de l'Éducation nationale
avant le 1er novembre

1

La chambre était perpétuellement plongée dans la pénombre.
Les rideaux étaient tirés depuis des années et la toile ne laissait
par filtrer la moindre clarté. La seule source de lumière qui égra-
tignait l'obscurité provenait d'une applique de cuivre au mur.
Son faible halo ocre dessinait les contours d'un lit couronné
d'un baldaquin d'où pendait un voile transparent. Derrière le
fin voilage, on devinait sa silhouette, immobile. On dirait un
carrosse funéraire, pensa Valls.

Mauricio Valls observait son épouse Elena. Elle gisait, prostrée, dans ce lit qui était sa prison depuis dix ans, quand il
n'avait plus été possible de l'asseoir dans le fauteuil roulant. Au
fil des années, le mal qui consumait ses os avait tordu le squelette de doña Elena, la réduisant à un ramassis méconnaissable
de membres perpétuellement à l'agonie. Un crucifix en acajou
la contemplait depuis la tête de lit, mais le ciel, dans son infinie
cruauté, ne lui concédait pas la bénédiction de la mort. C'est
ma faute, pensait Valls. Il agit ainsi pour me châtier.

Valls écouta le bruit de sa respiration torturée au milieu des
accords de l'orchestre et des voix du millier d'invités réunis
dans le jardin. L'infirmière de nuit quitta la chaise qu'elle occupait à côté du lit et s'approcha discrètement de Valls. Il ne se
rappelait pas son nom. Les infirmières qui veillaient sur sa femme ne restaient jamais plus de deux ou trois mois à leur poste,
malgré le salaire très élevé qu'il leur offrait. Il ne leur en voulait pas.

— Elle dort ? demanda Valls.

L'infirmière fit non de la tête.

— Non, monsieur le ministre, mais le docteur lui a fait sa piqûre pour la nuit. Elle était agitée cet après-midi. Maintenant, elle va mieux.

— Laissez-nous, ordonna Valls.

L'infirmière obéit, sortit de la chambre et referma la porte derrière elle. Valls s'approcha du lit. Il écarta le voile et s'assit sur le bord du matelas, tournant le dos à son épouse. Il ferma les yeux un instant et écouta sa respiration étranglée, s'imprégnant des relents fétides qui émanaient de son corps. Il entendit le bruit de ses ongles qui grattaient le drap. Quand il se retourna, un sourire forcé aux lèvres et une expression figée de sérénité et d'affection sur le visage, il constata que son épouse le regardait d'un œil incendiaire. Cette maladie, que les plus chers médecins d'Europe n'avaient réussi ni à nommer ni à soigner, avait déformé ses mains devenues des nœuds de peau rêches qui lui faisaient penser aux pattes griffues d'un reptile ou d'un rapace. Il prit ce qui avait été la main droite de sa femme et affronta ce regard chargé de rage et de douleur. De haine peut-être, désira Valls. L'idée que cette créature pût encore abriter un soupçon d'affection pour lui ou pour le monde qui l'entourait lui était trop cruelle.

— Bonne nuit, mon amour.

Elena avait presque entièrement perdu l'usage de ses cordes vocales depuis un peu plus de deux ans, et prononcer un seul mot lui demandait un effort surhumain. Elle lui répondit toutefois par un gémissement rauque qui semblait arraché du plus profond de ce corps déformé qu'on devinait sous les draps.

— On m'a dit que tu avais passé une mauvaise journée, continua Valls. Le médicament fera rapidement de l'effet et tu pourras te reposer.

Il maintint son sourire plaqué sur ses lèvres et il ne lâcha pas cette main qui lui inspirait de la répugnance et de la peur. La scène se déroulerait comme tous les autres jours. Il lui parlerait à voix basse pendant quelques minutes en lui tenant la main, et elle l'observerait avec ce regard qui brûlait jusqu'à ce que la morphine endorme la douleur et la rage. Valls pourrait alors quitter cette chambre située au fond du couloir du troisième étage pour ne revenir que le lendemain soir.

— Tout le monde est là. Mercedes a étrenné sa robe longue et on me dit qu'elle a dansé avec le fils de l'ambassadeur britannique. Tout le monde a pris de tes nouvelles et t'assure de son affection.

Tout en égrenant son chapelet de banalités, un rituel, son regard se posa sur le plateau d'instruments médicaux et de seringues posé sur une table en métal recouverte de velours rouge à côté du lit. Les ampoules de morphine brillaient comme des pierres précieuses. Sa voix resta suspendue et ses paroles creuses se perdirent dans l'atmosphère. Elena avait suivi son regard et elle le fixa d'un air suppliant, le visage baigné de larmes. Il observa son épouse et soupira. Il se pencha pour déposer un baiser sur son front.

— Je t'aime, murmura-t-il.

À ces mots, Elena écarta son visage et ferma les yeux. Valls lui caressa la joue et se leva. Il referma le voile, traversa la chambre tout en reboutonnant sa jaquette et s'essuya les lèvres avec un mouchoir qu'il laissa tomber par terre avant de quitter la chambre.

2

Quelques jours auparavant, il avait convoqué sa fille Mercedes dans son bureau situé tout en haut de la tour pour lui demander ce qu'elle désirait comme cadeau d'anniversaire. L'époque des ravissantes poupées de porcelaine et des contes de fées était révolue. Mercedes, qui ne gardait de la petite fille que le rire et la dévotion pour son père, déclara que son plus grand et seul désir était de pouvoir assister au bal masqué qui aurait lieu deux semaines plus tard dans la propriété qui portait son nom.

— Je m'en entretiendrai avec ta mère, mentit Valls.

Mercedes se jeta dans ses bras et l'embrassa, scellant cette promesse tacite qu'elle savait entérinée. Avant d'en parler à son père, Mercedes avait déjà choisi la robe qu'elle revêtirait, une éblouissante tenue couleur carmin confectionnée pour sa mère dans un atelier de haute couture de Paris, que doña Elena n'avait jamais pu étrenner. Comme les centaines de tenues de soirée et de bijoux d'une vie dérobée que sa mère n'avait pu vivre, la robe était enfermée depuis quinze ans dans une des armoires de la luxueuse garde-robe contiguë à l'ancienne suite matrimoniale du deuxième étage, désormais inutilisée. Pendant longtemps, alors que tout le monde la croyait endormie dans sa chambre, Mercedes s'était glissée dans la suite de sa mère pour s'emparer de la clef rangée dans le quatrième tiroir d'une commode à côté de l'entrée. La seule infirmière de nuit qui avait osé mentionner sa présence avait été congédiée sans cérémonie ni compensation quand Mercedes l'accusa d'avoir volé un bracelet sur la coiffeuse de sa mère ; elle avait elle-même enterré le bijou dans le jardin, derrière la fontaine des anges. Les autres ne se risquèrent jamais à ouvrir la bouche et firent mine de ne pas la voir dans l'obscurité pérenne qui veillait sur la pièce.

La clef dans la main, elle se glissait au milieu de la nuit dans l'immense garde-robe située à l'écart dans l'aile ouest de la demeure. La pièce sentait la poudre, la naphtaline et l'abandon. S'éclairant à la bougie, elle parcourait les allées flanquées de vitrines remplies de chaussures, de bijoux, de robes et de perruques appartenant à sa mère. Les recoins de ce vieux mausolée de vêtements et de souvenirs abritaient des toiles d'araignées, et la petite Mercedes, qui avait grandi dans la solitude confortable des princesses élues, imaginait que tous ces merveilleux objets appartenaient à une poupée cassée, maudite, enfermée dans un cachot au bout du couloir du troisième étage, et qu'elle ne porterait jamais ces tenues et ces bijoux de rêve.

Parfois, à l'abri de la nuit, Mercedes posait la bougie sur le sol et essayait une des robes pour danser seule dans la pénombre au rythme d'une vieille boîte à musique dont elle remontait le mécanisme et qui égrenait les notes du rêve de *Shéhérazade*. Le plaisir l'envahissait et elle imaginait la main de son père sur sa taille quand il l'accompagnait pour traverser la grande salle de bal sous le regard chargé d'envie et d'admiration de toute l'assemblée. Lorsque les lueurs de l'aube s'insinuaient par les fentes des rideaux, Mercedes remettait la clef dans la commode et se hâtait de regagner son lit, feignant un sommeil dont une domestique la réveillerait vers sept heures du matin.

Le soir du bal masqué, personne ne suspecta que la robe qui lui dessinait si parfaitement la taille eût pu être confectionnée pour quiconque d'autre qu'elle. Tandis qu'elle évoluait sur la piste de danse au son de l'orchestre, et aux bras de proches et d'inconnus, Mercedes sentait les yeux de centaines d'invités la caresser du regard, avec luxure et désir. Elle savait que son nom était sur toutes les lèvres et elle souriait intérieurement en captant au vol des bribes de conversation dont elle était l'objet.

Peu avant neuf heures, elle quitta à contrecœur la soirée longuement imaginée et la piste de bal, et elle se dirigea vers l'escalier de la maison principale. Elle avait nourri l'espoir de pouvoir au moins partager une danse avec son père, mais don Mauricio n'avait pas fait acte de présence dans la salle de bal et personne ne l'avait encore vu. Il lui avait fait promettre de regagner sa chambre à neuf heures, c'était la condition pour qu'il lui permît d'assister au bal, et Mercedes n'avait aucunement l'intention de le contrarier. "L'année prochaine."

En chemin, elle saisit la conversation de deux collègues de son père au gouvernement, deux patriciens d'âge mûr qui n'avaient cessé de la regarder d'un œil vitreux. Ils commentaient en chuchotant le fait que don Mauricio avait pu tout se payer dans la vie grâce à la fortune de sa pauvre épouse, même une soirée étonnamment printanière en plein automne madrilène pour exhiber sa petite putain de fille devant la société la plus huppée de l'époque. Enivrée par le champagne et les tours de valse, Mercedes se retourna pour leur répondre, mais quelqu'un passa devant elle et lui prit affectueusement le bras.

Irene, la préceptrice qui avait été son ombre et sa consolatrice durant les dix dernières années lui sourit chaleureusement et l'embrassa sur la joue.

— Ne fais pas attention à eux, dit-elle.

Mercedes sourit et haussa les épaules.

— Tu es magnifique. Laisse-moi te regarder.

La jeune fille baissa les yeux.

— Cette robe est superbe, on la dirait cousue sur toi.

— Elle appartenait à ma mère.

— Après cette soirée, elle sera désormais la tienne, exclusivement.

Mercedes acquiesça en rougissant à la flatterie, qui avait un arrière-goût amer de culpabilité.

— Avez-vous vu mon père, madame ?

Irene fit non de la tête.

— Tous le réclament...

— Ils devront attendre.

— Je lui ai promis que je ne resterais que jusqu'à neuf heures. Trois heures de moins que Cendrillon.

— Dans ce cas, il vaudrait mieux que nous nous dépêchions avant que je me transforme en citrouille... plaisanta la préceptrice sans entrain.

Elles s'engagèrent sur le sentier qui traversait le jardin. Une guirlande de lampions éclairait le visage d'inconnus souriant à son passage comme s'ils la connaissaient, coupes de champagne à la main brillant telles des poignards empoisonnés.

— Mon père descendra-t-il au bal ? demanda Mercedes.

Irene attendit d'être hors de portée des oreilles indiscrètes et des regards furtifs pour lui répondre.

— Je l'ignore, Mercedes. Je ne l'ai pas vu de la journée...

Mercedes allait répliquer lorsqu'elles entendirent un mouvement derrière elles. Elles tournèrent la tête et elles constatèrent que, l'orchestre ayant cessé de jouer, l'un des deux hommes qui avaient chuchoté de manière narquoise à son passage était monté sur l'estrade et s'apprêtait à s'adresser à l'assistance. Elle n'eut pas le temps de demander à sa préceptrice qui était cet individu que cette dernière lui murmurait déjà à l'oreille :

— C'est don José María Altea, le ministre de l'Intérieur...

Un sous-fifre tendit un microphone au ministre et le bourdonnement des invités s'éteignit pour faire place à un silence respectueux. Les musiciens de l'orchestre adoptèrent une posture solennelle et levèrent les yeux vers le ministre qui sourit en contemplant l'assistance muette et attentive. Altea dévisagea les centaines de personnes qui l'observaient, acquiesçant mentalement. Enfin, sans hâte et du ton posé et autoritaire d'un prédicateur conscient de la docilité de son troupeau, il approcha le microphone de sa bouche et entama son homélie.

3

— Chers amis, c'est pour moi un plaisir et un honneur de pouvoir prononcer quelques mots ce soir devant une assistance aussi distinguée réunie aujourd'hui pour rendre un hommage sincère et mérité à l'un des grands hommes de cette nouvelle Espagne qui a su renaître de ses cendres. Et je suis très heureux de pouvoir le faire alors que nous sommes sur le point de fêter les vingt ans du triomphe glorieux de la croisade de libération nationale qui a placé notre pays tout en haut du podium des nations de l'univers. Une Espagne guidée par la main de Dieu et par le Généralissime, et forgée grâce à la force et la trempe d'hommes comme celui qui nous reçoit aujourd'hui dans sa demeure, et à qui nous devons tant. Une personnalité déterminante dans le développement de cette grande nation dont nous nous sentons fière et de sa culture immortelle que l'Occident nous envie. Un grand homme que je compte parmi mes meilleurs amis, ce qui me remplit d'humilité et de gratitude : don Mauricio Valls y Echevarría.

Une marée d'applaudissements parcourut la foule dans tout le jardin. Ni les serviteurs, ni les gardes du corps, ni les musiciens de l'orchestre ne manquèrent de s'y associer. Altea accueillit les ovations et les bravos par un sourire bienveillant, opinant paternellement et calmant l'enthousiasme de l'assemblée d'un signe cardinalice.

— Que dire de don Mauricio Valls qui n'ait déjà été dit ? Sa trajectoire irréprochable et exemplaire date des origines mêmes du Mouvement et demeure gravée en lettres d'or dans notre histoire, mais c'est peut-être, si vous me permettez cette licence, dans le domaine des arts et des lettres que notre cher et admiré don Mauricio s'est distingué d'une façon exceptionnelle, nous régalant de réussites qui ont hissé la culture de notre pays sur de nouveaux sommets. Non content d'avoir contribué à édifier les bases solides d'un régime qui a apporté la paix, la justice et le bien-être au peuple espagnol, don Mauricio a également compris que l'homme ne se nourrit pas que de pain, et il s'est érigé comme la plus brillante des lumières de nos lettres. Auteur de titres immortels et plume insigne de notre littérature, fondateur de l'institut Lope de Vega qui a diffusé dans le monde entier nos lettres et notre langue, et qui, pour cette seule année, a ouvert de nouvelles délégations dans vingt-deux capitales mondiales ; éditeur infatigable et exquis, découvreur et défenseur de la grande littérature et de la plus éminente culture de notre temps, architecte d'une nouvelle manière de comprendre et de pratiquer les arts et la pensée... Les mots manquent pour simplement commencer à décrire l'immense contribution de notre amphitryon à la formation et à l'éducation des Espagnols d'aujourd'hui et de demain. Son travail à la tête du ministère de l'Éducation nationale a propulsé en avant les structures fondamentales de notre savoir et de notre création. C'est donc justice d'affirmer que sans don Mauricio Valls la culture espagnole ne serait pas la même. Son empreinte et sa vision géniale nous accompagneront pendant des générations et son œuvre immortelle se maintiendra au plus haut niveau du Parnasse espagnol pour les siècles des siècles.

Une pause chargée d'émotion laissa place à une nouvelle ovation, tandis que de nombreux regards fouillaient l'assistance à la recherche du récipiendaire de cet hommage, l'homme du jour que personne n'avait aperçu de toute la soirée.

— Je ne m'étendrai pas davantage, car je sais que vous serez nombreux à vouloir exprimer personnellement à don Mauricio votre gratitude et votre admiration, et je me joindrai à vous. Je souhaiterais toutefois partager avec vous le message personnel d'affection, de remerciements et d'hommage senti pour mon collègue de cabinet et très cher ami don Mauricio Valls, que m'a fait parvenir il y a quelques minutes à peine le chef de l'État, le Généralissime Franco, depuis le palais du Pardo, où des affaires d'État de dernière heure le retiennent...

Un soupir de déception, des regards échangés et un silence grave constituèrent le préambule à la lecture de la note qu'Altea sortit de sa poche.

— "Cher ami Mauricio, Espagnol universel et collaborateur indispensable qui a tant fait pour notre pays et pour notre culture, doña Carmen et moi-même souhaitons te faire parvenir notre plus affectueuse accolade et notre reconnaissance au nom de tous les Espagnols pour vingt années de service exemplaire..."

Altea leva la tête et haussa la voix pour achever en beauté par un "Vive Franco !" et "Vive l'Espagne !" que l'assistance reprit en chœur dans un grand élan et qui arracha un nombre non négligeable de saluts, bras levés et larmes florissantes. Altea se joignit au tonnerre d'applaudissements qui inonda le jardin. Avant de quitter la scène, le ministre adressa un signe au chef d'orchestre qui, pour ne pas laisser l'ovation se déliter dans le brouhaha, la sauva en entamant une valse sonore qui parut la maintenir dans l'air pendant le reste de la soirée. Toutefois, puisqu'il était certain que le Généralissime n'apparaîtrait pas, ils furent nombreux à ôter leurs loups et leurs masques qu'ils laissèrent tomber par terre avant de se diriger en file vers la sortie.

4

Valls entendit l'écho de l'ovation qui avait conclu le discours d'Altea se dissiper au milieu des rythmes de l'orchestre. Altea, "son grand ami et cher collègue", l'homme qui tentait depuis des années de le poignarder dans le dos. Le message du Généralissime excusant son absence au bal avait dû sonner délicieusement à ses oreilles... Valls maudit dans sa barbe Altea et sa bande de hyènes, une meute de nouveaux centurions dont il surnommait déjà plusieurs d'entre eux les *fleurs vénéneuses*. Ils croissaient à l'ombre du régime et commençaient à accaparer des postes clefs dans l'administration. Ils rôdaient dans le jardin en ce moment, pour la plupart, buvant son champagne et grignotant ses petits fours. Flairant l'odeur de son sang. Valls porta à ses lèvres la cigarette qu'il tenait entre les doigts sans presque s'apercevoir qu'il n'en restait qu'un résidu de cendres. Vicente, le chef de son escorte personnelle, l'observait à l'autre bout du corridor, et il s'approcha pour lui offrir une des siennes.

— Merci, Vicente.

— Toutes mes félicitations, don Mauricio... murmura son fidèle cerbère.

Valls le remercia d'un signe de la tête, riant amèrement en son for intérieur. Vicente, toujours fidèle et respectueux, retourna à son poste à l'extrémité du couloir où, si on ne s'efforçait pas de garder les yeux sur lui, il paraissait ne faire qu'un avec les murs et se fondre dans le papier peint.

Valls aspira une première bouffée. À travers le rideau bleuté de la fumée qu'il exhala, il contempla le long couloir qui s'ouvrait devant lui. Mercedes l'appelait la galerie de portraits. Elle faisait tout le tour du troisième étage et elle était remplie de tableaux et de sculptures, ce qui lui conférait un air de grand musée orphelin de visiteurs. Lerma, le conservateur du Prado chargé de sa collection, lui rappelait toujours qu'il ne devait pas fumer ici et que la lumière du soleil abîmait les toiles. Valls savoura une nouvelle bouffée à sa santé. Il constatait que ce que Lerma voulait lui signifier, sans avoir le courage ni l'envergure de le lui dire, c'était que ces pièces ne méritaient pas d'être enfermées au domicile d'un particulier, aussi grandiose fût le théâtre et puissant son chef, et que leur foyer naturel était un musée où elles seraient proposées au plaisir du public, ces âmes minuscules qui applaudissaient aux cérémonies et faisaient la queue aux funérailles.

Valls aimait s'asseoir de temps à autre sur une des chaises épiscopales de la galerie de portraits et jouir de ses trésors, prêtés pour beaucoup ou directement prélevés dans des collections privées ayant appartenu à des citoyens restés du mauvais côté lors du conflit. D'autres provenaient de musées et de palais placés sous la juridiction de son ministère, à titre de prêt pour une période indéfinie. Il aimait à se remémorer les après-midis d'été où, pour la petite Mercedes âgée de dix ans à peine, assise sur ses genoux, il racontait les histoires que recelait chacune de ces merveilles. Valls se réfugiait dans ce souvenir, dans le regard ravi de sa fille quand elle l'écoutait parler de Sorolla, de Zurbarán, de Goya, et de Velázquez.

Il avait voulu croire plus d'une fois que tant qu'il demeurerait ici, à l'abri de la lumière et sous la protection du rêve de ces toiles, les jours partagés avec la petite Mercedes, emplis de bonheur et de plénitude, ne lui échapperaient jamais. Cela faisait déjà longtemps que sa fille ne passait plus l'après-midi avec lui à écouter ses récits magistraux sur l'âge d'or de la peinture espagnole. Pourtant, le simple fait de chercher refuge dans cette galerie le réconfortait encore et lui faisait oublier qu'elle était déjà une femme, et qu'il ne l'avait pas reconnue dans sa robe de soirée, dansant sous les regards de convoitise et de désir, de jalousie et de méchanceté. Bientôt, très bientôt, il ne pourrait plus la protéger de ce monde d'ombres qui ne la méritait pas et qui la guettait, avide, hors des murs de cette maison.

Il termina sa cigarette en silence et il se leva. On devinait, derrière les rideaux, le murmure de l'orchestre et des voix dans le jardin. Il se dirigea vers l'escalier qui menait à la tour. Vicente sortit de l'obscurité et le suivit ; ses pas imperceptibles dans son dos.

5

Dès que Valls introduisit la clef dans la serrure de son cabinet particulier, il sut que la porte était déjà ouverte. Il s'immobilisa, les doigts toujours sur la clef, et il se retourna lentement. Vicente, qui attendait au pied de l'escalier, leva les yeux et s'approcha discrètement en sortant son révolver de la poche de sa veste. Valls s'écarta de quelques pas et Vicente lui fit signe de se coller contre le mur, loin du seuil de la porte. Une fois Valls à l'abri, Vicente tira le chien du révolver et tourna la poignée de la porte en chêne très lentement. Elle bougea doucement sous l'effet de son propre poids vers l'intérieur plongé dans la pénombre.

L'arme tenue en l'air à bout de bras, Vicente scruta l'obscurité pendant quelques instants. Le halo bleuté qui pénétrait par les fenêtres permettait d'entrevoir les contours de la pièce. La grande table de bureau, le fauteuil d'amiral, la bibliothèque ovale et le canapé en cuir sur le tapis persan qui recouvrait le sol. Rien ne bougeait dans la pénombre. Vicente tâtonna le long du mur à la recherche de l'interrupteur et il alluma la lumière. Il n'y avait personne. Il baissa lentement l'arme qu'il rangea dans son blazer et il s'avança dans la pièce. Derrière lui, Valls observait la scène depuis la porte. Vicente se retourna vers lui et fit non de la tête.

— J'ai dû oublier de fermer à clef en partant cet après-midi, dit Valls, sans conviction.

Vicente s'immobilisa au milieu de la pièce et il observa attentivement autour de lui. Valls entra et s'approcha de son bureau. Son garde du corps vérifiait la bonne fermeture des fenêtres quand il entendit les pas de son patron s'arrêter net, il se retourna.

Le ministre avait les yeux rivés sur la table de bureau où reposait une grande enveloppe de couleur crème, posée sur la surface en cuir. Il sentit ses poils se hérisser et un souffle glacé lui parcourut les entrailles.

— Tout va bien, don Mauricio ? demanda Vicente.

— Laissez-moi seul, Vicente.

Le garde du corps hésita une seconde. Valls gardait le regard fixé sur l'enveloppe.

— Je suis dehors, si vous avez besoin de moi.

Valls hocha la tête. Vicente se retira à contrecœur. Quand il ferma la porte du bureau, le ministre était toujours au même endroit, immobile, observant cette enveloppe en papier parchemin comme s'il s'agissait d'une vipère sur le point de lui sauter au cou.

Valls contourna le bureau à pas lents, il vint s'asseoir dans son fauteuil et croisa les poings sous son menton. Il attendit ainsi presque une minute avant de poser la main sur l'enveloppe. Il en palpa le contenu et son pouls s'accéléra. Il introduisit son doigt sous le rabat et l'ouvrit. La colle, encore humide, céda facilement. Il prit l'enveloppe par le côté opposé et la souleva. Le contenu glissa sur la table. Valls ferma les yeux et soupira.

Le livre était relié en cuir noir et la couverture ne comportait aucun titre, seulement une gravure représentant les marches d'un escalier en colimaçon descendant, vues d'en haut.

Sa main tremblait et il serra le poing. Une note dépassait des pages. C'était une feuille jaunie, arrachée à un livre de comptabilité, avec de fines rayures rouges horizontales et deux colonnes. Dans chacune d'elles figurait une liste de chiffres. En bas, on avait écrit à l'encre rouge :

Ton temps touche à sa fin.
Il te reste une dernière chance.
À l'entrée du labyrinthe.

Valls sentit l'air lui manquer. Avant qu'il se rendît compte de ce qu'il était en train de faire, ses mains fouillaient déjà dans le tiroir principal du bureau. Elles agrippèrent le révolver qu'il gardait là. Il plaça le canon dans sa bouche et tira sur le chien. L'arme sentait l'huile et la poudre. La nausée l'envahit, mais il maintint l'arme à deux mains et garda les yeux fermés pour contenir les larmes qui glissaient sur son visage. Il entendit des pas dans l'escalier et une voix. C'était elle. Mercedes parlait avec Vicente à la porte de son cabinet. Il s'empressa de ranger le révolver dans le tiroir et de sécher ses larmes de la manche de sa veste. On frappa doucement à la porte. Valls respira profondément et attendit un instant. Vicente appela.

— Don Mauricio ? C'est votre fille, Mercedes…

— Laissez-la entrer, répondit-il d'une voix cassée.

La porte s'ouvrit et Mercedes avança, vêtue de sa robe couleur carmin et sur les lèvres un sourire de ravissement, qui s'effaça dès qu'elle posa les yeux sur son père. Le garde du corps l'observait à la dérobée depuis le seuil, l'air préoccupé. Valls hocha la tête et lui fit signe de les laisser seuls.

— Tout va bien, papa ?

Il lui fit un grand sourire et se leva pour l'embrasser.

— Bien sûr que tout va bien. Et plus encore maintenant que je te vois.

Il l'enlaça avec force et enfouit son visage dans ses cheveux qu'il respira comme quand elle était petite, comme s'il croyait que le parfum de sa peau pouvait le protéger de tous les maux de la terre. Quand il la libéra enfin, Mercedes le regarda et remarqua ses yeux rougis.

— Que se passe-t-il, papa ?

— Rien.

— Tu sais que tu ne peux rien me cacher. Aux autres peut-être, mais pas à moi…

Il sourit. L'horloge de son bureau marquait neuf heures cinq.

— Tu vois que j'ai tenu ma promesse, dit-elle, lisant dans ses pensées.

— Je n'en ai jamais douté.

Elle se hissa sur la pointe des pieds et jeta un regard sur la table de bureau de son père.

— Qu'est-ce que tu lis ?

— Rien. Des bêtises.

— Est-ce que je peux les lire moi aussi ?

— Ce n'est pas une lecture indiquée pour une jouvencelle !

— Je ne suis plus une jouvencelle, dit-elle avec un sourire infantile et narquois en virevoltant sur elle-même pour faire admirer sa robe et sa prestance.

— C'est ce que je vois. Tu es une femme à présent.

Mercedes posa la main sur la joue de son père.

— Est-ce cela qui te rend triste ?

Valls baisa sa main et nia.

— Bien sûr que non.

— Même pas un petit peu ?

— Bon, je l'avoue, un peu.

Elle éclata de rire. Il rit à son tour, le goût de la poudre encore sur les lèvres.

— Tout le monde a demandé après toi pendant la fête…

— La soirée a été plus compliquée que prévu. Tu sais comment ça se passe.

Elle acquiesça, l'air espiègle.

— Oui, je le sais…

Elle déambula dans le bureau de son père, un univers secret rempli de livres et d'armoires fermées, en caressant du bout des doigts le dos des volumes de la bibliothèque. Elle nota sur elle le regard troublé de son père et elle s'immobilisa.

— Tu n'as pas l'intention de me dire ce qui se passe, n'est-ce pas ?

— Mercedes, tu sais que je t'aime plus que tout au monde et que je suis très fier de toi, tu le sais, n'est-ce pas ?

Elle hésita. La voix de son père semblait ne tenir qu'à un fil, son aplomb et son arrogance comme brisés net.

— Évidemment, papa... et je t'aime aussi.

— C'est la seule chose qui compte. Quoi qu'il arrive.

Son père lui souriait, mais elle vit qu'il pleurait. Elle ne l'avait jamais vu pleurer et elle prit peur, comme si le monde allait s'écrouler. Il sécha ses larmes et lui tourna le dos.

— Dis à Vicente d'entrer.

Mercedes se retira, mais avant d'ouvrir la porte elle s'arrêta. Son père, toujours de dos, regardait le jardin par la fenêtre.

— Papa, que va-t-il se passer ?

— Rien, mon trésor. Il ne se passera rien.

Elle ouvrit la porte. Vicente attendait de l'autre côté, dans cette posture mécanique et impénétrable qui donnait à la jeune fille la chair de poule.

— Bonne nuit, papa, murmura-t-elle.

— Bonne nuit, Mercedes.

Vicente lui adressa un signe de tête respectueux et il pénétra dans le bureau. Mercedes regarda à nouveau à l'intérieur mais il lui referma doucement la porte au visage. La jeune fille colla son oreille contre le bois et écouta.

— Il est venu ici, dit son père.

— C'est impossible, affirma Vicente. Toutes les entrées sont surveillées. Seul le service domestique a accès aux étages supérieurs. J'ai des hommes postés dans tous les escaliers.

— Je te dis qu'il est venu ici. Et il possède une liste. J'ignore comme il se l'est procurée, mais il l'a... Mon Dieu.

Mercedes déglutit.

— Il doit y avoir une erreur, monsieur.

— Regarde toi-même...

Un long silence s'ensuivit. Mercedes retint son souffle.

— Les chiffres paraissent corrects, monsieur. Je ne comprends pas...

— L'heure est venue, Vicente. Je ne peux plus me cacher davantage. C'est maintenant ou jamais. Est-ce que je peux compter sur toi ?

— Bien entendu, monsieur. Quand ?

— À l'aube.

Le silence se fit, et Mercedes entendit bientôt des pas qui s'approchaient. Elle dégringola l'escalier sans s'arrêter. Une fois dans sa chambre, elle s'appuya contre la porte et elle glissa jusqu'au sol. Elle sentait qu'une malédiction flottait dans l'air et que cette nuit signerait la fin du conte de fées trouble qu'ils avaient mis en scène depuis trop d'années.

6

Dans son souvenir, ce serait toujours une aube grise et froide, comme si l'hiver avait décidé de dégringoler tout à coup et de plonger la Villa Mercedes dans un océan de brouillard qui se répandait depuis l'orée du bois. Quand elle se réveilla, une faible lueur métallique grattait aux fenêtres de sa chambre. Elle s'était endormie tout habillée. Elle ouvrit la fenêtre et le froid humide du matin lui lécha le visage. Un tapis de brume épaisse recouvrait le jardin, rampant tel un serpent au milieu des restes de la fête de la veille au soir. Des nuages noirs couvraient le ciel et se déplaçaient lentement, porteurs d'orage apparemment.

Mercedes sortit dans le couloir, pieds nus. La maison était plongée dans un profond silence. Elle avança dans l'obscurité et fit le tour de l'aile du bâtiment pour arriver à la chambre à coucher de son père. Ni Vicente, ni aucun de ses hommes, n'était posté devant la porte, contrairement à l'habitude des deux dernières années, depuis que son père avait commencé à vivre caché, toujours sous la protection de ses pistoleros de confiance, comme s'il craignait que quelque chose ne sortît soudain d'un des murs et ne lui enfonçât un poignard dans le dos. Elle n'avait jamais osé lui demander la raison de ce changement. Il lui suffisait de le surprendre parfois, absent et le regard empoisonné par le tourment.

Elle ouvrit la porte de la chambre de son père sans frapper. Le lit n'était pas défait. La tisane que la bonne laissait tous les soirs sur la table de nuit de don Mauricio était froide et intacte. Elle se demandait parfois si son père dormait ou s'il veillait toutes les nuits dans son bureau, en haut de la tour. Le battement d'ailes d'un groupe d'oiseaux prenant son envol dans le jardin attira son attention. Elle aperçut deux formes qui se dirigeaient vers les garages. Elle colla son visage contre la vitre. L'une des silhouettes s'arrêta, se retourna et regarda dans sa direction. On aurait dit qu'elle avait senti le regard de la jeune fille posé sur elle comme une main sur son épaule. Mercedes sourit à son père qui la regardait sans aucune expression sur son visage pâle et vieilli, plus vieux qu'elle ne l'avait jamais vu, lui sembla-t-il.

Mauricio Valls finit par baisser les yeux et il entra dans le garage en compagnie de Vicente, qui portait une petite valise à la main. Une sensation de panique envahit Mercedes. Elle avait rêvé cet instant mille fois, sans savoir ce qu'il signifiait. Elle se jeta dans l'escalier, heurtant les meubles et trébuchant sur les tapis dans l'obscurité intense de l'aube. Quand elle arriva dans le jardin, la brise froide et coupante lui cracha au visage. Elle dévala les marches en marbre du perron et courut vers les garages, foulant une terre jonchée de masques, de chaises renversées et de guirlandes de lampions qui papillotaient encore et se balançaient dans la brume. Elle entendit le moteur de la voiture démarrer et les roues glisser sur l'allée de gravier. Quand elle atteignit l'allée principale qui menait au portail de la propriété, la voiture filait déjà à toute allure. Elle courut derrière, sans s'occuper des cailloux tranchants qui blessaient ses pieds nus. Juste avant que le brouillard n'engloutît l'automobile, elle aperçut son père qui se retournait une dernière fois et lui adressait un regard désespéré de loin, derrière la lucarne arrière. Elle courut jusqu'à ce que le bruit de moteur disparût dans le lointain et que le portail hérissé de pointes lui barrât le chemin.

Une heure plus tard, Luisa, la bonne qui venait la réveiller et l'habiller tous les matins, la trouva assise au bord de la piscine. Ses pieds pendaient au-dessus de l'eau teintée de sang et couverte de dizaines de masques qui flottaient comme des bateaux en papier à la dérive.

— Mademoiselle Mercedes, pour l'amour de Dieu…

Elle sifflotait pendant que Luisa l'enveloppait dans une couverture et la conduisait vers la maison. Quand elles arrivèrent devant le perron, une neige mouillée avait commencé à tomber et un vent hostile agitait les arbres et jetait au sol les guirlandes de lampions suspendus, les tables et les chaises. Mercedes, qui avait rêvé cet instant aussi, sut que la maison avait commencé à mourir.

KYRIE

Madrid

Décembre 1959

1

Peu après dix heures du matin, une Packard noire enfila la Gran Vía sous un déluge d'eau et stoppa devant les portes de l'ancien hôtel Hispania. Par la fenêtre de sa chambre voilée de pluie, Alicia réussit à distinguer les deux émissaires, gris et froids comme le temps, qui descendaient de la voiture engoncés dans leurs gabardines et leurs chapeaux réglementaires. Elle consulta sa montre. Le bon Leandro n'avait pas attendu un quart d'heure pour lâcher les chiens. Trente secondes plus tard, le téléphone sonna. Elle décrocha le combiné à la première sonnerie. Elle savait parfaitement qui se trouvait au bout du fil.

— Mademoiselle Gris, bonjour et tout et tout, récita la voix rauque de Maura à la réception. Une paire de bourres qui puent la Sociale vient de demander après vous, sans prendre de gants. Les gars sont dans l'ascenseur. Je les ai envoyés au quatorzième pour vous laisser un peu de temps, au cas où vous voudriez filer.

— Merci de l'attention, Joaquín. Vous êtes dans quoi aujourd'hui ? Quelque chose de bien ?

Peu après la chute de Madrid, Joaquín Maura avait échoué à la prison de Carabanchel. Quand il en était sorti, seize ans plus tard, il avait découvert qu'il était vieux, qu'il ne lui restait qu'un poumon et que sa femme, enceinte de six mois lors de son arrestation, avait obtenu l'annulation du mariage et épousé un lieutenant-colonel bardé de décorations. Lequel lui avait donné trois enfants et un modeste pavillon en banlieue. De son premier et éphémère mariage avec Maura, il lui restait une fille, Raquel, qui avait grandi en croyant que son père était mort avant sa naissance. Le jour où Maura eut l'idée d'aller la voir, sans se montrer, à la sortie d'un magasin de la rue Goya où elle vendait du tissu, Raquel le prit pour un mendiant et elle lui donna la pièce. Depuis, il vivait misérablement dans un taudis à côté de la chaudière, au sous-sol de l'Hispania où il était veilleur de nuit, et aussi de jour dès qu'on le lui demandait. Dans sa guérite, il relisait des romans policiers à deux sous et il allumait une cigarette avec l'autre, des Celtas sans filtre, en attendant que la mort remette les choses en ordre et le ramène à l'année 1939, dont il n'aurait jamais dû sortir.

— Je lis un roman à l'eau de rose sans queue ni tête, *La Tunique cramoisie*, d'un certain Martín, expliqua Maura. Un bouquin de la vieille collection "La Ville des maudits". C'est le gros Tudela qui me l'a passé, celui de la 426. Il trouve toujours des trucs bizarres aux puces. Ça se passe chez vous, à Barcelone. Ça vous plairait peut-être.

— Je ne dis pas non.

— Entendu. Et prudence avec ces deux-là, je sais que vous vous débrouillez toute seule, mais ils ne me disent rien qui vaille.

Alicia raccrocha et s'assit tranquillement en attendant que ces deux chacals flairent sa trace et pointent leur museau. Entre deux et trois minutes au plus, calcula-t-elle. Elle laissa la porte de la chambre ouverte, alluma une cigarette et choisit le fauteuil face à la porte d'entrée et au long couloir obscur qui menait aux ascenseurs. La puanteur qui régnait dans le couloir envahit la pièce, un mélange de poussière, de vieux bois et de tapis râpé.

L'Hispania était une charmante ruine en état de décadence perpétuelle. Construit au début des années 1920, l'hôtel avait connu son heure de gloire en figurant parmi les grands établissements de luxe de Madrid avant de tomber en désuétude après la guerre civile. S'ensuivirent deux décennies de déclin au terme desquelles l'établissement devint une sorte de catacombe où échouaient les misérables et les réprouvés, les gens de rien ni de personne qui s'étiolaient dans des antres lugubres et vermoulus loués à la semaine. Sur la centaine de chambres que comptait l'hôtel, la moitié était inoccupée depuis des années. Plusieurs étages étaient condamnés, et des légendes macabres circulaient entre les locataires sur les événements survenus dans ces longs couloirs obscurs où l'ascenseur s'arrêtait parfois sans que personne n'eût appuyé sur le bouton. Le faisceau de lumière jaunâtre de la cabine révélait alors les entrailles de ce qui ressemblait à un navire de croisière immergé. Maura lui avait raconté que le central téléphonique sonnait souvent à l'aube et que les appels provenaient de chambres inoccupées depuis la guerre. Quand il répondait, il n'y avait personne au bout du fil, sauf une fois où il entendit une femme en pleurs. Quand il lui demanda ce qu'il pouvait faire pour elle, une autre voix, sombre et profonde, lui répondit "Viens avec nous".

— Depuis, je n'ai plus vraiment envie de répondre aux appels après minuit, lui avoua Maura. Je pense parfois que cet endroit est une métaphore, vous savez ? Une métaphore du pays, je veux dire. Ensorcelé par tout le sang qui a coulé et que nous avons sur les mains, même si nous nous évertuons tous à dénoncer le voisin d'en face.

— Vous êtes un poète, Maura. Même tous ces romans policiers ne parviennent pas à éteindre en vous la veine lyrique. Ce dont l'Espagne a besoin, c'est de penseurs comme vous, qui ressuscitent le grand art national de la conversation.

— C'est ça, moquez-vous ! On voit bien que vous êtes payée par le régime, mademoiselle Gris. Même si, avec ce qu'ils versent, une personne comme vous pourrait déménager ailleurs au lieu de pourrir dans cette basse-fosse. Ce n'est pas un endroit pour une demoiselle de votre classe, distinguée et élégante. Ici, on ne vient pas pour vivre, mais pour mourir.

— C'est ce que je disais, un poète.

— Allez vous faire pendre !

Maura n'avait pas tout à fait tort dans ses élucubrations philosophiques, et avec le temps, l'Hispania commença à être connu dans certains cercles comme *l'hôtel des suicidés*. Des décennies plus tard, alors qu'il était fermé depuis longtemps, des ingénieurs chargés de la démolition parcoururent tout le bâtiment, étage par étage, afin de placer les charges destinées à l'écrouler. Et la rumeur courut que, dans plusieurs chambres, ils avaient trouvé sur les lits et dans les baignoires des cadavres momifiés depuis longtemps, dont celui de l'ancien veilleur de nuit.

2

Elle les vit émerger de l'obscurité du couloir tels qu'ils étaient, deux pantins composés pour effrayer quiconque prenait la vie au pied de la lettre. Elle les avait déjà vus, mais sans jamais prendre la peine de se rappeler leurs noms. Tous ces fantoches de la brigade lui semblaient identiques. Ils s'arrêtèrent sur le seuil et lancèrent un regard de mépris très étudié à l'intérieur de la pièce avant de poser les yeux sur Alicia en dessinant ce sourire de loup que Leandro devait leur enseigner dès leur premier jour d'école.

— Je ne sais pas comment vous pouvez vivre ici.

Alicia haussa les épaules et termina sa cigarette en faisant un geste en direction de la fenêtre.

— C'est pour la vue.

L'un des hommes de Leandro se força à rire et l'autre remua la tête de droite à gauche. Ils entrèrent dans la chambre, jetèrent un coup d'œil à la salle de bains et examinèrent la pièce du sol au plafond comme s'ils espéraient y trouver quelque chose. Le plus jeune des deux, qui sentait le néophyte et compensait en prenant des poses, s'amusa à réviser la collection de livres empilés contre le mur – elle occupait pratiquement la moitié de la chambre –, glissant paresseusement l'index sur le dos avec une moue dédaigneuse.

— Il va falloir me prêter quelques-uns de ces petits romans d'amour.

— J'ignorais que vous saviez lire.

Le néophyte se retourna et fit un pas, l'air hostile, mais son compagnon, et chef probablement, l'arrêta et soupira, excédé.

— Allez, poudrez-vous le nez. Vous étiez attendue à dix heures.

Alicia ne fit pas le moindre mouvement indiquant qu'elle allait se lever de sa chaise.

— Je suis en arrêt forcé. Ordre de Leandro.

Le néophyte, qui s'était clairement senti remis en cause dans sa virilité, planta ses quelque quatre-vingt-dix kilos de muscles et de bile à un pas d'Alicia et arbora un sourire qui résultait à l'évidence d'un entraînement dans les cachots et au cours des perquisitions nocturnes.

— Commencez pas à m'emmerder, j'ai pas tout mon temps, mignonne. M'obligez pas à vous sortir d'ici par la force.

Alicia le regarda fixement dans les yeux.

— La question n'est pas de savoir si vous avez ou non tout votre temps, mais si vous avez ou non du cran.

Le sbire de Leandro soutint son regard quelques secondes, mais quand son compagnon le tira par le bras, il choisit de lui substituer un gentil sourire et de lever les mains en signe de trêve. À suivre, pensa Alicia.

Le leader du duo consulta sa montre et secoua la tête.

— Venez, mademoiselle Gris, nous ne sommes pas responsables. Vous savez comment ça marche.

Je le sais, pensa Alicia. Je ne le sais que trop.

Elle prit appui de ses deux mains sur les bras du fauteuil pour se lever. Les deux limiers la regardèrent tanguer jusqu'à la chaise où reposait ce qui ressemblait à un harnais, une attelle articulée par de fines lanières de fibres et des ceintures de cuir.

— Je peux vous aider ? demanda le néophyte d'un ton moqueur.

Alice les ignora. Elle attrapa l'appareillage et entra dans la salle de bains en laissant la porte entrebâillée. Le plus vieux détourna le regard, mais le néophyte ne put empêcher ses yeux de trouver l'angle d'où il apercevait le reflet de la jeune femme dans le miroir. Il la vit ôter sa jupe et enfiler l'attelle autour de ses hanches et de sa jambe droite comme s'il s'agissait d'une pièce de lingerie étrange. Elle ajusta les crochets et le corset moula son corps comme une seconde peau, lui conférant un air de poupée mécanique. Alicia leva les yeux et le voyeur croisa son regard froid et sans expression dans la glace. Il sourit de plaisir et, après une longue pause, il se tourna vers l'intérieur de la pièce non sans avoir auparavant capté la vision fugace de la tache noire sur le côté d'Alicia, une multitude de cicatrices qui paraissaient se fondre dans la chair comme si une perceuse dotée d'une puissance maximale lui avait réparé la hanche. L'agent constata que son supérieur le regardait sévèrement.

— Crétin, lui murmura-t-il.

Alicia sortit de la salle de bains quelques secondes après.

— N'auriez-vous pas une autre robe ? demanda le chef.

— Qu'est-ce qu'elle a de mal, celle-ci ?

— Je ne sais pas. Quelque chose de plus discret.

— Pourquoi ? Qui d'autre sera présent à la réunion ?

Pour toute réponse, l'homme lui tendit une canne qui était appuyée contre le mur et il désigna la porte.

— Je ne suis pas maquillée.

— Vous êtes parfaite. Vous pourrez vous maquiller dans la voiture, si vous le souhaitez, on est en retard.

Alicia refusa la canne et se dirigea vers le couloir sans les attendre, en boitant légèrement.

Quelques minutes plus tard, dans la Packard noire, ils traversaient en silence les rues de Madrid sous la pluie. Assise à l'arrière, Alicia contempla les lignes formées par les terrasses de la Gran Vía, avec leurs aiguilles, leurs coupoles et leurs statues. De là-haut, des quadriges d'anges et sentinelles de pierre noircie surveillaient. Sous un ciel gris et plombé s'élevait un récif sinueux d'édifices colossaux et sombres entassés les uns contre les autres, pareils à ses yeux à des créatures pétrifiées qui auraient avalé des villes entières. À leurs pieds, les marquises des grands théâtres, les vitrines des cafés et les grands magasins chics brillaient sous le rideau de pluie. Les gens, minuscules points dont l'haleine produisait de la vapeur, défilaient sous un entrelacs de parapluies, au ras du sol. Un jour comme celui-ci, songea-t-elle, on en viendrait à penser comme le bon Maura et à croire que les ténèbres de l'Hispania s'étendent d'un bout à l'autre du pays sans plus laisser un pouce de lumière.

3

— Parlez-moi de ce nouvel agent opérationnel que vous me proposez. Gris, c'est ça ?

— Alicia Gris.

— Alicia ? Une femme ?

— Cela pose-t-il un problème ?

— Je ne sais pas. Pose-t-elle problème ? J'ai entendu parler d'elle plus d'une fois, mais toujours comme Gris. Je n'avais pas la moindre idée que c'était une femme. Certains pourraient remettre en cause ce choix.

— Vos supérieurs ?

— Nos supérieurs, Leandro. Nous ne pouvons pas nous permettre une nouvelle erreur, comme celle de Lomana. Ils deviennent nerveux au Pardo.

— Avec votre respect, la seule erreur a été de ne pas m'expliquer clairement et d'entrée de jeu pour quelle raison vous souhaitiez un membre de mon unité. Si j'avais su de quoi il était question, j'aurais choisi un autre candidat. Ce n'était pas une tâche pour Ricardo Lomana.

— Dans cette affaire, je ne dicte pas les règles, et je ne contrôle pas l'information. Tout vient d'en haut.

— Je comprends.

— Parlez-moi de Gris.

— Mlle Gris a vingt-neuf ans, dont douze passés à travailler pour moi. Orpheline de guerre, elle a perdu ses parents à neuf ans. Elle a grandi dans un orphelinat de Barcelone, le Patronato Ribas, jusqu'à son expulsion à quinze ans pour motifs disciplinaires. Elle a alors vécu, ou plutôt survécu pendant deux ans dans la rue en travaillant pour le compte d'un trafiquant et criminel minable, Baltasar Ruano, le chef d'une bande de voleurs adolescents. La garde civile a fini par mettre la main dessus et il a été exécuté, comme beaucoup d'autres, au Campo de la Bota.

— J'ai entendu dire qu'elle est...

— Ce n'est pas un problème. Elle se débrouille toute seule et je vous assure qu'elle sait se défendre. Elle a été blessée pendant la guerre, au cours des bombardements de Barcelone. Cela ne l'a jamais empêchée de mener à bien ses tâches. Alicia Gris est le meilleur agent que j'ai recruté en vingt ans de service.

— Alors pourquoi ne s'est-elle pas présentée à l'heure où elle a été convoquée ?

— Je comprends votre frustration, et je vous renouvelle mes excuses. Alicia peut être un peu indocile parfois, comme le sont tous les agents exceptionnels dans ce genre de métier. Il y a un mois, nous avons eu un différend banal à propos d'un cas sur lequel elle travaillait. Je l'ai suspendue temporairement, sans solde. Ne pas se présenter aujourd'hui au rendez-vous est sa façon de me faire savoir qu'elle est toujours en colère contre moi.

— Votre relation semble plus personnelle que professionnelle, si je puis me permettre.

— Dans mon domaine, l'un ne va pas sans l'autre.

— Ce mépris de la discipline m'inquiète. On ne peut plus commettre aucune erreur dans cette affaire.

— Il n'y en aura pas.

— Il vaudrait mieux. On joue notre tête, là. La vôtre et la mienne.

— Laissez-moi faire.

— Parlez-moi encore de Gris. Qu'est-ce qu'elle a de si spécial ?

— Alicia Gris voit ce que les autres ne voient pas. Son esprit fonctionne différemment. Là où tout le monde voit une porte, elle regarde la clef. Là où les autres perdent la piste, elle trouve une trace. Elle possède un don en quelque sorte. Et le mieux, encore, c'est que personne ne la voit venir.

— Est-ce ainsi qu'elle a résolu l'affaire dite des "poupées de Barcelone" ?

— Les fiancées de cire. En effet. C'est le premier cas sur lequel Alicia a travaillé pour moi.

— Je me suis toujours demandé si l'histoire de ce gouverneur civil était véridique…

— C'était il y a des années.

— Nous avons du temps devant nous, non ? En attendant la demoiselle !

— Bien entendu. C'était en quarante-sept. J'étais en poste à Barcelone. Nous avions été prévenus que la police avait découvert au cours des trois dernières années sept cadavres au moins de jeunes femmes, en différents lieux de la ville. Elles avaient été trouvées assises sur un banc dans un parc, à un arrêt de tramway, dans un café du Paralelo… Il y en avait même une agenouillée dans un confessionnal de la paroisse d'El Pino. Toutes parfaitement maquillées et vêtues de blanc. Elles n'avaient pas une goutte de sang dans le corps et elles sentaient le camphre. On aurait dit des poupées de cire. D'où leur nom.

— Connaissait-on leur identité ?

— Personne n'avait signalé leur disparition, et la police pensait donc qu'il s'agissait de prostituées, ce qui fut confirmé plus tard. Des mois passèrent sans qu'aucun autre corps ne soit découvert, et la police classa l'affaire.

— Et on en a trouvé une autre.

— Exact. Margarita Mallofré. Elle était assise dans un fauteuil du hall de l'hôtel Oriente.

— Et cette Margarita était la petite de... ?

— Elle était employée dans une maison de rendez-vous d'un certain standing de la rue Elisabets, un établissement spécialisé dans les goûts particuliers, disons, tarifés à un prix élevé. Il se trouve que le gouverneur civil de l'époque fréquentait cet établissement, et que la défunte était sa favorite.

— Pour quelle raison ?

— Apparemment, Margarita Mallofré demeurait consciente le plus longtemps, malgré les attentions spéciales du gouverneur, d'où la prédilection du monsieur.

— Que Son Excellence nous garde !

— Toujours est-il qu'à la suite de la découverte de ce lien l'enquête a été rouverte et, compte tenu de la nature délicate du sujet, il est arrivé entre mes mains. Alicia commençait tout juste à travailler pour moi et je lui ai confié le dossier.

— Le sujet n'était-il pas trop scabreux pour une si jeune fille ?

— Alicia est, et a toujours été, une fille très peu conventionnelle et médiocrement impressionnable.

— Comment cela s'est-il terminé ?

— Assez rapidement. Alicia a passé plusieurs nuits dans la rue à surveiller les entrées et les sorties des principales maisons closes du Raval. Elle a ainsi découvert que lors des descentes de police routinières les clients et quelques filles ou garçons employés dans l'établissement s'éclipsaient par une porte dérobée. Elle a décidé de les suivre. Les filles se cachaient de la police dans des entrées d'immeubles ou dans des cafés, dans les égouts même. La plupart étaient appréhendées et conduites en cellule pour passer la nuit, ou un mauvais quart d'heure, mais ce n'est pas le sujet qui nous occupe. D'autres réussissaient à tromper la police. Et elles y parvenaient toujours au même endroit : au coin des rues Joaquín Costa et Peu de la Creu.

— Qu'est-ce qu'il y avait à cet endroit ?

— Rien de particulier, en apparence. Deux entrepôts de grains. Une épicerie. Un garage. Et un atelier de fabrication textile dont le chef, un certain Rufat, avait été en délicatesse avec la police, paraît-il, à cause de sa propension à outrepasser les limites dans l'application des châtiments corporels sur plusieurs de ses ouvrières. Une d'elles avait perdu un œil. De plus, Rufat était un habitué de l'établissement où travaillait Margarita Mallofré avant sa disparition.

— La petite Gris travaille vite.

— Oui, et elle a commencé par écarter Rufat. Une brute, certes, mais sans autre lien avec l'affaire que la coïncidence de fréquenter un local situé à quelques rues de son atelier.

— Et alors ? Elle a tout repris de zéro ?

— Alicia répète toujours que les choses ne suivent pas une logique apparente, mais une logique interne.

— Et quelle logique pouvait-il y avoir dans un cas pareil, selon elle ?

— Ce qu'elle appelle la logique du simulacre.

— Je ne vous suis plus, Leandro.

— Pour aller vite, disons qu'Alicia croit que tout ce qui survient dans la société, dans la vie publique, est une mise en scène, un simulacre de ce que nous essayons de faire passer pour la réalité, mais qui ne l'est pas.

— Ça sonne un peu marxiste tout ça.

— N'ayez aucune crainte. Alicia est l'être le plus sceptique que je connaisse. D'après elle, toutes les idéologies et les credos sans distinction sont des embrasements induits par la pensée. Des simulacres.

— C'est pire encore. Je ne sais pas pourquoi ça vous fait sourire, Leandro. Je ne vois rien d'amusant à cela. Cette demoiselle me déplaît de plus en plus. Est-elle jolie, au moins ?

— Je ne dirige pas une agence d'hôtesses de l'air.

— Ne vous mettez pas en colère, Leandro, c'était une blague. Comment tout cela s'est-il terminé ?

— Une fois Rufat éliminé de la liste des suspects, Alicia s'est mise en devoir de peler l'oignon, comme elle dit.

— Encore une de ses théories ?

— Selon Alicia, tout crime est comme un oignon : il suffit d'ôter les différentes pelures pour finir par découvrir ce qu'il cache. Ce faisant, il faut verser quelques larmes.

— Leandro, je suis parfois stupéfait par la faune que vous recrutez.

— Mon travail consiste à trouver l'outil adapté à chaque tâche. Et à le maintenir bien aiguisé.

— Faites attention à ne pas vous couper un de ces jours. Continuez cette histoire d'oignon, elle me plaît.

— En pelant les couches de chacune des sociétés et des établissements situés au coin des deux rues où les disparues avaient été vues pour la dernière fois, Alicia a découvert que le garage appartenait à la Casa de la Caridad.

— Retour au point mort, à nouveau.

— Dans ce cas, "mort" est bien le terme.

— Je suis de nouveau perdu.

— Ce garage abritait une partie des véhicules des services funéraires de la ville, ainsi qu'un entrepôt de cercueils et de sculptures. Dans ces années-là, la gestion des pompes funèbres municipales était encore assurée par la Casa de la Caridad, et la plupart des petits employés, croque-morts et magasiniers, étaient souvent des défavorisés : orphelins, détenus, mendiants, et cætera. En résumé, de malheureuses âmes qui avaient atterri là parce qu'elles n'avaient personne d'autre au monde. Déployant tout son art, qui n'est pas mince, Alicia a réussi à se faire embaucher comme dactylo dans les services administratifs. Elle a rapidement remarqué que les soirs où il y avait des descentes de police, des filles des lupanars voisins venaient se réfugier dans le garage des pompes funèbres. Là, il était facile de convaincre ces malheureux de les laisser se cacher dans les véhicules en échange de petites gâteries. Une fois le danger écarté, et les besoins du bienfaiteur satisfaits, les filles regagnaient leur poste avant le lever du soleil.

— Mais…

— … pas toutes. Alicia s'est aperçue qu'un des employés qui travaillaient là était très différent des autres. Un orphelin de guerre, comme elle. Les autres l'appelaient Quimet parce qu'il avait un visage d'enfant et un comportement si doux que les veuves désiraient l'adopter et l'installer chez elles. En outre, ce Quimet était un élève brillant, déjà versé dans les arts funéraires. Ce qui attira l'attention d'Alicia, c'est qu'il collectionnait les poupées de porcelaine et qu'il possédait un album de photographies rangé dans son bureau. Il racontait qu'il voulait se marier et fonder une famille, et que pour cela il recherchait la femme appropriée, pure et saine d'esprit et de corps.

— Le simulacre ?

— Le piège, plutôt. Elle le surveilla toutes les nuits, et elle ne tarda pas à découvrir ce qu'elle soupçonnait. Lorsqu'une de ces filles égarées s'adressait à Quimet et réclamait son aide, il évaluait si elle remplissait les conditions requises de taille, de couleur de peau, d'allure et de constitution, et alors, loin d'exiger un paiement en nature, il priait avec elle et lui assurait que grâce à son aide et à celle de la Vierge personne ne la retrouverait. La meilleure cache, affirmait-il, était le cercueil. Personne, pas même la police, ne se risquerait à l'ouvrir pour vérifier son contenu. Charmées par son visage poupin et ses manières douces, les filles s'allongeaient dans la bière, et elles lui souriaient encore quand il refermait et scellait le couvercle sur elles. Il les laissait mourir d'asphyxie, puis il les déshabillait, leur rasait le pubis, les lavait de la tête aux pieds, les vidait de leur sang et leur injectait dans le cœur un liquide d'embaumement qu'il envoyait dans tous le corps à l'aide d'une sorte de pompe mécanique. Une fois les filles métamorphosées en poupées de cire, il les maquillait et les vêtait de blanc. Alicia vérifia également que toutes les robes qui avaient été trouvées sur les cadavres provenaient d'un même établissement de robes de mariée situé sur le boulevard circulaire de Sant Pedro, à deux cents mètres de là. L'un des employés se rappelait avoir servi Quimet plus d'une fois.

— Magnifique.

— Quimet passait une ou deux nuits avec les cadavres, reproduisant, pour ainsi dire, un certain mode de vie conjugale, jusqu'à ce que les corps commencent à exhaler une odeur de fleurs fanées. Alors, toujours avant l'aube, quand les rues sont désertes, il les conduisait vers leur nouvelle vie éternelle, dans l'un des véhicules des pompes funèbres, et il mettait en scène leur découverte.

— Doux Jésus… Ce genre de choses ne peut se produire qu'à Barcelone.

— Alicia découvrit tout cela et plus encore, et juste à temps pour sauver d'un cercueil de Quimet celle qui aurait été sa huitième victime.

— A-t-on su pourquoi il agissait ainsi ?

— Toujours selon Alicia, il avait passé toute une semaine avec le cadavre de sa mère, enfermé dans un appartement de la rue de la Cadena, avant que l'odeur alerte les voisins. Apparemment, en apprenant que son mari la quittait, sa mère s'était suicidée, elle avait avalé un poison. Ce qui n'a pas pu être confirmé. Malheureusement, il mit fin à ses jours le premier soir dans la prison du Campo de la Bota, non sans avoir laissé sur le mur de sa cellule ses dernières volontés. Il voulait être rasé sur tout le corps, lavé, embaumé et exhibé à perpétuité, vêtu de blanc, dans un cercueil de verre à côté d'une de ses fiancées de cire dans la vitrine du grand magasin El Siglo. Sa mère y avait été vendeuse, semble-t-il. Bon, mais en parlant du loup, Mlle Gris ne devrait pas tarder. Je vous sers un petit verre de brandy pour vous ôter le mauvais goût laissé par cette histoire ?

— Une dernière chose, Leandro. Je veux qu'un de mes hommes travaille avec votre agent. Pas question qu'il y ait une autre disparition, après celle de Lomana.

— Je crois que c'est une erreur. Nous avons nos propres méthodes.

— C'est une condition non négociable. Altea est d'accord avec moi.

— Avec tout le respect que…

— Leandro, Altea voulait mettre Hendaya sur l'affaire, je vous le rappelle.

— Une autre erreur.

— Je suis d'accord. C'est pour cela que je l'ai persuadé de me laisser agir à ma manière pour le moment. Mais la condition est qu'un de mes hommes supervise votre agent. C'est ça ou Hendaya.

— Je comprends. À qui avez-vous pensé ?

— À Vargas.

— Je croyais qu'il était à la retraite.

— Techniquement, c'est tout.

— C'est une punition ?

— Pour votre agent ?

— Pour Vargas.

— Disons plutôt une deuxième chance.

4

La Packard fit le tour de la place de Neptuno, plus encombrée que jamais, et elle s'engagea dans l'avenue San Jerónimo, droit vers le bâtiment blanc de style français du Grand Hôtel Palace. Elle s'arrêta devant l'entrée principale et, quand le portier vint ouvrir la portière arrière de la voiture avec un grand parapluie ouvert, les deux agents de la Mondaine se retournèrent et adressèrent à Alicia un regard à mi-chemin entre la menace et la requête.

— On peut vous laisser là sans que vous fassiez tout un cirque, ou est-ce qu'il faut qu'on vous emmène de force pour éviter que vous ne nous faussiez compagnie une nouvelle fois ?

— Ne vous inquiétez pas, je ne vous ferai pas honte.

— Vous me donnez votre parole ?

Alicia acquiesça. Entrer dans une voiture ou en sortir n'était pas chose aisée pour elle les mauvais jours, mais elle ne voulait pas se montrer encore plus mal en point devant ces deux-là et elle encaissa avec le sourire la douleur aiguë qui la poignarda à la hanche quand elle se releva. Le portier l'accompagna jusqu'à l'entrée de l'hôtel, la protégeant de la pluie avec son grand parapluie ; un bataillon de grooms et de femmes de chambre paraissaient l'attendre, prêts à l'escorter le long des couloirs jusqu'à son lieu de rendez-vous. Quand elle aperçut l'escalier qui devait la mener jusqu'à l'immense salle de restaurant, elle admit qu'elle aurait dû accepter de prendre sa canne. Elle sortit un pilulier de son sac et avala un comprimé, puis prit une grande inspiration avant de se lancer dans l'ascension.

Quelques minutes et des dizaines de marches plus tard, elle s'arrêta pour reprendre son souffle à la porte de la salle du restaurant. Le groom qui l'avait accompagnée remarqua la sueur qui couvrait son front. Alicia lui adressa un sourire forcé.

— Je crois que je peux me débrouiller toute seule maintenant, si vous n'y voyez pas d'inconvénient.

— Naturellement. Comme il vous plaira.

Il se retira discrètement, mais elle n'eut pas besoin de se retourner pour savoir qu'il l'observait et ne la quitterait pas des yeux tant qu'elle ne serait pas entrée dans la salle de restaurant. Elle épongea la sueur de son front avec un mouchoir et étudia les lieux.

Un léger soupir de voix et le tintement d'une petite cuillère tournant dans une tasse en porcelaine. La salle de restaurant du Palace s'ouvrait devant elle, hantée de reflets dansants qui perlaient de la grande coupole sous l'effet de la pluie. Cet endroit lui avait toujours évoqué un immense saule de cristal suspendu comme un chapiteau de rosaces dérobées à cent cathédrales, hommage de la *Belle Époque**. Personne ne pourrait jamais accuser Leandro de mauvais goût.

Sous la bulle de cristal multicolore, une seule table était occupée. Une demi-douzaine de serveurs placés à une distance suffisante pour ne pas entendre leurs propos et pouvoir toutefois interpréter leurs gestes observait avec diligence les deux personnages. Bref, à la différence de son domicile provisoire à l'Hispania, le Palace était un établissement de première catégorie. Leandro, un individu aux habitudes embourgeoisées, vivait et travaillait là. Depuis des années, il occupait la *suite** 814 et il aimait traiter ses affaires dans cette salle de restaurant qui, comme le soupçonnait Alicia, lui permettait de croire qu'il vivait dans le Paris de Proust et non dans l'Espagne de Franco.

Elle se concentra sur les deux commensaux. Leandro Montalvo était assis, comme toujours, face à l'entrée. De taille moyenne et de constitution molle et arrondie de comptable aisé, il masquait un regard aiguisé comme un couteau derrière des lunettes à la monture onéreuse et trop grande pour lui. Il affectait un air détendu et affable qui lui conférait l'allure d'un notaire de province amateur de zarzuelas, ou d'un employé de banque monté en grade appréciant les visites de musée après sa journée de travail. "Le gentil Leandro".

À côté de lui, dans un costume de coupe anglaise qui jurait avec son aspect fruste et cambroussard, était assis un individu aux cheveux et à la moustache gominés ; il tenait un verre de brandy à la main. Alicia se dit que son visage lui était familier. C'était un de ces personnages régulièrement présents dans les journaux, de ces grands habitués des photos posées, sur fond de drapeau toujours orné de l'aigle et du tableau représentant l'indéfectible scène équestre. Gil quelque chose, se dit-elle. Secrétaire général de la Tortilla ou quelque chose dans ce genre. Leandro leva les yeux et lui sourit de loin. Il l'invita à les rejoindre du geste que l'on adresse à un enfant ou à un chiot. Dominant sa claudication au prix d'une cruelle douleur, Alicia traversa la grande salle, lentement. Ce faisant, elle nota la présence de deux hommes du ministère dans le fond, parmi les ombres. Armés. Immobiles comme des reptiles à l'affût.

— Alicia, je me félicite que tu aies pu trouver un petit moment libre dans ton emploi du temps pour venir prendre un café avec nous. Dis-moi, as-tu petit-déjeuné ?

Leandro ne lui laissa pas le temps de répondre. Il haussa les sourcils et deux serveurs postés contre le mur préparèrent un couvert. Pendant qu'ils lui servaient un verre de jus d'oranges fraîchement pressées, Alicia sentit le regard de faucon posé sur elle, qui la laissait mijoter à petit feu. Elle n'avait aucun mal à lire en lui. La plupart des hommes, même les observateurs professionnels, confondent voir et regarder, et ils se fixent presque toujours sur les détails évidents, ceux qui dissimulent l'interprétation située au-delà de l'insignifiant. Leandro avait l'habitude de dire que disparaître au regard de l'adversaire était un art dont l'apprentissage pouvait prendre toute une vie.

Son visage à elle, sans âge, aiguisé et malléable, comptait à peine quelques lignes d'ombre et de couleur. Elle se maquillait chaque jour en fonction du rôle à tenir dans la fable choisie par Leandro pour mettre en scène ses manèges et ses intrigues. Elle pouvait être l'ombre ou la lumière, un paysage ou un portrait, selon le livret. Les jours de relâche, elle disparaissait en elle-même et se retirait dans ce que Leandro appelait la transparence de son obscurité. Elle avait les cheveux noirs et le teint pâle fait pour les soleils froids et les salons intérieurs. Ses yeux verts brillaient dans la pénombre et dardaient comme des épingles pour faire oublier la silhouette fragile mais difficile à éluder qu'elle enfouissait, quand c'était nécessaire, dans des robes amples, afin de ne pas susciter les regards furtifs dans la rue. De près, toutefois, sa présence était ardente et sa force ténébreuse, et vaguement inquiétante selon Leandro. Il lui avait enseigné à ne pas la manifester, dans la mesure du possible. "Tu es une créature nocturne, Alicia, mais ici nous nous cachons tous à la lumière du jour".

— Alicia, permets-moi de te présenter le très honorable don Manuel Gil de Partera, directeur du Corps général de la police.

— C'est un honneur, Excellence, récita Alicia en lui tendant la main, que le directeur ne prit pas, craignant peut-être qu'elle ne la morde.

Gil de Partera l'observait avec l'air de se demander si elle était une collègue un brin perverse et déconcertante ou un spécimen qu'il ne savait pas encore comment cataloguer.

— Monsieur le directeur a tenu à faire valoir nos bons offices pour résoudre une affaire délicate par certains aspects, qui requiert discrétion et diligence les plus extrêmes.

— Naturellement, acquiesça Alicia d'un ton aussi docile qu'angélique, qui lui valut un léger coup de pied de Leandro sous la table. Nous sommes à votre disposition pour vous apporter toute notre aide, dans la mesure du possible.

Gil de Partera continuait de la dévisager avec ce mélange de défiance et de désir qu'elle suscitait chez les hommes d'un certain âge, sans arriver à savoir de quel côté pencher. Ce que Leandro évoquait toujours comme le parfum de son allure ou les effets secondaires de son visage constituait selon son mentor une arme à double tranchant qu'elle n'avait pas encore réussi à maîtriser avec une absolue précision. Dans ce cas, et compte tenu du malaise visible que Gil de Partera semblait ressentir auprès d'elle, Alicia se dit que cela se retournerait contre elle. C'est le moment de l'offensive, pensa-t-elle.

— Vous connaissez un peu la chasse, mademoiselle Gris, l'interrogea-t-il.

Elle hésita un instant, cherchant son mentor du regard.

— Alicia est essentiellement un animal urbain, intervint Leandro.

— La chasse nous en apprend beaucoup, pérora-t-il. J'ai eu le privilège de partager quelques parties avec Son Excellence le Généralissime, et c'est lui qui m'a dévoilé la règle fondamentale que tout chasseur doit faire sienne.

Alicia opina à plusieurs reprises, comme si tout cela lui paraissait fascinant. Pendant ce temps, Leandro lui tartina de confiture un toast qu'il lui tendit. Elle le prit sans y accorder la moindre attention. Le directeur poursuivait, embarqué dans son exposé grandiloquent.

— Un chasseur doit comprendre qu'à l'instant critique de la partie de chasse les rôles de la proie et du chasseur se confondent. La chasse, la vraie, est un duel à égalité. On ne sait qui on est véritablement qu'au moment où le sang coule.

Il marqua une pause, et une fois passés les quelques instants de silence théâtral requis par la réflexion profonde qui venait de leur être révélée, Alicia adopta une expression révérencielle.

— Est-ce également une maxime du Généralissime ?

Elle reçut un avertissement de Leandro, sous la table.

— Je serai franc avec vous, jeune fille : vous ne me plaisez pas. Je n'aime ni ce que j'ai entendu à votre sujet, ni votre ton, ni le fait que vous croyiez possible de me laisser poireauter ici une partie de la matinée comme si votre temps merdique valait plus que le mien. Je n'aime pas votre façon de regarder, et encore moins le ton moqueur que vous employez pour vous adresser à vos supérieurs. Car s'il y a bien une chose qui m'emmerde dans la vie, ce sont les gens qui ne savent pas rester à leur place. Et plus encore, de devoir le leur rappeler.

Alicia baissa les yeux d'un air soumis. La température de la pièce semblait avoir brusquement chuté de dix degrés.

— Je prie monsieur le directeur de bien vouloir excuser…

— Ne m'interrompez pas. Si je suis ici, en train de parler avec vous, c'est à cause de la confiance que je porte à votre supérieur. Pour une raison qui m'échappe, il voit en vous la personne idoine pour la tâche que je dois vous confier. Mais ne vous y trompez pas : à partir de maintenant, vous en répondrez devant moi. Et je n'ai à votre égard ni la patience ni la prédisposition généreuse de M. Montalvo, ici présent.

Gil de Partera la regarda fixement. Il avait des yeux noirs et la cornée tachée de petits vaisseaux rouges paraissant sur le point d'éclater. Alicia l'imagina avec un chapeau à plumes et des bottes de maréchal, en train de baiser le royal fessier du chef de l'État au cours d'une de ces parties de chasse où les pères de la patrie massacraient des proies qu'un escadron de serviteurs plaçaient dans leur viseur, et dont ils s'enduisaient ensuite les parties, enivrés par l'odeur de poudre et de sang de volatiles de poulailler, afin de se sentir des mâles conquistadors, et pour la plus grande gloire de Dieu et de la Patrie.

— Je suis certain qu'Alicia ne voulait pas vous offenser, mon cher ami, avança Leandro, qui, selon toute probabilité, prenait le plus grand plaisir à cette scène.

Alicia corrobora les mots de son supérieur d'un hochement de tête grave et contrit.

— Inutile de préciser que ce que je vais vous rapporter est strictement confidentiel et que, à tous égards, cette conversation n'a jamais eu lieu. Un doute sur ce point, ou sur un autre, Gris ?

— Absolument aucun, monsieur le directeur.

— Bien, alors faites-moi le plaisir d'avaler ce toast une fois pour toutes et entrons dans le vif du sujet.

5

— Que savez-vous de don Mauricio Valls ?

— Le ministre ? demanda Alicia.

Elle s'arrêta un instant pour considérer l'avalanche d'images qui lui venaient à l'esprit concernant la longue et ample carrière largement étalée au grand jour de don Mauricio Valls. Le profil fier et élégant, toujours pris sous le meilleur angle et en présence de la meilleure compagnie, recevant des honneurs et divulguant un savoir incontesté sous les applaudissements et l'admiration de la claque de la cour. Canonisé de son vivant, sur un piédestal, à la fois à la force de son propre poignet et de la main de l'intelligentsia autoproclamée du pays, Mauricio Valls était, parmi les mortels, l'incarnation du prototype espagnol de l'homme de lettres, chevalier des Arts et de la Pensée. Perpétuellement primé et honoré. Défini, sans ironie, comme la figure emblématique des élites culturelles et politiques du pays, le ministre Valls avançait toujours précédé de ses coupures de presse et des fastes du régime. Ses conférences sur les plus grandes scènes de Madrid attiraient immanquablement l'assistance la plus huppée. Ses articles magistraux sur les thèmes d'actualité publiés dans la presse constituaient des dogmes de foi. La horde de pisse-copies et d'échotiers qui lui mangeaient dans la main se mettait en quatre, éperdue d'adoration. Les récitals de poésie et de monologues extraits de ses célèbres pièces de théâtre, qu'ils donnaient occasionnellement en duo avec les personnalités de la scène nationale, se déroulaient à guichets fermés. Ses œuvres littéraires étaient considérées comme un précis de la réussite, et son nom figurait déjà sur la liste des maîtres. Mauricio Valls, lumière et intelligence de la Celtibérie éclairant le monde.

— Nous savons ce que nous en lisons dans la presse, intervint Leandro. Ce qui, à dire vrai, est bien peu depuis quelque temps par rapport à d'habitude.

— Rien plutôt, confirma Gil de Partera. Je doute qu'il vous ait échappé, mademoiselle, que depuis novembre 1953, il y a donc plus de trois ans, Mauricio Valls, ministre de l'Éducation nationale (ou de la Culture comme il aime à dire), et, si vous m'y autorisez, prunelle des yeux de la presse espagnole, a pratiquement disparu de la vie publique. On ne l'a presque plus vu dans aucun acte officiel.

— Maintenant que vous le dites, monsieur le directeur... acquiesça Alicia.

Leandro se tourna vers elle, et, après avoir échangé un regard complice avec Gil de Partera, il l'informa.

— Il est évident, Alicia, que ce n'est pas par hasard et de sa propre volonté que monsieur le ministre s'est trouvé privé de nous combler par sa fine intelligence et son enseignement remarquable.

— D'après ce que je vois, Leandro, vous avez eu l'occasion de vous entretenir avec lui, intervint le directeur.

— J'ai eu cet honneur, encore que brièvement, il y a longtemps, au cours de mes années à Barcelone. Un grand homme, et qui a su mieux que quiconque illustrer les valeurs et l'importance profonde de notre vie intellectuelle.

— Je suis certain que le ministre serait totalement d'accord avec vous.

Leandro afficha un sourire courtois et tourna à nouveau le regard vers Alicia avant de reprendre la parole.

— Malheureusement, le sujet qui nous réunit ici ne concerne pas la valeur indiscutable de notre estimé ministre, ni la santé enviable de sa propre estime de lui-même. Avec la permission de sa seigneurie ici présente, je crois ne rien dévoiler que nous n'ayons à considérer ensuite si je dis que la raison de l'absence prolongée de don Mauricio Valls sur la scène publique ces derniers temps est due à la suspicion qu'il existe et a existé pendant des années un complot visant à attenter à sa vie.

Alicia haussa les sourcils et échangea un regard avec Leandro.

— Afin d'appuyer l'enquête ouverte par le Corps général de la police, et à la demande de nos amis du ministère de l'Intérieur, notre unité a détaché un agent opérationnel pour collaborer à l'enquête, bien qu'officiellement nous ne soyons pas impliqués et que, de fait, nous ne soyons pas informés de ses particularités, expliqua Leandro.

Alicia se mordit les lèvres. Les yeux de son supérieur exprimaient clairement que l'heure des questions n'était pas venue.

— Cet agent opérationnel a coupé tout contact pour des raisons que nous n'avons pas encore éclaircies, et il demeure impossible à localiser depuis deux semaines, poursuivit Leandro. Cela pour situer le contexte de la mission pour laquelle Son Excellence a eu l'amabilité de solliciter notre collaboration.

Leandro regarda le vieux policier et signifia qu'il lui cédait la parole. Gil de Partera toussota et prit un air sombre.

— Ce que je vais vous dire est strictement confidentiel et ne doit pas sortir d'ici.

Alicia et Leandro acquiescèrent à l'unisson.

— Comme l'a laissé entendre votre supérieur, le 2 novembre 1956, au cours d'un acte célébré en son honneur au Cercle des beaux-arts de Madrid, le ministre Valls a fait l'objet d'un attentat raté contre sa personne. Ce n'était vraisemblablement pas le premier. L'information n'a pas été ébruitée, à la demande du cabinet et du ministre lui-même, désireux de ne pas inquiéter sa famille et ses collaborateurs. Une enquête fut néanmoins ouverte. Elle est toujours en cours, et malgré tous les efforts du Corps supérieur de la police et d'une unité spéciale de la garde civile, il n'a pas encore été possible de faire toute la lumière sur les circonstances dans lesquelles cet événement s'est produit, de même que de précédents dont la police n'avait pas eu vent. Naturellement, l'escorte et les mesures de sécurité ont été immédiatement renforcées autour du ministre, et ses apparitions publiques ont été annulées jusqu'à nouvel ordre.

— Qu'a donné l'enquête pendant ce temps ? l'interrompit Alicia.

— Elle s'est concentrée sur une série de lettres anonymes que don Mauricio aurait reçues depuis longtemps, sans y accorder d'importance. Peu après la tentative d'attentat, il a porté à la connaissance de la police l'existence de ces lettres au contenu menaçant reçues au fil des ans. Une première enquête a révélé que le plus probable était qu'elles avaient été envoyées par un certain Sebastián Salgado, un voleur et un assassin qui purgeait une peine à la prison de Montjuïc, à Barcelone il y a encore deux ans environ. Comme vous le savez, au début de sa carrière au service du régime, le ministre Valls avait dirigé ce centre pénitentiaire, précisément de 1939 à 1944.

— Pourquoi le ministre n'avait-il pas prévenu la police de ces lettres anonymes ? demanda Alicia.

— Comme je le disais, il ne leur avait pas accordé d'importance au début, même si je reconnais qu'il aurait peut-être dû le faire. À l'époque, il nous a dit que ces messages étaient si énigmatiques qu'il n'arrivait pas à en interpréter le sens.

— De quelle nature sont ces supposées menaces ?

— Elles sont très vagues, en général. D'après l'auteur des lettres, "la vérité" ne peut pas rester cachée, "l'heure de la justice" approche pour "les fils de la mort" et "lui", l'expéditeur présumé, l'attend "dans l'entrée du labyrinthe".

— Du labyrinthe ?

— Je vous l'ai dit, les messages sont énigmatiques. Il se peut qu'ils fassent référence à une chose connue seulement de Valls et de l'auteur des lettres, encore que le ministre s'affirme incapable de les interpréter. C'est peut-être l'œuvre d'un désaxé. Nous ne pouvons pas écarter cette possibilité.

— Sebastián Salgado était-il déjà emprisonné à Montjuïc quand Valls en était le directeur ?

— Oui. Nous avons vérifié son dossier. Il a été incarcéré en 1939, peu après la nomination de Valls. Le ministre a indiqué qu'il se souvenait vaguement de lui comme d'un élément difficile, ce qui accrédite notre théorie selon laquelle il est très probablement l'auteur des lettres anonymes.

— Quand a-t-il été libéré ?

— Il y a un peu plus de deux ans. Évidemment, les dates ne correspondent pas avec la tentative d'assassinat au Cercle des belles-lettres, ni avec les précédentes. Soit Salgado avait un complice à l'extérieur, soit il n'était qu'un simple appât utilisé pour brouiller les pistes. Cette dernière hypothèse s'est révélée la plus crédible à mesure que l'enquête progressait. Comme vous le constaterez dans le dossier que je vous remettrai, les lettres ont toutes été envoyées du bureau de poste de Pueblo Seco, à Barcelone, où toute la correspondance des prisonniers de Montjuïc est centralisée.

— Comment savoir si les lettres oblitérées dans ce bureau de poste proviennent ou non de la prison ?

— Toutes celles qui sortent de la prison sont tamponnées sur l'enveloppe, dans le bureau de la prison, avant d'être mises dans un sac postal, et ce afin de les identifier.

— Le courrier des prisonniers n'est-il pas surveillé ? demanda Alicia.

— Si, en théorie. Dans la pratique, seulement dans certains cas, d'après ce que les responsables nous ont confirmé. De toute façon, personne n'a été prévenu que des messages de menace adressés au ministre avaient été repérés. Il est aussi possible, vu le caractère obscur du langage employé, que les censeurs de la prison n'aient rien relevé de significatif.

— Si Salgado avait un ou plusieurs complices à l'extérieur, ces derniers auraient-ils pu lui faire parvenir les lettres pour qu'il les envoie de la prison ?

— C'est une possibilité. Salgado avait droit à une visite personnelle par mois. Quoi qu'il en soit, cela n'aurait eu aucun sens de procéder ainsi. Il était beaucoup plus facile d'envoyer les lettres par une voie normale que de prendre le risque qu'elles soient découvertes par les censeurs de la prison, dit Gil de Partera.

— Sauf s'ils voulaient faire croire qu'elles étaient envoyées de la prison, intervint Alicia.

Le directeur manifesta son assentiment.

— Il y a une chose que je ne comprends pas, poursuivit Alicia. Si Salgado était incarcéré depuis longtemps à Montjuïc et qu'il a été libéré il y a deux ans environ, cela signifie qu'il était condamné à la peine maximum de trente ans, je suppose. Que fait-il dehors ?

— Personne ne le comprend. Ni vous ni personne. En effet, Sebastián Salgado avait encore au moins une dizaine d'années à purger quand, de façon inattendue, une grâce exceptionnelle avec commutation de sa peine signée par le chef de l'État lui a été accordée. Et il y a autre chose. Les démarches pour obtenir cette grâce avaient été entreprises par le ministre Valls en personne, et à sa demande.

Alicia laissa échapper un rire de stupéfaction. Gil de Partera lui adressa un regard sévère.

— Pour quelles raisons Valls aurait-il agi ainsi ? demanda Leandro en volant à son secours.

— Contre notre avis, et alléguant que l'enquête ne portait pas ses fruits, le ministre a estimé que remettre Salgado en liberté pouvait aider à révéler l'identité et l'adresse de la ou des personnes impliquées dans l'envoi des lettres de menace et des prétendus attentats contre sa personne.

— Vous faites référence à ces faits comme à de prétendus… lâcha Alicia.

— … rien n'est clair dans cette affaire, la coupa Gil de Partera. Ce qui ne signifie pas que nous remettions, ou devions remettre, la parole du ministre en cause.

— Bien entendu. Pour en revenir à la remise en liberté de Salgado, a-t-elle produit les résultats espérés par le ministre ? interrogea Alicia.

— Non. Nous l'avons fait surveiller vingt-quatre heures sur vingt-quatre depuis l'instant où il a quitté la prison. Son premier geste a été de louer une chambre dans un hôtel minable du Barrio Chino où il a payé un mois d'avance. À part ça, il s'est contenté d'aller quotidiennement à la gare du Nord où il passait des heures à observer ou surveiller les casiers de la consigne, dans le hall. Il s'est aussi rendu quelques fois dans une vieille librairie de livres d'occasion de la rue Santa Anna.

— Sempere & Fils, murmura Alicia.

— Exact. Vous la connaissez ?

Alicia acquiesça.

— L'ami Salgado ne semble pas avoir le profil habituel du lecteur, estima Leandro. Savons-nous ce qu'il espérait trouver à la consigne de la gare ?

— On soupçonnait qu'il y avait caché une sorte de butin, le produit de ses crimes passés, avant son arrestation en 1939.

— En avez-vous eu la confirmation ?

— Au cours de sa deuxième semaine de liberté, Salgado s'est rendu pour la dernière fois dans la librairie Sempere & Fils. Puis il a pris le chemin de la gare comme tous les autres jours. Cette fois, pourtant, au lieu de s'asseoir dans le hall, en face des guichets, il s'est dirigé vers un casier de la consigne et il a introduit une clef dans la serrure. Il en a sorti une valise qu'il a ouverte.

— Que contenait-elle ? demanda Alicia.

— Du vent, déclara le directeur. Rien. Son butin, ou ce qu'il y avait caché, avait disparu. À la sortie de la gare, la police de Barcelone allait l'arrêter quand il s'est effondré, sous la pluie. Lorsqu'il avait quitté la librairie, les agents avaient repéré deux employés ; ils l'avaient suivi jusqu'à la gare, et au moment où Salgado est tombé au sol, l'un d'eux s'est accroupi près de lui quelques secondes avant de filer. À l'arrivée de la police sur les lieux, notre homme était mort. Il pourrait s'agir d'un cas de justice divine, le voleur volé et tout le bazar, mais l'autopsie a révélé des marques de piqûre dans le dos et sur ses vêtements, et des traces de strychnine dans son sang.

— Les deux employés de la librairie pourraient-ils être les coupables ? Les complices qui se débarrassent de l'appât quand il ne leur est plus utile, ou lorsqu'ils voient leur sécurité compromise en constatant que la police les surveille.

— Cette théorie a été envisagée, avant d'être écartée. En réalité, quiconque se trouvant dans la gare aurait pu l'assassiner sans qu'il s'en rende compte. La police surveillait de près les deux employés de la librairie et elle n'a pas observé de contact direct entre eux et Salgado avant que ce dernier ne s'effondre, probablement déjà mort.

— Auraient-ils pu lui administrer le poison dans la librairie, avant qu'il n'aille à la gare ? demanda Leandro.

Cette fois ce fut Alicia qui répondit.

— Non. La strychnine agit très rapidement, surtout chez un homme de cet âge et sûrement de santé précaire, après vingt ans passés dans un cachot. Entre l'injection et la mort, il ne peut pas se passer plus d'une ou deux minutes.

Gil de Partera la regarda en réprimant un geste d'approbation.

— C'est exact, corrobora-t-il. Le plus probable est qu'il y avait quelqu'un d'autre dans la gare ce jour-là. Quelqu'un qui n'a pas attiré l'attention des policiers et qui avait décidé que le moment était venu de se débarrasser de Salgado.

— Que savons-nous sur les deux employés de la librairie ?

— L'un est un certain Daniel Sempere, fils du propriétaire. L'autre répond au nom de Fermín Romero de Torres, dont la trace dans le registre est confuse et laisse suspecter une usurpation de papiers. Peut-être pour l'établissement d'une fausse identité.

— Quelle relation existe-t-il entre les deux affaires, et que faisaient ces deux hommes à la gare ?

— Nous n'avons pas pu le déterminer.

— Ils n'ont pas été interrogés ?

Le directeur fit non de la tête.

— Sur instruction du ministre Valls, une fois de plus. Contre notre avis.

— Et la piste du ou des complices de Salgado ?

— Elle est au point mort.

— Le ministre a peut-être changé d'avis et pourrait donner son accord pour…

Gil de Partera exhuma son sourire carnassier de policier aguerri.

— C'est là que je voulais en venir. Il y a exactement neuf jours, au lendemain du bal masqué qu'il avait organisé dans sa résidence de Somosaguas, don Mauricio Valls a abandonné son domicile à l'aube, à bord d'une automobile, en compagnie du chef de son escorte personnelle, Vicente Carmona.

— Il s'est enfui ? demanda Alicia.

— Personne ne l'a vu ni a eu de ses nouvelles depuis ce jour. Il a disparu de la surface de la terre sans laisser aucune trace derrière lui

Un long silence tomba sur la salle de restaurant. Alicia chercha le regard de Leandro.

— Mes hommes travaillent sans relâche, mais jusqu'à présent nous n'avons rien. On dirait que Mauricio Valls s'est évanoui dans la nature en montant dans cette voiture…

— Avant de quitter son domicile, le ministre a-t-il laissé une note, un indice sur l'endroit où il aurait pu se rendre ?

— Non. L'hypothèse que nous retenons, c'est qu'il aurait enfin découvert qui lui envoyait ces lettres de menace et que, pour une raison que nous ne parvenons pas à déterminer, il aurait décidé d'aller trouver cet individu lui-même, avec l'aide de son fidèle garde du corps.

— Au risque de tomber dans un piège, compléta Leandro. "L'entrée du labyrinthe."

Gil de Partera acquiesça de manière répétée.

— Comment pouvez-vous avoir la certitude que le ministre ignorait depuis le début qui lui envoyait ces lettres de menace et pourquoi ? intervint de nouveau Alicia.

Les deux hommes lui lancèrent tous deux un regard réprobateur.

— Le ministre est la victime, pas le suspect, asséna le directeur. Ne confondez pas.

— Comment pouvons-nous vous aider, cher ami, enchaîna Leandro.

Gil de Partera inspira profondément et prit quelques instants avant de répondre.

— Mon département est limité dans ses procédures. On nous a maintenus dans l'ignorance sur cette histoire jusqu'à ce qu'il soit trop tard. Je reconnais que nous avons peut-être commis des erreurs, mais nous faisons tout ce qui est en notre pouvoir pour résoudre cette affaire avant qu'elle ne soit rendue publique. Vu la nature du cas, certains de mes supérieurs croient que votre unité peut apporter une aide supplémentaire qui nous permettrait de résoudre l'affaire au plus vite.

— Le croyez-vous aussi ?

— Pour être sincère, Leandro, je ne sais plus qui croire ni en quoi. Mais ce dont je suis absolument persuadé, c'est que si nous ne retrouvons pas le ministre Valls sain et sauf dans les plus brefs délais, Altea ouvrira la boîte de Pandore et confiera l'affaire à son vieil ami Hendaya. Ce que ni vous ni moi ne souhaitons.

Alicia interrogea Leandro du regard. Il fit non de la tête. Le directeur rit intérieurement. Il avait les yeux injectés de sang, ou de café noir, et l'air de quelqu'un qui n'a pas dormi plus de deux heures par nuit depuis une semaine.

— Je vous ai raconté tout ce que je sais, toutefois j'ignore si on m'a dit à moi toute la vérité. Je ne peux pas être plus clair. Nous tâtonnons depuis neuf jours, et chaque heure qui passe est une heure perdue.

— D'après vous, le ministre est-il toujours en vie ? interrogea Alicia.

Gil de Partera baissa les yeux et observa un long silence.

— Je suis obligé de penser que oui, et que nous allons le retrouver sain et sauf avant que tout cela ne transpire, ou qu'on nous enlève l'affaire.

— Nous sommes à vos côtés, accorda Leandro. Nous ferons tout notre possible pour vous aider dans votre enquête, n'en doutez pas.

Gil de Partera hocha la tête, tout en observant Alicia d'un air ambivalent.

— Vous travaillerez avec Vargas.

Alicia hésita un instant. Elle chercha la complicité de Leandro, mais son supérieur choisit de garder le regard rivé sur le fond de sa tasse à café.

— Avec tout le respect que je vous dois, monsieur, je travaille toujours seule.

— Vous ferez équipe avec Vargas. Il n'y a aucune discussion possible sur ce point.

— Bien entendu, admit Leandro en évitant le regard incendiaire d'Alicia. Quand pouvons-nous commencer ?

— Hier.

Sur un geste du directeur, un de ses agents s'approcha et lui tendit une grosse enveloppe. Gil de Partera la posa sur la table et se leva, sans dissimuler sa hâte à se trouver n'importe où ailleurs que dans cette salle de restaurant.

— Tous les détails figurent dans le dossier. Tenez-moi informé.

Il serra la main de Leandro, et sans presque adresser un dernier regard à Alicia il partit d'un pas décidé.

Ils le regardèrent s'éloigner, suivi de ses hommes, avant de se rasseoir. Ils restèrent silencieux pendant plusieurs minutes, Alicia, les yeux dans le vague, et Leandro tartinant méticuleusement de beurre et de confiture de fraises un croissant qu'il dégusta ensuite tranquillement, les yeux fermés.

— Merci pour votre soutien, dit Alicia.

— Ne le prends pas comme cela. Je crois savoir que Vargas est un homme de talent. Il te plaira. Et tu apprendras peut-être quelque chose.

— J'en ai de la chance ! Qui est-ce ?

— Un vétéran du Corps. Un poids lourd. Il est sur la touche depuis un moment, apparemment à cause de divergences d'opinion avec la direction générale. Il s'est passé quelque chose, d'après eux.

— Un paria ? Je vaux donc aussi peu ? Je ne mérite même pas une pointure ?

— C'est une pointure, crois-moi. Ce qui se passe, c'est que sa fidélité et sa foi dans le Mouvement ont été remises en cause plus d'une fois.

— Ils n'attendent pas de moi que je le convertisse, j'espère.

— La seule chose qu'ils attendent, c'est que nous ne fassions pas de vagues et qu'ils s'en sortent avec les honneurs, grâce à nous.

— Charmant.

— Cela pourrait être pire, trancha Leandro.

— Le pire serait de faire appel au "vieil ami", Hendaya, c'est ça ?

— Entre autres…

— Qui est-ce ?

Leandro détourna le regard.

— Mieux vaut que tu n'aies pas à le découvrir.

Un long silence s'installa entre eux. Leandro en profita pour se resservir du café. Il avait l'odieuse habitude de tenir la soucoupe d'une main sous son menton et d'avaler à petites gorgées. Un jour comme celui-ci, Alicia jugeait détestables toutes ses habitudes, qu'elle connaissait par cœur. Il remarqua son regard et il lui renvoya un sourire amical et bienveillant.

— Si un regard pouvait tuer…

— Pourquoi n'avez-vous pas dit au directeur que j'ai démissionné il y a deux semaines, et que je ne suis plus en service ?

Leandro reposa la tasse sur la table et s'essuya les lèvres avec la serviette.

— Je ne voulais pas te faire honte, Alicia. Permets-moi de te rappeler que nous ne sommes pas dans un club de bridge, et qu'on n'entre pas dans ce service, pas plus qu'on en sort, sur simple présentation d'un formulaire. Nous avons déjà eu cette conversation de nombreuses fois, et pour être sincère avec toi, ton attitude me blesse. Je t'ai accordé deux semaines de vacances afin que tu puisses te reposer et réfléchir à ton avenir, parce que je te connais mieux que tu ne te connais toi-même et que je t'apprécie beaucoup. Je comprends que tu sois fatiguée. Je le suis aussi. Je comprends aussi que parfois ce que nous faisons te déplaise. Il en va de même pour moi. Mais c'est notre métier et notre devoir. Et tu le savais en commençant.

— Quand je suis entrée dans le service, j'avais dix-sept ans. Et ce ne fut pas par plaisir.

Leandro sourit comme un maître fier du plus brillant de ses disciples.

— Ton âme est vieille, Alicia. Tu n'as jamais eu dix-sept ans.

— Restons-en au fait que j'ai démissionné. C'était notre accord. Deux semaines ne changent rien.

Le sourire de Leandro devint aussi froid que son café.

— Concède-moi cette ultime faveur et ensuite tu feras ce que tu voudras.

— Non.

— J'ai besoin de toi, maintenant, Alicia. Ne m'oblige pas à te supplier. Ni à te forcer.

— Refilez le boulot à Lomana. Je suis sûre qu'il meurt d'envie de marquer des points.

— Le sujet a mis du temps à venir sur la table. Je n'ai jamais bien compris quel était le problème entre Ricardo et toi.

— Incompatibilité de caractères, suggéra Alicia.

— La vérité, c'est que Lomana est l'agent opérationnel que j'ai mis à la disposition de la police il y a quelques semaines, et ils ne me l'ont toujours pas rendu. À présent, ils me disent qu'il a disparu.

— Je n'aurai pas cette veine ! Où est-il passé ?

— La disparition programmée implique en partie de ne pas révéler ce genre de détail.

— Lomana n'est pas du genre à disparaître. Il doit avoir une raison pour ne pas donner signe de vie. Il a trouvé quelque chose.

— C'est aussi ce que je pense, mais dans la mesure où nous n'avons aucunes nouvelles de lui, nous ne pouvons qu'échafauder des hypothèses. Et on ne nous paie pas pour cela.

— Pourquoi nous paie-t-on ?

— Pour résoudre des problèmes. Et celui-ci est très grave.

— Et moi, je ne pourrais pas disparaître à mon tour ?

Leandro fit non de la tête. Il la regarda longuement, d'un air faussement douloureux.

— Pourquoi me détestes-tu, Alicia ? N'ai-je pas été un père pour toi ? Un ami ? Alicia contempla son mentor, l'estomac noué. Les mots restaient coincés dans sa gorge. Durant deux semaines, elle avait tenté de l'écarter de son esprit, or de nouveau en face de lui, sous la grande coupole du Palace, elle prit conscience qu'elle redevenait l'adolescente malheureuse qui n'aurait pas vécu jusqu'à vingt ans si Leandro ne l'avait pas sortie de là.

— Je ne vous déteste pas.

— Si ça se trouve, c'est toi que tu détestes, et aussi ce que tu fais, ceux que tu sers, et toute cette pourriture qui nous entoure et qui nous gangrène à l'intérieur un peu plus chaque jour. Je te comprends, je suis aussi passé par là.

Leandro afficha de nouveau ce sourire chaleureux qui pardonnait tout, qui comprenait tout. Il posa la main sur celle d'Alicia et la serra.

— Aide-moi à résoudre cette dernière affaire et je te promets qu'ensuite tu pourras partir. Disparaître à jamais.

— C'est aussi simple que ça ?

— Aussi simple. Tu as ma parole.

— C'est quoi, cette combine ?

— Il n'y a pas de combine.

— Il y a en toujours une.

— Pas cette fois. Je ne peux pas te retenir près de moi pour toujours si tu ne souhaites pas rester. Même si cela me fait mal.

Leandro lui tendit la main.

— Amis ?

Alicia hésita et finit par lui tendre la sienne. Il la porta à ses lèvres et l'embrassa.

— Tu me manqueras quand tout cela sera terminé, dit Leandro. Et je te manquerai aussi, même si tu ne le vois pas de cette manière aujourd'hui. Nous formons une bonne équipe, toi et moi.

— Qui se ressemble, s'assemble.

— Tu as réfléchi à ce que tu feras ensuite ?

— Quand ?

— Quand tu seras libre. Quand tu disparaîtras, comme tu dis.

Alicia haussa les épaules.

— Je n'y ai pas réfléchi.

— Je croyais t'avoir appris à mentir mieux que cela, Alicia.

— Si ça se trouve, je ne sais rien faire d'autre.

— Tu as toujours voulu écrire... suggéra Leandro. Une nouvelle Carmen Laforet ?

Alicia esquissa un air de désintérêt. L'homme sourit.

— Tu écriras sur nous ?

— Non. Bien sûr que non.

Leandro fit un geste affirmatif.

— Ce ne serait pas une bonne idée, tu le sais. Nous opérons dans l'ombre. Sans être vus. Cela fait partie du service que nous offrons.

— Bien sûr que je le sais. Tu n'as pas besoin de me le rappeler.

— C'est dommage, il y aurait tant d'histoires à raconter, pas vrai ?

— Découvrir le monde.

— Pardon ?

— Ce que j'aimerais, c'est voyager et découvrir le monde. Trouver l'endroit qui me correspond. S'il existe.

— Toute seule ?

— Ai-je besoin de quelqu'un d'autre ?

— Je suppose que non. Pour les êtres comme nous, la solitude peut être la meilleure des compagnies.

— Elle me convient.

— Un jour, tu tomberas amoureuse.

— Quel joli titre de boléro !

— Il vaudrait mieux que tu partes. Si je ne me trompe, Vargas doit être en train d'attendre dehors.

— C'est une erreur.

— Cette ingérence me gêne plus que toi, Alicia. Ils ne nous font pas confiance, c'est clair. Ni à toi, ni à moi. Sois diplomate et ne l'effraie pas. Fais-le pour moi.

— Je suis toujours diplomate. Et je n'effraie personne.

— Tu sais ce que je veux dire. En plus, on ne va pas concurrencer la police. On n'essaiera même pas. Ils ont leurs enquêtes, leurs méthodes et leurs procédures.

— Qu'est-ce que je vais faire alors ? Sourire et distribuer des dragées ?

— Je veux que tu fasses ce que tu sais faire. Que tu te concentres sur ce que la police négligera. Que tu suives ton instinct, pas la procédure. Que tu fasses tout ce que la police ne fera pas parce que c'est la police, et qu'elle n'est pas mon Alicia Gris.

— C'est un compliment ?

— Oui, et aussi un ordre.

Alicia prit l'enveloppe contenant le dossier et se leva. Leandro remarqua qu'elle posait la main sur sa hanche et serrait les dents pour dissimuler la douleur.

— Tu en es à combien ? demanda-t-il.

— Rien ces deux dernières semaines. Un ou deux comprimés de temps en temps.

Leandro soupira.

— Nous en avons souvent parlé, Alicia. Tu sais que tu ne peux pas le faire.

— Je le fais.

Son mentor nia intérieurement.

— Je vais faire en sorte qu'on t'en livre quatre cents grammes à ton hôtel cet après-midi.

— Non.

— Alicia…

Elle fit demi-tour et s'éloigna sans boiter, se mordant les lèvres et ravalant sa douleur et ses larmes de rage.

6

Quand Alicia sortit du Palace il avait cessé de pleuvoir et un voile de vapeur montait du trottoir. De grandes gerbes de lumière tombées de la coupole nuageuse mouvante lardaient le centre de Madrid tels des projecteurs ratissant la cour d'une prison. L'une d'elles balaya la place des Cortes et éclaira la carrosserie d'une Ford garée à quelques mètres de l'entrée de l'hôtel. Appuyé contre le capot, un homme aux cheveux gris vêtu d'un manteau noir fumait une cigarette et observait les gens qui déambulaient tranquillement. Elle lui donna une bonne cinquantaine, mais bien conservée et plus musclée encore. L'homme avait l'apparence solide de celui qui a tiré profit de son passage par l'armée et se contente de brèves et rares escales à sa table de bureau. Il tourna les yeux vers Alicia comme s'il avait flairé sa présence, et il lui adressa un sourire de jeune premier de comédie romantique.

— Puis-je vous aider en quelque chose, mademoiselle ?

— Je l'espère. Mon nom est Gris.

— Gris ? Vous êtes Gris ?

— Alicia Gris. De l'unité de Leandro Montalvo. Je suppose que vous êtes Vargas ?

Il fit un vague signe de la tête.

— On ne m'avait pas dit...

— Surprise de dernière minute ! le coupa-t-elle. Avez-vous besoin de quelques secondes pour vous en remettre ?

Le policier tira une dernière bouffée de sa cigarette et l'observa attentivement derrière le rideau de fumée qui sortait de sa bouche.

— Non.

— Formidable. Par où voulez-vous commencer ?

— Nous sommes attendus dans la villa de Somosaguas. Si cela vous va.

Alicia acquiesça. Vargas jeta son mégot dans le caniveau et fit le tour de la voiture. Alicia prit place sur le siège du passager. Il s'assit au volant, le regard perdu droit devant lui, les clefs du véhicule entre ses genoux.

— J'ai entendu beaucoup de choses sur vous, prononça Vargas. Je ne vous voyais pas si... jeune.

Alicia le regarda avec froideur.

— Ce ne sera pas un problème, n'est-ce pas ? demanda le policier.

— Un problème ?

— Vous et moi ? clarifia Vargas.

— Il n'y a pas de raison.

Il la regardait avec davantage de curiosité que de méfiance. Alicia lui servit un de ses sourires doux et félins qui irritaient tellement Leandro. Vargas claqua la langue contre son palais et mit la voiture en marche, en se disant non intérieurement.

— Belle voiture, commenta Alicia au bout d'un moment.

— Cadeau de la direction. Prenez-le comme un signe qu'ils considèrent l'affaire comme sérieuse. Vous conduisez ?

— J'ai déjà eu du mal à ouvrir un compte bancaire dans ce pays sans autorisation d'un mari ou d'un père... répliqua Alicia.

— Je comprends.

— J'en doute, permettez-moi de le croire.

Ils roulèrent en silence pendant plusieurs minutes. Vargas regardait Alicia à la dérobée, et elle faisait semblant de ne pas s'en apercevoir. Le policier se livrait sur elle à une observation méthodique et intermittente, la radiographiant par tranche aux moindres feux rouges et passages piétons. Ils furent pris dans un embouteillage au milieu de la Gran Vía et Vargas sortit un étui à cigarettes plat en argent qu'il lui tendit, ouvert. Tabac blond, d'importation. Elle déclina l'offre. Il porta une cigarette à la bouche et l'alluma avec un briquet doré. Alicia aurait mis sa main à couper que c'était un Dupont. Vargas aimait les jolies choses, et de prix. Tandis qu'il allumait sa cigarette, elle remarqua qu'il regardait ses mains posées sur ses genoux. Peut-être cherchait-il l'alliance. Vargas en exhibait une de bonne taille.

— Vous avez une famille ? lui demanda-t-il.

Alicia fit non de la tête.

— Et vous ?

— Marié à l'Espagne, répondit-il.

— C'est exemplaire. Et l'alliance ?

— C'est du passé.

— Vous ne me demandez pas ce que quelqu'un comme moi fait avec Leandro ?

— Ça me regarde ?

— Non.

— Alors…

Ils retombèrent dans un silence inconfortable tandis qu'ils laissaient derrière eux la circulation du centre-ville. Ils se dirigeaient vers le parc de Casa de Campo. Les yeux de Vargas continuaient de la scruter par intermittence. Il avait un regard froid et métallique, ses pupilles grises brillant comme des pièces de monnaie récemment frappées. Alicia se demanda si avant de tomber en disgrâce son compagnon forcé avait été un affidé ou un simple mercenaire. Les premiers infestaient tous les secteurs du régime et se multipliaient comme des pustules purulentes, retranchés derrière les drapeaux et les proclamations ; les seconds gardaient le silence et se contentaient de faire fonctionner la machine. Elle se demanda aussi combien de personnes il avait liquidées au long de sa carrière dans le Corps, s'il vivait avec le remords ou s'il en avait perdu le compte. Peut-être qu'avec le temps, et les cheveux blancs, la conscience lui avait poussé, ruinant ses projets.

— À quoi pensez-vous ? l'interrogea Vargas.

— Je me demandais si vous aimiez votre métier.

Vargas rit dans sa barbe.

— Vous ne me demandez pas si le mien me plaît ?

— Ça me regarde ?

— Je suppose que non.

— Alors…

Comme la conversation tournait court, Alicia sortit le dossier de l'enveloppe remise par Gil de Partera et le feuilleta. À première vue, il était plutôt maigre. Des notes des agents. La déclaration de la secrétaire personnelle du ministre. Deux pages relatant l'attentat présumé contre Valls, des généralités de procédures de la part des deux inspecteurs qui avait ouvert l'enquête et quelques extraits du dossier de Vicente Carmona, le garde du corps de Valls. Soit Gil de Partera lui faisait encore moins confiance que ce que Leandro avait suggéré, soit la crème de son département s'était tourné les pouces pendant toute la dernière semaine.

— Vous en attendiez davantage ? demanda Vargas, lisant dans ses pensées.

Alicia fixa les vieux arbres de Casa de Campo.

— Je n'en attendais pas moins, murmura-t-elle. Qui allons-nous voir ?

— Mariana Sedó, la secrétaire personnelle de Valls durant les vingt dernières années. C'est elle qui a donné l'alerte sur la disparition du ministre.

— C'est beaucoup d'années pour une secrétaire, fit remarquer Alicia.

— Les mauvaises langues disent qu'elle est bien plus que cela.

— Son amante ?

Vargas fit signe que non.

— Je dirais que Mariana est plutôt de l'autre bord. D'après les on-dit, c'est elle qui mène la barque en réalité, et rien ne se fait ou ne se décide dans le bureau de Valls sans son assentiment.

— Derrière chaque salopard se cache une femme qui est pire encore. C'est aussi ce qu'on dit, lâcha Alicia.

Il sourit.

— Je ne l'avais jamais entendue, celle-là. On m'avait prévenu que vous étiez un peu irrévérencieuse.

— Que vous a-t-on dit d'autre ?

Vargas se tourna vers elle et lui fit un clin d'œil.

— Qui est Hendaya ? demanda-t-elle.

— Quoi, que dites-vous ?

— Hendaya. Qui est-ce ?

— Rodrigo Hendaya ?

— Je suppose.

— Pourquoi voulez-vous le savoir ?

— On n'en sait jamais trop.

— Montalvo l'a-t-il mentionné au sujet de cette affaire ?

— Son nom a été prononcé dans la conversation, oui. Qui est-ce ?

Vargas soupira.

— C'est un boucher. Moins vous en saurez sur lui, mieux vous vous porterez.

— Vous le connaissez ?

Vargas ignora la question. Ils n'échangèrent plus un mot pendant le reste du trajet.

Ils roulaient depuis un bon quart d'heure le long d'avenues dessinées par un régiment de jardiniers en uniforme quand s'ouvrit devant eux un boulevard planté de cyprès. Il conduisait au portail à fers de lance de la Villa Mercedes. Le ciel avait viré au gris plomb et des gouttelettes de pluie mouchetaient le pare-brise de la voiture. Le planton qui attendait à la porte de la propriété ouvrit la grille pour les laisser passer. Sur le côté, un gardien armé d'un fusil posté dans une guérite répondit au salut de Vargas.

— Vous êtes déjà venu ? demanda Alicia.

— Deux fois depuis lundi dernier. Ça va vous plaire.

La voiture s'engagea dans l'allée couverte de gravier fin qui serpentait entre les vieux arbres et les bassins. Alicia contempla les statues, les étangs, les fontaines, les roseraies aux fleurs fanées éparpillées par le vent d'automne. Entre les arbustes et les fleurs mortes, on apercevait les rails d'un train miniature et, aux confins de la propriété, sa petite gare. Une locomotive à vapeur et deux wagons attendaient à quai sous le crachin.

— Un jouet pour la petite, commenta Vargas.

Peu après apparut la façade de la maison principale, un palace à l'allure outrancière apparemment conçu pour écraser et intimider le visiteur, flanqué de deux grandes bâtisses à une centaine de mètres. Vargas arrêta la voiture en face du grand escalier de l'entrée principale. Un majordome en tenue les attendait muni d'un parapluie au pied des marches. Il leur indiqua qu'ils devaient se rendre dans un autre bâtiment, à une cinquantaine de mètres de la maison. Vargas prit la direction du garage et Alicia put contempler les alentours de la résidence principale.

— Qui paie tout cela ? interrogea-t-elle.

Vargas haussa les épaules.

— Vous et moi, je suppose. Et Mme Valls peut-être, elle a hérité la fortune de monsieur son père, Enrique Sarmiento.

— Le banquier ?

— Un des banquiers de la Croisade, comme disaient les journaux, précisa Vargas.

Alicia se rappela avoir entendu Leandro mentionner Sarmiento et un groupe de banquiers, des hommes qui avaient financé les nationaux pendant la guerre civile, en leur prêtant en grande partie l'argent des vaincus, dans un accord mutuellement avantageux.

— Je crois savoir que l'épouse du ministre est malade, dit Alicia.

— Malade, c'est un euphémisme…

Le gardien leur ouvrit une des grandes portes du garage et leur indiqua où garer leur voiture. Vargas baissa la vitre. Le gardien le reconnut.

— Mettez-vous où vous voulez, chef. Et laissez les clefs sur le contact, s'il vous plaît…

Vargas acquiesça et rentra dans le bâtiment, une construction surmontée d'une enfilade de voûtes soutenues par des piliers en fer forgé qui se perdait dans une obscurité sans fond. De luxueuses automobiles aux chromes étincelants étaient alignées et Vargas trouva une place entre une Hispano Suiza et une Cadillac. L'homme chargé de la surveillance du garage les avait suivis et leur adressa un signe approbateur.

— Vous avez une belle voiture aujourd'hui, chef, commenta-t-il quand ils descendirent du véhicule.

— Comme mademoiselle venait aussi, les chefs m'ont autorisé à sortir la Ford, répondit Vargas.

Le gardien, une sorte d'ébauche à mi-chemin entre l'homoncule et le souriceau, paraissait tenir debout à l'intérieur de son bleu de travail grâce au tas de chiffons sales qui pendaient à sa ceinture et à une pellicule de résine qui le préservait des éléments. Il détailla exhaustivement Alicia, des pieds à la tête, avant de capituler dans une révérence. Croyant qu'elle ne le remarquerait pas, il fit un clin d'œil à Vargas.

— Un grand homme, Luis, lâcha Vargas. Je crois qu'il habite ici, dans le garage, dans une remise au fond de l'atelier.

Ils longèrent la collection de pièces de musée roulantes de Valls en direction de la sortie, tandis que, derrière eux, Luis s'activait pour faire briller la Ford à coups de chiffon et de jet de salive, tout en se rinçant l'œil. Il suivait le doux déhanchement d'Alicia et détaillait la finesse de ses chevilles.

Le majordome vint à leur rencontre et Vargas céda la place à Alicia sous le grand parapluie.

— J'espère que vous avez fait bonne route depuis Madrid, dit le serviteur avec solennité. Doña Mariana vous attend.

Le majordome avait ce sourire froid et vaguement condescendant des domestiques professionnels qui, au fil des ans, finissent par croire que la noblesse de leurs maîtres éclabousse de bleu leur propre sang et leur octroie le privilège de regarder les autres de haut. Pendant qu'ils parcouraient la distance les séparant de la résidence principale, Alicia remarqua que le majordome lui lançait des regards subreptices, tentant de déchiffrer dans ses manières et son habillement ce qu'un tel personnage venait faire dans l'histoire.

— Mademoiselle est-elle votre secrétaire ? demanda-t-il à Vargas sans quitter Alicia des yeux.

— Mademoiselle est ma supérieure, répondit celui-ci.

Le domestique et sa superbe rendirent les armes d'un geste sec. L'homme se figea comme sur une photo de classe, et pendant le reste du chemin il garda les lèvres serrées et les yeux rivés sur ses chaussures. La porte principale donnait sur un grand vestibule au sol en marbre d'où partaient des escaliers, des corridors et des galeries. Ils suivirent le majordome jusqu'au salon de lecture où les attendait une femme entre deux âges, de dos, face au grand jardin sous la pluie. Elle se retourna dès qu'elle les entendit entrer et elle leur adressa un sourire glacial. Le majordome referma la porte et se retira pour goûter en paix sa perplexité passagère.

— Mariana Sedó, secrétaire personnelle de don Mauricio.

— Vargas, de la Préfecture de police, et ma collaboratrice, Mlle Gris.

Mariana prit son temps pour procéder à l'inspection de rigueur d'Alicia. Elle commença par le visage, attirée par la couleur de ses lèvres. Elle poursuivit avec la coupe de sa robe et termina par les chaussures. Elles lui tirèrent un sourire mitigé, entre indulgence et mépris, mais fugace, qui céda rapidement au profit de l'expression posée et affligée requise par les circonstances. Mariana leur fit signe de prendre un siège. Ils s'installèrent sur un canapé de cuir et elle choisit une chaise qu'elle approcha de la table basse où les attendait un plateau avec une théière fumante et trois tasses. Elle remplit leurs tasses. Alicia jaugea le sourire forcé derrière lequel se retranchait Mariana et elle songea que la gardienne immuable de Valls dégageait une aura maléfique, à mi-chemin entre la bonne fée et la mante religieuse à l'appétit vorace.

— Dites-moi en quoi je peux vous aider. J'ai déjà parlé avec tant de vos collègues ces derniers jours que je ne sais pas s'il reste une seule chose dont je n'aurais pas encore fait part.

— Nous vous remercions de votre patience, madame. Nous sommes conscients que ce sont des moments difficiles pour la famille et pour vous-même, avança Alicia.

Leur interlocutrice acquiesça d'un air stoïque, un sourire réfrigérant aux lèvres, dans l'attitude parfaitement étudiée du serviteur fidèle. Ses yeux trahissaient néanmoins une pointe d'irritation d'avoir à traiter avec de minables subalternes. La façon qu'elle avait de regarder principalement Vargas, évitant de prêter attention à Alicia, ajoutait une pincée de dédain au tableau. Alicia décida de laisser l'initiative à Vargas, à qui le détail n'avait pas échappé. Elle se contenterait d'écouter.

— Madame, il ressort du procès-verbal et de vos déclarations à la police que vous avez été la première personne à signaler la disparition de don Mauricio Valls...

La secrétaire fit un geste affirmatif.

— Le jour du bal masqué, monsieur avait donné congé à plusieurs membres du personnel. J'en avais moi-même profité pour aller rendre visite à ma filleule à Madrid et passer un peu de temps avec elle. Je suis rentrée le lendemain matin de bonne heure, vers huit heures, bien que don Mauricio ne m'ait pas fait savoir s'il aurait besoin de moi. J'ai préparé sa correspondance et son programme, comme chaque jour. À neuf heures, je suis montée à son bureau et j'ai constaté que monsieur le ministre n'y était pas. Peu après, une domestique est venue me prévenir : la fille de monsieur, Mercedes, lui avait dit que son père était parti en voiture à l'aube avec M. Vicente Carmona, le chef de son escorte. J'ai trouvé cela étrange parce que j'avais remarqué en examinant le planning que don Mauricio avait ajouté de sa propre main un rendez-vous informel à dix heures, ici, à la Villa Mercedes. Avec le directeur commercial d'Ariadna, Pablo Cascos.

— Ariadna ? releva Vargas.

— C'est le nom d'une maison d'édition appartenant à don Mauricio, précisa la secrétaire.

— Ce détail ne figure pas dans votre déclaration à la police, dit Alicia.

— Pardon ?

— La réunion que M. Valls avait lui-même organisée pour ce matin-là, vous ne l'avez pas mentionnée à la police. Puis-je vous demander pour quelle raison ?

Mariana lui sourit avec une certaine indifférence, comme si elle jugeait la question triviale.

— Dans la mesure où cette réunion n'a jamais eu lieu, cela ne m'a pas paru important. Aurais-je dû le faire ?

— Vous venez de le faire et c'est ce qui compte, commenta Vargas d'un ton cordial. Il est impossible de se rappeler tous les détails, c'est pour cela que nous abusons de votre amabilité et que nous insistons autant. Poursuivez, je vous en prie.

La secrétaire de Valls accepta l'excuse et continua, ignorant Alicia et ne s'adressant qu'à Vargas.

— Comme je vous le disais, il m'a paru étrange que le ministre s'absente sans m'en aviser au préalable. Je me suis renseignée auprès du personnel domestique et ils m'ont indiqué que selon toute vraisemblance monsieur le ministre n'avait pas dormi dans sa chambre et qu'il avait passé la soirée dans son bureau.

— Dormez-vous ici, dans la résidence principale ? l'interrompit Alicia.

Mariana Sedó prit un air offensé et nia, les lèvres serrées.

— Bien sûr que non.

— Pardonnez-moi. Poursuivez, si vous le voulez bien.

La secrétaire de Valls souffla, impatiente.

— Vers neuf heures, M. Revuelta, le chef de la sécurité de la maison m'a fait savoir qu'il n'était pas au courant que Vicente Carmona et monsieur le ministre avaient prévu de se rendre quelque part ce matin-là. En outre, le fait de sortir sans escorte était tout à fait irrégulier. À ma demande, M. Revuelta a joint le personnel du ministère et ensuite l'Intérieur. Personne n'avait de nouvelles de don Mauricio, mais ils nous ont assuré qu'ils nous tiendraient informés dès qu'ils l'auraient localisé. Nous n'avons eu aucune nouvelle pendant une demi-heure environ. C'est alors que Mercedes, la fille de don Mauricio, est venue me trouver. Elle était en larmes et, quand je lui ai demandé ce qui lui arrivait, elle m'a répondu que son père était parti et qu'il ne reviendrait jamais...

— Vous a-t-elle expliqué pourquoi elle disait cela ? demanda Vargas.

Mariana haussa les épaules.

— Qu'avez-vous fait ensuite ?

— J'ai téléphoné au secrétariat général de l'Intérieur et je me suis entretenue avec M. Jesús Moreno et plus tard avec le directeur de la police, M. Gil de Partera. La suite, vous la connaissez.

— C'est à ce moment-là que vous avez mentionné les lettres anonymes reçues par le ministre ?

Mariana Sedó réfléchit un instant.

— C'est exact. Le sujet est venu sur la table pendant notre conversation avec M. Gil de Partera, et son subalterne, un certain García...

— García Novales, compléta Vargas.

La secrétaire confirma.

— La police était déjà au courant de l'existence de ces lettres, bien entendu, et elle en avait copie depuis des mois. Il se trouve que ce matin-là, tandis que je vérifiais l'emploi du temps de monsieur le ministre, j'avais trouvé dans son bureau la chemise dans laquelle il les avait rangées.

— Vous saviez qu'il les gardait ? demanda Alicia.

Mariana fit non de la tête.

— Je pensais qu'il les avait détruites après les avoir montrées à la police lors de l'enquête consécutive à l'incident survenu au Cercle des beaux-arts. J'ai constaté que je m'étais trompée et que don Mauricio les consultait. C'est ce que j'ai dit à vos supérieurs.

— D'après vous, pour quelle raison M. Valls avait-il tant tardé avant d'alerter la police ou les services de sécurité sur l'existence de ces lettres ? interrogea de nouveau Alicia.

Mariana détourna un instant le regard de Vargas et ses yeux de vautour se posèrent sur Alicia.

— Mademoiselle, vous devez comprendre qu'un homme aussi important reçoit une correspondance considérable. De très nombreuses personnes et associations s'adressent au ministre, et les lettres extravagantes ou émanant simplement de gens désaxés sont fréquentes. J'en jette tous les jours sans que don Mauricio ne les voie.

— Pourtant vous n'avez pas jeté ces lettres-là.

— Non.

— Connaissiez-vous la personne que la police a identifiée comme le principal suspect et l'expéditeur de ces lettres, Sebastián Salgado ?

— Non, bien sûr que non, répondit la secrétaire d'un ton tranchant.

— Mais connaissiez-vous son existence ? insista Alicia.

— Oui. Je m'en souvenais du temps où le ministre s'était occupé de sa grâce, et ensuite la police nous a informés du résultat de son enquête à propos des lettres anonymes.

— Évidemment, mais avant cela, vous rappelez-vous une occasion où M. Valls aurait mentionné le nom de Salgado ? Il y a des années peut-être ?

Mme Sedó resta silencieuse un moment.

— C'est possible. Je n'en suis pas certaine.

— Il l'aurait donc mentionné, c'est possible ? appuya Alicia.

— Je ne sais pas. Peut-être. Je crois que oui.

— Et cela se serait passé en…

— En mars 1948.

Alicia fronça les sourcils, surprise.

— Vous vous rappelez clairement la date mais vous n'êtes pas certaine qu'il ait prononcé le nom de Salgado ?

La secrétaire rougit.

— En mars 1948, don Mauricio m'avait demandé d'organiser une réunion informelle avec son successeur, le nouveau directeur de la prison de Montjuïc, Luis Bolea.

— Dans quel but ?

— J'avais cru comprendre qu'il s'agissait d'une visite de courtoisie.

— Étiez-vous présente durant cette visite de courtoisie, comme vous dites ?

— Un court moment, c'est tout. C'était une conversation privée.

— Mais peut-être avez-vous eu l'occasion d'en entendre des bribes. Accidentellement. En entrant ou en sortant de la pièce…

En apportant les cafés... Ou peut-être de votre bureau, qui donne dans celui de M. Valls...

— Je n'aime pas vos insinuations, mademoiselle.

— Tout ce que vous pourrez dire nous aidera à retrouver le ministre, Mme Sedó, intervint Vargas. Je vous en prie.

La secrétaire hésita.

— Don Mauricio avait interrogé M. Bolea au sujet de certains prisonniers qui étaient déjà là quand il était directeur. Il souhaitait connaître certains détails, savoir s'ils étaient toujours emprisonnés à Montjuïc, s'ils avaient été libérés ou transférés, ou s'ils étaient morts. Il n'avait pas expliqué pourquoi.

— Vous souvenez-vous de certains noms prononcés ?

— Il y en avait beaucoup. Et cela remonte à loin.

— Salgado était-il l'un d'eux ?

— Oui, je crois.

— Un autre nom, peut-être ?

— Le seul dont je me souvienne précisément, c'est Martín. Un certain David Martín.

Alicia et Vargas échangèrent un regard. Vargas écrivit sur son carnet.

— Un autre, encore ?

— Un nom de famille qui sonnait français peut-être, ou étranger. Je ne m'en souviens plus. Beaucoup d'années ont passé, je vous l'ai dit. Quelle importance cela peut-il avoir maintenant ?

— Nous l'ignorons, madame. Notre devoir est d'explorer toutes les pistes. Pour en revenir aux lettres anonymes... Quand vous lui avez montré la première, quelle a été sa réaction ? Le ministre a-t-il dit quelque chose qui aurait pu attirer votre attention ?

La secrétaire fit signe que non.

— Il n'a rien dit de spécial. Il n'a pas paru lui accorder d'importance. Il l'a rangée dans un tiroir et il m'a indiqué que s'il en arrivait d'autres comme celle-ci, je devais les lui remettre personnellement.

— Sans les ouvrir ?

La secrétaire fit oui de la tête.

— M. Mauricio vous a-t-il demandé de ne parler à personne de ces lettres ?

— Ce n'était pas utile. Je n'ai pas pour habitude de commenter les affaires de don Mauricio avec des gens qu'elles ne regardent pas.

— Le ministre a-t-il l'habitude de vous demander de garder des secrets, madame ? demanda Alicia.

La femme serra les mâchoires et ne répondit pas.

— Avez-vous d'autres questions, capitaine ? cracha-t-elle, en s'adressant à Vargas avec impatience.

Passant outre la tentative de dérobade de Mme Sedó, Alicia se pencha vers elle pour s'immiscer dans son champ de vision.

— Saviez-vous que M. Valls pensait solliciter du chef de l'État la grâce pour Sebastián Salgado ? demanda-t-elle.

La secrétaire la dévisagea sans chercher à dissimuler l'antipathie et l'hostilité qu'elle lui inspirait. Elle essaya de s'attirer la complicité de Vargas, mais celui-ci garda les yeux obstinément fixés sur son carnet.

— Je le savais, bien entendu.

— Cela ne vous a-t-il pas étonnée ?

— Pourquoi aurais-je été étonnée.

— Vous a-t-il dit pour quelles raisons il avait pris cette décision ?

— Pour des raisons humanitaires. Il avait appris que Salgado était très malade et qu'il lui restait peu de temps à vivre. Il ne voulait pas qu'il meure en prison, il souhaitait qu'il puisse rendre visite à ses proches et mourir auprès de sa famille.

— Selon le rapport de la police, Sebastián Salgado n'avait pas de famille connue, ni de proches après vingt ans passés en prison, avança Alicia.

— Don Mauricio est un fervent défenseur de la réconciliation nationale. Il est convaincu qu'il faut panser les blessures du passé. Il vous est peut-être difficile de le comprendre, mais il existe des personnes animées par la charité chrétienne et dotées d'un esprit généreux.

— Dans ce cas, avez-vous eu vent d'autres demandes de grâce similaires sollicitées par M. Valls au cours des décennies où vous avez travaillé pour lui ? Pour un des prisonniers peut-être, sur les centaines ou les milliers passés par la prison qu'il a dirigée pendant plusieurs années ?

Mme Sedó afficha un sourire glacial, tranchant comme la lame d'un couteau empoisonné.

— Non.

Alicia et Vargas se regardèrent brièvement. Il lui fit comprendre de laisser courir, il était clair que ce chemin ne les mènerait nulle part. Alicia se pencha à nouveau et capta le regard de Mariana, bien malgré cette dernière.

— Nous en avons presque terminé, madame. Merci pour votre patience. Le rendez-vous du ministre que vous avez évoqué, avec le directeur commercial des Éditions Ariadna…

— M. Cascos.

— M. Cascos, je vous remercie. Savez-vous quel en était le sujet ?

Mariana la regarda comme si elle voulait passer outre l'absurdité d'une telle question à ses yeux.

— Des affaires concernant la maison d'édition, probablement.

— Bien sûr. Le ministre a-t-il l'habitude de recevoir chez lui les employés de ses entreprises personnelles ?

— Je ne comprends pas ce que vous voulez dire.

— Vous rappelez-vous la dernière fois où il a agi de cette manière ?

— Non. En vérité, non.

— Et cette réunion avec M. Cascos, est-ce vous qui l'aviez organisée ?

Mariana répondit par la négative.

— Comme je vous l'ai dit, il l'avait notée sur son agenda, de sa main.

— M. Mauricio Valls a-t-il l'habitude de programmer des entrevues ou des réunions sans que vous le sachiez ? De les noter "de sa propre main" comme vous dites ?

La secrétaire la regarda froidement.

— Non.

— Pourtant, vous n'avez pas mentionné ce fait dans votre déclaration à la police.

— Je vous l'ai déjà dit, il ne me paraissait pas important. M. Cascos est un employé et un collaborateur de don Mauricio. Je n'ai rien trouvé d'inhabituel au fait qu'il ait prévu de le rencontrer. Ce n'était pas la première fois.

— Ah non ?

— Non. Ils s'étaient déjà réunis plusieurs fois avant.

— Dans cette maison ?

— Non, pas que je sache.

— Est-ce vous qui aviez organisé ces rencontres, ou M. Mauricio Valls lui-même ?

— Je ne sais plus. Il faudrait que je relise mes notes. Qu'est-ce que cela change ?

— Pardonnez mon insistance, mais M. Cascos vous a peut-être dit de quoi le ministre souhaitait l'entretenir ce matin-là, quand il s'est présenté au rendez-vous ?

Mme Mariana réfléchit quelques secondes.

— Non. Ce qui m'importait à ce moment-là, c'était de localiser monsieur le ministre, et je n'ai pas pensé une seconde que les affaires à traiter avec un employé lambda étaient prioritaires.

— M. Cascos est-il un employé lambda ? demanda Alicia.

— Oui.

— Pour qu'on se comprenne bien, et à titre d'exemple, que seriez-vous comme type d'employée, madame Mariana Sedó ?

Vargas donna un coup de pied discret à Alicia. La secrétaire se leva, signalant d'un geste sévère d'adieu que l'entretien en resterait là.

— Vous voudrez bien m'excuser, mais je pense que je ne peux pas vous aider davantage, dit-elle en désignant la porte, les invitant courtoisement mais fermement à quitter les lieux. Même en son absence, les affaires de don Mauricio requièrent toute mon attention.

Vargas se leva et il acquiesça, s'apprêtant à suivre Mme Sedó vers la sortie. Il avait fait plusieurs pas quand il constata qu'Alicia demeurait toujours assise sur le canapé et dégustait la tasse de thé qu'elle n'avait pas touchée pendant toute la conversation. Vargas et la secrétaire se tournèrent vers elle.

— En réalité, il y a encore une chose pour laquelle vous pourriez nous aider, madame, ajouta Alicia.

Ils suivirent Mariana Sedó le long d'un labyrinthe de couloirs pour arriver à l'escalier qui montait à la tour. La secrétaire de Valls leur ouvrit la voie sans se retourner et sans prononcer un mot, dégageant un halo d'hostilité palpable dans l'atmosphère. La pluie qui frappait la façade projetait une aura lugubre à travers les rideaux et les vitres, donnant la sensation que la Villa Mercedes était immergée au fond d'un lac. En chemin, ils croisèrent l'armée de domestiques et de serviteurs du petit empire Valls. Tous baissaient la tête dès qu'ils apercevaient Mme Mariana et s'arrêtaient le plus souvent, s'écartant à son passage en signe de sujétion, dans une manière de révérence. Vargas et Alicia observèrent ce rituel de soumission hiérarchique et ce cérémonial exécuté par la troupe de serviteurs et de laquais du ministre, et ils échangèrent quelques regards perplexes.

Au pied de l'escalier en colimaçon qui menait au bureau de la tour, la secrétaire prit une lampe à huile suspendue au mur et régla l'intensité de la flamme. Ils montèrent, enveloppés dans cette bulle de lumière orangée qui plaquait leurs ombres sur les murs. Arrivée devant la porte du bureau, la secrétaire se tourna vers eux et, ignorant Vargas pour une fois, elle planta son regard empoisonné sur Alicia. Cette dernière lui sourit tranquillement et lui tendit sa main ouverte. Mariana lui remit la clef, les lèvres pincées.

— Ne touchez à rien. Laissez tout comme vous l'avez trouvé. Et quand vous aurez terminé, rendez la clef au majordome avant de partir.

— Merci beaucoup, madame… commença Vargas.

Mariana avait déjà tourné les talons et elle redescendait les marches, la lampe au bout de son bras, les abandonnant sur le seuil de la porte, plongés dans l'obscurité.

— Cela n'aurait pas pu mieux se passer, dit Vargas d'un ton grave. Voyons combien de temps elle mettra avant de téléphoner à García Novales, et de nous réduire en bouillie, surtout vous.

— Moins d'une minute, confirma Alicia.

— Quelque chose me dit que travailler avec vous sera un vrai plaisir.

— Lumière ?

Vargas sortit son briquet et approcha la flamme de la serrure pour qu'Alicia puisse introduire la clef. La poignée de la porte émit une plainte métallique en tournant.

— Ça m'a tout l'air d'un piège, suggéra Vargas.

À la lumière de la flamme, Alicia le gratifia d'un de ses sourires maléfiques qu'il aurait préféré ne pas voir.

— Que celui qui franchit cette porte abandonne tout espoir... dit-elle.

Vargas souffla sur la flamme et poussa la porte.

8

Un halo de clarté grisâtre flottait dans l'air. Un ciel de plomb et des larmes de pluie obturaient les vitres. Alicia et Vargas pénétrèrent dans ce qui leur paru être une cabine située à la poupe d'un luxueux yacht. Une grande table de bureau en beau bois présidait, au centre de la pièce ovale. Tout autour, une bibliothèque métallique circulaire couvrait la plus grande partie des murs et paraissait s'amarrer à un entrelacs grimpant jusqu'au globe en verre rehaussant le sommet de la tour. Seule la petite partie de mur qui faisait face au bureau ne comportait pas de livres, mais des douzaines de photographies encadrées. Alicia et Vargas s'approchèrent pour les examiner. Elles représentaient toutes le même visage et elles composaient une sorte de biographie photographique, de l'enfance à l'adolescence et aux prémices de l'âge adulte. Une fille à la peau pâle et aux cheveux clairs grandissait sous les yeux de l'observateur, figeant les empreintes d'une vie en cent instantanés.

— On dirait que le ministre aime quelqu'un plus que lui-même, dit Alicia.

Vargas continua de contempler la galerie de portraits tandis qu'Alicia se dirigeait vers le bureau de Valls. Elle écarta le fauteuil d'amiral pour s'y asseoir, elle posa les mains sur le cuir qui recouvrait le plateau et elle regarda la pièce.

— À quoi ressemble le monde vu de là ? demanda Vargas.

— Il est petit.

Elle alluma la lampe de bureau. Une chaude lumière poussiéreuse inonda la pièce. Elle ouvrit le premier tiroir et trouva une boîte en bois ouvragé. Vargas la rejoignit et s'assit sur le coin du bureau.

— Si c'est un humidificateur de cigares, je m'octroie mon premier montecristo, dit le policier.

Alicia ouvrit la boîte. Elle était vide. L'intérieur était recouvert d'un velours bleu dessinant, à première vue, les contours d'un révolver. Vargas se pencha et en caressa les bords. Il sentit ses doigts et confirma.

La jeune femme ouvrit le deuxième tiroir. Il renfermait une collection d'étuis proprement disposés, digne d'une exposition.

— On dirait des petits cercueils, dit Alicia.

— Montrez-moi le défunt, l'invita Vargas.

Elle en ouvrit un. Il contenait un corps laqué noir couronné d'un capuchon orné à la pointe d'une étoile blanche. Elle le sortit de l'étui et le soupesa, un sourire aux lèvres, puis elle dévissa le capuchon et tourna lentement l'autre extrémité. Une plume en or et platine qui paraissait le produit d'un complot de savants et d'orfèvres brilla au creux de sa main.

— La plume ensorcelée de Fantômas ? demanda Vargas.

— Presque. C'est le premier stylo à plume fabriqué par la maison Montblanc, expliqua Alicia. Une pièce hors de prix.

— Comment le savez-vous ?

— Leandro a le même.

— Il vous irait mieux qu'à lui.

Alicia replaça le stylo dans son étui et referma le tiroir.

— Je le sais. Leandro m'a promis qu'il me l'offrirait le jour où j'arrêterai de travailler.

— Et ce sera…

— Bientôt.

Elle voulut ouvrir le troisième tiroir. Il était fermé. Elle regarda Vargas. Il refusa d'un signe de tête.

— Si vous voulez la clef, descendez la demander à votre amie Mariana.

— Je ne voudrais pas la déranger, elle est tellement occupée par "les affaires de don Mauricio"…

— Donc ?

— Je croyais qu'à la Préfecture on vous donnait des cours de force brute.

Vargas soupira.

— Écartez-vous, ordonna-t-il.

Le policier s'accroupit devant le tiroir et sortit de sa veste un manche en ivoire. Il déplia la lame dentée à double tranchant.

— N'allez pas croire que vous êtes la seule à aimer les pièces de collection, lâcha Vargas. Passez-moi le coupe-papier.

Il commença à forcer la serrure avec la lame tout en attaquant au coupe-papier le butoir situé entre le tiroir et le plateau du bureau.

— J'ai l'impression que ce n'est pas la première fois que vous faites cela, nota Alicia.

— Certains assistent à des matchs de foot et d'autres forcent des serrures. Chacun sa marotte...

L'opération prit un peu plus de deux minutes. Après un claquement métallique, la lame du coupe-papier glissa dans le tiroir au moment où la fermeture céda. Vargas extirpa la lame de la serrure ; elle était parfaitement lisse, sans une marque ou encoche.

— Acier trempé ? demanda Alicia.

Vargas replia son couteau d'une main experte en appuyant la pointe de la lame sur le sol, et il le rangea dans la poche intérieure de sa veste.

— Un de ces jours, il faudra que vous me laissiez jouer avec ce bijou, dit Alicia.

— Si vous êtes sage, répliqua Vargas en ouvrant le tiroir.

Ils regardèrent tous deux à l'intérieur. Il était vide.

— Ne me dites pas que j'ai forcé le bureau d'un ministre pour rien ?

Elle ne répondit pas. Elle s'accroupit à côté de Vargas et palpa l'intérieur du tiroir, donnant des petits coups sur les parois en bois.

— C'est du chêne solide, dit le policier. On n'en fait plus, des meubles comme ça...

Alicia fronça les sourcils, perplexe.

— On ne trouvera rien, avança Vargas en se relevant. On ferait mieux de rentrer à la Préfecture pour examiner les lettres de Salgado.

Ignorant ses propos, Alicia continua de tâter l'intérieur du tiroir et celui du dessus. Il y avait un espace de deux doigts entre le tiroir du dessus et le fond du meuble.

— Aidez-moi à le sortir, demanda-t-elle.

— Non contente de faire sauter la serrure, voilà qu'elle veut démonter tout le meuble maintenant ? marmonna Vargas.

Le policier lui fit signe de se mettre de l'autre côté et il sortit entièrement le tiroir.

— Vous voyez ? Rien.

Elle s'empara du tiroir et le retourna. Collé sous le fond et maintenu par deux morceaux de ruban adhésif isolant posé en croix, elle trouva ce qui ressemblait à un livre. Elle retira tout doucement les bandes de ruban adhésif et prit le volume. Vargas toucha la partie adhésive du ruban.

— Il est récent.

Alicia déposa l'objet sur le bureau. Elle se rassit dans le fauteuil et l'approcha de la lampe. Vargas s'agenouilla à côté d'elle et la regarda d'un air inquisiteur.

Le volume relié en cuir noir comptait deux cents pages environ. Le dos ne comportait aucune inscription, la couverture non plus, hormis une gravure dorée représentant une spirale qui provoquait une sorte d'illusion d'optique. Lorsque le lecteur tenait le livre entre les mains, il croyait voir un escalier en colimaçon qui descendait dans les entrailles du livre.

Les trois premières pages étaient ornées chacune d'un dessin à la plume, respectivement un fou, un pion et une reine de jeu d'échecs, dotés de traits vaguement humains. La reine avait des yeux noirs et les pupilles verticales d'un reptile. Alicia continua de tourner les pages et elle tomba sur une planche avec le titre du livre.

Le Labyrinthe des esprits VII
Ariadna et le Prince écarlate

Texte et illustrations de Victor Mataix

En dessous se trouvait une délicate illustration double page à l'encre noire. Une ville fantomatique où les bâtiments avaient des visages, où les nuages s'insinuaient tels des serpents entre les toits. Des bûchers se dressaient au milieu des rues et une grande croix en flamme trônait sur la ville, au sommet d'une colline.

Alicia reconnut Barcelone. Mais une Barcelone différente, une ville métamorphosée en menace de cauchemars vue par les yeux d'un enfant. Elle tourna les pages et s'arrêta sur une image du temple de la Sagrada Família, parfaitement reconnaissable et rendue vivante par le dessin. La cathédrale inachevée rampait tel un dragon, les quatre tours de la façade de la Nativité ondulant sur des ciels de soufre couronnés de têtes qui crachaient du feu.

— Avez-vous déjà vu une telle chose ? demanda Vargas.

Alicia fit signe que non. En l'espace de quelques minutes, elle s'immergea dans l'univers étrange révélé par ces pages. Une multitude d'images : un cirque ambulant peuplé de créatures fuyant la lumière ; un cimetière sans fin érigé dans un enchevêtrement de mausolées et d'âmes qui montaient au ciel et traversaient les nuées ; un navire échoué sur une plage émaillée de débris du naufrage et un flot de cadavres emprisonnés sous les eaux. Et, régnant sur cette Barcelone fantasmagorique, contemplant du haut de la coupole de la cathédrale les rues entassées à ses pieds, une silhouette revêtue d'une tunique flottant au vent, un visage d'ange aux yeux de loup : le Prince écarlate.

Alicia referma le livre, enivrée par la force étrange et diabolique que distillaient ces images. Elle comprit seulement alors qu'elle tenait entre les mains un livre pour enfants.

9

Quand ils redescendirent de la tour, Vargas lui prit doucement le bras et l'arrêta dans l'escalier.

— Il faudra prévenir Mariana que nous avons trouvé ce livre et que nous l'emportons.

Alicia fixa du regard la main de Vargas. Il la retira avec un geste d'excuse.

— Si j'ai bien compris, elle préférait qu'on ne l'embête pas davantage.

— Il faudra au moins le faire figurer dans la liste des pièces...

Alicia lui retourna un regard impénétrable. Vargas songea que dans la pénombre ces yeux verts brillaient comme des pièces plongées dans un étang, conférant à leur propriétaire un air vaguement spectral.

— Au titre de preuve, je veux dire, précisa le policier.

— Comment ?

Le ton d'Alicia était froid, tranchant.

— Ce que la police saisit dans le cadre d'une enquête...

— Techniquement, la police n'a rien saisi. C'est moi qui l'ai trouvé. Vous vous êtes contenté de jouer les serruriers.

— Écoutez...

Alicia continua de descendre les marches sans laisser Vargas placer un mot de plus. Il la suivit à tâtons.

— Alicia...

En arrivant dans le jardin, ils furent accueillis par une bruine qui s'accrochait aux vêtements comme une poussière de verre. Vargas n'eut pas le temps d'ouvrir le parapluie que leur avait prêté une domestique. Sans l'attendre, Alicia avait pris la direction du garage. Le policier hâta le pas et réussit enfin à la protéger avec le parapluie.

— De rien, dit-il.

Il remarqua qu'Alicia boitait légèrement et qu'elle serrait les mâchoires.

— Qu'est-ce qui vous arrive ?

— Rien. Une vieille blessure. L'humidité n'arrange rien. Ça n'a aucune importance.

— Si vous le souhaitez, vous pouvez attendre ici, j'irai chercher la voiture.

Une fois de plus, Alicia sembla ne pas entendre ses paroles. Ses yeux perdus au loin scrutaient le mirage d'une construction tamisée par la pluie, au milieu des arbres

— Quoi ? demanda Vargas.

Elle avança, le laissant planté là, le parapluie dans une main.

— Bon sang ! marmonna-t-il en lui emboîtant le pas.

Quand il arriva à sa hauteur, Alicia se contenta de pointer le doigt en direction de ce qui ressemblait à un jardin d'hiver enfoui dans les profondeurs du parc.

— Il y avait quelqu'un, dit-elle. Qui nous observait.

— Qui cela peut-il être ?

Alicia s'immobilisa, hésitante.

— Retournez au garage. Je vous rejoins dans une minute.

— Vous êtes sûre ?

Elle fit signe que oui.

— Prenez au moins le parapluie...

Vargas la regarda marcher sous la pluie en boitillant puis s'évanouir dans la brume, une ombre parmi toutes les ombres du parc.

10

Un sentier couvert de cailloux blancs s'ouvrait devant elle. Des lignes de mousse nichaient dans les fentes de la roche. Ce chemin paraissait avoir été fait avec des concrétions de pierres tombales volées dans un cimetière, songea Alicia. Il avançait sous les saules et la pluie gouttait des branches qui la frôlaient au passage comme des bras désireux de la retenir. Au bout du chemin se dessinait la construction qu'elle avait d'abord prise pour un jardin d'hiver. De près, c'était une sorte de pavillon d'allure néoclassique devant lequel passaient les rails du train miniature qui faisait le tour de la propriété. Face à l'entrée principale du pavillon se trouvait un quai de gare. Alicia franchit les rails et grimpa les marches qui menaient à une grande porte entrouverte. La douleur étrillait sa hanche ; les élancements évoquaient un fil de fer hérissé de pointes entortillé autour de ses os. Elle s'arrêta un instant pour reprendre son souffle et poussa la porte qui céda dans un léger gémissement.

Elle crut d'abord se trouver dans une salle de bal depuis longtemps à l'abandon. On devinait des traces de pas sur la pellicule de poussière qui recouvrait un parquet en losange. Au plafond, deux lustres à pendeloques de cristal pendaient comme des fleurs de givre.

— Il y a quelqu'un ? appela-t-elle.

L'écho de sa voix résonna dans la salle et demeura sans réponse. Les traces de pas se perdaient dans la pénombre. Plus loin, elle aperçut une vitrine en bois foncé découpée en petits habitacles, des sortes de petites niches funéraires occupant tout le mur. Elle avança en suivant les traces mais elle s'arrêta, avec la conviction que quelqu'un l'observait. Un regard transparent émergea de l'ombre, dans un visage d'ivoire au sourire malicieux et provocateur. La poupée avait les cheveux roux et portait une tenue de soie noire. Alicia avança et constata qu'elle n'était pas seule. Chacune des niches abritait une créature élégamment habillée d'une luxueuse robe. Elle crut apercevoir plus d'une centaine de silhouettes, toutes souriantes, le regard figé. Les poupées avaient la taille d'un enfant. Même dans la pénombre, on pouvait apprécier la finesse et la beauté de leur fabrication, leurs ongles brillants, les petites dents blanches que laissaient entrevoir des lèvres peintes, l'iris de leurs pupilles.

— Qui êtes-vous ?

La voix provenait du fond de la pièce. Alicia distingua une forme assise sur une chaise dans un coin.

— Je suis Alicia. Alicia Gris. Je ne voulais pas vous faire peur.

La forme se leva et s'approcha, très lentement. Elle émergea de l'obscurité et avança jusqu'au seuil de la lumière mourante qui venait de l'entrée. Alicia reconnut le visage des photographies du bureau de Valls.

— Vous avez une jolie collection de poupées.

— Presque personne ne les aime. Mon père dit qu'elles ressemblent à des vampires. Elles font peur à tout le monde.

— C'est pour ça qu'elles me plaisent.

Mercedes observa attentivement cette présence étrange. Elle songea un instant qu'elle avait quelque chose en commun avec les pièces de sa collection. Comme si l'une d'elles n'était pas restée pétrifiée dans une enfance d'ivoire et avait grandi, était devenue une femme de chair, d'os et d'ombre. Alicia lui sourit et lui tendit la main.

— Mercedes, n'est-ce pas ?

La jeune fille confirma et lui tendit la main à son tour. Quelque chose dans le regard froid et pénétrant d'Alicia la tranquillisa et lui inspira confiance. Elle lui donnait un peu moins de trente ans, mais comme avec ses poupées, plus on la regardait de près et plus il était difficile de déterminer son âge. Elle avait la taille fine et portait des vêtements que Mercedes aurait secrètement aimé revêtir si elle n'avait pas été persuadée que ni son père et ni Irene ne le lui auraient permis. La jeune femme dégageait cet air indéfinissable qui, la fille de Valls le savait, ensorcelait les hommes et les incitait à se conduire comme des enfants, ou des papis, se délectant à son passage. Elle l'avait vue arriver en compagnie du policier, et entrer dans la maison. L'idée que quelqu'un, là-haut, dans les instances supérieures du régime, ait vu dans cette jeune femme la personne idéale pour retrouver son père était à ses yeux à la fois incompréhensible et porteur d'espoir.

— Vous êtes là pour mon père, n'est-ce pas ?

Alicia fit signe que oui.

— Ne me vouvoie pas. Je ne suis pas beaucoup plus âgée que toi.

Mercedes haussa les épaules.

— J'ai été éduquée pour vouvoyer tout le monde.

— Moi, on m'a éduquée pour que je me comporte comme une jeune fille de bonne famille, et tu vois le résultat.

Mercedes émit un rire léger, retenu, pudique. Cette fille ne devait pas avoir souvent l'occasion de rire, pensa Alicia, et elle le faisait de la même manière qu'elle regardait le monde autour d'elle, comme une enfant cachée dans un corps de femme, ou une femme qui aurait vécu presque toute sa vie dans un conte pour enfant peuplé de domestiques et de poupées aux entrailles de porcelaine.

— Vous êtes policier ?

— Quelque chose dans le genre.

— On ne dirait pas.

— Personne n'est ce qu'il paraît.

Mercedes pesa ces mots.

— Je suppose que non.

— On peut s'asseoir ? demanda Alicia.

— Bien sûr…

Mercedes se dépêcha d'aller prendre deux chaises posées dans un coin et elle les plaça dans le rai de lumière projeté par la porte d'entrée. Alicia s'assit avec précaution. La jeune fille perçut immédiatement la souffrance sur son visage et elle l'aida. Alicia lui adressa un pauvre sourire, le front couvert d'une sueur froide. Mercedes hésita un instant avant de sortir un mouchoir de son sac pour l'essuyer. La jeune femme avait la peau si fine et pâle qu'elle désira la caresser du bout des doigts. L'idée lui traversa l'esprit et elle se sentit rougir sans trop savoir pourquoi.

— Vous sentez-vous mieux ? demanda-t-elle.

Alicia fit un geste affirmatif.

— Que vous arrive-t-il ?

— C'est une vieille blessure. De quand j'étais petite. Parfois, quand il pleut ou que le temps est très humide, elle me fait souffrir.

— C'était un accident ?

— Quelque chose comme ça.

— Je suis désolée.

— C'est la vie. Est-ce que cela te dérange si je te pose quelques questions ?

La jeune fille afficha un regard inquiet.

— À propos de mon père ?

Alicia hocha la tête.

— Vous allez le retrouver ?

— Je vais essayer.

Mercedes la regarda les yeux remplis d'espoir.

— La police ne pourra pas le retrouver. Il faut que vous le fassiez, vous.

— Pourquoi dis-tu cela ?

La fille de Valls baissa les yeux.

— Parce que je crois qu'il ne veut pas que la police le trouve.

— Qu'est-ce qui te fait croire cela ?

Mercedes garda la tête baissée.

— Je ne sais pas…

— D'après Mme Mariana Sedó, le matin où ton père est parti tu lui as dit que c'était pour toujours, qu'il ne reviendrait pas…

— C'est vrai.

— Ton père t'a-t-il laissé entendre quelque chose ce soir-là ?

— Je ne sais pas.

— As-tu parlé avec lui le soir du bal ?

— Je suis montée le voir dans son bureau. Il n'était pas descendu à la fête, à aucun moment. Il était avec Vicente.

— Vicente Carmona ? Son garde du corps ?

— Oui. Il était triste. Bizarre.

— T'a-t-il dit pourquoi ?

— Non. Mon père ne me dit que ce qu'il croit que je veux entendre.

Alicia rit.

— Tous les pères font la même chose.

— Le vôtre aussi ?

Alicia se contenta de sourire et Mercedes n'insista pas.

— Je me rappelle qu'il était en train de regarder un livre quand je suis entrée dans son bureau.

— Te rappelles-tu si ce livre avait une couverture noire ?

Mercedes feignit la surprise.

— Je crois, oui. Je lui ai demandé ce que c'était et il m'a répondu que ce n'était pas une lecture pour une jeune fille. J'ai eu l'impression qu'il ne voulait pas que je le voie. C'était peut-être un ouvrage interdit.

— Ton père possède-t-il des livres interdits ?

Mercedes fit signe que oui, avec une pointe de pudeur à nouveau.

— Dans une armoire fermée à clef dans son bureau, au ministère. Il ignore que je le sais.

— Ce n'est pas moi qui le lui dirai. Dis-moi, ton père t'emmène-t-il souvent dans son bureau, au ministère ?

Mercedes fit non de la tête.

— Je n'y suis allée que deux fois.

— Et en ville ?

— À Madrid ?

— Oui, à Madrid.

— J'ai tout ce qu'il me faut ici, dit-elle d'un ton peu convaincu.

— On pourrait peut-être aller en ville toutes les deux un jour. Faire un tour. Voir un film. Tu aimes le ciné ?

Mercedes se mordit la lèvre.

— Je n'y suis jamais allée. Mais j'aimerais bien. Sortir avec vous, je veux dire.

Alicia lui tapota les mains, avec son meilleur sourire.

— On ira voir un film avec Cary Grant.

— Je ne sais pas qui c'est.

— L'homme idéal.

— Pourquoi ?

— Parce qu'il n'existe pas.

Mercedes émit de nouveau son petit rire captif et triste.

— Ton père a-t-il dit autre chose ce soir-là ? Tu te souviens ?

— Non, pas vraiment. Il m'a dit qu'il m'aimait. Et qu'il m'aimerait toujours, quoi qu'il arrive.

— Autre chose ?

— Il était nerveux. Il m'a souhaité bonne nuit et il est resté avec Vicente, à discuter.

— Est-ce que tu as pu entendre ce qu'ils se disaient ? demanda Alicia.

— Ce n'est pas bien d'écouter aux portes…

— J'ai toujours pensé que c'est ainsi qu'on entend les meilleures conversations, hasarda Alicia.

Mercedes la regarda d'un air espiègle.

— Mon père croyait que quelqu'un était entré dans son bureau. Pendant la fête.

— A-t-il dit qui ?

— Non.

— Quoi d'autre ? Quelque chose qui aurait retenu ton attention ?

— Oui, à propos d'une liste. Quelqu'un possédait une liste. Je ne sais pas qui.

— Sais-tu à quel genre de liste il faisait référence ?

— Non. Des chiffres, je crois. Je suis désolée. J'aimerais pouvoir vous aider davantage, mais c'est tout ce que j'ai réussi à entendre…

— Tu m'aides beaucoup, Mercedes.

— C'est vrai ?

Alicia acquiesça et lui caressa la joue. Personne ne l'avait fait ainsi depuis que la mère de Mercedes était clouée au lit et que ses mains étaient devenues des serres.

— Selon toi, à quoi ton père faisait-il allusion quand il a prononcé les mots "quoi qu'il arrive" ?

— Je l'ignore…

— L'avais-tu déjà entendu dire cela auparavant ?

Mercedes demeura silencieuse et la regarda fixement.

— Mercedes ?

— Je n'aime pas parler de cela.

— De quoi ?

— Mon père m'a demandé de ne jamais en parler à personne.

Alicia se pencha vers elle et lui prit la main. La jeune fille tremblait.

— Mais je ne suis pas personne. Tu peux me parler, à moi.

— Si mon père apprenait que je vous...

— Il ne l'apprendra pas.

— Vous me le jurez ?

— Je te le jure. Si je mens, je vais en enfer.

— Ne dites pas cela.

— Raconte-moi, Mercedes. Tout ce que tu me diras restera entre toi et moi. Tu as ma parole.

Mercedes la regarda les yeux noyés de larmes. Alicia serra sa main dans la sienne.

— Je devais avoir sept ou huit ans, je ne sais plus. C'était à Madrid, à l'école des Dames noires. L'après-midi, l'escorte de mon père venait me chercher à la fin de la classe. Avec les autres filles, on attendait les parents ou les domestiques dans la cour des cyprès. À cinq heures et demie. La femme venait très souvent. Elle restait là, de l'autre côté de la grille, à me regarder. Parfois, elle me souriait. Je ne savais pas qui c'était. Mais elle était là presque tous les après-midis. Elle me faisait signe d'approcher, mais j'avais peur d'elle. Un jour, l'escorte est arrivée en retard. Il s'était passé quelque chose à Madrid, dans le centre. Je me souviens que les voitures avaient raccompagné les autres filles et que j'étais restée toute seule à attendre. Je ne sais pas comment, la femme avait réussi à se faufiler par la grille au moment où une des voitures ressortait. Elle s'est approchée de moi et s'est agenouillée. Elle m'a prise dans ses bras et s'est mise à pleurer. Elle m'embrassait. J'ai eu peur et j'ai crié. Les bonnes sœurs ont accouru. Quand l'escorte est enfin arrivée, deux hommes l'ont attrapée par les bras et ils l'ont tirée en arrière. Elle criait, elle pleurait. Un des gardes du corps de mon père l'a frappée au visage, je m'en souviens. Elle a sorti quelque chose qu'elle gardait caché au fond de son sac. Un pistolet. Les gardes du corps se sont écartés et elle a couru vers moi, le visage en sang. Elle m'a enlacée et elle m'a dit qu'elle m'aimait, et que je ne devais pas l'oublier, jamais.

— Que s'est-il passé ensuite ?

Mercedes déglutit.

— Vicente s'est approché d'elle et il a tiré. Dans la tête. Elle est tombée à mes pieds, dans une mare de sang. Je m'en souviens parce qu'une bonne sœur m'a prise dans ses bras et a enlevé mes chaussures trempées du sang de la femme. Elle m'a remise à un garde du corps qui m'a portée à la voiture avec Vicente. Il a démarré et on est partis à toute vitesse. Mais j'ai pu voir par la vitre deux des gardes du corps qui traînaient le corps de la femme...

Mercedes chercha le regard d'Alicia qui passa ses bras autour de ses épaules.

— Le soir, mon père m'a expliqué que c'était une folle. La police l'avait arrêtée plusieurs fois alors qu'elle essayait d'enlever des enfants dans les écoles de Madrid. Il m'a assuré que jamais personne ne me ferait de mal et que je ne devais pas avoir peur. Il m'a aussi fait promettre de ne jamais raconter à personne ce qui s'était passé. Quoi qu'il arrive. Je ne suis pas retournée à l'école. Mme Irene est devenue ma préceptrice, et j'ai reçu le reste de mon éducation dans cette maison...

Alicia la laissa pleurer dans ses bras en lui caressant doucement les cheveux. Un apaisement empreint de désespoir descendait sur les épaules de la jeune fille quand elle entendit le klaxon de la voiture de Vargas au loin. Elle se leva.

— Je dois partir, Mercedes. Mais je reviendrai. Et nous irons nous promener à Madrid, et au cinéma. Mais tu dois me promettre qu'en attendant tu iras bien.

Mercedes lui prit les mains et acquiesça.

— Vous retrouverez mon père, n'est-ce pas ?

— Je te le promets.

Elle déposa un baiser sur son front et elle s'éloigna en boitant. Mercedes s'assit par terre, les bras autour de ses genoux repliés, plongée dans son monde obscur à jamais brisé de poupées de porcelaine.

11

Ils firent le chemin jusqu'à Madrid sous la pluie et en silence. Alicia gardait les yeux fermés et la tête appuyée contre la vitre trempée, l'esprit à mille lieues de là. Vargas la regardait du coin de l'œil, lançant de temps à autre une perche pour voir si elle entamait une conversation qui viendrait rompre le silence persistant depuis qu'ils avaient quitté la Villa Mercedes.

— Vous avez été dure avec la secrétaire de Valls, avança-t-il. C'est le moins qu'on puisse dire.

— C'est une gale, murmura Alicia d'un ton peu amène.

— On peut parler du temps si vous préférez, proposa Vargas.

— Il pleut, répliqua Alicia. De quoi d'autre voulez-vous discuter ?

— Vous pourriez me raconter ce qui s'est passé là-bas, dans la petite maison du jardin.

— Rien, il ne s'est rien passé.

— Vous y êtes restée une demi-heure. J'espère que vous n'avez pas montré les dents devant quelqu'un d'autre. Ce serait bien qu'on ne se mette pas tout le monde à dos dès le premier jour. Il me semble.

Alicia ne répondit pas.

— Écoutez, pour que ça marche, il faut qu'on travaille ensemble, argumenta Vargas. En partageant l'information. Je ne suis pas votre chauffeur !

— Alors ça ne marchera peut-être pas. Je peux prendre un taxi, si vous préférez. C'est ce que je fais d'habitude.

Vargas soupira.

— Ne faites pas attention à ce que je dis, d'accord ? dit Alicia. Je ne me sens pas très bien.

Vargas la regarda attentivement. Elle avait toujours les yeux fermés et elle agrippait sa hanche dans un geste de grande souffrance.

— Voulez-vous qu'on s'arrête dans une pharmacie ?

— Pourquoi ?

— Je ne sais pas. Vous n'avez pas bonne mine.

— Merci.

— Je peux aller vous chercher quelque chose contre la douleur…

Alicia fit non de la tête, la respiration saccadée.

— Est-ce qu'on peut s'arrêter un moment ? dit-elle enfin.

Vargas aperçut un routier à une centaine de mètres, à côté d'une station-service où étaient garés une douzaine de camions.

Il quitta la route principale et arrêta la voiture devant l'entrée de l'établissement. Il descendit et fit le tour de l'auto pour lui ouvrir la portière. Il lui tendit la main.

— Je peux me débrouiller toute seule.

Elle tenta de se redresser à deux reprises puis Vargas la prit sous les bras et la tira hors du véhicule. Il attrapa son sac qu'elle avait laissé sur le siège et l'accrocha à sa main.

— Vous pouvez marcher ?

Alicia hocha la tête affirmativement et ils se dirigèrent vers la porte. Vargas la soutenait légèrement et pour une fois elle ne fit rien pour l'éviter. En entrant dans le bar, le policier opéra une vérification sommaire des lieux, par habitude, repérant les entrées, les sorties, et le public présent. Un groupe de camionneurs bavardait autour d'une table couverte d'une nappe en papier, de bouteilles de vin de la maison et de siphons. Certains se retournèrent pour leur jeter un coup d'œil, mais en croisant le regard de Vargas ils baissèrent les yeux et se concentrèrent sans broncher sur leur assiette de pot-au-feu. Le serveur, un type aux allures d'aubergiste d'opérette, passa avec un plateau rempli de tasses à café et il leur signala d'un geste ce qui devait être la table d'honneur, à l'écart de la plèbe et avec vue sur la route.

— Je suis à vous dans une seconde, dit-il.

Vargas y conduisit Alicia et l'installa sur une chaise qui tournait le dos aux commensaux. Il s'assit en face d'elle et la regarda, dans l'expectative.

— Vous commencez à me faire peur, dit-il.

— Ne vous faites pas d'illusions.

Le serveur arriva rapidement, tout sourire, manifestant une disposition affichée à servir des visiteurs si distingués et inattendus.

— Bonjour. Ces messieurs-dames voudront-ils déjeuner ? Aujourd'hui nous avons un excellent pot-au-feu préparé par mon épouse, mais nous pouvons aussi vous préparer ce que vous désirez. Un bifteck,…

— Un peu d'eau, s'il vous plaît, demanda Alicia.

— Tout de suite. Je vous l'apporte.

Le serveur courut chercher une bouteille d'eau minérale et revint avec deux cartes décorées et écrites à la main. Il remplit leurs verres et, devinant que sa présence n'était pas désirée, il se retira avec une révérence.

— Je vous laisse la carte, au cas où vous voudriez la consulter.

Vargas murmura un vague remerciement et vit Alicia engloutir son verre d'eau comme s'ils venaient de traverser le désert.

— Avez-vous faim ?

Elle prit son sac et se leva.

— Je vais aux toilettes. Commandez pour moi.

En passant à côté de Vargas, elle posa la main sur son épaule et lui adressa un faible sourire.

— Ne vous inquiétez pas. Ça va aller...

Le policier la vit boiter en direction des toilettes et disparaître derrière la porte. Le serveur, derrière le bar, l'observait en se demandant probablement quel genre de relation cet homme entretenait avec une telle gamine.

Alicia tira le verrou derrière elle. Les cabinets aux murs carrelés d'une couleur indéfinissable et couverts de dessins obscènes et de phrases d'un goût douteux puaient le désinfectant. Des rais de lumière poussiéreuse filtraient des pales du ventilateur installé dans une étroite fenêtre. Elle s'appuya contre le lavabo, ouvrit le robinet et laissa couler l'eau, qui sentait la rouille. D'une main tremblante, elle prit dans son sac un étui métallique dont elle extirpa une seringue et un flacon en verre fermé par un bouchon en caoutchouc. Elle plongea l'aiguille dans le flacon et remplit la seringue à moitié. Elle tapota sur l'aiguille et poussa le piston pour faire apparaître une goutte épaisse et brillante dans le biseau. Elle s'approcha de la cuvette des toilettes, referma l'abattant et s'y assit en s'appuyant contre le mur. De la main gauche, elle remonta sa robe jusqu'à la hanche. Elle palpa l'intérieur de sa cuisse et prit une inspiration profonde. Elle enfonça l'aiguille et vida le contenu de la seringue. Quelques secondes plus tard, elle sentit la poussée du liquide, la seringue lui tomba des mains et son esprit s'embruma tandis que la sensation de froid se répandait dans ses veines. Elle se laissa aller contre le mur et attendit quelques minutes sans penser à rien d'autre qu'à ce serpent de glace en train de ramper dans son corps. Elle crut un moment qu'elle s'évanouissait. Elle ouvrit les yeux dans un gourbi malodorant et lugubre qu'elle ne reconnaissait pas. Un bruit lointain l'alerta, quelqu'un frappait à la porte.

— Alicia ? Vous allez bien ?

C'était la voix de Vargas.

— Oui, se força-t-elle à répondre. Je sors.

Les pas du policier tardèrent un petit moment à s'éloigner. Alicia nettoya le filet de sang qui gouttait sur sa cuisse et descendit sa robe. Elle rangea la seringue cassée dans son étui. Elle se lava le visage dans le lavabo et se sécha avec un morceau de papier du rouleau suspendu à un clou fiché dans le mur. Avant de sortir, elle affronta son image dans la glace. Elle ressemblait aux poupées de Mercedes. Elle mit du rouge à lèvres, arrangea ses vêtements et respira profondément pour retourner affronter le monde des vivants.

De retour à sa table, elle s'assit en face de Vargas et lui sourit comme elle put. Il tenait un verre de bière qu'il n'avait pas encore commencé apparemment, et il la regardait, ouvertement inquiet.

— Je vous ai commandé un bifteck, dit-il enfin. Saignant. Des protéines.

Alicia approuva, l'air de dire qu'il n'aurait pu mieux choisir.

— Je ne savais pas quoi vous choisir, mais je me suis dit que vous étiez carnivore.

— Je n'avale que de la viande saignante, commenta Alicia. La chair de créatures innocentes, si possible.

Il ne rit pas à sa blague. Alicia vit son reflet dans le regard de Vargas.

— Vous pouvez le dire.

— Quoi ?

— Ce que vous pensez.

— Qu'est-ce que je pense ?

— Qu'on dirait la fiancée de Dracula.

Vargas fronça les sourcils.

— C'est toujours ce que dit Leandro, ajouta Alicia d'un ton aimable. Ça ne me gêne pas. J'ai l'habitude.

— Je ne pensais pas cela.

— Excusez-moi pour tout à l'heure.

— Il n'y a rien à excuser.

Le serveur arriva avec les deux plats et une mimique serviable.

— Un bon petit bifteck pour la demoiselle... et le pot-au-feu maison pour le monsieur. Autre chose ? Un peu plus de pain ? Le petit vin de la coopérative ?

Vargas fit non de la tête et Alicia jeta un coup d'œil sur sa viande accompagnée de pommes de terre. Elle soupira.

— Je peux vous le recuire un peu, si vous préférez... offrit le serveur.

— C'est bien, merci.

Ils commencèrent à manger en silence, échangeant de brefs regards et des sourires conciliants. Alicia n'avait absolument pas faim mais elle fit un effort et feignit de se régaler.

— Il est bon. Et votre plat ? À en épouser la cuisinière ?

Vargas reposa sa cuillère et s'adossa à sa chaise. Alicia savait qu'il observait ses pupilles dilatées et son visage somnolent.

— Quand est-ce que vous êtes tombée dedans ?

— Ce ne sont pas vos affaires.

— C'est quel genre de blessure ?

— Du genre qu'une jeune femme bien éduquée ne commente pas.

— Si nous sommes amenés à travailler ensemble, je dois savoir à quoi m'attendre.

— Nous ne sommes pas fiancés. Ça ne durera que quelques jours. Inutile de me présenter à votre mère.

Vargas n'esquissa pas même un sourire.

— J'étais petite. Pendant la guerre. Les bombardements. Le médecin qui a reconstruit ma hanche n'avait pas dormi depuis vingt-quatre heures, il a fait ce qu'il a pu. Je crois que je conserve encore en moi un ou deux *souvenirs** de l'aviation italienne.

— C'était à Barcelone ?

Alicia fit oui de la tête.

— Un de mes camarades du Corps qui était de là-bas a vécu pendant douze ans avec un morceau de métal de la taille d'une olive fiché dans l'aorte, dit Vargas.

— Il est mort ?

— Renversé par un distributeur de journaux en face de la gare d'Atocha.

— On ne peut pas se fier à la presse. Dès qu'ils le peuvent, ils vous entubent. Et vous ? Où étiez-vous pendant la guerre ?

— Ici et là. À Tolède, la plupart du temps.

— À l'intérieur ou à l'extérieur de l'Alcazar ?

— Qu'est-ce que ça change ?

— Des souvenirs ?

Vargas déboutonna sa chemise et lui montra une cicatrice arrondie du côté droit de la poitrine.

— Je peux ? demanda Alicia.

Vargas hocha la tête. Alicia se pencha et toucha la cicatrice du bout des doigts. Derrière le comptoir, le serveur laissa tomber le verre qu'il essuyait.

— Elle est balèze, dit Alicia. Elle vous fait souffrir ?

Vargas reboutonnait sa chemise.

— Seulement quand je ris. C'est sérieux.

— Avec ce boulot, vous ne devez pas vous ruiner en aspirine.

Vargas sourit enfin. Alicia leva son verre d'eau.

— Trinquons à nos malheurs !

Le policier prit son verre et ils trinquèrent. Ils finirent de manger en silence. Vargas sauçait son assiette et Alicia picorait quelques petits morceaux de viande. Quand elle écarta son assiette, il piqua les pommes de terre restantes, la totalité quasi.

— Quel est votre programme pour cet après-midi ? lui demanda-t-il.

— J'avais pensé que vous pourriez rentrer à la Préfecture pour obtenir une copie des lettres de Salgado et voir ce que ça donne de ce côté. Et, si vous avez le temps, rendre une petite visite à ce Cascos des Éditions Ariadna. Il y a quelque chose qui cloche là-dedans.

— Vous ne voulez pas qu'on y aille ensemble ?

— J'ai d'autres plans. Je pense aller voir un vieil ami qui pourrait peut-être nous donner un coup de main. Il vaut mieux que je le rencontre seule. C'est un personnage singulier.

— Ce qui doit être une condition *sine qua non* pour faire partie de vos amis, non ? C'est à propos du livre ?

— Oui.

Vargas fit signe au serveur de lui apporter l'adition.

— Voulez-vous un café, un dessert, ou autre chose ?

— Dans la voiture, vous pourrez m'offrir une de vos cigarettes d'importation, répondit Alicia.

— Ce n'est pas un piège pour vous débarrasser de moi à la première occasion, n'est-ce pas ?

Alicia fit non de la tête.

— Retrouvons-nous à sept heures au café Gijón et "partageons l'information".

Vargas la regarda d'un air sévère. Elle leva la main solennellement.

— Je le jure.

— Il vaut mieux pour vous. Je vous laisse où ?

— À Recoletos. C'est sur votre chemin.

12

L'année où Alicia Gris était arrivée à Madrid, son mentor et manipulateur Leandro Montalvo lui avait enseigné que quiconque désirait conserver toute sa tête avait besoin d'un endroit où il pouvait, où il aimait se perdre. Ce lieu, cet ultime refuge, était une petite annexe de l'âme où on pouvait courir s'enfermer, et jeter la clef, quand le monde faisait naufrage dans son absurde comédie. Un des travers coutumiers les plus agaçants de Leandro était qu'il avait toujours raison. Avec le temps, Alicia avait fini par se rendre à l'évidence. Le moment était peut-être venu pour elle de trouver son propre endroit, car l'absurdité du monde cessait de lui apparaître comme une comédie occasionnelle pour se convertir en une simple routine. Pour une fois, le destin voulut lui mettre en main les bonnes cartes. Comme toutes les grandes rencontres, celle-ci eut lieu au moment où elle s'y attendait le moins.

Un jour lointain de son premier automne à Madrid, une averse la surprit tandis qu'elle marchait sur la promenade de Recoletos. Elle aperçut entre les arbres un palais de style classique qu'elle prit pour un musée. Elle décida de s'y abriter en attendant la fin de l'orage. Trempée jusqu'aux os, elle monta les escaliers flanqués de statues royales sans prêter attention à l'inscription gravée sur le linteau de la porte. Un individu à l'allure flegmatique et au regard de hibou contemplait, sur le seuil, le spectacle de la pluie. Il la vit arriver et ses yeux de rapace se posèrent sur elle comme si elle n'était qu'un petit rongeur.

— Bonjour. Qu'est-ce qu'il y a à voir ici, improvisa Alicia.

L'individu aux pupilles grandes comme des loupes l'enveloppa du regard, pas du tout impressionné, visiblement.

— La patience, mademoiselle, et parfois l'étonnement face à l'effronterie de l'ignorance. Ceci est la Bibliothèque nationale.

Par compassion ou par simple ennui, l'homme au regard de chouette l'informa qu'elle avait mis les pieds dans une des plus grandes bibliothèques du globe. Plus de vingt-cinq millions de volumes l'attendaient et si son intention était d'utiliser les toilettes ou de feuilleter une revue de mode dans la grande salle de lecture, elle pouvait passer son chemin, au risque d'attraper une pneumonie.

— Votre seigneurie accepterait-elle de me dire qui elle est ? interrogea Alicia.

— Des seigneuries, cela fait longtemps que je n'en ai plus vu, mais si vous vous référez à mon humble personne, il me suffira de vous dire que je suis le directeur de cette maison et qu'un de mes passe-temps préférés est de renvoyer dans la rue les têtes de linotte et les intrus.

— Mais je voudrais m'inscrire.

— Et moi, j'aimerais avoir écrit *David Copperfield*, et je me retrouve ici, plus tout jeune et sans bibliographie notable. Comment vous appelez-vous, mignonne ?

— Alicia Gris, pour vous servir, ainsi que l'Espagne.

— Le fait de n'avoir signé aucun classique pour la postérité ne m'empêche pas d'apprécier l'ironie ou l'impertinence. Pour ce qui est de l'Espagne, je n'en réponds pas, la cour est déjà pleine de porte-parole, et en ce qui me concerne, je vois mal comment vous pourriez me servir, sinon à me rappeler combien je suis vieux. Néanmoins, je ne suis pas un ogre, je pense, et si votre désir de vous inscrire est sincère, ce n'est pas moi qui vous maintiendrai dans votre analphabétisme structurel. Mon nom est Bermeo Pumares.

— C'est un honneur. Je m'en remets à vous pour recevoir la formation qui me sauvera de l'ignorance et m'ouvrira les portes de cet Arcadie que vous dirigez.

Bermeo Pumares haussa les sourcils et reconsidéra sa contradictrice.

— Je commence à avoir la vague impression que vous vous sauverez seule, sans le secours de personne, et que votre ignorance est moins profonde que votre toupet, mademoiselle Gris.

Je suis conscient que ma gloutonnerie encyclopédique a fini par conférer à mon discours des accents baroques, mais il n'est pas nécessaire que vous vous moquiez d'un vieux professeur.

— Une telle chose ne me viendrait jamais à l'esprit.

— Bien sûr. Vous les reconnaîtrez à leur verbe ! Alicia, vous m'êtes sympathique malgré les apparences. Je rentre, et vous, allez au guichet. Dites à Puri que Pumares a demandé qu'on vous fasse une carte.

— Comment puis-je vous remercier ?

— En venant ici et en lisant de bons livres, ceux qui vous plaisent et non pas les ouvrages dont on vous dit qu'il faut les lire, moi ou quiconque, je suis peut-être un peu affecté, mais je ne suis pas un pédant.

— Je le ferai, n'en doutez pas.

Cet après-midi-là, Alicia obtint sa carte de lecteur de la Bibliothèque nationale et elle passa ce qui serait la première de ses nombreuses séances de lecture dans la grande salle, convoquant certains des trésors que des siècles d'humanité avaient réussi à accumuler. Plus d'une fois, levant les yeux de la page, elle croisa le regard de chouette de M. Bermeo Pumares qui aimait déambuler dans la salle pour voir ce que lisaient les personnes présentes ou mettre dehors sans façon ceux qui entraient pour faire la sieste ou chuchoter. Car, comme il aimait à le rappeler, la totalité du monde extérieur suffisait aux esprits somnolents et aux bavardages idiots.

Un jour, Alicia ayant attesté de son intérêt et de sa condition de lectrice sérieuse durant toute l'année, Bermeo Pumares l'invita à le suivre dans les réserves du grand palais et il lui ouvrit les portes d'une section fermée au public. Là, lui expliqua-t-il, reposaient les plus belles pièces de la bibliothèque, et seules les personnes détentrices d'une carte spéciale concédée à certains universitaires et étudiants chercheurs pouvaient y pénétrer.

— Vous ne m'avez jamais expliqué à quoi vous consacrez votre vie terrestre, mais mon petit doigt me dit que vous avez quelque chose d'une chercheuse, et je ne parle pas d'invention des dérivés de la pénicilline ou d'exhumation de vers perdus de l'Archiprêtre de Hita.

— Vous ne faites pas complètement fausse route, vous êtes sur la bonne voie.

— Je n'ai jamais fait fausse route de toute ma vie. Le problème, dans notre cher pays, ce ne sont pas les marcheurs, ce sont les voies.

— Dans mon cas, ce ne sont pas celles du Seigneur, mais celles que Votre Excellence qualifierait d'appareil de sécurité de l'État.

Pumares opina lentement du chef.

— Vous êtes une boîte à surprises, Alicia. De celle qu'il vaut mieux ne pas ouvrir de peur de découvrir ce qu'elle renferme.

— Sage décision.

Pumares lui tendit une carte spéciale à son nom.

— Quoi qu'il en soit, je voulais m'assurer avant de partir que vous aviez aussi la carte de chercheuse afin de pouvoir accéder à cet endroit, si le cœur vous en disait un jour.

— Avant de partir ?

Pumares adopta un air de circonstance.

— Le secrétaire du ministre Mauricio Valls a tenu à me faire savoir que j'étais révoqué de ma charge de directeur, avec effet rétroactif ; hier, mercredi, était donc mon dernier jour à la tête de cette institution. Apparemment, la décision de monsieur le ministre répond à divers motifs, parmi lesquels la pâle ferveur apparente démontrée par ma personne envers les sacro-saints principes du Mouvement, quels qu'ils soient, d'une part, et l'intérêt manifesté par le gendre d'un dirigeant de la patrie pour assumer la direction de la Bibliothèque nationale, d'autre part. Dans la mesure où un crétin doit se dire que la charge sonne aussi bien dans certains cercles qu'une invitation dans la loge présidentielle du Real Madrid...

— Je suis désolée, tout à fait désolée monsieur Bermeo. Sincèrement.

— Ne le soyez pas. Il est rare dans l'histoire de ce pays qu'une personne qualifiée, ou du moins pas irrémédiablement incompétente, se trouve à la tête d'une institution culturelle. Il existe des contrôles stricts et un personnel nombreux et spécialisé pour éviter que cela ne se produise. La méritocratie et le climat méditerranéen sont nécessairement incompatibles. C'est le prix que nous payons pour produire la meilleure huile d'olive au monde, je suppose. Qu'un bibliothécaire expérimenté en vînt à diriger la Bibliothèque nationale d'Espagne, ne fût-ce que pendant quatorze mois, fut un accident non prémédité auquel les esprits susmentionnés qui régissent nos destinées ont remédié, d'autant qu'il existe une infinité de petits amis et parents pour occuper le poste. Je dirai simplement que vous me manquerez, Alicia. Vous, vos mystères et vos moqueries.

— De même pour moi.

— Je rentre dans ma douce Tolède, ou ce qu'ils en ont laissé, avec l'espoir de pouvoir louer une chambre dans un *cigarral*, une villa tranquille sur une des collines avec vue sur la ville où passer le reste de ma pauvre existence, urinant sur les bords du Tage et relisant Cervantès et tous ses ennemis, dont la plupart vécurent non loin de là et ne parvinrent pas à changer, ni même d'un iota, la dérive de ce navire, malgré tout l'or et la poésie de leur siècle.

— Puis-je vous être d'une quelconque aide ? La poésie n'est pas mon domaine, mais vous seriez étonné de mon aisance à manier les ressources stylistiques pour mouvoir l'inamovible.

Pumares la regarda longuement.

— Étonné, non, effrayé, et je ne m'enhardis qu'avec les idiots. En outre, vous m'avez déjà suffisamment aidé, même si vous ne vous en rendez pas compte. Bonne chance, Alicia.

— Bonne chance, maître.

Bermeo Pumares sourit. Un sourire large et franc. Le premier et le dernier qu'Alicia voyait sur son visage. Il lui serra vigoureusement la main et baissa la voix.

— Dites-moi une chose, Alicia, par curiosité, à part votre dévotion pour le Parnasse, le savoir et toutes ces causes exemplaires, qu'est-ce qui vous attire réellement en ces lieux ?

Elle haussa les épaules.

— Un souvenir, répondit-elle.

Le bibliothécaire arqua les sourcils, d'un air curieux.

— Un souvenir d'enfance. Un rêve que j'ai fait un jour où j'ai failli mourir. Il y a très longtemps. Une cathédrale composée de livres…

— Où cela se passait-il ?

— À Barcelone, pendant la guerre.

Le bibliothécaire opina lentement, souriant dans sa barbe.

— Vous rêviez, dites-vous ? En êtes-vous certaine ?

— Presque certaine.

— Les certitudes réconfortent, mais c'est en doutant qu'on apprend. Autre chose. Le jour viendra où il vous faudra fouiner là où vous ne devez pas et remuer le fond d'un étang trouble. Je le sais parce que vous n'êtes ni la première ni la dernière à passer par ici avec cette même ombre au fond des yeux. Quand ce jour viendra, car il viendra, sachez que cette maison recèle beaucoup plus qu'il n'y paraît. Des gens comme moi arrivent et repartent, mais il y a ici quelqu'un qui pourrait peut-être vous être utile à l'occasion.

Pumares indiqua une porte noire au fond de la vaste galerie voûtée peuplée de livres.

— Derrière cette porte se trouve l'escalier qui descend dans les sous-sols de la Bibliothèque nationale. Des étages de couloirs à l'infini, avec des millions de livres, des incunables pour beaucoup. Rien que pendant la guerre, un demi-million de volumes ont rejoint la collection pour être sauvés des flammes. Mais ce n'est pas tout ce que recèlent ces sous-sols. Je suppose que vous n'avez jamais entendu parler de la légende du vampire du palais de Recoletos ?

— Non.

— Reconnaissez que l'idée vous intrigue, au moins pour le côté feuilletonesque du titre.

— Je ne le nie pas. Parlez-vous sérieusement ?

Pumares cligna de d'œil.

— Je vous ai bien dit un jour que malgré les apparences je sais apprécier l'ironie. Je vous laisse avec cette réflexion pour que vous la mûrissiez. Et j'espère que vous ne cesserez jamais de venir dans ces lieux, ou d'autres semblables.

— Je le ferai à votre santé !

— À celle du monde, plutôt, il n'est pas au mieux de sa forme. Prenez soin de vous, Alicia. Trouvez le chemin qui m'a échappé.

C'est ainsi que, sans ajouter un mot, Bermeo Pumares traversa pour la dernière fois la galerie des chercheurs et la grande salle de lecture de la Bibliothèque nationale avant de franchir le seuil de l'institution, sans jeter un seul coup d'œil en arrière, pour marcher vers l'oubli, sur la promenade de Recoletos, simple goutte dans la marée infinie des vies naufragées de cette Espagne grise.

C'est ainsi également que, des mois plus tard, le jour où la curiosité outrepassa la prudence, Alicia décida d'ouvrir cette porte noire et de pénétrer dans les ténèbres des sous-sols dissimulés sous la Bibliothèque nationale pour élucider leurs mystères.

13

Les légendes sont des mensonges ébauchés pour expliquer des vérités universelles. Les endroits où le mensonge et les mirages empoisonnent la terre sont particulièrement fertiles pour sa culture. La première fois qu'Alicia Gris se perdit dans les couloirs obscurs des sous-sols de la Bibliothèque nationale à la recherche du prétendu vampire et de sa légende, elle ne trouva qu'une ville souterraine peuplée de centaines de milliers de livres attendant en silence au milieu des toiles d'araignées et des échos.

Rares sont les occasions où la vie permet de se promener dans ses propres rêves et de caresser de la main un souvenir perdu. Pendant qu'elle parcourait ces lieux, elle s'arrêta plus d'une fois dans l'obscurité, à l'affût du bruit des bombes qui éclatent et du hurlement métallique des avions. Elle déambula dans tous les niveaux pendant près de deux heures sans croiser âme qui vive, hormis deux petits vers *gourmets** avides de papier rampant sur le dos d'un florilège de poèmes de Schiller, à la recherche d'un quatre-heures. Lors de sa deuxième incursion, munie cette fois d'une lampe achetée dans une quincaillerie de la place Callao, elle ne vit même pas ses collègues les vers. Toutefois, après une heure et demie d'exploration, elle découvrit une note épinglée sur la porte de sortie :

Jolie lampe.
Vous ne changez jamais de veste ?
C'est presque une aberration dans ce pays.
Votre très affectionné,
Virgilio

Le lendemain, elle s'arrêta de nouveau à la quincaillerie afin d'acheter une deuxième lampe identique, et une boîte de piles. Avec la même veste fatiguée sur le dos, elle pénétra jusqu'au plus profond du dernier niveau et elle s'assit à côté d'une collection de romans des sœurs Brontë, ses auteurs préférées depuis ses années d'orphelinat au Patronato Ribas. Elle sortit le sandwich à la viande marinée et la bière qu'on lui avait préparés au café Gijón et elle se mit à manger. L'estomac plein, elle fit ensuite un petit somme.

Un bruit de pas légers comme des plumes traînées sur la poussière dans le noir la réveilla. Elle ouvrit les yeux et aperçut des filets de lumière orangés perçant entre les livres, de l'autre côté du corridor. La bulle lumineuse se déplaçait lentement, telle une méduse. Elle se leva et épousseta les miettes de pain sur sa veste. Une seconde plus tard, la silhouette tourna au coin du couloir et poursuivit son chemin, plus rapidement. La première chose que vit Alicia ce furent ses yeux, bleus et habitués aux ténèbres. Sa peau était pâle comme les pages d'un livre jamais ouvert et ses cheveux raides et peignés en arrière.

— Je vous ai apporté une lampe, dit Alicia. Et des piles.

— Une sacrée attention.

La voix était rauque et étonnamment aiguë.

— Je m'appelle Alicia Gris. Je devine que vous êtes Virgilio.

— Lui-même.

— C'est une simple formalité, mais je dois vous demander si vous êtes un vampire.

Virgilio sourit, surpris. Gris se dit que ça lui donnait un air de murène.

— Si c'était le cas, je serais mort à cause de l'odeur d'ail du sandwich que vous avez englouti.

— Donc vous ne buvez pas le sang humain.

— Je préfère le Tri Naranjus. Vos questions, vous les avez inventées ou vous les avez trouvées déjà écrites ?

— Je crains d'avoir été victime d'une mauvaise blague, dit Alicia.

— Qui ne l'a jamais été ? C'est l'essence de la vie. Que désirez-vous ?

— M. Bermeo Pumares m'a parlé de vous.

— Je m'en doutais. Humour scolastique !

— Il m'a dit que vous pourriez peut-être m'aider, le moment venu.

— Est-il venu ?

— Je n'en suis pas sûre.

— Alors c'est que ce n'est pas le moment. Puis-je voir cette lampe ?

— Elle est à vous.

Virgilio accepta le cadeau et l'inspecta.

— Depuis combien de temps travaillez-vous ici ? voulut savoir Alicia.

— Trente-cinq ans environ. J'ai commencé avec mon père.

— Votre père habitait aussi dans ces profondeurs ?

— J'ai bien l'impression que vous nous prenez pour une famille de crustacés.

— N'est-ce pas ainsi qu'a commencé la légende du bibliothécaire vampire ?

Virgilio éclata d'un rire enjoué et âpre comme du papier de verre.

— Une telle légende n'a jamais existé, déclara-t-il.

— M. Pumares l'aurait-il inventée pour se payer ma tête ?

— Il ne l'a pas inventée, en réalité. Il l'a tirée d'un roman de Julián Carax.

— Je n'en ai jamais entendu parler.

— Comme tout le monde, ou presque. C'est dommage. Il est très amusant. C'est l'histoire d'un assassin diabolique qui vit caché dans les sous-sols de la Bibliothèque nationale de Paris et qui utilise le sang de ses victimes pour écrire un livre démoniaque grâce auquel il pense pouvoir conjurer Satan lui-même. Un régal. Si je remets la main dessus, je vous le prêterai. Dites-moi, être-vous policier ou quelque chose dans le genre ?

— Quelque chose dans le genre, disons.

Au cours de cette année-là, entre les magouilles et les sales besognes dont Leandro la chargeait, Alicia chercha et trouva l'occasion de rendre visite à Virgilio dans son domaine souterrain dès qu'elle le pouvait. Avec le temps, le bibliothécaire devint son seul et véritable ami dans la ville. Il avait toujours des livres à lui prêter et il les choisissait toujours bien.

— Écoutez, Alicia, ne le prenez pas mal, mais accepteriez-vous de venir avec moi au cinéma un de ces soirs ?

— Quand vous voulez, du moment que ce n'est pas pour voir un film de saints et de vies exemplaires.

— Que l'esprit immortel de don Miguel de Cervantès me foudroie sur-le-champ s'il me passait par la tête un jour de vous proposer d'aller voir une épopée sur le triomphe de l'esprit humain.

— Amen, ponctua Alicia.

Parfois, quand Alicia n'avait pas d'obligations, ils assistaient à la dernière séance d'un des cinémas de la Gran Vía. Virgilio adorait les films en technicolor, les récits bibliques et les péplums. Ils lui offraient l'occasion de voir le soleil et de se repaître sans scrupule de la vision des torses musclés des gladiateurs. Un soir qu'il la raccompagnait à l'Hispania en sortant de la projection de *Quo Vadis*, il s'arrêta devant la vitrine d'une librairie de la Gran Vía.

— Alicia, si vous étiez un jeune homme, je vous demanderais votre main pour une liaison prohibée.

La jeune femme lui tendit sa main qu'il baisa.

— Vous dites de si jolies choses, Virgilio.

L'homme sourit avec, dans les yeux, toute la tristesse du monde.

— C'est la rançon du grand lecteur ! On connaît tous les vers et tous les tours de passe-passe du destin.

Parfois, le samedi après-midi, Alicia achetait plusieurs petites bouteilles de Tri Naranjus et elle se rendait à la bibliothèque pour écouter Virgilio évoquer d'obscurs auteurs dont personne n'avait jamais entendu parler et dont les œuvres maudites demeuraient scellées dans la crypte bibliographique du dernier niveau.

— Alicia, je sais que ce ne sont pas mes affaires, mais votre hanche... Que s'est-il passé ?

— La guerre.

— Racontez-moi.

— Je n'aime pas en parler.

— J'imagine. Justement, racontez-moi. Cela vous fera du bien.

Alicia n'avait jamais révélé à personne la façon dont un inconnu lui avait sauvé la vie la nuit où l'aviation de Mussolini, mobilisée au service de l'armée factieuse, avait bombardé sans pitié Barcelone. Elle s'étonna de s'entendre en parler et de découvrir qu'elle n'avait rien oublié. Elle pouvait encore percevoir dans l'air l'odeur de soufre et de chair brûlée.

— Et vous n'avez jamais su qui était cet homme ?

— Un ami de mes parents. Quelqu'un qui les aimait vraiment.

Ce ne fut que lorsque Virgilio lui tendit un mouchoir qu'elle prit conscience qu'elle pleurait, et qu'elle ne pouvait s'en empêcher, malgré la honte et la rage qui l'habitaient.

— Je ne vous avais jamais vue pleurer.

— Ni vous ni personne. Et que cela ne se reproduise pas.

Cet après-midi-là, après avoir rendu visite à la Villa Mercedes et envoyé Vargas fureter à la Préfecture, elle se rendit à la Bibliothèque nationale. Tout le monde la connaissait désormais et elle n'avait plus besoin de présenter sa carte. Elle traversa la salle de lecture et se dirigea vers l'aile réservée aux chercheurs. Un bon nombre d'universitaires rêvaient éveillés sur les tables quand Alicia passa discrètement devant eux pour gagner la porte noire au fond de la galerie. Au fil des années, elle avait appris à déchiffrer les habitudes de Virgilio et elle calcula qu'à cette heure il serait très probablement au troisième niveau, en train de ranger les incunables consultés par les chercheurs du matin. Elle l'y trouva, muni de la lampe qu'elle lui avait offerte, sifflotant un air qui passait à la radio tout en agitant vaguement son corps blafard. Alicia jugea l'image unique et à la hauteur de la légende du bibliothécaire.

— Votre déhanchement tropical me fascine, Virgilio.

— Le rythme de la clave prend aux tripes. On vous a libérée très tôt aujourd'hui, à moins que je ne me trompe de jour.

— Je suis en visite semi-officielle.

— Ne me dites pas que vous venez m'arrêter.

— Vous non, mais votre science oui, temporairement, pour la mettre au service de l'intérêt national.

— S'il en est ainsi, dites-moi ce que je peux faire pour vous.

— Je souhaiterais que vous jetiez un coup d'œil à ceci.

Alicia sortit le livre qu'elle avait découvert dans le bureau de Valls et elle le lui tendit. Dès qu'il aperçut la gravure de l'escalier en colimaçon sur la couverture, il leva les yeux et il regarda fixement Alicia.

— Avez-vous la moindre idée de ce que c'est ?

— J'espère que vous allez pouvoir me le dire.

Son regard se perdit dans le vague, comme s'il craignait une autre présence dans le corridor.

— Il vaut mieux que nous allions dans mon bureau.

C'était une pièce étroite située tout au fond d'un couloir au niveau le plus profond. Elle paraissait avoir surgi du mur sous la pression des millions de livres empilés à tous les étages. Elle formait une sorte de cabine composée de volumes, de classeurs à levier et de toutes sortes d'objets singuliers, verres remplis de pinceaux et aiguilles à repriser, lunettes, loupes, tubes de pigments. Alicia présuma que c'était dans cet antre que Virgilio pratiquait les interventions chirurgicales d'urgence pour sauver et restaurer des exemplaires agonisants. La pièce maîtresse de l'installation était le petit réfrigérateur que Virgilio ouvrit. Alicia constata qu'il était rempli de Tri Naranjus. Son ami en sortit deux petites bouteilles et il chaussa des lunettes de bijoutier. Il plaça le livre sur un support de velours rouge et il enfila de fins gants de soie.

— Je déduis de ce cérémonial que la pièce est une rareté…

— Chut… la fit taire Virgilio.

Elle observa la façon dont le bibliothécaire examinait le livre de Víctor Mataix, fasciné, se régalant de chaque page, caressant chacune des illustrations et savourant les gravures comme s'il s'agissait de mets diaboliques

— Virgilio, vous jouez avec mes nerfs. Parlez-moi !

L'homme se retourna, ses pupilles d'un bleu polaire dilatées derrière la loupe de ses lunettes de bijoutier.

— Je suppose que vous ne pouvez pas me dire où vous avez trouvé cet exemplaire.

— Vous supposez bien.

— C'est une pièce de collection. Si vous le souhaitez, je peux vous dire qui vous l'achèterait un très bon prix, bien qu'il faille se montrer très prudent car c'est un livre interdit, non seulement par le gouvernement mais aussi par notre Très Sainte Mère l'Église !

— Comme des centaines d'autres. Que pouvez-vous me dire à son sujet que je ne puisse deviner ?

Virgilio ôta ses lunettes et avala d'un trait la moitié d'un Tri Naranjus.

— Pardon, je suis ému, avoua-t-il. Cela fait au moins vingt ans que je n'avais pas vu un tel bijou...

Il s'enfonça dans sa bergère en cuir perforé. Ses yeux brillaient et Alicia comprit que le moment prophétisé par Bermeo Pumares était arrivé.

14

— D'après ce que je sais, commença Virgilio, entre les années 1931 et 1938, huit volumes de la série intitulée *Le Labyrinthe des esprits* furent publiés à Barcelone. De leur auteur, Víctor Mataix, je ne peux pas vous dire grand-chose. Je sais qu'il travaillait occasionnellement comme illustrateur de livres pour enfants et qu'il avait écrit quelques romans publiés sous un pseudonyme par une maison d'édition minable aujourd'hui disparue, Barrido y Escobillas. Et aussi que, selon la rumeur, il était le fils d'un industriel barcelonais, un *Indien* : en Catalogne, on appelle ainsi des hommes qui ont fait fortune dans les Amériques. Ce père l'avait renié, ainsi que sa mère, une actrice ayant eu son heure de gloire dans les théâtres du Paralelo. Mataix avait aussi travaillé comme dessinateur de décors et il avait réalisé des catalogues de jouets pour un fabricant d'Igualada. Le premier titre de la série du *Labyrinthe des esprits*, paru en 1931 aux Éditions Orbe, si je ne me trompe pas, s'intitulait *Ariadna et la Cathédrale engloutie*.

— L'expression "l'entrée du labyrinthe" a-t-elle un sens particulier pour vous ?

Virgilio remua la tête.

— Dans ce livre, le labyrinthe est la ville, dit-il.

— Barcelone.

— L'autre Barcelone. Celle des livres.

— Une espèce d'enfer.

— Ça ou autre chose.

— Et quelle en est l'entrée ?

Virgilio haussa les épaules, pensif.

— Une ville possède de nombreuses entrées. Je l'ignore. Me laissez-vous le temps d'y réfléchir ?

Alicia fit signe que oui.

— Et cette Ariadna, qui est-ce ?

— Lisez le roman. Il en vaut la peine.

— Dites m'en deux mots.

— Ariadna est une fillette, l'héroïne de tous les romans de la série. C'était le prénom de la fille aînée de Mataix, pour qui il a inventé ces histoires, d'après ce qu'on imagine. Le personnage est le reflet de son enfant. Mataix s'est aussi inspiré en partie d'*Alice au pays des merveilles* et de l'*Autre côté du miroir*, les livres préférés de sa fille. C'est fascinant, n'est-ce pas ?

— J'en tremble d'émotion, ne le voyez-vous pas ?

— Quand vous prenez ce ton, vous êtes insupportable.

— Mais vous me supportez, Virgilio, c'est pourquoi je vous aime tant. Racontez-moi encore.

— Chacun sa croix. Célibataire et sans plus d'espoir que la Carmilla de Sheridan Le Fanu !

— Le roman, Virgilio, le roman…

— Donc, Ariadna était son Alice et, en guise de "Pays des merveilles", Mataix a inventé une Barcelone des horreurs, une Barcelone infernale, cauchemardesque. Dans chacun des volumes, le décor, qui joue un rôle aussi important ou plus qu'Ariadna et les personnages extravagants qu'elle rencontre au cours de ses aventures, devient de plus en plus lugubre. Dans le dernier connu, publié en pleine guerre civile et intitulé quelque chose comme *Ariadna et les Machines de l'Averne*, il est question de l'envahissement de la ville assiégée par l'armée ennemie et de la boucherie qui en résulte, en comparaison de laquelle la chute de Constantinople s'apparente à une comédie de Laurel et Hardy.

— Le dernier volume connu, avez-vous dit ?

— D'après certains, lorsque Mataix a disparu, après la guerre, il terminait le neuvième et dernier roman de la série. De fait, il y a de nombreuses années, les collectionneurs offraient un bon prix à quiconque dénicherait ce manuscrit, ce qui n'a jamais été le cas à ma connaissance.

— Comment Mataix a-t-il disparu ?

Virgilio haussa les épaules.

— Dans la Barcelone d'après-guerre ? Quel meilleur endroit pour disparaître ?

— Est-il possible de trouver d'autres livres de la série ?

Il termina son Tri Naranjus tout en faisant non de la tête.

— Cela me semble très difficile. Il y a une dizaine ou une douzaine d'années, j'ai entendu dire que quelqu'un avait découvert deux ou trois exemplaires du *Labyrinthe des esprits* au fond d'une caisse dans la cave de la librairie Cervantès de Séville. Ils se sont très bien vendus. Aujourd'hui, je vous dirais que la seule possibilité de trouver quelque chose, c'est à Vic, dans la librairie de livres anciens Costa, ou à Barcelone. Chez Gustavo Barceló, peut-être, ou alors chez Sempere, avec beaucoup de chance. Mais si j'étais vous, je ne me ferais pas beaucoup d'illusions.

— Sempere et Fils ?

Virgilio la regarda d'un air surpris.

— Vous la connaissez ?

— Par ouï-dire, répondit Alicia.

— J'essaierais d'abord Barceló, il possède le plus grand nombre d'ouvrages uniques et il est en contact avec des collectionneurs d'envergure. Et si Costa en a, Barceló le saura.

— M. Barceló sera-t-il disposé à me parler ?

— Je crois savoir qu'il est plus ou moins retiré des affaires, mais il trouvera toujours un moment pour une demoiselle qui présente bien. Vous me comprenez, n'est-ce pas ?

— Je me ferai belle.

— Je ne verrai pas cela, dommage. Vous ne m'expliquerez pas de quoi il s'agit, n'est-ce pas ?

— Je n'en sais encore rien, Virgilio.

— Puis-je vous demander une faveur ?

— Bien sûr.

— Quand cette histoire sera terminée, si elle se termine un jour, que vous en sortez entière et que vous conservez toujours ce livre, apportez-le-moi. J'aimerais passer quelques heures en tête à tête avec lui.

— Pourquoi n'en sortirais-je pas entière ?

— Qui sait. Les livres du *Labyrinthe des esprits* ont ceci de particulier que tous ceux qui les touchent finissent mal.

— Une autre de vos légendes ?

— Non. C'est la vérité cette fois.

À la fin du xixe siècle, une île en forme de café littéraire et de salon de revenants se détacha du monde. Depuis lors, figée dans le temps, elle erre à la merci des courants de l'histoire sur les grandes avenues du Madrid imaginaire où il est fréquent de la rencontrer, échouée et affichant la bannière du café Gijón, à deux pas du palais de la Bibliothèque nationale. Elle attend là, prête à sauver du naufrage quiconque arrive jusqu'à elle l'esprit assoiffé ou le gosier desséché, telle une grande horloge de sable à la dérive. Là, pour le prix d'un café, le plus habile peut se regarder dans le miroir de la mémoire et croire un instant qu'il vivra toujours.

La nuit tombait quand Alicia traversa le boulevard en direction du café Gijón. Vargas l'attendait à une table à côté de la vitre. Il fumait avec bonheur une de ses cigarettes d'importation et il observait les passants de son œil de policier. En la voyant entrer, il lui fit un signe. Alicia prit un siège et attrapa au vol un serveur qui passait pour commander un café au lait. Elle avait besoin de se réchauffer. Elle s'était refroidie dans les sous-sols de la bibliothèque.

— Vous m'attendez depuis longtemps ? demanda Alicia.

— Depuis toujours, répondit Vargas. L'après-midi a-t-il été productif ?

— Ça dépend. Et vous ?

— Je ne peux pas me plaindre. Après vous avoir déposée, je suis allé rendre une petite visite à ce Pablo Cascos Buendía, à la maison d'édition de Valls. Vous aviez raison. Quelque chose cloche.

— Et alors ?

— Cascos lui-même n'est qu'un sous-fifre. Qui se donne des airs, ça oui.

— Plus ils sont bêtes, plus ils sont fiers, pontifia Alicia.

— Premièrement, l'ami Cascos m'a fait faire le grand *tour**, avec visite des bureaux, puis il a épilogué sur la figure et la vie exemplaires de don Mauricio Valls, comme si sa propre vie en dépendait.

— Il n'a probablement pas tort. Des personnages comme Valls traînent habituellement derrière eux une cour interminable de petits protégés et de lèche-culs.

— Les uns et les autres ne manquent pas là-bas. Malgré tout, il m'a paru inquiet. Je l'ai senti, et il n'arrêtait pas de me poser des questions.

— A-t-il dit pourquoi Valls l'avait convoqué à son domicile ?

— Au début, il ne voulait rien lâcher. Il a fallu que j'enfonce le clou.

— Vous pouvez toujours critiquer mes méthodes !

— Avec les blancs-becs et les gus aux dents longues, je fais des miracles, pourquoi le nier.

— Racontez-moi.

— Laissez-moi consulter mes notes, parce que l'affaire est riche en rebondissements, poursuivit Vargas. Voilà, j'y suis. Attention ! Dans sa prime jeunesse, ce cher Pablito a été fiancé à une certaine damoiselle Beatriz Aguilar. Laquelle l'a planté là pendant que le pauvre faisait son service militaire, et a épousé finalement, avec un polichinelle dans le tiroir, un certain Daniel Sempere, fils du propriétaire d'une librairie de livres d'occasion de Barcelone, Sempere & Fils. C'était la librairie préférée de Sebastián Salgado qui s'y était rendu à plusieurs reprises dès sa sortie de prison, sûrement pour se tenir au courant des nouveautés littéraires des vingt dernières années. Si vous vous souvenez du rapport figurant dans le dossier, deux employés de cette librairie, dont Daniel Sempere, avaient suivi Salgado jusqu'à la gare du Nord le jour où il est mort.

Le regard d'Alicia devenait électrique.

— Poursuivez, s'il vous plaît.

— Pour en revenir à notre homme, Cascos Buendía, héros dépité, lieutenant et cocu, il avait perdu tout contact avec son *amour**, la délicieuse Beatriz, une véritable beauté d'après Pablito ; dans un monde juste, elle aurait fini ses jours avec lui et non avec ce pauvre diable de Daniel Sempere.

— Ne jetez pas vos perles devant les pourceaux, suggéra Alicia.

— Sans la connaître, et après une demi-heure passée avec Cascos, je me suis réjoui pour Mme Beatriz. Voilà pour les antécédents. Faisons un saut dans le temps, jusqu'au jour de 1957 où, après avoir inondé la moitié des entreprises d'Espagne de curriculum vitae et de recommandations familiales, Pablo Cascos reçoit un coup de téléphone inespéré des Éditions Ariadna fondées par Mauricio Valls en 1947 et dont il est toujours l'actionnaire majoritaire et le président. On le convoque pour passer un entretien et on lui propose d'intégrer le service commercial comme représentant pour l'Aragon, la Catalogne et les Baléares. Bon salaire, possibilité de promotion. Pablo Cascos accepte, ravi, et il commence à travailler. Les mois passent et un jour, sans raison, Mauricio Valls entre dans son bureau et lui dit qu'il l'invite à déjeuner chez Horcher.

— Mazette ! Le haut du panier !

— Cascos trouve bizarre que le président de la maison d'édition, le personnage le plus célèbre du monde culturel espagnol, invite à déjeuner un employé lambda, comme dirait Mme Mariana, qu'il n'a jamais rencontré. Et en outre, dans le restaurant renommé du glorieux Fascio, dans la cave duquel a probablement été enterrée la momie du Duce. À l'apéritif, Valls se répand en louanges sur Cascos, sur tout le bien qu'il a entendu dire de lui et de son travail au département commercial.

— Cascos gobe tout ?

— Non. Il est crétin, mais pas à ce point. Il sent qu'il y a anguille sous roche, et il commence à se demander si le travail qu'il a accepté est bien celui qu'il imaginait. Valls continue son cirque jusqu'au café. Puis, les deux étant devenus grands amis, le ministre lui fait miroiter un avenir doré sur tranche dans l'entreprise et avoue qu'il a songé à lui comme directeur commercial de la maison d'édition. Avant d'abattre ses cartes.

— Une petite faveur.

— Exact. Valls en fait des tonnes sur son amour pour les librairies anciennes, pilier et sanctuaire du miracle de la littérature, et tout particulièrement pour celle des Sempere, à laquelle il est spécialement attaché.

— D'où lui vient cet attachement ?

— Il ne le précise pas. En revanche, il est plus précis concernant son intérêt pour la famille Sempere, et particulièrement pour un vieil ami de la défunte épouse du propriétaire, mère de Daniel, Isabella.

— Valls avait-il connu cette Isabella Sempere ?

— D'après Cascos, il connaissait non seulement Isabella mais aussi l'un de ses bons amis. Devinez qui ? Un certain David Martín.

— Bingo.

— Curieux, n'est-ce pas ? Le mystérieux nom revenu *in extremis* à la mémoire de Mariana, au cours de cette lointaine conversation du ministre avec son successeur à la tête de la prison de Montjuïc.

— Poursuivez.

— Valls lui explique ensuite la nature de sa demande. Le ministre lui serait extrêmement reconnaissant s'il pouvait, en profitant de son charme, de son intelligence et de son ancienne dévotion pour Beatriz, reprendre contact avec elle et, disons, renouer les liens distendus.

— La séduire ?

— Pour ainsi dire.

— Dans quel but ?

— Pour découvrir si David Martín est toujours en vie et s'il a durant toutes ces années rétabli des relations avec la famille Sempere à un moment donné.

— Pourquoi Valls ne l'a-t-il pas demandé directement aux Sempere ?

— Cascos lui a posé la même question.

— Qu'a répondu le ministre ?

— Que c'était un sujet délicat, de nature personnelle, et que pour des raisons étrangères à cette discussion il préférait d'abord tâter le terrain pour étayer ses soupçons : il suspectait en effet Martín d'agir en coulisse.

— Que s'est-il passé ?

— Sans y réfléchir à deux fois, Cascos a commencé à écrire des lettres à la prose fleurie à son ancienne aimée.

— A-t-il obtenu des réponses ?

— Eh, coquine, je vois que les intrigues d'alcôve...

— Vargas, ressaisissez-vous.

— Pardonnez-moi. J'y viens. Au début, non. Beatriz, jeune mère et jeune épouse, a ignoré les avances de ce don Juan de pacotille. Mais Casco s'est obstiné, et il s'est mis à croire qu'il tenait une opportunité unique de récupérer ce qui lui avait été enlevé.

— De l'eau dans le gaz entre Daniel et Beatriz ?

— Qui sait. Un couple trop jeune, un mariage décidé à la hâte avec un enfant conçu avant de passer devant monsieur le curé... Le cadre idéal de la fragilité conjugale. Bref, les semaines passent et Bea ne répond pas à ses lettres. Valls insiste. Casco devient nerveux. Valls lui pose un ultimatum. Cascos envoie une dernière lettre où il donne rendez-vous à Beatriz dans une *suite** du Ritz pour un cinq à sept.

— Beatriz s'y rend-elle ?

— Non. Mais Daniel, oui.

— Le mari ?

— En personne.

— Beatriz lui a-t-elle parlé des lettres ?

— Ou alors il les a trouvées... Peu importe. Toujours est-il que Daniel se présente au Ritz, et quand le soupirant le reçoit, tout pimpant dans un peignoir parfumé, pantoufles aux pieds et coupe de champagne à la main, le gentil Daniel lui flanque une bonne raclée et lui refait le portrait.

— Ce Daniel m'est sympathique.

— Ne vous précipitez pas. D'après Cascos, qui souffre encore des coups encaissés, Daniel était à deux doigts de le réduire en bouillie, et il l'aurait fait s'il n'avait pas été interrompu par un policier en civil qui passait par là.

— Comment ?

— Ce dernier élément est d'une solidité plus que douteuse. Mon impression est que le policier n'était autre qu'un associé de Daniel Sempere.

— Et alors ?

— Alors l'homme rentre à Madrid, le visage salement amoché, la queue entre les jambes et la peur au ventre, en se demandant ce qu'il va raconter à Valls.

— Que dit ce dernier ?

— Il l'écoute en silence et il lui fait jurer de ne jamais piper mot à quiconque de cette affaire, ni de ce qui lui est arrivé, ni de la mission que Valls lui a confiée.

— C'est tout ?

— C'est ce qu'il semblait... Mais quelques jours avant de disparaître, Valls a rappelé Cascos et il lui a donné rendez-vous à son domicile. Il souhaitait s'entretenir avec lui d'un sujet qu'il n'a pas précisé, mais qui était peut-être en rapport avec les Sempere, Isabella et le mystérieux David Martín.

— Le rendez-vous auquel Valls ne s'est jamais présenté.

— À présent, les carottes sont cuites, conclut Vargas.

— Que savons-nous de ce David Martín ? Avez-vous eu le temps de récupérer quelque chose sur lui ?

— Presque rien. Mais ce que j'ai pu trouver est prometteur. Écrivain oublié et, attention, prisonnier au château de Montjuïc entre 1939 et 1941 !

— En même temps que Salgado, et du temps de Valls, nota Alicia.

— Compagnons de promo, comme on dit.

— Une fois sorti de prison, que devient Martín, à partir de 1941 ?

— Il n'y a pas d'après. La fiche de police le déclare disparu, mort au cours d'une tentative de fuite.

— Traduction ?

— Probablement exécuté sans procès, et jeté dans un caniveau ou enterré dans une fosse commune.

— Sur ordre de Valls ?

— C'est le plus probable. À ce moment-là, il était seul à avoir l'autorité et le pouvoir d'en décider.

Alicia soupesa ces informations durant quelques instants.

— Pour quelle raison Valls aurait-il cherché un mort qu'il aurait fait lui-même exécuter ?

— Il arrive que des morts ne soient pas tout à fait refroidis. Regardez le Cid, par exemple.

— Supposons donc que Valls pense que Martín est toujours vivant… dit Alicia.

— Ça cadrerait.

— Vivant et animé par un désir de vengeance. Manipulant Salgado dans l'ombre, en attendant le moment de prendre sa revanche.

— On n'oublie pas si facilement les vieux amis de prison, opina Varga.

— Ce qui ne demeure pas très clair, c'est la relation que pourraient entretenir Martín et les Sempere.

— Il doit y en avoir une, surtout si Valls lui-même a empêché la police de lancer ses filets dans cette direction, préférant tenter d'utiliser Cascos pour le savoir.

— Si ça se trouve, c'est la clef de toute l'histoire, spécula Alicia.

— Alors, on forme une bonne équipe, ou pas ?

Elle remarqua le sourire narquois niché aux commissures des lèvres de Vargas.

— Quoi d'autre ?

— Cela ne vous suffit pas ?

— Allez, videz votre sac.

Vargas alluma une cigarette et savoura la première bouffée, contemplant les volutes de fumée qui s'échappaient de ses doigts.

— Bon. Plus tard, pendant que vous rendiez visite à vos amis, et après avoir pratiquement résolu l'affaire par moi-même afin que vous récoltiez les lauriers, je suis passé à la Préfecture. Je voulais récupérer les lettres du prisonnier Sebastián Salgado, et j'ai pris la liberté de consulter mon ami Ciges, le graphologue de la maison. Ne vous inquiétez pas, je ne lui ai pas parlé de l'affaire, et il ne m'a rien demandé. Je lui ai montré quatre feuilles au hasard qu'il a étudiées longuement. D'après lui, de nombreux signes sur les accents, pour quatorze lettres au moins, et les ligatures écartaient un droitier ; je ne sais quoi de l'inclinaison, et de l'encre sur le papier, et l'amorce ou quelque chose comme ça.

— Ce qui nous mène à... ?

— Au fait que celui qui a écrit les lettres de menace à Valls est gaucher.

— Et alors ?

— Alors, si vous vous amusez à lire le rapport de surveillance de Salgado effectuée par la police de Barcelone après sa surprenante libération en janvier de cette année, vous y trouverez une précision de taille : le camarade a perdu la main gauche pendant ses années de prison et il portait une prothèse en porcelaine. Si je peux me permettre, on dirait que quelqu'un n'y est pas allé de main morte pendant les interrogatoires.

Il crut qu'Alicia allait dire quelque chose, mais elle resta silencieuse, le regard perdu. Elle avait pâli soudainement et Vargas nota la fine pellicule de sueur sur son front.

— En bref, Salgado le manchot n'a pas pu écrire ces lettres. Alicia ? Vous m'écoutez ? Vous allez bien ?

La jeune femme se leva d'un bond et enfila son manteau

— Alicia ?

Elle attrapa le dossier avec les présumées lettres de Salgado et échangea avec Vargas un regard absent.

— Alicia ?

Elle s'éloigna vers la sortie, le regard interloqué de Vargas rivé sur son dos.

15

La douleur empira dès qu'elle fut dans la rue. Elle ne voulait pas que Vargas la voie ainsi. Ni personne. L'épisode qui s'annonçait était mauvais. Maudit froid de Madrid. La dose du midi ne lui avait accordé qu'un bref répit. Elle essaya de supporter les premiers élancements dans sa hanche en respirant lentement et à fond et elle continua d'avancer, évaluant chacun de ses pas. Elle n'avait pas encore atteint la place de Cibeles qu'elle dut s'arrêter et se cramponner à un réverbère en attendant que le spasme qui la tenaillait s'estompât. Elle avait l'impression qu'une décharge électrique lui rongeait les os. Elle sentait les gens passer à côté d'elle et lui jeter des regards en biais.

— Vous allez bien, mademoiselle ?

Elle fit signe que oui, sans savoir à qui. Quand elle reprit son souffle, elle héla un taxi et lui demanda de la conduire à l'hôtel Hispania. Le chauffeur la regarda d'un air inquiet, mais il ne dit rien. La nuit tombait et les lumières de la Gran Vía emportaient les passants, locaux ou étrangers, dans une marée grise qui charriait les hommes rentrant chez eux après avoir quitté des bureaux caverneux et d'autres qui n'avaient pas où aller. Alicia colla son visage contre la vitre et ferma les yeux.

En arrivant à l'Hispania, elle demanda au chauffeur de taxi de l'aider à sortir du véhicule. Elle lui laissa un bon pourboire et elle se dirigea vers le hall en s'appuyant contre les murs. Dès qu'il la vit entrer, le réceptionniste Maura se leva d'un bond et courut vers elle, visiblement inquiet. Il la prit par la taille pour l'aider à marcher jusqu'aux ascenseurs.

— Une nouvelle crise ? demanda-t-il.

— Elle va passer, vite. C'est ce temps…

— Vous avez très mauvaise mine. Voulez-vous que j'appelle un médecin ?

— C'est inutile. Là-haut, j'ai les médicaments qu'il me faut.

Maura hocha la tête, peu convaincu. Alicia lui tapota le bras.

— Vous êtes un bon ami, Maura. Vous me manquerez.

— Vous allez partir ?

Alicia lui sourit et prit l'ascenseur en lui souhaitant bonne nuit.

— À propos, je crois que vous avez de la compagnie... l'informa-t-il au moment où les portes se refermaient.

Elle avança jusqu'à sa chambre dans le long couloir obscur en boitant et en se tenant au mur bordé de dizaines de portes fermées sur des chambres vides. Un soir comme celui-ci, Alicia se disait qu'elle était l'unique occupante en vie à cet étage, même si elle avait toujours l'impression d'être observée. Parfois, quand elle s'arrêtait dans le noir, elle pouvait presque sentir l'haleine des locataires permanents sur sa nuque ou le frôlement d'une main sur son visage. Elle arriva devant la porte de sa chambre, tout au bout du couloir, et elle s'arrêta un instant, haletante.

Elle ouvrit et ne se donna pas la peine d'allumer. Les enseignes au néon des cinémas et des théâtres de la Gran Vía projetaient un faisceau clignotant qui jetait une brume en technicolor sur la pièce. Tournant le dos à la porte, une silhouette était carrée dans le fauteuil, une cigarette allumée dans la main. Une volute de fumée bleue dessinait des arabesques dans l'atmosphère.

— Je croyais que tu viendrais me voir en fin d'après-midi, dit Leandro.

Alicia tangua jusqu'au lit et se laissa tomber, épuisée. Son mentor se retourna et soupira en remuant la tête.

— Je te la prépare ?

— Je ne veux rien.

— Serait-ce une manière d'expiation pour tes péchés ? À moins que tu ne prennes plaisir à souffrir inutilement ?

Leandro se leva et s'approcha d'elle.

— Laisse-moi regarder.

Il se pencha sur elle et lui palpa la hanche d'un geste froid et clinique.

— Quand t'es-tu piquée pour la dernière fois ?

— Ce midi. Dix milligrammes.

— C'est insuffisant, tu le sais.

— Vingt peut-être.

Leandro fit non de la tête discrètement. Il alla dans la salle de bains et ouvrit l'armoire où il trouva l'étui métallique. De retour près d'Alicia, il s'assit au bord du lit, ouvrit l'étui et prépara la piqûre.

— Je n'aime pas quand tu agis ainsi. Tu le sais.

— C'est ma vie, ça me regarde.

— Quand tu te punis de la sorte, cela me regarde aussi. Tourne-toi.

Alicia ferma les yeux et bascula sur le côté. Leandro releva sa robe jusqu'à la taille, dégrafa les crochets de l'attelle et la retira. Alicia, les paupières serrées, gémit de douleur, haletante.

— Je souffre plus que toi, dit Leandro.

Il attrapa le muscle et en même temps il plaqua sa jambe contre le matelas. Alicia tremblait quand il enfonça l'aiguille dans la cicatrice de sa hanche. Elle laissa échapper un cri de douleur et tout son corps se tendit comme un arc pendant quelques secondes. Il retira lentement l'aiguille et posa la seringue sur le lit. Il relâcha un peu sa pression sur la jambe d'Alicia et la retourna afin de l'étendre sur le dos. Il ramena sa robe sur ses jambes et installa doucement sa tête sur un oreiller. Alicia avait le front trempé de sueur. Il sortit un mouchoir de sa poche et l'essuya. Elle le regardait, les yeux vides.

— Quelle heure est-il ? balbutia-t-elle.

Leandro lui caressa la joue.

— Il est tôt. Repose-toi.

16

Elle se réveilla dans la pénombre de la chambre et aperçut la silhouette de Leandro qui se détachait sur le fauteuil, près de son lit. Il tenait le livre de Víctor Mataix et le lisait. Alicia devina qu'il avait profité de son sommeil pour lui faire les poches et fouiller tous les tiroirs de la pièce.

— Ça va mieux ? demanda-t-il sans lever les yeux du roman.

— Oui, répondit Alicia.

Le réveil s'accompagnait toujours d'une étonnante lucidité et de la sensation d'une gélatine glacée courant dans ses veines.

Leandro avait étendu une couverture sur elle. Elle palpa son corps et constata qu'elle portait toujours la même robe. Elle se redressa et s'appuya contre la tête de lit. La douleur n'était plus qu'un faible et sourd battement enseveli dans le froid. Leandro se pencha et lui tendit un verre. Elle but deux gorgées. Le liquide n'avait pas le goût de l'eau.

— Qu'est-ce que c'est ?

— Bois.

Alicia avala le liquide. Leandro ferma le livre et le posa sur la table.

— Je n'ai jamais compris tes goûts littéraires, Alicia.

— Je l'ai trouvé caché dans le bureau de Valls.

— Penses-tu qu'il pourrait avoir un rapport avec notre affaire ?

— Pour l'instant, je n'écarte aucune possibilité.

Leandro opina d'un geste approbateur.

— Tu commences à parler comme Gil de Partera. Comment ça se passe avec ton nouveau compagnon ?

— Vargas ? Il a l'air efficace.

— On peut se fier à lui ?

Alicia haussa les épaules.

— Venant de quelqu'un qui ne se fie même pas à son ombre, je ne sais pas si je dois interpréter ton geste comme le signe d'une conversion à la foi dans le régime.

— Prenez-le comme vous voulez, répliqua-t-elle.

— Sommes-nous toujours en guerre ?

Alicia soupira en niant de la tête.

— Ce n'était pas une visite de courtoisie, Alicia. J'ai des choses à faire et des gens m'attendent depuis un moment au Palace pour dîner. Qu'as-tu à me raconter ?

La jeune femme résuma succinctement les événements de la journée et laissa Leandro diriger en silence le rapport des faits, comme à l'accoutumée. L'homme se leva et s'approcha de la fenêtre. Alicia observa la silhouette immobile qui se découpait sur les lumières de la Gran Vía. Des jambes et des bras fragiles accrochés à un corps au buste disproportionné. Il avait l'air d'une araignée suspendue dans sa toile. Alicia n'interrompit pas sa réflexion. Elle avait appris que Leandro aimait prendre son temps pour établir des liens et conjecturer, appréciant chaque élément d'information et calculant comment en extraire le plus grand dommage possible.

— J'imagine que tu n'as pas fait savoir à la secrétaire de Valls que tu avais trouvé le livre et que tu l'emportais, signala-t-il enfin.

— Non. Seul Vargas sait que je l'ai.

— Il serait préférable qu'il n'en apprenne pas davantage. Crois-tu pouvoir le convaincre de ne pas en toucher un mot à ses supérieurs ?

— Oui. Pendant quelques jours, en tout cas.

Leandro soupira, légèrement contrarié. Il s'écarta de la fenêtre et revint à pas lents vers le fauteuil. Il s'installa, croisa les jambes et examina Alicia quelques secondes avec l'œil d'un médecin légiste.

— J'aimerais que le Dr Vallejo t'ausculte.

— On en a déjà parlé.

— C'est le meilleur spécialiste du pays.

— Non.

— Laisse-moi te prendre un rendez-vous. Une consultation sans engagement.

— Non.

— Si tu comptes continuer à me répondre par monosyllabes, essaie au moins d'introduire un peu de variété.

— D'accord, répliqua Alicia.

Leandro reprit le livre sur la table et le feuilleta, souriant dans sa barbe.

— Ça vous amuse.

Leandro la détrompa d'un hochement de tête, lentement.

— Non. En réalité, cela me hérisse le poil. Je pensais seulement qu'il avait l'air fait pour toi.

Leandro regardait les pages, s'arrêtant parfois d'un air sceptique sur l'une ou l'autre des illustrations. Puis il lui rendit le livre et l'observa d'un air cauteleux. Son regard semblait flairer le péché avant même qu'il ne soit conçu en pensée et administrer la pénitence d'un simple clignement de l'œil.

— Ce repas si important au Palace doit être en train de refroidir, suggéra Alicia.

Leandro manifesta un assentiment œcuménique.

— Reste allongée et repose-toi. Je t'ai laissé dix flacons de cent millilitres dans l'armoire à pharmacie.

Alicia serra les mâchoires de rage et garda le silence. Leandro hocha la tête et se dirigea vers la porte. Avant de sortir de la pièce, il s'arrêta et pointa le doigt vers elle.

— Ne fais pas de bêtises, la prévint-il.

Alicia joignit les mains, mimant la prière, et sourit.

17

Délivrée de la présence de Leandro et de son aura directoriale qui la suivait où qu'elle aille, Alicia ferma le verrou, se mit sous la douche et s'abandonna à la vapeur et au jet d'eau chaude pendant presque quarante minutes. Elle n'avait pas pris la peine d'allumer la lumière et elle resta dans la faible clarté qui filtrait de la fenêtre de la salle de bains, laissant l'eau évacuer de son corps cette journée. Les chaudières de l'Hispania devaient être enterrées dans quelque recoin de l'enfer, et les secousses métalliques de la tuyauterie derrière les murs produisaient une musique hypnotique. Quand elle eut l'impression que sa peau allait se détacher en lambeaux, elle ferma le robinet et resta immobile une minute, écoutant les gouttes tomber du pommeau de la douche et l'écho de la circulation sur la Gran Vía.

Enveloppée dans un drap de bain, elle s'allongea sur son lit en compagnie d'un verre de vin blanc, du dossier remis le matin par Gil de Partera et de la chemise contenant les lettres au ministre Valls supposément écrites par Sebastían Salgado, ou par le présumé défunt David Martín.

Elle commença par le dossier et compara ce qu'elle avait découvert pendant la journée avec la version officielle de la Préfecture. Cette dernière ne mentionnait que les éléments les plus anecdotiques, comme souvent les rapports de police ; les informations vraiment dignes d'intérêt n'y figuraient pas. Le procès-verbal du prétendu attentat contre le ministre au Cercle des beauxarts constituait un chef-d'œuvre d'hypothèses inconsistantes et extravagantes. Il ne contenait rien d'autre qu'une réfutation non recoupée des propos de Valls alléguant avoir vu dans le public quelqu'un qui avait l'intention d'attenter à sa vie. La seule touche de couleur dans ce récit monochrome concernait la mention d'un des soi-disant témoins du soi-disant attentat en relation à un soi-disant individu qui avait prétendument été vu en coulisses, portant une sorte de masque ou quelque chose lui couvrant une partie du visage. Alicia laissa échapper un soupir d'ennui.

— Il ne manquait plus que Zorro, murmura-t-elle.

Un instant plus tard, lasse de piocher des documents apparemment raboutés pour donner au dossier un vernis expéditif, elle le referma et ouvrit la chemise contenant les lettres.

Elle en compta une douzaine, toutes écrites dans une calligraphie capricieuse sur un papier jauni piqueté. La plus longue comptait deux maigres paragraphes. Le trait donnait l'impression d'avoir été formé par une plume usée qui bavait à intervalles irréguliers ; certaines lignes étaient saturées d'encre alors que d'autres paraissaient à peine grattées sur le papier. La main de l'auteur liait rarement les lettres entre elles, ce qui produisait une impression de texte composé caractère par caractère. La thématique était récurrente. Les lettres insistaient l'une après l'autre sur les mêmes points. L'auteur mentionnait "la vérité", les "fils de la mort" et le rendez-vous "à l'entrée du labyrinthe". Valls avait reçu ces messages pendant des années avant que quelque chose le poussât à agir.

— Quoi ? murmura Alicia.

Comme toujours, la réponse était à chercher dans le passé. C'était une des premières choses que Leandro lui avait enseignées. Il l'avait obligée à l'accompagner à l'enterrement d'un des principaux chefs de la brigade d'investigation sociale de Barcelone (dans le cadre de son éducation, estimait-il) et, en sortant, il avait prononcé cette phrase. La thèse de Leandro était qu'arrivé à un certain moment, dans la vie d'un homme, l'avenir se trouvait invariablement dans son passé.

— N'est-ce pas une évidence ? avait fait remarquer Alicia.

— Tu seras surprise de constater à quel point on cherche toujours dans le présent, ou le futur, des réponses qui se trouvent dans le passé.

Leandro avait une certaine propension aux aphorismes didactiques. Cette fois, Alicia avait pensé qu'il parlait du défunt, ou alors de lui-même et de cet océan de noirceur qui paraissait l'avoir laissé aux portes du pouvoir, comme tant de personnages honorables partis à l'assaut de la lugubre architecture du régime. Les élus, comme elle les appela plus tard. Ces individus qui flottaient toujours dans les eaux troubles, telles des scories. Une pléiade de champions qui, davantage que nés d'une mère, lui paraissaient engendrés par la chape de pourriture qui recouvrait les rues de cet espace en friche, tel un ruisseau de sang jailli des égouts. Alicia s'aperçut qu'elle venait d'emprunter cette image au livre trouvé dans le bureau de Valls. Le sang jaillissant des égouts et inondant lentement les rues. *Le labyrinthe.*

Elle laissa tomber les lettres par terre et ferma les yeux. Le froid dans ses veines instillé par ce poison de médicament lui ouvrait toujours l'arrière-boutique obscure de son esprit. C'était le prix à payer pour faire taire la souffrance. Leandro en était conscient. Il savait que sous cette carapace glacée où n'existait plus ni douleur ni conscience, elle pouvait voir dans les ténèbres, entendre et ressentir ce que les autres ne pouvaient pas même imaginer, et pister les secrets que d'aucuns croyaient avoir enterrés. Il savait aussi qu'à chacune de ses plongées dans ces eaux opaques d'où elle rapportait un trophée Alicia y laissait une partie de sa peau et de son âme. Et qu'elle le haïssait pour cette raison, avec la rage que seule peut ressentir une créature qui connaît son créateur et l'inventaire de ses misères.

La jeune femme se leva rapidement et alla dans la salle de bains. Elle ouvrit la petite armoire et vit les flacons laissés par Leandro, parfaitement alignés. Sa récompense. Elle les attrapa à deux mains et les jeta violemment dans le lavabo. Elle regarda le liquide transparent couler au milieu des débris de verre.

— Fils de pute, cracha-t-elle entre ses dents.

Le téléphone sonna peu après. Alicia contempla son reflet dans la glace pendant quelques instants et laissa sonner. Elle attendait cet appel. Elle revint dans la chambre et décrocha enfin le combiné. Elle écouta sans rien dire.

— Ils ont retrouvé la voiture de Valls, dit Leandro au bout du fil.

Elle attendit, avant de lâcher :

— À Barcelone.

— Oui, confirma Leandro.

— Et sans trace de Valls.

— Ni de son garde du corps.

Elle s'assit sur le bord du lit, le regard perdu sur les lumières qui ensanglantaient la fenêtre.

— Alicia ? Tu es toujours là ?

— Je prendrai le premier train du matin. Je crois qu'il part à sept heures d'Atocha.

Elle entendit le soupir de Leandro et elle l'imagina au Palace, allongé sur le lit de sa *suite**.

— Je ne sais pas si c'est une bonne idée, Alicia.

— Vous préférez laisser l'affaire entre les mains de la police ?

— Je m'inquiète de te savoir seule à Barcelone, tu le sais. Ce n'est pas bon pour toi.

— Il ne se passera rien.

— Où iras-tu ?

— Où voulez-vous que j'aille ?

— Dans l'appartement de la rue Aviñon… soupira Leandro. Pourquoi pas dans un bon hôtel ?

— Parce que c'est chez moi.

— C'est ici, chez toi.

Alicia jeta un coup d'œil sur la pièce qui l'entourait, sa prison au cours de ces dernières années. Il n'y avait que Leandro pour penser que ce cercueil pouvait être un foyer.

— Vargas est-il au courant ?

— L'information vient de la Préfecture. S'il ne le sait pas encore, il l'apprendra demain à la première heure.

— Autre chose ?

Elle entendit la respiration profonde de Leandro.

— Je veux que tu m'appelles tous les jours, sans faute.

— D'accord.

— Sans faute.

— J'ai dit oui. Bonne nuit.

Elle allait raccrocher, mais la voix de Leandro lui parvint du combiné qu'elle porta de nouveau à l'oreille.

— Alicia ?

— Oui.

— Fais attention.

18

Elle avait toujours su qu'elle reviendrait un jour à Barcelone. Ironie du sort, qui n'avait pas dû échapper à son mentor, c'était pour sa dernière mission au service de Leandro ! Elle l'imagina en train de faire les cent pas dans sa *suite**, pensif, ne quittant pas le téléphone des yeux. Résistant à la tentation de décrocher le combiné et de rappeler Alicia pour lui ordonner de rester à Madrid. Leandro n'aimait pas que ses marionnettes essaient de couper les fils. Plus d'un s'y était essayé avant de découvrir que ce métier n'était pas fait pour les amateurs de fins heureuses. Mais Alicia avait toujours été différente. Elle était sa préférée. Son chef-d'œuvre.

Elle se servit un autre verre de vin blanc et s'allongea en attendant son appel. Elle fut tentée de débrancher le téléphone. La dernière fois qu'elle l'avait fait, deux des fantoches de Leandro s'étaient présentés chez elle pour l'escorter jusque dans le hall où il l'attendait dans un état qu'elle n'avait jamais vu. Toute sérénité avait disparu de son visage ravagé par l'anxiété. Il lui avait lancé un regard de jalousie et de désir mêlés, semblant hésiter entre la prendre dans ses bras et ordonner à ses hommes d'en faire de la chair à pâté à coups de crosse, et sur-le-champ. "Ne me refais jamais une chose pareille", avait-il dit. C'était deux ans plus tôt.

Elle attendit le coup de téléphone de Leandro jusque tard dans la nuit, en vain. Il devait vraiment vouloir retrouver Valls et se faire bien voir des hautes instances de l'État pour ouvrir ainsi les portes de sa cage. Certaine qu'aucun des deux ne fermerait l'œil de la nuit, Alicia décida de se réfugier dans le seul endroit au monde où Leandro n'aurait jamais pu la trouver. Entre les pages d'un livre. Elle prit le volume noir découvert dans le bureau de Valls et elle l'ouvrit, prête à pénétrer dans l'univers de Víctor Mataix.

Elle n'avait pas terminé le premier chapitre qu'elle avait déjà oublié que ce qu'elle tenait entre les mains était une des pièces de l'enquête. Elle se laissa bercer par le parfum des mots et se perdit rapidement dans les pages, plongeant dans le flux des images et des rythmes distillés par le récit des aventures d'Ariadna dans sa descente dans les profondeurs de cette Barcelone ensorcelée.

Chaque paragraphe, chaque phrase paraissaient composés selon les règles d'une métrique musicale. La narration nouait les mots entre eux avec la grâce de l'orfèvre et entraînait les yeux dans une lecture de timbres et de couleurs qui dessinaient dans l'esprit un théâtre d'ombres. Elle lut pendant deux heures sans s'arrêter, se délectant de chaque phrase et craignant d'arriver à la fin. Quand, en tournant la dernière page, elle tomba sur l'illustration d'un rideau retombant sur une scène où le texte se délitait en poussières d'ombre, elle ferma le livre et le serra contre sa poitrine. Puis elle s'étendit dans l'obscurité, toujours perdue au milieu des aventures d'Ariadna au cœur de son labyrinthe.

Suspendue au sortilège de l'histoire, elle ferma les yeux et elle tenta de trouver le sommeil. Elle imagina Valls dans son bureau, cachant ce livre sous le fond d'un tiroir et jetant la clef. Parmi tout ce qu'il aurait pu vouloir occulter avant de disparaître, il avait choisi cet ouvrage. La fatigue commença à couler doucement sur son corps. Elle ôta la serviette de bain et se glissa nue sous les draps. Elle s'allongea sur le côté, en chien de fusil, les mains croisées entre les cuisses. Elle songea que c'était probablement la dernière nuit qu'elle passerait dans cette chambre qui avait été son cachot durant des années. Elle resta ainsi, dans l'attente, écoutant les bruits et les lamentations du bâtiment qui pressentait déjà son absence.

Elle se leva un peu avant l'aube, juste à temps pour jeter les affaires indispensables dans une valise et abandonner le reste comme une sorte de donation d'adieu aux locataires invisibles de l'hôtel. Elle contempla son petit domaine de livres empilés contre le mur et elle sourit tristement. Maura saurait quoi faire de ses amis.

Le soleil se levait à peine quand elle traversa le hall de l'hôtel sans intention de faire ses adieux aux âmes perdues de l'Hispania. Elle se dirigea vers la porte et elle entendit soudain la voix de Maura derrière elle.

— C'était donc vrai, dit-il. Vous partez.

Elle s'arrêta et se retourna. Il la regardait, appuyé sur le manche d'un balai-serpillière qui avait autant d'heures de vol que lui. Il souriait pour ne pas pleurer, le regard perdu dans une tristesse infinie.

— Je rentre chez moi, Maura.

Le concierge hocha la tête à plusieurs reprises.

— Vous faites bien.

— J'ai laissé mes livres en haut. Ils sont pour vous.

— J'en prendrai soin.

— Pour les vêtements, vous verrez. Ils pourront servir à quelqu'un d'ici.

— Je les porterai à Caritas, parce qu'ici il y a beaucoup de crétins et je ne voudrais pas croiser ce petit malin de Valenzuela en train de fouiner là où il ne devrait pas.

Alicia s'approcha du petit bonhomme et le prit dans ses bras.

— Merci pour tout, Maura, lui murmura-t-elle à l'oreille. Vous allez me manquer.

L'homme laissa tomber son balai et l'entoura de ses bras tremblants.

— Oubliez-nous dès que vous arriverez chez vous, dit-il d'une voix brisée.

Elle allait lui faire un baiser d'adieu, mais Maura, chevalier à la triste figure et de la vieille école, lui tendit une main qu'Alicia serra.

— Il est possible qu'un certain Vargas me demande…

— Ne vous inquiétez pas. Je vous en débarrasserai. Allez, partez maintenant.

Elle monta à bord d'un taxi qui attendait devant la porte et indiqua la destination au chauffeur : la gare d'Atocha. Un couvercle de plomb recouvrait la ville et une pellicule de givre voilait les vitres du véhicule. L'homme avait l'air d'avoir passé la nuit, voire la semaine, au volant, à peine présent au monde par le court mégot qui pendait à ses lèvres. Il la regardait dans le rétroviseur.

— Un aller ou un retour ?

— Je ne sais pas encore, répondit Alicia.

En arrivant à la gare, elle constata que Leandro l'avait prise de vitesse. Il l'attendait, assis à une table d'un café proche des guichets. Il lisait un journal et jouait avec la petite cuillère à café. Deux de ses cerbères étaient adossés à des colonnes quelques mètres plus loin. Quand il la vit, il replia le journal et lui adressa un sourire paternel.

— Ce n'est pas tout de se lever matin, encore faut-il arriver à l'heure.

— Les proverbes te vont mal, Alicia. Assieds-toi. As-tu pris ton petit-déjeuner ?

Elle fit signe que non. Elle ne voulait surtout pas contrarier Leandro alors qu'elle était sur le point de mettre six cents kilomètres de distance entre eux.

— Les mortels partagent quelques habitudes communes qui te feraient le plus grand bien, Alicia, du genre petit-déjeuner ou avoir des amis.

— Avez-vous beaucoup d'amis, Leandro ?

Alicia nota l'éclat acéré dans le regard de son chef, l'amorce d'une semonce. Elle baissa les yeux. Elle accepta docilement la tasse de café au lait que lui apporta le serveur à la demande de Leandro et elle but une petite gorgée sous son regard attentif.

Il sortit une enveloppe de la poche de son manteau et la lui tendit.

— Je t'ai réservé un compartiment, pour toi toute seule, en première classe. J'espère que tu apprécieras. Tu trouveras aussi un peu d'argent. Je dépose le reste aujourd'hui à l'Hispano, sur ton compte. Si tu as besoin de plus, fais-le-moi savoir.

— Merci.

Alicia mordillait sa viennoiserie, sèche et rêche au palais. Elle eut du mal à avaler. Leandro ne la quittait pas des yeux. Elle surveilla discrètement l'heure à la grande horloge suspendue.

— On a encore dix minutes, dit son mentor. Du calme.

Des groupes de passagers défilaient déjà en direction du quai. Pour s'occuper les mains, Alicia les mit autour de sa tasse. Le silence entre eux la faisait souffrir.

— Merci d'être venu me dire au revoir, tenta-t-elle.

— Est-ce ce que nous sommes en train de faire ? Nous dire adieu ?

Alicia fit non de la tête. Ils restèrent assis quelques minutes sans échanger un mot. Elle se disait qu'elle allait réduire en miettes la tasse qu'elle serrait entre ses mains lorsque Leandro se leva. Il reboutonna son manteau et enroula son écharpe autour de son cou, tranquillement. Puis il enfila ses gants en peau et il se pencha vers elle avec un air bienveillant pour l'embrasser sur la joue. Ses lèvres étaient froides et son haleine sentait la menthe. Alicia demeura immobile, retenant presque son souffle.

— Je veux que tu m'appelles tous les jours. Sans faute. Dès ce soir, quand tu arriveras, pour que je sache si tout s'est bien passé.

Elle ne répondit pas.

— Alicia ?

— Chaque jour, sans faute, récita-t-elle mécaniquement.

— Le ton moqueur n'est pas utile.

— Pardon.

— Tu as toujours mal ?

— Non, ça va mieux. Beaucoup mieux.

Leandro sortit de sa poche de manteau un flacon.

— Je sais que tu n'aimes pas en prendre, mais tu me remercieras. C'est moins fort que la solution injectable. Un comprimé, pas plus. Ne l'avale pas l'estomac vide, et encore moins avec de l'alcool.

Alicia accepta le flacon et elle le rangea dans son sac. Ce n'était pas le moment d'entamer une discussion.

— Merci.

Leandro hocha la tête et s'éloigna vers la sortie, flanqué de ses hommes.

Le train attendait sous la verrière. Un employé qui ne devait pas avoir vingt ans lui réclama son billet et l'accompagna jusqu'à son wagon de première, situé en tête de train. Il était vide. Constatant qu'elle boitait légèrement, le jeune garçon l'aida à monter et il la conduisit à son compartiment où il hissa sa valise dans le porte-bagages et remonta le store de la fenêtre. De la manche de sa veste, il essuya la vitre embuée. Un ballet de voyageurs évoluait sur le quai, leur haleine humide miroitant dans le petit matin. Alicia lui donna un pourboire et l'employé fit une petite révérence avant de refermer la porte du compartiment derrière lui.

Elle se laissa tomber sur la banquette et contempla les lumières de la gare d'un air absent. Le train démarra bientôt. Elle s'abandonna au doux balancement des wagons ; elle imaginait les premières lumières perçant la ville embrumée. Et elle le vit. Vargas courait sur le quai, il essayait de monter dans le train. Dans sa course, il frôla presque des doigts le wagon, croisant le regard impénétrable d'Alicia qui l'observait par la vitre, le visage dénué d'expression. Il abandonna enfin, les mains sur les genoux et un sourire amer aux lèvres, le souffle coupé.

La ville disparut progressivement au loin et le train traversa une plaine dépourvue d'horizon qui s'étendait à l'infini. Alicia sentit que derrière ce mur obscur Barcelone avait déjà flairé sa trace portée par le vent. Elle l'imagina qui s'ouvrait comme une rose noire, et l'espace d'un instant, la fatalité sereine qui console les maudits s'empara d'elle. Ce n'était peut-être que de la fatigue, songea-t-elle. Peu importait. Elle ferma les yeux et elle se laissa aller au sommeil tandis que le train, perçant la nuit, glissait vers le labyrinthe des esprits.

LA VILLE DES MIROIRS

Barcelone

Décembre 1959

1

Le froid. Un froid qui mord la peau, entaille les chairs et transperce les os. Un froid humide qui tenaille les muscles et brûle les entrailles. Le froid. Au cours de ce premier moment de conscience, c'est la seule chose à laquelle il pense.

L'obscurité est presque totale. Une maigre lueur filtre à peine du plafond. Un soupçon de lumière mourante qui adhère aux ombres comme une poudre brillante et laisse deviner les limites de l'espace où il se trouve. Ses pupilles se dilatent et il parvient à apercevoir une chambre de petites dimensions. Les murs sont en pierre. Ils suintent une humidité qui luit dans la pénombre comme s'ils pleuraient des larmes noires. Un liquide qui n'est pas de l'eau inonde le sol dallé. Une puanteur intense flotte dans l'air. En face de lui, il devine une rangée d'épais barreaux de fer et, au-delà, quelques marches qui montent dans l'obscurité.

C'est un cachot.

Valls essaie de se lever, mais ses jambes se dérobent sous lui. Il réussit à faire un pas avant que ses chevilles ne flanchent. Il tombe sur le côté. Son visage heurte le sol. Il peste. Il tente de reprendre son souffle. Il reste abattu quelques minutes, le visage contre la pellicule visqueuse qui recouvre les dalles de pierre et dégage une odeur métallique et douceâtre. Il a la bouche sèche, comme s'il avait avalé de la terre. Ses lèvres sont crevassées. Il y porte sa main droite pour les palper mais il se rend compte qu'il ne la sent pas, comme s'il n'y avait plus rien en dessous de son coude.

Il réussit à s'asseoir en s'appuyant sur son bras gauche. Il lève sa main droite devant son visage et l'observe à contre-jour, dans le faible halo jaune. Elle tremble. Il la regarde trembler mais il ne la sent pas. Il tente vainement de serrer le poing. Ses muscles ne répondent pas. Seulement alors, il remarque qu'il lui manque deux doigts, l'index et le majeur. À leur place, il voit deux taches noirâtres d'où pendent des lambeaux de peau et de chair. Il voudrait crier, mais il n'a plus de voix et il ne produit qu'un gémissement creux. Il retombe sur le dos et ferme les yeux. Il respire par la bouche pour éviter la puanteur qui empoisonne l'air. Un souvenir d'enfance remonte à sa mémoire, un été lointain dans la propriété de ses parents, dans la région de Ségovie, et un vieux chien qui s'était réfugié dans la cave pour y mourir. Valls se rappelle la pestilence nauséabonde qui avait envahi la maison, semblable à celle qui lui brûle actuellement la gorge. Celle-là est pire encore, et elle l'empêche pratiquement de penser. Quelques minutes plus tard, des heures peut-être, la fatigue l'assaille et il plonge dans une torpeur trouble, à mi-chemin entre la veille et le sommeil.

Il rêve qu'il voyage dans un train dont il est le seul passager. La locomotive cavale furieusement sur des nuages de vapeur noire en direction d'une citadelle labyrinthique d'usines-cathédrales, de flèches effilées, de passerelles et de toits enchevêtrés formant des angles impossibles sous un ciel sanglant. Peu avant de pénétrer dans un tunnel apparemment sans fin, il passe la tête par la fenêtre et il constate que l'entrée est surveillée par deux grandes statues d'anges aux ailes déployées et aux dents acérées dépassant de leur bouche. Sur le voussoir central, un panneau délabré indique :

Barcelone

Le train s'enfonce dans le tunnel avec un vacarme infernal, et quand il en émerge, la silhouette de la colline de Montjuïc s'élève en face, le château se découpant au sommet dans un halo de lumière rougeoyante. Valls sent son estomac se rétracter. Un contrôleur au corps déformé, pareil au tronc d'un vieil arbre aiguillonné par la tempête, approche dans le couloir et s'arrête devant son compartiment. Sur son uniforme, la plaque indique SALGADO.

— Votre arrêt, monsieur le directeur...

Le train grimpe sur la route sinueuse dont il se souvient très bien, pénètre dans l'enceinte de la prison et s'immobilise dans un corridor obscur. Valls descend. La locomotive redémarre et se perd dans les ténèbres. Il se retourne et il découvre qu'il est enfermé dans un des cachots de la prison. Une forme l'observe dans le noir, derrière les barreaux. Il voudrait lui expliquer que c'est une erreur, qu'il est du mauvais côté et qu'il est le directeur de la prison, mais sa voix reste coincée dans sa gorge.

La douleur arrive plus tard, et elle le tire de son sommeil, comme une décharge électrique.

L'odeur de charogne, l'obscurité et le froid persistent, mais il n'y prête presque plus attention. Il est obnubilé par la douleur. Une souffrance comme il n'en a jamais connu. Qu'il n'aurait jamais imaginée. Sa main droite est brûlante. Il a l'impression qu'elle est plongée au cœur d'un brasier et qu'il ne peut pas l'en retirer. De sa main gauche, il empoigne son bras droit. Même dans l'obscurité, il aperçoit le liquide purulent, épais et sanguinolent qui coule des deux taches foncées à la place de ses doigts. Il crie en silence.

La douleur l'aide à se souvenir.

Les images des événements prennent forme peu à peu dans son esprit. Il se remémore l'instant où Barcelone est apparue au loin, dans la lumière du crépuscule. Valls observe la ville qui se déploie tel un grand décor de spectacle de foire, à travers le pare-brise de la voiture, et il se rappelle combien il la déteste. Vicente, son fidèle garde du corps, conduit en silence, concentré sur la circulation. S'il a peur, il ne le montre pas. Ils empruntent des avenues et des rues où ils aperçoivent des gens emmitouflés hâtant le pas sous un rideau de neige, brume de cristal en suspension dans l'air. Ils s'engagent dans une large avenue en direction des hauteurs de la ville et ils débouchent sur une route qui serpente jusqu'à la corniche de Vallvidrera. Il reconnaît cette étrange citadelle de façades suspendues dans le ciel ; à ses pieds, Barcelone ressemble à un tapis de ténèbres qui se fond dans la mer. Le funiculaire grimpe sur le flanc de la colline, traçant un lacet de lumière dorée qui souligne les grandes villas modernistes juchées çà et là. Puis la silhouette de la vieille bâtisse apparaît, noyée dans les arbres. Valls avale sa salive. Vicente le regarde et il lui fait un signe de confirmation. Tout sera bientôt fini. Le ministre arme le chien de son révolver. Il fait complètement nuit quand ils arrivent devant la villa. La grille est ouverte. La voiture s'engage dans le jardin envahi par les mauvaises herbes et contourne la fontaine, à sec et couverte de lierre. Vicente arrête l'automobile devant l'escalier de l'entrée principale. Il éteint le moteur et sort son arme. Vicente n'utilise jamais de pistolet, seulement des révolvers. Ils ne s'enrayent jamais, dit-il.

— Quelle heure est-il ? demande Valls dans un filet de voix.

Vicente n'a pas le temps de répondre. Tout se passe très vite. À peine le garde du corps a-t-il enlevé la clef de contact que Valls distingue une forme derrière la vitre. Il ne l'a pas vue approcher. Sans prononcer un mot, Vicente écarte le ministre et tire. Le verre explose à quelques centimètres du visage de Valls qui sent les éclats se planter dans sa peau. Un sifflement tonitruant vrille ses tympans assourdis par le fracas du tir. Avant que le nuage de poudre qui flotte dans la voiture ne s'évanouisse, la porte côté conducteur s'ouvre brutalement. Vicente se retourne, le révolver à la main, mais il n'a pas le temps de tirer une deuxième fois. Un objet lui traverse la gorge. Il enserre son cou de ses deux mains. Le sang jaillit entre ses doigts. Son regard halluciné et incrédule croise brièvement celui de Valls. La seconde d'après, le garde du corps s'effondre sur le volant, déclenchant le klaxon. Valls tente de le redresser mais le corps de Vicente penche sur le côté et son buste pend à l'extérieur du véhicule. Valls tient le révolver à deux mains et vise l'obscurité, au-delà de la porte ouverte du conducteur. Il perçoit alors une respiration derrière lui. Il se retourne pour tirer et reçoit un coup sec et glacé sur la main. Le contact du métal sur l'os lui donne un haut-le-cœur et lui brouille la vue. Le révolver tombe sur ses genoux. Son bras se vide de son sang. La silhouette s'approche, un couteau à la lame dégoulinante de sang dans la main. Elle essaie d'ouvrir la porte, mais le premier tir a dû bloquer la fermeture. Des mains l'attrapent par le col et le tirent rageusement. Valls sent qu'on le sort du véhicule par le trou de la vitre et qu'on le traîne sur le chemin en gravier jusqu'aux marches en marbre ébréchées. Il entend des pas légers toujours plus près. À la lueur de la lune et dans son délire, il croit apercevoir un ange ; il imagine ensuite que c'est la mort. Il affronte ce regard et il comprend son erreur.

— Qu'est-ce qui te fait rire, crétin ? demande la voix.

Valls sourit.

— Tu ressembles tellement… murmure-t-il.

Il ferme les yeux et il attend le coup de grâce qui ne vient pas. Son ange lui crache à la figure. Ses pas s'éloignent. Dieu, ou le diable, a pitié de lui et il perd connaissance.

Il ne parvient pas à se rappeler si ces événements se sont déroulés quelques heures, des jours ou des semaines plus tôt. Dans ce cachot, le temps a cessé d'exister. Tout est froidure, souffrance et obscurité. Une secousse de rage l'envahit subitement. Il se traîne jusqu'aux barreaux et frappe contre le métal à s'en arracher la peau. Il est toujours agrippé aux barres de fer quand une brèche lumineuse s'ouvre au-dessus de lui, éclairant l'escalier qui descend à sa cellule. Il entend des pas et lève les yeux, plein d'espoir. Il tend une main implorante vers l'extérieur. Son geôlier l'observe dans la pénombre, immobile. Il a le visage couvert. Valls trouve qu'il ressemble à un mannequin figé dans la vitrine d'un grand magasin de la Gran Vía.

— Martín ? C'est vous ? demande-t-il.

Il n'obtient pas de réponse. Le geôlier se contente de le regarder sans dire un mot. Valls hoche la tête, comme s'il voulait laisser entendre qu'il a compris la règle du jeu.

— De l'eau, s'il vous plaît, gémit-il.

L'homme reste un long moment immobile. Valls en vient à croire qu'il a tout imaginé et que sa présence n'est qu'un épiphénomène du délire causé par la souffrance et l'infection qui le dévorent. Soudain, le gardien fait quelques pas vers lui. Valls sourit, soumis.

— De l'eau, supplie-t-il.

Un jet d'urine lui éclabousse le visage et brûle sa peau couverte d'entailles. Il laisse échapper un hurlement et recule. Il rampe jusqu'à sentir le mur dans son dos et il se recroqueville. Le geôlier disparaît en haut des escaliers et la lumière s'évanouit avec l'écho d'une porte qui se referme.

Il s'aperçoit alors qu'il n'est pas seul dans la cellule. Vicente, son fidèle garde du corps, est assis dans un coin, appuyé contre la pierre. Il ne bouge pas. Valls ne distingue que ses jambes. Et ses mains, à la paume et aux doigts gonflés, d'une couleur pourpre.

— Vicente ?

Il se traîne jusqu'à lui, mais la puanteur l'arrête. Il se réfugie dans le coin opposé et se blottit, entourant ses genoux de ses bras, le visage enfoui entre ses jambes pour échapper à l'odeur. Il tente de convoquer l'image de sa fille Mercedes. Il l'imagine en train de jouer dans le jardin, dans sa maison de poupées, ou dans son train particulier. Il la revoit petite fille, ses yeux plongés dans les siens qui lui pardonnaient tout, avec ce regard qui illuminait même l'endroit où la lumière n'était jamais arrivée.

Il s'abandonne au froid, à la douleur et à la fatigue, et il perd à nouveau connaissance. C'est peut-être la mort, songe-t-il avec espoir.

2

Le réveil prit en traître Fermín Romero de Torres. Son cœur battait au rythme d'une mitraillette et il eut soudain la sensation qu'une soprano wagnérienne s'était assise sur sa poitrine. Il ouvrit les yeux dans une pénombre de velours et il essaya de calmer sa respiration. Les aiguilles du réveil confirmèrent ce qu'il soupçonnait. Il n'était même pas minuit. Il n'avait dormi qu'une petite heure à peine, et mal, avant d'être embouti par l'insomnie lancée sur lui avec la violence d'un tramway emballé. À ses côtés, Bernarda ronflait comme un petit veau et souriait benoîtement dans les bras de Morphée.

— *Fermín, je crois que tu vas être père.*

La grossesse la rendait plus désirable que jamais, une beauté en fleur, tout son corps offrant un festin de courbes dont il se serait sur-le-champ régalé à belles dents. Il eut envie de conclure, avec son "express de minuit" personnel, mais il n'osa pas la réveiller et briser la paix céleste qui émanait de son visage. S'il le faisait, il connaissait l'alternative : la bombe H chargée d'hormones qui transpiraient par tous les pores de sa peau éclaterait et Bernarda se métamorphoserait en tigresse sauvage, ne faisant de lui qu'une bouchée, ou bien l'étincelle s'éteindrait d'elle-même et toutes les peurs du monde assailliraient sa sainte épouse, y compris celle que la moindre tentative d'incursion dans sa bonbonnière ne mît le bébé en danger. Fermín ne lui en voulait pas. Elle avait perdu le premier enfant qu'ils avaient conçu ensemble peu avant de se marier. Sa tristesse avait été telle que Fermín avait cru la perdre pour toujours. Le temps avait passé, et comme le leur avait promis le médecin, Bernarda était de nouveau dans une situation intéressante, et de retour dans la vie. Mais en proie à la peur constante de perdre l'enfant, au point semblait-il d'avoir peur, parfois, de respirer.

— *Mon amour, le médecin a dit que tu ne risquais rien.*

— *C'est une canaille. Comme toi.*

L'homme sage ne réveille pas un volcan qui dort, une révolution ou une femme enceinte. Fermín quitta discrètement le lit conjugal et il glissa sur la pointe des pieds jusqu'à la salle à manger du modeste appartement de la rue Joaquín Costa où ils s'étaient installés au retour de leur voyage de noces. Il envisageait de noyer sa peine et sa luxure dans un Sugus, mais un coup d'œil sommaire au garde-manger lui révéla que ses réserves étaient à zéro. Il sentit le moral lui tomber dans les chaussettes. La situation était critique. Il se rappela alors qu'il y avait toujours un vendeur ambulant de confiseries et de tabac dans le hall de la gare de France, en service même la nuit. Diego l'Aveugle. Généralement, il était très bien approvisionné en bonbons et en blagues salaces. L'image d'un Sugus au citron le fit saliver par avance. Sans perdre une minute, il enleva son pyjama et il se couvrit chaudement, prêt à courtiser la rougeole en pleine nuit sibérienne. Ainsi équipé, il sortit pour aller satisfaire ses plus bas instincts et fouler aux pieds l'insomnie.

Le Raval est la patrie des insomniaques. Le quartier, qui ne dort pas non plus, invite cependant à l'oubli, et aussi nombreux que soient les peines et les chagrins qu'on traîne avec soi, il suffit de faire quelques pas dans ses rues pour tomber sur une personne ayant tiré de plus mauvaises cartes encore que vous dans le grand jeu de la vie. Au cœur de cette nuit de destins entrecroisés, des miasmes jaunâtres d'urine, de bec de gaz et de reproduction en sépia vaguaient dans le tapis touffu de ruelles à la manière d'un sortilège ou d'une mise en garde, selon les goûts de chacun.

Fermín déambula au milieu des criailleries, de la puanteur et autres émanations des marginaux qui animaient des rues aussi sombres et tortueuses que les fantasmes d'un évêque. Il émergea enfin au pied de la statue de Colomb qu'une conjuration de mouettes avait teinte de guano blanc, dans un hommage équivoque à la diète méditerranéenne. Fermín prit l'avenue en direction de la gare de France, sans se risquer à tourner la tête, craignant d'apercevoir la sinistre silhouette du château de Montjuïc aux aguets, au sommet de la colline.

Des hordes de marins américains erraient dans les parages en quête de lieux où faire la bringue ou la bagarre, et d'occasions de pratiquer des échanges culturels avec des femmes de petite vertu disposées à leur enseigner le vocabulaire élémentaire et deux ou trois petits secrets en usage sur le littoral. Il repensa à Rociito, réconfort de tant de nuits glauques de sa jeunesse et âme pure à la poitrine généreuse, qui l'avait plus d'une fois sauvé de la solitude. Il l'imagina avec son prétendant, le commerçant prospère de Reus qui l'avait retirée du service actif l'année précédente, voyageant dans le monde entier comme la dame qu'elle avait toujours été, avec l'impression peut-être que, pour une fois, la vie lui souriait.

L'esprit occupé par Rociito et cette espèce perpétuellement en voie d'extinction, les gens au grand cœur, Fermín arriva à la gare. Il aperçut Diego l'Aveugle qui s'apprêtait à plier les gaules et il courut vers lui.

— Fermín ! À cette heure-ci, je te croyais en train de braquemarder ta moitié, s'exclama Diego. En panne de Sugus ?

— Les réserves à zéro.

— J'en ai au citron, à l'ananas et à la fraise.

— Au citron. Cinq paquets.

— Et un cadeau de la maison.

Fermín paya et laissa un pourboire. Diego rangea les pièces sans les compter dans la sacoche en cuir qu'il portait à la taille, à la façon des receveurs de tramway. Fermín n'avait jamais élucidé comment Diego savait si on le flouait ou pas. Mais il le savait. Mieux encore, il le sentait venir. Il était né aveugle et avec la guigne d'un cadet d'infanterie. Il vivait seul dans une chambre sans fenêtre d'une pension de la rue Princesa avec, pour meilleur ami, un transistor grâce auquel il écoutait les retransmissions de football et les informations qui le tordaient de rire.

— Tu es venu voir les trains, hein ?

— Une vieille habitude, répondit Fermín.

Il regarda Diego l'Aveugle qui repartait directement vers sa pension et il pensa à Bernarda, endormie au creux de son lit, fleurant bon l'eau de rose. Il songea à rentrer chez lui, mais il décida de pénétrer sous la grande verrière de la gare, cette cathédrale de fer et de vapeur où il avait débarqué une lointaine nuit de 1941, de retour à Barcelone. Il avait toujours cru que le destin aimait nicher dans les gares ferroviaires pendant ses moments de pause, dans les intervalles où il cessait provisoirement d'attaquer les innocents par-derrière, franco de port si possible et sans chichi. C'est là que débutaient ou s'achevaient les tragédies et les romances, les fuites et les retours, les trahisons et les absences. La vie est comme une gare, à ce qu'on dit, et on monte presque toujours dans le mauvais train, à moins qu'on ne vous y pousse.

Ces pensées aussi profondes qu'une tasse à café l'assaillaient ordinairement aux petites heures du matin, quand le corps se lassait de virer mais que la tête continuait de tournoyer comme une toupie. Fermín décida de troquer la philosophie de comptoir pour le confort austère d'un banc de bois et il avança sous la voûte de la gare, une indication claire de la part de l'architecte astucieux : à Barcelone, l'avenir naît tordu.

Il s'installa sur un banc, dépapillota un Sugus et le porta à sa bouche. Plongé dans son nirvana gourmand, il laissa son regard errer sur la ligne de fuite des voies qui se perdaient dans la nuit. Il sentit bientôt le sol trembler sous ses pieds et il aperçut les lumières d'une locomotive qui déchiraient la nuit. Quelques minutes plus tard, le train entra en gare dans un nuage de vapeur.

Un voile de brume venu de la mer s'étendait sur les quais et enveloppait les passagers qui descendaient du train après un long voyage dans un mirage. Les visages heureux étaient rares. Fermín les observait au passage, scrutant les gestes fatigués et les démarches, rêvassant, imaginant leurs mésaventures et les circonstances qui les amenaient dans cette ville. Il commençait à prendre goût à cette nouvelle activité de biographe à la volée du citoyen anonyme quand il la vit.

Elle descendit du train dans un de ces nuages de vapeur blanche d'où Fermín avait appris à espérer l'apparition de sa chère Marlene Dietrich, dans une gare de Berlin, de Paris ou de tout autre lieu n'ayant jamais existé ailleurs que dans ce glorieux XXe siècle en noir et blanc des séances en matinée du cinéma Capitol. La femme – Fermín n'aurait jamais eu l'idée de la qualifier de fille, de jeune fille ou d'un quelconque succédané en usage –, la femme donc, à qui il ne donnait pas trente ans, marchait avec une légère claudication qui lui conférait une touche de mystère et de vulnérabilité.

Elle avait une allure et un visage pénétrants qui secrétaient à la fois l'ombre et la lumière. S'il avait dû décrire son apparence à son ami Daniel, il aurait dit qu'elle ressemblait à un de ces fantomatiques anges de minuit qui apparaissaient parfois dans les pages des romans de son ancien compagnon de cellule du château de Montjuïc, David Martín. Particulièrement à l'ineffable Chloé, l'héroïne de tant d'histoires au décor improbable de la série gothique *La Ville des maudits* qui lui avait si souvent ôté le sommeil au cours de longues séances de lecture fébriles qui lui avaient fourni des connaissances encyclopédiques sur l'art de l'empoisonnement et les passions troubles des esprits criminels. Et également sur la science, le patrimoine culturel de la confection, et la splendeur de la lingerie féminine. Il se dit qu'il était peut-être temps de relire ces aventures ardentes avant que son esprit et ses testicules ne se racornissent irrémédiablement.

Il la regarda passer et ils échangèrent un regard fugace. Un geste accidentel qu'il évita rapidement en baissant la tête, la laissant s'éloigner. Il enfouit son visage dans le col de son manteau. Les passagers gagnaient la sortie, et la femme avec eux. Il demeura cloué sur son banc, presque tremblant, jusqu'à ce que le chef de station vînt le trouver.

— Il n'arrivera plus aucun train ce soir, et vous ne pouvez pas rester dormir ici...

Fermín acquiesça et partit en traînant les pieds. Dans le hall, il regarda autour de lui et ne la vit pas. Il hâta le pas. Dans la rue, une bise froide soufflait, qui le ramena à la réalité de l'hiver.

— Alicia ? demanda-t-il au vent. Était-ce bien toi ?

Il soupira et s'engagea dans les rues sombres, se persuadant que c'était impossible, ces yeux dans lesquels il avait plongé n'étaient pas ceux de la fillette qu'il avait abandonnée dans cette lointaine nuit de flammes, pendant la guerre. Cette Alicia qu'il n'avait pas su sauver était probablement morte comme tant d'autres cette nuit-là. Même le destin, sa vengeance, ne pouvait pas avoir un sens de l'humour aussi noir.

Si ça se trouve, c'est un spectre revenu d'entre les morts pour te rappeler que celui qui laisse mourir un enfant ne mérite pas de donner le jour à une descendance, dans ce bas monde. Les insinuations du Très-Haut son insondables, les curés l'ont bien dit, spécula-t-il.

— Il doit y avoir une explication scientifique, dit-il à haute voix. Comme pour l'érection matinale.

Fermín s'accrocha à ce principe empirique et mordit dans deux Sugus en même temps. Il reprit le chemin de sa maison pour retrouver le lit chaud où l'attendait Bernarda, convaincu que rien n'arrivait jamais par hasard et que, tôt ou tard, il résoudrait ce mystère ou que ce dernier le révélerait à lui-même pour toujours.

3

Alicia marchait vers la sortie et elle aperçut soudain la forme assise sur un banc au bout du quai, qui l'observait à la dérobée. C'était un petit homme maigre dont le visage tournait autour d'un énorme nez. Il avait une allure légèrement goyesque. Engoncé dans un manteau trop grand, il faisait penser à un escargot portant sa coquille. Alicia aurait juré qu'il avait du papier journal plié sous son vêtement afin de se protéger du froid, une pratique qu'elle n'avait plus vue depuis les premières années de l'après-guerre.

Le plus simple eût été de l'oublier et de se dire qu'il s'agissait d'un pauvre hère parmi la multitude de malheureux qui hantaient toujours les zones obscures des grandes villes, presque vingt ans après la fin de la guerre, en attendant que l'histoire se souvînt de l'Espagne et la sauvât de l'oubli. Le plus simple eût été de croire que Barcelone allait lui concéder au moins quelques heures de répit avant de la confronter à son destin. Alicia passa à côté de lui sans se retourner et se dirigea vers la sortie, priant l'enfer qu'il ne l'eût pas reconnue. Vingt ans avaient passé depuis cette terrible nuit, et elle n'était alors qu'une petite fille

Devant la gare, elle monta dans un taxi et demanda au chauffeur de la conduire au numéro douze de la rue Aviñón. Sa voix trembla quand elle prononça cette adresse. La voiture s'engagea dans l'avenue Isabel II et tourna dans la Vía Layetana, évitant le ballet de tramways qui incendiaient la brume d'étincelles électriques bleutées le long des câbles. À travers la vitre, Alicia scrutait le profil sombre de Barcelone, les arcades, les clochers, les ruelles qui s'enfonçaient dans la vieille ville et, au loin, les lumières du château de Montjuïc. Foyer, sombre foyer, se dit-elle.

À cette heure matinale, il n'y avait guère de circulation et ils arrivèrent à destination en moins de cinq minutes. Le chauffeur de taxi la déposa à la porte du numéro douze de la rue Aviñón. Alicia lui laissa un pourboire deux fois plus élevé que le prix de la course et la voiture repartit en direction du port. Alicia se laissa envelopper par la brise froide chargée de l'odeur du quartier, de la vieille Barcelone, que même la pluie n'arrivait pas à effacer. Elle se surprit à sourire. Avec le temps, même les mauvais souvenirs se paraient de blanc.

Son ancien appartement se trouvait en face du vieux Gran Café, à deux pas du croisement avec la rue Fernando. Elle cherchait les clefs dans la poche de son manteau quand elle entendit le porche s'ouvrir. Elle leva les yeux et rencontra le visage souriant de Jesusa, la concierge.

— Jésus, Marie, Joseph, lâcha cette dernière, visiblement émue.

Avant qu'Alicia pût dire un mot, Jesusa la serra contre elle, dans une de ses embrassades de boa constrictor et la couvrit de baisers qui fleuraient l'anisette

— Laissez-moi vous regarder, dit-elle en la libérant.

Alicia lui sourit.

— Ne me dites pas que je suis trop maigre.

— Ça, ce sont les hommes qui vous le diront, et pour une fois, ils auront raison.

— Vous n'imaginez pas combien vous m'avez manqué, Jesusa.

— Flatteuse, va ! Vous n'avez pas honte. Laissez-moi vous embrasser encore, même si vous ne le méritez pas. Autant de temps là-bas sans venir, ni téléphoner, ni écrire, rien…

Jesusa Labordeta était une veuve de guerre dotée d'assez d'esprit et de détermination pour les neuf vies qu'elle n'avait jamais pu vivre et ne vivrait jamais. Elle était la concierge de l'immeuble depuis quinze ans et elle occupait un minuscule deux-pièces au fond de l'entrée. Elle le partageait avec un poste de radio, bloqué sur une chaîne de feuilletons romantiques, et un cabot moribond qu'elle avait recueilli dans la rue et baptisé *Napoléon** malgré sa difficulté à atteindre et conquérir le coin de la rue à temps pour accomplir son office urinaire aux premières heures du matin. Une fois sur deux, il se lâchait sous les boîtes à lettres. Jesusa complétait son misérable salaire en raccommodant et rapiéçant pour les gens du quartier. Les mauvaises langues, très nombreuses alors, aimaient à colporter qu'elle préférait l'anisette aux beaux marins moulés dans leur pantalon, et que parfois, quand elle abusait de la bouteille, on l'entendait pleurer et crier dans son logis microscopique, tandis que le pauvre *Napoléon** hurlait de terreur.

— Entrez, il fait un froid de tous les diables.

Alicia la suivit à l'intérieur.

— M. Leandro a appelé ce matin pour me prévenir de votre arrivée.

— Toujours très attentionné…

— C'est un grand monsieur, affirma Jesusa, qui le mettait sur un piédestal. Il parle si bien…

L'immeuble ne comportait pas d'ascenseur et l'escalier paraissait avoir été posé là par l'architecte comme un élément dissuasif. Jesusa passa devant et Alicia la suivit comme elle put, traînant sa valise marche après marche.

— J'ai aéré l'appartement et j'ai remis un peu d'ordre, il en avait besoin. Fernandito m'a aidée, j'espère que ça ne vous dérange pas. Dès qu'il a appris que vous arriviez, il m'a harcelée jusqu'à ce que je lui permette de faire quelque chose…

Fernandito était le neveu de Mme Jesusa. Une âme pure dont même un saint pouvait profiter. Il souffrait du mal adolescent chronique, il s'énamourait souvent, et pour couronner le tout, dame nature s'était jouée de lui en le dotant d'une allure pataude. Il vivait avec sa mère dans l'immeuble voisin et il était livreur dans une épicerie. Mais le gros de son talent et de son labeur, il le consacrait à la composition de poèmes ambitieux dédiés à Alicia, en qui il voyait un croisement irréfutable entre la Dame aux camélias et la méchante reine dans Blanche-Neige, mais en mieux. Juste avant le départ d'Alicia trois ans auparavant, il lui avait déclaré un amour éternel et son intention d'engendrer avec elle au moins cinq enfants, si Dieu le voulait, déclaration assortie de la promesse que son corps, son âme et tous autres effets personnels seraient à elle pour toujours, le tout en échange d'un baiser.

— Fernandito, j'ai dix ans de plus que toi. Tu ne dois pas penser de telles choses, ce n'est pas bien, lui avait répondu Alicia en séchant les larmes qui coulaient sur le visage du garçon.

— Pourquoi ne m'aimez-vous pas, mademoiselle Alicia ? Je ne suis pas encore un homme, c'est cela ? Pas assez pour vous ?

— Fernandito, tu es suffisamment un homme et tu pourrais couler l'Invincible Armada, mais ce qu'il te faut, c'est une fiancée de ton âge. Dans quelques années, tu comprendras que j'avais raison. Je ne peux t'offrir que mon amitié.

Fernandito avait l'orgueil d'un aspirant pugiliste, avec une indéniable disposition mais pas de qualités : peu importait ce qu'il encaissait, il en redemandait.

— Personne ne vous aimera jamais comme moi, Alicia. Personne.

À force d'écouter des boléros à la radio, Fernandito avait le mélodrame dans le sang. Le jour où Alicia prit le train pour Madrid, il l'attendit à la gare. Ses habits du dimanche et ses chaussures cirées lui donnaient un air improbable de Carlitos Gardel miniature. Il tenait un bouquet de roses rouges qui lui avait probablement coûté un mois de salaire, et il était décidé à lui remettre une lettre d'amour et de passion qui aurait fait fondre de honte lady Chatterley, mais qui fit seulement pleurer Alicia, et pas de la manière attendue par le pauvre Fernandito. Avant qu'elle ne montât dans le train et se mît à l'abri de l'apprenti Casanova, il s'arma de tout le courage accumulé en lui depuis l'assaut de la puberté et il lui colla un énorme baiser, de ceux que l'on ne fait qu'à quinze ans et qui laissent croire, ne fût-ce qu'un instant, que l'espoir existe ici-bas.

— Vous brisez ma vie, mademoiselle Alicia, sanglota-t-il. Je pleurerai à en mourir. J'ai lu que ça arrive parfois. Quand le canal lacrymal s'assèche, ça crève l'aorte. Ils l'ont dit l'autre jour à la radio. Vous recevrez le faire-part, pour que ma mort vous pèse sur la conscience.

— Fernandito, il y a davantage de vie dans une de tes larmes que je ne pourrais jamais en vivre, même si je mourais à cent ans.

— On dirait que vous avez trouvé cette phrase dans un livre.

— Aucun livre ne te rendra justice, Fernandito, à moins que ce ne soit un traité de biologie.

— Partez, avec votre perfidie et votre cœur de pierre. Un jour, quand vous serez seule comme un chien, vous me regretterez. Je vous manquerai.

Alicia déposa un baiser sur son front. Elle l'aurait bien embrassé sur la bouche, mais ç'aurait achevé le chérubin.

— Tu me manques déjà. Prends soin de toi, Fernandito. Et essaie de m'oublier.

Elles arrivèrent enfin au dernier étage et, devant la porte de son ancien appartement, Alicia sentit son anxiété retomber. Jesusa ouvrit et alluma la lumière.

— Ne vous inquiétez pas, dit la concierge comme si elle avait lu dans ses pensées. Le garçon s'est trouvé une fiancée très mignonne et il est beaucoup plus dégourdi. Allez, entrez.

Alicia posa sa valise et pénétra dans l'appartement. Jesusa la surveilla depuis le seuil. Il y avait des fleurs fraîches dans un vase à l'entrée et la maison sentait le propre. Elle parcourut les pièces et les couloirs, lentement, comme si elle visitait les lieux pour la première fois.

Elle entendit Jesusa derrière elle, qui posait les clefs sur la table, et elle revint dans la salle à manger. La concierge la regardait avec un petit sourire.

— Comme si c'était hier, pas vrai ?

— Comme si c'était avant-hier, rectifia Alicia.

— Vous restez combien de temps ?

— Je ne sais pas encore.

Jesusa hocha la tête.

— Bon, vous devez être fatiguée. Vous trouverez de quoi dîner dans la cuisine. Fernandito a rempli le garde-manger. Si vous avez besoin de quoi que ce soit, vous savez où me trouver.

— Merci beaucoup, Jesusa.

La concierge détourna le regard.

— Je suis contente que vous soyez revenue.

— Moi aussi.

Jesusa ferma la porte derrière elle et Alicia entendit le bruit de ses pas qui se perdaient dans l'escalier. Elle écarta les rideaux et ouvrit les fenêtres pour se pencher dans la rue. L'océan de terrasses de la vieille Barcelone s'étendait devant elle et les tours de la cathédrale de Santa María del Mar se dressaient au loin. Elle suivit le tracé de la rue Aviñón et elle aperçut une silhouette qui se retirait dans l'ombre du porche de la Manual Alpargatera, le magasin d'espadrilles en face. Le quidam fumait et des volutes de fumée argentées grimpaient sur la façade de l'immeuble. Alicia fixa ce point quelques instants, puis elle abandonna. Il était trop tôt pour imaginer une ombre à l'affût. Elle aurait bien le temps de le faire.

Elle referma les fenêtres. Elle n'avait absolument pas faim mais elle s'installa à la table de la cuisine et mangea un morceau de pain avec du fromage et des fruits secs. Elle déboucha une bouteille de vin blanc posée sur la table. Le col était orné d'un ruban rouge. Ce détail ressemblait fort à Fernandito ; il se rappelait encore ses faiblesses. Elle se servit un verre et but à petites gorgées, les yeux clos.

— Espérons qu'il n'est pas empoisonné, dit-elle. À ta santé, Fernandito.

C'était un penedès d'une bonne année, délicieux. Elle se resservit et alla se réfugier dans le grand fauteuil du salon. Elle vérifia que son poste de radio fonctionnait toujours. Elle dégusta son deuxième verre, lentement, puis, lassée par les informations qui rabâchaient aux auditeurs, au cas où ils l'auraient oublié, que l'Espagne suscitait la convoitise de tous les pays du monde par l'éclat dont elle brillait, elle éteignit la radio et alla chercher sa valise. Elle la tira au milieu de la salle à manger et l'ouvrit par terre. Contemplant son contenu, elle se demanda pourquoi elle avait pris la peine d'emporter des vêtements et des vestiges de son autre vie qu'elle n'avait nullement l'intention d'utiliser. Elle fut tentée de la refermer et de demander à Jesusa d'en faire don le lendemain aux sœurs de la Caridad. Elle ne sortit de la valise que le révolver et deux paquets de balles. Un cadeau de Leandro pour sa deuxième année de service. Alicia soupçonnait que l'arme avait une histoire que son mentor avait préféré lui taire.

— *Et ça, qu'est-ce que c'est ? Le canon du grand capitaine ?*

— *Je peux te trouver un pistolet pour dames si tu préfères, avec un manche en ivoire et deux canons dorés.*

— *Qu'est-ce que j'en ferais, à part m'entraîner à la chasse aux caniches ?*

— *Essayer de faire en sorte que personne ne s'entraîne sur toi.*

Alicia avait fini par accepter ce mastodonte, comme elle l'avait fait pour tant d'autres choses venant de Leandro, selon un accord tacite de soumission et d'apparences où un froid sourire de courtoisie et un voile de silence scellaient l'innommable, ce qui lui permettait de se regarder dans une glace et de continuer à se mentir sur la finalité de son existence. Elle prit l'arme et la soupesa. Elle ouvrit le barillet et vérifia qu'il était vide. Elle renversa une boîte de munitions par terre et elle introduisit précautionneusement les six balles. Elle se dirigea ensuite vers la bibliothèque chargée de livres qui couvrait tout un mur. Après le passage de Jesusa et son armée de plumeaux, il ne restait plus un grain de poussière, et plus trace de son absence de trois ans. Elle prit une bible reliée en cuir, rangée à côté d'une traduction française du *Doctoral Faustus*, et elle l'ouvrit. Les pages avaient été découpées au couteau afin d'offrir un étui parfaitement adapté à son artillerie personnelle. Elle cacha l'arme dans la bible qu'elle reposa sur le rayonnage.

“Amen”, psalmodia-t-elle.

Elle referma la valise et se rendit dans sa chambre où des draps récemment repassés et parfumés l'accueillirent. La fatigue du voyage et la chaleur du vin firent le reste. Elle ferma les yeux et écouta le murmure de la ville à son oreille.

Cette nuit-là, Alicia rêva à nouveau qu'il pleuvait du feu. Elle sautait sur les terrasses du Raval, fuyant le tonnerre de bombes, tandis que les édifices s'effondraient autour d'elle en colonnes de feu et de fumée noire. Un essaim d'avions passaient en vol rasant et mitraillaient les gens qui essayaient de s'enfuir par les ruelles jusqu'aux abris. En se penchant au-dessus de la rue Arco del Teatro, elle apercevait une femme et quatre enfants qui filaient vers les Ramblas, complètement paniqués. Une rafale de projectiles balayait la ruelle et leurs corps explosaient dans une gerbe de sang et de viscères alors qu'ils couraient. Alicia fermait les yeux, et l'explosion se produisait à cet instant précis. Elle la sentait avant de l'entendre, comme si un train l'avait heurtée dans le noir. Une douleur fulgurante incendiait tout un côté de son corps et les flammes la soulevaient et la lançaient contre une verrière. Elle passait au travers et tombait dans le vide.

Quelque chose arrêtait rapidement sa chute. Elle avait atterri près d'une balustrade en bois suspendue sous la verrière d'une grande construction. Elle se traînait jusqu'au bord, regardait en dessous et devinait dans l'obscurité les contours d'une armature métallique en spirale. Elle se frottait les yeux et fouillait la pénombre à la maigre lueur rougeâtre reflétée par les nuages : à ses pieds s'étendait une citadelle à l'architecture extravagante, faite de livres. Puis elle entendait des pas qui approchaient par l'un des escaliers du labyrinthe, et elle entrevoyait la silhouette d'un homme aux cheveux clairsemés qui s'agenouillait près d'elle et examinait les blessures qui couvraient son corps. Il la prenait dans ses bras et la conduisait le long de tunnels, d'escaliers et de passerelles. Au rez-de-chaussée de la construction, il l'allongeait sur un lit et s'occupait de ses blessures, la retenant au seuil de la mort sans la lâcher, tandis que les bombes continuaient de tomber avec furie. La lumière des flammes filtrait du haut de la coupole et lui permettait de distinguer des images clignotantes du plus merveilleux endroit qu'elle n'avait jamais vu. Une basilique de livres cachée dans un palais qui n'avait jamais existé, un lieu où elle ne pourrait revenir qu'en rêve. Parce qu'un tel espace ne pouvait appartenir qu'à l'au-delà, où l'attendait sa mère, Lucia, et où son âme était restée prisonnière.

À l'aube, l'homme aux cheveux clairsemés la prenait à nouveau dans ses bras. Ils traversaient les rues d'une Barcelone maculée de sang et en flammes et ils arrivaient dans un hospice où un médecin couvert de cendres la regardait, maugréant en silence.

— Cette poupée est cassée, disait-il en tournant les talons.

Alors, comme elle l'avait si souvent rêvé, Alicia regardait son propre corps et elle reconnaissait la marionnette calcinée et encore fumante d'où pendaient des fils coupés. Des infirmières sans yeux se détachaient des murs, arrachaient la poupée des bras du bon samaritain et la tiraient jusqu'à une sorte de hangar sans fin où se dressait une montagne énorme de pièces et de restes de centaines, de milliers de poupées comme elle. Elles la lançaient sur le tas et elles s'éloignaient en riant.

4

Le piquant soleil d'hiver qui poignait au-dessus des terrasses la réveilla. Alicia ouvrit les yeux et songea que c'était sa première et dernière journée de liberté à Barcelone. Ce soir, Vargas pointerait très probablement son nez dans les parages. Elle décida de se rendre d'abord à la librairie de Gustavo Barceló, tout près de chez elle, dans la rue Fernando. Elle se rappela les conseils de Virgilio à propos du libraire et de sa prédilection pour les demoiselles à l'allure sexy, et elle s'habilla en conséquence. En ouvrant son ancienne armoire, elle constata que Jesusa, anticipant sa venue, avait lavé et repassé toute sa garde-robe qui fleurait bon la lavande. Elle caressa du bout des doigts les vieilles couleurs datant de la guerre, tâchant d'évaluer à l'aveuglette une tenue à la hauteur de son objectif. Profitant de la nouvelle chaudière installée dans l'immeuble en son absence, elle prit une longue douche chaude qui emplit l'appartement de vapeur.

Entortillée dans une serviette de bain aux initiales de l'hôtel Windsor, elle alla allumer la radio de la salle à manger. Elle tourna le bouton des fréquences et tomba sur l'orchestre de Count Basie. Une civilisation capable de produire un tel son ne pouvait manquer d'avenir. Dans la chambre elle enleva sa serviette, enfila des bas couture qu'elle avait achetés lors d'une de ses expéditions d'auto-récompense à la Perla Gris. Elle chaussa des escarpins à talons qui auraient sans nul doute provoqué la désapprobation de Leandro, et elle se glissa dans une robe noire en laine qu'elle n'avait encore jamais portée et qui lui allait comme un gant, moulant impeccablement ses formes. Elle prit tout son temps pour se maquiller, parachevant son œuvre grâce à un rouge à lèvres carmin intense, et elle ajouta la touche finale, un manteau rouge. Enfin, comme tous les matins quand elle vivait à Barcelone, elle descendit prendre son petit-déjeuner au Gran Café.

Miquel, le vieux serveur et physionomiste officiel du quartier posté derrière le comptoir, la reconnut dès qu'elle franchit la porte et il la salua comme si elle était venue la veille. Alicia s'assit à une table contre la vitre et elle contempla le vieux café désert à cette heure matinale. Sans qu'elle eût besoin de passer commande, Miquel lui apporta, comme à l'accoutumée, un café au lait, deux toasts, du beurre et de la confiture de fraises, et un exemplaire de *La Vanguardia* qui sentait l'encre fraîche.

— Vous n'avez pas oublié, je vois.

— On ne vous voyait plus dans le coin depuis un moment, mais pas à ce point, Alicia. Bienvenue à la maison !

Elle prit son petit-déjeuner tranquillement en feuilletant le quotidien. Elle avait oublié combien elle aimait commencer la journée par la lecture, dans *La Vanguardia*, des petits changements de mise en scène de la vie publique barcelonaise, véritable crèche vivante, tout en se régalant de confiture de fraises et en laissant le temps filer comme si elle en avait à perdre.

Le rituel terminé, elle alla au comptoir où Miquel faisait briller les verres à pied dans la lumière tiède du matin.

— Combien je vous dois, Miquel ?

— Je le mets sur votre compte. À demain, à la même heure ?

— Si Dieu le veut.

— Vous êtes très élégante. Un rendez-vous galant ?

— Mieux. Un rendez-vous avec des livres.

5

Barcelone la reçut avec un de ses matins d'hiver poudré de soleil invitant à sacrifier à l'art de la promenade. La librairie de Gustavo

Barceló était située en face des arcades de la Plaza Real, à quelques minutes à pied du Gran Café. Alicia s'y rendit, escortée par une équipe d'éboueurs armés de balais et d'un tuyau d'arrosage qui rendaient à la rue tout son lustre. Les trottoirs de la rue Fernando étaient bordés de comptoirs qui ressemblaient davantage à des sanctuaires qu'à des commerces : confiseries aux allures de joailleries, boutiques de tailleur aux décors d'opéra et, dans le cas de la librairie de Barceló, un musée où, à peine entré pour fouiner, le visiteur ressentait la tentation de rester vivre là. Avant de franchir le seuil, Alicia s'arrêta un instant pour admirer le spectacle des bibliothèques vitrées et des étagères savamment organisées qu'on devinait derrière la vitrine. Elle entra et remarqua un jeune vendeur en blouse bleue grimpé sur une échelle qui dépoussiérait le haut d'un meuble. Elle fit mine de ne pas l'avoir vu et elle s'avança.

— Bonjour ! la salua-t-il.

Alicia se retourna et lui offrit un sourire qui, à lui seul, aurait ouvert un coffre-fort.

Le jeune homme redescendit rapidement de l'échelle et vint se placer derrière le comptoir, le chiffon à poussière sur l'épaule.

— En quoi puis-je vous aider, madame ?

— Mademoiselle, précisa Alicia en ôtant lentement ses gants.

Il confirma de la tête, ébloui. La facilité de ces passes de cape ne laissait pas de surprendre Alicia. Bénie soit la bêtise des hommes de bonne volonté sur la terre !

— Pourrais-je parler à M. Gustavo Barceló, je vous prie ?

— Monsieur est absent en ce moment...

— Savez-vous quand je pourrai le trouver ?

— Voyons... En réalité, M. Gustavo ne passe plus à la boutique, sauf s'il a rendez-vous avec un client. M. Felipe, le gérant, est à Pedralbes pour évaluer une collection. Il sera de retour à midi.

— Comment vous appelez-vous ?

— Benito, pour vous servir.

— Écoutez-moi, Benito, je lis sur votre visage que vous êtes un jeune homme débrouillard, et je suis certaine que vous pouvez m'aider.

— Vous n'avez qu'à demander.

— Bon, c'est un sujet délicat. Il faudrait que je m'entretienne très rapidement avec M. Barceló, car il se trouve qu'un de mes proches parents, grand collectionneur, a récemment acquis une pièce unique qu'il souhaiterait revendre, et il aimerait que M. Gustavo agisse comme intermédiaire et conseiller dans l'opération, afin de garder l'anonymat.

— Je comprends, balbutia le garçon.

— La pièce en question est un volume en parfait état de la série *Le Labyrinthe des esprits*, d'un certain Víctor Mataix.

Le jeune homme ouvrit des yeux grands comme des soucoupes.

— Mataix, dites-vous ?

Alicia acquiesça.

— Ce nom vous dit-il quelque chose ?

— Si vous me faites l'amabilité d'attendre une minute, je vais essayer de joindre M. Gustavo tout de suite.

Alicia sourit docilement. Le vendeur disparut dans l'arrière-boutique et elle entendit bientôt le bruit du cadran d'un téléphone qui tournait. La voix du vendeur lui parvint, saccadée et étouffée derrière le rideau.

— Monsieur Gustavo, excusez-moi de... Oui, oui, je sais l'heure qu'il est... Non, non, je n'ai pas re... Oui, oui monsieur, je vous prie... Non, je vous prie... Bien sûr que j'aime mon travail... Non, s'il vous plaît... Une seconde, une seule seconde... Merci.

Le garçon reprit son souffle et se lança :

— Il y a ici une demoiselle qui dit avoir un Víctor Mataix en parfait état à vendre.

Un long silence.

— Non, je n'invente rien. Comment ? Non. Je ne la connais pas. Je ne l'avais jamais vue avant. Je l'ignore. Jeune, très élégante... Enfin, oui plutôt... Non, je ne les trouve pas toutes... Oui, oui monsieur, tout de suite, monsieur...

Il réapparut sur le seuil de l'arrière-boutique, tout sourire.

— M. Gustavo me demande quand vous seriez disposée à le rencontrer.

— Cet après-midi, à la première heure ? proposa Alicia.

Le jeune homme disparut à nouveau.

— Elle propose cet après-midi. Oui. Je ne sais pas. Je lui demande... Ah, donc je ne lui demande pas... Comme vous voudrez, monsieur Gustavo. Oui, monsieur. Tout de suite. N'en doutez pas. Oui, monsieur. Vous aussi.

Le vendeur revint, apparemment soulagé.

— Tout va bien, Benito ? s'enquit Alicia.

— On ne peut mieux. Je vous prie d'excuser le tracas. M. Gustavo est un saint homme, mais il a ses petites manies.

— Aucun problème.

— Il m'a dit qu'il sera ravi de vous recevoir cet après-midi au Cercle équestre, si cela vous convient. Il y déjeune aujourd'hui et il y sera tout l'après-midi. Savez-vous où se trouve le Cercle ? C'est la Casa Pérez Samanillo, sur Balmes, au croisement de Diagonal.

— Je connais le bâtiment. Je dirai à M. Barceló que vous avez été d'une grande aide.

— Je vous en remercie.

Alicia allait partir quand le jeune homme, peut-être désireux de prolonger sa visite quelques instants, fit le tour du comptoir et s'offrit pour la raccompagner, prévenant, jusqu'à la rue.

— C'est curieux, la vie… improvisa-t-il nerveusement. Pendant des années, personne n'a vu un seul livre du *Labyrinthe*, et en un mois à peine deux personnes se présentent à la librairie à propos de Mataix…

Alicia s'arrêta.

— Ah oui ? Et qui était l'autre personne ?

Benito prit un air sérieux, comme s'il avait trop parlé. Alicia posa la main sur son bras et exerça une petite pression affectueuse.

— Ne vous inquiétez pas. Cela restera entre nous. Simple curiosité…

Le vendeur hésita. Alicia se pencha légèrement vers lui.

— C'était un monsieur de Madrid, on aurait dit un policier. Il m'a montré une carte de quelque chose, dit Benito.

— Vous a-t-il donné son nom ?

Benito haussa les épaules.

— Là, comme ça, je ne sais pas… Je me souviens de lui parce qu'il avait une cicatrice au visage.

Alicia sourit d'une façon qui déconcerta encore plus Benito.

— Sur la joue droite ? Une cicatrice ?

Le garçon pâlit.

— Ne s'appelait-il pas Lomana ? demanda Alicia. Ricardo Lomana ?

— C'est possible… Je n'en suis pas sûr, mais…

— Merci, Benito. Vous êtes un ange.

Alicia s'éloigna, mais l'employé la rappela.

— Mademoiselle ? Vous ne m'avez pas dit votre nom…

Elle se retourna et adressa à Benito un sourire qui illumina toute sa journée et une partie de sa nuit.

6

Après sa visite à la librairie de Barceló, Alicia se laissa tenter par ses anciens parcours et elle navigua sans hâte dans les méandres du Barrio Gótico avant sa deuxième visite de la journée. Elle avançait d'un pas lent, l'esprit occupé par Ricardo Lomana et son étrange disparition. Au fond, elle n'était pas surprise d'être déjà sur sa trace. Les années lui avaient enseigné que Lomana et elle marchaient souvent sur les talons l'un de l'autre et suivaient les mêmes pistes. Neuf fois sur dix, elle arrivait la première. Dans cette affaire, le seul élément notable était que Lomana, quelques semaines plus tôt, avait posé des questions sur les livres de Víctor Mataix. Or, selon Gil de Partera, quand il leur avait confié la mission, Lomana avait commencé son enquête par les lettres anonymes à Valls, et il était tout sauf un imbécile. La bonne nouvelle pour Alicia, c'était que si, de son côté, il en était venu à s'intéresser aux livres du *Labyrinthe des esprits*, elle y voyait la confirmation que son instinct ne la trompait pas. La mauvaise, c'était que tôt ou tard, elle tomberait sur lui. Et leurs rencontres finissaient rarement bien.

Selon ce qui se chuchotait dans le service, Ricardo Lomana était un ancien disciple du maudit inspecteur Fumero à la brigade sociale de Barcelone, et aussi le plus redoutable des fantoches recrutés par Leandro au fil des ans. Et ils étaient nombreux ! Dans son travail au service de Leandro, Alicia avait eu maille à partir avec Ricardo Lomana à plusieurs reprises. La dernière fois, c'était deux ans auparavant quand, ivre de rancœur et d'alcool parce qu'elle avait résolu une affaire dans laquelle il était embourbé depuis des mois, il l'avait suivie un soir jusque dans sa chambre, à l'Hispania. Il lui avait promis que lorsque Leandro ne serait plus là pour la protéger, il trouverait le moment et l'endroit pour la suspendre dans le vide et prendre tout son temps avec elle, une bonne caisse à outils à portée de la main.

— *Tu n'es ni la première ni la dernière poule de luxe que Leandro se dégote, ma jolie, et le jour où il se lassera de toi, je serai là. J'attendrai le temps qu'il faudra. Je te promets qu'on passera un sacré moment tous les deux, surtout toi, tu as une peau faite pour le fer...*

Au cours de cet échange, Lomana avait récolté un coup de genou dans les joyeuses qui lui avait valu deux semaines d'arrêt de travail, ainsi qu'une double fracture du bras et une entaille à la joue qui avait nécessité dix-huit points de suture. De son côté, Alicia paya ce rendez-vous de semaines d'insomnie passées à contempler la porte de sa chambre dans le noir, le révolver sur la table de nuit et un obscur pressentiment que le pire l'attendait, quand ils joueraient la revanche.

Elle décida d'écarter Lomana de ses pensées et de profiter de cette première matinée dans les rues de Barcelone. Elle poursuivit sa promenade au soleil sans hâte, goûtant chaque pas et s'arrêtant devant une vitrine au moindre signe de pression sur la hanche. Avec le temps, elle avait appris à déchiffrer les signes avant-coureurs et à agir pour juguler ou au moins retarder la douleur. Elles étaient de vieux adversaires, la douleur et elle, des briscards qui se connaissaient bien, se jaugeaient mutuellement et respectaient les règles du jeu. Malgré cela, cette première sortie sans l'attelle plaquée sur son corps valait bien le prix qu'elle ne manquerait pas de payer, elle le savait. Il serait toujours temps de le regretter.

Il n'était pas encore dix heures du matin quand elle s'engagea dans la Puerta del Ángel. En tournant dans la rue Santa Ana, elle aperçut la vitrine de la vieille librairie Sempere & Fils. En face, il y avait un petit café où elle s'installa, contre la vitre. Un peu de repos ne lui ferait pas de mal.

— Qu'est-ce qu'on vous sert, mademoiselle ? demanda un serveur qui paraissait être né dans ce local.

— Un café noir. Et un verre d'eau.

— De l'eau minérale ou du robinet ?

— Que me conseillez-vous ?

— Tout dépend du calcium que vous avez dans le sang.

— En bouteille. Et pas froide, s'il vous plaît.

— Ça roule.

Deux cafés et une demi-heure plus tard, Alicia fit le constat que personne ne s'était arrêté devant la librairie, pas même pour jeter un coup d'œil à la vitrine. Le livre-journal des recettes de Sempere & Fils devait se couvrir de toiles d'araignées à la vitesse de l'oubli. La tentation de traverser la rue, d'entrer dans cette boutique enchantée et d'y dépenser une fortune la démangeait, mais le moment n'était pas propice, elle en était consciente. L'heure était à l'observation. Elle laissa passer encore une trentaine de minutes, puis, en l'absence du moindre événement, elle débattit avec elle-même pour décider de lever l'ancre, ou pas. C'est alors qu'elle le vit. Il avançait d'un pas distrait, la tête dans les nuages, un léger sourire aux lèvres et l'air serein de qui se paie le luxe d'ignorer comment marche le monde. Elle n'avait jamais vu de photo de lui, mais elle sut qui il était avant qu'il n'approche de la porte de la librairie.

Daniel.

Alicia sourit sans s'en rendre compte. Daniel Sempere s'apprêtait à pousser la porte de la boutique, mais elle s'ouvrit devant lui et une femme d'une vingtaine d'années à peine sortit à sa rencontre. Elle possédait une beauté pure et lisse, qui paraissait émaner de l'intérieur comme auraient dit les auteurs de feuilletons radiophoniques, le genre de beauté qui tire des soupirs aux idiots énamourés, aux mordus des fables d'angelots au grand cœur. Elle avait cette pointe d'innocence, ou de pudeur, des jeunes filles de bonne famille, et elle s'habillait comme si elle soupçonnait sans oser le reconnaître le type de châssis qu'elle dissimulait sous ses vêtements. La fameuse Beatriz, se dit-elle, une Blanche-Neige auréolée d'innocence au pays des nains.

Beatriz se haussa sur la pointe des pieds et posa un baiser sur la bouche de son mari. Un baiser chaste, lèvres closes et frôlement léger. Alicia constata qu'elle était de celles qui ferment les yeux quand elles embrassent, même leur époux légitime, et qui se laissent prendre par la taille. Daniel, de son côté, bécotait encore comme un collégien, et un mariage précoce ne lui avait pas appris comment enlacer une femme, où poser ses mains et que faire avec ses lèvres. Personne ne le lui avait enseigné, c'était évident. Alicia sentit son sourire s'effacer et une pointe de malice envahir son cœur.

— Un verre de vin blanc, s'il vous plaît, demanda-t-elle au serveur.

Daniel dit au revoir à sa femme et entra dans la librairie. Beatriz, vêtue avec goût mais peu de moyens, se perdit dans la foule en direction de la Puerta del Ángel. Alicia étudia sa taille et le balancement de ses hanches.

— Ah ! Si je t'habillais, ma princesse… murmura-t-elle.

— Vous disiez, mademoiselle ?

Alicia se retourna et vit le serveur. Il la regardait d'un air benêt et vaguement inquiet, son verre de vin à la main.

— Comment vous appelez-vous ? lui demanda-t-elle.

— Moi ?

Alicia regarda autour d'elle puis dans le bar : ils étaient seuls.

— Voyez-vous quelqu'un d'autre ici ?

— Marcelino.

— Pourquoi ne pas vous asseoir avec moi, Marcelino ? Je n'aime pas boire seule. Bon, ce n'est pas tout à fait vrai, mais je préfère être accompagnée.

Le serveur déglutit.

— Si vous voulez, je vous invite. Une petite bière ?

Marcelino la regardait, paralysé.

— Asseyez-vous, Marcelino, je ne mords pas.

Le jeune homme obéit et s'assit en face d'elle. Alicia lui sourit avec douceur.

— Avez-vous une fiancée, Marcelino ?

Il fit signe que non.

— Elles ne savent pas ce qu'elles perdent. Dites-moi, ce bar possède-t-il une sortie à l'arrière ?

— Pardon ?

— Y a-t-il une porte donnant sur une ruelle, ou sur un escalier voisin… ?

— Il y en a une derrière, sur la cour qui débouche rue Bertrellans. Pourquoi ?

— Parce que quelqu'un me suit.

Marcelino jeta un coup d'œil dans la rue, inquiet.

— Voulez-vous que j'appelle la police ?

Alicia posa sa main sur celle du serveur qui était à deux doigts de se transformer en statue de sel.

— Ce n'est pas la peine. Rien de sérieux. Mais je préférerais utiliser une sortie plus discrète, si cela ne vous pose pas de problème, bien sûr.

Marcelino remua la tête de droite à gauche.

— Vous êtes un amour, Marcelino. Combien vous dois-je ?

— C'est la maison qui invite.

— Vous êtes sûr ?

Marcelino confirma de la tête.

— C'est toujours ce que je dis, les gens ne savent pas tout ce qu'il y a de bien ici... Vous avez un téléphone ?

— Derrière le comptoir.

— Cela vous dérange-t-il si je passe un coup de fil ? En dehors de Barcelone, mais ça je le paierai, sans faute.

— Comme vous voulez...

Alicia trouva un vieux téléphone accroché au mur derrière le comptoir. Marcelino, cloué à la même place, la regardait. Elle lui fit un petit signe tandis qu'elle composait le numéro.

— Passez-moi Vargas, s'il vous plaît.

— Vous êtes Gris, n'est-ce pas ? demanda une voix au ton passablement moqueur à l'autre bout du fil. Le capitaine attendait votre appel. Je vous le passe.

Alicia entendit le bruit du combiné qu'on repose sur la table et la voix qui interpellait son collègue.

— Vargas, c'est doña Inés... lança un agent pendant qu'un autre entonnait le refrain du boléro *Aquellos ojos verdes*.

— Vargas à l'appareil. Comment allez-vous ? Ça y est, vous dansez la sardane ?

— Qui est doña Inés ?

— Vous. Ici, on a nous a déjà collé des surnoms. Je suis don Juan et...

— Vos compagnons sont très spirituels...

— Vous n'imaginez pas... Il y a du talent à revendre ici. Qu'avez-vous à me raconter ?

— Je me suis dit que je devais vous manquer.

— On m'a fait pire et j'ai survécu.

— Je suis ravie que vous le preniez si bien. Je pensais que vous étiez déjà en chemin pour me rejoindre.

— Si cela ne dépendait que de moi, vous resteriez là-bas toute seule jusqu'à la retraite.

— Et vos supérieurs, qu'en disent-ils ?

— Que je dois prendre la voiture et conduire toute la journée et une partie de la nuit pour être demain auprès de vous.

— À propos de voiture, avez-vous du nouveau concernant celle de Valls ?

— Non, rien de neuf. On l'a retrouvée, abandonnée à... Attendez, je regarde mon carnet, ah oui, sur la route des Aguas, à Vallvidrera. Ça se trouve à Barcelone ?

— Enfin, au-dessus plutôt.

— Au-dessus ? Comme le ciel ?

— Presque. Aucune trace de Valls ou de son chauffeur, Vicente ?

— Quelques gouttes de sang sur le siège du passager. Des signes de violence. Aucune trace d'eux deux.

— Quoi d'autre ?

— C'est tout. Et vous ? Qu'avez-vous à me raconter ?

— Que vous, vous me manquez, dit Alicia.

— Ce retour à Barcelone vous abêtit, je crois. Où êtes-vous actuellement ? En pèlerinage à Montserrat pour saluer la Moreneta ?

— Presque. Au moment où je vous parle, je regarde la vitrine de Sempere & Fils.

— Très productif. Avez-vous eu une conversation avec Leandro par hasard ?

— Non, pourquoi ?

— Parce qu'il me harcèle depuis ce matin en me demandant de vos nouvelles. Faites-moi plaisir, appelez-le, souhaitez-lui bon Noël et joyeuses Pâques, où il ne va pas me lâcher.

Alicia soupira.

— Je vais le faire. Et vous, vous pouvez faire quelque chose pour moi.

— C'est mon nouvel objectif dans l'existence, apparemment.

— C'est un peu délicat, précisa Alicia.

— Ma spécialité.

— J'ai besoin que vous fassiez jouer vos contacts à la Préfecture pour découvrir discrètement ce que faisait un certain Ricardo Lomana avant qu'il s'évapore dans la nature.

— Lomana ? Celui qui a disparu ? Un sale type.

— Vous le connaissez ?

— De réputation. Mauvaise. Je vais voir ce que je peux faire.

— Je ne vous en demande pas plus.

Vargas soupira à l'autre bout de la ligne.

— Je pense arriver demain matin. Si vous le souhaitez, on peut prendre le petit-déjeuner ensemble et je vous raconterai ce que j'ai trouvé sur votre ami Lomana, au cas où je découvrirais quelque chose. Vous allez être sage et ne pas vous mettre dans le pétrin jusqu'à ce que j'arrive, j'espère ?

— Je vous le promets.

7

Marcelino l'observait toujours à distance, alternant entre sa fascination maladive et des coups d'œil furtifs dans la rue à la recherche du mystérieux poursuivant. Alicia lui lança une œillade et lui montra son index.

— Encore un appel, juste un...

Elle composa le numéro direct de la *suite**. Il ne laissa pas l'appareil sonner. Il devait être assis à côté du téléphone, attendant son appel.

— C'est moi, murmura-t-elle.

— Alicia, Alicia... susurra-t-il avec douceur. Je n'aime pas que tu m'évites. Tu le sais.

— J'allais vous appeler. Ce n'était pas la peine de faire pression sur moi.

— Je ne te comprends pas.

— Vous ne me faites pas suivre, peut-être ?

— Si c'était le cas, je n'aurais pas choisi un incapable qui se fait repérer dès le premier jour. Qui est-ce ?

— Je l'ignore encore. Je pensais que c'était un de vos hommes.

— Eh bien non. À moins que cela ne vienne de nos amis du commissariat central…

— La pépinière locale doit être à court de talents pour m'avoir collé ce ringard.

— Il n'est pas facile de trouver des gens compétents. Ce n'est pas moi qui dirais le contraire. Veux-tu que je passe un coup de fil pour t'en débarrasser ?

Alicia réfléchit.

— Non, finalement. Je viens de penser à quelque chose.

— Ne sois pas trop sévère avec lui. Je ne sais pas qui ils t'ont envoyé, mais c'est probablement un bleu.

— Suis-je donc si facile à berner ?

— Au contraire. Je pense plutôt que personne n'a accepté le boulot.

— Insinueriez-vous que je n'ai pas laissé de bons souvenirs ?

— Je t'ai toujours dit que l'important est d'y mettre les formes. Tu vois ce qui se passe autrement ? As-tu des nouvelles de Vargas ?

— Oui.

— Tu es donc au courant pour la voiture. Tout va bien chez toi ?

— Oui. L'appartement est propre comme un sou neuf grâce à Mme Jesusa. Elle a aussi repassé tous mes vêtements, jusqu'à ma robe de première communion. Merci pour l'organisation.

— Je veux que tu ne manques de rien.

— C'est pour cela que vous m'envoyez Vargas ?

— Non, il a dû agir de sa propre initiative. Ou sur ordre de Gil de Partera. Je t'ai déjà dit qu'ils ne nous font pas confiance.

— Pour quelle raison ?

— Quel est ton programme pour aujourd'hui ?

— Je suis allée dans des librairies et cet après-midi j'ai rendez-vous avec quelqu'un susceptible de m'éclairer sur Víctor Mataix.

— Tu suis toujours la piste de ce livre…

— Ne serait-ce que pour l'écarter.

— Est-ce que je le connais ? L'homme avec qui tu as rendez-vous ?

— Je ne sais pas. C'est un libraire. Gustavo Barceló, ce nom vous dit-il quelque chose ?

Il marqua un temps quasi imperceptible, qui n'échappa pourtant pas à Alicia.

— Ce nom ne me dit rien. Appelle-moi si tu trouves quelque chose. Autrement, appelle tout de même.

Alicia mijotait une réplique mordante quand elle entendit la tonalité. Leandro avait raccroché. Elle laissa des pièces sur le comptoir pour régler les consommations et les deux appels, et elle envoya un baiser à Marcelino en soufflant dans sa main.

— Tout cela reste entre nous, hein, Marcelino ?

Le serveur acquiesça avec conviction et il accompagna Alicia à l'arrière du bar, jusqu'à la porte donnant sur la cour. Un dédale de passages se faufilait entre les bâtiments et débouchait sur une voie sinistre, typique de la vieille ville, aussi étroite et sombre que la raie des fesses d'un séminariste.

La ruelle reliait les rues Canuda et Santa Ana. Alicia fit le tour du pâté de maisons et en arrivant au coin de la rue elle s'arrêta pour observer la scène. Une femme poussait une voiture d'enfant d'une main tout en essayant de l'autre de tirer un garçonnet dont les bottines paraissaient collées au sol. Un jeune homme en costume, une écharpe autour du cou, badait devant la vitrine d'un magasin de chaussures tout en lorgnant deux demoiselles élégantes avec des bas couture qui passaient en riant. Un garde municipal marchait au milieu de la rue d'un air suspicieux. Et elle le vit, se fondant presque dans le mur d'un porche, comme une affiche. Il était de petite taille et d'une apparence tellement anodine qu'elle frisait l'invisibilité. Le spécimen fumait et scrutait nerveusement la porte du café, en consultant régulièrement sa montre. Il n'était pas mal choisi, pensa-t-elle. Il avait l'air tellement insignifiant que l'ennui lui-même ne l'aurait pas remarqué en passant à côté de lui. Alicia s'approcha et s'arrêta à quelques centimètres de son crâne pâle. Elle dessina un O avec ses lèvres puis souffla.

L'individu sursauta et faillit perdre l'équilibre. Il se retourna et il devint livide en voyant Alicia.

— Comment t'appelles-tu, chéri ? lui demanda-t-elle.

Si le petit bonhomme avait une voix, il ne la retrouva pas. Ses yeux tournoyèrent dans leurs orbites avant de revenir à Alicia.

— Si tu files, je te plante un poinçon dans le ventre. C'est compris ?

— Oui, répondit le type.

— C'était une blague ! lâcha Alicia en souriant. Je ne fais jamais ce genre de choses.

Le pauvre portait des vêtements qui semblaient empruntés et il avait l'allure d'un rongeur acculé. On lui avait assigné un valeureux espion ! Alicia le tira par le revers de sa veste et le conduisit aimablement mais avec fermeté jusqu'au coin de la rue.

— Comment t'appelles-tu ?

— Rovira, marmonna-t-il.

— C'était toi hier soir, à la porte de la Manual Alpargatera ?

— Comment le savez-vous ?

— Ne fume jamais à contre-jour dans la lumière d'un réverbère.

Rovira hocha la tête, pestant contre lui-même en silence.

— Dis-moi, Rovira, depuis combien de temps es-tu dans le Corps ?

— Ça fera deux mois demain, mais s'ils apprennent au commissariat que vous m'avez repéré...

— Il n'y a pas de raison que ça se sache.

— Non ?

— Non. Parce que toi et moi, Rovira, on va s'entraider. Sais-tu comment ?

— Je ne vous suis pas, mademoiselle.

— C'est justement l'idée. Mais pour commencer, appelle-moi Alicia, on est du même bord.

Elle fouilla les poches de la veste de Rovira et elle trouva un paquet de cigarettes, de ceux vendus au bar du coin et qui font la paire avec le *carajillo*, le café arrosé. Elle alluma une cigarette et la mit dans la bouche de l'homme. Elle le laissa aspirer quelques bouffées et lui sourit aimablement.

— Tu te sens un peu plus calme ?

Il acquiesça.

— Dis-moi, Rovira, pourquoi t'ont-ils choisi pour me filocher ?

Le type hésita.

— Ne le prenez pas mal, mais personne ne voulait s'en charger.

— Ah, et pourquoi ?

Il haussa les épaules.

— Ne fais pas ton timide, allez, crache le morceau.

— Ils disent que vous roulez les gens dans la farine, sans ménagement, et que vous portez la poisse.

— Je vois. Et toi, ça ne t'a pas intimidé, c'est clair.

— Moins chanceux que moi, y a pas. On ne m'a pas vraiment laissé le choix.

— En quoi consiste exactement ta mission ?

— Vous suivre à distance et rendre compte de là où vous êtes et de ce que vous faites sans que vous le sachiez. Vous voyez comme je m'en suis bien sorti… Je les avais prévenus, la filature c'est pas mon fort.

— Pourquoi es-tu entré dans la police ?

— Je voulais étudier les arts graphiques, mais mon beau-père est capitaine au quartier général.

— Je vois. Et madame aime l'uniforme, c'est ça ?

Alicia posa la main sur son épaule d'un geste maternel.

— Rovira, il y a des moments où un homme doit montrer qu'il a du cran et, ça me coûte de le dire, qu'il est né pour uriner debout. Je vais t'offrir l'opportunité de démontrer que tu es beaucoup plus capable que tu ne le crois. À moi, au Corps supérieur de la police, à ton beau-père et à madame ton épouse, qui aura besoin d'un bon remontant quand elle verra quel genre de mâle elle a à la maison.

Il la regardait, au bord de l'étourdissement.

— À partir de maintenant, tu vas me suivre comme on te l'a ordonné, mais jamais à moins de cent mètres et en faisant en sorte que je ne te vois pas. Et quand on te demandera où je suis allée et ce que j'ai fait, tu répéteras ce que je te dirai.

— Mais… Est-ce bien légal ?

— Rovira, tu *es* la police. C'est toi qui décides ce qui est légal.

— Je ne sais pas…

— Bien sûr que tu le sais. Tu connais la chanson. Ce qui te manque, c'est la confiance en toi.

Il cilla plusieurs fois, sonné.

— Et si je refuse ?

— Ne sois pas comme ça, on commençait à devenir amis. Si tu refuses, je serai obligée d'aller trouver ton capitaine de beau-père pour lui raconter que je t'ai aperçu sur le mur de l'école des Teresianas, en train de te pignoler à l'heure de la récréation.

— Vous n'oseriez pas.

Alicia le regarda fixement.

— Rovira, tu n'as pas la moindre idée de ce dont je suis capable.

Il laissa échapper un gémissement.

— Vous êtes mauvaise.

Elle serra les lèvres dans une sorte de moue.

— Quand je déciderai d'être mauvaise avec toi, tu le remarqueras tout de suite. Demain, à la première heure, tu seras en face du Gran Café et je t'expliquerai ton programme pour la journée. Nous sommes d'accord ?

Il paraissait avoir perdu plusieurs centimètres pendant la conversation. Il lui adressa un regard suppliant.

— C'est une blague, n'est-ce pas ? Vous vous moquez de moi parce que je suis nouveau…

Alicia imita Leandro du mieux qu'elle put et lui emprunta son regard glacial. Elle hocha négativement la tête, lentement.

— Ce n'est pas une blague, c'est un ordre. Ne te défile pas. L'Espagne et moi comptons sur toi.

8

À l'aube du xxᵉ siècle, quand l'argent avait encore une odeur et que les grandes fortunes préféraient se mettre en scène plutôt que transmettre, un palais moderniste né d'une idylle louche entre le rêve des grands artisans et la vanité d'un potentat tomba du ciel et resta enchâssée dans l'enclave la plus improbable de la *Belle Époque** barcelonaise.

La Casa Pérez Samanillo occupait depuis un demi-siècle le coin de la rue Balmes et de l'avenue Diagonal, tel un mirage ou un avertissement. Conçue à l'origine comme une maison familiale, à une époque où presque toutes les grandes familles se défaisaient de leurs hôtels particuliers, cette ode à l'abondance maintenait ses allures de récif parisien illuminant les rues de ses couleurs cuivrées depuis ses grandes fenêtres et exhibant sans pudeur au regard des mortels ses escaliers, ses salons et ses lustres de cristal. Aux yeux d'Alicia, la bâtisse avait toujours ressemblé à un aquarium géant, derrière les parois duquel on pouvait contempler des organismes et des formes de vie exotiques et insoupçonnées.

Depuis des années déjà cet opulent fossile n'hébergeait plus aucune famille. Récemment, il était devenu le siège du Cercle équestre de Barcelone, une de ces institutions inexpugnables et élégantes qui fermentent dans toutes les grandes villes afin de permettre aux notables de se protéger de l'odeur de sueur émanant de la populace, sur le dos de laquelle leurs illustres prédécesseurs ont édifié leur fortune. Fin observateur de ce genre de choses, Leandro avait l'habitude de dire qu'une fois résolue la question du toit et de la nourriture l'être humain cherche en premier lieu les raisons et les moyens de se sentir différent de ses semblables, et supérieur à eux. Le siège du Cercle équestre paraissait répondre expressément à ce besoin, et Alicia soupçonnait que si Leandro n'était pas parti à Madrid des années plus tôt, ces salons de bois nobles délicieusement disposés auraient composé le décor parfait pour lui. Son mentor s'y serait installé et il y aurait réglé, en gants blancs, ses affaires obscures.

Un larbin en uniforme des pieds à la tête surveillait l'entrée et lui ouvrit l'impressionnante porte en fer forgé. Dans le vestibule, un individu en costume trois pièces, au visage desséché, se tenait derrière un pupitre éclairé. Il la détailla à plusieurs reprises, des pieds à la tête, avant d'esquisser une moue soumise.

— Bonjour, dit Alicia. J'ai rendez-vous avec M. Gustavo Barceló.

L'employé baissa la tête sur le cahier posé sur le pupitre et feignit de l'étudier un moment, pour donner de l'importance au rituel.

— Vous vous appelez… ?

— Verónica Larraz.

— Si vous voulez bien me suivre…

Le réceptionniste conduisit Alicia dans la somptueuse demeure. Sur son passage, les membres de la société interrompaient leurs conversations pour lui jeter des regards surpris, scandalisés parfois. Apparemment, ce lieu n'avait pas l'habitude de recevoir la visite d'une personne du genre féminin, et plus d'un patricien paraissait interpréter sa présence comme un affront à sa virilité rancie. Alicia se contenta de répondre à leur attention par un sourire courtois. Ils arrivèrent enfin dans un salon de lecture dont la grande baie vitrée donnait sur l'avenue Diagonal. Là, dans un fauteuil impérial et dégustant un verre de brandy de la taille d'un bocal à poissons, était assis un homme du monde, aux traits et aux moustaches majestueux, vêtu d'un costume trois pièces et chaussé comme un dandy. Le réceptionniste s'arrêta à deux mètres de lui et afficha un sourire pusillanime.

— Don Gustavo ? La visite que vous attendiez...

Gustavo Barceló, président honoraire de la corporation des libraires de Barcelone et spécialiste de tout ce qui a trait à l'éternel féminin et à ses plus élégants accessoires, se leva pour la recevoir avec une révérence chaleureuse et déférente.

— Gustavo Barceló. Mes hommages, madame.

Alicia lui tendit une main que le libraire baisa comme si c'était celle du pape. Il prit tout son temps et en profita pour l'examiner, une inspection qui lui révéla probablement jusqu'à la taille de ses gants.

— Verónica Larraz, se présenta Alicia. C'est un plaisir.

— Larraz est-il également le patronyme de votre parent collectionneur ?

Alicia devina que dès qu'elle avait eu le dos tourné Benito avait téléphoné à Barceló pour lui rendre compte de leurs échanges dans le moindre détail.

— Non. Larraz est mon nom d'épouse.

— Je comprends. La discrétion avant tout. Prenez place, je vous en prie.

Alicia s'installa confortablement dans le fauteuil face à Barceló et elle goûta l'atmosphère aristocratique et élitiste qui émanait des lieux.

— Bienvenue au royaume ranci des nouveaux riches et des familles déchues qui marient leur descendance entre elles pour perpétuer la caste, commenta Barceló, en suivant son regard.

— N'êtes-vous pas vous-même membre titulaire de ce Cercle ?

— J'ai refusé de l'être pendant de nombreuses années, pour des raisons d'hygiène, mais, avec le temps, les circonstances m'ont amené à succomber à la réalité de cette ville, et à nager contre le courant.

— Les avantages ne manquent pas, je suis sûre.

— Vous avez raison. On y fait la connaissance de gens contraints de dépenser leur héritage dans des choses auxquelles ils ne comprennent rien, et dont ils n'ont nul besoin ; on y soigne son plus minime accès de rêverie romantique concernant les élites autoproclamées du pays ; et le brandy est excellent. En outre, c'est un endroit magnifique pour pratiquer l'archéologie sociale. Plus d'un million de personnes vivent à Barcelone, mais à l'heure de vérité, quatre cents à peine possèdent les clefs de toutes les portes. Et elles sont bien fermées ! Tout dépend donc de qui garde le trousseau, de qui s'en sert, et du côté de la porte où on se trouve. Mais je doute que tout cela soit nouveau pour vous, madame Larraz. Puis-je vous offrir quelque chose, à part des palabres et des prêchi-prêcha de vieux libraire ?

Alicia refusa d'un geste de la tête.

— Bien sûr, venons-en au fait, n'est-ce pas ?

— Si cela ne vous dérange pas.

— Tout au contraire. Avez-vous apporté le livre ?

Alicia sortit de son sac l'exemplaire d'*Ariadna et le Prince écarlate* enveloppé dans un foulard de soie, et elle lui tendit. Barceló le prit à deux mains et dès que ses doigts frôlèrent la couverture ses yeux s'illuminèrent et ses lèvres dessinèrent un sourire de satisfaction.

— *Le Labyrinthe des esprits...* murmura-t-il. J'imagine que vous ne me direz pas comment il est arrivé entre vos mains.

— Le propriétaire préfère maintenir le secret à ce sujet.

— Je comprends. Avec votre permission...

Gustavo Barceló ouvrit le livre et tourna lentement les pages, savourant le moment, la rencontre, avec l'expression d'un *gourmet** qui se repaît d'un mets unique et extraordinaire. Alicia commençait à se dire que le vieux libraire l'avait oubliée, perdu qu'il était dans les pages de l'ouvrage, quand, interrompant son examen, il lui lança un regard inquisiteur.

— Pardonnez mon audace, madame Larraz, mais je dois vous avouer que je n'arrive pas à comprendre pourquoi quelqu'un, en l'occurrence le collectionneur que vous prétendez représenter, souhaiterait se défaire d'une pièce aussi...

— Pensez-vous qu'il soit difficile de trouver un acheteur ?

— Aucunement. Laissez-moi un numéro de téléphone. En moins de vingt minutes, je vous fais part d'au moins cinq propositions à la hausse. Moins ma commission de dix pour cent. La question n'est pas là.

— Quelle est-elle alors, monsieur Gustavo, si ce n'est pas indiscret ?

Il termina son brandy.

— La question est de savoir si vous désirez réellement vendre cette pièce, madame *Larraz*... répondit-il en insistant ironiquement sur le faux nom.

Alicia se borna à sourire timidement. Il hocha la tête.

— Inutile de me répondre, ni non plus de me donner votre vrai nom.

— Je m'appelle Alicia.

— Savez-vous que le personnage principal du *Labyrinthe des esprits*, Ariadna, a été imaginé en hommage à une autre Alicia, celle de Lewis Carroll et de son Pays des merveilles, Barcelone en l'occurrence ?

Alicia feignit la surprise et nia doucement.

— Dans le premier titre de la série, Ariadna trouve un livre de magie dans le grenier de la demeure de Vallvidrera, où elle vit avec ses parents jusqu'à ce qu'ils disparaissent mystérieusement par une nuit d'orage. Elle croit qu'en convoquant un esprit des ténèbres elle parviendra peut-être à les retrouver et, sans le savoir, elle ouvre un portail entre la Barcelone réelle et son envers, miroir maudit de la ville. La Ville des miroirs... Le sol se dérobe sous ses pieds et Ariadna dévale un escalier en colimaçon interminable qui plonge dans les ténèbres et débouche dans cette autre Barcelone, le labyrinthe des esprits, où elle est condamnée à errer dans les cercles de l'enfer construit par le Prince écarlate et par ceux qui trouvent des âmes maudites, qu'elle tente de sauver tout en cherchant ses parents disparus...

— Ariadna parvient-elle à retrouver ses parents et à sauver quelques-unes de ces âmes ?

— Malheureusement non. Mais elle s'acharne. C'est une héroïne, à sa manière, même si son amourette avec le Prince écarlate la transforme à son tour, progressivement, en un reflet obscur et pervers d'elle-même, un ange déchu d'une certaine manière...

— Une histoire exemplaire, semble-t-il.

— Elle l'est. Dites-moi, *Alicia*, est-ce à cela que vous vous consacrez ? À descendre aux enfers pour chercher des problèmes ?

— Pourquoi aimerais-je chercher des problèmes ?

— Pour la bonne raison qu'il y a peu, comme vous l'a sûrement raconté ce nigaud de Benito, je pense, un individu s'est présenté à la librairie. Il avait tout l'air d'un boucher de la brigade sociale. Il a posé des questions très semblables aux vôtres, et quelque chose me dit que vous vous connaissez...

— L'individu auquel vous faites allusion s'appelle Ricardo Lomana, et vous ne faites pas fausse route.

— Je ne fais jamais fausse route, mademoiselle. Le problème, ce sont les routes qu'il me faut parfois emprunter.

— Que vous a demandé Lomana, précisément ?

— Il voulait savoir si quelqu'un avait acheté récemment un livre de Víctor Mataix, aux enchères, à un particulier ou sur le marché international.

— Il ne vous a pas posé de questions sur Víctor Mataix ?

— Ce M. Lomana ne donnait pas franchement le change en matière de littérature, mais j'ai eu l'impression qu'il savait tout ce dont il avait besoin au sujet de Mataix.

— Que lui avez-vous dit ?

— Je lui ai donné les coordonnées d'un collectionneur qui, depuis sept ans, a acheté tous les exemplaires du *Labyrinthe des esprits* qui n'avaient pas été détruits en 1939.

— Tous les livres de Mataix qui étaient sur le marché ont été achetés par une seule et même personne, c'est cela ?

Barceló acquiesça.

— Tous sauf le vôtre.

— Qui est ce collectionneur ?

— Je l'ignore.

— Vous venez de me dire que vous avez donné ses coordonnées à Lomana.

— Celles de l'avocat qui le représente et qui réalise toutes les transactions en son nom, un certain Brians. Fernando Brians.

— Avez-vous fait affaire avec l'avocat Brians, monsieur Gustavo ?

— J'ai dû m'entretenir avec lui une ou deux fois, tout au plus. Par téléphone. Un homme sérieux.

— À propos d'affaires liées aux livres de Mataix ?

Barceló fit un signe affirmatif.

— Que pouvez-vous me dire concernant Víctor Mataix, monsieur Gustavo ?

— Très peu de choses. Je sais qu'il travaillait souvent comme illustrateur, qu'il avait publié plusieurs romans avec ces deux crapules de Barrido et Escobillas avant de commencer la série du *Labyrinthe*, et qu'il vivait reclus dans une maison sur la route des Aguas, entre Vallvidrera et l'observatoire Fabra, car son épouse souffrait d'une maladie rare et qu'il ne pouvait, ou ne voulait pas la laisser seule. C'est tout, ou presque. Il a disparu en 1939 après l'entrée des nationaux dans Barcelone.

— Où pourrais-je chercher plus d'informations sur lui ?

— C'est difficile. La seule personne qui me vient à l'esprit, et qui pourrait vous aider, s'appelle Vilajuana, Sergio Vilajuana, un journaliste et écrivain qui a connu Mataix. C'est un client de la librairie, un habitué, et l'homme qui en sait le plus à ce sujet. Je me souviens avoir entendu dire qu'il travaillait à un livre sur Mataix et la génération des écrivains maudits de la Barcelone disparue après la guerre...

— Il y en a d'autres ?

— Des écrivains maudits ? C'est une spécialité locale, un peu comme l'aïoli...

— Et où puis-je rencontrer ce M. Vilajuana ?

— Essayez à la rédaction de *La Vanguardia*. Mais si vous me permettez un conseil, vous devriez préparer une histoire plus solide que cette affaire de collectionneur secret. L'homme n'est pas né de la dernière pluie.

— Que me conseillez-vous ?

— Appâtez-le.

Alicia sourit d'un air coquin.

— Avec le livre. S'il est toujours intéressé par Mataix, je doute qu'il résiste à l'envie de jeter un coup d'œil sur cet exemplaire. Par les temps qui courent, trouver un Mataix est presque aussi difficile que de rencontrer une personne honnête qui jouisse d'une position prestigieuse.

— Merci, monsieur Gustavo. Vous m'avez été d'une grande aide. Puis-je vous demander de garder le secret sur cette conversation ?

— N'ayez aucune inquiétude. Garder des secrets me permet de rester jeune. Avec le brandy de première qualité.

Alicia renveloppa le livre dans le foulard de soie et le rangea dans son sac. Elle en profita pour prendre son bâton de rouge à lèvres et se redessiner les lèvres comme si elle était toute seule, un spectacle que Barceló contempla avec fascination et une vague inquiétude aussi.

— Ça va ?

— Parfait.

Elle se leva et remit son manteau.

— Qui êtes-vous, Alicia ?

— Un ange déchu, répondit-elle en lui tendant la main, avec un clin d'œil.

— Alors vous êtes venu au bon endroit.

Gustavo Barceló lui serra la main et la regarda s'éloigner. Il se réfugia dans son fauteuil et son regard se perdit au fond de son verre de brandy vide, pensif. Peu après, il la vit passer derrière les baies vitrées. La tombée du jour étendait un manteau de nuages rougissants sur Barcelone et le soleil, au ponant, dessinait les silhouettes des passants sur les trottoirs de la Diagonal et des voitures qui brillaient, larmes de métal ardent. Barceló garda le regard rivé sur ce manteau rouge qui s'éloignait jusqu'à ce qu'Alicia s'évanouît au milieu des ombres de la ville.

9

Ce soir-là, après avoir laissé Barceló aux bons soins du brandy et de ses soupçons, Alicia descendit la Rambla de Cataluña pour revenir chez elle, détaillant la succession de boutiques de luxe qui allumaient déjà leurs vitrines. Elle se rappela l'époque où elle avait appris à observer avec avidité et suspicion ces établissements et la clientèle respectable, tirée à quatre épingles, qui les fréquentait. Elle se remémora les magasins où elle était entrée pour voler ainsi que ses larcins, les cris du gérant et des clients derrière elle, le feu dans ses veines en se sachant poursuivie et la douce saveur de la vengeance et de la justice en sentant qu'elle leur avait arraché des mains ce qu'ils croyaient posséder de droit divin. Elle se rappela le jour où, dans sa carrière de rapine, elle avait fini dans une pièce humide et obscure, au sous-sol du commissariat central de la Vía Layetana. C'était un local sans fenêtres avec une table métallique rivée au sol et deux chaises. Au centre, il y avait une bouche d'évacuation d'eau. Le sol était encore mouillé. Ça sentait la merde, le sang et l'eau de Javel. Les deux policiers qui l'avaient arrêtée accrochèrent les menottes des mains et des pieds à la chaise et ils la laissèrent là pendant des heures afin de lui laisser le temps d'imaginer tout ce qu'ils allaient lui faire.

— Fumero sera tellement content d'apprendre qu'il a une jolie petite pute dans ses murs. Il va te remettre à neuf.

Alicia avait entendu parler de Fumero. Dans la rue, on racontait des histoires sur lui et sur ce qui arrivait aux malheureux qui échouaient dans un cachot comme celui-ci, dans les sous-sols du commissariat. Elle ne savait pas si elle tremblait de froid ou de peur. Elle ne sut pas non plus combien d'heures plus tard la porte métallique s'ouvrit. Elle entendit des voix et des pas. Elle ferma les yeux et sentit l'urine couler le long de ses jambes.

— Ouvre les yeux, ordonna la voix.

À travers ses larmes, elle distingua le visage d'un homme de taille moyenne aux allures de notaire de province. Il lui souriait d'un air affable. Il n'y avait personne d'autre dans la pièce. Élégamment vêtu, le type dégageait un parfum d'eau de Cologne citronnée. Il l'observa en silence pendant quelques instants avant de contourner la table lentement pour venir se placer derrière elle. Elle serra les mâchoires pour étouffer le gémissement de terreur qui lui brûla la gorge quand elle sentit ces mains sur ses épaules et cette bouche qui frôlait son oreille gauche.

— N'aie pas peur, Alicia.

Elle commença à remuer violemment sur la chaise à laquelle elle était attachée. Les mains de l'homme descendaient le long de son dos, et quand elle constata le relâchement de la pression qui lui tenaillait les poignets, il lui fallut plusieurs secondes pour comprendre que son ravisseur lui avait enlevé les menottes. La circulation sanguine se rétablit progressivement, irriguant l'extrémité de ses membres, avivant la douleur aussi. L'homme lui prit les bras et les posa délicatement sur la table. Il s'assit à côté d'elle et massa ses poignets.

— Mon nom est Leandro, dit-il. Ça va mieux ?

Alicia hocha la tête. Il sourit et lâcha ses mains.

— Je vais enlever les menottes de tes chevilles. Ce sera un peu désagréable. Mais auparavant, je dois m'assurer que tu ne feras pas de bêtises.

Elle fit non de la tête.

— Personne ne te fera de mal, dit Leandro en ôtant les chaînes.

Une fois libérée, Alicia alla se réfugier dans un recoin de la pièce. Les yeux de l'homme se posèrent sur la flaque d'urine aux pieds de la chaise.

— Je suis désolé, Alicia.

— Qu'est-ce que vous voulez ?

— Que nous parlions. Rien de plus.

— De quoi ?

— De l'homme pour lequel tu travailles depuis deux ans, Baltasar Ruano.

— Je ne lui dois rien.

— Je sais. Je veux que tu saches que Ruano a été arrêté avec la majorité de tes compagnons.

Alicia lui jeta un regard soupçonneux.

— Qu'est-ce que vous allez lui faire ?

Leandro haussa les épaules.

— Ruano est un homme fini. Il a tout avoué après un long interrogatoire. À présent, c'est le garrot qui l'attend. Ce n'est qu'une question de jours. C'est une bonne nouvelle pour toi.

Alicia déglutit.

— Et les autres ?

— Ce sont des gamins. Les plus chanceux seront envoyés en maison de correction ou en prison. Les autres retourneront dans la rue, et leurs jours seront comptés.

— Et moi ?

— Tout dépend.

— De quoi ?

— De toi.

— Je ne comprends pas.

— J'aimerais que tu travailles pour moi.

Alicia l'examina en silence. Leandro s'installa confortablement sur la chaise et la contempla en souriant.

— Je t'observe depuis un moment, Alicia. Je crois que tu as des dispositions.

— Pour faire quoi ?

— Pour apprendre.

— Apprendre quoi ?

— À survivre. Et aussi à utiliser tes talents à d'autres fins que celle de remplir les poches d'un voyou aux petits pieds comme Ruano.

— Qui êtes-vous ?

— Leandro.

— Vous êtes de la police ?

— En quelque sorte. Considère-moi comme un ami.

— Je n'ai pas d'amis.

— Nous avons tous des amis. Le tout est de savoir les trouver. Je te propose de travailler avec moi pendant les douze prochains mois. Tu auras un logement digne et un salaire. Tu seras libre de partir quand tu le souhaiteras.

— Et si je veux partir tout de suite ?

Leandro indiqua la porte.

— Si c'est ce que tu désires, tu peux t'en aller. Retourner dans la rue.

Alicia fixa la porte. Leandro se leva et l'ouvrit. Puis il retourna s'asseoir et lui laissa la voie libre.

— Personne ne t'arrêtera si tu décides de franchir cette porte, Alicia. Mais l'opportunité que je t'offre ne se reproduira pas.

Elle fit quelques pas en direction de la sortie. Leandro n'esquissa pas un geste pour la retenir.

— Et si je reste avec vous ?

— Si tu décides de me faire confiance, je te procurerai en premier lieu un bon bain chaud, de nouveaux vêtements et un dîner au Siete Puertas. Y es-tu déjà allée ?

— Non.

— Ils cuisinent un excellent riz noir à l'encre de seiche.

Alicia sentit son estomac se contracter tant elle avait faim.

— Et ensuite ?

— Tu iras dans ta nouvelle maison où tu auras une chambre et une salle de bains pour toi toute seule. Tu pourras te reposer et dormir dans ton lit garni de draps propres et tout neufs. Et demain, à l'heure que tu voudras, je viendrai te chercher et nous passerons à mon bureau pour que je commence à t'expliquer mon activité.

— Pourquoi vous ne me le dites pas tout de suite ?

— Disons que je m'occupe de résoudre des problèmes et de mettre hors circuit des criminels comme Baltasar Ruano, et beaucoup d'autres bien pires, afin qu'ils ne puissent plus faire de mal à personne. Mais la partie la plus importante de mon activité est de trouver des personnes exceptionnelles qui, comme toi, ignorent qu'elles le sont, et de leur apprendre à développer leurs talents pour qu'elles puissent faire le bien.

— Faire le bien... répéta Alicia froidement.

— Le monde n'est pas l'univers amoral que tu as connu jusqu'à présent, Alicia. Il n'est que le miroir des hommes qui le composent ensemble. Pour cette raison, des personnes comme toi et moi qui naissent avec un don ont la responsabilité de le mettre au service des autres. Le mien est de savoir reconnaître les aptitudes chez les autres. Je les guide afin qu'ils soient prêts à prendre les bonnes décisions le moment venu.

— Je n'ai aucun talent. Aucun don...

— Bien sûr que si. Fais-moi confiance. Et surtout fais-toi confiance, Alicia. Parce que, si tu le veux, aujourd'hui sera le premier jour de la vie qui t'a été volée et que je vais te rendre, si tu m'en donnes l'occasion.

Leandro lui adressa un sourire chaleureux et Alicia ressentit le désir trouble et douloureux de se jeter dans ses bras. L'homme lui fit signe de le rejoindre. Pas à pas, elle traversa la pièce jusqu'à lui. Elle posa sa main sur celle de cet étranger et elle se perdit dans son regard.

— Merci, Alicia. Je te promets que tu ne le regretteras pas.

L'écho de ces paroles prononcées dans un temps si reculé s'évanouit progressivement. La douleur commençait à sortir les griffes et Alicia décida de ralentir le pas. Elle savait qu'elle était suivie depuis qu'elle avait quitté le Cercle équestre. Elle sentait une présence et des yeux posés sur elle, qui attendaient. En arrivant au feu rouge de la rue Rosellón, elle s'arrêta et se retourna légèrement en balayant du regard derrière elle, fortuitement, scrutant les dizaines de passants sortis *ramblear*, une activité qui consistait à déambuler en exhibant la tenue indispensable pour voir et être vu quand et où il le fallait, c'est-à-dire sur la Rambla. Elle souhaita qu'il s'agît du pauvre Rovira, mais elle ne put s'empêcher de se demander si Lomana ne se trouvait pas parmi ces gens, habilement dissimulé sous un porche ou derrière un groupe de passants. S'il l'observait, marchait sur ses talons et caressait fiévreusement dans la poche de son manteau la lame qu'il lui réservait depuis longtemps. Un pâté de maisons plus bas, elle aperçut la vitrine du salon de thé Mauri remplie de friandises artistiquement présentées afin d'adoucir la mélancolie automnale de dames bien nées. Elle examina à nouveau derrière elle et décida de s'accorder quelques instants de répit.

Une jeune fille à la mine austère et virginale la conduisit à une table à côté de la fenêtre. Elle avait toujours considéré le salon de thé Mauri comme un opulent fumoir de confiserie où des femmes d'un certain âge et à la position bien établie se retiraient pour conspirer, aidées en cela par d'exquises tisanes et des pâtisseries flirtant avec le péché. La clientèle réunie ce soir-là confirma son analyse. Mue par la tentation de se sentir à son tour une de ces élues, Alicia commanda un café au lait et un saint-marc à la crème ; elle l'avait repéré en entrant, avec son nom inscrit sur une étiquette. En attendant, elle supporta, un sourire absent aux lèvres, les regards des matrones embijoutées et cuirassées de modèles de Modas Santa Eulalia assises aux autres tables, lisant sur leurs lèvres les commentaires *sotto voce* suscités par sa présence en ces lieux. Si elles pouvaient m'arracher la peau en lambeaux et s'en faire un masque, elles le feraient, pensa-t-elle.

Dès que le gâteau arriva sur sa table, elle en engloutit la moitié avidement et elle sentit rapidement la montée du taux de sucre dans son sang. Elle sortit le flacon que Leandro lui avait remis à la gare d'Atocha, elle l'ouvrit et prit un comprimé qu'elle examina dans la paume de sa main avant de le porter à sa bouche. Un élancement douloureux dans la hanche finit de la convaincre. Elle avala le comprimé avec une longue gorgée de café au lait et elle termina la pâtisserie, surtout pour tapisser son estomac. Elle demeura assise là une demi-heure à observer les gens qui entraient en attendant que le médicament fasse de l'effet. Dès qu'elle sentit que la douleur régressait, noyée dans ce voile de somnolence qui se répandait dans tout son corps, elle se leva et régla ses consommations à la caisse.

Devant le salon de thé, elle arrêta un taxi et elle lui donna son adresse. En veine de bavardage, le chauffeur entama un long monologue auquel Alicia se contenta d'acquiescer vaguement. À mesure que le narcotique lui glaçait le sang, les lumières de la ville paraissaient s'évanouir dans un manteau aqueux telles des taches d'aquarelle glissant sur la toile. Les bruits de la circulation lui parvenaient assourdis.

— Est-ce que vous vous sentez bien ? demanda le chauffeur en s'arrêtant devant son immeuble, rue Aviñon.

Elle fit signe que oui, paya la course et sortit sans attendre la monnaie. Guère convaincu par son état de santé, le chauffeur attendit qu'elle eût glissé la clef dans la serrure du portail pour redémarrer. Alicia pria le ciel pour ne pas croiser Jesusa ou un des voisins avides de rencontres et de conversations de palier. Elle tâtonna dans l'escalier d'un pas léger et après une ascension qui lui parut interminable, dans l'obscurité et en proie au vertige, elle arriva devant sa porte qu'elle parvint miraculeusement à ouvrir.

Une fois à l'intérieur, elle ressortit le flacon et attrapa deux autres comprimés d'une main tremblante. Elle laissa tomber son sac à ses pieds et elle se dirigea vers la table de la salle à manger. La bouteille de vin blanc offerte par Fernandito était toujours là. Elle remplit un verre à ras bord et, se tenant d'une main à la table, elle avala les deux comprimés et vida d'un trait le contenu du verre qu'elle leva ensuite en honneur de Leandro et de sa mise en garde : *surtout jamais avec de l'alcool.*

Elle tangua dans le couloir qui menait à sa chambre, se délestant de ses vêtements sur son passage. Elle n'alluma pas la lumière. Elle s'affala sur son lit et réussit difficilement à tirer sur elle la couverture. Les cloches de la cathédrale sonnèrent au loin. Alicia, épuisée, ferma les yeux.

10

Dans son sommeil, l'étranger n'avait pas de visage. Il n'était qu'une silhouette noire semblant s'être détachée des ombres liquides qui gouttaient du plafond de la pièce. Au début, elle crut qu'il l'observait, immobile au pied du lit, mais ensuite elle se rendit compte qu'il s'était assis au bord du matelas et qu'il enlevait le drap qui la recouvrait. Elle eut froid. L'étranger ôtait ses gants noirs sans hâte. Alicia sentit les doigts glacés sur son ventre nu, à la recherche de la cicatrice sur sa hanche droite. Les mains de l'étranger explorèrent les plis de la blessure et ses lèvres se posèrent sur sa peau. Le contact chaud de la langue caressant le bourrelet de chair de la cicatrice lui donna la nausée. Quand elle entendit des pas dans le couloir, elle comprit qu'elle n'était pas seule dans l'appartement.

Elle tâtonna dans le noir avant de trouver la poire et allumer la lampe de chevet. La lumière l'aveugla. Elle se couvrit les yeux. Elle perçut un bruit de pas dans la salle à manger et celui d'une porte qui se referme. Elle rouvrit les yeux et constata qu'elle était nue. Les draps formaient en tas sur le sol. Elle se leva lentement en se tenant la tête. Une sensation de vertige la saisit et elle crut une seconde qu'elle s'évanouissait.

— Jesusa ? appela-t-elle d'une voix cassée.

Elle attrapa un drap par terre et elle s'enveloppa dedans. Elle réussit à parcourir le couloir à tâtons en s'appuyant des mains sur les murs. Les vêtements qu'elle avait laissé tomber çà et là quelques heures auparavant avaient disparu. La salle à manger était plongée dans une obscurité saisissante, le contour des meubles et des étagères à peine suggéré dans la trame bleutée que tamisaient les vitres de la fenêtre. Elle alluma le plafonnier et ses yeux s'accommodèrent peu à peu à la clarté. Dès qu'elle comprit ce qu'elle voyait, la peur lui éclaircit les idées et la scène pénétra dans son champ visuel, comme si elle n'avait regardé qu'à travers une lunette floue jusqu'alors.

Son manteau rouge reposait sur une chaise et ses vêtements étaient disposés sur la table de la salle à manger, la robe proprement pliée avec une dextérité toute professionnelle, les bas délicatement étendus, la couture sur le côté. Les sous-vêtements défroissés paraissaient prêts à être exposés dans la vitrine d'une boutique de lingerie. Elle eut à nouveau un haut-le-cœur. Elle s'approcha de la bibliothèque, attrapa la bible, l'ouvrit et sortit l'arme qu'elle y avait cachée. Le livre vide lui glissa des mains et tomba à ses pieds. Elle ne fit pas un geste pour le ramasser. Elle déverrouilla le révolver qu'elle prit à deux mains.

Seulement alors, elle remarqua son sac pendu au dossier d'une chaise. Elle se souvint l'avoir laissé tomber dans l'entrée. Elle s'approcha, il était fermé. Elle l'ouvrit et un froid glacial l'envahit. Elle le lâcha en se maudissant intérieurement. Il tomba. Le livre de Víctor Mataix avait disparu.

Elle passa le reste de la nuit dans le noir, recroquevillée sur le canapé du salon, l'arme dans les mains, les yeux rivés sur la porte, écoutant les mille et un grincements émis par le vieux bâtiment tel un navire à la dérive. L'aube la surprit au moment où ses paupières commençaient à tomber. Elle se leva et elle contempla son reflet dans la vitre. Dans le ciel, une écharpe pourpre dessinait un défilé d'ombres entre les terrasses et les tours de la ville. Alicia se pencha et vérifia que les lumières du Gran Café éclaboussaient déjà les pavés de la rue. Barcelone lui avait à peine concédé une journée de répit.

Bienvenue chez toi, se dit-elle.

11

Vargas l'attendait dans la salle du Gran Café. Il caressait la porcelaine de sa tasse fumante tout en préparant un sourire d'armistice pour l'accueillir. Alicia l'aperçut dès qu'elle franchit la porte de son immeuble. L'image du policier se reflétait doublement dans les grandes vitres du café. Il s'était installé à la table qu'elle occupait la veille, à présent couverte des restes d'un petit-déjeuner copieux, selon toute vraisemblance, et de journaux. Elle traversa la rue et prit une grande inspiration avant d'ouvrir la porte. En la voyant entrer, Vargas se leva et lui fit un signe nerveux de la main en guise de salutation. Elle le lui rendit et s'approcha de sa table en indiquant à Miquel de lui servir son petit-déjeuner habituel. Le serveur hocha la tête.

— Votre voyage s'est-il bien passé ? s'enquit-elle auprès de Vargas.

— Il a été long.

Vargas attendit qu'elle s'assît pour faire de même. Ils se regardèrent droit dans les yeux en silence. Lui la contempla d'un air perplexe, les sourcils froncés.

— Quoi ? demanda Alicia.

— Je m'attendais à des insultes, à un accueil dans votre genre… improvisa Vargas.

Alicia haussa les épaules.

— Si j'étais plus naïf, j'irais presque jusqu'à dire que vous vous réjouissez de me revoir, ajouta Vargas.

Elle esquissa un léger sourire.

— N'exagérons rien.

— Vous m'inquiétez, Alicia. Se serait-il passé quelque chose ?

Miquel s'approcha prudemment de la table avec les toasts d'Alicia et son café crème. Elle hocha la tête et le serveur se replia discrètement derrière le comptoir. Elle mordit sans faim dans un toast. Vargas ne la quittait pas des yeux, apparemment préoccupé.

— Alors ? demanda-t-il enfin, impatient.

Elle entreprit de lui résumer ses péripéties de la veille et de la nuit. À mesure qu'elle déroulait son récit, le visage de Vargas s'assombrissait. Quand elle eut fini de lui raconter comment elle avait attendu l'aube un révolver à la main, au cas où la porte s'ouvrirait à nouveau, Vargas remua la tête en signe de dénégation.

— Il y a une chose que je ne comprends pas. Vous dites qu'un homme est entré chez vous pendant que vous dormiez et qu'il a emporté le livre.

— Qu'est-ce que vous ne comprenez pas là-dedans ?

— Comment savez-vous que c'était un homme ?

— Je le sais.

— Vous ne dormiez pas ?

— J'étais abrutie par les médicaments. Je vous l'ai dit.

— Qu'est-ce que vous ne m'avez pas encore raconté ?

— Ce qui ne vous concerne pas.

— Vous ai-je fait quelque chose ?

— Non.

Vargas la regardait d'un air incrédule.

— Pendant que je vous attendais, votre ami Miquel m'a proposé une mansarde, là-haut, avec vue plongeante sur votre appartement. Je vais lui demander de monter ma valise, et je réglerai deux semaines d'avance.

— Il est inutile que vous restiez ici, Vargas. Prenez un bon hôtel. C'est Leandro qui invite !

— C'est ça ou je m'installe sur votre canapé. À vous de choisir.

Alicia poussa un soupir. Elle n'avait aucune envie de livrer une autre bataille.

— Vous ne m'aviez pas dit que vous possédiez une arme, dit Vargas.

— Vous ne me l'avez pas demandé.

— Savez-vous vous en servir ?

Alicia le foudroya du regard.

— Moi qui pensais que vous vous adonniez surtout aux travaux d'aiguilles… lâcha le policier. Me feriez-vous la faveur de la porter toujours sur vous ? Dehors et chez vous.

— Oui, monsieur. Avez-vous réussi à trouver quelque chose sur Lomana ?

— Au ministère de l'Intérieur, personne ne moufte. J'ai l'impression qu'ils ne savent rien. Au Corps, la version est celle que vous avez dû entendre. Il a été transféré de votre unité il y a un mois environ pour collaborer à l'affaire des lettres anonymes envoyées à Valls. Il enquêtait pour son compte. Il était entendu qu'il faisait ses rapports à Gil de Partera. Puis il a cessé de le faire. Il a disparu des écrans radar. Quelle relation entretenez-vous avec lui ?

— Aucune.

Vargas fronça les sourcils.

— Ne pensez-vous pas que c'est lui qui s'est introduit chez vous cette nuit pour vous voler le livre et se livrer à des actions que vous refusez de me raconter ?

— Vous faites les questions et les réponses.

Vargas la regarda du coin de l'œil.

— Ce médicament… C'est à cause de votre blessure ?

— Non, je le prends pour rigoler. Quel âge avez-vous, Vargas ?
Il haussa les sourcils, surpris.
— Probablement le double du vôtre, mais je préfère ne pas y penser. Pourquoi ?
— Vous prendriez-vous pour mon père, ou quelque chose dans le genre ? Est-ce que je me trompe ?
— Ne rêvez pas.
— Dommage, dit Alicia.
— Ne vous attendrissez pas non plus. Cela ne vous va pas.
— C'est aussi ce que dit Leandro.
— Il doit y avoir une raison. Si nous en avons terminé avec l'intermède sentimental, pourquoi ne m'expliquez-vous pas quel est notre programme, aujourd'hui ?
Alicia termina son café crème et fit signe à Miquel de lui en apporter un autre.
— Savez-vous que, outre la caféine et le tabac, le corps a besoin d'hydrate de carbone, de protéines et de tout ce genre de choses ?
— Ce midi, nous déjeunerons à Casa Leopoldo, je vous le promets, et c'est vous qui inviterez.
— Quel soulagement. Et avant ?
— Avant, nous avons une réunion avec mon espion particulier, le gentil Rovira.
— Rovira ?
Alicia lui résuma brièvement sa rencontre de la veille.
— Il ne doit pas être loin, là, dehors, mort de froid.
— Il l'a bien cherché, dit Vargas. Et après avoir donné à votre apprenti des ordres pour la journée… ?
— Je pensais que nous pourrions rendre une petite visite à un avocat. Fernando Brians.
Vargas acquiesça sans enthousiasme.
— Qui est-ce ?
— Il représente un collectionneur qui achète, depuis des années, tous les exemplaires des romans de Víctor Mataix.
— Vous êtes toujours sur la piste du livre, donc. Ne le prenez pas mal, mais ne croyez-vous pas qu'il serait plus raisonnable d'aller au commissariat voir ce qu'ils ont à nous raconter à propos de la voiture dans laquelle Valls a quitté Madrid ? Enfin, c'est un exemple de chose réellement liée à l'affaire qui nous occupe…

— Il sera toujours temps de le faire.

— Pardon, Alicia, mais sommes-nous toujours en train d'essayer de retrouver le ministre Valls tant qu'il existe une possibilité qu'il soit encore en vie ?

— La voiture, c'est une perte de temps, trancha Alicia.

— Le mien ou le vôtre ?

— Celui de Valls. Mais si cela vous tranquillise, d'accord. Vous avez gagné. On commence par votre idée.

— Merci.

12

Fidèle à sa promesse, Rovira attendait dans la rue, tremblotant et renfrogné, avec l'air de maudire le jour où il était né et tous ceux qui l'avaient suivi. L'apprenti espion paraissait avoir rapetissé depuis la veille. Il affichait un rictus d'anxiété laissant présager un début d'ulcère. Vargas l'identifia sans qu'Alicia eût besoin de le lui présenter.

— C'est lui, l'as du mystère ?

— En personne.

En entendant des pas près de lui, Rovira releva la tête. Il vit Vargas, déglutit et chercha son paquet de cigarettes d'une main fébrile. Alicia et Vargas l'encadrèrent.

— Je pensais que vous seriez seule, balbutia-t-il.

— Vous êtes un romantique, Rovira.

Il laissa échapper une ébauche de rire nerveux. Alicia lui arracha la cigarette des lèvres et la lança au loin.

— Hé… protesta-t-il.

Vargas se pencha légèrement vers lui et l'homme se tassa encore un peu plus.

— Tu ne parles à la dame que lorsqu'elle te pose des questions, compris ?

Il fit signe que oui.

— Rovira, c'est ton jour de chance aujourd'hui, dit Alicia. Fini le froid, tu vas au cinéma. Au Capitol. La première séance est à dix heures. Ils passent une série de films de Cheetah le chimpanzé, tu vas adorer.

— Digne d'un Oscar ! corrobora Vargas.

— Excusez-moi, madame Alicia, mais avant que votre compagnon me torde le cou, j'aimerais vous demander, si cela ne vous dérange pas trop et en vous remerciant par avance de votre générosité, de m'aider un peu. Je ne veux pas grand-chose. N'exigez pas de moi que j'aille au cinéma. J'aimerais bien, mais si je me fais piquer, on me passera un sacré savon à la Préfecture. Laissez-moi vous suivre. De loin. Si vous préférez, dites-moi où vous allez, et comme ça je ne vous embêterai quasiment pas. Vous ne me verrez même pas, je vous assure. Mais à la fin de la journée, je dois présenter un rapport sur vous, vos déplacements, vos activités, autrement, ils vont me réduire en bouillie. Vous ne les connaissez pas. Votre camarade peut vous en parler...

Vargas observa ce pauvre diable avec une certaine sympathie. Chaque commissariat comptait apparemment un malheureux comme lui, une tête de Turc, un paillasson sur lequel tout le monde s'essuyait les pieds, même les boniches.

— Dites-moi les endroits que je peux mentionner, et ceux que je dois taire. On sera tous gagnants. Je vous en supplie, à deux genoux...

Avant qu'Alicia n'ouvrît la bouche, Vargas pointa l'index sur Rovira et prit la parole.

— Écoutez-moi, gamin, vous me faites penser à Charlot et vous me plaisez. Je vous propose la chose suivante : vous nous suivrez de loin, de très loin. Une distance équivalente à celle séparant le Pays basque du rocher de Gibraltar. Si je flaire votre présence ou que je vous imagine à moins de deux cents mètres, nous aurons une petite conversation musclée tous les deux, et je doute qu'ils le prennent bien à la Préfecture quand ils vous verront arriver avec la tronche en marmelade.

Rovira cessa de respirer.

— Ça vous va ou vous voulez une petite avance ? termina Vargas.

— Deux cents mètres. Entendu. Deux cent cinquante, cadeau de la maison. Merci beaucoup pour votre générosité et votre compréhension. Vous ne le regretterez pas. Il ne sera pas dit que Rovira ne tient pas...

— Dégagez ! Tout de suite, j'ai le sang qui bout rien qu'à vous voir, conclut Vargas de son ton le plus sinistre.

Rovira esquissa une révérence fugace et il détala. Vargas le vit se fondre dans la foule et sourit.

— Vous êtes un sentimental, murmura Alicia.

— Et vous un ange. Permettez-moi de passer un coup de fil à Linares pour savoir s'ils nous autorisent à aller voir la voiture ce matin.

— Qui est ce Linares ?

— Un gentil. On a débuté ensemble et c'est toujours un ami. De qui peut-on en dire autant après vingt ans passés dans la police ?

Ils retournèrent au Gran Café et Miquel les laissa téléphoner. Vargas appela le commissariat central de la Vía Layetana et il entama avec son camarade Linares une petite causette sur le ton de la camaraderie virile et du compagnonnage étudié, un échange ponctué de blagues d'un goût douteux. Il s'agissait d'obtenir l'autorisation d'aller fouiner dans la voiture supposément utilisée par Mauricio Valls et son chauffeur, pistolero et entremetteur, pour voyager de Madrid à Barcelone. Alicia écouta la conversation comme si elle assistait à une comédie de salon, et elle admira la prosodie experte et le génie de Vargas pour embobeliner son collègue et élaborer des tirades grandiloquentes totalement dénuées de contenu.

— C'est réglé, conclut-il en raccrochant.

— En êtes-vous sûr ? Ne pensez-vous pas que ce Linares aurait aimé savoir que je vous accompagne ?

— J'y ai pensé, bien sûr. C'est pour ça que je n'ai rien dit.

— Et que raconterez-vous quand ils me verront ?

— Que nous sommes fiancés. Je ne sais pas. Je trouverai bien…

Ils montèrent dans un taxi devant la mairie et ils évitèrent de justesse la circulation qui commençait à se densifier sur la Vía Layetana, annonçant les grands ralentissements des premières heures de la matinée. Vargas contempla pensivement la succession de façades monumentales qui émergeaient tels des vaisseaux dans la brume matinale. Le chauffeur de taxi leur jetait des regards furtifs dans le rétroviseur, spéculant probablement sur le drôle de couple qu'ils formaient, mais sa curiosité et ses réflexions se tarirent avec le début d'un débat radiophonique vigoureux portant sur la ligue de football où les participants débattaient avec véhémence pour savoir si elle était déjà perdue ou s'il existait au contraire des raisons pour continuer de vivre.

13

On le surnommait le *Musée des larmes*. L'immense pavillon se dressait entre le parc zoologique et la plage, au milieu d'un bastion de fabriques et d'entrepôts imbriqués tournant le dos à la mer, surmonté de la grande Torre de las Aguas, sorte d'enceinte circulaire suspendue dans le ciel. Le Musée des larmes était une relique, une ruine sauvée de la démolition qui avait emporté presque tous les bâtiments construits pour la grande Exposition universelle de Barcelone de 1888. Laissé à l'abandon pendant des années, le pavillon avait été adjugé par la mairie à la Préfecture supérieure de police, qui en avait fait ses entrepôts et catacombes. Là, dans une gigantesque morgue judiciaire, s'empilaient des décennies d'instructions, de preuves, de butins, d'objets confisqués, d'armes et d'engins de toutes sortes, de carnets et de trésors accumulés pendant plus de soixante ans de crime et châtiment dans la ville de Barcelone.

Le bâtiment possédait une verrière semblable à celle de la gare de France voisine. Les rais de lumière diffusés par la toiture en métal laminé se déversaient sur un embrouillamini de couloirs étagés sur des centaines de mètres. L'édifice dépassait en hauteur la plupart des constructions de l'Ensanche. Un système complexe d'escaliers et de passerelles suspendus, sorte de machinerie fantomatique, donnait accès aux zones supérieures où étaient conservés les documents et les objets relatant l'histoire secrète de la ville depuis la fin du XIXe siècle. Au long de ses sept décennies d'activité, toutes sortes d'artefacts étaient venus s'échouer dans ces limbes. Des carrosses et modèles d'automobiles antédiluviens utilisés dans les crimes à un arsenal encyclopédique d'armes et de poisons. L'édifice renfermait suffisamment d'œuvres d'art compromettantes figurant dans des rapports d'affaires insolubles pour alimenter plusieurs musées. Une collection jouissait parmi les spécialistes d'une réputation particulière, celle, macabre, de cadavres empaillés découverte dans les sous-sols de la résidence d'un magnat indien à San Gervasio. Pendant ses années glorieuses et lucratives à Cuba, l'homme avait attrapé le virus de la chasse et du martyre des esclaves, et à son retour, il avait laissé la trace de disparitions jamais élucidées parmi les marginaux qui fréquentaient les salons et les cafés du Paralelo.

Une galerie entière était consacrée aux flacons de verre contenant une faune variée de locataires permanents flottant dans un formol jaunâtre. Le palais abritait aussi une formidable armurerie de poignards, de poinçons et d'une infinité d'objets coupants qui auraient fait dresser les cheveux sur la tête du plus expérimenté des bouchers. Une des sections les plus célèbres était le pavillon fermé à double tour auquel on n'accédait qu'avec une autorisation des plus hautes instances ; il renfermait du matériel et des documents saisis lors d'enquêtes criminelles et dans les cas liés à la religion et à l'occultisme. Il se murmurait que ces archives contenaient des dossiers savoureux sur des membres de la haute société barcelonaise, en lien avec l'affaire dite de la Vampire de la rue Poniente, ainsi que la correspondance et les minutes des exorcismes de Mossén Cinto Verdaguer dans un appartement proche de la rue Princesa, qui n'avaient jamais été rendues publiques et ne le seraient jamais.

Les lieux affectés au séjour perpétuel d'une telle galerie de catastrophes distillent ordinairement une noirceur provoquant chez le visiteur le vif désir de sortir prestement, sous peine de rester enfermé là et de finir par faire partie de la collection permanente. Le Musée des larmes n'y faisait pas exception, et bien que les dossiers de la police y fissent référence sous son nom officiel, la Treizième Section, sa réputation et l'accumulation mythique de malheurs qu'il recelait lui avaient valu le surnom sous lequel il était connu de tous.

Quand le taxi les déposa à la porte de la Treizième Section, l'individu qui paraissait avoir été désigné comme cerbère des lieux les attendait sur le seuil, un trousseau de clefs pendu à la ceinture, avec une mine qui lui aurait valu de rafler tous les prix au concours de croque-morts.

— Ça doit être Florencio, commenta Vargas à voix basse avant d'ouvrir la portière. Laissez-moi lui parler.

— Sans façon, dit Alicia.

Ils descendirent du taxi et Vargas tendit la main au gardien.

— Bonjour, Juan Manuel Vargas de la Préfecture centrale. Je viens de m'entretenir avec Linares il y a quelques minutes à peine. Il m'a dit qu'il allait vous appeler pour vous prévenir que j'étais en route.

Florencio hocha la tête.

— Le capitaine Linares ne m'a pas prévenu que vous étiez accompagné.

— La demoiselle est ma cousine Margarita. Elle a eu l'amabilité de me servir de guide et de secrétaire pendant ces quelques jours dans la Cité comtale. On ne vous a rien dit ?

Florencio fit non de la tête, cherchant Alicia du regard.

— Margarita, viens saluer Florencio ; c'est bien Florencio, n'est-ce pas ? L'autorité absolue de la Treizième Section.

Alicia fit quelques pas et lui tendit timidement la main. L'homme fronça les sourcils, mais il décida de se taire.

— Venez.

Il les accompagna jusqu'au portail principal et il les invita à entrer.

— Vous êtes ici depuis longtemps, Florencio ? demanda Vargas.

— Deux ans. J'ai passé dix ans au dépôt, avant.

Vargas le regarda, interloqué.

— À la morgue, précisa le gardien. Si vous voulez bien me suivre, ce que vous cherchez est dans le pavillon numéro neuf. On vous a tout préparé.

Vu de l'extérieur, le bâtiment ressemblait à une grande gare ferroviaire désaffectée, mais à l'intérieur il révélait une sorte de vaste basilique qui se perdait à l'infini. Un système d'éclairage électrique fait de guirlandes d'ampoules suspendues conférait à la pénombre des teintes mordorées. Florencio les guida au long d'innombrables couloirs encombrés de machines de toutes sortes, de caisses et de coffres. Alicia aperçut à la volée, entre une collection d'animaux empaillés et un bataillon de mannequins, des meubles, des bicyclettes, des armes, des tableaux, des statues religieuses et même un périmètre fantomatique rempli exclusivement de ce qui semblait être des automates de foire.

Florencio dut percevoir la stupéfaction dans son regard tandis qu'elle s'imprégnait de l'atmosphère des lieux. Il s'approcha d'elle et il lui indiqua ce qui ressemblait à un chapiteau de cirque.

— Vous ne croirez jamais tout ce que nous arrivons à avoir ici. J'ai moi-même du mal à le croire, parfois.

À mesure qu'ils s'enfonçaient dans le réticule de corridors, ils percevaient plus nettement une étrange litanie, comme des bruits d'animaux planant dans l'air. Alicia crut un instant qu'ils s'aventuraient dans une jungle peuplée d'oiseaux tropicaux et de félins aux aguets. Le gardien se délectait de la perplexité qu'il lisait sur leurs visages et il émit un gloussement infantile.

— Non, vous n'êtes pas devenus fous, encore que cet endroit puisse conduire à perdre la boule sans qu'on s'en rende compte, dit-il. C'est le zoo, il est juste derrière. Ici, on entend tout. Les éléphants, les lions, les cacatoès. La nuit, le feulement des panthères donne la chair de poule. Mais le pire, ce sont les guenons. Comme les humains, mais sans tout le tralala. Par ici, je vous prie. On y est presque…

La voiture était recouverte d'une toile fine qui en soulignait les formes. Florencio la retira d'une main experte et la plia. Il avait installé deux projecteurs accrochés sur des trépieds, de part et d'autre du véhicule, et une fois branchés à la rallonge qui pendait du système d'éclairage, ils projetèrent deux faisceaux lumineux jaunes. L'automobile se métamorphosa en sculpture de métal étincelant. Ravi de sa mise en scène, il ouvrit les quatre portières et il recula de quelques pas avec une courbette.

— Voilà.

— Avez-vous le rapport d'expertise sous la main ? demanda Vargas.

Il acquiesça.

— Il est dans le bureau. Je vais vous le chercher.

Le gardien se précipita en quête du rapport, lévitant presque au-dessus du sol.

— Prenez le côté passager, ordonna Vargas.

— Oui, cher oncle.

Alicia fut immédiatement frappée par l'odeur. Elle leva les yeux vers Vargas, qui hocha la tête.

— De la poudre, dit-il.

268

Le policier indiqua les taches foncées sur le siège du passager, du sang séché. Des éclaboussures.

— Pour une blessure par balle, c'est peu, estima Alicia. Probablement une éraflure...

Vargas fit non de la tête, lentement.

— Un tir dans le véhicule aurait provoqué une blessure, et on aurait retrouvé le projectile dans la carrosserie, dans les sièges. Avec si peu de sang, il s'agit d'une autre blessure, par arme blanche peut-être. Ou un coup.

Vargas passa les doigts sur les petites marques perforées qui auréolaient le dossier du siège.

— Des brûlures, murmura-t-il. Le tir a été effectué de l'intérieur vers l'extérieur.

Alicia quitta le siège et chercha la manivelle pour remonter la vitre avant. Elle l'actionna et une ligne crénelée apparut. Rien de plus. Au sol, elle aperçut des fragments de verre pulvérisé.

— Vous voyez bien.

Ils examinèrent la voiture dans le moindre détail. La police avait passé le véhicule au peigne fin, ne leur laissant rien d'intéressant hormis un tas de vieilles cartes routières dans la boîte à gants et un carnet à spirale sans la couverture. Alicia tourna les pages.

— Vous avez quelque chose ? demanda Vargas.

— Négatif.

Florencio était revenu subrepticement avec le rapport d'expertise et il les observait dans l'ombre.

— Propre comme un sou neuf, n'est-ce pas ? leur lança-t-il.

— Y avait-il quelque chose à l'intérieur quand elle a été apportée ici ?

Il leur tendit le rapport.

— Elle était comme ça.

Vargas commença à lire l'inventaire des articles consignés.

— Est-ce normal ? interrogea Alicia.

— Pardon ? demanda le gardien, sollicité.

— Je vous demandais s'il était normal que le véhicule n'ait pas été fouillé ici.

— Ça dépend. Habituellement, il y a une première inspection sur les lieux des faits, et ensuite une fouille approfondie ici.

— A-t-elle été pratiquée ?

— Non, pas que je sache.

— Ici, il est écrit que la voiture a été trouvée sur la route des Aguas. Est-ce une voie très fréquentée ? voulut savoir Vargas.

— Non. En fait, c'est plutôt un chemin non goudronné qui longe le flanc de la colline sur plusieurs kilomètres, précisa Florencio. Sur la dénommée route des Aguas, il n'y a, à proprement parler, ni route ni eaux.

L'explication s'adressait à Vargas, mais tout en parlant il fit un clin d'œil à Alicia, qui sourit à sa plaisanterie.

— Les enquêteurs pensent que le véhicule a été abandonné là *a posteriori*, mais que l'incident s'est produit ailleurs, ajouta-t-il.

— Une idée à ce sujet ?

— Des traces de gravillons fins ont été retrouvées dans les rainures des pneus. Une pierre calcaire. Différente de celle qui recouvre la route des Aguas.

— Et ?

— Si vous interrogez les enquêteurs, ils vous diront qu'on la retrouve dans des dizaines d'endroits.

— Et si nous vous le demandons, Florencio ? dit Alicia.

— Un espace vert. Un parc peut-être. Ou la cour d'une maison particulière.

Vargas désigna le rapport.

— Je vois que vous avez résolu l'affaire, tous les deux, interrompit Vargas, mais si ce n'est pas trop demander, pourrais-je en avoir une copie ?

— C'est une copie. Vous pouvez la garder. Est-ce que je peux faire autre chose pour vous ?

— Si vous aviez l'amabilité de nous appeler un taxi…

14

Dans le taxi, Vargas n'ouvrit pas la bouche et garda les yeux fixés sur la vitre, sa mauvaise humeur empoisonnant tout l'habitacle. Alicia lui donna un léger coup de genou.

— Ne faites pas cette tête, allons, on va à Casa Leopoldo.

— Ils nous font perdre notre temps, murmura Vargas.

— Cela vous étonne ?

Il lui lança un regard furieux. Alicia sourit placidement.

— Bienvenue à Barcelone.

— Je ne vois pas ce qui vous amuse.

Alicia ouvrit son sac et sortit le carnet de notes qu'elle avait trouvé dans la voiture de Valls. Vargas soupira.

— Dites-moi que je rêve ?

— Cela ne vous ouvre-t-il pas l'appétit ?

— Sans même mentionner le fait que la soustraction de preuves présentes au rapport d'instruction constitue une faute grave en soi, tout ce que je vois c'est un carnet vierge.

Alicia passa son ongle entre les anneaux de la spirale métallique qui reliait les feuilles du carnet et elle tira deux bandes de papier restées coincées dedans.

— Alors ?

— On a arraché des pages, dit-elle.

— Élément d'une grande utilité, sans aucun doute.

Alicia posa la première page du carnet contre la vitre du véhicule. À contre-jour, des traces de traits sur le papier étaient visibles. Vargas se pencha et plissa les yeux.

— Des chiffres ?

Alicia acquiesça.

— Deux colonnes. La première est composée de suites de chiffres et de lettres. La seconde ne comprend que des numéros. De cinq à sept chiffres. Regardez bien.

— Oui, je vois. Et alors ?

— Les numéros se suivent. Ça commence au quarante mille trois cent quelque chose et ça finit au quarante mille quatre cent sept ou huit.

Le regard de Vargas s'illumina, mais l'ombre du doute planait encore sur son visage.

— Ça peut être tout et n'importe quoi, dit-il.

— Mercedes, la fille de Valls, se souvenait que la veille de sa disparition, son père avait mentionné devant son garde du corps quelque chose à propos d'une liste. Avec des chiffres…

— Je ne sais pas, Alicia. Le plus probable est que ça ne mène nulle part.

— Peut-être, admit Alicia. Alors, l'appétit est-il revenu ?

Vargas sourit enfin, vaincu.

— Si c'est vous qui invitez, ça pourra aller.

La visite au Musée des larmes et la promesse – qui en resterait possiblement au stade du souhait – que cet indice improbable trouvé sur une feuille blanche pût les conduire quelque part avaient mis l'esprit d'Alicia en action. Flairer une nouvelle piste constituait toujours un plaisir secret : le parfum du futur, comme aimait à l'appeler Leandro. Confondant bonne humeur et appétit, Alicia s'empara à la hussarde du menu de Casa Leopoldo et commanda pour les deux, et deux de plus. Vargas la laissa faire sans broncher, et quand les plats délicieux défilèrent et qu'Alicia peina à suivre, le vieux policier garda pour lui sa désapprobation et fit un sort à sa part et à quelques autres supplémentaires.

— À table aussi nous formons une sacrée équipe, commenta-t-il en grattant l'os d'une queue de taureau au fumet prodigieux. Vous commandez et je dévore !

Alicia grignotait, picorant dans son assiette comme un oiseau, souriante.

— Je ne veux pas jouer les rabat-joie, mais ne vous faites pas trop d'illusions, dit Vargas. Ces numéros ne sont peut-être que les références de pièces de rechange notées par le chauffeur ou n'importe quoi d'autre.

— Un bon lot de pièces de rechange. Comment est votre queue de taureau ?

— À tomber. Digne de celle que j'ai mangée à Cordoue au printemps 1949, et dont je rêve encore.

— Seul ou accompagné ?

— Vous enquêtez sur moi, Alicia ?

— Simple curiosité. Vous avez une famille ?

— Comme tout le monde.

— Pas moi, lâcha-t-elle d'un ton tranchant.

— Pardonnez-moi, je ne…

— Ne vous excusez pas. Qu'est-ce que Leandro vous a dit à mon sujet ?

Vargas parut surpris par la question.

— Il a bien dû vous parler de moi. Ou alors vous lui avez posé des questions.

— Je n'ai rien demandé. Et il ne m'a pas dit grand-chose.

Alicia lui adressa un sourire glacial.

— Entre nous, allez. Que vous a-t-il raconté de moi ?

— Écoutez, Alicia, votre petit jeu à tous les deux ne me regarde pas.

— Donc il vous en a dit plus que vous ne voulez bien l'admettre.

Vargas la dévisagea, irrité.

— Il m'a dit que vous étiez orpheline. Que vous aviez perdu vos parents pendant la guerre.

— Quoi d'autre ?

— Que vous gardiez les séquelles d'une blessure qui vous provoque des douleurs chroniques. Et que cela affecte votre caractère.

— Mon caractère ?

— Restons-en là.

— Quoi d'autre ?

— Que vous êtes une personne solitaire et que vous avez des difficultés à tisser des liens affectifs.

Alicia rit sans entrain.

— Il a dit cela ? Dans ces termes ?

— Je ne me rappelle pas exactement. Pourrions-nous changer de sujet ?

— D'accord. Parlons de mes liens affectifs.

Vargas leva les yeux au ciel.

— Croyez-vous que j'ai des difficultés à tisser des liens affectifs ?

— Je l'ignore, et cela ne me concerne pas.

— Leandro n'aurait jamais prononcé une telle phrase, tellement clichée. Elle semble tout droit sortie du courrier du cœur d'une revue de mode.

— Elle doit être de moi alors. Je suis abonné à plusieurs de ces revues.

— Qu'a-t-il dit exactement ?

— Pourquoi agissez-vous ainsi, Alicia ?

— Comment est-ce que j'agis ?

— Vous vous torturez, vous vous martyrisez.

— C'est ainsi que vous me voyez ? Comme une martyre ?

Vargas la regarda en silence, avant de hocher la tête négativement.

— Que vous a dit Leandro ? Je vous promets que si vous me dites la vérité, je vous laisserai tranquille.

Vargas évalua les termes de l'alternative.

— Vous pensez que personne ne peut vous aimer parce que vous ne vous aimez pas vous-même, voilà ce qu'il a dit. Vous croyez que personne ne vous a jamais aimée. Et vous en voulez à la terre entière.

Alicia baissa la tête et émit un petit rire forcé. Ayant remarqué ses yeux vitreux, Vargas se racla la gorge.

— Je croyais que vous vouliez que je vous parle de ma famille...

Alicia haussa les épaules.

— Mes parents étaient d'un petit village de...

— Vous avez une femme et des enfants ? le coupa-t-elle.

Vargas lui lança un regard dénué d'expression.

— Non, répondit-il enfin.

— Je ne voulais pas vous embarrasser. Je m'excuse.

Vargas s'obligea à sourire.

— Vous ne m'embarrassez pas. Et vous ?

— Si j'ai une femme et des enfants ?

— Ou quoi que ce soit d'autre.

— Non, je le crains, répondit-elle.

Vargas leva son verre.

— Aux âmes solitaires !

Alicia prit son verre et frôla celui de Vargas, en évitant son regard.

— Leandro est un imbécile, laissa tomber Vargas au bout d'un moment.

Alicia fit non de la tête.

— Non. Il est cruel, c'est tout.

Ils terminèrent le repas sans échanger un mot.

15

Valls se réveille dans le noir. Le corps de Vicente n'est plus là. Martín a dû l'emporter pendant qu'il dormait. Seul un individu aussi infâme que lui a pu avoir l'idée de l'enfermer avec un cadavre. Une tache visqueuse au sol rappelle la présence du corps. À la place, il y a maintenant un tas de vieux vêtements secs et un petit seau d'eau. Elle a un goût métallique et malpropre. Valls y trempe toutefois les lèvres et il en avale une gorgée. Il trouve que c'est la meilleure chose qu'il a jamais avalée. Il étanche une soif qu'il croyait insatiable, il boit à en avoir mal à la gorge et à l'estomac. Ensuite, il ôte ses vêtements crasseux et loqueteux et il enfile des habits qu'il prend sur le tas. Ils sentent le renfermé et le désinfectant. Sa main droite ne le fait plus souffrir, mais à la place il sent une palpitation sourde. Il n'ose pas la regarder, mais quand il finit par le faire, il constate que la tache noire s'étend à présent jusqu'au poignet, comme si on l'avait trempé dans le goudron. L'odeur de chairs putréfiées remplit ses narines, et il a l'impression que tout son corps est en train de pourrir.

— C'est la gangrène, dit une voix dans l'obscurité.

Son cœur saute dans sa poitrine. Valls se retourne et découvre son geôlier assis au pied de l'escalier, qui l'observe. Il se demande depuis combien de temps il est là.

— Tu vas perdre ta main. Ou la vie. Ça dépend de toi.

— Aidez-moi, je vous en prie. Je vous donnerai tout ce que vous voulez.

Le geôlier le regarde, impassible.

— Depuis combien de temps suis-je ici ?

— Pas longtemps.

— Vous travaillez pour Martín, c'est cela ? Où est-il ? Pourquoi ne vient-il pas ?

L'homme se lève. La maigre lumière qui filtre du haut de l'escalier frôle son visage. Valls distingue enfin le masque de porcelaine qui couvre une partie de sa figure. Couleur chair. Un œil toujours ouvert, qui ne cille jamais. Le geôlier s'approche des barreaux pour qu'il puisse le voir nettement.

— Tu ne te rappelles pas, hein ?

Valls fait signe que non.

— Ça te reviendra, tu verras. On a tout notre temps.

Il tourne les talons pour monter les marches mais Valls passe sa main gauche entre les barreaux d'un geste suppliant. L'homme s'immobilise.

— S'il vous plaît, implore Valls. J'ai besoin d'un médecin.

L'homme sort un paquet de la poche de son manteau et il le lance dans le cachot.

— À toi de décider si tu veux vivre ou te décomposer lentement, comme tu as laissé pourrir tant d'innocents.

Avant de partir, il allume une bougie qu'il pose dans un petit renfoncement en forme de niche creusé dans la pierre.

— Je vous en prie, ne partez pas...

Valls entend le bruit des pas qui se perdent et une porte qui se referme. Il s'accroupit pour attraper le paquet enveloppé dans un papier d'emballage. Il l'ouvre de la main gauche. Il ne reconnaît pas l'objet qu'il prend pour le regarder à la lueur de la bougie.

Une scie d'ébéniste.

16

Barcelone, mère des labyrinthes, abrite au plus profond de son cœur un écheveau de ruelles reliées en un récif de ruines présentes et futures dans lequel les voyageurs intrépides et toutes les formes d'esprits égarés restent attrapés. C'est un quartier qu'un cartographe béni a baptisé, à défaut de plus de précision, Raval. Faubourg, tout simplement. En sortant de Casa Leopoldo, Alicia et Vargas s'enfoncèrent dans la splendeur ténébreuse d'un lacis de rues bordées de taudis, de lupanars et de boutiques où toutes sortes de margoulins écoulaient des articles hors des circuits de la légalité. Le gueuleton avait affecté Vargas d'un léger hoquet qu'il tentait de faire passer en soufflant et en se frappant la poitrine.

— Voilà ce qui arrive quand on est un *goinfre*, pontifia Alicia — le mot lui était venu en catalan.

— Vous avez du toupet. Vous me gavez et ensuite vous vous payez ma tête.

Une fille de mauvaise vie aux formes généreuses et aux penchants cupides les observait avec un intérêt purement commercial, sous un porche où un transistor rendait honneur à la rumba catalane dans toute sa gloire métisse.

— Ça te tente, mon chou, invita la belle de jour avec un fort accent du Sud. Une petite sieste à deux avec ton sac d'os et une vraie femme ?

Vargas fit non de la tête, vaguement effrayé, et il accéléra le pas. Alicia sourit et le suivit, échangeant un regard avec la femme corpulente. Cette dernière, voyant sa proie s'éloigner, haussa les épaules et la détailla des pieds à la tête, avec l'air de se demander si ce qu'elle avait sous les yeux était désormais du goût des messieurs bien mis.

— Ce quartier est une calamité sociale, dit Vargas.

— Voulez-vous que je vous laisse seul un moment, pour voir si vous résolvez le problème ? demanda Alicia. Je crois que vous venez de vous faire une amie qui vous fera passer le hoquet en un clin d'œil.

— Ne m'agacez pas, je suis sur le point d'exploser.

— Voulez-vous un dessert ?

— Non, une loupe. À grossissement optimal, si possible.

— Je croyais que vous ne vous fiiez pas aux chiffres.

— Chacun se fie à ce qu'il peut, pas à ce qu'il veut. Sauf les imbéciles. Et dans ce cas, il faut intervertir les termes.

— J'ignorais que l'indigestion vous rendait philosophe.

— Vous ignorez beaucoup de choses, Alicia.

— C'est pour cela que j'en apprends tous les jours.

Elle lui prit le bras.

— Ne vous faites aucune illusion, avertit Vargas.

— Vous me l'avez déjà dit.

— C'est le meilleur conseil que je puisse donner à quelqu'un en ce bas monde.

— Quelle triste réflexion, Vargas.

Le policier la regarda et Alicia lut de la sincérité dans ses yeux. Son sourire s'effaça et, sans réfléchir, elle se haussa sur la pointe des pieds et déposa un baiser sur sa joue. Un baiser chaste, tendre, amical. Un baiser qui n'attendait rien en retour, et qui réclamait encore moins.

— Ne faites pas cela, dit Vargas en se remettant en marche.

Alicia constata que la racoleuse les regardait toujours, sous son porche. Elle avait assisté à la scène. Elles échangèrent un bref regard et la doyenne afficha un sourire amer.

Durant l'après-midi, le ciel était resté voilé de nuages bas qui déversaient une lueur verdâtre conférant au Raval des allures de village noyé dans des eaux marécageuses. Ils prirent la rue Hospital en direction des Ramblas puis Alicia guida Vargas au milieu de la foule jusqu'à la Plaza Real.

— Où allons-nous ? demanda-t-il.

— À la recherche de la loupe dont vous parliez.

Ils traversèrent la place. Sous les arcades, Alicia s'arrêta devant la vitrine d'une boutique. À l'intérieur, on apercevait une petite jungle d'animaux sauvages contemplant l'éternité de leurs yeux de verre, figés dans une attitude de furie. Vargas leva la tête vers le panneau au-dessus de la porte. Plus bas, il lut les lettres gravées sur la porte vitrée :

MUSÉE

Mme Vve. L. Soler Pujol

Téléphone 404451

— Qu'est-ce que c'est ?

— Les gens l'appellent le musée des animaux, mais en réalité c'est un établissement de taxidermie.

Ils entrèrent dans la boutique et Vargas constata immédiatement la richesse de la collection d'animaux empaillés. Des tigres, des oiseaux, des loups, des singes et une ribambelle d'espèces exotiques peuplaient cet improvisé musée de sciences naturelles qui aurait comblé, ou empêché de dormir, plus d'un spécialiste de la faune autochtone des cinq continents. Vargas passa devant les vitrines, admirant l'habileté démontrée par ces pièces de taxidermie.

— Cette fois, votre hoquet est passé, commenta Alicia.

Ils entendirent des pas derrière eux et ils se retournèrent. Une demoiselle mince comme un fil les regardait, les mains croisées sur la poitrine. Vargas se fit la réflexion qu'elle avait l'allure et le regard d'une mante religieuse.

— Bonjour. Puis-je vous aider ?

— Bonjour. Je souhaiterais parler à Matías, si c'est possible, dit Alicia.

Le regard de la mante redoubla de méfiance.

— À quel sujet ?

— Pour une consultation technique.

— De la part de qui, je vous prie ?

— Alicia Gris.

Elle les dévisagea sans hâte, fronça le nez et se dirigea vers l'arrière-boutique.

— Vous me dévoilez une Barcelone des plus accueillantes, murmura Vargas. Je songe à déménager.

— Pourtant, les gloires empaillées ne manquent pas dans la capitale, non ?

— Si seulement c'était le cas... Il y a surtout beaucoup de vivants là-bas. Qui est ce Matías ? Un ancien fiancé ?

— Un soupirant, disons.

— Un poids lourd dans sa catégorie ?

— Un poids plume, plutôt. Matías est un des techniciens de la maison. Ici, ils ont les meilleures loupes de la ville et Matías a les meilleurs yeux.

— Et la sorcière ?

— Elle s'appelle Serafina, il me semble. C'était sa fiancée, il y a des années. Elle doit être sa femme à présent.

— Il l'empaillera peut-être un jour, et il l'exposera dans une de ces vitrines, à côté des lions, pour parachever le musée des horreurs...

— Alicia ! – La voix euphorique de Matías leur parvint.

Le taxidermiste les reçut avec un grand sourire. C'était un homme menu, aux gestes nerveux, vêtu d'une grande blouse blanche. Il chaussait de grandes lunettes rondes qui lui agrandissaient les yeux et lui conféraient un aspect comique.

— Il y a si longtemps... dit-il visiblement excité par ces retrouvailles. Je pensais que tu n'habitais plus à Barcelone. Quand es-tu revenue ?

Serafina surveillait, en partie cachée derrière le rideau de l'arrière-boutique, l'œil noir comme le charbon, la mine peu aimable.

— Je te présente mon collègue, Juan Manuel Vargas.

Matías serra la main de Vargas tout en l'étudiant.

— Vous avez une collection impressionnante, monsieur Matías.

— Oh, la plupart des pièces appartenaient à M. Soler, le fondateur de la maison. Mon maître.

— Matías est très modeste, intervint Alicia. Raconte-lui l'histoire du taureau.

L'homme refusa avec humilité.

— Ne me dites pas que vous empaillez aussi des taureaux de combat ? s'exclama Vargas.

— Rien n'est impossible pour lui, dit Alicia. Il y a des années, un célèbre torero s'est présenté ici et il lui a demandé d'empailler une bête de plus de cinq cents kilos qu'il avait combattue l'après-midi même dans les arènes de la Monumental. Il voulait l'offrir à une vedette de cinéma dont il était follement amoureux... N'était-ce pas Ava Gardner, Matías ?

— Ce qu'on ne ferait pas pour les femmes, pas vrai ? dit l'homme qui préférait éviter le sujet, à l'évidence.

Serafina toussota, menaçante, derrière son poste de contrôle. Matías se redressa, au garde à vous. Son sourire disparut.

— Que puis-je faire pour vous ? Avez-vous une bête à empailler ? Un animal de compagnie, un trophée de chasse... ?

— En réalité, notre demande est un peu inhabituelle, commença Alicia.

— L'inhabituel est monnaie courante ici. Il y a quelques mois, Salvador Dalí en personne a franchi cette porte pour savoir si nous pouvions empailler deux cent mille fourmis pour lui. Ce n'est pas une blague. Je lui ai répondu que cela me paraissait peu réalisable et il a alors offert de portraiturer ma Serafina dans un retable, avec des insectes et des cardinaux. Enfin, un de ces trucs de génie ! Comme vous pouvez le voir, on ne s'ennuie pas ici...

Alicia sortit la page de carnet de son sac et elle la déplia.

— Ce que nous voulions te demander, c'est de nous aider à déchiffrer avec tes lentilles grossissantes le texte qui apparaît en creux sur cette feuille.

Matías prit délicatement le papier et il l'étudia à contre-jour.

— Encore un de tes mystères, Alicia ? Venez, allons dans l'atelier. Je vais voir ce que je peux faire.

L'atelier et le laboratoire du taxidermiste composaient une véritable cave dédiée à l'alchimie et aux prodiges. Du plafond pendaient des lentilles et des lampes accrochées sur une structure complexe, elle-même suspendue par des câbles métalliques. Des armoires vitrées renfermaient un nombre incalculable de flacons et de solutions chimiques, et au mur des grandes planches anatomiques de couleur ocre dévoilaient des organes, des squelettes et des muscles de créatures de tous pelages. Deux grands plateaux de marbre occupaient le centre de la pièce qui évoquait une salle d'opération conçue pour des spécimens extraordinaires. À côté, sur de petites tables métalliques recouvertes d'un tissu cramoisi, reposait la plus extravagante collection d'instruments chirurgicaux que Vargas avait jamais vue.

— Ne faites pas attention à l'odeur, avertit le taxidermiste. On s'habitue vite et on l'oublie.

Alicia doutait de la véracité de cette dernière affirmation, mais elle ne tenait pas à contredire Matías. Elle prit la chaise qu'il lui proposa chaleureusement, consciente du regard énamouré de son ancien soupirant.

— Serafina ne met jamais les pieds ici. Elle dit que ça sent la mort. Moi, ça me détend. Ici, on voit les choses telles qu'elles sont, sans artifices et sans mystères.

Il prit la feuille et l'étala sur une plaque de verre. Il régla la lumière ambiante grâce au variateur situé à côté du plateau de marbre, et il ne laissa qu'une faible clarté. Il prit deux projecteurs qui pendaient au plafond. Il tira sur une barre à poulie et approcha de la table un jeu de lentilles articulées sur des bras métalliques.

— Tu ne m'as pas dit au revoir, dit-il sans lever les yeux de son travail. Je l'ai appris par la concierge, Jesusa.

— C'était un peu précipité.

— Je comprends.

Matías plaça la plaque de verre entre un projecteur et une lentille grossissante. Le faisceau de lumière fit apparaître les contours des traces laissées sur le papier.

— Des chiffres, commenta-t-il.

Le taxidermiste ajusta l'angle de la lentille et réexamina la page avec soin.

— Je pourrais appliquer un produit de contraste, mais ça abîmerait certainement le papier, et on risquerait de perdre une partie des données...

Vargas s'approcha d'un secrétaire placé dans un coin de la pièce et il prit des feuilles et un crayon.

— Je peux ? demanda-t-il.

— Bien sûr. Faites comme chez vous.

Le policier se pencha et, posant son œil sur la lentille, il recopia les suites de chiffres.

— On dirait des numéros de série, opina Matías.

— Qu'est-ce qui vous fait dire cela ?

— Ils sont corrélés. Si vous observez les trois premiers chiffres de la colonne de gauche, on dirait que c'est une série. Le reste aussi d'ailleurs. Les deux derniers chiffres changent tous les trois ou quatre numéros.

Le taxidermiste les regarda d'un air amusé.

— Je suppose qu'il est inutile de vous demander à quoi vous passez vos journées, n'est-ce pas ?

— Je ne suis qu'un subordonné, répondit Vargas tout en écrivant.

Matías hocha la tête et il regarda Alicia.

— J'aurais aimé t'envoyer un faire-part de mariage et une invitation, mais je ne savais pas où l'adresser.

— Je suis désolée, Matías.

— Ce n'est pas grave. Le temps guérit tout, n'est-ce pas ?

— C'est ce qu'on dit.

— Et toi, ça va ? Tu es heureuse ?

— Comme un pape.

Il s'esclaffa.

— Toujours la même.

— Malheureusement. J'espère que Serafina ne m'en voudra pas d'être venue.

Il soupira.

— Eh bien... Je suppose qu'elle a idée de qui tu es. Ça me vaudra une petite dispute ce soir au dîner, rien de plus. Serafina a l'air un peu revêche au premier abord, mais elle a bon cœur.

— Je suis heureuse que tu aies rencontré une personne qui te mérite.

Matías la regarda droit dans les yeux sans dire un mot. Vargas essayait de se tenir à l'écart de cette conversation à voix basse. Dans un rôle de figuration, il reportait les chiffres sur son papier sans presque oser respirer. Le taxidermiste se tourna vers lui et lui tapota l'épaule.

— Vous avez tout ?

— Je termine.

— Nous pourrions peut-être installer la feuille sur une plaque et la rentrer dans un projecteur.

— J'y suis presque, je crois, dit Vargas.

Alicia se leva et marcha dans la pièce, examinant les instruments comme si elle déambulait dans les couloirs d'un musée. Matías l'observait à la dérobée.

— Vous vous connaissez depuis longtemps ? demanda-t-il à Vargas.

— Depuis quelques jours à peine. On travaille ensemble sur une affaire administrative, c'est tout.

— Un sacré personnage, n'est-ce pas ?

— Pardon ?

— Alicia.

— Elle est particulière, c'est vrai.

— Porte-t-elle toujours son attelle ?

— Une attelle ?

— C'est moi qui la lui ai fabriquée, vous savez ? Sur mesure. Un chef-d'œuvre, modestie mise à part. J'ai utilisé des fanons de baleine et des bandes de tungstène. C'est ce que nous appelons un exosquelette. Fine, légère et articulée. Presque comme une seconde peau. Aujourd'hui, elle ne la porte pas. Je le vois à sa façon de se mouvoir. Rappelez-lui qu'elle doit la mettre. Pour son bien.

Vargas acquiesça, comme s'il avait saisi les propos du taxidermiste, puis il nota les derniers chiffres.

— Merci Matías. Vous nous avez été d'une grande aide.

— C'est à cela que nous servons.

Le policier se releva et toussota. Alicia se retourna. Ils échangèrent un regard. Vargas hocha la tête. Elle s'avança vers Matías et elle lui sourit. Vargas se dit que ce sourire devait meurtrir comme un coup de poignard.

— Bon, dit le taxidermiste d'une voix tendue, j'espère que nous n'attendrons pas des années pour nous revoir.

— Je l'espère aussi.

Alicia l'enlaça et lui chuchota quelques mots à l'oreille. Il hocha la tête, les bras le long du corps. Il ne la prit pas par la taille. Elle s'écarta et s'éloigna sans ajouter un mot. Il attendit qu'elle fût sortie pour se retourner vers Vargas qui lui tendit la main. Il la serra.

— Prenez bien soin d'elle, Vargas, parce qu'elle ne le fera pas.

— J'essaierai.

Matías esquissa un sourire triste ; c'était un homme qui paraissait jeune tant qu'on ne le regardait pas dans les yeux. Son regard révélait une âme vieillie prématurément par le chagrin et le remords.

Quand il traversa sa boutique où les animaux posaient dans l'obscurité, Serafina vint à sa rencontre, le regard courroucé et les lèvres tremblantes.

— Ne la ramène jamais ici, menaça-t-elle.

Dehors, Vargas vit Alicia appuyée contre le bord de la fontaine, au milieu de la place. Elle frottait sa hanche droite, un rictus de douleur sur le visage. Il s'approcha d'elle.

— Pourquoi ne rentrez-vous pas chez vous, vous reposer un peu ? Demain est un autre jour.

Il comprit à son regard et il lui offrit une cigarette. Ils fumèrent en silence.

— Croyez-vous que je suis mauvaise ? demanda-t-elle enfin.

Vargas lui tendit la main.

— Venez, appuyez-vous sur moi.

Elle s'accrocha à Vargas. Elle claudiquait et s'arrêtait tous les dix ou quinze mètres sous l'effet de la douleur, mais ils arrivèrent enfin chez elle. Elle essaya de prendre les clefs dans son sac, elles tombèrent par terre. Vargas les ramassa, ouvrit la porte et l'aida à entrer. Alicia s'appuya contre le mur en gémissant. Le policier examina l'escalier et sans dire un mot il la prit dans ses bras et commença à monter.

Quand ils atteignirent le dernier étage, la jeune femme avait le visage baigné de larmes de douleur et de rage. Vargas la conduisit dans sa chambre et l'allongea délicatement sur le lit. Il lui enleva ses souliers et posa une couverture sur elle. Le flacon de médicament était sur la table de nuit.

— Un ou deux ?

— Deux.

— Sûr ?

Il lui tendit les deux comprimés et il lui servit un verre d'eau de la cruche posée sur la commode. Elle les avala, haletante. Il lui prit la main et attendit qu'elle se calme. Elle le regarda, les yeux rougis, le visage strié de larmes.

— Ne me laissez pas seule, s'il vous plaît.

— Je ne vais nulle part.

Alicia essaya de lui sourire. Il éteignit la lumière.

— Reposez-vous.

Il lui tint la main dans la pénombre et il l'entendit ravaler ses larmes, tremblante de douleur. Une demi-heure plus tard, il sentit le contact de sa main se relâcher, et Alicia glissa vers un état à mi-chemin entre le délire et le sommeil. Elle murmura des propos incohérents puis elle s'endormit, ou perdit connaissance. L'obscurité crépusculaire dessinait son profil sur l'oreiller. Soudain, Vargas prit peur. Si elle était morte ? Il tâta son pouls. Il se demanda si c'était la blessure qui lui tirait ces larmes ou si elle souffrait d'une douleur plus profonde.

Il commença à ressentir la fatigue lui aussi et il alla s'étendre sur le divan de la salle à manger. Il ferma les yeux et respira le parfum d'Alicia dans l'air.

— Je ne crois pas que vous soyez mauvaise, se surprit-il à murmurer. Mais parfois, vous me faites peur.

18

Il était minuit passé quand Vargas ouvrit les yeux. Il vit Alicia enveloppée dans une couverture, assise sur une chaise à côté de lui. Elle l'observait fixement dans l'obscurité.

— On dirait un vampire, parvint-il à articuler d'une voix pâteuse. Depuis combien de temps êtes-vous là ?

— Un moment.

— J'aurais dû vous prévenir que je ronfle.

— Ça ne me gêne pas. Avec les médicaments, je n'entendrais même pas un tremblement de terre.

Il se redressa et il se frotta le visage.

— Permettez-moi de vous dire que ce canapé est une horreur.

— Je ne suis pas douée en matière de mobilier. Je rachèterai des coussins. Avez-vous une préférence pour la couleur ?

— Si j'étais vous, je les prendrais noirs avec des dessins d'araignées ou de têtes de mort.

— Avez-vous dîné ?

— J'ai mangé pour une semaine entière, déjeuner et dîner. Comment vous sentez-vous ?

Alicia haussa les épaules.

— Honteuse.

— Je ne vois pas de quoi. Et la douleur ?

— Ça va mieux. Beaucoup mieux.

— Pourquoi ne vous recouchez-vous pas pour dormir encore un peu ?

— Je dois appeler Leandro.

— À cette heure-ci ?

— Leandro ne dort jamais.

— En parlant de vampires...

— Si je ne l'appelle pas, ce sera pire.

— Préférez-vous que j'aille dans le couloir.

— Non, répondit Alicia, un peu tard.

Vargas acquiesça.

— Écoutez, je vais regagner ma luxueuse résidence de l'autre côté de la rue pour me doucher et changer de vêtements, et je reviens.

— C'est inutile, Vargas. Vous en avez fait assez pour cette nuit. Partez et reposez-vous. On va avoir une longue journée. On se retrouve pour le petit-déjeuner.

Il la regarda, peu convaincu. Alicia lui sourit.

— Ça va aller. Je vous le promets.

— Vous avez votre révolver à portée de main ?

— Je dormirai avec, comme si c'était mon ours en peluche.

— Vous n'avez jamais eu d'ours en peluche, vous. Un diablotin, peut-être...

Alicia le remercia d'un de ces sourires qui lui ouvraient toutes les portes et faisaient fondre toutes les volontés. Il baissa la tête.

— Très bien. Allez, téléphonez au prince des ténèbres et racontez-lui vos petits secrets, dit-il, en chemin vers la porte. Et fermez à double tour.

— Vargas ?

Le policier s'arrêta sur le seuil.

— Merci.

— Arrêtez de me remercier pour des bêtises.

Elle attendit de ne plus entendre les pas du policier dans l'escalier pour décrocher le téléphone. Avant de composer le numéro, elle prit une profonde inspiration et elle ferma les yeux. La ligne directe de la *suite** ne répondait pas. Alicia savait que Leandro disposait d'autres chambres à l'hôtel Palace, même si elle n'avait jamais voulu lui demander à quoi elles lui servaient. Elle appela la réception. La téléphoniste de nuit connaissait la voix d'Alice et il fut inutile de préciser qui elle appelait.

— Un instant, mademoiselle Gris. Je vous passe M. Montalvo, dit-elle de sa voix chantante malgré l'heure avancée de la nuit.

Alicia entendit la sonnerie sur la ligne et le clic du combiné qu'on décroche. Elle imagina Leandro assis dans le noir, quelque part au Palace, contemplant la place de Neptune à ses pieds et le ciel de Madrid chargé de nuages dans l'attente de l'aube.

— Alicia, prononça-t-il lentement d'une voix dénuée d'expression. J'ai cru que tu n'appellerais plus.

— Excusez-moi. J'ai eu une crise.

— Je suis désolé. Te sens-tu mieux ?

— Tout va très bien.

— Vargas est-il avec toi ?

— Je suis seule.

— Tout va-t-il bien avec lui ?

— Oui. Aucun problème.

— Si tu préfères que je t'en débarrasse, je peux…

— Inutile. Je préfère presque le savoir à côté, au cas où…

Silence. Quand Leandro se taisait, il ne faisait aucun bruit, pas même celui de sa respiration.

— Tu es méconnaissable, si je peux me permettre. Quoi qu'il en soit, je suis heureux d'apprendre que vous faites bon ménage.

Je pensais que vous risquiez de ne pas vous entendre, vu son histoire personnelle...

— Quelle histoire ?

— Rien. Aucune importance.

— C'est quand vous dites cela que vous m'inquiétez.

— Il ne t'a pas parlé de sa famille ?

— Nous n'abordons pas les sujets personnels.

— Alors ce ne sera pas moi qui...

— Que se passe-t-il avec sa famille ?

Nouvelle pause de Leandro. Alicia l'imaginait, le sourire aux lèvres, se léchant les babines.

— Vargas a perdu son épouse et sa fille dans un accident de voiture il y a trois ans. Il conduisait et il avait bu. Sa fille avait ton âge. Il a passé des moments très difficiles. Il a été expulsé du Corps, pratiquement.

Alicia ne dit rien. Elle entendit la voix de Leandro susurrer à l'autre bout de la ligne.

— Il ne t'en a rien dit, c'est cela ?

— Non.

— J'imagine qu'il préfère ne pas remuer le passé. Enfin, souhaitons qu'il n'y ait pas de problème.

— Quel problème y aurait-il ?

— Alicia, tu sais que je ne me mêle jamais de ta vie sentimentale, mais j'avoue que parfois j'ai du mal à comprendre tes goûts et tes penchants particuliers.

— Je ne vois pas à quoi vous faites allusion.

— Tu le sais parfaitement, Alicia.

Elle se mordit les lèvres et ravala les mots qui lui brûlaient la langue.

— Il n'y aura aucun problème, lâcha-t-elle enfin.

— Parfait. À présent, raconte, qu'as-tu pour moi ?

Alicia respira et serra le poing, ses ongles s'enfonçant dans sa chair. Elle entama son compte rendu d'une voix redevenue obéissante et mélodieuse, la voix qu'elle avait appris à moduler dans sa relation avec Leandro.

Elle résuma en quelques minutes les événements survenus depuis leur dernière conversation. Son récit neutre et général se limitait à l'énumération des étapes suivies sans préciser les raisons ou les intuitions qui les avaient poussés à agir ainsi. Au chapitre des silences, le plus remarquable fut celui concernant le vol du livre de Víctor Mataix à son domicile, la nuit précédente. Comme à son habitude, Leandro écouta patiemment sans l'interrompre. Alicia termina son compte rendu et se tut. Le long silence qui s'ensuivit indiquait que Leandro était en train de digérer les informations.

— Pourquoi ai-je la sensation que tu ne m'as pas tout rapporté ?

— Je l'ignore. Je n'ai rien omis d'important, je crois.

— En conclusion, le rapport concernant l'automobile prétendument utilisée pour la fuite, appelons-la comme ça, ne fait apparaître aucune preuve définitive au-delà de signes de violence non mortelle et d'une supposée liste de numéros que nous ne pouvons relier à rien et qui n'a probablement aucun rapport avec l'affaire. Par ailleurs, tu persistes à suivre la piste du livre de ce Mataix, dont je m'inquiète qu'elle conduise à une série de mystères bibliographiques du plus haut intérêt mais d'aucune utilité dans l'engagement qui est le nôtre de retrouver Mauricio Valls.

— Des nouvelles de l'enquête officielle de police ? demanda Alicia, espérant détourner le cours de la conversation.

— Aucune information importante. Et je n'en attends rien. Disons que certains voient d'un mauvais œil que nous ayons été invités à la fête, même si ce n'est que par la petite porte.

— Est-ce la raison pour laquelle ils me font surveiller ?

— Oui, et aussi parce qu'ils ne doivent pas croire que nous nous satisferons de voir attribuer tous les honneurs et les médailles à la police le jour où nous retrouverons monsieur le ministre sain et sauf et que nous le leur livrerons sur un plateau. C'est naturel.

— Si nous le retrouvons.

— Cette piètre espérance serait-elle de l'esbroufe ? À moins que tu ne m'aies pas tout dit…

— Je voulais simplement signifier qu'il est difficile de localiser quelqu'un qui désire peut-être ne pas être localisé.

— Accordons-nous le bénéfice du doute, et écartons pour le moment les possibles désirs de monsieur le ministre. Ou de nos collègues de la Préfecture. Pour cette raison, je te recommande une certaine prudence avec Vargas. La loyauté est une habitude qui ne se perd pas du jour au lendemain.

— Vargas est digne de confiance…

— … dit celle qui ne se fie même pas à elle-même. Je ne te dis rien que tu ne saches déjà.

— Ne vous inquiétez pas. J'ouvrirai l'œil. Autre chose ?

— Appelle-moi.

Alicia allait lui souhaiter bonne nuit, mais Leandro avait déjà raccroché.

19

La flamme de la bougie faiblit sur la flaque de cire où flotte une petite mèche bleutée. Valls approche de la faible clarté sa main devenue insensible. La peau a pris une couleur violet foncé. Les doigts sont enflés et les ongles se détachent, laissant échapper un liquide épais à la puanteur indescriptible. Valls essaie de remuer les doigts. Sa main ne répond pas. Ce n'est plus qu'un morceau de viande morte attachée à son corps, et des traces noires montent le long de son bras. Un sang putride coule dans ses veines, il le sent, altérant sa pensée et l'arrachant à un sommeil agité et fébrile. Il sait que dans quelques heures il perdra définitivement conscience. Il mourra dans le sommeil anesthésique de la gangrène. Son corps n'est presque plus qu'une charogne qui ne reverra pas la lumière du jour.

La scie jetée dans le cachot par son geôlier est toujours là. Il l'a regardée à plusieurs reprises. Il a tenté de l'appuyer sur les doigts qui ne lui appartiennent plus. Au début, il a ressenti une certaine douleur. Plus maintenant. Seulement un haut-le-cœur. Il a la gorge écorchée de tant crier, gémir et implorer miséricorde. Il sait que quelqu'un vient le voir parfois quand il dort. Quand il délire. Ce doit être l'homme au masque, son geôlier. D'autres fois, c'est l'ange dont il se rappelle la vision, à côté de la portière de la voiture, avant qu'un couteau lui traverse le bras et qu'il perde connaissance.

Quelque chose a dérapé. Quelque chose dans ses calculs et ses suppositions a failli. Martín n'est pas là, où il n'a pas voulu se montrer. Valls sait que tout est l'œuvre de David Martín. Il veut le croire, car seul un tel esprit malade pourrait vouloir infliger cela à autrui.

— Dites à Martín que je suis désolé, je lui demande pardon... a-t-il supplié mille fois en présence du geôlier.

Il n'a jamais obtenu de réponse. Martín le laissera mourir, et pourrir centimètre après centimètre, sans daigner descendre dans son cachot et lui cracher à la figure.

Il s'évanouit à nouveau.

Il se réveille mouillé, dans sa propre urine, convaincu d'être en 1942 au château de Montjuïc. La gangrène lui a ôté le peu de lucidité qui lui restait. Il rit. Je faisais une petite visite des cellules et je me suis endormi dans l'une d'elles, songe-t-il. Il aperçoit alors une main qui n'est pas la sienne unie à son bras. La panique s'empare de lui. Il a vu de nombreux cadavres pendant la guerre et dans ses années à la tête de la prison, et il sait sans qu'on ait besoin de le lui préciser que c'est la main d'un mort. Il se traîne sur le sol du cachot, dans l'espoir que la main se décrochera. Mais elle le suit. Il la frappe contre le mur. Elle reste accrochée. Il ne se rend pas compte qu'il hurle quand il attrape la scie et qu'il commence à couper au-dessus du poignet. La chair cède facilement. On dirait de l'argile trempée, mais lorsque la lame rencontre l'os, il a envie de vomir. Il ne s'arrête pas. Il mobilise tout ce qui lui reste de forces. Ses cris couvrent le bruit de la scie et le craquement de l'os quand il casse. Un flot de sang noir se répand à ses pieds. La main ne tient plus à son corps que par un lambeau de peau. La douleur arrive ensuite, par vagues. Elle lui rappelle la fois où, enfant, il avait touché le fil dénudé où pendait une ampoule dans la cave de la maison de ses parents. Il s'effondre sur le dos et il sent quelque chose qui descend dans sa gorge. Il ne peut plus respirer. Il se noie dans son propre vomi. Ce sera très rapide, se dit-il. Il pense à Mercedes et il rassemble son misérable être pour recomposer l'image de son visage.

Il ne s'aperçoit même pas que la porte de la cellule s'ouvre et que son geôlier s'accroupit à côté de lui. Il tient un seau de goudron brûlant. Il attrape son bras et il le plonge dans le seau. Valls sent la chaleur. L'homme le regarde dans les yeux.

— Tu te souviens, maintenant ?

Valls fait signe que oui.

Le geôlier lui plante une aiguille dans le bras. Le liquide qui inonde ses veines est froid et Valls imagine un bleu transparent. La deuxième injection provoque l'apaisement, la paix et un sommeil sans fond ni conscience.

20

Le vent qui sifflait à travers les fenêtres disjointes et faisait vibrer les vitres la réveilla. Sur la table de nuit, l'aiguille du réveil affichait presque cinq heures du matin. Alicia laissa échapper un soupir. Seulement alors, elle remarqua l'obscurité.

Elle se souvenait d'avoir laissé les lampes de la salle à manger et du couloir allumées avant de grappiller quelques petites heures de sommeil à la suite de sa conversation avec Leandro. Or l'appartement était à présent plongé dans un noir bleuté. Elle chercha la poire de la lampe de chevet et appuya. L'ampoule ne s'alluma pas. Elle crut entendre des pas dans la salle à manger ainsi que le grincement d'une porte qui bougeait lentement. Un froid intense l'envahit. Elle prit le révolver qu'elle avait gardé toute la nuit avec elle, sous les draps, et elle déverrouilla le cran de sûreté.

— Vargas ? appela-t-elle d'une petite voix. C'est vous ?

Ses mots se répercutèrent en écho dans l'appartement sans provoquer de réponse. Elle écarta le drap et se leva. Elle sortit dans le couloir. Le sol était glacé sous ses pieds nus. L'obscurité encadrait un halo de clarté, à l'entrée de la salle à manger. Elle avança lentement, son arme tendue devant elle. Sa main tremblait un peu. Sur le seuil de la salle elle tâtonna le long du mur de la main gauche et appuya enfin sur l'interrupteur. Rien. Il n'y avait pas d'électricité dans la maison. Elle fouilla la pièce des yeux, le contour des meubles, les recoins sombres. Une odeur aigre flottait dans l'air. Un effluve de tabac. Ou de fleurs fanées. Le bouquet que Jesusa avait mis dans un vase sur la table. Les pétales commençaient à tomber. Elle ne nota aucun mouvement et elle avança vers la commode. Dans le premier tiroir, elle trouva une boîte de bougies et des allumettes qui devaient dater d'avant son départ pour Madrid sur ordre de Leandro. Une bougie allumée dans une main et le révolver dans l'autre, elle alla vérifier que la porte d'entrée était bien fermée. Elle tenta d'écarter de son esprit l'image de Lomana, souriant et immobile comme un mannequin de cire, l'attendant avec un couteau de boucher, caché dans un placard ou derrière une porte.

Elle parcourut tout l'appartement et s'assura qu'il n'y avait personne, puis elle prit une chaise de la salle à manger et la coinça contre la porte d'entrée de façon à bloquer la poignée. Elle posa la bougie sur la table et alla à la fenêtre donnant sur la rue. Tout le quartier était plongé dans l'obscurité. La ligne des toits et des pigeonniers se découpait sur un ciel bleuté opaque annonçant l'aube. Le visage collé contre la vitre, elle scruta les ombres dans la rue. Elle aperçut un point de lumière sous les arcades de la Manual Alpargatera, le grand fabricant d'espadrilles, installée en face. La braise rougeoyante d'une cigarette allumée. Ce devait être le malheureux Rovira déjà de garde à cette heure. Elle s'éloigna de la fenêtre et prit deux autres bougies. Il était encore beaucoup trop tôt pour descendre au Gran Café et retrouver Vargas, et elle ne se rendormirait pas, elle le savait.

Elle se dirigea vers la bibliothèque où elle gardait quelques-uns de ses livres préférés, lus et relus plusieurs fois pour la plupart. Depuis quatre ans, elle n'avait pas replongé dans celui qu'elle aimait par-dessus tout, *Jane Eyre*. Elle prit le volume et en caressa la couverture. Elle l'ouvrit et sourit en retrouvant le minuscule diablotin assis sur une pile de livres, un ex-libris que deux camarades de l'unité lui avaient offert dans sa première année de service sous les ordres de Leandro. À cette époque, ils la considéraient tous comme une jeune fille mystérieuse mais inoffensive, un caprice du chef qui n'avait pas encore éveillé les jalousies et les rancœurs des plus anciens.

Elle avait connu les jours de vin et de roses empoisonnées lorsque Ricardo Lomana avait décidé de son propre chef d'en faire son apprentie personnelle et que tous les vendredis il lui offrait des fleurs et l'invitait au cinéma ou au bal, des sorties qu'Alicia déclinait en invoquant mille excuses. Des jours où

Lomana la regardait à la dérobée, persuadé qu'elle ne le voyait pas, et chargeait ses phrases de sous-entendus et de compliments qui faisaient sourire jusqu'aux plus vieux de l'équipe. Ça va mal finir, avait-elle pensé alors. Elle était en dessous de la vérité.

Elle essaya d'effacer le visage de Lomana de son esprit et elle emporta le livre dans la salle de bains. Elle attacha ses cheveux, laissa couler l'eau chaude jusqu'à remplir la baignoire, alluma les deux bougies qu'elle posa sur le rebord en faïence et s'immergea dans la vapeur fumante. Elle attendit que le froid qui l'avait saisie jusqu'aux os se dissipât progressivement et elle ferma alors les yeux. Elle entendit soudain un bruit de pas dans l'escalier. Était-ce Vargas qui venait s'assurer qu'elle était toujours en vie, ou à nouveau le produit de son imagination ? La léthargie lugubre dans laquelle la plongeaient les médicaments contre la douleur provoquait toujours au réveil une étincelle d'hallucination, comme si les rêves empêchés tentaient de se frayer un chemin dans les brèches de sa conscience. Elle rouvrit les yeux, se redressa et appuya le menton sur le rebord de la baignoire. Un écho de voix lui parvint. Elle ne reconnut pas celle de Vargas parmi elles. Elle tendit la main pour caresser le révolver posé sur un tabouret et elle se concentra sur le clapotis produit par l'eau qui gouttait du robinet fermé. Elle attendit quelques secondes. Les voix s'étaient tues. À moins qu'elles n'eussent jamais existé. Quelques instants plus tard, les pas s'éloignèrent dans l'escalier. Un voisin qui partait au travail, se dit-elle.

Elle ôta sa main du révolver, alluma une cigarette et contempla les arabesques de fumée entre ses doigts. Elle s'allongea à nouveau dans la baignoire et regarda par la fenêtre le manteau nuageux bleuté qui glissait sur la ville. Elle prit le livre et à mesure qu'elle lisait l'inquiétude qui s'était emparée d'elle se dissipa. Elle perdit la notion du temps. Leandro lui-même ne pouvait pas la poursuivre et la trouver dans la forêt de mots que ce roman lui dévoilait. Elle sourit et continua sa lecture avec l'impression d'être de retour chez elle. Elle aurait pu rester ainsi toute la journée. Toute la vie peut-être.

En sortant de la baignoire, elle se regarda dans le miroir et elle contempla longuement les volutes de vapeur qui montaient le long de son corps. La tache noire de son ancienne blessure à la hanche droite dessinait une fleur vénéneuse qui étendait ses racines sous sa peau. Elle la palpa et ressentit un bref élancement annonciateur. Elle détacha ses cheveux et enduisit ses bras, ses jambes et son ventre d'une crème à l'eau de rose, un cadeau de Fernandito dans un de ses emportements adolescents. Le flacon portait le nom singulier de *Péché originel**. La lumière revint alors qu'elle regagnait sa chambre. Toutes les lampes qu'elle avait tenté d'allumer plus tôt éclairèrent d'un coup l'appartement. Elle porta les mains à sa poitrine et sentit les battements accélérés de son cœur. Elle avait eu peur. Elle éteignit les éclairages l'un après l'autre en pestant contre elle-même.

Nue devant l'armoire, Alicia prit son temps pour choisir sa tenue. Barcelone pardonnait beaucoup de choses, mais jamais le mauvais goût. Elle enfila les sous-vêtements lavés et parfumés par Jesusa et elle sourit en imaginant la concierge en train de plier les pièces de lingerie en se signant, interloquée, curieuse de savoir si les jeunes filles modernes de la capitale portaient ce genre de dessous à présent. Alicia décida d'enfiler des bas en soie synthétique qu'elle avait fait acheter par Leandro pour le cas où elle devrait jouer la jeune fille élégante, rue Príncipe de Vergara, ou prendre part à l'une des intrigues ourdies par son chef dans les salons du Ritz.

— Une paire de bas normaux ne suffirait-elle pas ? avait protesté Leandro en en découvrant le prix.

— Si vous voulez acheter des bas normaux, vous n'avez qu'à envoyer quelqu'un d'autre pour faire le travail.

Se faire payer des vêtements de prix et des livres par Leandro constituait l'un des rares plaisirs que ce travail lui procurait. Peu désireuse de tenter à nouveau le sort, elle décida de remettre son attelle. Elle la serra un peu plus que d'habitude et tourna sur elle-même devant le miroir, évaluant la mise en place de l'appareillage qui, trouvait-elle, lui donnait un air de poupée perverse, de marionnette à la beauté sombre auquel elle ne s'était jamais habituée car il semblait insinuer qu'au fond Leandro avait raison et que le miroir disait vrai.

Il ne te manque que les fils, se dit-elle.

Concernant son uniforme pour la journée, elle se décida pour une robe violette de coupe classique et des chaussures italiennes, achetées dans un magasin chic de la Rambla de Cataluña, où la vendeuse l'avait appelée *petite*. La paire valait à l'époque l'équivalent d'un mois de salaire. Elle se maquilla avec soin pour confectionner son personnage, et elle choisit un rouge à lèvres lie de vin brillant dont elle était certaine qu'il aurait déplu à Leandro. Elle ne voulait pas que Vargas détectât l'ombre d'une faiblesse dans sa personne quand il la verrait apparaître. Des années de métier lui avaient appris que la modestie incitait à l'examen. Avant de partir, elle se regarda une dernière fois dans la glace du vestibule et elle s'accorda un avis favorable. "Tu te briserais le cœur à toi-même. Si tu en avais un", s'apostropha-t-elle.

Le jour pointait à peine quand Alicia traversa la rue pour se rendre au Gran Café. Avant d'entrer, elle avisa Rovira déjà installé au coin de l'immeuble. L'écharpe remontée sur le nez, il se frottait les mains. Elle fut tentée de s'approcher de lui et de lui gâcher sa journée, mais elle renonça. Rovira la salua de loin et courut se cacher. En entrant dans le café, elle constata que Vargas était déjà installé à ce qui paraissait être devenu sa table officielle. Il dévorait un gros sandwich à la viande avec du pain frotté à la tomate, accompagné d'une grande tasse de café, tout en examinant la liste des numéros qu'ils avaient réussi à relever avec l'aide du taxidermiste. En entendant la porte, le policier leva les yeux et la regarda des pieds à la tête. Alicia s'assit en face de lui sans prononcer un mot.

— Vous sentez très bon, dit Vargas en guise de salutation. Comme un gâteau tout chaud.

Il replongea immédiatement dans son délicieux petit-déjeuner et la liste.

— Comment pouvez-vous avaler ça à cette heure-ci ? s'offusqua Alicia.

Le policier haussa les épaules et lui offrit en retour une bouchée du formidable sandwich. Alicia détourna la tête et Vargas mordit à pleines dents dans le pain.

— Saviez-vous qu'ici, à Barcelone, on appelle les sandwichs des *entrepanes* ? commenta Vargas. "Entre du pain", c'est drôle, non ?

— Tordant.

— Et attendez le meilleur ! Ils disent *ampolles* pour bouteilles. Ampoules… Comme une ampoule au pied !

— Deux jours à Barcelone, et vous voilà devenu polyglotte.

Vargas lui sourit de toutes ses dents.

— Je suis heureux de voir que vous avez perdu votre douceur d'hier au soir. Ce qui signifie que vous allez mieux. Avez-vous vu Jiminy Cricket qui se pèle de froid dehors ?

— Il s'appelle Rovira.

— J'oubliais que vous le teniez en haute estime.

Miquel s'était approché timidement de la table avec, sur son plateau, les toasts, le beurre et une cafetière fumante. Il était sept heures du matin et ils étaient les deux seuls clients dans le café. Comme à son habitude, Miquel, la discrétion incarnée, s'était retiré derrière son comptoir, à l'extrémité la plus éloignée d'eux, et il faisait mine de s'occuper. Alicia se servit une tasse de café et Vargas retourna à sa liste, examinant les numéros un à un, espérant visiblement que leur signification se révélât à lui par un phénomène de génération spontanée. Les minutes se traînaient dans un silence épais.

— Vous êtes très élégante aujourd'hui, lâcha-t-il enfin. Allons-nous quelque part ?

Alicia déglutit et toussota. Il leva les yeux.

— À propos d'hier soir... commença-t-elle.

— Oui ?

— Je voulais m'excuser. Et vous remercier.

— Il n'y a rien à excuser. Et encore moins de raison de me remercier.

Une ombre de pudeur voilait son expression sévère. Alicia lui adressa un faible sourire.

— Vous êtes quelqu'un de bien.

Vargas baissa les yeux.

— Ne dites pas cela.

Elle mordilla un des toasts sans appétit. Vargas l'observait.

— Quoi ?

— Rien. J'aime bien vous regarder manger.

Alicia croqua dans la tartine et sourit.

— Quel est votre programme aujourd'hui ?

— Hier nous nous sommes occupés de la voiture. Aujourd'hui, laissez-moi vous emmener faire une petite visite à l'avocat Brians.

— À votre guise. Comment comptez-vous vous présenter ?

— Je pensais que je pourrais être une jeune héritière ingénue qui se retrouve avec un livre de Víctor Mataix entre les mains et qui veut le vendre. M. Gustavo Barceló m'a parlé de lui et il m'a dit qu'il représentait un collectionneur désireux d'acheter tous les exemplaires de l'auteur sur le marché, blablabla…

— Vous, en ingénue ? Ça promet. Et moi, qui serai-je supposé être ? Votre chevalier servant ?

— Je m'étais dit que vous pourriez jouer le rôle de mon époux fidèle, aimant et d'âge mûr.

— Merveilleux. Cat Woman et le vieux capitaine, le couple de l'année ! Je doute que l'avocat avale cette histoire, même s'il était le dernier de sa promo en son temps.

— Je n'attends pas qu'il me croie. Mon idée est plutôt de lui mettre la puce à l'oreille et qu'il fasse un faux pas.

— Je vois. Et alors quoi ? On le suit ?

— Vous êtes doué de télépathie, Vargas.

Quand ils se mirent en route, un soleil de carte postale s'était imposé et léchait les toits. Vargas considérait les façades et les recoins de la rue Aviñon avec le visage placide d'un séminariste de province en excursion le week-end. Il s'aperçut qu'Alicia se retournait fréquemment pour regarder par-dessus son épaule. Il allait lui demander s'il se passait quelque chose quand, suivant son regard, il le vit. Rovira essayait de se dissimuler sans succès dans l'entrée d'un immeuble, à une cinquantaine de mètres d'eux.

— Celui-là, je vais lui mettre les points sur les "i" vite fait bien fait, murmura-t-il.

Alicia le retint par le bras.

— Non, laissez-le, c'est mieux.

La jeune femme fit un salut de la main en souriant. Rovira regarda de tous côtés, hésita un instant et, se voyant découvert, il lui rendit timidement son salut.

— Pauvre inutile, cracha Vargas.

— Autant lui qu'un autre. Au moins, on se l'est mis dans la poche, et c'est aussi son intérêt.

— Puisque vous le dites…

Vargas fit signe à Rovira de reculer et de respecter la distance convenue. L'homme hocha la tête et leva la main, le pouce tendu, pour signifier qu'il avait compris.

— Regardez-le. Il a dû voir ça au cinéma, dit Vargas.

— N'est-ce pas au cinéma que les gens apprennent à vivre aujourd'hui ?

— Ainsi va la vie.

Laissant Rovira derrière eux, ils reprirent leur marche.

— Ça ne me plaît pas de traîner ce crétin derrière moi comme un toutou, insista Vargas. Je ne sais pas pourquoi vous lui faites confiance. Allez savoir ce qu'il raconte au commissariat.

— En réalité, il me fait de la peine.

— Moi je crois qu'une bonne paire de claques ne serait pas de trop. Vous n'êtes pas obligée d'y assister, si vous ne voulez pas. Je le coincerai en tête à tête et je lui filerai une trempe.

— Vous consommez trop de protéines, Vargas. Cela vous altère le caractère.

21

Si l'habit fait le moine, le bureau et une bonne adresse font, ou défont, l'avocat. Dans une ville largement pourvue de juristes installés dans de somptueux cabinets situés dans des immeubles princiers du Paseo de Gracia et autres artères nobles, Fernando Brians avait choisi une adresse beaucoup plus modeste, presque insolite au vu des us et coutumes de sa branche.

Alicia et Vargas virent l'immeuble de loin, un bâtiment centenaire, vaguement incliné, à la dérive au croisement des rues Mercé et Aviñon. Au rez-de-chaussée, le bar à tapas ressemblait surtout à un refuge pour toréros oubliés et marins le jour de la paie. Le cabaretier, un corpuscule à grandes moustaches et en forme de toupie, était sur le trottoir, armé d'une serpillière et d'un seau fumant qui puait l'eau de Javel. Il sifflait un air d'opérette et jonglait avec un cure-dent tout en nettoyant le pavé, faisant disparaître sans se presser les flaques d'urine, les vomissures éthyliques et autres mélanges propres aux ruelles qui menaient au port.

Des piles de caisses et de pièces de mobilier poussiéreux flanquaient la porte d'entrée de l'immeuble. Trois déménageurs trempés de sueur s'étaient arrêtés un moment pour reprendre leur souffle et dire deux mots à des sandwichs longs comme des flûtes d'où dépassaient des tranches de mortadelle.

— Est-ce bien ici le cabinet de maître Brians ? demanda Vargas au cabaretier qui avait interrompu son récurage matutinal pour leur jeter un coup d'œil appuyé.

— Au dernier étage, dit-il en pointant l'index vers le haut. Ils sont en train de déménager.

Quand Alicia passa devant lui, il sourit, découvrant une denture jaunâtre.

— Un petit crème et des madeleines, ma jolie ? C'est la maison qui invite.

— Un autre jour. Quand vous aurez rasé toute cette broussaille, répondit Alicia sans s'arrêter.

Le trio de déménageurs applaudit la rosserie que le cabaretier encaissa sportivement. Vargas suivit Alicia dans l'escalier, une sorte de spirale plus proche du trajet intestinal que du tracé architectural.

— Y a-t-il un ascenseur ? demanda Vargas à l'un des garçons.

— S'il existe, on ne l'a pas encore vu.

Ils grimpèrent les cinq étages jusqu'au palier rempli de caisses, de boîtes d'archives, de portemanteaux, de chaises et de scènes pastorales probablement achetées au marché aux puces pour quelques sous. Alicia passa la tête dans le cabinet d'avocats, un appartement sur le pied de guerre où rien n'avait l'air à sa place et où tout était jeté dans des caisses qui débordaient, ou en transit. Vargas essaya la sonnette, qui ne fonctionnait pas, et frappa ensuite à la porte.

— Bonjour !

Une fausse blonde surmontée d'une solide permanente sortit dans le couloir. La demoiselle qui portait un tel prodige en guise de casque arborait une robe à fleurs et un fard à joues assorti.

— Bonjour, dit Alicia. Sommes-nous bien au cabinet de maître Brians ?

La demoiselle fit quelques pas vers eux et leur adressa un regard étonné.

— Oui. Enfin c'était. On déménage. Que puis-je pour vous ?

— Nous souhaitions nous entretenir avec l'avocat.

— Avez-vous pris rendez-vous ?

— Non, malheureusement. Maître Brians est-il là ?

— Il arrive généralement un peu plus tard. Il peut se le permettre, il est le patron. Si vous voulez l'attendre au bar, en bas...

— Si cela ne vous dérange pas, on préférerait l'attendre ici. Pour éviter les étages...

La secrétaire soupira en signe d'acquiescement.

— Bien entendu. Comme vous le constatez, tout est sens dessus dessous.

— Nous comprenons, intervint Vargas. Nous essaierons de vous déranger le moins possible.

Le sourire plein de douceur d'Alicia et surtout le physique de Vargas paraissaient avoir apaisé sa méfiance.

— Suivez-moi, je vous prie.

La secrétaire les conduisit dans un long couloir qui traversait tout l'appartement. De part et d'autre, les pièces étaient remplies de caisses prêtes pour le déménagement. La poussière soulevée par tout ce remue-ménage avait projeté dans l'air une brume de particules brillantes qui chatouillait les narines. Le périple au milieu des résidus du naufrage s'acheva dans une grande pièce d'angle, le dernier bastion encore fonctionnel de tout le cabinet, selon toute vraisemblance.

— Si vous voulez bien... indiqua la secrétaire.

La pièce était le peu qui restait de l'entreprise de Brians. Elle contenait un amas de rayonnages et de dossiers empilés dans un équilibre précaire contre les murs. L'élément phare était la table de bureau en beau bois qu'on eût dit sauvée d'un incendie, et derrière, une bibliothèque vitrée renfermant la collection complète de la littérature juridique d'Aranzadi entassée à la va-comme-je-te-pousse.

Alicia et Vargas s'installèrent sur des tabourets improvisés à côté de la porte-fenêtre du balcon par laquelle on apercevait la statue de la Vierge de la Mercé juchée sur la coupole de la basilique.

— Demandez à la Vierge de prendre pitié de nous, moi elle ne m'écoute pas, commenta la secrétaire. Qui dois-je annoncer ?

— Jaime Valcárcel et madame, répondit Alicia avant que Vargas ne pût ciller même une fois.

La femme acquiesça avec diligence tout en frôlant Vargas d'un regard complice, comme si elle voulait le féliciter pour leur différence d'âge et laisser entendre qu'à un homme aussi viril et doté d'une belle gueule comme lui une petite folie était toute pardonnée.

— Je m'appelle Puri, pour vous servir. Je ne crois pas que l'avocat tarde beaucoup. Puis-je vous offrir quelque chose en attendant ? Mariano, le patron du bar d'en bas, me monte tous les matins une thermos de café au lait et des madeleines, si ça vous dit...

— Ce n'est pas de refus, dit Vargas

Puri sourit, satisfaite.

Elle s'éloigna dans un élégant balancement de hanches qui n'échappa pas à Vargas.

— Que Mariano et ses madeleines soient avec nous ! murmura Alicia dans sa barbe.

— Chacun ses armes pour séduire.

— Comment pouvez-vous avoir encore faim ? Vous venez d'engloutir un goret entier !

— Il y en a qui ont encore du sang dans les veines !

— Serait-ce la demoiselle Puri qui vous rend aussi goujat ?

Avant que Vargas ne pût répondre, la susdite réapparut avec un plateau chargé de madeleines et une grande tasse de café au lait fumant, que le policier accepta de bonne grâce.

— Excusez-moi de vous le servir ainsi, mais tout est dans les caisses...

— Ne vous inquiétez pas. Mille mercis.

— Comment se fait-il que vous déménagiez ? demanda Alicia.

— Le propriétaire de l'immeuble veut augmenter le loyer... Un vieux grippe-sou... Que son immeuble reste vide et que les bestioles le bouffent !

— Amen, ponctua Vargas. Où allez-vous ?

— J'aimerais bien le savoir. On devait s'installer pas loin, derrière la Poste centrale, mais les travaux ont pris du retard et il faut attendre au moins un mois. Pour le moment, tout part dans un garde-meuble de la famille de l'avocat, à Pueblo Nuevo.

— Et pendant ce temps, où travaillerez-vous ?

Puri soupira.

— Une tante de l'avocat, morte il y a peu, avait un appartement à Sarriá, passage Mallofré. Il paraît qu'on s'y installera en attendant. Comme vous le voyez, c'est à la petite semaine…

Alicia et Vargas parcoururent à nouveau du regard le bureau moribond de Brians qui dégageait un parfum de faillite. Les yeux d'Alicia s'arrêtèrent sur un cadre contenant ce qui lui parut être une parodie de photo de classe universitaire où apparaissait ce qu'elle pensa être le juriste Brians dans sa jeunesse, entouré de loqueteux et de prisonniers faméliques enchaînés jusqu'au cou. Sous l'image, on lisait cette légende :

Fernando Brians
Avocat des causes perdues

Alicia se leva et s'approcha pour examiner le cadre. Puri la rejoignit en souriant, pestant en son for intérieur.

— Le voilà, le bienheureux des tribunaux de Barcelone… C'est une blague de ses compagnons de promotion, il y a des années, quand ils étaient jeunes. Et l'image est toujours là. Il la trouve tellement amusante qu'il la laisse accrochée là, où les clients peuvent la voir…

— L'avocat n'a-t-il pas des clients plus…

— Prospères ?

— Solvables.

— Certains si, mais il suffit qu'il croise dans la rue n'importe quel pauvre diable et il le ramène ici, au cabinet… Il est bonasse, que voulez-vous. C'est comme ça.

— Ne vous inquiétez pas, nous sommes de bons payeurs, intervint Vargas.

— Dieu vous bénisse. Alors, ces madeleines ?

— Sublimes.

Tandis que Vargas, pour le plus grand plaisir de Puri, offrait une démonstration pratique de son coup de fourchette et de la finesse de son palais, un fracas aux allures de trébuchement suivi d'un croc-en-jambe se fit entendre à l'entrée du cabinet, accompagné d'un chapelet d'injures bruyantes. Puri leva les yeux au ciel.

— L'avocat va vous recevoir tout de suite.

Fernando avait l'aspect d'un maître d'école élémentaire publique dans son costume d'occasion agrémenté d'une cravate aux couleurs passées dont il n'avait probablement pas refait le nœud de la semaine, et ses chaussures à la semelle lisse comme des galets de rivière. Son corps était mince et nerveux, et malgré son âge, il conservait une imposante chevelure, grise, et un regard pénétrant derrière des lunettes à la monture en bakélite noire à la mode avant guerre. Il avait autant l'air d'un avocat barcelonais que sa secrétaire Puri d'une novice cloîtrée. Alicia se fit la réflexion que, malgré la modestie de toute la mise en scène de sa vie professionnelle, Fernando Brians avait conservé l'air juvénile et vigoureux d'un homme qui n'a pas vieilli pour la simple raison que personne ne l'a averti du passage des années et de la nécessité d'adopter désormais un comportement de personne respectable et installée.

— Je vous écoute, dit Brians.

Assis sur le bord de son bureau, il les observait avec un mélange de curiosité et de scepticisme. Il manifestait peut-être un penchant pour les causes perdues, mais il avait l'air de tout sauf d'un imbécile. Vargas se pencha et désigna Alicia.

— Si cela ne vous ennuie pas, je laisserai mon épouse exposer le cas qui nous amène, c'est elle qui gouverne à la maison.

— Comme il vous plaira.

— Souhaitez-vous que je prenne des notes, don Fernando ? demanda Puri qui observait la scène depuis le seuil de la porte.

— Ce ne sera pas la peine. Il vaudrait mieux que vous alliez surveiller les déménageurs, ils bloquent la rue avec les caisses et la camionnette ne pourra pas entrer.

Puri hocha la tête, déçue. Elle tourna les talons et partit remplir sa mission.

— Vous disiez… ? reprit Brians. Ou plutôt madame votre épouse, qui gouverne à la maison…

Le ton légèrement acéré de l'avocat amena Alicia à se demander si Gustavo Barceló, le libraire qu'elle avait rencontré au Cercle équestre, ne l'avait pas prévenu de sa possible visite.

— Monsieur Brians, commença-t-elle, une tante de mon époux Jaime décédée il y a peu nous laisse en héritage une collection d'œuvres d'art et une bibliothèque qui comprend des exemplaires de grande valeur.

— Toutes mes condoléances... Peut-être avez-vous besoin d'être assistés dans le règlement de la succession, ou bien... ?

— La raison pour laquelle nous souhaitions vous rencontrer est que cette bibliothèque contient un livre d'un certain Víctor Mataix. C'est un des volumes d'une série publiée à Barcelone dans les années trente.

— *Le Labyrinthe des esprits*, compléta Brians.

— Exact. Nous avons appris que vous représentez un collectionneur disposé à acheter toutes les œuvres existantes de cet auteur, c'est pourquoi nous avons cru opportun de...

— Je comprends, la coupa-t-il en se levant du coin de la table pour aller se réfugier dans son fauteuil de bureau.

— Peut-être auriez-vous l'amabilité de nous mettre en relation avec votre client, ou, si vous préférez, de nous donner ses coordonnées afin que nous...

Brians hochait la tête, moins aux suggestions d'Alicia que pour lui-même.

— Malheureusement, c'est impossible.

— Pardon ?

— Je ne peux pas vous fournir l'information que vous désirez ni vous mettre en relation avec mon client.

Alicia lui adressa un sourire conciliateur.

— Puis-je vous demander pourquoi ?

— Parce que je ne le connais pas.

— Excusez-moi, je ne comprends pas.

Brians s'appuya contre le dossier de son fauteuil, croisa les mains sur la poitrine et se frotta les pouces.

— Je n'ai eu de relations avec mon client que par correspondance, et par le biais d'une secrétaire, en outre. Je ne l'ai jamais vu et j'ignore même son nom. Comme il est fréquent chez certains collectionneurs, il préfère garder l'anonymat.

— Y compris avec son propre avocat ?

Brians afficha un sourire glacial et haussa les épaules.

— Tant qu'il paie les factures, c'est ça ? avança Vargas.

— Enfin, si vous communiquez par courrier avec sa secrétaire, vous avez au moins un nom et une adresse, suggéra Alicia.

— C'est une boîte postale. Inutile de dire que je ne peux pas vous en donner le numéro pour des raisons de confidentialité. Il en va de même pour le nom de la secrétaire. Je ne suis pas autorisé à divulguer la moindre information sur mes clients, sauf à ce qu'ils décident eux-mêmes de la rendre publique.

— Nous comprenons. Mais dans ces conditions, comment pouvez-vous acheter ou vous procurer les livres pour la collection de votre client s'il vous est impossible de vous entretenir directement avec lui pour lui proposer de les acheter ?

— Croyez-moi, madame *Valcárcel*, c'est bien cela ? Si mon client est intéressé par l'exemplaire actuellement en votre possession, c'est lui qui me le fera savoir. Je ne suis qu'un simple intermédiaire.

Alicia et Vargas se regardèrent.

— Bon, improvisa le policier, nous avons fait erreur, chérie, c'est évident.

L'avocat se leva et contourna la table de bureau, une main tendue et un sourire aux lèvres, cordiaux tous les deux, leur indiquant clairement la fin de l'entretien.

— Je suis absolument désolé de ne pas pouvoir vous aider davantage et je vous présente mes excuses pour l'état de mon cabinet. Nous sommes en plein déménagement et je ne pensais pas recevoir de client aujourd'hui...

Ils se serrèrent la main et Brians les raccompagna jusqu'à la sortie. Il ouvrait la marche, effectuant parfois de petits sauts pour éviter les obstacles, leur aplanissant le terrain.

— Si vous me permettez un conseil désintéressé, à votre place je ferais appel à un bon libraire de livres d'occasion qui se chargerait de faire circuler l'information. Si vous êtes en possession d'un authentique Mataix, les acheteurs ne manqueront pas.

— Une suggestion ?

— Barceló. Près de la Plaza Real. Ou Sempere & Fils, dans la rue Santa Ana. Ou encore Costa, à Vic. Ce sont les trois meilleurs.

— C'est ce que nous ferons. Nous vous remercions.

— Il n'y a pas de quoi.

Alicia ne desserra pas les lèvres avant d'atteindre le hall de l'immeuble. Vargas la suivait à une distance prudente. Sur le seuil, Alicia s'arrêta pour observer le tas de caisses empilées par les déménageurs.

— Et maintenant, qu'est-ce qu'on fait ? demanda Vargas.

— On attend, dit Alicia.

— On attend quoi ?

— Que Brians bouge.

Elle s'accroupit devant une des caisses fermées. Elle jeta un coup d'œil autour d'elle pour s'assurer que personne ne la regardait avant d'arracher une étiquette qu'elle fourra dans son sac.

— Peut-on savoir ce que vous faites ? demanda Vargas.

Elle avança sur le trottoir sans répondre. Vargas, surpris, la vit entrer dans le bar. Mariano, le cabaretier poète aux madeleines matinales, nettoyait toujours le pavé, la serpillière en action. Il parut encore plus surpris que Vargas en la voyant pénétrer dans son établissement. Il abandonna sur-le-champ son balai contre le mur et il la suivit en s'essuyant les mains au torchon qui pendait à sa ceinture. Vargas leur emboîta le pas en soupirant.

— Un petit crème et des madeleines pour la demoiselle ? lui offrit Mariano.

— Un blanc.

— À cette heure-ci ?

— À partir de quelle heure servez-vous du vin blanc ?

— Pour vous, vingt-quatre heures sur vingt-quatre. Un penedès doux ?

Alicia hocha la tête. Vargas occupa le tabouret voisin.

— Croyez-vous vraiment que votre plan va marcher ? demanda-t-il.

— Qui ne tente rien n'a rien.

Mariano revint avec un verre de vin et des olives sur une soucoupe, cadeau de la maison.

— Une petite bière pour le monsieur ?

Vargas fit non de la tête. Il contempla Alicia. Elle dégustait son vin blanc. Un petit quelque chose dans la forme de ses lèvres caressant le verre et dans le palpitement de sa gorge au passage du liquide illumina sa journée. Elle remarqua son expression et haussa les sourcils.

— Quoi ?

— Rien.

Elle leva son verre.

— Vous désapprouvez, c'est ça ?

— Dieu m'en garde.

Elle terminait la dernière gorgée quand, derrière les vitres du bar, l'avocat Brians traversa la rue à toute allure. Alicia et Vargas échangèrent un regard. Elle posa quelques pièces sur le comptoir et ils quittèrent les lieux sans dire un mot.

22

Au Corps, tous savaient que dans le grand art de la filature de citoyens, suspects ou non, Vargas n'avait aucun rival. Quand on lui demandait quel était son secret, il avait l'habitude de répondre que l'important n'était pas tant la discrétion que l'application des principes de l'optique. L'élément déterminant, expliquait-il, n'était pas ce que pouvait voir ou deviner la personne suivie, mais ce qui se trouvait à la portée de la vision du suiveur. Et également de bonnes jambes. Dès qu'ils commencèrent à suivre l'avocat Brians, Vargas constata qu'Alicia non seulement maîtrisait la discipline sur le bout des doigts, mais qu'elle la portait en outre à un degré de perfection qui força son admiration. Sa connaissance manifeste dans ses moindres recoins de l'écheveau de ruelles, impasses et brèches, qui composaient l'armature de la vieille ville lui permettait d'emprunter des trajets parallèles et de marcher sur les talons de Brians sans qu'il suspectât qu'il était filé.

Alicia marchait avec plus d'aplomb que la veille, et Vargas en déduisit qu'elle portait l'attelle dont le taxidermiste lui avait parlé. Le mouvement de ses hanches était différent, et elle avançait la tête haute. Elle le guida dans cet entrelacs, faisant des pauses, cherchant l'abri d'angles morts et traçant la route que suivait Brians avant même qu'il ne le sache. Ils le suivirent à la trace durant une vingtaine de minutes dans le dense réticule de passages et de ruelles qui montaient du port vers le cœur de la ville. Ils le virent s'arrêter plus d'une fois à un croisement pour regarder derrière lui et s'assurer qu'il n'était pas suivi. Sa seule erreur était de regarder dans la mauvaise direction. Puis ils l'aperçurent qui traversait la rue Canuda en direction des Ramblas pour se perdre dans la foule. Alicia s'arrêta alors quelques secondes et elle retint Vargas par le bras.

— Il va prendre le métro, murmura-t-elle.

Ils se glissèrent dans la marée humaine qui arpentait les Ramblas, séparés d'une dizaine de mètres l'un de l'autre, et ils suivirent l'avocat jusqu'à la bouche de métro située à côté de la fontaine de Canaletas. L'avocat se jeta dans les escaliers et il pénétra dans le réseau de tunnels qui débouchaient sur la dénommée avenue de Lumière.

Voie de ténèbres et de misères plutôt qu'avenue à proprement parler, cet extravagant boulevard d'allure fantomatique avait été conçu par un illuminé qui avait imaginé, sans grand succès, une Barcelone souterraine éclairée au gaz. Le projet n'avait jamais connu, ni même frôlé, la gloire rêvée. Ébauche de cimetière souterrain où soufflait un air parfumé au charbon et à l'électricité que crachaient les tunnels du métro, l'avenue de Lumière était devenue le refuge et la cachette de ceux qui fuyaient la surface et le soleil. Vargas scruta la file obscure de colonnes en faux marbre flanquées de boutiques de énième catégorie et de cafés aux éclairages de morgue. Il se tourna vers Alicia.

— La cité des vampires ? demanda-t-il.

— Ça y ressemble.

Brians avançait dans l'allée centrale. Alicia et Vargas le suivaient, occultés par les colonnes alignées de part et d'autre. L'avocat parcourut la quasi-totalité de l'avenue sans manifester d'intérêt particulier pour aucun des établissements qui la bordaient.

— Il est peut-être allergique au soleil, tout simplement, suggéra Vargas.

Brians passa sans s'arrêter devant les guichets des trains de banlieue des Ferrocarriles Catalanes et se dirigea vers le fond de la grande galerie souterraine. Sa destination fut alors évidente.

Le cinéma Avenue de Lumière était comme un mirage lugubre échoué dans cette Barcelone cryptique et étrange. Depuis les premières années d'après-guerre, son éclairage d'attraction de foire et ses vieilles affiches de reprises attiraient aux séances du matin une clientèle de créatures des tunnels, employés de bureau destitués, écoliers faisant l'école buissonnière et proxénètes miteux. Brians acheta un ticket au guichet.

— Ne me dites pas que monsieur l'avocat va au cinéma au milieu de la matinée, dit Vargas.

L'ouvreur qui surveillait l'entrée poussa la porte et Brians passa sous la marquise annonçant le programme de la semaine : double séance avec *Le Troisième Homme* et *Le Criminel*. Un Orson Wells à l'aspect diabolique et au sourire énigmatique observait au loin sur le placard entouré d'ampoules clignotantes.

— Il a bon goût au moins, répliqua Alicia.

Quand ils franchirent les rideaux de velours qui fermaient l'entrée, un parfum de vieux cinéma et de misères inavouables les enveloppa. Le faisceau lumineux perçait un nuage épais qu'on aurait dit coincé au-dessus du parterre depuis des décennies. Des files de fauteuils vides descendaient jusqu'à l'écran où le perfide Harry Lime fuyait dans le labyrinthe fantasmagorique des égouts de Vienne. La tonalité sépulcrale de ces images rappela à Alicia des scènes qu'elle avait lues dans le roman de Víctor Mataix.

— Où est-il ?

Elle indiqua le bout de la salle. Brians s'était installé au quatrième rang. Il n'y avait pas plus de trois ou quatre spectateurs dans la salle. Ils s'engagèrent dans l'allée latérale bordée par une file de sièges placés contre le mur, comme dans un wagon de métro. Arrivée au milieu de la salle, Alicia avança dans l'une des rangées et s'assit au milieu. Vargas occupa la place à côté d'elle.

— Vous avez déjà vu ce film ?

Alicia acquiesça. Elle l'avait vu au moins six fois et elle le connaissait par cœur.

— De quoi parle-t-il ?

— De pénicilline. Taisez-vous.

L'attente se révéla moins longue que prévu. Le film était loin de se terminer quand Alicia aperçut une silhouette qui avançait dans l'allée latérale. Elle donna un coup de coude à Vargas visiblement absorbé par le film. L'étranger portait un manteau foncé et tenait un chapeau à la main. Alicia serra les poings. Le visiteur homme s'arrêta au début de la rangée où était installé l'avocat. Il jeta un coup d'œil sur l'écran, recula d'une rangée et vint s'asseoir derrière Brians, en diagonale.

— Le saut du cavalier, murmura Vargas.

Durant une ou deux minutes, l'avocat ne fit rien qui laissât penser qu'il avait pris conscience de la présence de l'étranger, ni ce dernier qu'il voulait entrer en contact avec Brians d'une façon ou d'une autre. Vargas regarda Alicia d'un air sceptique. Elle commença à envisager que tout cela relevait peut-être d'un pur hasard. Deux personnes étrangères l'une à l'autre, dans une salle de cinéma, avec pour unique point commun une myopie qui leur faisait choisir les premiers rangs. Mais lorsque les coups de feu qui devaient en finir avec les innombrables vies du méchant Harry Lime éclatèrent dans la salle, l'homme se pencha vers l'avant et l'avocat se retourna lentement. La bande sonore du film emporta ses paroles et Alicia distingua seulement qu'il avait prononcé deux phrases et tendu un morceau de papier à l'étranger. Puis, s'ignorant mutuellement, ils se calèrent de nouveau dans leurs fauteuils et ils continuèrent à regarder le film.

— De mon temps, ils auraient été arrêtés pour homosexualité, fit remarquer Vargas.

— Ah, quelle belle époque dorée du paléolithique espagnol que la vôtre ! répliqua Alicia.

Quand le projecteur inonda l'écran du magistral plan final, l'étranger se leva tranquillement et, tandis que l'héroïne désabusée parcourait l'allée désolée du vieux cimetière de Vienne, il mit son chapeau et se dirigea vers la sortie. Alicia et Vargas ne tournèrent pas la tête et ne manifestèrent à aucun moment qu'ils avaient remarqué sa présence, mais ils avaient le regard rivé sur cette silhouette qu'éclaboussait le halo vaporeux du projecteur. Le bord du chapeau jetait une ombre sur son visage mais pas suffisamment pour cacher sa texture étrange, comme d'ivoire brillant de mannequin. Alicia frissonna. Vargas attendit que l'homme eût disparu derrière le rideau de velours pour se pencher vers elle.

— Cet homme portait un masque, si je ne m'abuse ?

— Oui, quelque chose comme ça, confirma Alicia. Allez, partons avant que...

À cet instant précis, les lumières de la salle se rallumèrent et les derniers mots du générique disparurent de l'écran. Brians se dirigeait vers la sortie. Il allait bientôt passer devant eux et il les verrait assis là.

— Qu'est-ce qu'on fait ? murmura Vargas en baissant la tête.

Alicia mit sa main sur sa nuque et approcha son visage du sien.

— Enlacez-moi.

Vargas la prit dans ses bras avec la conviction d'un collégien s'essayant pour la première fois. Alicia l'attira vers elle et ils restèrent collés l'un à l'autre dans un simulacre de baiser furtif, un baiser de cinéma que l'on ne voyait alors que dans les derniers rangs des salles de quartier et sous les porches obscurs à minuit, leurs lèvres à moins d'un centimètre. Vargas ferma les yeux. Quand Brians eut quitté les lieux, Alicia le poussa doucement.

— En route.

En sortant, ils aperçurent sa silhouette qui s'éloignait au milieu de la galerie souterraine, dans la direction par laquelle il était venu. Il n'y avait pas trace de l'homme au visage de mannequin. Alicia remarqua l'escalier à une vingtaine de mètres d'eux ; il débouchait au croisement des rues Balmes et Pelayo. Ils accélèrent le pas. Une douleur fulgurante lui vrilla la jambe droite et lui coupa le souffle. Vargas la soutint par le bras.

— Je ne peux pas aller plus vite, dit Alicia. Partez devant. Vite.

Vargas grimpa les marches à toute vitesse pendant qu'elle s'appuyait contre le mur pour reprendre son souffle. En sortant au grand jour, le policier se retrouva sur la grande rue Balmes. Il regarda autour de lui, désorienté. Il connaissait mal la ville et il ne savait plus où il était. La circulation était déjà intense et un flot de véhicules, d'autobus et de tramways avait pris d'assaut le centre de Barcelone. Des vagues de passants allaient et venaient sur les trottoirs sous une lumière poussiéreuse. Vargas mit une main en visière pour se protéger du soleil et il scruta le carrefour, indifférent aux bousculades de la foule. Il eut brusquement l'impression qu'une multitude de manteaux noirs surmontés de chapeaux défilaient en tous sens et qu'il ne retrouverait jamais leur homme.

La texture particulière de son visage le trahit. Il marchait sur le trottoir d'en face, vers une automobile garée à l'angle de la rue Vergara. Vargas tenta de traverser au milieu des voitures, mais la meute de véhicules et un tonnerre de klaxons le renvoyèrent illico sur le trottoir tandis qu'en face l'homme montait dans la voiture. Le policier identifia la Mercedes Benz, un modèle ancien, d'une quinzaine ou une vingtaine d'années. Quand le feu passa au vert, la voiture s'éloignait déjà. Il courut et il réussit à la voir de plus près avant qu'elle ne disparût dans la circulation. De retour vers la bouche de métro, il croisa un garde urbain qui l'observait d'un air réprobateur. Vargas supposa qu'il l'avait vu essayer de traverser au rouge et se jeter au milieu des voitures. Il hocha la tête d'un air obéissant et il leva la main en signe d'excuse. Alicia l'attendait sur le trottoir, dans l'expectative.

— Comment vous sentez-vous ? demanda Vargas.

Elle ignora la question et remua la tête avec impatience.

— J'ai pu le voir monter dans une auto. Une Mercedes noire, dit Vargas.

— L'immatriculation ?

Vargas acquiesça.

23

Ils se réfugièrent dans le bar Nuria et ils s'installèrent à une table contre la vitre. Alicia commanda un verre de vin blanc, le deuxième de la journée. Elle alluma une cigarette et laissa son regard errer sur la foule qui descendait les Ramblas, comme si c'était le plus bel aquarium du monde. Vargas l'observa porter le verre à ses lèvres d'une main tremblante.

— Une admonition peut-être ? demanda Alicia sans quitter la vitre des yeux.

— Santé.

— Vous n'avez rien dit à propos de l'homme au masque. Pensez-vous comme moi ?

Il haussa les épaules, sceptique.

— Le rapport sur le prétendu attentat contre Valls au Cercle des beaux-arts mentionnait un homme au visage couvert... dit Alicia.

— C'est possible, concéda Vargas. Je vais passer quelques coups de fil.

Une fois seule, Alicia laissa échapper un gémissement de douleur et elle porta la main à sa hanche. Elle envisagea de prendre un demi-comprimé, mais elle y renonça. En revanche, elle profita que Vargas était au téléphone, au fond de la cafeteria, pour faire signe au serveur de lui apporter un autre verre. Elle vida le premier qu'il remporta. Vargas revint un quart d'heure plus tard, son petit carnet à la main, l'œil brillant laissant présager de bonnes nouvelles.

— On a de la chance. La voiture est au nom de Metrobarna, S.L., une société de capital immobilier, c'est du moins ce qui est inscrit au registre. Le siège est ici, à Barcelone. Sur le Paseo de Gracia, au numéro six.

— C'est à côté d'ici. Laissez-moi quelques minutes pour récupérer et on y va.

— Je peux m'en occuper. Vous, rentrez chez vous pour vous reposer un moment, qu'en pensez-vous ? Je vous rejoindrai ensuite pour vous raconter ce que j'ai trouvé.

— Vous êtes sûr ?

— Tout à fait sûr. Rentrez.

Quand ils sortirent sur les Ramblas, le ciel était enfin dégagé et il brillait de ce bleu électrique qui envoûte parfois les hivers de Barcelone pour persuader le naïf que rien ne peut aller de travers.

— Directement à la maison, d'accord ? Sans arrêts techniques, je vous connais, avertit Vargas.

— À vos ordres. Ne résolvez pas l'affaire sans moi ! dit Alicia.

— N'ayez crainte.

Elle le regarda partir en direction de la Plaza de Cataluña et elle attendit quelques minutes. Elle avait vérifié depuis des années qu'exagérer les symptômes de la douleur et esquisser une langueur digne de la Dame aux camélias lui permettait de manipuler n'importe quel mâle malléable et puéril prêt à penser qu'elle avait besoin de sa protection. Ce qui incluait pratiquement la totalité du genre masculin en âge de voter, à l'exception de Leandro Montalvo : il lui avait enseigné la plupart des astuces à sa disposition et il flairait immanquablement celles qu'elle avait apprises de son côté. Dès qu'Alicia fut certaine d'être débarrassée de Vargas, elle changea de plan. Rentrer chez elle pouvait attendre. Elle avait besoin de temps pour réfléchir et observer depuis l'obscurité. Et surtout, il y avait une chose qu'elle voulait faire seule, et à sa façon.

Les bureaux de Metrobarna étaient situés au dernier étage d'un bâtiment moderniste monumental qui faisait penser par certains aspects à un château de conte de fées. Connu sous le nom de Casa Rocamora, l'édifice en pierre ocre couronné de mansardes et de grandes tours illustrait ces pièces d'orfèvrerie mathématique et de grand mélodrame qu'on ne rencontre que dans les rues de Barcelone. Vargas s'arrêta un moment pour contempler le spectacle des tribunes, des galeries et des lignes subtiles. Un aquarelliste avait placé son chevalet au coin du bâtiment et il terminait un portrait du lieu d'inspiration impressionniste. Remarquant la présence de Vargas à ses côtés, il lui adressa un sourire courtois.

— Joli tableau, le complimenta Vargas.

— On fait ce qu'on peut. Vous êtes de la police ?

— Ça se voit tant que ça ?

Le peintre lui retourna un sourire aigre. Vargas désigna alors le tableau :

— Il est à vendre ?

— Dans moins d'une demi-heure. Vous intéressez-vous au bâtiment ?

— Pas particulièrement. Faut-il payer pour entrer ? demanda Vargas.

— Ne leur donnez pas de mauvaises idées.

Un ascenseur sorti tout droit des rêves de Jules Vernes le hissa jusqu'à la porte d'un bureau où étincelait une épaisse plaque dorée rutilante indiquant :

METROBARNA
Société Limitée de Capital Immobilier

Vargas appuya sur la sonnette et un écho de carillon resta suspendu dans l'air. La porte s'ouvrit rapidement, révélant la silhouette d'une réceptionniste à la taille exquise et à la tenue plus que classique qui se découpait sur un vestibule somptueux. Dans certaines entreprises, l'opulence s'affiche d'entrée de jeu et de façon préméditée.

— Bonjour, lança-t-il d'un ton officiel en tendant sa plaque. Vargas, de la Préfecture supérieure de police. Je voudrais parler au gérant, je vous prie.

La réceptionniste l'examina, étonnée. Les visiteurs habituellement reçus dans ces bureaux devaient être plus chics.

— Voulez-vous parler de M. Sanchís ?

Vargas se contenta de hocher la tête et il fit quelques pas dans le vestibule, une pièce aux murs tapissés de velours bleu et décorée de délicieuses aquarelles de façades et de bâtiments emblématiques de Barcelone. Vargas réprima un sourire en reconnaissant la patte du peintre du coin de la rue.

— Puis-je vous demander quel est l'objet de votre visite, monsieur l'agent ? interrogea la réceptionniste dans son dos.

— Capitaine, corrigea Vargas sans se retourner.

La jeune femme toussota et, en l'absence de réponse, soupira.

— M. Sanchís est actuellement en réunion. Si vous le souhaitez...

Vargas se retourna et lui jeta un regard glacial.

— Je le préviens immédiatement, capitaine.

Vargas acquiesça sans enthousiasme. La réceptionniste détala à la recherche de renforts. S'ensuivirent, se succédant rapidement, des voix étouffées, des bruits de portes qu'on ouvre et qu'on referme, des pas pressés dans les couloirs. Une minute plus tard, elle était de retour, tout sourire, et elle l'invitait à la suivre.

— Si vous avez l'amabilité... Monsieur le directeur va vous recevoir dans la salle de réunion.

Il avança dans un large couloir ouvrant sur des bureaux prétentieux où une escouade d'avocats impeccables en costume trois pièces traitaient leurs affaires avec la solennité du commissionnaire avisé. Statues, tableaux et tapis de qualité agrémentaient le couloir qui menait à une grande salle ornée d'une tribune vitrée avec une vue plongeante sur tout le Paseo de Gracia. Une table de réunion imposante trônait, entourée de fauteuils, de vitrines et de moulures en bois nobles.

— M. Sanchís va vous rejoindre dans un instant. Puis-je vous offrir quelque chose en attendant ? Un café ?

Vargas refusa. La réceptionniste s'éclipsa aussi vite qu'elle le put, le laissant seul.

Le policier examina les lieux. Les bureaux de Metrobarna sentaient, ou plutôt puaient l'argent. Le prix du tapis dépassait largement à lui seul son salaire de plusieurs années. Vargas fit le tour de la table, caressant le chêne laqué du bout des doigts, s'imprégnant du parfum de luxe et de la pompe des lieux. Il se dégageait du décor, du cérémonial et du ton, une atmosphère oppressante et élitiste caractéristique des institutions dédiées à l'alchimie monétaire, rappelant à tout moment au visiteur que s'il croit être à l'intérieur, il reste toujours à l'extérieur en réalité, de l'autre côté du célèbre guichet.

De nombreux portraits de différentes tailles décoraient la salle. Des photographies pour la plupart, mais aussi quelques huiles et fusains signés par de prestigieux portraitistes officiels des dernières décennies. Vargas examina la collection. Une seule et même personne figurait sur toutes les images. Un monsieur aux cheveux argentés d'allure patricienne, face à l'appareil ou au chevalet, sourire tranquille et regard glacial. À l'évidence, le protagoniste de cette collection savait poser et s'entourer. Vargas se pencha pour regarder de près une photographie où le sieur au regard froid apparaissait en compagnie d'un groupe de dirigeants en grande tenue de chasse souriant comme des amis de toujours autour d'un général Franco plus jeune. Il examina les personnes présentes et il s'arrêta sur l'un des participants à la partie de chasse, au deuxième rang ; l'homme arborait un sourire enthousiaste, comme s'il cherchait à se détacher du groupe.

— Valls, murmura Vargas.

La porte de la salle s'ouvrit derrière lui et il se retourna. Il découvrit un homme d'âge moyen d'une minceur frisant la fragilité, le crâne parsemé de rares cheveux blonds et fins comme ceux d'un bébé. Il portait un costume en alpaga de coupe irréprochable, assorti à ses yeux gris, calmes et pénétrants. Le directeur adressa un sourire affable à Vargas et lui tendit la main.

— Bonjour. Ignacio Sanchís, directeur général de cette maison. D'après ce que m'a rapporté María Luisa, j'ai cru comprendre que vous souhaitiez me parler. Pardonnez-moi de vous avoir fait attendre. Nous préparons l'assemblée des actionnaires et nous sommes un peu débordés. En quoi puis-je vous être utile, capitaine ?

L'attitude de Sanchís dégageait un *bouquet** de cordialité cultivée et de professionnalisme. Son regard qui détaillait minutieusement le policier exprimait à la fois la chaleur et l'autorité. Avant même d'achever sa phrase de présentation, Sanchís aurait pu dire la marque de ses chaussures et l'année où il avait acheté son modeste costume, Vargas en était persuadé.

— Ce visage m'est familier, dit-il en signalant une huile sur le mur.

— C'est don Miguel Ángel Ubach, confirma Sanchís, souriant avec bienveillance devant l'ignorance ou l'ingénuité de son interlocuteur. Notre fondateur.

— De la banque Ubach ? demanda Vargas. Le Banquier de la Poudre ?

Sanchís esquissa un bref sourire diplomatique mais son regard se réfrigéra.

— Don Miguel Ángel n'a jamais aimé ce qualificatif, qui ne rend pas justice au personnage, si je puis me permettre.

— J'avais entendu dire qu'il lui avait été donné par le Généralissime en personne, pour services rendus, avança Vargas.

— Je crains qu'il n'en ait pas été ainsi, corrigea Sanchís. C'est une certaine presse, rouge évidemment, qui avait imposé cette appellation pendant la guerre. La banque Ubach, avec d'autres institutions, a contribué à financer la campagne de libération nationale. Un grand homme, auquel l'Espagne doit beaucoup.

— Qui, sans nul doute, s'est grassement payé… murmura Vargas.

Sanchís ignora ces mots sans perdre une once de sa cordialité.

— Quelle est la relation entre don Miguel Ángel et votre entreprise ?

Sanchís se racla la gorge et afficha une attitude patiente et pédagogique.

— À la mort de don Miguel Ángel, en 1948, la banque Ubach a été divisée en trois sociétés, dont la Banque hypothécaire et industrielle de Catalogne qui, il y a huit ans, a été absorbée par la Banque hispano-américaine de crédit. Metrobarna a été créée à cette époque pour administrer le portefeuille de valeurs mobilières qui figurait à l'actif de la banque.

Sanchís débita son texte comme s'il l'avait déjà souvent récité, du ton professionnel et neutre du guide de musée faisant la leçon à un groupe de touristes, tout en regardant sa montre à la dérobée.

— Mais je suis certain que l'histoire de l'entreprise ne présente pas un intérêt majeur à vos yeux, conclut-il. En quoi puis-je vous aider, capitaine ?

— C'est une question secondaire, probablement sans importance, monsieur Sanchís, mais vous connaissez la routine des procédures. Il nous faut tout vérifier.

— Bien entendu. Dites-moi.

Vargas sortit son carnet et fit mine de relire ses notes.

— Pourriez-vous me confirmer qu'une automobile immatriculée B-74325 appartient bien à Metrobarna ?

Sanchís le regarda d'un air perplexe.

— À dire vrai, je l'ignore... Il faudrait que je demande à...

— J'imagine que la compagnie possède un parc automobile. Est-ce que je me trompe ?

— Non, vous avez raison. Nous disposons de quatre ou cinq voitures, si...

— L'une d'elles est-elle une Mercedes Benz ? Noire ? Un modèle datant de quinze ou vingt ans ?

Une ombre inquiète voila le visage de Sanchís.

— Oui... C'est le véhicule que conduit Valentín. S'est-il passé quelque chose ?

— Valentín, dites-vous ?

— Valentín Morgado, un chauffeur de la maison.

— Le vôtre ?

— Oui. Depuis des années... Puis-je vous demander ce que... ?

— M. Morgado se trouve-t-il dans vos locaux en ce moment ?

— Je ne crois pas. Ce matin tôt il devait accompagner Victoria chez le médecin...

— Victoria ?

— Mon épouse.

— Quel est le nom de famille de votre épouse ?

— Ubach. Victoria Ubach.

Vargas haussa les sourcils de surprise. Sanchís hocha la tête, légèrement irrité.

— La fille de don Miguel Ángel, en effet.

Le policier lui fit un clin d'œil, comme s'il voulait lui exprimer son admiration pour ce *braguetazo*, c'est-à-dire le beau mariage qui l'avait propulsé au sommet de la compagnie.

— Capitaine, je vous prie de m'expliquer de quoi il s'agit…

Vargas sourit d'un air affable, tranquille.

— Comme je vous le disais, rien de bien important. Nous enquêtons sur un accident de la circulation qui a eu lieu ce matin rue Balmes. Le véhicule du suspect a pris la fuite. Ne vous inquiétez pas, ce n'est pas le vôtre. Mais deux témoins ont déclaré avoir vu une voiture garée au croisement, qui correspond à la description et à l'immatriculation de la Mercedes noire que conduit…

— Valentín.

— Exact. De fait, les deux ont déclaré qu'au moment de l'accident le conducteur de la Mercedes était à l'intérieur. Nous le recherchons afin de savoir s'il a aperçu quelque chose susceptible de nous aider à identifier le chauffard qui a pris la fuite…

Sanchís prit un air contrit, mais à l'évidence il était soulagé d'apprendre que ni son véhicule ni son chauffeur n'étaient impliqués dans l'accident.

— C'est terrible. Y a-t-il eu des victimes ?

— Malheureusement oui. Une femme âgée, dont le corps a été transporté à l'hôpital Clínico.

— Je suis désolé. Bien entendu, tout ce que nous pourrons faire pour vous aider à…

— Je désire m'entretenir avec votre employé Valentín, c'est tout.

— Bien sûr.

— Savez-vous si, ce matin, M. Morgado a accompagné votre épouse ailleurs, après sa visite chez le médecin ?

— Je ne suis pas certain. Je crois que non. Victoria m'a dit hier qu'elle recevait quelques personnes à la maison, ce midi… Valentín est peut-être sorti dans la matinée pour faire une ou deux courses. Il lui arrive de livrer des documents ou des courriers du bureau quand ni mon épouse ni moi n'avons besoin de ses services le matin.

Vargas sortit une carte de visite et la lui tendit.

— Pourriez-vous avoir l'amabilité de demander à M. Morgado de se mettre en contact avec moi le plus rapidement possible ?

— Ne vous en faites pas. Je donnerai l'ordre dès maintenant de le trouver et de le prévenir.

— Il ne pourra probablement pas nous aider, mais il faut accomplir les formalités.

— Bien sûr.

— Ah, autre chose. M. Morgado aurait-il par hasard une caractéristique physique particulière ?

Sanchís hocha la tête.

— En effet. Pendant la guerre, Valentín a été blessé par une explosion de mortier qui lui a arraché une partie du visage.

— Est-il à votre service depuis longtemps ?

— Dix ans au moins. Il travaillait déjà pour la famille de mon épouse, et c'est un homme de confiance de la compagnie. Je me porte garant de lui.

— Un des témoins a évoqué un masque qui recouvrait une partie de son visage, est-ce possible ? Je tiens seulement à m'assurer que nous parlons de la bonne personne.

— C'est exact. Il porte une prothèse qui couvre sa mâchoire inférieure et son œil droit.

— Je ne voudrais pas vous faire perdre davantage de temps, monsieur Sanchís. Merci pour votre aide. Je suis désolé d'avoir interrompu votre réunion.

— C'est sans importance. Je vous en prie. C'est un devoir et un honneur pour tout Espagnol de collaborer avec les forces de sécurité de l'État.

Sanchís le raccompagna vers la sortie. Apercevant derrière une porte à double battant en bois ouvragé une immense bibliothèque donnant sur le Paseo de Gracia, Vargas s'arrêta et passa la tête à l'intérieur. Une galerie versaillaise paraissait occuper tout un côté de l'édifice. Le sol et le plafond en bois poli brillaient tels deux miroirs reflétant les colonnes de livres à l'infini.

— Impressionnant, dit Vargas. Êtes-vous collectionneur ?

— Modeste amateur, répondit Sanchís. La plupart des ouvrages proviennent du fonds de la Fondation Ubach. Je dois toutefois avouer que j'ai une faiblesse pour les livres ; ils me permettent de m'évader du monde de la finance.

— Je vous comprends. Je fais la même chose, à ma toute petite échelle, avança Vargas. Ce que j'aime surtout, c'est dénicher des exemplaires rares et uniques. Ma femme dit que c'est de la déformation professionnelle.

Sanchís acquiesça, conservant un air courtois et patient alors que ses yeux trahissaient une certaine lassitude et la volonté de se débarrasser le plus rapidement possible du policier.

— Les ouvrages rares vous intéressent-ils aussi, monsieur Sanchís ?

— Le gros de la collection est composé de textes espagnols, français et italiens des XVIIIe et XIXe siècles, mais nous avons aussi une excellente sélection de littérature et de philosophie allemande, et de la poésie anglaise, expliqua le directeur. Je suppose que dans certains milieux cela constituerait une rareté suffisante.

Sanchís prit Vargas par le bras, délicatement mais fermement, et il le poussa dans le couloir en direction de la sortie.

— Je vous envie monsieur Sanchís. Si je pouvais... Mes moyens sont limités et je dois me contenter de pièces modestes.

— Il n'y a pas de livres modestes, seulement de l'ignorance arrogante.

— Bien entendu. C'est ce que je disais à un libraire de livres d'occasion qui me cherche une série de romans d'un auteur oublié. Son nom vous dira peut-être quelque chose. Mataix. Víctor Mataix.

Sanchís soutint son regard, impassible, et fit non de la tête, lentement.

— Je regrette, je n'ai jamais entendu ce nom.

— C'est ce que tout le monde me dit. Un homme passe sa vie à écrire et personne ne se souvient de ses mots...

— La littérature est une amante cruelle qui oublie facilement, dit Sanchís en ouvrant la porte palière.

— Comme la justice. Une chance qu'il existe des gens comme vous et moi, toujours disposés à leur rafraîchir la mémoire, à elles deux...

— Ainsi va la vie, qui nous oublie tous avant l'heure. À présent, si je ne peux rien de plus pour vous...

— Non. Encore merci pour votre aide, monsieur Sanchís.

24

En sortant du bâtiment, Vargas aperçut l'aquarelliste qui ramassait son matériel et allumait une pipe de vieux marin. Il lui sourit de loin et s'approcha.

— Hé ! Mais c'est le commissaire Maigret ! s'exclama l'artiste.

— Je m'appelle Vargas.

— Dalmau, se présenta l'homme.

— Comment ça va, monsieur Dalmau ? Avez-vous terminé l'œuvre ?

— Les œuvres ne sont jamais terminées. L'astuce, c'est de savoir où les laisser inachevées. Elle vous intéresse toujours ?

L'artiste releva le tissu qui recouvrait la toile et lui montra l'aquarelle.

— On la dirait sortie d'un rêve, dit Vargas.

— Le rêve est à vous pour cinquante pesetas, ou plus, à votre bon cœur.

Le policier sortit son portefeuille. Les yeux du peintre brillèrent comme la braise de sa pipe. Vargas lui tendit un billet de cent pesetas.

— C'est trop.

Vargas fit signe que non.

— Considérez-moi comme votre mécène du jour.

L'homme enveloppa l'aquarelle dans un papier kraft qu'il fit tenir avec une ficelle.

— Peut-on en vivre ? demanda Vargas.

— L'industrie de la carte postale nous a fait beaucoup de mal, mais il reste encore des gens de goût.

— Comme M. Sanchís ?

L'artiste haussa les sourcils et le regarda d'un air suspicieux.

— Je me doutais bien qu'il y avait anguille sous roche. Il ne manquerait plus que vous me mettiez dans le pétrin !

— Sanchís est-il votre client depuis longtemps ?

— Depuis plusieurs années.

— Vous lui avez vendu beaucoup de tableaux ?

— Pas mal.

— Il aime votre style à ce point ?

— Il me les achète par pitié, je crois. C'est un homme très généreux, pour un banquier du moins.

— Il a peut-être mauvaise conscience.

— Il ne serait pas le seul. Dans ce pays, il y en a à revendre.

— Parleriez-vous pour moi ?

Dalmau se maudit dans sa barbe et replia son chevalet.

— Vous partez déjà ? Je croyais que vous alliez me parler un peu de Sanchís.

— Écoutez, si vous voulez, je vous rends l'argent. Et vous pouvez garder le tableau. Mettez-le dans un cachot, au commissariat.

— L'argent est à vous. Vous l'avez bien gagné.

L'artiste hésita.

— Qu'est-ce que vous lui voulez, à Sanchís ? demanda-t-il.

— Rien. Simple curiosité.

— C'est ce que m'a dit l'autre flic. Vous êtes tous les mêmes.

— L'autre flic ?

— Oui. Me faites pas croire que vous ne savez rien.

— Pourriez-vous me décrire mon collègue ? Il y aura peut-être un autre billet pour vous si vous me donnez un coup de main.

— Rien de particulier. Un dur, comme vous. Mais avec le visage balafré.

— Vous a-t-il dit son nom ?

— On n'est pas devenus intimes.

— Quand était-ce ?

— Il y a deux ou trois semaines peut-être.

— Ici ?

— Oui, ici même, dans mon bureau. Je peux partir ?

— Vous n'avez rien à craindre de moi, maître.

— Vous ne me faites pas peur. J'en ai vu d'autres, avec vous. Mais je préfère respirer un autre air, si ça ne vous gêne pas.

— Vous avez plongé ?

L'artiste émit un gloussement de mépris.

— À la Modelo ?

— À Montjuïc. De 1939 à 1943. Vous ne pouvez plus rien me faire qu'ils ne m'aient déjà fait subir là-bas.

Vargas ressortit son portefeuille, prêt à débourser une deuxième fois, mais le peintre refusa. Il chercha dans sa poche le billet que lui avait déjà donné Vargas et il le laissa tomber par terre. Puis il prit son chevalet et sa boîte à peintures et il s'éloigna en boitant. Vargas le regarda remonter le Paseo de Gracia. Il s'accroupit, ramassa le billet et partit en direction contraire, le tableau sous le bras.

Derrière la fenêtre de la salle de réunion, Ignacio Sanchís observa le policier qui discutait avec l'aquarelliste du coin de la rue avant de s'éloigner vers la Plaza de Cataluña avec un tableau qu'il venait d'acheter, apparemment. Sanchís attendit de le voir disparaître dans la foule pour quitter la pièce.

— Je m'absente quelques minutes, María Luisa. Si Lorca, du bureau de Madrid, appelle, passez-le à Juanjo.

— Bien, monsieur Sanchís.

Il n'attendit pas l'ascenseur. Il dévala l'escalier. Arrivé sur le trottoir, il sentit le souffle de la brise et prit alors conscience qu'il avait le front couvert de sueur. Il entra dans le café proche de la station radiophonique Radio Barcelona, rue Caspe, et il commanda une noisette. En attendant, il gagna le fond de la salle où se trouvait le téléphone public et il composa un numéro qu'il connaissait par cœur.

— Brians, répondit la voix à l'autre bout du fil.

— Un policier qui dit s'appeler Vargas vient de me rendre visite.

Un long silence.

— C'est la ligne du bureau ?

— Bien sûr que non, répondit Sanchís.

— Il est aussi venu au cabinet ce matin. Avec une fille. Ils prétendaient qu'ils avaient un Mataix à vendre.

— Savez-vous qui ils sont ?

— Lui est vraiment de la police. Elle, elle m'a profondément déplu. Dès qu'ils sont partis, j'ai fait ce que vous m'aviez dit. J'ai téléphoné au numéro que vous m'aviez donné et j'ai raccroché, pour prévenir Morgado de me retrouver à l'endroit habituel. Je l'ai vu il y a une heure à peine. Je pensais qu'il vous avait déjà prévenu.

— Il y a eu un imprévu. Morgado a dû rentrer à la maison, dit Sanchís.

— Que voulait le policier ?

— C'était à propos de Morgado, une histoire idiote, un accident. Ils ont dû vous suivre.

Sanchís entendit l'avocat soupirer.

— Croyez-vous qu'ils ont la liste ?

— Je l'ignore. Mais on ne peut pas prendre de risques.

— Que voulez-vous que je fasse ? demanda Brians.

— Coupez les ponts avec Morgado et ne passez aucun coup de fil jusqu'à nouvel ordre. S'il le faut, je vous contacterai. Retournez au bureau et faites comme si de rien n'était, ordonna Sanchís. Si j'étais vous, je disparaîtrais de la ville pendant quelque temps.

Le banquier raccrocha. Il passa devant le comptoir, pâle comme un linge.

— Chef ! Votre noisette, lui dit le serveur.

Sanchís le regarda avec l'air de se demander ce qu'il faisait là, et il sortit du café.

25

Mauricio Valls a vu trop de gens mourir pour croire qu'il existe un au-delà. Il ressuscite du purgatoire des antibiotiques, des narcotiques et des cauchemars sans la moindre espérance. Il ouvre les yeux sur sa cellule vide et il sent que les vêtements qu'il portait ont disparu. Il est nu, enveloppé dans une couverture. Il lève le bras jusqu'à son visage et il découvre le moignon cautérisé au goudron. Il le regarde longuement, comme s'il cherchait à découvrir à qui appartient ce corps dans lequel il s'est réveillé. La mémoire lui revient peu à peu, distillant des images et des sons telles des gouttes régulières. Il finit par se rappeler tout. Tout, sauf la douleur. Peut-être existe-t-il malgré tout un Dieu miséricordieux, pense-t-il.

— De quoi ris-tu ? lui demande la voix.

La femme qu'il avait prise pour un ange dans son délire l'observe derrière les barreaux, les yeux dénués de compassion ou de la moindre émotion.

— Pourquoi ne me laissez-vous pas mourir ?

— La mort serait trop douce pour toi.

Valls acquiesce. Il ne sait pas avec qui il parle, bien que quelque chose dans cette femme lui soit tout à fait familier.

— Où est Martín ? Pourquoi n'est-il pas venu ?

Elle le regarde avec ce qui lui semble une sorte de mélange de mépris et de tristesse.

— David Martín t'attend.

— Où ?

— En enfer.

— Je ne crois pas à l'enfer.

— Patience. Tu y croiras.

La femme se retire dans l'obscurité et commence à monter les marches.

— Attendez. Ne partez pas. S'il vous plaît.

Elle s'arrête.

— Ne partez pas. Ne me laissez pas seul ici à nouveau.

— Vous avez du linge propre. Habillez-vous, dit-elle avant de disparaître en haut de l'escalier.

Valls entend un bruit de porte qui se ferme. Il trouve les vêtements dans un sac, dans un coin de la cellule. Ils sont vieux, trop grands, mais relativement propres, même s'ils sentent la poussière. Il enlève la couverture et il observe son corps nu dans la pénombre. Il peut compter les os et les tendons là où auparavant il y avait une couche de graisse. Il s'habille. C'est difficile avec une seule main. Il a du mal à fermer le pantalon et à boutonner la chemise. Ce qui lui importe surtout, c'est d'enfiler ses pieds dans des chaussettes et des chaussures pour les protéger du froid. Au fond du sac, il y a autre chose. Un livre. Il reconnaît immédiatement la reliure en cuir noir et le tracé d'un escalier en colimaçon gravé en rouge écarlate sur la couverture. Il pose le livre sur ses genoux et l'ouvre.

Le Labyrinthe des esprits III
Ariadna et le Théâtre d'ombres

Texte et illustrations de Victor Mataix

Valls tourne les pages jusqu'à la première illustration, sur laquelle il s'arrête. Elle représente la carcasse d'un vieux théâtre en ruine sur la scène duquel se trouve une fillette vêtue de blanc au regard chancelant. Il la reconnaît, même à la lumière de la bougie.

— Ariadna… murmure-t-il.

Il ferme les yeux et il s'accroche aux barreaux de la cellule d'une seule main.

L'enfer existe peut-être en définitive.

26

Un soleil de velours donnait aux rues les couleurs de l'innocence. Alicia se promenait parmi la foule qui allait et venait dans le centre-ville, tout en se remémorant une scène qu'elle avait lue dans les dernières pages d'*Ariadna et le Prince écarlate*. À la porte de la cité des morts, la grande nécropole du Sud, Ariadna rencontrait un vendeur ambulant de masques et de fleurs fanées. Elle était arrivée jusque-là dans un tramway fantôme, sans conducteur ni passagers, dont la plaque à l'avant indiquait le terminus :

Destin

Le vendeur était aveugle mais il entendait Ariadna approcher et il lui demandait si elle désirait acheter un des masques qu'il vendait dans son chariot. Il lui expliquait qu'ils étaient fabriqués avec les restes des âmes maudites résidant dans le cimetière et qu'ils servaient à tromper le destin et à survivre peut-être un jour de plus. Ariadna lui avouait qu'elle ne savait pas quel serait son destin ; elle croyait qu'elle l'avait perdu en tombant dans cette Barcelone irréelle placée sous la domination du Prince écarlate. Le vendeur de masques souriait et répondait par ces mots :

Nous, les mortels, nous ne parvenons jamais à connaître notre véritable destin, pour la plupart ; nous sommes simplement bousculés par lui, renversés. Quand nous relevons la tête et que nous le voyons s'éloigner sur la route, il est trop tard, et nous devons faire le reste du chemin dans le fossé de ce que les rêveurs appellent la maturité. L'espoir

est simplement la foi dans le fait que ce moment n'est pas encore arrivé,
que nous parviendrons à discerner notre véritable destin quand il
approchera et que nous pourrons sauter à bord avant de voir s'éva-
nouir à jamais l'opportunité d'être nous-mêmes, nous condamnant à
vivre du vide, avec la nostalgie de ce qui devait être et ne fut jamais.

Alice se rappelait ces mots comme s'ils étaient gravés sur sa peau. Rien ne surprend et n'effraie davantage que ce qu'on sait déjà. Ce midi-là, en posant la main sur la poignée de la porte de la vieille librairie Sempere & Fils, Alicia sentit le frôlement de cette vie à vivre, et elle se demanda s'il n'était pas déjà trop tard.

Le tintinnabulement de la cloche, le parfum des milliers de pages de livres attendant leur heure et la clarté vaporeuse qui conférait au décor la texture d'un songe l'accueillirent. Tout était comme dans son souvenir, depuis le nombre incalculable d'étagères en bois clair jusqu'au dernier grain de poussière pris dans les rais de la lumière projetée par la vitrine. Tout sauf elle.

Elle pénétra dans la pièce comme si elle réintégrait un souvenir perdu. Elle songea que ce lieu aurait pu être son destin si la guerre n'avait pas éclaté, lui arrachant tout ce qu'elle possédait, la mutilant et l'abandonnant dans les rues d'un pays maudit. Une guerre qui avait fini par faire d'elle une marionnette de plus dans une représentation dont elle savait qu'elle ne pourrait jamais s'échapper. Elle comprit que le mirage qu'elle éprouvait entre les quatre murs de la librairie Sempere & Fils était la vie qu'on lui avait volée.

Le regard d'un enfant la tira de sa rêverie. Il était installé dans un petit parc en bois blanc à côté de la caisse. La tête couronnée d'une touffe de cheveux blonds tellement fins et brillants qu'on aurait dit une pièce d'orfèvrerie, il se tenait debout, accroché aux barreaux du parc, et il l'observait fixement, comme un animal exotique. Alicia rendit les armes et lui adressa un sourire désarmant de sincérité, de ceux qui se dessinent sans qu'on s'en rende compte. L'enfant paraissait évaluer son geste tout en jouant avec un crocodile en caoutchouc. Puis, dans un remarquable acte d'acrobatie aéronautique, il le lança, et au terme d'une trajectoire parabolique, le crocodile atterrit aux pieds d'Alicia. Elle se baissa pour le ramasser et elle entendit alors la voix.

— Julián ! Pour l'amour de Dieu ! Il n'y a pas moyen de…

Des pas contournèrent la caisse et, en se relevant, Alicia lui fit face. Beatriz. De près, elle la trouva aussi belle que le disaient les rapports des policiers, des imbéciles et des fouineurs qui n'avaient presque rien trouvé d'autres à dire la concernant, c'était prévisible. Elle possédait cette touche de féminité heureuse et prématurée caractéristique d'une maternité vécue avant la vingtaine, mais elle avait le regard pénétrant et inquisiteur d'une femme dans la quarantaine. Personne mieux qu'une femme ne sait déchiffrer une autre femme, et durant le bref instant où Alicia lui remit le jouet du petit Julián, cet instant où leurs mains se frôlèrent et leurs yeux se croisèrent, elles sentirent toutes deux qu'elles se regardaient dans une espèce de miroir du temps.

Alicia l'observa et elle se fit la réflexion que dans une autre vie elle aurait pu être la petite femme à l'allure sereine et angélique qui suscitait désirs et soupirs dans le voisinage, l'image vivante de l'épouse parfaite des publicités de mode. Beatriz, conçue sans péché, contempla à son tour cette étrangère qui semblait un reflet obscur d'elle-même, une Bea qu'elle ne pourrait, n'oserait jamais être.

— Excusez-le, improvisa-t-elle en désignant l'enfant. Il s'obstine à vouloir que tout le monde aime autant les crocodiles que lui. Bien sûr, il n'aurait pas pu aimer les chiots ou les ours, comme tous les autres gamins, non…

— Preuve qu'il a du goût, dit Alicia. Les autres sont tous un peu nunuches, pas vrai ?

Le petit hocha plusieurs fois la tête, comme s'il venait enfin de rencontrer une âme sensée dans l'univers. Bea fronça les sourcils. Les traits de cette visiteuse évoquaient à ses yeux les sorcières stylisées et délicieusement méchantes des contes de fées que Julián aimait tant. Son fils devait penser la même chose. Il tendait les mains vers elle, désireux qu'elle le prenne dans ses bras, à l'évidence.

— J'ai l'impression que vous l'avez conquis, dit Bea. Et Julián n'est pas un garçon facile…

Alicia le regarda. Elle n'avait jamais pris un bébé dans ses bras. Elle ne savait pas comment se comporter. Bea devina probablement sa perplexité car elle attrapa Julián.

— Vous n'avez pas d'enfants ? lui demanda-t-elle.

Alicia fit signe que non.

Elle doit les manger, songea Bea, se laissant aller à une mauvaise pensée. Julián ne la quittait pas des yeux, captivé.

— Il s'appelle Julián, n'est-ce pas ?

— Oui.

Alicia approcha et se pencha vers le petit, de sorte que leurs yeux se trouvent à la même hauteur. Julián sourit, enchanté. Surprise de la réaction de son fils, Bea le laissa tendre la main vers le visage de la femme. Il lui caressa la joue et les lèvres. Bea crut apercevoir des larmes dans les yeux de la cliente, mais ce n'était peut-être que le reflet de la lumière du midi. La femme s'écarta rapidement et se détourna.

Elle portait de très jolis vêtements, très chers aussi, pour autant que Bea pût en juger. Le genre d'habits qu'elle regardait dans les vitrines les plus chics de Barcelone avant de s'éloigner, rêveuse. Elle avait une taille de guêpe, une allure vaguement théâtrale et les lèvres peintes d'une couleur que Bea n'aurait jamais osé afficher en public ; elle ne l'avait fait qu'en de rares occasions, seulement pour Daniel, quand il l'étourdissait avec du vin muscat et qu'il lui demandait de faire pour lui ce qu'il appelait un "défilé".

— J'adore vos chaussures.

Alicia se retourna et lui sourit, laissant apercevoir ses dents entre ses lèvres carmin. Julián frappait dans ses mains, indiquant clairement que lui aimait tout, des chaussures de prix aux yeux de velours qui paraissaient l'hypnotiser comme ceux d'un serpent.

— Désirez-vous un titre en particulier ?

— Je n'en sais rien en réalité. J'ai dû abandonner presque tous mes livres quand j'ai déménagé, et maintenant, de retour à Barcelone, je me sens comme une naufragée.

— Vous êtes d'ici ?

— Oui, mais j'ai vécu ailleurs quelques années.

— À Paris ?

— Paris ? Non.

— Je disais cela à cause de vos vêtements. De votre allure. Vous avez l'air d'une Parisienne.

Alicia échangea un regard avec le petit Julián, les yeux toujours rivés sur elle, et elle hocha la tête comme si l'idée de ses origines parisiennes venait de lui et pas de sa mère.

— Connaissez-vous Paris ?

— Non. Enfin, par les livres. Mais l'année prochaine, nous irons y célébrer notre anniversaire de mariage.

— Ça c'est un mari, alors !

— Oh, il n'en sait encore rien.

Bea émit un rire nerveux. Quelque chose dans le regard de cette femme l'incitait à parler.

Alicia lui adressa un clin d'œil complice.

— C'est mieux comme ça. Il y a des choses trop importantes pour les laisser entre les mains des hommes.

— Est-ce la première fois que vous venez à la librairie ? demanda Bea, désireuse de changer de sujet.

— Non. J'avais l'habitude de venir avec mes parents, quand j'étais petite. C'est ici que ma mère m'a acheté mon premier livre... Il y a bien longtemps. Avant la guerre. Mais je m'en souviens parfaitement, et je me suis dit que c'était l'endroit idéal pour commencer à refaire ma bibliothèque perdue.

Bea sentit un léger frisson devant la promesse implicite d'une bonne vente imminente. Ils traversaient une longue période de sécheresse commerciale et ces mots eurent à ses oreilles la douceur d'une musique céleste.

— Nous sommes ici pour vous servir, nous avons tout ce qui vous plaira, et ce que nous n'avons pas en boutique, nous vous le trouverons en quelques heures, quelques jours au plus.

— Je suis ravie de l'entendre. Seriez-vous la propriétaire ?

— Je m'appelle Bea. La librairie appartient à mon beau-père, mais nous travaillons tous ici, en famille...

— Votre époux travaille donc avec vous ? Quelle chance...

— Je ne sais pas si je dirais cela... plaisanta Bea. Êtes-vous mariée ?

— Non.

Bea avala sa salive. Elle avait encore parlé trop vite. C'était la deuxième question personnelle déplacée qu'elle faisait à cette cliente prometteuse. Alicia lut dans ses yeux et lui sourit.

— Ne vous inquiétez pas, Bea. Je m'appelle Alicia.

Elle lui tendit une main que Bea serra. Julián, qui n'en perdait pas une miette, leva également sa menotte, pour voir. Alicia la serra aussi. Bea rit.

— Eh bien, vous savez vous y prendre, vous, vous devriez avoir des enfants.

Ces paroles à peine prononcées, elle se mordit la langue.

Bea, tais-toi, je t'en supplie.

Alicia ne semblait pas l'avoir entendue. Plongée dans la contemplation des étagères remplies de livres, elle caressait presque les volumes, sans les toucher. Bea profita qu'elle était de dos pour l'observer à nouveau, des pieds à la tête.

— Nous faisons des prix spéciaux pour les collections...

— Puis-je rester vivre ici ? demanda Alicia.

Beatriz rit de nouveau, de manière un peu forcée cette fois, et elle regarda son fils ; à n'en pas douter, il aurait donné tout le trousseau de clefs à cette étrangère.

— Steinbeck... l'entendit-elle murmurer.

— Nous avons un recueil nouvellement paru avec plusieurs de ses œuvres. Il vient d'arriver...

Alicia prit un des exemplaires, l'ouvrit et lut quelques lignes au hasard.

— C'est comme lire la musique sur la portée, chuchota Alicia.

Bea pensa qu'elle parlait toute seule, perdue au milieu des livres, oublieuse de l'enfant et d'elle. Elle la laissa parcourir tranquillement les rayons de la librairie. Alicia choisissait un volume ici et là, et le posait sur le comptoir. Un quart d'heure plus tard, une pile respectable trônait près de la caisse.

— Nous livrons aussi à domicile...

— Ne vous inquiétez pas, Bea. J'enverrai quelqu'un les prendre cet après-midi. Mais j'emporte celui-ci. La carte comportant la "Recommandation de Fermín" m'a décidée : Les Raisins de la colère *de ce coquin de Jeannot Steinbeck est un concert de mots indiqué pour soulager les cas de crétinisme tenace et favoriser l'assainissement prophylactique des méninges dans les épisodes de constipation cérébrale provoquée par un excès d'adhésion au canon de la nigauderie officielle.*

Bea leva les yeux au ciel et décrocha la carte de la couverture.

— Excusez-nous. Ces recommandations sont une des dernières trouvailles de Fermín. J'essaie de les trouver et de les enlever avant que nos clients les lisent, mais il continue à les cacher ici ou là...

Alicia rit. Un rire froid, cristallin.

— Fermín est un de vos employés ?

Bea acquiesça.

— Oui, on peut dire cela. Il se définit lui-même comme conseiller littéraire et détective bibliographique de Sempere & Fils.

— Un sacré personnage apparemment.

— Vous n'avez pas idée. Pas vrai, Julián, qu'il n'y en a pas deux comme l'oncle Fermín ?

Le petit battit des mains.

— Ils font la paire, expliqua Bea. Je ne sais pas lequel est le plus bêta des deux…

Bea commença à noter les prix des différents ouvrages dans le livre de caisse. Alicia constata qu'elle paraissait très expérimentée ; on comprenait vite qui tenait les comptes dans cette maison.

— Avec la remise de la maison, cela vous fera…

— Sans remise, s'il vous plaît. Dépenser de l'argent en livres est un plaisir dont je veux profiter intégralement.

— En êtes-vous certaine ?

— Absolument certaine.

Alicia régla le montant de ses achats et Bea prépara le paquet à remettre l'après-midi.

— Vous voici munie de quelques trésors, dit Bea.

— J'espère que ce sont les premiers d'une longue liste.

— Nous restons à votre disposition, sachez-le.

Alicia lui tendit la main. Bea la serra.

— Ce fut un plaisir. Je reviendrai vite.

Bea hocha la tête, satisfaite, tout en pensant que ces mots recelaient une vague menace.

— Vous êtes chez vous. Nous sommes là pour vous servir…

Alicia envoya un baiser à Julián qui plongea dans l'extase. Sa mère et lui la regardèrent tous deux enfiler ses gants d'un geste félin et marcher vers la sortie, ses talons cliquetant sur le sol. Au moment où elle ouvrit la porte, Daniel arriva. Bea vit son mari lui tenir la porte et s'écarter pour la laisser passer, d'un air baba et avec, sur les lèvres, un sourire qui méritait au minimum une gifle. Elle leva les yeux au ciel et soupira. À côté d'elle, Julián émettait les habituels gazouillis signifiant qu'il était enchanté, comme lorsqu'il écoutait les histoires de l'oncle Fermín par exemple, ou qu'il prenait son bain.

— Tous les mêmes, murmura-t-elle.

Daniel entra dans la librairie et croisa le regard de Bea qui le transperça froidement.

— Qui était-ce ? demanda-t-il.

27

Alicia ne s'arrêta pas avant le coin de Puerta del Ángel. Seulement alors, cachée au milieu de la foule, elle fit une halte devant une des devantures de la Casa Jorba et elle sécha les larmes qui coulaient sur son visage. "Ma vie est ainsi". Elle fit face à son reflet dans la vitrine et elle laissa la rage la brûler intérieurement.

— Imbécile, se dit-elle.

Pour rentrer, elle refit presque mécaniquement son trajet favori des années plus tôt, et elle parcourut vingt siècles en une vingtaine de minutes. Elle descendit Puerta del Ángel jusqu'à la cathédrale et elle disparut dans le virage de la rue de la Paja, le long des restes de la muraille romaine avant de traverser le quartier juif du Call pour descendre jusqu'à la rue Aviñon. Elle avait toujours préféré les rues qu'elle n'avait pas à partager avec les voitures et les tramways. Là, au cœur de la vieille Barcelone où ni les véhicules ni leurs disciples ne pouvaient pénétrer, elle voulut croire que le temps s'écoulait circulairement et que si elle ne s'aventurait pas au-delà du labyrinthe de ruelles où le soleil osait à peine se montrer, et sur la pointe des pieds, elle ne vieillirait peut-être jamais et elle pourrait revenir à un temps occulte pour retrouver le chemin qu'elle n'aurait jamais dû quitter. Son heure n'était peut-être pas encore arrivée. Il lui restait peut-être encore une raison de vivre.

Avant la guerre, Alicia, petite fille, avait fait ce trajet de nombreuses fois en donnant la main à ses parents. Elle se rappelait le jour où elle avait traversé la rue avec sa mère en face de la librairie Sempere & Fils et où elle s'était arrêtée un instant pour regarder un garçonnet qui l'observait, l'air malheureux, derrière la vitrine. Daniel ? Elle se souvenait du jour où sa mère lui avait acheté le premier livre qu'elle avait lu, un recueil de poèmes et de légendes de Gustavo Adolfo Bécquer. Elle se souvenait de toutes les nuits où elle n'arrivait pas à fermer l'œil, persuadée que Maître Pérez l'organiste rôdait devant la porte de sa chambre, et où elle désirait retourner dans la boutique enchantée des livres où mille et une histoires l'attendaient pour vivre. Peut-être que dans cette autre vie perdue Alicia aurait été de l'autre côté de ce comptoir en train de remettre des livres à d'autres personnes, de noter leurs titres et le prix dans le livre de caisse et de rêver de son voyage à Paris avec Daniel.

À mesure qu'elle approchait de chez elle, elle recommença à sentir la trouble amertume qui l'entraînait jusqu'à cette part obscure de son âme, sans miroirs ni fenêtres, où elle vivait. Elle s'imagina fugacement faire demi-tour et retourner à la librairie, retrouver cette femme de contes de fées, Beatriz *la pure*, et son chérubin au sourire offert. Elle se vit en train de serrer ses mains sur sa gorge, de la plaquer contre le mur, d'enfoncer ses ongles dans sa peau veloutée et d'approcher son visage de celui de cette âme pure. Tout cela afin que Bea pût se pencher au-dessus de l'abîme caché au fond des yeux d'Alicia pendant que celle-ci lécherait ses lèvres afin de deviner le goût de miel du bonheur qui bénissait la vie de ceux dont Leandro lui avait toujours dit qu'elle ne ferait pas partie, *les gens normaux*.

Elle s'arrêta au croisement des rues Aviñon et Fernando, à quelques mètres de chez elle, et elle baissa les yeux. La honte l'envahit. Elle pouvait presque entendre Leandro rire d'elle dans un recoin de son esprit. "Ma chère Alicia, créature des ténèbres, ne te fais pas mal en rêvant d'être une princesse en son royaume attendant le retour de son champion, et élevant d'adorables rejetons en sautillant de joie. Toi et moi sommes ainsi, et moins nous nous regardons dans la glace, mieux c'est."

— Est-ce que vous vous sentez bien, mademoiselle Alicia ?

Elle ouvrit les yeux et vit un visage familier, un fragment du passé.

— Fernandito ?

Un sourire heureux éclaira le visage de son ancien et fidèle admirateur. Avec les années, le pauvre garçon à l'esprit échauffé et au cœur qui battait la chamade s'était métamorphosé en un jeune homme de belle prestance qui conservait toutefois le même regard ébloui que le jour où il lui avait fait ses adieux, à la gare de France.

— Quel bonheur de vous revoir, mademoiselle Alicia ! Vous n'avez pas changé. Que dis-je, vous êtes encore plus belle.

— Tu me regardes avec bienveillance, Fernandito. Toi, en revanche, tu as changé.

— C'est ce qu'on me dit, confirma le garçon, content de lui.

— Tu es sacrément musclé, dit Alicia. Je ne sais pas si je peux encore t'appeler Fernandito. Je devrais plutôt dire don Fernando.

Il sourit et baissa les yeux.

— Appelez-moi comme vous voulez, mademoiselle Alicia.

Elle l'embrassa sur la joue, qui commençait à piquer. Le garçon, la tête dans les nuages, resta figé puis, dans un accès soudain, il l'enlaça vivement.

— Je suis heureux que vous soyez rentrée à la maison. Vous m'avez beaucoup manqué.

— Puis-je t'inviter à prendre un… improvisa Alicia. Aimes-tu toujours autant le lait meringué ?

— Je suis passé au café arrosé de rhum.

— Ah, les effets de la testostérone…

Fernando éclata de rire. Malgré sa musculature toute récente, sa barbe naissante et sa nouvelle voix grave, il riait toujours comme un enfant. Alicia le prit par le bras et l'entraîna au Gran Café où elle commanda un café arrosé du meilleur rhum cubain de la maison et un verre de blanc d'Alella. Ils trinquèrent à ses années d'absence et Fernandito, grisé par le rhum et la présence d'Alicia, lui raconta qu'il travaillait par moments comme coursier pour une épicerie du quartier, qu'il avait une petite amie, Candela, qu'il avait connue au catéchisme.

— C'est prometteur, tenta Alicia. Quand est-ce que tu te maries ?

— Me marier ? Ça, ce sont des idées de ma tante Jesusa. J'ai déjà eu du mal à obtenir un baiser de Candela ! Elle croit que s'il n'y a pas un curé au milieu, c'est un péché.

— Avec un curé au milieu, ça manque de charme.

— C'est ce que je dis. En plus, avec ce que je gagne à l'épicerie, pas moyen d'économiser le moindre sou pour la noce. Il faut dire que j'ai signé quarante-huit traites pour la Vespa...

— Tu as une Vespa ?

— Une merveille. De troisième main, mais je l'ai fait repeindre et elle fait plaisir à voir. Un jour je vous emmènerai en balade. Avec ce qu'elle m'a coûté, et me coûtera... On est un peu juste chez moi depuis que mon père est tombé malade. Il a dû quitter son emploi à la Seda. Les vapeurs d'acide lui ont mangé les poumons, le pauvre.

— Je suis désolée, Fernandito.

— C'est la vie. Pour l'instant, il n'y a que mon salaire à la maison, et il va falloir que je trouve quelque chose de mieux...

— Qu'est-ce que tu aimerais faire ?

Il la regarda d'un air énigmatique.

— Savez-vous ce que j'ai toujours voulu faire ? Travailler avec vous.

— Tu ne sais même pas ce que je fais !

— Je ne suis pas aussi bête que j'en ai l'air, mademoiselle Alicia.

— Je n'ai jamais pensé que tu l'étais.

— Crédule oui, et un peu naïf, que voulez-vous que je vous dise que vous ne sachiez déjà, mais suffisamment malin pour savoir que vous êtes dans le commerce des mystères et des intrigues.

Elle sourit.

— C'est une façon de le dire, je suppose.

— Et je n'ai rien dit, hein ? Je suis une tombe.

Alicia le regarda droit dans les yeux. Fernandito déglutit. Approcher cet abîme accélérait toujours son pouls.

— Aimerais-tu réellement travailler avec moi ? demanda-t-elle enfin.

Fernandito ouvrit des yeux grands comme des soucoupes.

— Rien ne me rendrait plus heureux.

— Pas même d'épouser Candelita ?

— Ne soyez pas méchante, parfois vous l'êtes vraiment, mademoiselle Alicia...

Elle hocha la tête, acceptant l'accusation.

— Écoutez, je ne veux pas que vous pensiez que je me fais des illusions. Je n'aimerais jamais personne comme je vous ai aimée, je le sais, mais c'est mon problème. J'ai compris depuis longtemps que vous ne m'aimeriez jamais.

— Fernandito…

— Laissez-moi finir, pour une fois que j'ose vous parler franchement, je ne veux rien occulter. Je n'aurai plus jamais le courage de vous dire ce que je ressens.

Elle fit un geste affirmatif.

— Je sais que ce ne sont pas mes affaires et ne vous fâchez pas contre moi à cause de ce que je vais vous dire, mais je crois que c'est bien que vous ne m'aimiez pas, parce que je suis un pauvre naïf, pourtant il faudra bien que vous aimiez quelqu'un, un jour, la vie est courte et trop rude pour la vivre comme ça… Toute seule…

Alicia baissa les yeux.

— Nous ne choisissons pas qui nous aimons, Fernandito. Peut-être que je ne sais pas aimer, ni me laisser aimer.

— Je ne crois pas. Ce policier balèze qui est avec vous, il n'est pas votre fiancé ?

— Vargas ? Non. C'est un collègue. Et un bon ami, je crois.

— Je pourrais l'être aussi, peut-être.

— Ami ou collègue ?

— Les deux. Si vous me laissez faire.

Alicia demeura silencieuse un bon moment. Fernandito attendait en l'observant avec une dévotion religieuse.

— Et si c'était dangereux ? demanda-t-elle.

— Plus dangereux que de monter des caisses remplies de bouteilles dans les escaliers de ce quartier ?

Elle acquiesça.

— Depuis que je vous connais, je sais que vous représentez un danger, mademoiselle Alicia. Je vous demande seulement de me laisser ma chance. Si vous estimez que je ne vaux rien, vous me virerez. C'est aussi simple que cela. Qu'en dites-vous ?

Il tendit une main. Alicia la prit et, au lieu de la serrer, elle l'embrassa comme s'il était une damoiselle, et elle la porta contre sa joue. Le visage du garçon vira au rose, couleur d'abricot mûr.

— D'accord. Une semaine à l'essai. Si tu vois que ce travail n'est pas fait pour toi, on annule le contrat.

— C'est vrai ?

Alicia hocha la tête.

— Merci mille fois. Je ne vous décevrai pas. Je vous le promets.

— Je le sais, Fernandito. Je n'en doute pas.

— Est-ce qu'il faudra que je sois armé ? Je dis ça car mon père a encore son fusil de milicien...

— Arme-toi de patience, ça suffira.

— En quoi consiste ma mission ?

— Tu seras mes yeux.

— Tout ce que vous voudrez.

— Combien te paient-ils par mois à l'épicerie ?

— Misère et compagnie.

— Multiplie par quatre et tu auras ton salaire de base hebdomadaire. Plus les primes et les gratifications. Et je règle les traites mensuelles de la Vespa. Pour commencer. Est-ce que cela te semble juste ?

Fernandito hocha la tête, hypnotisé.

— Pour vous, je travaillerais bénévolement, vous le savez. Je paierais même.

Alicia fit signe que non.

— La gratuité, c'est terminé, Fernandito. Bienvenue dans le capitalisme.

— Il est très mauvais d'après ce qu'on dit, non ?

— Pire que cela. Tu vas adorer.

— Je commence quand ?

— Maintenant.

28

Vargas serra ses mains sur son estomac comme s'il souffrait brusquement d'un ulcère.

— Qu'avez-vous raconté à ce gamin ?

— Il s'appelle Fernandito. Et ce n'est pas un gamin. Il est presque aussi encombrant que vous. Et en plus il a une Vespa.

— Bon sang de bois ! Me compliquer la vie ne vous suffit donc pas ? Il faut maintenant que vous impliquiez des innocents dans vos machinations !

— Justement. Ce dont nous avons besoin dans cette entreprise, c'est d'un innocent.

— Je croyais que nous avions déjà cet imbécile de Rovira. À ce propos, il m'a suivi toute la matinée. Ne lui aviez-vous pas confié la mission de vous filer le train, à vous ?

— Il n'est peut-être pas aussi bête qu'il en a l'air.

— Et ce Fernandito, qu'est-ce que c'est ? Du sang frais pour le bain de la comtesse Báthory ?

— Vous êtes chaque jour plus érudit, Vargas ! Non, Fernandito ne versera pas une goutte de son sang. De sa sueur, ça oui, peut-être.

— Et des larmes. Croyez-vous que je n'ai pas remarqué la façon dont il vous regarde, avec un air d'agneau éploré.

— Quand l'avez-vous vu ?

— Quand vous étiez en train de l'hypnotiser, au café. On aurait dit une reine cobra devant un lapereau.

— Je croyais que seul Rovira m'espionnait.

— Je vous ai vus passer quand je revenais de Metrobarna.

Alicia se maudit en silence, minimisant l'affaire tout en se servant du vin blanc dans un verre à pied en cristal. Elle dégusta la première gorgée et s'appuya contre la table.

— Racontez-moi comment cela s'est passé et oubliez Fernandito un moment.

Vargas souffla et se laissa tomber sur le canapé.

— Par quoi voulez-vous que je commence.

— Essayez par le début.

Il résuma sa visite à Metrobarna et ses impressions. Alicia l'écouta en silence en allant et venant dans l'appartement, son verre à la main, hochant la tête de temps à autre. Quand il termina son rapport, elle s'approcha de la fenêtre, vida son verre, se retourna vers le policier et fit un geste qui inquiéta grandement ce dernier.

— J'ai réfléchi, Vargas.

— Que Dieu nous vienne en aide.

— Avec tout ce que vous avez découvert aujourd'hui sur ce M. Sanchís le bien marié et son chauffeur, ainsi que la piste des livres de Mataix, l'avocat Brians et les Sempere…

— Sans oublier l'homme invisible, votre ex-collègue Lomana.

— Je ne l'oublie pas. Toujours est-il que vous et moi ne suffisons pas pour tirer tous ces fils. Et le nœud se resserre.

— Autour de notre cou ?

— Vous savez très bien ce que je veux dire. Tous ces fils sont reliés d'une manière ou d'une autre. Plus nous les déviderons, plus nous serons près de découvrir une porte d'entrée.

— Quand vous filez la métaphore ainsi, je ne vous suis plus.

— Nous attendons un faux pas, c'est tout.

— C'est ainsi que vous résolvez les affaires ? Grâce aux faux pas ?

— Il est plus efficace de laisser les autres commettre des erreurs que d'espérer mettre dans le mille du premier coup.

— Et si c'est nous qui faisions le faux pas ?

— Au cas où vous auriez une meilleure idée, je suis tout ouïe.

Vargas leva les mains en signe de trêve.

— Ce Fernandito, que fera-t-il ?

— Il sera nos yeux là où nous ne pouvons pas être présents. Personne ne le connaît, personne ne l'attend.

— Vous métamorphoseriez-vous en Leandro par hasard ?

— Disons que je n'ai pas entendu, Vargas.

— Faites ce que vous voulez. Comment programmez-vous le sacrifice du pigeonneau ?

— Fernandito commencera par suivre Sanchís. La division des tâches augmente la productivité.

— Cela m'a tout l'air d'un piège. Et moi, qu'est-ce que je fais ?

— Je suis en train d'y réfléchir.

— Ce que vous êtes en train de faire, c'est d'essayer de vous débarrasser de moi une fois de plus.

— Ne dites pas de bêtises. Quand ai-je agi ainsi ?

Vargas laissa échapper un grognement.

— Pendant que vous réfléchissez, que pensez-vous faire d'autre ? demanda-t-il.

— Consacrer du temps et de l'attention à la famille Sempere, répondit-elle.

À ce moment-là, ils entendirent un bruit derrière la porte de l'appartement, celui d'un poids tombant au sol, suivi d'un coup de sonnette.

— Attendez-vous de la visite ? demanda le policier.

— Voulez-vous ouvrir ?

Vargas se leva à contrecœur et s'exécuta. Fernandito se tenait sur le seuil, en sueur, haletant.

— Bonjour, dit-il. J'apporte les livres de Mlle Alicia.

Fernandito tendit une main dans un geste conciliateur que Vargas ignora.

— Alicia, le gamin de la livraison pour vous.

— Ne jouez pas les trouble-fêtes, Vargas, faites-le entrer.

Alicia se leva et s'avança.

— Entrez, Fernandito, ne faites pas attention à lui.

En la voyant, le visage du garçon s'illumina. Il prit la caisse contenant les livres et entra dans l'appartement.

— Excusez-moi. Où est-ce que je la pose ?

— Ici, en face de la bibliothèque.

Fernando obéit et reprit son souffle en essuyant la sueur qui perlait à son front.

— Vous les avez portés tout seul ?

Il haussa les épaules.

— Sur la moto. Mais comme il n'y a pas d'ascenseur...

— Quel dévouement, *Fernandito*, dit Vargas. Malheureusement, je n'ai pas de médaille du courage sous la main, sinon...

Ignorant le sarcasme, Fernandito se concentra sur Alicia.

— Ce n'était pas grand-chose, mademoiselle Alicia. Je suis habitué aux livraisons pour l'épicerie.

— C'est comme ça que tu t'es musclé. Allez, Vargas, payez-le.

— Comment ?

— Une avance pour services rendus. Et ajoutez quelque chose pour l'essence.

— C'est à moi de le payer ?

— Prenez sur l'enveloppe des dépenses. Vous êtes le trésorier. Ne faites pas cette tête.

— Quelle tête ?

— On dirait que vous avez une infection urinaire. Allez, sortez votre portefeuille.

— Écoutez, si ça pose un problème... intervint Fernandito, pas très rassuré à la vue du visage lugubre de Vargas.

— Il n'y a aucun problème, trancha Alicia. Capitaine ?

Vargas souffla et sortit son portefeuille. Il compta deux billets qu'il tendit à Fernandito.

— Plus, murmura Alicia.

— Comment ?

— Donnez-lui le double, au moins.

Vargas lui tendit deux autres billets. Fernandito, qui n'avait probablement jamais vu autant d'argent de sa vie, accepta émerveillé.

— Ne dépense pas tout en bonbons, murmura Vargas.

— Vous ne le regretterez pas, mademoiselle Alicia. Merci, merci.

— Écoute, petit, c'est moi qui te paie, dit le policier.

— Puis-je te demander une faveur, Fernandito ? dit Alicia.

— Tout ce que vous voulez.

— Descends me chercher un paquet de cigarettes.

— Des blondes américaines ?

— Tu es un amour.

Fernandito dévala les escaliers. À en juger par le bruit, il descendait quatre à quatre.

— Seigneur, le moinillon !

— Vous êtes jaloux, Vargas.

— C'est ça…

— Et le tableau ?

Alicia signala le paquet que Vargas avait apporté.

— J'ai pensé qu'il irait à merveille au-dessus du canapé.

— C'est l'œuvre de votre nouvel ami, le peintre favori de M. Sanchís ?

Il fit signe que oui.

— Croyez-vous que Sanchís soit notre collectionneur ? envisagea Alicia.

Vargas haussa les épaules.

— Et le chauffeur… ?

— Morgado. J'ai appelé le central pour qu'ils m'informent à son sujet. J'aurai des nouvelles demain.

— À quoi pensez-vous, Vargas ?

— Que si ça se trouve, vous êtes dans le vrai, je suis au regret de l'admettre. Le nœud, ou quoi que ce soit d'autre, se resserre.

— Je ne vous trouve pas du tout convaincu.

— Je ne le suis pas. Quelque chose cloche.

— Quoi ?

— Je le saurai quand je le trouverai. Mais j'ai l'impression que nous regardons sous le mauvais angle. Ne me demandez pas pourquoi. Ce sont mes tripes qui parlent.

— Je le crois aussi, reconnut Alicia.

— Vous allez raconter tout ça à Leandro ?

— Il va bien falloir que je lui rapporte quelque chose.

— Si je peux me permettre une suggestion, laissez Fernandito en dehors de l'actualité du jour.

— Je ne pensais pas l'inclure.

Ils entendirent bientôt le pas rapide du susmentionné qui grimpait les escaliers à toute allure.

— Allez lui ouvrir. Et soyez un peu plus sympathique avec lui. Il a besoin de modèles masculins solides s'il veut devenir un homme comme il faut.

Vargas remua la tête et ouvrit la porte. Fernandito attendait impatiemment, le paquet de tabac dans la main.

— Passez, jeunot. Cléopâtre attend.

Fernandito courut porter le paquet qu'Alicia ouvrit en souriant. Elle porta une cigarette à ses lèvres. Le garçon s'empressa de sortir un briquet pour la lui allumer.

— Tu fumes, Fernandito ?

— Non… J'ai toujours un briquet sur moi pour avoir de la lumière. Les escaliers du quartier sont plus sombres que la gueule d'un loup.

— Regardez, Vargas, Fernandito n'a-t-il pas l'étoffe d'un détective ?

— Un vrai Marlow pubertaire.

— Ne l'écoute pas, Fernandito. Quand ils vieillissent, ils deviennent aigris. C'est comme la quinine pour les cheveux blancs.

— La kératine, coupa Vargas.

Alicia fit signe à Fernandito d'ignorer le policier.

— Puis-je te demander une autre faveur ?

— Je suis là pour ça.

— C'est plus délicat. Ta première mission.

— Je suis tout ouïe.

— Tu dois te rendre Paseo de Gracia, au numéro six.

Vargas la regarda, subitement inquiet. Alicia lui fit signe de se taire.

— Là tu trouveras les bureaux d'une compagnie dénommée Metrobarna.

— Je la connais.

— Ha ?

— Ils sont propriétaires de la moitié du quartier. Ils achètent les immeubles, ils mettent dehors les vieux qui paient trois sous et ils revendent les appartements dix fois le prix.

— Les petits malins. Bon, le directeur est un certain Ignacio Sanchís. Je veux que tu le suives dès qu'il quittera son bureau et que tu deviennes son ombre. Tu me diras où il va, ce qu'il fait, à qui il parle... Tout. Tu te débrouilleras avec la Vespa ?

— C'est la reine de la route. Avec elle, je peux même suivre Nuvolari.

— Demain, tu viendras à la même heure et tu me raconteras ce que tu as vu. Des questions ?

Vargas leva la main.

— Je m'adressais à Fernandito.

— Tout est très clair, mademoiselle Alicia.

— Alors en route. Et bienvenue dans l'univers de l'intrigue et du suspense.

— Vous pouvez compter sur moi. Vous aussi, capitaine.

Fernandito fila à toute allure en direction d'une carrière prometteuse dans le monde des détectives et du mystère. Vargas, bouche bée, observait Alicia qui savourait sa cigarette d'un air félin.

— Seriez-vous devenue folle ?

Ignorant la question, elle leva la tête vers la fenêtre et contempla le manteau nuageux qui glissait depuis la mer. Le soleil d'ouest teintait de rouge la nuée trouble et épaisse chargée de boucles noires tourbillonnantes en son centre. Alicia aperçut un éclair électrique, comme si un grand feu de Bengale avait été allumé.

— L'orage approche, murmura Vargas derrière elle.

— J'ai faim, déclara-t-elle en se retournant.

Il fut très surpris.

— Je ne pensais pas vous entendre dire cela un jour.

— Il y a un début à tout. Vous m'invitez à dîner ?

— Je ne sais pas avec quoi. J'ai lâché à votre admirateur tout ce que j'avais sur moi, ou presque. Demain il faudra que j'aille tirer de l'argent.

— Même pour quelques tapas…
— Dites-moi où.
— Connaissez-vous la Barceloneta ?
— Je commence déjà à avoir mon compte avec la Barcelone normale.
— Une bonne bombe, ça vous dirait ?
— Pardon ?
— Bien piquante. Pas avec de la poudre.
— Pourquoi ai-je l'impression qu'il s'agit encore d'une de vos ruses ?

29

Ils descendirent à pied jusqu'au port sous un ciel bas strié d'éclairs. Une forêt de mâts luttait contre un vent chargé d'électricité qui soufflait de la mer.
— Ça va sacrément tomber, présagea Vargas.
Ils longèrent les hangars alignés en face des docks du port, de grands bâtiments profonds qui ressemblaient aux halles d'antan.
— Mon père travaillait ici, dans les hangars, indiqua Alicia.
Vargas garda le silence, en attendant qu'elle ajoute peut-être quelque chose.
— Je croyais que vous étiez orpheline, dit-il enfin.
— Je ne suis pas née orpheline.
— À quel âge avez-vous perdu vos parents ?
Elle serra le col de son manteau contre son cou et hâta le pas.
— Pressons-nous ou on va se faire mouiller, coupa-t-elle.
Les premières gouttes tombaient déjà quand ils arrivèrent à la Barceloneta. De grosses gouttes éparses qui éclataient sur le pavé telles des balles d'eau, mitraillant les tramways qui glissaient sur le passage bordant les quais. En face, Vargas avisa un quartier bigarré aux rues étroites formant un réseau sur la péninsule qui avançait dans la mer, reproduisant le tracé d'un grand cimetière.
— On dirait une île, commenta-t-il.
— Vous n'avez pas tort. C'est devenu le quartier des pêcheurs.
— Et avant ?
— Voulez-vous une petite leçon d'histoire ?

— Pour me mettre en appétit, avant les bombes…

— Il y a des siècles, tout ce que vous voyez n'existait pas, c'était la mer, expliqua Alicia. Avec le temps, les premières digues ont été construites et une île s'est progressivement formée grâce aux sédiments apportés par la mer contre la digue.

— Comment savez-vous tout cela ?

— Parce que je lis. Vous devriez essayer un jour. Pendant la guerre de succession, les troupes de Philippe V ont démoli une bonne partie du quartier de la Ribera pour construire la forteresse de la Ciudadela. La guerre terminée, en 1714, beaucoup de ceux qui avaient perdu leur maison sont venus s'installer ici.

— Ah, c'est pour cette raison que vous aimez tellement la monarchie, à Barcelone ! ironisa Vargas.

— Oui, et par esprit de contradiction, ça favorise la circulation sanguine.

La première saucée les poursuivit jusqu'à une rue étroite où s'élevait une façade, quelque chose à mi-chemin entre la taverne portuaire et la gargote de routiers qui n'aurait jamais gagné le moindre concours des beaux-arts, mais dégageait une odeur qui vous éveillait les papilles. L'enseigne annonçait : LA BOMBETA.

Un groupe d'habitués en pleine partie de cartes leva rapidement la tête en les voyant entrer. Vargas comprit qu'ils l'avaient identifié comme un flic dès qu'il avait posé un pied dans le bar. Derrière son comptoir un serveur à la mine renfrognée leur indiqua une table, dans un coin, loin de la clientèle habituelle.

— Ça ne ressemble pas aux endroits que vous fréquentez, Alicia.

— On ne vient pas ici pour le panorama, mais pour les *bombas*.

— Pour autre chose aussi, je présume.

— Bon, disons que c'est à côté.

— De quoi ?

Alicia sortit de sa poche un morceau de papier qu'elle posa sur la table. Vargas reconnut l'étiquette qu'elle avait arrachée sur une caisse du déménagement du bureau de l'avocat, le matin même.

— À côté du garde-meuble où Brians entrepose provisoirement ses papiers et ses archives.

Il leva les yeux au ciel.

— Ne jouez pas les pères la morale, Vargas. Vous ne croyez tout de même pas qu'on va nous mâcher le travail ?

— J'espérais juste ne pas avoir à violer la loi.

Le serveur aux manières rustres se planta devant eux et il les fixa d'un regard inquisiteur.

— Mettez-nous quatre *bombas* et deux bières, commanda Alicia sans quitter Vargas des yeux.

— Estrella ou pression ?

— Estrella.

— Pain à la tomate ?

— Deux tranches. Grillées.

Le serveur hocha la tête et tourna les talons sans cérémonie.

— Je me suis toujours demandé pourquoi vous mettiez de la tomate sur le pain, ici ? dit Vargas.

— Moi, je me demande pourquoi personne d'autre ne le fait.

— Quelles autres surprises me réservez-vous, hormis l'effraction de domicile ?

— Techniquement, c'est un entrepôt. Je doute que ce soit le domicile de quiconque, à part celui des rats et des araignées.

— Pourquoi s'en priver, alors ? Qu'y a-t-il d'autre dans cette petite tête infernale ?

— Je repensais à ce crétin que vous êtes allé voir hier, Cascos, l'employé de Valls aux Éditions Ariadna.

— L'amant éconduit.

— Pablo Cascos Buendía, récita Alicia. Ancien fiancé de Beatriz Aguilar. Je n'arrive pas à me l'ôter de la tête. Ne le trouvez-vous pas bizarre ?

— Qu'est-ce qui n'est pas bizarre dans cette affaire ?

— Le tout-puissant ministre fouinant en secret dans l'histoire familiale de libraires de Barcelone…

— Nous avions établi que son intérêt provenait du fait qu'il soupçonnait les Sempere de savoir quelque chose au sujet de David Martín. Et il suspectait ce dernier d'être derrière les lettres de menace et les attentats contre lui, résuma Vargas.

— Oui, mais qu'est-ce que David Martín aurait à voir avec les Sempere ? Que viennent-ils faire dans cette histoire, ceux-là ? s'interrogea Alicia, pensive. Il y a quelque chose, là. Dans cette boutique. Dans cette famille.

— Est-ce pour cette raison que vous avez décidé de leur rendre une petite visite sans me prévenir ?

— J'avais besoin de nouveaux livres.

— Vous auriez pu vous acheter *TBO*, un illustré... Vous approcher des Sempere avant l'heure peut s'avérer dangereux.

— Vous avez peur d'une famille de libraires ?

— Je crains que nous ne levions un lièvre avant même de savoir où nous mettons les pieds.

— Moi je crois que le jeu en vaut la chandelle.

— Et vous avez pris la décision unilatéralement.

— Beatriz Aguilar et moi avons fait bon ménage, dit Alicia. C'est une fille charmante. Vous en tomberiez amoureux sur-le-champ.

— Alicia...

Elle sourit avec malice. Les bières et les *bombas* arrivèrent juste à temps pour interrompre la conversation. Vargas regarda cette curieuse invention, une sorte de grosse boule de pomme de terre panée farcie de viande piquante.

— Comment mange-t-on cette chose-là ?

Alicia piqua sa fourchette dans une *bomba* et planta ses dents dedans. Dans la rue, l'orage frappait avec force. Sur le pas de la porte, le serveur contemplait le déluge. Vargas observait Alicia qui dévorait son festin, et il remarqua en elle une chose qu'il n'avait pas découverte jusque-là.

— Vous revivez à la tombée du jour...

Alicia avala une gorgée de bière et le regarda droit dans les yeux.

— Je suis une créature nocturne.

— Sans blague !

30

L'orage avait laissé derrière lui une brume qui balayait les rues de la Barceloneta et brillait à la lueur des réverbères. Quand ils sortirent dans la rue, il ne tombait plus que quelques gouttes éparses et l'écho du tonnerre s'éloignait. D'après l'adresse dérobée le matin sur la caisse de déménagement du bureau de Fernando Brians, le garde-meuble choisi par l'avocat pour entreposer son mobilier, ses archives et le reste d'affaires accumulés pendant des décennies se situait sur le terrain du Vapor Barcino, une ancienne fabrique de chaudières et de locomotives abandonnée pendant la guerre civile. Ils traversèrent des ruelles glacées et désertes et ils arrivèrent en quelques minutes aux portes de l'ancienne fabrique. Les rails d'une ligne ferroviaire disparaissaient sous leurs pieds et pénétraient dans l'enceinte de l'usine. Un grand linteau en pierre portant la mention VAPOR BARCINO surmontait l'entrée. Au-delà, une friche de hangars et d'ateliers à l'abandon avait des allures de nécropoles abritant les prodiges datant de l'ère de la machine à vapeur.

— Êtes-vous certaine que c'est ici ? demanda Vargas.

Alicia hocha la tête et elle avança. Ils longèrent une locomotive échouée dans une immense flaque où affleuraient des chariots, des tuyaux et la carcasse d'une chaudière démolie dans laquelle nichait une bande de mouettes. Les volatiles immobiles les regardèrent passer de leur œil rond brillant dans la pénombre. Un alignement de poteaux soutenait un fouillis de câblages d'où pendaient des lanternes qui diffusaient une lumière faiblarde. Les entrepôts de la fabrique avaient été numérotés sur des panneaux en bois.

— Le nôtre est le trois, indiqua Alicia.

Vargas regarda autour de lui. Deux chats faméliques miaulaient dans l'obscurité. L'air sentait le charbon et le soufre. Ils passèrent devant une guérite déserte.

— Ne devrait-il pas y avoir un vigile ?

— Je crois que l'avocat Brians choisit les solutions économiques, fit remarquer Alicia.

— L'avocat des causes perdues… rappela Vargas. On ne se refait pas…

Ils approchèrent de l'entrée de l'entrepôt numéro trois. Les récentes traces de pneus du camion de déménagement disparaissaient dans la boue face à un portail en bois bloqué par des barres métalliques. Une entrée plus petite, découpée sur la grande porte, était fermée par une chaîne et un cadenas rouillé de la taille d'un poing.

— Comment va la force brute ? demanda Alicia.

— Vous ne comptez tout de même pas que je l'ouvre avec les dents ? protesta Vargas.

— Je ne sais pas. Faites quelque chose.

Le policier sortit son révolver et il plaça le canon à bout portant dans l'orifice du cadenas.

— Écartez-vous, ordonna-t-il.

Alicia mit ses mains sur ses oreilles. L'écho du coup de feu voleta entre les structures de l'enceinte. Vargas sortit le révolver du cadenas qui tomba à ses pieds entraînant la chaîne, et il poussa la porte du pied.

Elle s'ouvrit sur une toile d'araignée ombreuse d'où émergeaient des ruines de palais. Un réseau de câblages ponctués d'ampoules nues pendait de la voûte. Vargas suivit le circuit le long des murs jusqu'à une boîte électrique et il appuya sur l'interrupteur général. Les ampoules, maigres brins de lumière jaunâtres et clignotants, s'allumèrent lentement les unes après les autres comme s'il s'agissait d'une foire fantomatique. Le courant produisait le léger bourdonnement d'un nuage d'insectes voletant dans l'obscurité.

Ils pénétrèrent dans l'allée qui traversait l'entrepôt, flanquée d'espaces protégés par une grille métallique. À l'entrée de chacun des blocs pendait un panneau indiquant le numéro de lot, le mois et l'année d'échéance du dépôt et le nom du titulaire, particulier ou entreprise. Chaque compartiment abritait un monde. Dans le premier, ils aperçurent une forteresse de centaines de vieilles machines à écrire, calculatrices et caisses enregistreuses. Le deuxième accueillait un nombre incalculable de crucifix, statues de saints, confessionnaux et chaires.

— Avec tout ça, on pourrait monter un couvent, dit Alicia.

— Si ça se trouve il est toujours temps pour vous…

Plus loin, ils tombèrent sur un manège démonté derrière lequel on devinait les restes du naufrage d'une foire itinérante. De l'autre côté, il y avait une collection de cercueils et tout un attirail funéraire fleurant son XXe siècle, y compris un baldaquin aux parois de verre contenant une couche en soie conservant encore l'empreinte laissée par quelque illustre défunt.

— Doux Jésus… D'où provient tout cela ? murmura Vargas.

— De revers de fortune, principalement, de familles déjà ruinées avant la guerre et d'entreprises ayant sombré dans la nuit des temps…

— Quelqu'un se souvient-il de tout ce qu'il y a ici ?

— Quelqu'un continue de payer les loyers.

— Ça fait dresser les cheveux sur la tête, en vérité.

— Barcelone est une maison ensorcelée, Vargas. Ce qui se passe, c'est que vous, les touristes, vous n'avez jamais l'idée de passer la tête derrière le rideau. Regardez, c'est ici.

Alicia s'arrêta devant l'une des divisions et pointa le panneau :

FAMILLE
BRIANS-LLORAC
Reg. 28887-BC-56. 9-62

— Êtes-vous certaine de vouloir faire cela ?

— Je n'imaginais pas que vous feriez la fine bouche à ce point, Vargas. J'en prends la responsabilité.

— À vous de voir. Que cherchons-nous exactement ?

— Je ne sais pas. Mais quelque chose relie Valls, Salgado, David Martín, les Sempere, Brians, votre liste avec des numéros indéchiffrables, les livres de Mataix, et à présent Sanchís et son chauffeur sans visage. Si nous mettons la main sur cette pièce, nous retrouverons Valls.

— Vous croyez que cette pièce est ici, n'est-ce pas ?

— Jusqu'à ce qu'on la trouve, on ne le saura pas.

Un simple cadenas fermait le box, du tout-venant acheté à la quincaillerie du coin qui céda après quelques coups de crosse. Alicia se précipita à l'intérieur.

— Ça sent le mort, dit Vargas.

— C'est le vent de la mer. Toutes ces années à Madrid vous ont fait perdre le sens de l'odorat.

Vargas lâcha une injure et la suivit. Un tas de caisses en bois couvertes d'une toile formait un petit couloir conduisant à une sorte de patio où une tornade semblait avoir lâché en plein vol les reliques de plusieurs générations de la dynastie Brians.

— L'avocat doit être la brebis galeuse de la famille. Je ne suis pas antiquaire, mais ici il y a une fortune, sinon deux, spécula Vargas.

— J'espère que votre pudeur légaliste vous permet de résister à la tentation d'emporter un quelconque cendrier en argent de *mémé* Brians...

Vargas signala la ribambelle de vaisselle, miroirs, chaises, livres, sculptures, coffres, armoires, consoles, commodes, bicyclettes, jouets, skis, chaussures, valises, tableaux, vases et autres centaines d'effets entassés les uns sur les autres dans une mosaïque bigarrée qui tenait davantage de la sépulture qu'autre chose.

— Par quel siècle voulez-vous commencer ?

— Par les archives de Brians. Nous cherchons des cartons de taille moyenne. Ce ne devrait pas être trop difficile. Les déménageurs ont probablement choisi l'espace libre le plus proche de l'entrée pour se débarrasser du chargement de l'avocat. Tout ce qui n'est pas couvert de poussière, en principe. Vous préférez la droite ou la gauche ? À moins que ce ne soit une question idiote ?

Après plusieurs minutes d'errance dans une jungle de babioles qui reposaient sûrement ici depuis un temps où ni l'un ni l'autre n'étaient nés, ils trouvèrent une pyramide de caisses portant une étiquette identique à celle qu'Alicia avait subtilisée. Vargas s'approcha et il commença à les sortir une par une tandis qu'elle les ouvrait et en vérifiait le contenu.

— Est-ce ce que vous cherchiez ? demanda Vargas.

— Je ne sais pas encore.

— Un plan parfait, marmonna Vargas.

Séparer les caisses contenant des documents de celles remplies de livres et de matériel de bureau leur prit presque une demi-heure. La maigre lumière dispensée par les ampoules ne permettait pas d'examiner en détail les documents et Vargas partit à la recherche d'une lampe. Il revint rapidement avec un vieux candélabre en cuivre et une poignée de grosses chandelles apparemment neuves.

— Êtes-vous certain que ce ne sont pas des cartouches de dynamite ? demanda Alicia.

Vargas plaça la flamme du briquet à un centimètre de la mèche et lui tendit la bougie.

— À vous l'honneur ?

Les chandelles créèrent une bulle de clarté et Alicia considéra à nouveau une par une la tranche des dossiers rangés dans les cartons. Vargas l'observait, nerveux.

— Qu'est-ce que je fais ?

— Ils sont classés chronologiquement à partir de janvier 1934. Je chercherai par date et vous par nom. Commencez par les plus récents et on se retrouvera au milieu.

— Qu'est-ce que je dois chercher exactement ?

— Sanchís, Metrobarna... N'importe quoi nous permettant de relier l'avocat à...

— Compris, la coupa Vargas.

Ils examinèrent les caisses en silence pendant une vingtaine de minutes, échangeant parfois un regard négatif.

— Il n'y a rien sur Sanchís ou Metrobarna là-dedans, dit le policier. J'ai déjà regardé cinq années, et rien.

— Continuez à chercher. Si ça se trouve, c'est à Banque hypothécaire.

— Il n'y a aucune banque. Tous ses clients sont de pauvres diables, pour utiliser un jargon réglementaire...

— Continuez.

Vargas hocha la tête avant de replonger dans le monceau de papiers et de dossiers, tandis que les chandelles dégoulinaient, des grappes de larmes de cire glissant le long du candélabre. Il s'aperçut bientôt qu'Alicia avait cessé ses recherches ; elle ne disait pas un mot, immobile, les yeux rivés sur une pile de chemises qu'elle avait sorties d'un des cartons.

— Qu'y a-t-il ? demanda Vargas.

Alicia lui indiqua une épaisse chemise.

— Isabella Gispert... dit-elle.

— De Sempere &... ?

Elle hocha la tête. Elle lui montra une autre chemise portant la mention MONTJUÏC 39-45. Vargas s'approcha et s'accroupit à côté de la caisse. Il passa en revue plusieurs dossiers et en sortit quelques-uns.

— Valentín Morgado...

— Le chauffeur de Sanchís.

— Sempere/Martín...

— Montrez-moi.

Alicia ouvrit la chemise.

— Serait-ce notre David Martín ?

— Il semble bien...

Vargas s'arrêta.

— Alicia ?

Elle leva les yeux du dossier David Martín.

— Regardez ça, dit Vargas.

La chemise qu'il lui tendit faisait plusieurs centimètres d'épaisseur. Alicia eut la chair de poule en lisant le nom du dossier, et elle ne put réprimer un sourire.

— Víctor Mataix…

— J'aurais tendance à dire qu'avec ça nous en avons assez, dit Vargas.

Alicia s'apprêtait à refermer le carton quand elle aperçut une enveloppe jaune au fond. Elle la prit et l'examina à la lumière des bougies. Elle avait la taille d'une feuille et elle était cachetée. Elle souffla sur la pellicule de poussière qui la recouvrait et lut le mot écrit à la plume.

Isabella

— On va emporter tout ça, dit Alicia. Refermez les cartons et essayez de les remettre plus ou moins dans l'ordre où ils étaient. Il peut se passer des jours, des semaines avant que Brians ne s'installe dans de nouveaux bureaux et s'aperçoive qu'il lui manque des dossiers…

Vargas acquiesça, mais alors qu'il allait soulever le premier carton, il s'arrêta brusquement et se releva. Alicia le regarda. Elle avait entendu elle aussi. Des pas. Un léger bruit sur la poussière qui couvrait le sol de l'entrepôt. Elle souffla les bougies. Vargas sortit son révolver. Une silhouette se dessina à l'entrée du local. Un homme en uniforme dépenaillé les observait. Il portait une lanterne et une matraque dont le tremblement trahissait sa peur ; le pauvre homme était plus effrayé qu'une souris surprise dans un magasin.

— Que faites-vous là ? balbutia le vigile. On ne peut pas pénétrer ici après sept heures…

Alicia se releva lentement et lui sourit. Quelque chose dans son visage dut glacer le sang du gardien car il recula et brandit sa matraque d'un geste menaçant. Vargas lui colla le canon de son révolver sur la tempe.

— À moins que vous ne comptiez l'utiliser comme suppositoire, faites-moi le plaisir de lâcher cette matraque.

Il la laissa tomber au sol et resta pétrifié.

— Qui êtes-vous ? demanda-t-il.

— Des amis de la famille, répondit Alicia. Nous avons oublié quelques petites choses. Y a-t-il quelqu'un d'autre avec vous ?

— Je suis seul pour tous les entrepôts. Vous n'allez pas me tuer, n'est-ce pas ? J'ai une femme et des enfants. J'ai une photo dans mon...

Vargas prit le portefeuille dans la poche du bonhomme. Il en sortit l'argent, qu'il jeta par terre, et il le rangea dans son manteau.

— Comment vous appelez-vous ? demanda Alicia.

— Bartolomé.

— J'aime bien votre prénom. Il est très masculin.

Le vigile tremblait.

— Écoutez, Bartolomé, voilà ce que nous allons faire. Nous allons rentrer chez nous, et vous allez faire de même. Demain matin, avant de venir, vous irez acheter de nouveaux cadenas et vous remplacerez ceux de l'entrée et de cette grille. Et bien entendu vous oubliez que vous nous avez vus. Que pensez-vous de ce marché ?

Vargas dégagea la sûreté du révolver. Bartolomé déglutit.

— Il me semble bien.

— Et si vous étiez soudainement pris d'un accès de mauvaise conscience, ou que quelqu'un vous posait des questions, rappelez-vous que votre salaire n'en vaut pas la peine et que votre famille a besoin de vous.

L'homme hocha la tête. Vargas relâcha la gâchette et écarta l'arme. Alicia sourit au vigile comme s'ils étaient de vieux amis.

— Allez, rentrez chez vous, prenez un petit verre de cognac bien chaud. Et ramassez votre argent.

— Oui, mademoiselle...

Bartolomé se baissa et prit les quelques sous qu'il avait dans son portefeuille.

— N'oubliez pas la matraque.

L'homme la prit et l'accrocha à sa ceinture.

— Je peux partir maintenant ?

— Personne ne vous retient.

Il hésita quelques secondes puis recula jusqu'à la sortie. Avant que sa silhouette ne disparût dans l'obscurité, Alicia l'appela.

— Bartolomé ?

Les pas du vigile s'arrêtèrent.

— N'oubliez pas que nous avons vos papiers et que nous savons où vous vivez. Ne nous obligez pas à vous rendre une petite visite. Mon compagnon ici présent n'est pas du tout patient. Bonne nuit.

Ils l'entendirent qui prenait la fuite d'un pas saccadé.

31

Miquel leur monta deux thermos de café tout frais et ils usèrent de leur influence pour obtenir également un plateau de petits beignets tout juste sortis du four de la boulangerie voisine. Ils dégageaient un parfum délicieux. Ils se répartirent les chemises et s'assirent par terre, l'un en face de l'autre. Alicia engloutit trois beignets à la suite et remplit un bol de café qu'elle commença à boire, le regard happé par la première chemise soustraite des archives de Brians. Elle leva bientôt les yeux et constata que Vargas la regardait d'un air gêné.

— Qu'y a-t-il ? demanda-t-elle.

Il lui montra sa jupe. Elle l'avait relevée pour pouvoir s'asseoir par terre, le dos appuyé contre le sofa.

— Ne faites pas l'enfant. Il n'y a rien que vous n'ayez déjà vu, j'espère. Faites ce que vous avez à faire.

Vargas ne répliqua pas, mais il changea légèrement de position afin d'éviter la vision de la couture des bas qui l'empêchait de se concentrer sur la prose passionnante des dossiers de procédure légale et des notes de rapport de l'avocat des causes perdues.

Ils s'enfoncèrent au cœur de la nuit en silence, aiguillonnés par la caféine, le sucre et le paysage qui surgissait progressivement des documents. Alicia avait pris un grand carnet de croquis et elle traçait une sorte de carte géographique avec des annotations, des dates, des noms, des flèches et des cercles. Vargas tombait parfois sur un élément notable et le lui tendait. Il n'avait pas besoin de parler. Elle y jetait un coup d'œil et acquiesçait en silence. Elle paraissait dotée d'une habileté surnaturelle pour établir des connexions et des liens, comme si son cerveau fonctionnait cent fois plus vite que celui du commun des mortels. Vargas commençait à entrevoir le processus qui guidait l'esprit de sa collègue, et loin de la questionner ou d'essayer de comprendre sa logique interne, il se contentait d'assurer le rôle de filtre et de lui fournir de nouvelles données grâce auxquelles elle construisait sa carte, pièce après pièce.

— Vous, je ne sais pas, mais moi, je ne tiens plus debout, dit Vargas à deux heures et demie du matin.

Il s'était occupé de toutes les chemises qui lui étaient échues dans la répartition des tâches et il avait l'impression que la caféine perdait de sa vigueur et que ses yeux ne voyaient plus rien.

— Allez vous coucher, suggéra Alicia. Il est tard.

— Et vous ?

— Je n'ai pas sommeil.

— Comment faites-vous ?

— La nuit et moi, vous savez…

— Est-ce que cela vous gêne si je m'allonge un moment sur le canapé ?

— À votre guise, mais je ne vous promets pas de ne pas faire un peu de bruit.

— La fanfare municipale ne me réveillerait pas.

Les cloches de la cathédrale le tirèrent du sommeil. Il ouvrit les yeux dans un brouillard épais qui sentait le café et le tabac blond. Le ciel au-dessus des toits avait la couleur du vin primeur. Alicia était toujours assise par terre, une cigarette aux lèvres. Elle avait enlevé sa jupe et son corsage et ne portait qu'une sorte de combinaison ou de nuisette noire qui invitait à tout sauf à la quiétude.

Vargas se traîna comme il put jusqu'à la salle de bains et il mit sa tête sous le robinet. Puis il se regarda dans la glace. Il aperçut un déshabillé de soie bleu pendu à la porte de la salle de bains et il le lança à Alicia.

— Couvrez-vous.

Elle l'attrapa au vol. Elle se leva, s'étira et enfila le peignoir.

— Je vais ouvrir la fenêtre avant que les pompiers viennent nous sortir de là, avertit Vargas.

Une bouffée d'air frais pénétra dans la pièce et le tourbillon de fumée s'évanouit tel un fantôme surpris par un maléfice. Vargas observa les deux thermos de café, le plateau de beignets couvert de sucre glace et les deux cendriers débordant de mégots fumés jusqu'au dernier brin de tabac.

— Dites-moi que tout cela valait la peine ? demanda-t-il.

Outre les restes de la bataille, Alicia avait fait un tas de feuilles, une douzaine, qu'elle prit et colla sur le mur avec du ruban adhésif pour former une sorte de cercle. Vargas s'approcha. Elle se léchait les babines comme un chat satisfait.

Le policier agita les thermos pour vérifier s'il restait un peu de café et il réussit à remplir la moitié d'une tasse. Il plaça une chaise en face du diagramme d'Alicia et il hocha la tête.

— Impressionnez-moi.

Elle noua la ceinture de son déshabillé et attacha ses cheveux pour se faire un petit chignon.

— Que préférez-vous, la version longue ou courte ?

— Commencez par le sommaire, ensuite nous verrons bien.

Alicia se posta en face de sa fresque murale, telle une maîtresse d'école mâtinée de *geisha* victorienne aux habitudes nocturnes louches.

— Château de Montjuïc entre 1939 et 1944, commença-t-elle. Mauricio Valls devient le directeur de la prison après avoir épousé Elena Sarmiento, la fille et l'héritière d'un industriel prospère proche du régime appartenant à une sorte de conspiration de banquiers, d'entrepreneurs et d'aristocrates baptisée les Croisés de Franco qui alimentent en bonne part les caisses des nationaux. Parmi eux se trouve Miguel Ángel Ubach, le fondateur et le principal actionnaire de la Banque hypothécaire d'où sortira la société Metrobarna, où vous vous êtes rendu hier.

— Vous avez trouvé tout cela là-dedans ?

— Dans les notes de Brians, oui.

— Poursuivez.

— Pendant les années où Valls est directeur de la prison de Montjuïc, les individus suivants s'y retrouvent à un moment ou un autre, prisonniers et clients représentés par Fernando Brians : premièrement, Sebastián Salgado, l'auteur présumé des lettres de menace envoyées par courrier à Valls pendant des années et le bénéficiaire flamboyant d'une grâce demandée et défendue par le ministre en personne. Salgado survit environ six semaines à sa sortie de prison. Deuxièmement, Valentín Morgado, ex-sergent de l'armée républicaine qui bénéficie d'une amnistie en 1945 pour un acte héroïque en prison. D'après les notes de l'avocat, il sauve un capitaine du régiment du château lors d'un accident pendant la reconstruction d'une des murailles. À sa libération, il intègre un programme de pardon et de réconciliation parrainé par un groupe d'hommes puissants ayant mauvaise conscience, et il est engagé dans les garages de la famille Ubach, dont il finit par devenir le chauffeur. À la mort du banquier Ubach, il passe au service de sa fille Victoria, la future épouse de Sanchís, le directeur général de Metrobarna.

— Y a-t-il autre chose ?

— Je ne fais que commencer. Troisièmement, David Martín. Écrivain maudit accusé d'une série de crimes étranges commis pendant la guerre civile, il réussit à échapper à la police en 1930, en traversant la frontière, apparemment. Pour des raisons non élucidées, il revient à Barcelone incognito, mais il est arrêté à Puigcerdà, dans les Pyrénées, peu après avoir franchi la frontière en 1939.

— Quelle relation David Martín entretient-il avec l'affaire, hormis le fait d'avoir été emprisonné pendant ces années ?

— C'est là que ça devient intéressant. Martín est le seul de ces prisonniers à ne pas être un client direct de Brians. Si l'avocat se charge effectivement de sa défense, c'est à la demande d'Isabella Gispert.

— De Sempere & Fils ?

— La mère de Daniel Sempere, oui. Gispert était son nom de jeune fille. Elle serait morte du choléra peu après la fin de la guerre, en 1939.

— Elle serait morte du choléra… ?

— D'après les notes personnelles de Brians, certains éléments laissent entendre qu'elle a été assassinée. Empoisonnée, pour être précis.

— Ne me dites pas…

— Par Mauricio Valls, si. À cause d'une obsession malsaine et d'un désir non réciproque, c'est du moins ce que suppose l'avocat, qui évidemment ne peut ou n'ose prouver quoi que ce soit.

— Et Martín ?

— Toujours selon Brians, il fait l'objet d'une autre des obsessions pathologiques de Valls.

— Le ministre a-t-il des toquades qui ne le soient pas ?

— Apparemment, Valls prétendait obliger Martín à écrire en prison des œuvres que le futur ministre aurait ensuite publiées sous son nom pour satisfaire sa vanité et sa soif de gloire littéraire. Ou quelque chose dans le genre. D'après Brians, David Martín est un homme malade qui perd malheureusement la tête peu à peu ; il entend des voix et il croit être en contact avec un personnage diabolique de son invention, un certain Corelli. Dans la prison, ses délires et le fait d'être enfermé, sur décision de Valls, seul dans une cellule tout en haut de la tour du château la dernière année de sa vie, lui valent le surnom de Prisonnier du ciel.

— Tout cela commence à vous ressembler, Alicia.

— En 1941, constatant que sa tentative de manipulation de l'écrivain ne fonctionne pas, il semblerait que Valls ordonne à deux de ses laquais d'emmener David Martín dans une bâtisse située à proximité du Parc Güell et de le supprimer. Il se produit alors un événement inattendu et Martín parvient à s'échapper.

— David Martín serait donc vivant ?

— Nous l'ignorons. Disons plutôt que Brians l'ignore.

— Mais il le présume.

— Valls aussi, probablement...

— ... et il croit qu'il est l'auteur des lettres de menace et de la tentative d'assassinat. Pour se venger.

— C'est mon hypothèse, confirma Alicia. Mais c'est une simple conjecture.

— Y a-t-il plus encore ?

— J'ai gardé le meilleur pour la fin, dit-elle dans un sourire.

— Abattez vos cartes.

— Quatrièmement : Víctor Mataix, auteur de la série du *Labyrinthe des esprits* dont nous avons trouvé un exemplaire caché dans le bureau de Valls. Selon sa fille Mercedes, ce serait le dernier document consulté par le ministre le soir où il a disparu de la surface de la terre.

— Quelle relation existe-t-il entre Mataix et les trois autres ?

— Il semble que Mataix avait été l'ami et le compagnon de David Martín dans les années trente, lorsqu'ils écrivaient tous deux à la commande et sous pseudonyme pour la maison d'édition Barrido y Escobillas. Les notes de Brians laissent entendre que Mataix aurait pu être également victime d'un plan similaire à celui de Martín de la part de Valls. Qui sait, Valls essayait peut-être de recruter des plumes fantômes grâce auxquelles se constituer une œuvre lui permettant de se faire un nom et de se tailler une réputation dans le monde des lettres. Il est certain que Valls détestait se voir reléguer au rôle du geôlier du régime obtenu par son riche mariage. Il aspirait à beaucoup plus que cela.

— Il doit y avoir autre chose. Qu'est devenu Mataix ?

— Il a été transféré de la prison Modelo et incarcéré à Montjuïc en 1941. Si on en croit le rapport officiel, il se serait suicidé dans sa cellule un an après. Le plus probable est qu'il a été fusillé, son corps ayant dû être jeté dans une fosse commune pour ne pas laisser de trace.

— Dans ce cas, l'obsession maladive serait... ?

Alicia haussa les épaules.

— Dans ce cas, Brians ne fait aucune supposition, mais je me permets d'attirer votre attention sur le fait que lorsque Mauricio Valls crée sa propre maison d'édition en 1947, il lui donne le nom de l'héroïne des romans de la série du *Labyrinthe des esprits*, Ariadna...

Vargas soupira et se frotta les yeux, tentant de traiter toutes les informations qu'Alicia venait de lui donner.

— Trop de coïncidences, lâcha-t-il enfin.

— Je suis d'accord, admit Alicia.

— Voyons si j'ai bien compris. Si tous ces liens existent, et si nous, enfin vous avez pu les établir en trois jours, comment est-il possible que la police et la plus haute hiérarchie de l'État aient fait chou blanc après plusieurs semaines d'enquête ?

Alicia mordilla sa lèvre inférieure.

— C'est ce qui m'inquiète.

— Croyez-vous qu'ils préféreraient ne pas retrouver Valls ?

Elle réfléchit.

— Je ne crois pas qu'ils puissent s'offrir ce luxe. Valls n'est pas quelqu'un qui peut disparaître tout simplement.

— Alors ?

— Peut-être veulent-ils savoir où il se trouve, sans plus. Peut-être ne tiennent-ils pas à voir étalées au grand jour les véritables raisons de sa disparition.

Vargas remua la tête et se frotta les yeux.

— Croyez-vous réellement que Morgado, Salgado et Martín, trois anciens prisonniers placés sous le joug de Valls, auraient conçu un plan pour se venger de lui, englobant au passage leur compagnon exécuté, Víctor Mataix ? Est-ce votre idée ?

Alicia fit une moue dubitative.

— L'homme impliqué dans l'histoire n'est peut-être pas Morgado, le chauffeur, mais son chef, Sanchís.

— Pourquoi Sanchís ferait-il une chose pareille ? Un homme du régime, marié à l'héritière d'une des plus grosses fortunes du pays... Un petit Valls en puissance. Pourquoi irait-il se fourrer dans un tel guêpier ?

— Je ne sais pas.

— Et la liste de numéros que nous avons trouvée dans la voiture de Valls ?

— Ça peut être tout et n'importe quoi. Sans relation avec l'affaire. Une simple coïncidence. C'est ce que vous disiez, vous souvenez-vous ?

— Une de plus ? En vingt années passées dans la police, j'ai rencontré moins de vraies coïncidences que de gens disant la vérité.

— Je ne sais pas, Vargas. J'ignore ce que signifient ces numéros.

— Savez-vous ce que je n'arrive vraiment pas à faire coller avec le reste ?

Alicia hocha la tête, comme si elle lisait dans ses pensées.

— Valls, lâcha-t-elle.

— Valls en effet, confirma Vargas. Sans entrer dans ses manigances pendant ses années à Montjuïc, et malgré ce qu'il a bien pu faire, empoisonner Isabella Gispert et assassiner, ou tenter de le faire, David Martín, Mataix et Dieu sait qui d'autre... nous parlons au fond d'un boucher aux petits pieds, d'un geôlier pistonné, d'un homme de rang intermédiaire dans la hiérarchie du régime. Semblable à des milliers d'autres. Comme on en croise tous les jours dans la rue. Des individus munis de quelques relations, amis et connaissances qui occupent des fauteuils importants du pouvoir, oui. Mais de simples lèche-culs, en définitive. Des laquais, des prétendants. Comment un tel personnage est-il parvenu à passer en si peu d'années des égouts à la cime du régime ?

— C'est une bonne question, dit Alicia.

— Réussissez à faire en sorte que votre petite tête bien pleine y réponde et vous trouverez la pièce qui nous manque pour que tout ce galimatias prenne un sens.

— Ne comptez-vous pas m'aider ?

— Je commence à douter que cela me convienne. Quelque chose me dit que trouver la clef de ce casse-tête peut s'avérer beaucoup plus dangereux que de ne pas le faire. Or j'aspirais à prendre ma retraite dans quelques petites années, à toucher la totalité de ma pension et à consacrer mon temps à lire les comédies de Lope de Vega, de la première à la dernière.

Alicia se laissa tomber sur le canapé, l'enthousiasme en berne. Vargas termina son café froid et soupira. Il s'approcha de la fenêtre et prit une inspiration profonde. Les cloches de la cathédrale sonnèrent à nouveau au loin et il contempla le soleil qui commençait à tisser des filets de lumière entre les pigeonniers et les clochers.

— Faites-moi une faveur, dit-il. Pour l'instant, ne touchez pas un mot de tout cela, ni à Leandro ni à personne d'autre.

— Je ne suis pas folle, répondit Alicia d'un ton tranchant.

Vargas ferma la fenêtre et il revint vers elle, qui commençait à montrer des signes de fatigue.

— Ne serait-ce pas l'heure que vous alliez vous allonger dans votre cercueil ? demanda-il. Allez.

Il la prit par la main et il la conduisit jusqu'à sa chambre à coucher. Il écarta la couverture et il lui fit signe de se coucher. Alicia laissa tomber le déshabillé à ses pieds et elle se glissa entre les draps. Il la borda jusqu'au menton et il lui sourit.

— Vous ne me lirez pas d'histoire ?

— Allez vous faire voir !

Vargas se pencha pour ramasser le déshabillé puis il se dirigea vers la porte.

— Croyez-vous qu'on nous ait tendu un piège ? demanda Alicia.

Il réfléchit.

— Pourquoi dites-vous cela ?

— Je ne sais pas.

— Les pièges, on se les tend à soi-même. La seule chose que je sais, c'est que vous devez vous reposer.

Vargas franchissait le seuil de la chambre.

— Vous restez là, à côté ?

Il fit un geste affirmatif.

— Bonjour Alicia, dit-il en refermant la porte.

32

Valls a perdu toute notion du temps. Il ignore s'il est dans cette cellule depuis des jours ou depuis des semaines. Il n'a plus vu la lumière naturelle depuis le lointain après-midi où il montait sur la route de Vallvidrera en voiture à côté de Vicente. Sa main le fait souffrir et quand il la cherche pour la frotter, il ne la trouve pas. Il ressent des pincements au bout des doigts qu'il n'a plu, et une douleur aiguë aux jointures, comme si on lui enfonçait des pointes en fer dans les os. Depuis des jours, ou des heures, il ressent une gêne sur le flanc. Il n'arrive pas à voir la couleur de son urine qui tombe dans le seau en laiton, mais elle lui semble plus foncée que d'habitude, avec des traces de sang. La femme n'est pas revenue et Martín n'a toujours pas fait son apparition. Il ne le comprend pas. N'est-ce pas ce qu'il voulait ? Le voir pourrir dans un cachot…

Le geôlier sans nom ni visage se montre une fois par jour. C'est du moins ce que croit Valls qui compte désormais les jours en fonction de ses visites. Il lui apporte de l'eau et de la nourriture. Toujours la même chose : du pain, du lait aigre et parfois une sorte de viande séchée comme du *mojama* qu'il a du mal à mâcher depuis qu'il a moins de dents. Il en a déjà perdu deux. Il lui arrive de passer sa langue sur ses gencives et de savourer le goût de son propre sang ; il sent que ses dents bougent sous la pression.

— J'ai besoin de voir un médecin, dit-il quand le geôlier arrive avec la nourriture.

Ce dernier n'ouvre presque jamais la bouche. Il le regarde à peine.

— Depuis quand suis-je ici ? demande Valls.

L'homme ignore ses questions.

— Dis-lui que je veux parler avec elle. Lui raconter la vérité.

Une fois, en se réveillant, il découvre la présence d'une autre personne dans la cellule. C'est son geôlier. Il tient un objet brillant dans la main. Un couteau peut-être. Valls ne fait aucun geste pour se protéger. Il sent une piqûre dans la fesse, puis le froid. C'est seulement une nouvelle injection.

— Combien de temps me maintiendrez-vous en vie ?

L'homme se relève et se dirige vers la grille. Valls s'accroche à sa jambe. Le coup de pied dans l'estomac lui coupe le souffle. Il reste recroquevillé pendant des heures à gémir de douleur.

Cette nuit-là, il rêve à nouveau de sa fille Mercedes, quand elle était petite. Ils sont dans la maison de Somosaguas, dans le jardin. Il bavarde avec un de ses domestiques et il la perd de vue. En la cherchant, il découvre la trace de ses pas en direction de la maison de poupées. Il entre dans la pénombre et il appelle sa fille. Il trouve ses vêtements et une trace de sang.

Ses poupées se lèchent comme des chats. Elles l'ont dévorée.

33

Quand Vargas ouvrit de nouveau les yeux, une lumière de milieu de journée coulait par les fenêtres. L'horloge murale, un objet d'allure fin de siècle qu'Alicia devait avoir chiné dans une boutique d'antiquités, affichait presque midi. Il entendit des pas féminins qui cliquetaient sur le sol du salon et il se frotta les paupières.

— Pourquoi ne m'avez-vous pas réveillé ?

— J'aime entendre vos ronflements. C'est comme avoir un ourson à la maison.

Vargas se redressa et s'assit au bord du canapé. Il passa la main sur ses reins et massa ses lombaires. Il avait l'impression que sa colonne vertébrale était passée à la moulinette.

— Si vous voulez un conseil, ne vieillissez pas. Cela n'apporte aucun avantage.

— J'y avais déjà pensé, répliqua Alicia.

Le policier se leva, entre craquements et pincements divers. Face à la glace située au-dessus de la commode, Alicia se peignait les lèvres d'un rouge carmin, avec préméditation. Elle avait revêtu un manteau en laine noir noué par une ceinture, des bas noirs à couture et des talons aiguilles.

— Vous sortez ?

Elle fit un tour complet sur elle-même, comme si elle participait à un défilé de mode et elle le regarda, souriante.

— Est-ce que je suis belle ?

— Qui pensez-vous tuer ?

— J'ai rendez-vous avec Sergio Vilajuana, le journaliste de *La Vanguardia* dont m'a parlé Barceló, le libraire.

— Le spécialiste de Víctor Mataix ?

— Entre autres, j'espère.

— Puis-je savoir comment vous l'avez appâté ?

— Je lui ai confié que je possédais un livre de Mataix et que je souhaitais lui montrer.

— Que vous *possédiez*... Vous avez raison de parler au passé. Je vous rappelle qu'on vous a volé le livre et que vous ne possédez rien.

— Simple détail technique. Qui a eu aura. Et puis je suis là, moi.

— Jésus, Marie, Joseph...

Alicia ajouta la touche finale à sa tenue avec un chapeau à voilette qui lui couvrait une partie du visage, puis elle jeta un dernier coup d'œil dans le miroir.

— Peut-on savoir ce que c'est que cette tenue ?

— Balenciaga.

— Je ne parlais pas de cela.

— Je sais. Je reviens bientôt, dit-elle en marchant vers la porte.

— Puis-je utiliser votre salle de bains ?

— Autant que vous le voulez, du moment que vous ne laissez pas de poils dans la baignoire.

Obtenir un rendez-vous avec Vilajuana ne s'était pas révélé aussi simple qu'Alicia l'avait laissé entendre à Vargas. De fait, au siège de *La Vanguardia*, elle avait dû batailler avec une secrétaire de rédaction qui en avait vu d'autres et qui l'avait envoyée balader.

Usant de divers subterfuges, elle avait enfin obtenu d'être mise en relation avec Vilajuana. Au téléphone, ce dernier s'était montré plus sceptique qu'un mathématicien invité à un goûter d'évêques.

— Vous avez un livre de Mataix, dites-vous ? De la série du *Labyrinthe...* ?

— *Ariadna et le Prince écarlate.*

— Je croyais qu'il n'en restait que trois exemplaires.

— Le mien doit être le quatrième.

— C'est Gustavo Barceló qui vous envoie ?

— Oui. Il m'a dit que vous étiez très amis.

Vilajuana rit. Alicia percevait le tohu-bohu de la rédaction à l'autre bout de la ligne.

— À partir de midi, je serai à la bibliothèque de l'Académie royale des belles lettres de Barcelone, dit-il enfin. Vous la connaissez ?

— De réputation.

— Demandez-moi au secrétariat. Et apportez le livre.

34

Perdu sur une place cachée à l'ombre de la cathédrale se trouve un portique en pierre dont l'arcade porte l'inscription :

ACADÉMIE ROYALE DES BELLES LETTRES
DE BARCELONE

Alicia avait déjà entendu parler de cet endroit, mais comme la majorité de ses concitoyens elle ignorait presque tout de l'institution hébergée entre les murs de ce palais, un vestige de la Barcelone médiévale. Elle savait ou devinait que l'Académie rassemblait une pléiade de savants, de scribes et de lettrés coalisés en faveur de la protection de la connaissance et de la parole écrite, qui se réunissaient depuis la fin du XVIIIᵉ siècle. Déterminés à passer outre la résistance et le désintérêt croissants du monde extérieur pour de telles extravagances, ils s'adonnaient à ce qui ressemblait à un rituel à mi-chemin entre la science occulte et le cénacle littéraire, à une promotion de la culture et des lumières à huis clos, pour quelques rares élus qui pouvaient encore en témoigner.

L'odeur des pierres et une inévitable aura de mystère l'enveloppèrent dès qu'elle franchit le seuil de l'institution. Dans le patio intérieur, un escalier menait à une pièce qui faisait office de réception. Un individu d'aspect incunable, qu'on aurait dit présent en ces lieux depuis l'aube du siècle précédent, l'intercepta et la dévisagea d'un air soupçonneux avant de lui demander si elle était *mademoiselle* Gris.

— En effet.

— C'est ce qui me semblait. M. Vilajuana se trouve dans la bibliothèque, dit-il en faisant un geste vague vers l'intérieur. Nous demandons aux visiteurs de respecter le silence des lieux.

— Ne vous en faites pas, j'ai fait vœu de silence ce matin même, répondit Alicia.

Le cerbère ne manifesta aucune intention de sourire à la plaisanterie et elle choisit de manifester son remerciement et de se diriger vers la bibliothèque comme si elle savait parfaitement où elle se trouvait. C'était toujours le moyen le plus efficace pour se faufiler dans n'importe quel lieu d'accès restreint. Se comporter comme si on savait où on va sans demander ni la permission ni son chemin. Le jeu de l'infiltration et celui de la séduction se ressemblent en ce que la personne qui attend une autorisation a perdu d'avance.

Alicia déambula tranquillement en fouinant dans les salons remplis de statues et au long des corridors de palais avant de rencontrer une créature apparemment bibliophile et bienveillante qui se présenta comme Polonio et proposa de la guider pour rejoindre la bibliothèque.

— Je ne vous avais encore jamais vue dans les parages, commenta-t-il.

Polonio semblait n'avoir jamais eu d'expérience avec le genre féminin au-delà de son intimité avec les vers de Pétrarque.

— C'est votre jour de chance.

Elle trouva Sergio Vilajuana en compagnie des muses et des presque cinquante milles volumes qui composaient le fonds de la bibliothèque de l'Académie. Installé à l'une des tables, devant un petit rempart de feuilles couvertes de notes et de ratures, le journaliste mordillait le capuchon de son stylo et marmottait, tentant de dompter le rythme d'une phrase dont il n'était toujours pas satisfait. Il avait l'attitude pensive et flegmatique d'un érudit britannique transplanté sous le doux climat méditerranéen. Il portait un costume en laine gris, une cravate à motifs de plumes dorées et une écharpe couleur safran sur les épaules. Alicia entra dans la salle et laissa le bruit de ses talons annoncer sa venue. L'homme émergea de sa rêverie et lui lança un regard tout à la fois diplomatique et acéré.

— Mademoiselle Gris, je présume, dit-il en enfonçant le capuchon sur son stylo et en se levant courtoisement.

— Appelez-moi Alicia, je vous en prie.

Elle lui tendit une main qu'il serra avec un sourire aimable et une certaine réserve. Il lui fit signe de s'asseoir. Ses yeux petits et pénétrants l'observaient avec un mélange de méfiance et de curiosité. Alicia indiqua les pages éparpillées sur la table, à l'encre encore fraîche pour certaines.

— Je vous ai interrompu ?

— Vous m'avez sauvé plutôt, répliqua Vilajuana.

— Une recherche bibliographique ?

— Mon discours de réception dans cette maison.

— Toutes mes félicitations.

— Merci. Je ne voudrais pas vous paraître abrupt, mademoiselle Gris, mais je vous attends depuis plusieurs jours et nous pouvons, me semble-t-il, nous épargner mutuellement le chapitre des généralités et des politesses.

— Si je comprends bien, Gustavo Barceló vous a parlé de moi, n'est-ce pas ?

— Avec un certain luxe de détails, oserais-je dire. Disons que vous lui avez fait forte impression.

— C'est une de mes spécialités.

— J'ai pu le constater. Au fait, certains de vos anciens amis du commissariat central vous envoient leur meilleur souvenir. Ne soyez pas surprise. Nous sommes ainsi, nous les journalistes, nous posons des questions. C'est un vice qui s'acquiert au fil des années.

Vilajuana avait abandonné le sourire de circonstance et il la regardait fixement.

— Qui êtes-vous ? demanda-t-il sans ambages.

Alicia envisagea la possibilité de mentir, légèrement ou de manière effrénée, mais quelque chose dans ce regard lui signifiait que ce serait une grave erreur tactique.

— Quelqu'un qui veut découvrir la vérité sur Víctor Mataix.

— C'est un club qui n'arrête pas d'accueillir de nouveaux membres dernièrement. Puis-je vous demander pourquoi ?

— Je crains de ne pas pouvoir répondre à votre question.

— Sans mentir, voulez-vous dire ?

Alicia acquiesça.

— Ce que, par respect, je ne ferai pas, dit-elle.

Le sourire de Vilajuana réapparut sur son visage, ironique cette fois.

— Pensez-vous donc qu'il sera plus rentable pour vous de me cirer les pompes plutôt que de mentir ?

Elle battit des cils et prit son air le plus doux.

— Vous ne pourrez pas me reprocher de ne pas avoir essayé.

— Barceló était loin du compte à ce que je vois. Si vous ne pouvez pas me dire la vérité, expliquez-moi au moins la raison pour laquelle cela vous est impossible.

— Parce que je vous mettrais en danger.

— Vous êtes donc en train de me protéger.

— D'une certaine manière, oui.

— Et je devrais vous en être reconnaissant et vous aider. Telle est votre idée, n'est-ce pas ?

— Je me réjouis de constater que vous commencez à voir les choses à ma manière.

— Je crains d'avoir besoin d'une motivation un peu plus consistante. Pas seulement cosmétique. La chair est faible, mais quand on bascule dans l'âge mûr, le bon sens reprend du terrain.

— C'est ce qu'on dit. Que pensez-vous d'un mandat d'intérêt commun ? Barceló m'a dit que vous travailliez à un livre sur Mataix et la génération perdue de ces années-là.

— Le terme de génération est peut-être excessif, et perdue est une licence poétique qui demande confirmation.

— Je parle de Mataix, David Martín, et les autres…

Le journaliste haussa les sourcils.

— Que savez-vous de David Martín ?

— Des choses susceptibles de vous intéresser, j'en suis sûre.

— Par exemple ?

— Les rapports détaillés sur Martín, Mataix et les autres prisonniers supposément disparus dans la prison de Montjuïc entre 1940 et 1945.

Il soutint son regard. Ses yeux brillaient.

— Vous êtes-vous entretenue avec Brians, l'avocat ?

Alicia se contenta de hocher la tête.

— J'ai l'impression qu'il ne pipe pas mot, dit Vilajuana.

— Il y a d'autres manières de découvrir la vérité, insinua-t-elle.

— Au commissariat, on dit que c'est un autre de vos dons.

— La jalousie est un vilain défaut, répliqua-t-elle.

— Un sport national, corrobora Vilajuana qui paraissait prendre plaisir malgré lui à ce petit jeu dialectique.

— Malgré tout, appeler le commissariat et poser des questions sur moi ne me paraît pas une très bonne idée, surtout pas en ce moment. Je le dis pour votre bien.

— Ne soyez pas si bête, mademoiselle. Je n'ai pas appelé moi-même et mon nom n'a pas été prononcé. Comme vous le voyez, je fais aussi mon possible pour me protéger.

— Je suis ravie de l'entendre. Par les temps qui courent, on n'est jamais assez prudent.

— Là où tout le monde semble d'accord, c'est pour dire qu'on ne peut pas vous faire confiance.

— Dans certains endroits et à certains moments, c'est la meilleure des recommandations.

— Je ne soutiendrai pas le contraire. Alicia, tout cela n'aurait-il pas à voir avec notre ineffable ministre don Mauricio Valls par hasard, et avec son passé proprement oublié de geôlier ?

— Qu'est-ce qui vous incite à le penser ?

— Votre tête quand j'ai mentionné son nom.

Elle hésita un instant et Vilajuana sourit dans sa barbe en voyant ses soupçons confirmés.

— Et si tel était le cas ? interrogea Alicia.

— Disons que cela contribuerait à accroître mon intérêt. Quel échange avez-vous en tête ?

— Un échange des plus honnêtes, répondit Alicia. Vous me livrez ce que vous savez de Mataix et je vous donne accès à toute l'information dont je dispose dès que j'ai résolu l'affaire qui m'occupe en ce moment.

— Et en attendant ?

— Vous avez ma reconnaissance éternelle et la satisfaction d'avoir fait ce qu'il fallait en aidant une pauvre demoiselle en difficulté.

— Hum. Je dois reconnaître que vous êtes plus convaincante que votre... compagnon, je suppose que c'est ça, la complimenta Vilajuana.

— Pardon ?

— L'homme qui est venu me voir il y a deux semaines environ, et que je n'ai plus revu d'ailleurs, dit le journaliste. Vous n'échangez pas vos informations pendant la récré ? À moins qu'il ne soit un concurrent ?

— Vous rappelez-vous son nom ? Lomana ?

— C'est possible. Il m'était sorti de la tête. L'âge... je vous le disais.

— À quoi ressemblait-il ?

— Il était beaucoup moins séduisant que vous.

— Avait-il une grande cicatrice sur le visage ?

Le journaliste fit signe que oui et il plissa les yeux.

— C'est vous qui la lui avez faite peut-être ?

— Il s'était coupé en se rasant. Il a toujours été empoté. Que lui avez-vous dit ?

— Rien qu'il ne savait déjà, répondit Vilajuana.

— A-t-il mentionné Valls ?

— Pas explicitement, mais il s'intéressait particulièrement aux années où Mataix était au château de Montjuïc, et aussi à son amitié avec David Martín, c'était visible. Pas besoin d'être un lynx pour s'en apercevoir.

— Vous ne l'avez plus revu ? Vous ne lui avez plus parlé ?

Vilajuana fit signe que non.

— Lomana peut se montrer très insistant, dit Alicia. Comment vous en êtes-vous débarrassé ?

— Je lui ai dit ce qu'il voulait entendre. Ou ce qu'il croyait vouloir entendre.

— C'est-à-dire…

— Il semblait très intéressé par la maison où Víctor Mataix et sa famille avaient vécu jusqu'à son arrestation en 1941, sur la route de Las Aguas, au pied de la colline de Vallvidrera.

— Pourquoi cette maison ?

— Il m'a demandé quel était le sens des mots : "l'entrée du labyrinthe". Il voulait savoir s'ils faisaient référence à un lieu en particulier, dit-il.

— Et…

— Je lui ai répondu que dans les romans du *Labyrinthe* l'"entrée" est l'endroit par lequel Ariadna "tombe" dans le monde souterrain de cette autre Barcelone, c'est-à-dire la maison où elle vit avec ses parents, qui n'est autre que celle où vivaient les Mataix. Je lui ai donné l'adresse et les indications pour y arriver. Enfin, rien qu'il n'aurait pu trouver seul, à condition de perdre une heure au cadastre. Peut-être espérait-il trouver là-bas un trésor, ou mieux encore. Est-ce que je brûle ?

— Lomana vous a-t-il dit pour qui il travaillait ? demanda Alicia.

— Il m'a montré une plaque. Comme dans les films. Je ne suis pas spécialiste, mais elle avait l'air authentique. Possédez-vous aussi une de ces plaques ?

Elle fit signe que non.

— Dommage. Une femme fatale au service du régime, voilà une chose dont je pensais qu'elle ne pouvait se produire que dans un roman de Julián Carax.

— Êtes-vous un lecteur de Carax ?

— Bien sûr ! Le saint patron de tous les romanciers maudits de Barcelone. Vous devriez vous rencontrer. Vous ressemblez à une de ses créatures.

Alicia soupira.

— C'est important, monsieur Vilajuana. La vie de plusieurs personnes est en jeu.

— Citez-m'en une. Nom et prénom, si possible. Afin que je prenne tout cela un peu plus au sérieux, peut-être.

— Je ne peux pas le faire, répondit Alicia.

— Évidemment. Pour ma propre sécurité, j'imagine.

Elle acquiesça.

— Même si vous n'y croyez pas.

Le journaliste croisa les mains sur les genoux et il s'inclina, pensif. Alicia sentit qu'elle perdait le contact avec lui. Le moment était venu d'en lâcher un peu plus.

— Depuis combien de temps le ministre Valls n'est-il plus apparu en public ? lança-t-elle.

Vilajuana décroisa les mains, son intérêt ressuscité, à nouveau titillé.

— Continuez.

— Pas si vite. L'accord, c'est que vous me livrez ce que vous savez sur Mataix et Martín, et moi je vous dis ce que je peux dès que c'est possible. Et ce n'est pas rien. Vous avez ma parole.

Il gloussa dans sa barbe mais il fit signe que oui, lentement.

— Y compris sur Valls ?

— Y compris sur Valls, mentit Alicia.

— Inutile de vous demander de me montrer le livre, je présume.

Alicia afficha son sourire le plus tendre.

— Vous m'avez également menti à ce sujet, n'est-ce pas ?

— En partie seulement. J'avais le livre, jusqu'à avant-hier. Je l'ai perdu.

— J'ai idée que vous ne l'avez pas oublié dans le tramway.

Alicia hocha la tête négativement.

— Le marché, si vous me permettez l'amendement, est le suivant, dit-il : vous m'indiquez où vous avez trouvé le livre et je vous raconte ce que vous souhaitez savoir.

Elle allait ouvrir la bouche, mais le journaliste leva l'index en signe d'avertissement.

— Une remarque supplémentaire sur ma sécurité personnelle et je n'aurai plus qu'à vous souhaiter bonne chance et bonne fin de journée. En considérant bien entendu que tout ce que vous me direz restera entre nous...

Elle réfléchit longuement.

— J'ai votre parole ?

Il posa sa main sur les pages auxquelles il travaillait.

— Je le jure sur mon discours de réception à l'Académie royale des belles lettres de Barcelone.

Alicia acquiesça enfin. Elle regarda autour d'elle et s'assura qu'ils étaient seuls dans la bibliothèque. Le journaliste l'observait, dans l'expectative.

— Je l'ai découvert dans un tiroir de la table de bureau de Mauricio Valls, caché, dans son cabinet particulier de sa résidence privée. Il y a une semaine.

— Puis-je savoir ce que vous faisiez là-bas ?

Alicia se pencha vers lui.

— J'enquêtais sur sa disparition.

Le regard de Vilajuana s'enflamma comme un feu de Bengale.

— Jurez-moi que vous me réservez l'exclusivité du sujet et de ce qui en découle.

— Je vous le jure sur votre discours de réception dans cette demeure.

Il la regarda fixement. Elle ne cilla pas. Le journaliste prit un paquet de feuilles blanches sur la table et il le lui tendit avec un stylo.

— Tenez, dit-il. Je crois que vous allez vouloir prendre quelques notes...

35

— J'ai rencontré Víctor Mataix il y a une trentaine d'années, précisément à l'automne 1928. Je commençais alors dans le métier et je travaillais à la rédaction de *La Voix de l'industrie* où je faisais le bouche-trou et un peu de tout. À cette époque, Víctor Mataix honorait des commandes de romans signés sous différents pseudonymes pour une maison d'édition appartenant à deux crapules, Barrido et Escobillas. Ils avaient la réputation d'escroquer tout le monde, leurs propres auteurs comme leurs fournisseurs d'encre et de papier. Ils publiaient également David Martín, Ladislao Bayona, Enrique Marqués et toute cette génération de jeunes auteurs faméliques de la Barcelone d'avant-guerre. Quand les avances de Barrido et d'Escobillas ne lui permettaient pas d'arriver à la fin du mois, ce qui était fréquent, Mataix écrivait pour plusieurs journaux, dont *La Voix de l'industrie*, de courts récits ou de magnifiques chroniques de voyages dans des lieux où il n'avait jamais mis les pieds. Je me souviens d'un texte intitulé "Les mystères de Byzance" qui m'avait alors paru un chef-d'œuvre et que Mataix avait inventé d'un bout à l'autre avec, pour toute documentation, une planche de cartes postales anciennes d'Istanbul.

— Et moi qui crois tout ce que je lis dans les journaux... soupira Alicia.

— Bien sûr, vous en avez tout l'air ! Mais c'était un autre temps et les plumes qui mentaient dans la presse le faisaient avec grâce. Toujours est-il qu'il m'était arrivé plus d'une fois de couper les textes de Mataix à la dernière minute pour laisser la place à une annonce imprévue ou aux colonnes intempestives d'un ami du directeur. Un jour qu'il était venu dans les bureaux de la rédaction pour toucher le montant de ses collaborations, Mataix s'était approché de moi. Je pensais qu'il allait me passer un savon, mais il m'avait tendu la main, s'était présenté comme si j'ignorais qui il était et m'avait remercié : il était heureux que ce soit moi et non un autre qui taille dans ses textes quand il n'y avait pas le choix. "Vous avez l'œil, Vilajuana. Pourvu que vous ne le perdiez pas, ici", m'avait-il dit.

Mataix avait le don de l'élégance. Je ne parle pas de vêtements, même s'il était toujours impeccablement vêtu de costumes trois pièces et qu'il portait des lunettes rondes à fines montures métalliques qui lui donnaient un air proustien mais sans les madeleines. Je me réfère à ses attitudes, à sa manière de s'adresser aux gens, à sa façon de parler. Il était ce que les rédacteurs en chef snobinards appelaient *rara avis*, un oiseau rare. Et généreux en outre. Il faisait des faveurs sans qu'on les lui demande, et sans rien attendre en échange. C'est lui qui, peu après, m'avait recommandé pour un poste à la rédaction de *La Vanguardia* ; grâce à son aide, j'avais réussi à m'échapper de *La Voix de l'industrie*. À ce moment-là, Mataix n'écrivait pratiquement plus pour les journaux. Il n'avait jamais aimé le faire et ce n'était pour lui qu'un moyen d'accroître ses revenus dans les périodes de vaches maigres. Une des séries qu'il écrivait pour Barrido et Escobillas, *La Ville des miroirs*, était assez populaire dans ces années-là. Je crois qu'à eux deux, David Martín et lui, ils maintenaient à flot toute l'écurie de Barrido et Escobillas. Ils travaillaient sans relâche. Martín, particulièrement, laissa le peu de santé physique et mentale qui lui restait, se brûlant le cerveau devant sa machine à écrire. Pour des raisons d'ordre familial, Mataix bénéficiait d'une situation plus confortable.

— Il était d'une famille aisée ?

— Pas vraiment, mais il avait eu de la chance, ou pas, c'est selon : il avait hérité une propriété d'un oncle, un personnage un peu extravagant prénommé Ernesto et surnommé "l'Empereur de la pierre de sucre". Mataix était son neveu préféré, ou du moins l'unique membre de sa famille qu'il ne détestait pas. Aussi, peu après son mariage, Mataix avait-il pu emménager dans une imposante propriété sur la colline de Vallvidrera, route des Aguas. L'oncle Ernesto la lui avait laissée, ainsi que quelques actions de la compagnie d'importation de produits exotiques qu'il avait fondée à son retour de Cuba.

— L'oncle Ernesto était donc un Indien ?

— Le personnage typique des histoires pour enfants. Il avait quitté Barcelone à dix-sept ans sans un sou, la main souvent plongée dans la poche du voisin. La garde civile le recherchait pour lui rompre les os, mais il avait réussi par miracle à se glisser clandestinement sur un navire marchand en partance pour La Havane.

— Comment avait-il été traité aux Amériques ?

— Bien. Mieux que lui ne s'était comporté avec elles. Quand l'oncle Ernesto était revenu à Barcelone, sur son propre navire, vêtu de blanc, avec une épouse scandinave de trente ans plus jeune que lui et récemment acquise par correspondance, plus de quatre décennies avaient passé. Un temps pendant lequel l'Empereur de la pierre de sucre avait gagné et perdu des fortunes, personnelles et étrangères, dans le commerce du sucre et des armes. Grâce à un bataillon riche et varié d'amoureuses et de maîtresses, il avait engendré suffisamment de bâtards pour peupler les îles des Caraïbes, et il avait commis tant d'infractions et de transgressions que s'il avait existé un Dieu gardien et un peu de justice, il aurait été assuré du gîte et du couvent en enfer pour dix mille ans.

— S'ils avaient existé… dit Alicia.

— À défaut et en l'absence de justice, il y eut au moins une pointe d'ironie. Le ciel est ainsi. On raconte que peu après son retour de Cuba, l'Empereur de la pierre de sucre commença à perdre la boule à cause d'un poison administré au cours de son dernier repas tropical par une cuisinière mulâtresse rongée de dépit, de méchanceté et d'allez savoir quoi d'autre. L'Indien avait fini par se tirer une balle dans la tête, au grenier de sa demeure nouvellement inaugurée. Il était persuadé qu'une présence hantait cette maison, se traînait sur les murs et les plafonds, dégageait une odeur de nid de serpents... Une chose qui se glissait chaque nuit dans sa chambre à coucher et se blottissait tout contre lui pour sucer son âme.

— Impressionnant, lâcha Alicia. La dramaturgie serait-elle de vous ?

— Je l'ai emprunté à Mataix, qui introduit l'anecdote avec quelques retouches lyriques dans un des romans du *Labyrinthe*.

— Dommage.

— La réalité ne dépasse jamais la fiction, pas celle de qualité du moins.

— Et dans ce cas, la réalité était... ?

— Plus mondaine, très probablement. La théorie la plus fiable a été évoquée le jour même des funérailles de l'Indien Ernesto, un événement qui a attiré les foules et s'est déroulé dans la cathédrale en présence de l'évêque, du maire et de toute l'assemblée du conseil municipal. Sans parler de tous ceux à qui l'oncle Ernesto avait prêté de l'argent ! Ils étaient venus s'assurer de la réalité de la mort de celui qu'ils n'auraient plus à rembourser. Revenons à nos moutons. Selon la rumeur qui courait ce jourlà, la présence réelle entre les draps du défunt magnat du sucre était la fille de la gouvernante. Une gamine de dix-sept qui n'avait pas froid aux yeux. Elle devint célèbre par la suite et elle fit fortune comme artiste de cabaret sur le Paralelo sous le nom de scène de Doris Laplace. Bref, toujours d'après la rumeur, ce qu'elle suçait toutes les nuits n'était pas précisément son âme...

— Qu'en était-il du suicide, alors ?

— Un suicide assisté, apparemment. Tout semble indiquer que la moutarde était brusquement montée au nez de la nouvelle épouse résignée de l'Indien qui avait supporté des années de mariage et de tromperie. Et après ça, on dit que les Nordiques sont froides ! Une nuit de la Saint-Jean, elle avait décidé de lui faire sauter la cervelle avec le fusil de chasse que l'Indien gardait toujours à côté de son lit, pour le cas où les anarchistes débarqueraient chez lui.

— Une histoire exemplaire.

— Digne des vies de saints et de pécheurs, un genre très barcelonais. Quelle que soit la fiabilité de la version des faits, la propriété demeura abandonnée pendant des années, et sa réputation de lieu ensorcelé et maudit qui datait de la pose de la première pierre par l'Indien persista même après l'installation de Mataix et de son épouse Susana, alors jeunes mariés. Il faut avouer que la maison n'était pas banale. Mataix me l'avait fait visiter un jour, dans le moindre recoin. L'endroit me donnait la chair de poule, mais il faut dire que j'affectionne les comédies musicales et les romances délicates. Il y avait des escaliers qui ne conduisaient nulle part, un couloir de miroirs disposés de manière qu'on avait l'impression d'être suivi et un sous-sol où l'Indien avait fait construire une piscine. Le fond en mosaïque représentait le visage de sa première femme à Cuba, Leonor, une jeune fille de dix-neuf printemps qui s'était suicidée en s'enfonçant une épingle à cheveu dans le cœur parce qu'elle était persuadée d'être enceinte d'un serpent.

— Charmant. C'est là que vous avez envoyé Lomana ?

Vilajuana acquiesça avec un sourire malicieux.

— Lui aviez-vous raconté toute cette histoire d'esprits de l'au-delà et les bizarreries de la maison ? Lomana peut se montrer très superstitieux et craintif sur ces sujets…

— Je dois avouer que c'est l'impression qu'il m'a faite. Le personnage avait éveillé si peu de sympathie en moi que j'ai préféré ne pas lui fournir une information qu'il ne demandait pas, afin de ne pas gâcher la surprise.

— Croyez-vous en tout cela ? Les sortilèges, les malédictions ?

— Je crois en la littérature. Et parfois dans l'art de la gastronomie, surtout s'il est question d'une bonne paella. Le reste, ce sont des mensonges ou des palliatifs, c'est selon. J'ai l'impression que sur ces sujets nous nous ressemblons, vous et moi. À propos de la littérature, je veux dire, pas de la gastronomie.

— Que s'est-il passé ? demanda Alicia, désireuse de revenir à Mataix.

— En vérité, je n'ai jamais entendu Mataix se plaindre d'interférences de l'au-delà, ni rien de ce genre. D'après moi, il croyait encore moins à ces fariboles qu'aux harangues politiques qui avaient transformé ce pays en foyer de gallinacés. Il venait d'épouser Susana dont il était éperdument amoureux et il travaillait d'arrache-pied, dans un bureau avec vue sur tout Barcelone étendue à ses pieds. Susana était fragile et de santé délicate. Elle avait la peau presque transparente et quand on la prenait dans ses bras, on avait l'impression qu'elle allait se casser. Elle était très fatigable, et il lui fallait parfois rester toute la journée au lit tant elle se sentait trop faible pour se lever. Mataix était inquiet pour elle en permanence, mais il l'aimait follement et je crois bien que ce sentiment était réciproque. Je leur ai rendu visite à deux reprises, chez eux, et si j'admets que la maison était un poil sinistre à mon goût, comme je vous le disais, il me semble qu'ils y étaient heureux malgré tout. Au début, du moins. Quand Mataix descendait à la ville, comme il avait l'habitude de le dire, il venait souvent au siège de *La Vanguardia* et nous déjeunions ensemble, ou nous prenions un café. Il me parlait du roman qu'il écrivait et il me donnait quelques pages à lire pour avoir mon avis, même s'il ne faisait ensuite aucun cas de mes commentaires. J'étais son cobaye en quelque sorte. À cette époque, Mataix était encore un mercenaire. Il écrivait sous je ne sais quel pseudonyme, à tant la page. La santé de Susana réclamait une attention médicale permanente et des traitements, et Mataix n'autorisait que les meilleurs spécialistes à son chevet. Peu lui importait s'il devait pour cela se tuer à la tâche. Susana rêvait d'être enceinte. Les médecins lui avaient dit que cela risquait d'être compliqué. Et coûteux.

— Mais le miracle s'était produit.

— Oui. Après plusieurs fausses couches et des années difficiles, Susana était tombée enceinte en 1931. Mataix ne vivait plus, effrayé à l'idée qu'elle perde de nouveau le bébé, et peut-être la vie. Mais cette fois tout s'était bien passé. Susana avait toujours voulu avoir une fille et lui donner le nom d'une sœur qu'elle avait perdue enfant.

— Ariadna.

— Pendant les années où ils avaient essayé de concevoir cet enfant, Susana avait demandé à Mataix d'écrire un livre d'un genre nouveau, différent de tous ceux qu'il avait rédigés jusqu'alors. Un livre qui ne s'adresserait à personne d'autre qu'à la petite fille dont elle rêvait. Susana disait l'avoir vue en songe et lui avoir parlé.

— C'est l'origine des livres du *Labyrinthe*, n'est-ce pas ?

— Oui. Mataix commença à écrire le premier de la série, les aventures d'Ariadna dans une Barcelone magique. Je crois qu'il écrivait aussi pour lui-même, pas seulement pour Ariadna. J'ai toujours eu le sentiment que les romans du *Labyrinthe* étaient, d'une certaine manière, un avertissement.

— À quel propos ?

— À propos de ce qui s'annonçait. Vous deviez être très jeune alors, à peine une fillette, mais dans les années d'avant-guerre, la situation ne laissait rien présager de bon. On le sentait. C'était dans l'air...

— Vous tenez un bon titre pour votre livre.

Vilajuana sourit.

— Croyez-vous que Mataix imaginait ce qui allait se passer ?

— Comme beaucoup d'autres. Il aurait fallu être aveugle pour ne rien voir. Il en parlait souvent. Je l'ai entendu dire qu'il pensait quitter le pays, mais Susana ne voulait pas abandonner Barcelone. Elle croyait que si elle le faisait, elle ne porterait jamais d'enfant. Ensuite, ce fut trop tard.

— Parlez-moi de David Martín. Le connaissiez-vous ?

Le journaliste leva les yeux au ciel.

— Martín ? Un peu. Je l'avais croisé deux ou trois fois. Mataix me l'avait présenté un jour que nous avions rendez-vous au Bar Canaletas. Ils avaient été bons amis dans leur jeunesse, avant que Martín ne perde la boule, mais Mataix continuait de l'apprécier, beaucoup. Pour être honnête, c'était l'être le plus étrange qu'il m'a été donné de rencontrer.

— Dans quel sens ?

Il hésita un instant avant de répondre.

— David Martín était un homme brillant, trop pour son bien probablement. Mais selon ma modeste opinion, il était complètement toqué.

— Toqué ?

— Fou. Timbré.

— Qu'est-ce qui vous permet de dire cela ?

— L'intuition, disons. Martín entendait des voix... Et je ne parle pas des muses.

— Vous pensez qu'il était schizophrène, c'est cela ?

— Allez savoir. Ce que je sais, c'est que Mataix se faisait du souci pour lui. Beaucoup. Il était ainsi, il s'inquiétait pour tout le monde, sauf pour lui. Apparemment, Martín s'était fourré dans je ne sais quel pétrin, et ils ne se voyaient pratiquement plus. Martín fuyait les gens.

— N'avait-il pas de famille pour l'aider ?

— Il n'avait personne. Et il finissait toujours par écarter celui qui s'approchait de lui. Son seul lien avec le monde réel était une jeune fille qu'il avait prise comme apprentie, une certaine Isabella. Mataix pensait qu'Isabella était la seule personne qui le maintenait en vie et qui réussissait à le protéger de lui-même. Il avait l'habitude de dire que le seul véritable démon de Martín était son cerveau, qui le dévorait tout cru.

— Son seul démon ? Y en avait-il un autre ?

Vilajuana haussa les épaules.

— Je ne sais pas comment vous présenter cela pour que vous n'éclatiez pas de rire.

— Essayez.

— Un jour, il m'a raconté que David Martín croyait avoir signé un contrat avec un mystérieux éditeur pour écrire une sorte de texte sacré, la bible d'une nouvelle religion en quelque sorte. Ne faites pas cette tête. D'après Mataix, Martín retrouvait ce personnage, un certain Andreas Corelli, de temps à autre pour recevoir ses instructions d'outre-tombe, ou quelque chose dans le genre.

— Mataix doutait bien entendu de l'existence de ce Corelli.

— Ce n'est rien de le dire. Ce Corelli figurait en bonne place sur sa liste de personnages à l'existence douteuse, entre la petite souris et les fées. Mataix m'avait demandé de faire quelques recherches dans les milieux éditoriaux à propos de ce prétendu éditeur. J'avais remué ciel et terre, et tout ce qui se trouvait entre les deux.

— Et ?

— Le seul Corelli que j'avais trouvé était un compositeur de l'époque baroque, Arcangelo Corelli, ce nom vous dit peut-être quelque chose.

— Qui était donc ce Corelli pour lequel Martín travaillait, ou imaginait le faire ?

— Martín pensait qu'il était un autre genre d'*arcangelo*, un archange déchu.

Le journaliste posa deux doigts sur son front, telle une paire de cornes, et il sourit ironiquement.

— Le diable ?

— Avec des sabots et une queue. Un Méphistophélès richement vêtu venu des enfers pour le soumettre à la tentation par un pacte faustien, la création d'un livre maudit qui fonderait une religion supposée embraser le monde. Je vous avais prévenue : complètement timbré ! C'est ainsi qu'il a fini.

— Vous faites allusion à la prison de Montjuïc ?

— Cela, c'était un peu plus tard. Au début des années trente, David Martín, en proie à ses délires et à cette étrange alliance avec son diablotin boiteux, avait dû fuir Barcelone à toutes jambes, la police l'accusant d'avoir commis une série de crimes jamais résolus. Il avait apparemment réussi à quitter le pays de façon miraculeuse. Mais imaginez à quel point il était fou ! Il n'avait ensuite rien trouvé de mieux que de revenir en Espagne, pendant la guerre, et il avait été arrêté à Puigcerdà, juste après avoir franchi les Pyrénées. Il avait fini à Montjuïc. Comme tant d'autres. Comme Mataix, peu après. Ils s'y étaient retrouvés, après des années sans se voir... Triste fin s'il en fut.

— Savez-vous pourquoi il était revenu ? Même si Martín n'avait pas toute sa tête, il savait nécessairement qu'il serait arrêté tôt ou tard s'il rentrait à Barcelone...

Vilajuana haussa les épaules.

— Pour quelles raisons faisons-nous les plus grandes bêtises, dans notre vie ?

— Par amour, pour l'argent, par dépit...

— Au fond, vous êtes une romantique, je le savais.

— Par amour, c'est cela ?

— Qui sait ? J'ignore ce qu'il espérait trouver d'autre dans un pays où la moitié de la population assassinait l'autre au nom de bouts de tissu de couleurs différentes...

— Isabella ? le coupa Alicia.

— Je l'ignore... Je n'ai toujours pas trouvé cette pièce du puzzle.

— Isabella était-elle la jeune femme qui a épousé le libraire Sempere peu après ?

Il manifesta une certaine surprise.

— Comment le savez-vous ?

— Disons que j'ai mes sources...

— ... qu'il serait bon que vous partagiez avec moi.

— Dès que possible. Vous avez ma parole. C'était donc bien la même Isabella ?

— Oui. Isabella Gispert, la fille des patrons de l'épicerie Gispert, qui existe toujours derrière Santa Maria del Mar. Celle qui allait devenir la Isabella de Sempere.

— Croyez-vous qu'elle était amoureuse de David Martín ?

— Je vous rappelle qu'elle a épousé le libraire Sempere, pas Martín.

— Cela ne prouve rien, répliqua Alicia.

— Non, je suppose.

— L'avez-vous connue ? Isabella ?

Il fit oui de la tête.

— J'étais présent à son mariage.

— Vous semblait-elle heureuse ?

— Toutes les fiancées sont heureuses le jour de leur mariage.

Cette fois, ce fut elle qui sourit ironiquement.

— Comment était-elle ?

L'homme baissa les yeux.

— Je ne lui ai parlé qu'une ou deux fois.

— Mais elle a produit sur vous une forte impression.

— Oui. Isabella produisait une forte impression.

— Et ?

— J'eus l'impression qu'elle comptait au très petit nombre de personnes qui font de ce monde misérable un endroit qui vaut qu'on s'y arrête.

— Étiez-vous présent à son enterrement ?

Vilajuana acquiesça lentement.

— Est-il exact qu'elle est morte du choléra ?

Une ombre voila le regard du journaliste.

— C'est ce qu'on a dit.

— Mais vous ne le croyez pas.

Le journaliste fit non de la tête.

— Pourquoi ne me racontez-vous pas le reste de l'histoire ?

— Parce qu'elle est très triste et que je préférerais l'oublier.

— Est-ce pour cette raison que vous écrivez depuis des années un livre sur le sujet ? Dont vous savez, je présume, qu'il ne sera jamais publié dans ce pays...

Il sourit d'un air triste.

— Savez-vous ce que m'a dit David Martín la dernière fois que je l'ai vu ? Un soir où Mataix, lui et moi avions bu quelques verres de trop au bar Xampanyet pour fêter la fin du premier livre du *Labyrinthe*. Je ne sais pas pourquoi, la discussion avait dérivé sur le vieux cliché des écrivains et de l'alcool. Martín, qui pouvait boire des quantités illimitées sans perdre sa lucidité, m'a dit ce soir-là une chose que je n'ai jamais oubliée. "On boit pour se souvenir et on écrit pour oublier."

— Il n'était peut-être pas si fou qu'il en avait l'air.

Vilajuana acquiesça en silence, le visage envahi par les souvenirs.

— Racontez-moi donc ce que vous essayez d'oublier depuis tant d'années, dit Alicia.

— Ne me dites pas ensuite que je ne vous ai pas prévenue, l'avertit-il.

Extrait de

LES OUBLIÉS :
VÍCTOR MATAIX ET LA FIN DE LA GÉNÉRATION PERDUE DE BARCELONE
Sergio Vilajuana
(Éditions Destino, Barcelone, 1989)

Le premier paragraphe d'un divertissement débordant d'ironie intitulé *Encre et Soufre* écrit par Víctor Mataix en 1933, probablement inspiré par les malheurs de son ami et collègue David Martín, débute ainsi :

Inutile d'être Goethe pour savoir que tout écrivain digne de ce nom tombe tôt ou tard sur son Méphistophélès. Les plus généreux, s'il en existe, lui livrent leur âme. Les autres lui vendent celle des imprudents qui croisent leur chemin.

Víctor Mataix, qui méritait le titre d'écrivain gagné à la force du poignet, rencontra son Méphistophélès un jour d'automne 1937.

Jusqu'alors, vivre de sa plume relevait de l'équilibrisme, mais quand la guerre éclata, elle emporta dans la tourmente ce qui restait de la machinerie éditoriale précaire où Mataix avait développé son projet et gagné son pain. On écrivait et on publiait toujours, mais le nouveau genre en vogue était la propagande, avec le pamphlet et le panégyrique au service de causes grandioses pleines de bruit et trempées de sang. En quelques mois, Mataix, comme beaucoup de ses confrères, se retrouva sans gagne-pain autre que la charité et le hasard – qui, dans la période, misait le minimum, il faut bien le dire.

Ses derniers éditeurs, auxquels il avait confié la série de romans du *Labyrinthe des esprits*, étaient deux gentlemen perspicaces dénommés Revells et Badens. Ce dernier, *gourmand* notoire et *connaisseur* des mets les plus fins et des produits de la terre, s'était provisoirement retiré dans sa ferme de l'Ampurdan pour faire pousser des tomates et contempler les secrets de la truffe en attendant que la folie des temps s'atténue. C'était un optimiste-né. Les bagarres lui donnaient la nausée et il voulait croire que le conflit ne durerait guère plus de deux ou trois mois après lesquels l'Espagne retrouverait son état naturel de chaos et d'épouvantail qui laissait toujours une place à la littérature, à la bonne chère et au commerce. Revells, fin spécialiste des acrobaties du pouvoir et du théâtre politique, avait choisi de rester à Barcelone et de garder ses bureaux ouverts, même si c'était au minimum. L'édition littéraire s'était perdue dans des limbes incertains et le gros du commerce se concentrait désormais sur l'impression de discours, de pamphlets et d'épopées exemplaires à la gloire des héros du moment, qui changeaient de semaine en semaine grâce aux luttes internes et au simulacre de guerre civile souterraine à l'intérieur de la guerre civile déclarée, qui affectait le camp républicain. Moins optimiste que son associé, qui continuait de lui envoyer des caisses de magnifiques tomates et de légumes de son potager, Revells subodorait que tout cela serait long et finirait très mal.

Revells et Badens continuaient néanmoins à payer un petit salaire à Mataix, sur leurs économies, une sorte d'avance sur ses prochains contrats. Malgré ses réserves, Mataix acceptait cet argent, de mauvaise grâce. Revells ignorait ses objections et il insistait. Lorsque la discussion en venait, inévitablement, aux scrupules et à ce que le directeur qualifiait de *simagrées de l'homme qui n'a encore jamais eu faim pour de vrai, loin s'en faut,* il lui adressait un sourire goguenard et affirmait : "Ne pleurez pas pour nous, Víctor, je ferai en sorte que vous nous dédommagiez un jour de tout ce que nous vous avançons."

Grâce à l'aide de ses éditeurs, Mataix réussissait à nourrir sa famille, une situation qui commençait à être privilégiée. La plupart de ses collègues se trouvaient dans une position beaucoup plus précaire qui ne laissait présager qu'un futur vertigineux. Certains, dans un accès de passion et de romantisme, avaient rejoint la milice. "Nous exterminerons le rat fasciste dans sa tanière pourrie", entonnaient-ils. Plus d'un reprochèrent à Mataix de ne pas les rejoindre. C'était une époque où les affiches de propagande qui couvraient les murs de la ville faisaient office de credo et de conscience pour beaucoup. "Qui n'est pas prêt à combattre pour sa liberté ne la mérite pas", lui assénaient-ils. Le remords rongeait Mataix qui les soupçonnait d'avoir raison. Devait-il abandonner Susana et sa fille Ariadna dans la demeure de la colline et partir au-devant des troupes de l'autoproclamé *camp national* ? "Je ne sais pas de quelle nation ils parlent, mais ce n'est pas la mienne, lui dit un ami à qui il était venu dire au revoir à la gare. Ce n'est pas non plus la tienne, même si tu n'as pas le courage de partir la défendre." Mataix rentra chez lui honteux. En arrivant, Susana l'enlaça et fondit en larmes, tremblante. "Ne nous quitte pas, l'implora-t-elle. Ta patrie, c'est Ariadna et moi."

À mesure que le conflit enflait, Mataix découvrit qu'il ne pouvait plus écrire. Il s'asseyait devant la machine à écrire pendant des heures, le regard perdu sur l'horizon, derrière les vitres. Il commença à descendre chaque jour à Barcelone, cherchant des occasions se disait-il, ou se fuyant. La majorité de ses connaissances mendiaient alors des faveurs sur le marché noir glauque des allégeances et des servitudes qui croissait à l'ombre de la guerre. Le bruit avait couru parmi les gens de plume faméliques que Mataix percevait un salaire à fonds perdu de Revells et de

Badens. Son vieil ami Martín l'avait prévenu : "L'envie est la gangrène des écrivains, elle nous pourrit de notre vivant jusqu'à ce que l'oubli nous fauche sans égard." En quelques mois, ses connaissances lui tournèrent le dos. Quand elles le voyaient venir de loin, elles changeaient de trottoir, elles se parlaient à l'oreille et riaient avec mépris. D'autres baissaient les yeux en passant à côté de lui.

Les premiers mois de conflit avaient plongé Barcelone dans une étrange léthargie de craintes et d'escarmouches internes. La rébellion fasciste avait échoué dans la ville dans les premiers jours du coup d'État, et certains avaient voulu croire que la guerre était restée au loin, que tout cela ne serait qu'une nouvelle bravade de petits généraux, courts en taille et en dignité. En quelques semaines, tout rentrerait dans l'ordre et la ville retrouverait l'anormalité fiévreuse qui caractérisait la vie publique du pays.

Mataix n'y croyait plus. Et il avait peur. Il savait qu'une guerre civile n'est jamais simple et d'une seule pièce. C'est un amas de luttes, petites ou grandes, imbriquées les unes dans les autres, et sa mémoire officielle est toujours celle des chroniqueurs retranchés dans le camp des vainqueurs ou des perdants, jamais celle des hommes qui se font prendre entre les deux. Des individus qui ont rarement allumé la mèche sous le bûcher. Martín avait l'habitude de dire qu'en Espagne on méprise l'adversaire mais on hait l'homme libre qui ne prend pas des vessies pour des lanternes. Mataix ne l'avait pas cru à l'époque, mais il commençait à penser que le seul péché impardonnable en Espagne était de ne pas choisir un camp et de refuser de rejoindre un des troupeaux. Or là où il y a un troupeau d'agneaux finissent toujours par apparaître des loups affamés. Il avait appris tout cela malgré lui, et il sentait désormais l'odeur du sang flotter dans l'air. Il serait toujours temps, plus tard, de cacher les morts et de plonger dans le mensonge. Pour le moment, l'heure était venue de sortir les couteaux et de faire la sale besogne. Les guerres salissent tout, mais elles lavent la mémoire.

Ce jour fatidique de 1937 où son destin allait changer, Mataix était descendu en ville où il avait rendez-vous avec Revells. Chaque fois qu'ils se voyaient, l'éditeur l'invitait à déjeuner au

Bar Velódromo situé près des bureaux des Éditions Orbe sur l'avenue Diagonal, et il lui glissait une enveloppe contenant de quoi subvenir aux besoins de sa famille pendant une quinzaine de jours. Ce jour-là, pour la première fois, Mataix refusa l'argent. Il décrit ainsi la scène dans son *Mémoire de ténèbres*, une sorte de chronique romancée de la guerre et de ses années d'emprisonnement, un texte jamais publié où il n'est qu'un personnage parmi d'autres, vu par un narrateur omniscient qui pourrait être, ou pas, la faucheuse :

La façade vitrée du grand bar Velódromo s'élevait à la hauteur de la rue Muntaner où elle perd son caractère bourgeois, à quelques pas de la Diagonal. À l'intérieur, une lumière d'aquarium et un plafond de cathédrale civile offraient un refuge et un ersatz de salon à qui voulait encore croire que la vie continuait et que demain serait un autre jour. Revells choisissait toujours une table dans un coin d'où il pouvait voir toute la salle et repérer les allées et venues.

— Non, monsieur Revells. Je ne peux accepter davantage votre aumône.

— Ce n'est pas une aumône, c'est un investissement. Sachez que Badens et moi-même sommes convaincus que dans dix ou vingt ans vous serez l'un des auteurs les plus lus d'Europe. Dans le cas contraire, je me ferai curé et Badens délaissera la truffe au profit de la mortadelle. Je le jure sur cette cassolette d'escargots *a la llauna*.

— Vous et vos traits d'esprit...

— Prenez l'argent, faites-moi plaisir.

— Non.

— Il n'existe qu'un seul Espagnol qui refuse un dessous-de-table et il faut que je tombe sur lui !

— Que vous dit votre boule de cristal à ce sujet ?

— Écoutez, Víctor, j'accepterais bien volontiers un livre en échange d'une avance, mais nous ne pouvons pas le publier pour le moment. Vous le savez.

— Alors j'attendrai.

— Cela peut prendre des années. Dans ce pays, il existe des gens qui n'arrêteront pas tant qu'ils ne se seront pas massacrés les uns les autres. Ici, quand les personnes perdent la tête, ce qui arrive souvent, elles sont capables de se tirer une balle dans le pied si elles sont convaincues de rendre ainsi le voisin boiteux. Ça sera long. Croyez-moi.

— Dans ce cas, mieux vaut mourir de faim que de rester debout pour assister à ce spectacle.

— Très héroïque. Pardonnez-moi si je ne verse pas des larmes de crocodile. Est-ce là ce que vous souhaitez pour votre femme et votre fille ?

Mataix gardait les yeux fermés, plongé dans sa détresse.

— Ne dites pas cela.

— Alors cessez de proférer des âneries. Prenez l'argent.

— Je vous rembourserai tout. Jusqu'au dernier centime.

— Je n'en ai jamais douté. Allez, mangez, vous n'avez touché à rien. Et emportez ce pain chez vous. Bien entendu, passez à la maison d'édition, une caisse de délicieux légumes de l'Ampurdan envoyée pour vous par Badens vous attend. Emportez-en, je vous en prie, le bureau est en train de devenir un magasin de fruits et légumes.

— Vous partez ?

— J'ai des choses à faire. Prenez soin de vous, Víctor. Et écrivez. On recommencera à publier un jour, vous verrez, et vous devez nous enrichir.

L'éditeur partit, le laissant seul à la table. Mataix savait qu'il n'était venu que pour lui remettre l'argent, et qu'une fois sa mission accomplie il avait préféré se retirer pour lui éviter la honte et l'humiliation de se montrer incapable de subvenir aux besoins de sa famille, sauf à accepter la charité. Mataix terminait son assiette et glissait les morceaux de pain dans ses poches quand une ombre s'étendit sur sa table. Il leva les yeux et vit un homme jeune vêtu d'un costume effiloché qui portait une serviette ordinaire, de celles qui s'empilaient dans les tribunaux et les bureaux d'accueil des services publics. L'individu avait l'air suffisamment fragile et démuni pour être un commissaire politique sur ses traces.

— Cela vous dérange-t-il si je m'assois ?

Mataix fit signe que non.

— Je m'appelle Brians. Fernando Brians. Je suis avocat, même si je n'en ai pas l'air.

— Víctor Mataix, écrivain, même si je n'en ai pas l'air.

— Quelle époque, pas vrai ? Celui qui est quelqu'un n'est plus personne, et celui qui n'était personne avant-hier ressemble trop à celui qu'il est devenu.

— Avocat et philosophe, à ce que je vois.

— Et tout cela pour un prix très compétitif, admit Brians.

— Je serais ravi de faire appel à vous pour que vous défendiez mon amour-propre, mais je crains d'être un peu juste en ce moment.

— Ne craignez rien. J'ai déjà le client.

— Qui suis-je alors dans cette histoire ? demanda Mataix.

— Un artiste chanceux qui a été choisi pour un travail très lucratif.

— Ah oui ? Qui est votre client, si je puis me permettre ?

— Un homme soucieux de son intimité.

— Qui ne l'est pas ?

— Celui qui ne la possède pas.

— Oubliez un moment le philosophe et mobilisez l'avocat, trancha Mataix. En quoi puis-je vous servir, vous ou votre client ?

— Mon client est un homme très important et très fortuné. L'un de ceux dont on dit généralement qu'ils ont tout pour eux.

— Ce sont ceux qui en veulent toujours plus.

— Dans ce cas précis, le *plus* inclut vos services, précisa Brians.

— Quels services peut bien rendre un romancier en temps de guerre ? Mes lecteurs ne souhaitent plus lire mais s'entre-tuer.

— Avez-vous déjà songé à écrire une biographie ? demanda l'avocat.

— Non. J'écris des romans.

— Certains vous diraient qu'il n'y a pas plus romanesque que la biographie.

— À l'exception possible de l'autobiographie, admit Mataix.

— Précisément. En tant que romancier, vous admettrez qu'en dernier ressort une histoire est une histoire.

— En tant que romancier, je n'admets que les acomptes. En liquide, si possible.

— Nous y viendrons. Mais, bien que ce ne soit que pour bavarder, une chronique est composée de mots, de langage, n'est-ce pas ?

Mataix soupira.

— Tout est composé de mots et de langage, répondit-il. Même les sophismes d'un avocat.

— Mais qu'est-ce qu'un écrivain, si ce n'est un travailleur du langage ? interrogea Brians.

— Un individu privé de perspectives professionnelles dès lors que les gens cessent d'utiliser leur cerveau et qu'ils se mettent à penser avec leurs tripes, pour ne pas dire autre chose.

— Vous voyez ? Même dans le sarcasme, vous usez de tournures élégantes.

— Pourquoi n'en venez-vous pas au fait, monsieur Brians ?

— Mon client n'aurait pas mieux dit.

— Dans la veine sarcastique donc, si votre client est aussi important et puissant, n'êtes-vous pas un peu austère comme avocat pour le représenter ? Ne le prenez pas mal.

— Je ne le prends pas mal. En réalité, vous avez parfaitement raison. Mon client ne l'est qu'indirectement.

— Expliquez-vous, dit Mataix.

— Un cabinet prestigieux qui défend les intérêts de mon client a sollicité mes services.

— Quelle chance pour vous ! Et pourquoi n'est-ce pas un membre de ce cabinet si huppé qui se présente ici ?

— Parce qu'il se trouve dans la zone des nationaux. Techniquement parlant, bien sûr. Personnellement, le client est en Suisse, je crois.

— Pardon ?

— Mon client et ses avocats sont sous les auspices et la protection du général Franco, expliqua Brians.

Mataix regarda les tables autour de lui d'un air méfiant. Personne ne paraissait écouter leur conversation ou leur prêter attention, mais dans ces temps de soupçon généralisé, même les murs tendaient l'oreille.

— C'est une blague, dit Mataix en baissant la voix.

— Je vous assure que non.

— Faites-moi le plaisir de vous lever et de ficher le camp d'ici. Je ferai comme si je ne vous avais ni vu ni écouté.

— Je vous comprends parfaitement, croyez-moi, monsieur Mataix. Mais je ne peux pas agir ainsi.

— Pourquoi ?

— Parce que si je sors par cette porte sans avoir contracté vos services, je doute d'être encore en vie demain. Tout comme vous, et votre famille.

Un long silence s'ensuivit. Mataix attrapa l'avocat Brians par le col. Ce dernier le regardait avec une infinie tristesse.

— Vous dites la vérité… murmura Mataix, plus pour lui qu'en s'adressant à son interlocuteur.

Brians acquiesça. Mataix le lâcha.

— Pourquoi moi ?

— L'épouse du client est une de vos lectrices assidues. Elle aime votre façon d'écrire. Surtout les histoires d'amour. Les autres, pas autant.

L'écrivain porta les mains à son visage.

— Si cela peut vous consoler, le salaire est imbattable, ajouta Brians.

Mataix regarda Brians à travers ses doigts.

— Et vous, qui vous paie ?

— Ils me laissent continuer de respirer et ils acquittent mes dettes, qui ne sont pas minces. Enfin, du moment que vous accepterez.

— Si je refuse ?

Brians haussa les épaules.

— On me dit qu'en ce moment les tueurs à gages sont très peu chers à Barcelone…

— Comment puis-je… savez-vous si ces menaces sont ou non crédibles ?

Brians baissa les yeux.

— Quand je leur ai posé la même question, ils m'ont envoyé un paquet avec l'oreille droite de mon associé Jusid au cabinet. Ils m'ont dit que chaque jour qui passerait sans réponse de ma part, ils m'enverraient un autre paquet. Je vous ai déjà dit que la main-d'œuvre sinistre est bon marché dans la ville.

— Comment s'appelle votre client ? demanda Mataix.

— Je l'ignore.

— Alors que savez-vous ?

— Que les gens qui travaillent pour lui ne plaisantent pas.

— Et lui ?

— Que c'est un banquier. Important. Je sais, ou je devine, que c'est l'un des deux ou trois banquiers qui financent l'armée du général Franco. Je sais, ou on m'a laissé entendre, que c'est un homme vaniteux et sensible au jugement que l'histoire portera sur lui, et que son épouse, grande lectrice et admiratrice de votre œuvre, l'a convaincu de la nécessité d'une biographie mettant en valeur ses succès, sa grandeur et son apport prodigieux au bien de l'Espagne et du monde.

— Tous les fils de pute ont besoin d'une biographie, le genre le plus trompeur du catalogue, lâcha Mataix.

— Ce n'est pas moi qui dirais le contraire, monsieur Mataix. Voulez-vous entendre le meilleur ?

— Rester en vie, voulez-vous dire ?

— Cent mille pesetas déposées sur un compte à votre nom à la Banque nationale suisse à l'acceptation du travail, et cent mille autres à la publication de l'ouvrage.

Mataix le regarda, éberlué.

— Pendant que vous digérez ce chiffre, laissez-moi vous expliquer le processus. À partir du jour de la signature du contrat, vous percevrez un émolument bimensuel par l'intermédiaire de mon cabinet, et ce pendant tout le temps que durera votre travail, sans réduction du montant global de vos honoraires. Vous recevrez aussi, toujours par mon entremise, un document existant apparemment, une première version de la biographie de mon client.

— Je ne suis donc pas le premier ?

Brians haussa à nouveau les épaules.

— Que sont devenus mes prédécesseurs ? demanda Mataix. Vous les a-t-on également envoyés par paquets ?

— Je ne sais pas. J'ai cru comprendre que l'épouse du client avait estimé que leur travail manquait de style, de classe, de *savoir-faire**.

— Je ne sais pas comment vous pouvez plaisanter sur un tel sujet.

— Autrement je me jette sous les roues du métro. Quoi qu'il en soit, ce document, très rudimentaire d'après ce qu'on m'a dit, vous servira de documentation et de point de départ. Votre devoir est de rédiger une biographie exemplaire du personnage à partir des données qui vous seront fournies dans ces pages. Vous disposez d'un an. Après la relecture des notes du client, vous disposerez de six mois supplémentaires pour intégrer les changements requis, corriger votre texte et préparer un manuscrit prêt à être édité. Vous n'avez pas à signer le livre et personne n'a besoin de savoir que vous en êtes l'auteur. Si vous me permettez le commentaire, c'est la cerise sur le gâteau. Au fait, votre silence et le mien sont des conditions requises pour la transaction.

— Pourquoi ?

— Peut-être aurais-je dû préciser d'entrée de jeu que l'ouvrage sera une autobiographie. Vous la rédigerez à la première personne et mon client la signera.

— J'imagine que vous avez déjà le titre.

— Provisoire. *Moi, XXX. Mémoires d'un financier espagnol.* Je crois que toutes les propositions sont admises.

Mataix fit alors ce que ni Brians ni lui n'attendaient. Il éclata de rire. Il rit à en pleurer, et la clientèle du lieu se retourna pour les regarder à la dérobée, interloquée qu'on puisse se tordre de rire avec tout ce qui leur tombait dessus. Quand il reprit ses esprits, Mataix prit une profonde inspiration et il regarda Brians.

— Dois-je comprendre que vous acceptez ? demanda l'avocat, plein d'espoir.

— Existe-t-il une autre option ?

— Une balle dans la tête en pleine rue demain ou après-demain, pour vous et moi. Et la même chose pour votre famille et la mienne, tôt ou tard.

— Où dois-je signer ?

Quelques jours plus tard, après avoir épuisé tout un éventail d'insomnies, de cauchemars, d'hypothèses et de conjectures, Mataix, n'y tenant plus, alla trouver son éditeur aux Éditions Orbe. Revells n'avait pas menti : l'endroit embaumait le jardin potager soigné de l'Ampurdan. Des caisses entières provenant du temple de la plante potagère de Badens étaient alignées dans les couloirs entre les piles de livres et les tas de factures à payer. Revells l'écouta attentivement tout en humant une magnifique tomate qu'il tenait entre ses mains.

— Qu'en pensez-vous ? demanda Mataix à la fin de sa présentation.

— Divine. Son seul parfum me met en appétit, dit Revells.

— Je faisais allusion à mon dilemme, insista Mataix.

Revells posa la tomate sur la table.

— Je pense que vous n'avez pas d'autre choix que d'accepter, déclara-t-il.

— Vous me dites cela car vous savez que c'est ce que je veux entendre.

— Je vous le dis parce que j'aime vous voir vivant, que vous nous devez de l'argent et que nous espérons le récupérer un jour. Avez-vous reçu le document ?

— Une partie.

— Et... ?

— C'est à vomir.

— Espériez-vous des sonnets de Shakespeare ?

— Je ne sais pas ce que j'attendais.

— Vous avez dû commencer à faire des suppositions. Vous devez savoir de qui il s'agit.

— J'ai ma petite idée, concéda Mataix.

Les yeux de Revells étincelèrent de curiosité.

— Racontez...

— D'après ce que j'ai lu, je suppose qu'il s'agit d'Ubach.

— Miquel Ángel Ubach ! Sapristi ! Le Banquier de la Poudre ?

— Il n'a pas l'air d'apprécier qu'on l'appelle comme ça.

— Il l'a bien cherché. Si ça ne lui plaît pas, il n'a qu'à financer des œuvres sociales, pas une guerre.

— Que savez-vous de lui, vous qui connaissez tout sur tout le monde ?

— Seulement à propos des personnalités qui comptent, précisa Revells.

— Je sais bien que le monde des pauvres diables et des vauriens ne vous touche pas.

Revells ignora la pique, fasciné par cette intrigue de haute volée. Il ouvrit la porte de son bureau et appela une de ses personnes de confiance, Laura Franconi.

— Laura, venez un moment si vous le pouvez...

En attendant, Revells fit les cent pas dans son bureau, l'air préoccupé. Laura Franconi apparut bientôt à la porte, après avoir esquivé deux cartons d'oignons et de poireaux. En voyant

Mataix, elle sourit et s'approcha pour l'embrasser. Menue et vive, Laura était un des cerveaux qui faisaient fonctionner cette maison avec une main de velours.

— Comment trouvez-vous notre boutique de fruits et légumes ? demanda-t-elle. Voulez-vous quelques courgettes ?

— L'ami Mataix ici présent vient de conclure un pacte avec les dieux de la guerre, dit l'éditeur.

L'écrivain soupira.

— Pourquoi ne vous penchez-vous pas à la fenêtre pour le hurler, avec un mégaphone ? demanda Mataix.

Laura Franconi repoussa la porte du bureau et le regarda d'un air inquiet.

— Racontez-lui, dit Revells.

Mataix résuma les faits mais Laura se débrouilla pour remplir les espaces vides entre les lignes. À la fin, elle posa la main sur l'épaule de l'écrivain, consternée.

— Ce fils de pute d'Ubach a-t-il déjà un éditeur pour publier cette chose grotesque ? demanda Revells.

Laura lui adressa un regard caustique.

— Je souligne une simple opportunité commerciale, précisa Revells en battant en retraite. Je ne comprends pas toutes ces jérémiades par les temps qui courent.

Mataix se rappela à eux.

— Je vous serais reconnaissant de votre aide et de vos conseils.

Laura prit une de ses mains dans les siennes et elle le regarda droit dans les yeux.

— Acceptez l'argent. Écrivez-lui ce qu'il veut, ce fantoche, et quittez le pays pour toujours. Je vous recommande l'Argentine. De l'espace à revendre et des steaks à se damner !

Mataix regarda Revells.

— Amen, dit le directeur. Je n'aurais pu mieux dire.

— Auriez-vous une autre suggestion n'impliquant pas de partir à l'autre bout du monde et d'exiler ma famille ?

— Écoutez, Mataix, quoi que vous fassiez, vous jouez votre peau. Si le camp d'Ubach, qui engrange les points, gagne, j'ai bien peur qu'une fois le service rendu votre existence dérange, et qu'un certain homme préfère vous voir disparaître. Si la République gagne et qu'on apprend votre collaboration avec un des usuriers de Franco, je vous vois déjà dans une tchéka[1], tous frais payés.

— Fabuleux.

— On peut vous aider à filer. Badens a des contacts avec une compagnie de marine marchande et on pourrait vous mettre à l'abri avec votre famille à Marseille en quelques jours. À partir de là, ce serait à vous de voir. Si j'étais vous, j'écouterais Mlle Laura et je partirais aux Amériques. Nord ou Sud, peu importe. Ce qui compte, c'est de mettre un océan et des kilomètres par milliers entre eux et vous.

— On viendra vous rendre visite, affirma Laura. Dans le cas où on ne serait pas déjà tous chez vous, au rythme où vont les choses dans ce pays...

— On vous apportera des tomates et des légumes pour accompagner les grillades que vous allez vous taper avec les deux cent mille pesetas du butin, conclut Revells.

Mataix souffla.

— Ma femme ne veut pas quitter Barcelone.

— J'imagine que vous ne lui avez rien dit de tout cela, demanda Revells.

Mataix fit signe que non. Revells et Laura Franconi échangèrent un regard.

— Moi non plus, je ne veux aller nulle part ailleurs, dit l'écrivain. Ici c'est chez moi, pour le meilleur ou pour le pire. Cette ville, je la porte en moi, dans mes veines.

— C'est la même chose avec la malaria, et ce n'est pas toujours salutaire, fit remarquer Revells.

— Auriez-vous un vaccin contre Barcelone ?

— Je vous comprends dans le fond. Je réagirais comme vous. Encore que découvrir le monde avec les poches bien pleines, je ne dirais pas non. Inutile de vous décider aujourd'hui. Vous avez un an ou un an et demi devant vous pour y réfléchir. Tant que vous n'aurez pas terminé le livre et que la guerre continuera, tout restera en suspens. Agissez comme avec nous lorsque vous

1. Tribunaux et prisons clandestines créés pendant la guerre civile par les staliniens. *(N.d.T.)*

ne respectez jamais les délais et que nous en sommes pour nos frais…

Laura lui tapota l'épaule en signe de soutien. Revells prit le magnifique spécimen de la flore sauvage de l'Ampurdan et le lui tendit.

— Une petite tomate ?

Seule une partie du manuscrit de *Mémoire des ténèbres* a survécu, mais tout porte à croire que Mataix avait fini par céder devant les circonstances. Rien n'indique non plus qu'il avait rendu une première version de l'autobiographie de Miguel Ángel Ubach avant 1939. À la fin de la guerre, lorsque les troupes franquistes victorieuses entrèrent dans Barcelone, Mataix travaillait encore aux corrections et aux modifications qui lui avaient été demandées, la plupart provenant très certainement de Federica, l'épouse d'Ubach, qui conjuguait dévotion envers le fascisme et grande sensibilité pour les arts et les lettres. La version définitive du livre rendue, Mataix, qui avait peut-être envisagé de suivre le conseil de ses éditeurs et de quitter le pays avec sa famille et ses honoraires, ignora l'avertissement et décida de rester. La raison la plus probable de cette décision, qu'il repoussait, fut la nouvelle grossesse de son épouse, enceinte de sa deuxième fille.

Ubach était déjà de retour en Espagne, triomphant et jouissant du degré maximum de la gloire et de la gratitude dans les plus hautes sphères du régime grâce à son rôle de banquier de la croisade nationale. Les temps étaient à la vengeance mais aussi à la récompense. Tous les secteurs de la vie espagnole étaient réorganisés, et tandis qu'une multitude d'hommes et de femmes sombraient dans l'oubli, l'exil intérieur et la misère, d'autres accédaient aux postes de pouvoir et de prestige. L'épuration menée avec un zèle implacable n'épargna pas le plus petit recoin de la vie publique. Les retournements de veste, une tradition bien ancrée dans la Péninsule, frisaient le travail d'orfèvre. La guerre avait fait des centaines de milliers de morts, et encore davantage d'oubliés et de réprouvés. Les anciennes connaissances et collègues de Mataix qui l'avaient tellement méprisé réapparaissaient en grande partie, désespérés, implorant son aide, sa recommandation et sa miséricorde. La plupart finiraient en prison où ils resteraient des années jusqu'à ce que le peu qu'il restait d'eux s'éteignît à tout jamais. Certains furent exécutés sans vergogne. D'autres s'ôtèrent la vie ou moururent de maladie ou de tristesse.

Quelques-uns, les plus prétentieux et dénués de talent évidemment, changèrent de camp et prospérèrent davantage comme protégés et courtisans du régime qu'ils ne l'avaient fait auparavant par leurs propres mérites. La politique est souvent le refuge d'artistes médiocres et ratés. Là, ils peuvent fructifier, acquérir un pouvoir grâce auquel ils se donnent des airs. Surtout, ils se vengent de tous ceux qui ont obtenu par leur travail et leur talent ce qu'ils n'ont même jamais approché, tout en déclarant d'un air pieux et martyr qu'ils n'agissent que pour le bien de la patrie.

À l'été 1941, deux semaines après la naissance de Sonia, la seconde fille de Susana et Víctor Mataix, il se produisit un fait insolite. La famille profitait d'un dimanche ensoleillé et tranquille dans sa maison de la route des Aguas quand elle entendit approcher plusieurs voitures. Quatre hommes armés et équipés descendirent de la première. Mataix craignit le pire, mais du deuxième véhicule, une Mercedes presque identique à celle qui transportait le Généralissime Franco, il vit sortir un homme aux manières élégantes accompagné d'une femme blonde couverte de bijoux et vêtue comme si elle venait assister au couronnement de la reine. C'était Miguel Ángel Ubach et son épouse Federica.

Mataix sentit le sol se dérober sous ses pieds ; il n'avait jamais révélé à sa femme la vérité sur le livre auquel il avait sacrifié plus d'un an et demi de sa vie, et qui avait sauvé la sienne. Susana, déconcertée, demanda qui étaient ces visiteurs illustres qui traversaient le jardin. Au long de cet interminable après-midi, ce fut Mme Federica qui parla pour lui, tandis que Miguel Ángel se retirait dans le bureau de Mataix pour traiter des affaires d'hommes, avec du brandy et des havanes (des cadeaux apportés par le banquier). Madame devint la meilleure amie de cette pauvre femme du peuple encore très faible après l'accouchement de sa deuxième fille. Ce qui n'empêcha pas madame de la laisser aller à la cuisine pour lui préparer le thé qu'elle ne daigna pas toucher et des gâteaux secs qu'elle n'aurait pas donnés à ses chiens ; elle l'observa boitiller tandis qu'elle restait en compagnie des deux enfants, Ariadna et la petite Sonia, le plus beau spectacle qu'elle avait vu de sa vie, étrangement. Comment deux créatures aussi douces, aussi pleines de lumière et de vie avaient-elles pu naître de ces deux morts de faim ? Mataix avait peut-être un peu de talent, mais il n'en était pas moins comme tous les artistes, un enfant, et en outre il n'avait écrit qu'un seul livre vraiment bon, *La Maison des cyprès*. Les autres n'avaient rien d'extraordinaire et l'avaient déçu avec leurs intrigues incompréhensibles et macabres. Elle s'en était ouverte à lui dès son arrivée, en lui serrant la main, également déçue par son attitude distante. On aurait dit qu'il n'était pas heureux de la voir. "Le seul roman véritablement bon était le premier", lui avait-elle dit. Le fait d'avoir épousé cette oiselle incapable de s'habiller et de parler confirmait ces soupçons. Mataix lui avait permis de tuer le temps, mais il ne ferait jamais partie des grands.

Federica supporta malgré tout avec son plus beau sourire la compagnie de cette malheureuse, qui se pliait en quatre pour lui plaire et ne cessait de l'interroger sur sa vie, comme si elle pouvait aspirer à la comprendre. Elle l'écoutait à peine. Elle n'avait d'yeux que pour les petites. Ariadna la dévisageait d'un air méfiant, comme le font les enfants, et quand elle lui demanda : "Dis-moi, petite, quelle est la plus belle à tes yeux, ta maman ou moi ?", la fillette courut se cacher derrière sa mère.

La nuit tombait déjà quand Ubach et Mataix sortirent du bureau, M. Miguel Ángel considérant la visite impromptue terminée. Ubach donna l'accolade à Mataix et fit le baisemain à Susana. "Vous formez un couple merveilleux", déclara-t-il. Les Mataix raccompagnèrent leurs illustres visiteurs jusqu'à la Mercedes Benz et ils les regardèrent partir, escortés par les deux autres véhicules, sous un ciel semé d'étoiles, promesse d'un horizon de paix et peut-être d'espérance.

Une semaine plus tard, peu avant l'aube, deux autres voitures revinrent chez les Mataix. Des autos noires sans plaques d'immatriculation. De la première descendit un homme en gabardine foncée qui se présenta comme le lieutenant Javier Fumero de la brigade sociale. Il était accompagné d'un homme très proprement vêtu, dont les lunettes et la coupe de cheveux évoquaient le bureaucrate moyen, qui ne descendit pas de voiture et observa la scène depuis le siège du passager.

Mataix sortit pour les accueillir. Fumero le frappa au visage avec son révolver, un coup qui lui brisa la mâchoire et le jeta au sol. Ses hommes le ramassèrent et le traînèrent, hurlant, jusqu'à l'autre véhicule. Fumero entra dans la maison en essuyant ses mains tachées de sang sur sa gabardine. Il partit à la recherche de Susana et des petites filles. Il les trouva cachées au fond d'une armoire, tremblantes et en larmes. Susana refusa de lui remettre les petites et Fumero lui donna un coup de pied dans le ventre. Il prit la petite Sonia dans ses bras et attrapa la main d'Ariadna qui pleurait, terrorisée. Il allait quitter la pièce quand Susana se jeta sur lui et planta ses ongles dans sa figure. Sans se démonter, Fumero tendit les enfants à un de ses hommes qui regardait la scène et il se retourna. Il saisit Susana par le cou et il la lança par terre. Il s'agenouilla sur elle et il lui écrasa le thorax en ne la quittant pas des yeux. Susana ne pouvait plus respirer. Elle observait cet étranger qui la contemplait en souriant. Elle le vit sortir de sa poche un rasoir qu'il ouvrit. "Je vais t'ouvrir le ventre et te faire un collier avec tes boyaux, pute de merde", lui dit-il tranquillement.

Il lui arracha ses vêtements et commença à jouer avec le rasoir. L'homme resté dans la voiture, le bureaucrate à l'air glacial, apparut alors dans la pièce. Il posa sa main sur l'épaule de Fumero et il l'arrêta.

— On n'a pas le temps, prévint-il.

Les hommes la laissèrent et partirent. Susana se traîna en sang le long des marches et elle entendit les véhicules qui s'éloignaient entre les arbres, avant de perdre connaissance.

LES OUBLIÉS

1

Vilajuana termina son récit, le regard vide et la voix sèche. Alicia baissa les yeux, silencieuse. Le journaliste se racla la gorge et elle lui adressa un pauvre sourire.

— Susana n'a jamais revu ni son mari ni ses filles. Durant deux mois, elle a fait le tour des commissariats, des hôpitaux et des hospices, demandant inlassablement après eux. Personne ne savait rien. Un jour, désespérée, elle s'est décidée à téléphoner à Federica Ubach. Un domestique a décroché et il a transmis l'appel à un secrétaire auquel Susana a raconté son histoire en lui assurant que madame était la seule personne susceptible de lui venir en aide. "C'est une amie."

— La pauvre, murmura Alicia.

— Des jours plus tard, elle a été ramassée dans la rue et conduite à l'asile d'aliénées. Elle y est restée plusieurs années. Puis on a dit qu'elle s'en était échappée. Allez savoir. Susana s'était définitivement perdue.

Un long silence suivit ces mots.

— Et Víctor Mataix ? demanda Alicia.

— L'avocat Brians, engagé par Isabella Gispert pour défendre David Martín, avait appris par ce dernier que Mataix se trouvait lui aussi au château de Montjuïc. Il avait été placé au secret dans une cellule à l'écart, sur ordre exprès du directeur de la prison, Mauricio Valls. Il était privé de sortie dans la cour avec les autres prisonniers, de visites et de communication avec quiconque. Envoyé plus d'une fois en cellule d'isolement, Martín était le seul à avoir échangé quelques mots avec Mataix, en traversant le couloir. C'est ainsi que Brians avait appris ce qui lui était arrivé.

L'avocat devait en avoir gros sur la conscience à cette époque. Il se sentait probablement coupable, en partie, et il a décidé d'aider ces pauvres diables enfermés là-bas. Martín, Mataix...

— L'avocat des causes perdues... dit Alicia.

— Il n'a pas pu les sauver, bien sûr. Martín a été assassiné sur ordre de Valls, c'est en tout cas ce qui s'est dit. Quant à Mataix, on n'a plus jamais rien su de lui. Sa mort continue d'être un mystère. Isabella les avait précédés dans la mort, elle aussi dans des circonstances plus que douteuses. Le pauvre Brians, tombé amoureux d'elle je crois comme tous les hommes qui la rencontraient, ne s'est jamais remis de toute cette histoire. C'est un homme honnête, mais il est terrorisé, et impuissant dans le fond.

— Croyez-vous que Mataix soit toujours là-bas ?

— Dans le château ? J'espère que Dieu n'est pas aussi cruel, et qu'il l'aura délivré à temps.

Alicia acquiesça, essayant d'assimiler toutes ces informations.

— Et vous ? demanda Vilajuana. Que pensez-vous faire ?

— Que voulez-vous dire ?

— Pensez-vous continuer tranquillement après tout ce que je vous ai raconté ?

— J'ai les mains aussi liées que Brians, répondit Alicia. Plus peut-être.

— C'est bien pratique.

— Avec tout le respect que je vous dois, permettez-moi de vous dire que vous ne savez rien de moi.

— Racontez-moi, alors. Aidez-moi à compléter l'histoire. Dites-moi ce que je peux faire.

— Avez-vous une famille, Vilajuana ?

— Une femme et quatre enfants.

— Les aimez-vous ?

— Plus que tout au monde. Pourquoi ces questions ?

— Vous souhaitez que je vous dise quoi faire, c'est cela ? Vraiment ?

Vilajuana hocha la tête.

— Terminez votre discours de réception. Oubliez Mataix. Et Martín. Et Valls. Et tout ce que vous venez de me raconter. Et oubliez-moi. Je ne suis jamais venue ici.

— Ce n'était pas le marché convenu... protesta Vilajuana. Vous vous êtes moquée de moi...

— Bienvenue au club, dit Alicia, en tournant les talons vers la sortie.

2

Après avoir quitté l'Académie et le palais Recasens, Alicia dut s'arrêter au coin d'une impasse pour vomir. Elle s'accrocha à la pierre froide du mur et ferma les yeux, un goût de bile sur les lèvres. Elle essaya d'inspirer profondément et de retrouver son sang-froid, mais la nausée l'assaillit de nouveau et elle faillit tomber à genoux sur le sol. Heureusement, quelqu'un la retint. En se retournant, elle découvrit le visage prévenant et anxieux de Rovira, l'apprenti espion qui la regardait d'un air triste.

— Est-ce que tout va bien, mademoiselle Gris ?

Elle essayait de reprendre son souffle.

— Peut-on savoir ce que vous faites là, Rovira ?

— Eh bien... je vous ai vue, de loin, vous titubiez, et... Pardon.

— Je me sens bien. Partez.

— Vous pleurez, mademoiselle.

Alicia haussa le ton et le repoussa violemment des deux mains.

— Fichez-moi le camp, imbécile ! l'injuria-t-elle.

Rovira rentra les épaules et s'éloigna le plus vite possible, l'air blessé. Alicia s'appuya contre le mur. Elle sécha ses larmes avec ses mains et elle se remit en marche, les mâchoires serrées de rage.

Sur le chemin de sa maison, elle croisa un vendeur ambulant auquel elle acheta des bonbons à l'eucalyptus pour éliminer l'arrière-goût acide dans sa bouche. Elle monta l'escalier lentement et en arrivant devant sa porte elle perçut un son de voix à l'intérieur. Fernandito avait dû venir prendre des ordres ou rendre compte de sa mission, pensa-t-elle, et il s'était sûrement réconcilié avec Vargas. Elle ouvrit la porte et aperçut ce dernier debout devant la fenêtre. Assis sur le canapé, Leandro

Montalvo tenait une tasse de thé à la main et souriait tranquillement. Alicia resta figée sur le seuil de la pièce, livide.

— Moi qui croyais que tu serais heureuse de me voir, dit Leandro en se relevant.

Alicia avança de quelques pas et déboutonna son manteau, tout en échangeant un regard avec Vargas.

— Je... Je ne savais pas que vous veniez, murmura-t-elle. Si j'avais su...

— Tout a été un peu précipité, à la dernière minute, expliqua Leandro. Je suis arrivé hier soir très tard, mais il se trouve que je n'aurais pas pu choisir un meilleur moment.

— Puis-je vous offrir quelque chose ? improvisa Alicia.

Leandro leva sa tasse.

— Le capitaine Vargas a été très aimable et il m'a préparé un excellent thé.

— M. Montalvo et moi-même avons discuté de cette affaire, dit Vargas.

— Bien, bien...

— Allez, embrasse-moi, Alicia, je ne t'ai pas vue depuis des jours.

Elle s'approcha de lui et ses lèvres frôlèrent sa joue. Un éclair dans les yeux de Leandro lui indiqua qu'il avait perçu l'odeur de bile dans son haleine.

— Tout va bien ?

— Oui. J'ai l'estomac un peu retourné, rien de grave.

— Tu dois faire plus attention à toi. Quand je ne suis pas là pour te surveiller, tu te laisses aller.

Alicia hocha la tête et sourit d'un air soumis.

— Viens, assieds-toi. Raconte-moi. Le capitaine me dit que tu as eu une matinée chargée. Une visite à un journaliste, je crois.

— Il m'a posé un lapin. Il n'avait probablement rien d'intéressant à me dire.

— Le savoir-vivre n'existe pas dans ce pays.

— C'est ce que dit Vargas, fit remarquer Alicia.

— Heureusement, il y a encore des gens qui travaillent, et bien. Comme vous deux. Vous avez pratiquement bouclé l'affaire.

— Ah bon ?

Alicia regarda Vargas, qui baissa les yeux.

— Cette histoire, Metrobarna, le chauffeur et ce Sanchís. L'affaire est dans le sac comme on dit, enfin presque, me semble-t-il. La piste est très solide.

— C'est fortuit. Rien de plus.

Leandro rit avec bienveillance.

— Vous voyez, Vargas ? Je vous le disais. Alicia n'est jamais satisfaite d'elle-même. C'est une perfectionniste.

— Tel père... avança Vargas.

Alicia allait lui demander ce qu'il faisait à Barcelone quand la porte de l'appartement s'ouvrit d'un coup. Fernandito fit irruption dans le salon, haletant après avoir grimpé les escaliers au pas de course.

— Mademoiselle Gris, des nouvelles toutes fraîches ! Vous ne croirez jamais ce que j'ai découvert !

— J'espère que vous n'allez pas me dire que vous avez livré ma commande en face par erreur, coupa Alicia, fixant Fernandito du regard.

— Alors, dit Leandro, on ne me présente pas ce jeune homme si attentionné ?

— C'est Fernandito. Le garçon de courses de l'épicerie.

Le garçon acquiesça.

— Vous ne l'avez pas ? demanda Alicia d'un ton aigre.

Fernandito la regarda, muet comme une carpe.

— Je t'avais dit des œufs, du lait, du pain et deux bouteilles de perelada blanc. Et de l'huile d'olive aussi. Qu'est-ce que tu n'as pas compris ?

Fernandito lut l'urgence dans le regard d'Alicia et il hocha la tête, l'air contrit.

— Excusez-moi, mademoiselle Alicia. C'est une erreur. Manolo dit que tout est prêt, et qu'il faut l'excuser. Cela ne se reproduira pas.

Alicia claqua des doigts plusieurs fois.

— Alors vas-y ! Qu'est-ce que tu attends ?

Fernandito hocha la tête de façon répétée avant de s'éclipser sans un mot.

— Il n'en rate pas une, lâcha Alicia.

— Voilà pourquoi je vis dans un hôtel de luxe, dit Leandro. Un coup de téléphone, et tout est réglé.

Un sourire serein plaqué sur le visage, Alicia revint à côté de Leandro.

— En quel honneur avez-vous délaissé les commodités du Palace pour mon humble demeure ?

— Je pourrais te dire que ton ironie sarcastique me manquait, mais la vérité est autre : j'ai de bonnes et de mauvaises nouvelles.

Alicia échangea un regard avec Vargas, qui se borna à hocher la tête.

— Assieds-toi, je t'en prie. Cela ne va pas te plaire, Alicia, mais je veux que tu saches que ce n'était pas mon idée et que je n'ai rien pu faire pour l'éviter.

Vargas se tassait, elle le remarqua.

— Éviter quoi ? demanda-t-elle.

Leandro posa sa tasse sur la table et marqua une pause, comme s'il s'armait de courage pour communiquer les informations qu'il devait rapporter.

— Il y a trois jours, l'enquête de la police a révélé que Mauricio Valls avait été en contact téléphonique à trois reprises pendant le mois précédent avec M. Ignacio Sanchís, directeur général de Metrobarna. Ce matin même, au cours d'une perquisition dans les bureaux de la société de Madrid, des documents ont été trouvés indiquant que plusieurs opérations d'achat et de vente d'actions de la Banque hypothécaire, la maison mère de Metrobarna, avaient été réalisées entre le gérant, M. Ignacio Sanchís, et don Mauricio Valls. Selon la brigade technique de la police, ces opérations présentent des irrégularités de procédure notables et rien n'atteste qu'elles aient été dûment notifiées à la Banque d'Espagne. Un employé du bureau central interrogé a nié avoir eu connaissance et enregistré de telles transactions.

— Pourquoi n'avons-nous pas été tenus informés de tout cela ? demanda Alicia. Je croyais que nous participions à l'enquête.

— Ce n'est la faute ni de Gil de Partera ni de la police. C'est moi qui ai pris la décision. À ce moment-là, j'ignorais que votre enquête vous conduirait par un autre biais jusqu'à Sanchís. Ne me regarde pas comme cela, Alicia. Quand Gil de Partera m'a informé, j'ai estimé préférable d'attendre que la police nous confirme si nous avions affaire à un élément important dans le cadre de notre affaire ou à une simple irrégularité commerciale, qui demeurerait en dehors de nos compétences. Si les lignes s'étaient croisées à un moment ou un autre, je t'en aurais parlé bien évidemment. Mais vous nous avez pris de court.

— Je n'arrive pas à comprendre le fond de cette histoire... Des actions ? demanda Alicia.

Leandro fit un geste pour réclamer un peu de patience avant de poursuivre son récit.

— La police a continué son enquête et elle a trouvé d'autres preuves de transactions douteuses entre Sanchís et Valls. La plus grande partie concernait la vente de participations et de billets à ordre de la Banque hypothécaire réalisée pendant presque quinze ans dans le dos du conseil et des organes administratifs de la banque. Nous parlons de sommes très importantes. Des millions de pesetas. À la demande de Gil de Partera, sur son ordre plus exactement, j'ai quitté Madrid hier soir pour Barcelone où la police s'apprêtait à arrêter et à interroger Sanchís aujourd'hui ou demain, dans l'espoir de voir confirmée l'hypothèse selon laquelle les fonds obtenus par la vente frauduleuse d'émissions obligataires de la Banque hypothécaire auraient été utilisés par Valls pour régler un prêt souscrit afin d'acheter le terrain et de faire construire la Villa Mercedes, sa résidence particulière à Somosaguas. Le rapport de la police scientifique pointe que Valls aurait fait chanter Sanchís pendant des années pour obtenir des fonds illicites soustraits du bilan de la banque et de ses sociétés. Des fonds que Sanchís aurait maquillés à l'aide de transactions fictives entre des sociétés écrans afin d'occulter l'identité des véritables destinataires de ces règlements.

— Valls aurait fait chanter Sanchís, dites-vous ? Avec quoi ?

— C'est ce que nous cherchons à déterminer.

— Seriez-vous en train d'insinuer que tout cela est une affaire d'argent ?

— N'est-ce pas presque toujours le cas ? répliqua Leandro. Bien entendu, tout s'est précipité ce matin quand le capitaine Vargas m'a fait part du résultat de vos investigations.

Alicia lança un regard à Vargas.

— Je me suis immédiatement entretenu avec Gil de Partera et nous avons comparé vos résultats avec ceux de la police. Les décisions opportunes ont été prises sur-le-champ. Je regrette que cela se soit produit en ton absence, mais nous ne pouvions pas attendre.

Alicia foudroyait respectivement du regard Leandro et Vargas.

— Vargas a fait ce qu'il devait faire, Alicia, dit Leandro. Et cela m'attriste que tu ne m'aies pas tenu au courant de vos recherches comme nous en étions convenus. Mais je te connais, et je sais que tu n'as pas agi de mauvaise foi. Tu n'aimes pas lever un lièvre tant que tu n'es pas absolument certaine de chasser le bon. Moi non plus. C'est pourquoi je ne t'ai rien dit sur ce sujet avant d'être sûr qu'il était lié à notre affaire. J'ignorais que vous étiez sur la piste de Sanchís. Comme toi, j'espérais autre chose. En d'autres circonstances, j'aurais aimé disposer de quelques jours supplémentaires pour approfondir le sujet avant d'agir. Malheureusement, dans cette affaire nous ne pouvons pas nous permettre de prendre tout le temps que nous souhaiterions.

— Qu'ont-ils fait de Sanchís ?

— Il est actuellement interrogé au commissariat où il fait sa déposition, depuis deux heures environ.

Alicia porta les mains à ses tempes et ferma les yeux. Vargas se leva et servit un verre de vin blanc qu'il tendit à une Alicia blanche comme un linge.

— Gil de Partera et toute son équipe m'ont transmis leur gratitude et m'ont expressément demandé de vous féliciter tous les deux pour votre excellent travail et le service rendu à la patrie, ajouta Leandro.

— Mais…

— Alicia, je t'en prie. Non.

Elle vida son verre et appuya la tête contre le mur.

— Vous aviez aussi des bonnes nouvelles, disiez-vous.

— C'étaient les bonnes nouvelles. La mauvaise, c'est que toi et Vargas êtes déchargés de l'enquête, qui est désormais confiée exclusivement à un nouveau responsable désigné par le ministère de l'Intérieur.

— Qui ?

Leandro pinça les lèvres. Vargas, resté silencieux jusqu'alors, se servit à son tour un verre de vin avant de regarder Alicia tristement.

— Hendaya, dit-il.

Alicia les dévisagea tous les deux d'un air perplexe.

— Qui diable est cet Hendaya ?

3

La cellule empestait l'urine et l'électricité. Sanchís n'avait jamais remarqué que l'électricité possédait une odeur. Douceâtre et métallique, comme celle du sang. Une odeur qui imprégnait l'air vicié de la pièce et lui soulevait le cœur. Le bourdonnement du générateur installé dans un coin faisait vibrer l'ampoule électrique qui se balançait au plafond et projetait une clarté laiteuse sur les murs humides et couverts de toutes sortes d'éraflures. Sanchís s'efforçait de garder les yeux ouverts. Il ne sentait presque plus ses jambes et ses bras attachés à la chaise métallique avec un fil de fer tellement serré qu'il lui tailladait la peau.

— Qu'avez-vous fait à ma femme ?

— Votre femme est chez vous. Elle va très bien. Pour qui nous prenez-vous ?

— Je ne sais pas qui vous êtes ?

La voix eut enfin un visage, et Sanchís affronta pour la première fois ce regard cristallin et acéré, ces pupilles si bleues qu'elles semblaient liquides, ces traits anguleux mais agréables. Son interlocuteur avait le physique du séducteur dans les comédies romantiques projetées l'après-midi, le genre de garçon charmant dont la vue provoquait une sensation d'échauffement dans le bas du ventre chez les femmes de bonne famille qui le regardaient du coin de l'œil dans la rue. Il était très élégamment vêtu et les poignets de sa chemise, fraîchement sortie de la teinturerie, s'ornaient de boutons de manchette en or avec un aigle, l'emblème national de l'État franquiste.

— Nous sommes la loi, répondit son interlocuteur en souriant comme s'ils étaient de bons amis.

— Dans ce cas, détachez-moi. Je n'ai rien fait.

L'homme avait approché une chaise et il s'était installé face à lui. Il acquiesça d'un geste compréhensif et Sanchís constata qu'il y avait au moins deux autres personnes dans la cellule, appuyées contre le mur, dans l'ombre.

— Mon nom est Hendaya. Je regrette que nous fassions connaissance dans ces conditions, mais je veux croire que vous et moi allons être amis, car les amis se respectent et n'ont aucun secret l'un pour l'autre.

Hendaya hocha la tête et deux de ses hommes s'approchèrent de la chaise avec une paire de ciseaux. Ils taillèrent brutalement les vêtements de Sanchís.

— Presque tout ce que je sais m'a été enseigné par un grand homme, le lieutenant Francisco Javier Fumero, en mémoire duquel une plaque a été apposée sur ce bâtiment. Il était de ces hommes auxquels on n'accorde pas assez d'importance parfois. Je crois que vous pouvez le comprendre mieux que quiconque, mon ami, parce que cela vous est également arrivé, n'est-ce pas ?

Sanchís, qui s'était mis à trembler en voyant ces hommes qui le dénudaient à grands coups de ciseaux, balbutia :

— Je ne sais pas ce...

Hendaya leva la main, comme si toute explication était superflue.

— Nous sommes entre amis, Sanchís. Nous n'avons pas de raisons de garder des secrets. Un bon Espagnol n'a pas de secrets. Et vous êtes un bon Espagnol. Ce qui se passe, c'est que parfois les gens sont mauvais. Il faut le reconnaître. Nous sommes le meilleur pays au monde, personne n'en doute, mais l'envie et la jalousie nous perdent parfois. Et cela, vous le savez bien. Vous avez épousé la fille du patron, vous avez fait un riche mariage, le *braguetazo* et tout ça, vous ne méritiez pas le poste de directeur général, et cetera, et cetera... Je vous l'ai dit, je vous comprends. Et je comprends qu'un homme se fâche lorsqu'on remet en cause son honnêteté et sa valeur. Car un homme, un vrai, un mâle avec couilles, ça se fâche ! Et vous, vous en avez. Elles sont là, hein ! Une bonne paire de couilles.

— S'il vous plaît, ne me faites pas mal, non...

La voix de Sanchís s'étrangla dans un hurlement de douleur quand l'opérateur referma les pinces reliées au générateur sur ses testicules.

— Ne pleurez pas, allons, nous ne vous avons encore rien fait. Regardez-moi. Dans les yeux. Regardez-moi.

Sanglotant comme un enfant, Sanchís leva les yeux. Hendaya lui souriait.

— Voyons, Sanchís. Je suis votre ami. Tout cela restera entre vous et moi. Sans cachotteries. Vous m'aidez et je vous ramène chez vous auprès de votre femme, votre place est là-bas. Ne pleurez pas, allons. Je n'aime pas voir un Espagnol pleurer, merde ! Ici, seuls les gens qui ont des choses à cacher pleurnichent. Mais nous n'avons rien à cacher, pas vrai ? Il n'y a pas de petits secrets. Car on est entre amis. Je sais que vous détenez Mauricio Valls. Je vous comprends. Valls est un salaud. Si, si. Je n'ai pas de scrupule à le dire. J'ai vu les documents. Je sais que Valls vous obligeait à violer la loi. À vendre des actions qui n'existaient pas. Je n'y connais rien, et ces histoires de finance m'échappent, mais même un ignorant comme moi peut saisir que Valls vous obligeait à voler pour lui. Je vais vous parler franchement : ministre ou pas, cet individu est un saligaud. Moi, je vous le dis, parce que j'en vois tous les jours. Mais vous savez comment ça se passe dans ce pays. On tire son importance des amis qu'on a. Et Valls en a beaucoup. Haut placés en plus. Mais il y a une limite à tout. Vient toujours le moment où il faut dire assez. Vous avez voulu vous faire justice, je vous comprends. Mais c'est une erreur. On est là pour ça, nous. C'est notre travail. À présent, la seule chose que nous désirons, c'est retrouver cette fripouille de Valls pour en terminer avec tout ça. Pour que vous puissiez rentrer chez vous, auprès de votre épouse. Pour que nous le mettions au trou et qu'il réponde de tout ce qu'il a fait. Et pour que je puisse enfin partir en vacances. Il n'y a rien à voir, circulez. Vous me comprenez, n'est-ce pas ?

Sanchís essaya de prononcer quelques mots, mais ses dents s'entrechoquaient tellement fort que ses propos demeuraient incompréhensibles.

— Que dites-vous, Sanchís ? Arrêtez de claquer des dents, je ne vous entends pas.

— Quelles actions ? parvint-il à articuler.

Hendaya soupira.

— Vous me décevez, Sanchís. Je croyais que nous étions amis. Or on n'insulte pas ses amis ! Nous ne sommes pas sur la bonne voie. J'essaie de vous faciliter la tâche parce que je comprends au fond ce que vous avez fait. Un autre ne comprendrait peut-être pas, mais moi si. Parce que je sais ce que c'est que de batailler contre cette racaille convaincue d'être supérieure à tout le monde. Je vais vous donner une deuxième opportunité, parce que vous m'êtes sympathique. Mais attention, conseil d'ami : il faut savoir arrêter de faire le malin, parfois.

— Je ne sais pas de quoi vous me parlez, de quelles actions, bredouilla Sanchís.

— Arrêtez de pleurnicher, putain ! Vous ne voyez pas dans quelle position inconfortable vous me mettez ? Je dois sortir de cette pièce avec des résultats. C'est aussi simple que cela. Vous le comprenez, non ? Tout cela est très simple dans le fond. Quand la vie vous prend par-derrière, le plus sage c'est de se faire pédé. Et vous, mon ami, la vie est sur le point de vous enculer dans les grandes largeurs. Alors ne lui compliquez pas les choses. Là, sur cette chaise, des hommes cent fois plus durs que vous n'ont pas tenu un quart d'heure. Vous êtes un patron, un homme aisé, ne m'obligez pas à agir contre mon gré. Pour la dernière fois : dites-moi où vous le cachez, et on s'arrête là. Il ne s'est rien passé. Ce soir vous êtes de retour chez vous avec votre femme, intact.

— Je vous en supplie... Ne lui faites rien... Elle n'est pas en bonne santé, implora Sanchís.

Hendaya soupira et se pencha lentement. Son visage n'était plus qu'à quelques centimètres de celui de Sanchís.

— Écoute-moi bien, pauvre type, dit-il d'une voix infiniment plus froide que précédemment. Si tu ne me dis pas où est Valls, je vais te griller les burnes jusqu'à ce que tu conchies la mère qui t'a mis au monde, et ensuite je vais attraper ta petite femme et lui arracher la peau avec une pince chauffée à blanc, lentement, pour qu'elle sache que ce qui lui arrive, elle le doit à la gonzesse pleurnicharde qu'elle a épousée, à son mari.

Sanchís ferma les yeux et gémit. Hendaya haussa les épaules et il se dirigea vers le générateur.

— À toi de voir.

Le banquier sentit de nouveau l'odeur métallique et il perçut les vibrations sur le sol, sous ses plantes de pied. L'ampoule clignota à plusieurs reprises. Ensuite, il n'y eut que du feu.

4

Le combiné à la main, Leandro acquiesçait. Il était au téléphone depuis trois quarts d'heure. Vargas et Alicia l'observaient. Comme ils avaient terminé la bouteille de vin, à eux deux, Alicia se leva pour en chercher une autre, mais Vargas la retint en maugréant. Elle alluma donc une cigarette après l'autre, les yeux rivés sur Leandro qui écoutait et hochait la tête de temps à autre.

— Je comprends. Non, bien sûr que non. Je vois. Oui, monsieur. Je le lui dirai. Pareillement.

Il raccrocha et il leur adressa un regard abattu qui exprimait à parts égales la consternation et le soulagement.

— C'était Gil de Partera. Sanchís a avoué.

— Avoué quoi ? demanda Alicia.

— Les éléments concordent. Il se confirme que l'histoire ne date pas d'hier. Valls et Miguel Ángel Ubach se sont connus peu après la guerre, semble-t-il. Valls était alors une étoile montante du régime qui avait démontré sa loyauté et sa fiabilité à la tête de la prison de Montjuïc, un poste peu gratifiant. Par l'intermédiaire d'un consortium créé pour récompenser les individus ayant contribué de manière exceptionnelle à la cause nationale, Ubach a apparemment offert à Valls un paquet d'actions de la Banque hypothécaire, un établissement qui regroupait différentes entités financières dissoutes après la guerre.

— Vous parlez de spoliation et de distribution d'un butin de guerre, le coupa Alicia.

Leandro soupira, patient.

— Attention, Alicia. Tout le monde n'est pas aussi ouvert et tolérant que moi.

Elle se mordit la langue. Leandro attendit de constater que son regard redevenait obéissant pour continuer.

— En janvier 1949, Valls devait recevoir un nouveau paquet d'actions. Cela figurait dans leur contrat, verbal évidemment. Or, à la mort d'Ubach, un décès inattendu et accidentel survenu l'année précédente...

— Un accident, lequel ? le coupa Alicia.

— Un incendie à son domicile. Lui et son épouse sont morts dans leur sommeil. S'il vous plaît, Alicia, ne m'interrompez pas. Comme je le disais, à la mort d'Ubach, son testament a déclenché un certain différend parce que les accords concernés n'y auraient pas été mentionnés. L'affaire s'est encore compliquée du fait qu'Ubach avait nommé, comme exécuteur testamentaire, un jeune avocat du cabinet qui le représentait.

— Ignacio Sanchís, compléta Alicia.

Leandro lui lança un regard en guise d'avertissement.

— Ignacio Sanchís qui, en tant qu'exécuteur testamentaire, devenait également le tuteur légal de Victoria Ubach, la fille du banquier, jusqu'à sa majorité. Je précise avant que vous ne m'interrompiez à nouveau que Sanchís l'a effectivement épousée dès qu'elle a eu dix-neuf ans, ce qui n'a pas manqué de provoquer des médisances et un certain scandale. Il a été dit que Victoria, adolescente, entretenait déjà une relation illicite avec son futur mari. Et aussi qu'Ignacio Sanchís n'était qu'un opportuniste ambitieux, dans la mesure où le testament laissait la plus grande partie du patrimoine des Ubach à Victoria, avec laquelle il avait une différence d'âge considérable. En outre, Victoria Ubach avait des antécédents d'instabilité émotionnelle. On racontait qu'elle s'était enfuie de chez elle, adolescente, et qu'elle avait disparu pendant six mois. Mais ce ne sont que des rumeurs. L'essentiel est que Sanchís, devenu le principal gestionnaire de l'actionnariat de la banque Ubach, a refusé à Valls ce que ce dernier affirmait être en droit d'obtenir en raison de la promesse du défunt. Valls n'avait plus qu'à la mettre en veilleuse comme on dit vulgairement, et avaler des couleuvres. Des années plus tard, nommé ministre et détenteur d'un pouvoir considérable, il a décidé d'obliger Sanchís à lui céder ce qu'il considérait lui appartenir, et plus encore. Il a menacé de l'accuser d'avoir été impliqué dans la *disparition* de Victoria en 1948, dont le but aurait été de cacher la grossesse de la jeune mineure en l'enfermant dans une clinique de la Costa

Brava, près de Sant Feliu de Guíxols, je crois. C'est là que la garde civile l'a retrouvée cinq ou six mois plus tard, errant sur la plage, désorientée et dénutrie. Tout porte à croire que Sanchís a cédé devant la menace. Il a remis à Valls une somme très importante en actions et en billets à ordre négociables de la Banque hypothécaire, via une série d'opérations illégales. Une bonne partie du patrimoine de Valls proviendrait de là, et pas de son beau-père comme on le laisse parfois entendre. Mais l'homme exigeait davantage et il a continué à faire pression sur Sanchís, qui ne lui a jamais pardonné d'utiliser Victoria, de jouer avec sa réputation ou d'évoquer l'épisode de sa fugue d'adolescente pour parvenir à ses fins. Le banquier a protesté devant différentes instances, mais toutes les portes se sont refermées devant lui au prétexte que Valls était un homme trop puissant et proche de la tête du régime, intouchable en un mot. Il y avait aussi un grand risque à remuer ce qui entourait le consortium et les récompenses attribuées à la fin de la guerre, ce que personne ne souhaitait. Sanchís a été très sérieusement mis en garde. Mieux valait pour lui oublier le sujet.

— Ce qu'il n'a pas fait.

— Évidemment ! Non seulement il n'a jamais oublié, mais en plus il a décidé de se venger. Et c'est là qu'il a vraiment commis une erreur. Il a engagé des détectives pour fouiller dans le passé de Valls. Ils sont tombés sur un petit voyou qui pourrissait dans la prison de Montjuïc, Sebastián Salgado, ainsi que sur une série d'incidents troubles et d'abus commis sur des prisonniers et leur famille par Valls pendant les années où il était directeur. Il est ressorti de cette enquête que la liste des individus potentiellement disposés à se venger de Valls était longue. Il ne manquait qu'une histoire convaincante. Sanchís a donc conçu une intrigue pour se venger du ministre et donner à la manœuvre l'apparence d'une *vendetta* politique ou personnelle liée à ce passé obscur. Il lui a envoyé des lettres de menace par l'intermédiaire de Salgado à qui il a offert de l'argent qu'il toucherait après sa grâce en échange de sa complicité, pour servir d'hameçon en quelque sorte. Sanchís savait que les policiers remonteraient la piste des lettres, laquelle les conduirait à Salgado. Il a aussi engagé un ancien prisonnier du château, un certain Valentín Morgado. L'homme ne manquait pas de motifs pour nourrir une antipathie profonde à l'égard de Valls. Libéré en 1947, il lui reprochait entre autres la mort de sa femme, tombée malade pendant son incarcération. Embauché comme chauffeur de la famille, il a fourni à son bienfaiteur les informations concernant d'autres prisonniers maltraités par Valls pendant ses années à Montjuïc. Il a été aidé en cela par un ancien gardien de la prison, un certain Bebo, auquel Sanchís a versé une somme considérable et attribué un appartement au loyer très modeste, propriété de Metrobarna à Pueblo Seco. Parmi les autres prisonniers, David Martín s'est révélé être le candidat idéal pour le plan manigancé par Sanchís. L'écrivain, que ses congénères surnommaient le Prisonnier du ciel, souffrait de sérieux troubles mentaux. Valls avait ordonné à deux de ses hommes de l'emmener dans un bâtiment proche du parc Güell et de l'assassiner, mais ce Martín aurait réussi à s'enfuir dans des circonstances étranges. Valls en garda toujours la peur que cet homme, qui avait apparemment fini par perdre la raison dans une tour du château où il était enfermé seul, ne revienne se venger de lui. Martín l'accusait en effet d'avoir assassiné une femme, une certaine Isabella Gispert. Vous me suivez ?

Alicia hocha la tête.

— Le plan de Sanchís était de convaincre Valls de l'existence d'une conspiration qui menaçait de rendre publics ses abus et les crimes commis contre des prisonniers sous son mandat. La main occulte derrière cette machination était Martín. Avec d'autres anciens prisonniers, il désirait l'inquiéter au point de l'obliger à sortir du cocon protecteur de son poste de ministre pour l'affronter directement, lui et les autres. Selon Sanchís, ce serait d'ailleurs l'unique façon de les faire taire. Il fallait les détruire avant qu'eux ne le détruisent.

— Mais le plan visait seulement à faire tomber Valls dans un piège, remarqua Alicia.

— Un plan parfait, dans la mesure où lorsque la police commencerait à enquêter, elle trouverait la trame d'une vengeance personnelle et une affaire d'argent que Valls lui-même se serait chargé d'occulter pour son compte. Salgado était l'hameçon idéal : on pouvait facilement le relier aux autres prisonniers et particulièrement à David Martín, la supposée âme damnée de la conspiration. Malgré tout, Valls a réussi à garder son sang-froid pendant des années. Jusqu'au pseudo-attentat de 1956 au Cercle des beaux-arts de Madrid, perpétré par Morgado, là où il a commencé à perdre son calme. Il a autorisé la libération de Salgado afin de suivre sa trace, avec l'espoir qu'elle le conduirait à Martín. Or Salgado a été éliminé au moment où il pensait récupérer un ancien butin caché en 1939 dans une consigne de la gare du Nord, peu avant son arrestation. Il n'était plus d'aucune utilité et le réduire au silence fermerait une piste. De son côté, Valls a commis aussi des erreurs et des bévues importantes qui ont ouvert de fausses pistes. Il a obligé un employé d'une de ses entreprises, Pablo Cascos des Éditions Ariadna, à prendre contact avec des membres de la famille Sempere, concrètement avec Beatriz Aguilar avec laquelle il avait été en relation. Les Sempere possèdent une librairie de livres d'occasion où Martín aurait pu se réfugier, d'après Valls. Il pensait même que les Sempere pouvaient être ses complices puisque Martín avait entretenu une relation avec Isabella Gispert, l'épouse défunte du patron et la mère de l'actuel gérant et mari de Beatriz, Daniel Sempere. Oui, tu peux m'interrompre à présent, sous peine de tomber dans les pommes.

— Et les livres de Mataix dans tout cela ? Comment expliquer la présence du livre caché dans le bureau de Valls, le dernier qu'il a consulté avant de disparaître, comme me l'a dit sa fille Mercedes ?

— Cet élément participe de la même stratégie. Mataix, un ami et un collègue de David Martín, avait été emprisonné lui aussi au château de Montjuïc. La pression, les menaces et l'illusion d'une conspiration occulte ont progressivement eu raison de Valls, qui a décidé de venir à Barcelone en personne avec son homme de confiance, Vicente. L'heure était venue, pensait-il, d'affronter celui qu'il croyait être sa Némésis, son dieu vengeur : David Martín. La police suppose, et je suis de cet avis, que Valls avait dans l'idée de se présenter au rendez-vous clandestin avec Martín afin de le supprimer et de le faire disparaître définitivement.

— Mais Martín était mort depuis des années ! Tout comme Mataix.

— Exact. Et Valls était attendu par Sanchís et Morgado.

— N'aurait-il pas été plus simple pour lui de laisser la police s'occuper de Martín ?

— Oui, mais il pensait courir alors le risque que Martín révèle des informations sur la mort d'Isabella Gispert, et sur d'autres affaires qui auraient détruit sa réputation.

— Ça se tient. Enfin, je suppose. Et ensuite ?

— Sanchís et Morgado se sont emparés de Valls et ils l'ont emmené dans la vieille usine Castells de Pueblo Seco inoccupée depuis des années, propriété du consortium immobilier de Metrobarna. Sanchís a avoué qu'ils l'ont torturé pendant des heures et qu'ils ont jeté son corps dans un des fours de l'usine. Pendant que je parlais avec Gil de Partera, ce dernier a été informé que la police avait trouvé des restes d'ossements sur place, à Pueblo Seco. Ils pourraient s'agir de Valls. Les radios dentaires du ministre ont été demandées pour être comparées avec les restes trouvés. Nous aurons des informations ce soir ou demain matin.

— L'affaire est donc bouclée ?

Leandro acquiesça.

— Pour la partie qui nous concerne, oui. Il reste à déterminer s'il y avait d'autres complices et jusqu'où s'étendait la machination ourdie par Ignacio Sanchís.

— Et cela ne sera pas communiqué à la presse ?

Leandro sourit.

— Bien sûr que non. En ce moment, une réunion au ministère de l'Intérieur doit déterminer ce qui sera annoncé et de quelle manière. Je n'en sais pas plus.

Ces propos furent suivis d'un long silence à peine interrompu par le léger bruit des gorgées de thé de Leandro qui ne quittait pas Alicia des yeux.

— Tout cela est une erreur, murmura-t-elle enfin.

Leandro haussa les épaules.

— Peut-être, mais ce n'est plus de notre ressort. La tâche pour laquelle nous avons été sollicités, à savoir trouver une piste qui conduise à Valls, a été accomplie. Et elle a porté ses fruits.

— Ce n'est pas vrai, protesta Alicia.

— C'est pourtant ainsi que l'entendent des voix disposant de davantage d'autorité que la mienne, et bien entendu que la tienne, Alicia. Ce qui serait une erreur, ce serait de ne pas savoir à quel moment décrocher. Il ne nous reste plus qu'à garder la plus entière discrétion et à permettre que l'affaire suive son cours.

— M. Montalvo a raison, Alicia, dit Vargas. Nous ne pouvons rien faire d'autre.

— On en a déjà fait assez, on dirait, répondit-elle froidement.

Leandro remua la tête d'un air réprobateur.

— Capitaine, pourriez-vous nous laisser seuls un instant ? demanda-t-il.

— Certainement. Je vais regagner ma chambre de l'autre côté de la rue. Je dois appeler la Préfecture pour savoir quels sont les ordres me concernant.

— C'est une excellente idée.

Vargas évita de regarder Alicia en passant devant elle. Il tendit la main à Leandro qui la serra affectueusement.

— Mille mercis pour votre aide, capitaine. Et pour vous être si bien occupé de mon Alicia. J'ai une dette envers vous. N'hésitez pas à frapper à ma porte, pour quoi que ce soit.

Vargas hocha la tête et se retira discrètement. Une fois seuls, Leandro fit signe à Alicia de venir s'asseoir à côté de lui sur le canapé. Elle obéit à contrecœur.

— Un grand homme, ce Vargas.

— Avec une bouche encore plus grande.

— Ne sois pas injuste avec lui. Il a démontré qu'il était un bon policier. Cela m'a plu.

— Il est célibataire, je crois…

— Alicia, Alicia…

Leandro passa ses bras sur ses épaules d'un geste paternel, comme s'il allait l'enlacer.

— Allez, vide ton sac avant d'éclater.

— Tout ça n'est qu'un tissu de mensonges, un tas de merde.

Leandro la serra contre lui tendrement.

— Je suis d'accord. C'est du bidouillage. Nous ne procédons pas ainsi, toi et moi, mais ils devenaient très nerveux à l'Intérieur. Et le Palais a décidé que ça suffisait comme ça. C'est mieux ainsi. Je n'aurais pas aimé qu'ils commencent à laisser entendre que nous n'obtenions pas de résultats.

— Et Lomana ? A-t-il réapparu ?

— Pas pour le moment.

— C'est curieux.

— En effet. C'est une des questions en suspens qui se résou-dra dans les prochains jours selon toute probabilité.

— Beaucoup de questions en suspens… remarqua Alicia.

— Pas tant que cela. Sanchís, c'est du solide. Une affaire documentée, avec beaucoup d'argent et une trahison person-nelle en jeu. Nous avons des aveux et les preuves qui les corro-borent. Tout concorde.

— Apparemment.

— Gil de Partera, le ministre de l'Intérieur et le Palais esti-ment que l'affaire est résolue.

Alicia allait dire quelque chose mais elle préféra se taire.

— C'est ce que tu souhaitais, Alicia. Ne le vois-tu donc pas ?

— Ce que je souhaitais ?

Leandro la regarda droit dans les yeux avec tristesse.

— Ta liberté. Te libérer de moi, du perfide Leandro. Pour toujours. Disparaître.

Elle le contempla fixement.

— Vous parlez sérieusement ?

— Je t'ai donné ma parole. C'était le marché. Une dernière affaire, et ensuite ta liberté. Pourquoi crois-tu que j'ai voulu venir à Barcelone ? J'aurai pu tout régler par téléphone sans quitter le Palace. Tu sais combien il m'en coûte de voyager.

— Pourquoi êtes-vous venu alors ?

— Pour le voir sur ton visage. Et pour te dire que je suis ton ami, pour toujours.

Il prit sa main et lui sourit.

— Tu es libre, Alicia. Libre à jamais.

Les yeux d'Alicia s'emplirent de larmes, et malgré elle, elle se jeta dans les bras de Leandro.

— Quoi qu'il arrive et quoi que tu fasses, dit son mentor, je veux que tu saches que je serai toujours là pour toi. Sans obli-gations, sans engagements. Le ministère m'a autorisé à te faire un virement de cent cinquante mille pesetas qui seront sur ton compte à la fin de la semaine. Je sais que tu n'auras pas besoin de moi et que je ne te manquerai pas, mais appelle-moi de temps à autre, si ce n'est pas trop demander, ne serait-ce que pour Noël. Le feras-tu ?

Alicia fit oui de la tête. Il l'embrassa sur le front et il se leva.

— Mon train part dans une heure. Il vaut mieux que j'aille à la gare. Ne viens pas me dire au revoir. Surtout pas. Je n'aime pas les scènes, tu le sais.

Elle l'accompagna jusqu'à la porte. Sur le seuil, Leandro se retourna et il eut la sensation, pour la première fois de sa vie, d'être assailli par la timidité et les scrupules.

— Je ne te l'ai jamais dit, je ne savais pas si j'en avais le droit, mais le moment est venu je crois de t'avouer que je t'aime et t'ai aimée comme mon enfant, Alicia. Je n'ai peut-être pas su être le meilleur des pères, mais tu as été la plus grande joie de ma vie. Je te souhaite d'être heureuse. Et ça, c'est vraiment mon dernier ordre.

5

Elle voulait le croire. Avec ce désir ardent induit par le soupçon que la vérité meurtrit et que les lâches vivent mieux et plus longtemps. Même si c'est dans la prison bâtie par leurs propres mensonges. Elle alla à la fenêtre pour regarder Leandro. Il se dirigeait vers la voiture qui l'attendait au coin de la rue. Un chauffeur aux lunettes foncées lui ouvrit la portière d'une automobile noire, imposante, véritable tank aux vitres fumées et à l'immatriculation cryptée, comme on en voyait parfois fendre la circulation, tel un fourgon funéraire. Tous s'écartaient au passage du véhicule, conscients sans avoir besoin de s'informer qu'il ne transportait pas des gens normaux et qu'il valait mieux le laisser passer. Avant de monter, Leandro se retourna un instant et leva les yeux vers sa fenêtre. Il la salua de la main. Alicia s'aperçut qu'elle avait la bouche sèche.

Elle voulait le croire.

Une heure passa pendant laquelle elle fuma une cigarette après l'autre, déambula dans l'appartement comme une bête en cage, retourna vers la fenêtre plus d'une fois, plus de dix fois, pour surveiller de l'autre côté de la rue, dans l'espoir d'apercevoir Vargas dans sa chambre au-dessus du Gran Café. En vain. Il avait largement eu le temps de téléphoner à Madrid et de recevoir ses *ordres*. Il devait être sorti se promener et se rafraîchir les idées dans cette Barcelone qu'il allait bientôt quitter. En ce moment, il devait probablement vouloir éviter plus que tout de se retrouver en face d'Alicia et qu'elle lui arrache les yeux pour avoir tout raconté à Leandro. *Il n'avait pas le choix.* Cela aussi, elle aurait aimé le croire.

Dès que Leandro était parti, elle avait senti un élancement dans le flanc droit. Elle l'avait ignoré, mais maintenant elle notait la douleur sourde qui battait au rythme de son pouls. Comme si on essayait d'enfoncer un clou dans sa hanche en frappant doucement avec un marteau. Elle imaginait la pointe métallique griffant l'émail de l'os et pénétrant peu à peu. Elle avala un demi-comprimé avec un autre verre de vin et elle s'étendit sur le canapé en attendant l'effet du médicament. Elle buvait trop, elle le savait. Elle n'avait pas besoin du regard de Vargas ou de Leandro pour se le rappeler. Elle le sentait, dans son sang et son haleine, mais c'était la seule chose qui calmait son angoisse.

Elle ferma les yeux et elle entreprit de disséquer le discours de Leandro. Elle était encore une gamine quand il lui avait appris à écouter et à lire avec l'esprit toujours en éveil. "La force expressive d'un énoncé est directement proportionnelle à l'intelligence de celui qui le formule, de la même manière que sa crédibilité est proportionnelle à la stupidité du récepteur", lui avait-il dit.

Selon Gil de Partera, les aveux de Sanchís étaient parfaits en apparence, surtout parce qu'ils ne prétendaient pas l'être. Ils exposaient presque tout le déroulement des faits, en laissant quelques éléments inexpliqués, comme c'est toujours le cas dans les explications les plus vraisemblables. La vérité n'est jamais parfaite et elle ne cadre jamais avec la totalité des attentes. Elle sème toujours des doutes et des interrogations. Seul le mensonge est crédible à cent pour cent parce qu'il n'a pas à justifier la réalité mais simplement à nous dire ce que nous voulons entendre.

Le composé chimique commença à agir quinze minutes plus tard et la douleur s'atténua lentement pour finir par n'être plus que le fourmillement aigu qu'elle avait l'habitude d'ignorer. Elle étira le bras et elle prit sous le divan le carton contenant les documents dérobés dans le garde-meuble de l'avocat Brians. L'idée que

Leandro avait posé toute la matinée son auguste croupion sur cette mine d'informations sans le savoir lui arracha un sourire. Elle jeta un coup d'œil aux dossiers dont une grande partie, la partie intéressante, avait été intégrée au récit officiel. Fouillant au fond du carton, elle récupéra l'enveloppe sur laquelle était écrit à la main et sans autre indication : ISABELLA. Elle l'ouvrit et elle en sortit un carnet. Un morceau de carton fin glissa de la première page. C'était une photo ancienne dont les bords commençaient à s'effriter. Elle représentait une jeune fille aux cheveux clairs et au regard vif qui souriait à l'appareil ; elle avait la vie devant elle. Quelque chose dans ce visage rappela à Alicia le jeune homme croisé en sortant de la librairie Sempere. Elle retourna le cliché et elle reconnut la calligraphie de l'avocat Brians :

Isabella

La graphie ainsi que l'absence de nom de famille exprimaient une dévotion intime. La mauvaise conscience n'était pas seule à ronger l'âme de l'avocat des causes perdues, il y avait aussi le désir. Alicia posa la photographie sur la table et elle feuilleta le carnet. Toutes les pages étaient couvertes de la même écriture manuscrite, propre et claire, féminine. Seules les femmes écrivent ainsi, lisiblement, sans se cacher derrière d'absurdes fioritures, tout au moins quand elles le font pour elles-mêmes et personne d'autre. Alicia revint à la première page et elle commença à lire.

Je m'appelle Isabella Gispert et je suis née à Barcelone en 1917. J'ai vingt-deux ans et je sais que je n'atteindrai jamais les vingt-trois. J'écris ces lignes avec la certitude qu'il ne me reste que quelques jours à vivre et que j'abandonnerai bientôt les êtres auxquels je suis le plus redevable sur cette terre, mon fils Daniel et mon époux Juan Sempere. J'ai reçu de cet homme le meilleur qu'il m'a été donné de connaître, une confiance, un amour et un dévouement que je n'aurai jamais mérités jusqu'à l'heure de ma mort. J'écris pour moi, emportant dans la tombe des secrets qui ne m'appartiennent pas, consciente que personne jamais ne lira ces pages. J'écris pour me remémorer et me cramponner à la vie. Tant que j'en suis encore

capable et avant que la conscience ne m'abandonne – je la sens fai-
blir –, mon unique ambition est de me souvenir et de comprendre
qui j'ai été et pourquoi j'ai agi comme je l'ai fait. J'écris même si
j'en souffre parce que seules la perte et la douleur me maintiennent
en vie, et que j'ai peur de mourir. J'écris pour livrer à ces pages ce
que je ne peux pas révéler aux êtres que j'aime sous peine de les
blesser et de mettre leur vie en danger. J'écris parce que tant que
je serai capable de me souvenir, je serai avec eux, encore un peu…

Alicia se perdit dans les pages de ce carnet, loin de tout, du monde, de la douleur ou de l'incertitude dans laquelle la visite de Leandro l'avait plongée. Durant une heure, rien d'autre n'exista que l'histoire dévoilée par ces mots dont elle sut, avant de tourner la dernière page, qu'elle ne l'oublierait jamais. Elle referma la confession d'Isabella et, le carnet serré sur la poitrine et les yeux remplis de larmes, elle porta une main à sa bouche pour étouffer un cri.

Fernandito la trouva dans cette posture un moment plus tard. Après avoir frappé plusieurs fois à sa porte sans obtenir de réponse, il avait ouvert et l'avait vue recroquevillée par terre, pleurant comme il n'avait jamais vu pleurer personne. Ne sachant que faire, il s'agenouilla simplement à côté d'elle et il l'entoura de ses bras tandis qu'elle gémissait de douleur comme si le feu brûlait ses entrailles.

6

Certains n'ont vraiment pas de chance dans la vie, se dit-il. Pendant des années il avait rêvé de la prendre dans ses bras, et quand cela se produisait enfin, la scène était d'une tristesse inimaginable. Il lui caressait doucement la tête tandis qu'elle se calmait progressivement. Il ne savait que dire, que faire. Il ne l'avait jamais vue dans cet état. Et jamais il n'aurait pu l'imaginer ainsi. Dans la fantaisie amoureuse consacrée sur l'autel particulier de ses désirs adolescents, Alicia Gris était indestructible et forte comme un diamant qui coupait tout. Quand elle cessa enfin de sangloter et qu'elle releva la tête, Fernandito vit une Alicia brisée, les yeux rougis et sur les lèvres un sourire si pâle qu'il paraissait prêt à se rompre en mille morceaux.

— Vous sentez-vous mieux ? murmura-t-il.

Elle le regarda et, sans crier gare, elle baisa ses lèvres. Fernandito ressentit des brûlures et des démangeaisons en divers points de son anatomie et une hébétude généralisée s'empara de son cerveau. Il l'arrêta.

— Mademoiselle Alicia, je crois que ce n'est pas ce que vous voulez faire maintenant. Vous êtes désorientée.

Elle baissa la tête et se passa la langue sur les lèvres. Fernandito sut qu'il garderait cette image en mémoire jusqu'à son dernier souffle.

— Excuse-moi, Fernandito, dit-elle en se relevant.

Il se redressa à son tour et lui offrit une chaise.

— Tout cela doit rester entre nous, d'accord ?

— Bien sûr, dit-il, en songeant que même s'il l'avait voulu, il n'aurait pas su quoi raconter, ni à qui.

Alicia regarda autour d'elle et s'arrêta sur une caisse contenant des bouteilles et de la nourriture, posée au beau milieu de la salle à manger.

— C'est votre commande, expliqua Fernandito. J'ai pensé qu'il valait mieux revenir avec les courses au cas où le monsieur de ce matin serait encore là.

Alicia sourit et acquiesça.

— Combien est-ce que je te dois ?

— Cadeau de la maison ! Ils n'avaient pas de perelada, mais je vous ai pris un priorat dont Manolo dit le plus grand bien. Moi, je n'y connais rien aux vins. Même si vous me permettez de suggérer…

—… que je ne devrais pas boire autant. Je le sais. Merci, Fernandito.

— Est-ce que je peux vous demander ce qui s'est passé ?

Alicia haussa les épaules.

— Je ne suis pas certaine.

— Mais vous vous sentez mieux, n'est-ce pas ? Dites-moi que oui.

— Beaucoup mieux. Grâce à toi.

Peu convaincu par ces mots, Fernandito se contenta de hocher la tête.

— En réalité, j'étais venu vous raconter ce que j'ai trouvé, commença-t-il.

Alicia, déconcertée, lui lança un regard inquisiteur.

— À propos du type que vous m'avez demandé de suivre, précisa-t-il. Sanchís.

— Ah, j'avais oublié. Malheureusement, je crois que nous arrivons trop tard.

— Vous voulez parler de la détention ?

— Tu as assisté à son arrestation ?

Fernandito fit signe que oui.

— Ce matin, je me suis posté en face de ses bureaux sur le Paseo de Gracia, comme vous me l'aviez demandé. Il était tôt. Dans le coin, il y avait un petit grand-père sympathique, un peintre de rue. En me voyant surveiller l'entrée, il m'a chargé de donner le bonjour au capitaine Vargas. Il travaille aussi pour vous ?

— C'est un agent indépendant. Les artistes... Que s'est-il passé ?

— J'ai tout de suite reconnu Sanchís quand il est sorti, très bien habillé, et le peintre m'a confirmé qu'il s'agissait bien du sujet en question. Il est monté dans un taxi et je l'ai suivi en Vespa jusqu'à la Bonanova. Il vit dans une maison de la rue Iradier, une bâtisse impressionnante. Il doit avoir le flair pour les bonnes affaires, car le quartier est très élégant et la maison...

— Il a eu le flair pour le bon mariage, dit Alicia.

— Oui. Heureux homme ! Bon, peu après son arrivée, j'ai vu une voiture et un fourgon de police, et des agents en sont descendus. Sept ou huit au moins. Ils ont fait le tour de la maison puis l'un d'eux, un vrai dandy, a sonné à la porte.

— Où étais-tu pendant ce temps ?

— Caché. Sur le trottoir d'en face, il y a une demeure en travaux où il est très facile de se dissimuler. Je suis prudent, vous voyez.

— Et après ?

— Ils sont ressortis avec Sanchís menotté, en manches de chemise. Il protestait mais un des policiers l'a frappé derrière les genoux avec sa matraque, et ils l'ont traîné jusqu'au fourgon. J'étais prêt à les suivre, mais j'ai eu l'impression qu'un des agents, le très élégant, regardait en direction de la demeure en travaux et me voyait. Le fourgon est parti à vive allure, mais la voiture est restée. Ils l'ont simplement bougée d'une vingtaine de mètres, jusqu'au coin de la rue Margenat. Elle n'était plus visible depuis la maison. J'ai décidé de rester un peu, toujours caché, au cas où.

— Tu as bien fait. Dans des situations de ce genre, ne t'expose jamais. Si tu perds la trace, tu la perds, c'est tout. La vie vaut mieux que la trace.

— C'est ce que je me suis dit. Mon père dit toujours qu'on commence par avoir le feu au cul et qu'on finit par perdre la tête.

— Sages paroles.

— Je commençais à perdre patience et j'envisageais de dégager de là quand une deuxième voiture s'est approchée de la maison. Une Mercedes imposante. Un type très bizarre en est descendu.

— Bizarre ?

— Il portait une sorte de masque, comme s'il lui manquait la moitié de la figure.

— Morgado.

— Vous le connaissez ?

— C'est le chauffeur de Sanchís.

Fernandito acquiesça, à nouveau enthousiasmé par les mystères de son Alicia adorée.

— C'est ce qui m'a semblé. Il portait un costume de ce genre. Il est entré dans la maison et il en est ressorti avec une femme.

— Comment elle était ?

— Jeune. Comme vous.

— Tu me trouves jeune ?

Fernandito avala sa salive.

— Ne me déconcentrez pas. Je vous disais qu'elle était jeune. Trente ans pas plus, mais habillée comme une femme plus âgée. Une dame riche. Comme je ne savais pas son nom, je l'ai appelée comme l'héroïne du roman et du film, Mariona Rebull...

— Pas mal vu ! C'est bien une histoire de femme épousée pour son argent. Elle s'appelle Victoria Ubach, ou Sanchís. C'est la femme du banquier arrêté.

— Elle en avait l'air, oui. Ces scélérats épousent toujours des femmes beaucoup plus jeunes et beaucoup plus riches.

— Tu sais ce qui te reste à faire.

— Non, ça je ne sais pas le faire. Pour en revenir aux faits : ils sont montés tous les deux dans la Mercedes. Elle devant, à côté du chauffeur, ce que j'ai trouvé étrange. Dès que la voiture a démarré, l'autre voiture de la police les a suivis.

— Toi aussi.

— Bien sûr.

— Jusqu'où les as-tu suivis ?

— Pas très loin de là. La Mercedes s'est engouffrée dans un tas de rues étroites et majestueuses, qui sentent l'eucalyptus et où on ne voit que des bonnes d'enfants et des jardiniers, jusqu'à la rue Cuatro Caminos et ensuite l'avenue du Tibidabo. Là je vous assure que si je n'ai pas été embouti par le tramway bleu, c'est vraiment parce que Dieu n'en a pas décidé ainsi.

— Tu devrais porter un casque.

— J'en ai acheté un au marché aux puces, un casque de soldat américain. Il me va très bien. Dessus, j'ai écrit au gros feutre *Private Fernandito*, ce qui en anglais ne veut pas dire privé mais…

— Au fait, Fernandito, venons-en au fait.

— Pardon. Je les ai suivis jusqu'au bout de l'avenue du Tibidabo, là où s'arrête la voie du tramway.

— Ils se rendaient à l'arrêt du funiculaire ?

— Non. Le chauffeur et la femme… Mme Ubach, ont continué par la rue qui fait le tour, et ils sont entrés avec la voiture dans une propriété située sur les hauteurs, juste au-dessus de l'avenue. C'est une demeure qui ressemble à un château de conte de fées. On la voit de partout ou presque. C'est sûrement la plus jolie maison de Barcelone.

— Elle l'est. Elle s'appelle El Pinar, dit Alicia. La Pinède…

Elle se rappelait l'avoir vue des dizaines de fois, petite fille, quand elle sortait du Patronato Ribas, le dimanche. Elle s'imaginait alors y vivre dans l'ombre d'une bibliothèque infinie, le paysage nocturne de la ville à ses pieds tel un tapis volant de lumières.

— Et la police ? demanda-t-elle.

— Dans la voiture, il y avait deux brutes, deux gradés sortis du rang. Ils avaient une sale tête. L'un d'eux s'est posté à la porte de la maison et l'autre est entré dans le restaurant La Venta pour téléphoner. J'ai attendu là près d'une heure mais il ne s'est rien passé. À un moment, un des agents m'a lancé un regard qui ne m'a pas plu et j'ai préféré revenir pour tout vous raconter et attendre vos ordres.

— Tu as formidablement bien travaillé, Fernandito. Tu es fait pour ce métier.

— Vous croyez ?

— *Private* Fernandito, je vais t'élever au rang de *Corporal*.

— Qu'est-ce que ça veut dire ?

— Prends le dictionnaire, Fernandito. Qui n'apprend pas de langues finit avec de la purée de chou-fleur dans le cerveau !

— Vous en savez des choses… Quelles sont vos instructions ?

Alicia réfléchit quelques secondes.

— Je veux que tu ailles te changer et que tu mettes un bonnet. Après tu repars là-bas et tu surveilles. Gare la Vespa plus loin, il ne manquerait plus que le flic qui t'a regardé la reconnaisse.

— Je la laisserai à côté de la Rotonde et je monterai en tramway.

— Bonne idée. Ensuite, essaie de voir ce qui se passe à l'intérieur de la maison, mais ne prends aucun risque. Aucun. Au moindre doute, si tu penses être reconnu ou particulièrement regardé, tu fiches le camp. Tu m'as bien compris ?

— Parfaitement.

— Reviens ici dans deux ou trois heures pour me tenir au courant.

Fernandito se leva, prêt à accomplir à nouveau son devoir.

— Et vous, qu'est-ce que vous allez faire en attendant ? demanda-t-il.

Alicia esquissa un geste signifiant qu'elle avait un tas de choses à faire, ou aucune.

— Vous ne ferez pas de bêtises, n'est-ce pas ?

— Pourquoi dis-tu cela ?

Sur le seuil de la porte, le garçon la regarda avec une certaine consternation.

— Je ne sais pas.

Cette fois, Fernandito descendit l'escalier normalement, sans hâte, comme si chaque marche avait la saveur du regret. Alicia, de nouveau seule, rangea le carnet d'Isabella dans le carton sous le sofa. Dans la salle de bains, elle se passa le visage sous l'eau froide puis elle se déshabilla et ouvrit son armoire.

Elle choisit une robe noire qu'on aurait dit sortie de la garde-robe de Mariona Rebull pour une de ses soirées au Liceo, comme aurait dit Fernandito. Pour ses vingt-trois ans, l'âge auquel Isabella Gispert était morte, Leandro lui avait promis de lui offrir ce qu'elle désirait. Elle avait demandé cette robe qu'elle admirait depuis deux mois dans une *boutique** de la rue Rosellón, et des chaussures françaises en daim assorties. Il avait dépensé une fortune sans rechigner. La vendeuse, qui n'osait pas demander si Alicia était la fille ou l'amante, lui affirma que peu de femmes pouvaient se permettre de porter une telle pièce. En sortant de la *boutique**, Leandro l'avait invitée à dîner à La Puñalada où presque toutes les tables étaient occupées par ce qu'on appelle charitablement des hommes d'affaires, qui se léchèrent les babines comme des chats faméliques en la regardant passer et considérèrent ensuite Leandro avec envie. "Ils te dévisagent de la sorte parce qu'ils pensent que tu es une pute de luxe", dit Leandro, avant de trinquer à sa santé.

Alicia n'avait jamais remis cette robe. Elle composait son personnage face au miroir, dessinait ses yeux et caressait sa bouche avec son bâton de rouge à lèvres, en souriant. "C'est ce que tu es, en fin de compte, s'apostropha-t-elle. Une pute de luxe."

Une fois dans la rue, elle décida de se promener sans but, même si elle savait que Fernandito avait raison et qu'elle allait peut-être commettre une bêtise.

7

L'après-midi, au mépris du bon sens, Alicia sortit, consciente de là où ses pas la mèneraient. Les commerces de la rue Fernando avaient allumé leurs lumières qui jetaient des traces de couleur sur le pavé. Un halo écarlate se dissipait dans le ciel, soulignant les corniches et les toits. Les gens allaient et venaient, en direction du métro, de courses à faire ou de l'oubli. Elle se fondit dans le flux des passants et elle atteignit la place de l'Hôtel de Ville où elle croisa un escadron de nonnes qui défilaient en formation parfaite, telle une migration de pingouins. Alicia leur sourit et une d'elles, en la voyant, fit le signe de croix. Elle suivit la foule dans la rue Obispo et elle tomba sur un groupe de touristes, perplexes, entraînés par un guide qui leur parlait dans un étrange sabir aussi proche de l'anglais que le chant des chauves-souris.

— *Señor, is this where they used to have the running of the bulls in times of the Romans ?*

— *Iess, dis is de cazidral, mileidi, bai t is ounli oupeng after de flamenco cho-ou.*

Elle dépassa les visiteurs et elle passa sous le vénérable pont gothique en carton-pâte reliant le palais de la Généralité à la maison des Chanoines pour se laisser envelopper comme eux par le charme de cette citadelle d'allure médiévale dont la mise en scène avait à peine dix ans de plus qu'elle. L'illusion était si pieuse et le baiser de l'ignorance si chaleureux ! Après le pont, un photographe chasseur d'ombres équipé d'un magnifique appareil Hasselblad placé sur un tripode examinait le cadrage parfait et l'exposition idéale pour cette image de conte de fées. C'était un individu d'aspect sévère, au regard perspicace retranché derrière d'énormes lunettes carrées qui lui donnaient un certain air de tortue sage et patiente.

Le photographe remarqua sa présence et l'observa avec curiosité.

— Aimeriez-vous regarder dans l'objectif, *mademoiselle** ? lui proposa-t-il.

Alicia acquiesça timidement. Le photographe la guida. Elle se pencha et elle rit devant la perfection de l'artifice d'ombres et de perspectives qu'il avait réalisé, réinventant un lieu où elle était passée des centaines de fois dans sa vie.

— L'œil voit, l'appareil observe, expliqua le photographe. Qu'en pensez-vous ?

— C'est merveilleux, reconnut-elle.

— Composition et perspective, rien de plus. Le secret réside dans la lumière. Il faut regarder en considérant la luminosité comme un liquide. L'ombre apparaîtra marquée par une légère couche évanescente, comme s'il avait plu de la lumière...

Le photographe était un professionnel, apparemment, et Alicia s'interrogea sur la destinée de cette image. La tortue de la lumière magique lut dans ses pensées.

— C'est pour un livre. Comment vous appelez-vous ?

— Alicia.

— N'y voyez aucun mal, Alicia, j'aimerais vous photographier.

— Moi ? Pourquoi ?

— Parce que vous êtes une créature de lumière et d'ombre, comme cette ville. Qu'en dites-vous ?

— Maintenant ? Ici ?

— Non. Pas maintenant. Aujourd'hui, vous avez quelque chose qui vous pèse trop sur les épaules et qui vous empêche d'être vous-même. Cela, l'appareil le capte. Le mien, en tout cas. Je veux vous photographier quand vous serez débarrassée de ce poids et que la lumière pourra vous prendre comme vous êtes, pas comme on vous a fait être.

Alicia rougit pour la première et la dernière fois de sa vie. Elle ne s'était jamais sentie aussi nue que sous le regard de ce singulier personnage.

— Réfléchissez-y, dit le photographe.

Il sortit une carte de la poche de sa veste et la lui tendit en souriant.

FRANCESC CATALÀ-ROCA
Atelier photographique depuis 1947

Rue Provenza, 366. Rez-de-chaussée. Barcelone.

Alicia rangea la carte de visite et s'éloigna rapidement, laissant le maître seul avec son art et son regard clinique. Elle se glissa dans la foule qui envahissait les alentours de la cathédrale et elle pressa le pas. Elle s'engagea dans la Puerta del Ángel et ne s'arrêta qu'au coin de la rue Santa Ana en apercevant la vitrine de la librairie Sempere & Fils.

Il est encore temps de ne pas tout gâcher. Passe ton chemin, ne t'arrête pas, continue de marcher.

Elle se posta sur le trottoir d'en face, sous un porche d'où elle apercevait l'intérieur de la boutique. La nuit tombait, une nuit bleu foncé caractéristique de l'hiver barcelonais qui invitait à braver le froid et à se promener dans les rues sans but.

Pars d'ici. Que crois-tu pouvoir faire ?

Elle aperçut Bea qui servait un client. À côté d'elle se tenait un homme d'âge mûr dont elle supposa qu'il devait être le beau-père de Bea, M. Sempere. Le petit Julián était assis sur le comptoir, appuyé contre la caisse enregistreuse, absorbé dans la contemplation d'un livre presque aussi grand que lui posé sur ses genoux. Alicia sourit. Daniel sortit soudain de l'arrière-boutique avec une pile de livres qu'il laissa près de Julián. Le petit leva les yeux, il regarda son père qui lui ébouriffa les cheveux, et il lui dit quelque chose. Daniel éclata de rire, se pencha et déposa un baiser sur le front de l'enfant.

Tu n'as pas le droit d'être là. Ce n'est pas ta vie, ni ta famille. Fiche le camp et cache-toi dans le trou d'où tu viens.

Alicia contempla Daniel. Il classait les livres qu'il avait posés sur le comptoir. Il les triait en trois tas, les caressant presque pour enlever la poussière et les alignant rigoureusement. Elle se demanda comment devait être le contact de ces mains et de ces lèvres sur la peau. Elle s'efforça de détourner le regard et elle s'éloigna de quelques pas. Était-ce son devoir, ou son droit, de révéler ce qu'elle savait à quelqu'un qui, à n'en pas douter, vivrait plus heureux dans l'ignorance ? Le bonheur, ou ce qui y ressemble le plus pour toute créature pensante, à savoir la paix de l'esprit, est ce qui s'évanouit sur le chemin qui conduit de la croyance au savoir.

Un dernier regard. Un regard d'adieu. Définitif.

Sans même s'en rendre compte, elle était revenue en face de la vitrine de la librairie. Elle repartait quand elle vit le petit Julián qui l'observait, comme s'il avait senti sa présence. Elle s'immobilisa au milieu de la rue. Les passants l'évitaient. On aurait dit une statue. Le petit descendit très habilement du comptoir en utilisant un tabouret comme marchepied. Sans attirer l'attention de Daniel, qui préparait les paquets de livres, et de Bea, qui servait un client avec son beau-père, il traversa la librairie et il ouvrit la porte d'entrée. Là, sur le seuil, il la regarda, un sourire jusqu'aux oreilles. Alicia lui fit signe que non, mais Julián s'avança vers elle.

Daniel s'aperçut alors de la situation et ses lèvres dessinèrent le prénom de son fils. Bea se retourna et elle se lança dans la rue. Julián était arrivé devant Alicia et il enlaçait ses jambes. Elle le prit dans ses bras et c'est ainsi que Bea et Daniel le trouvèrent.

— Mademoiselle Gris ? demanda Bea, tiraillée entre la surprise et l'inquiétude.

Toute l'amabilité et la bonté qu'Alicia avait perçue en elle le jour où elles avaient fait connaissance parurent s'évaporer à l'instant où Bea aperçut cette femme étrange avec son fils dans les bras. Alicia lui tendit l'enfant et ravala sa salive. Bea embrassa Julián de toutes ses forces et elle respira, soulagée. Daniel regardait Alicia avec un mélange de fascination et d'hostilité et il s'interposa entre elle et les siens.

— Qui êtes-vous ?

— C'est Mlle Gris, expliqua Bea dans son dos. Une cliente.

Daniel hocha la tête, un léger doute sur le visage.

— Je suis désolée. Je ne voulais pas vous effrayer. L'enfant a dû me reconnaître et...

Julián la regardait toujours, enchanté, étranger à l'inquiétude de ses parents. Pour compliquer le tout, Sempere père apparut à la porte de la librairie.

— Aurais-je manqué un épisode ?

— Ce n'est rien, papa, Julián nous a échappé...

— C'est ma faute, dit Alicia.

— Vous êtes... ?

— Alicia Gris.

— La demoiselle de la commande ? Entrez, je vous en prie, ne restez pas dans la rue, dans le froid...

— En fait, je partais...

— Pas question. Et puis je vois que vous êtes très amie avec mon petit-fils. Il ne partirait pas avec n'importe qui, loin de là. N'allez pas croire.

M. Sempere lui tint la porte et l'invita à entrer. Alicia échangea un regard avec Daniel qui acquiesça, rasséréné.

— Entrez, Alicia, dit enfin Bea.

Julián lui tendit une main.

— Vous n'avez pas le choix, vous voyez bien, dit le grand-père Sempere.

Alicia entra dans la librairie et le parfum des livres l'enveloppa. L'enfant, que Bea avait posé par terre, reprit la main d'Alicia et la conduisit jusqu'au comptoir.

— Il est amoureux de vous, observa le grand-père. Dites-moi, est-ce que nous nous connaissons ?

— Je venais ici enfant, avec mon père.

Sempere la regarda fixement.

— Gris ? Juan Antonio Gris ?

Alicia hocha la tête.

— Dieu du ciel ! Je n'arrive pas à le croire... Depuis combien de temps ne l'ai-je pas vu, lui et son épouse ? Ils venaient ici toutes les semaines... Comment vont-ils ?

Alicia sentit sa bouche s'assécher d'un coup.

— Ils sont morts. Pendant la guerre.

Le grand-père Sempere soupira.

— Je suis désolé. Je l'ignorais.

Alicia essaya de sourire.

— Vous reste-t-il de la famille ?

Elle fit non de la tête. Daniel remarqua que ses yeux devenaient très brillants.

— Papa, cesse d'interroger la demoiselle.

Le vieil homme était abattu.

— Son père était quelqu'un de bien. Et un bon ami.

— Merci, murmura Alicia dans un filet de voix.

Le silence s'éternisa et Daniel sauva la situation.

— Voulez-vous un petit verre ? C'est l'anniversaire de mon père aujourd'hui et nous invitons les clients à partager un petit alcool de Fermín. De son cru.

— Je vous le déconseille, lui souffla Bea.

— Au fait, où est passé Fermín ? Ne devrait-il pas être de retour ? demanda le grand-père.

— Il devrait, en effet, intervint Bea. Je l'ai envoyé chercher du champagne pour le dîner, mais comme il n'aime pas fréquenter l'épicerie de Dionisio, il est parti je ne sais où dans le quartier du Born, dans un boui-boui... D'après lui, Dionisio vend du vin de messe aigre qu'il mélange à du soda et auquel il ajoute quelques gouttes de pisse de chat pour lui donner de la couleur. Je suis fatiguée de me disputer avec lui.

— Ne vous inquiétez pas, dit le grand-père en s'adressant à Alicia. Notre ami est ainsi. Dionisio était phalangiste dans sa jeunesse, et Fermín mourrait de soif plutôt que de lui acheter une bouteille de quoi que ce soit.

— Bon anniversaire, dit Alicia en souriant.

— Écoutez, je sais que vous allez refuser mais… pourquoi ne resteriez-vous pas dîner avec nous ? On sera nombreux, mais pour moi ce serait un honneur de partager ce repas avec la fille de Juan Antonio Gris.

Alicia regarda Daniel qui lui sourit timidement.

— Je vous remercie infiniment, mais…

Julián lui agrippa la main.

— Mon petit-fils insiste, vous voyez. Allez, courage. Nous serons en famille.

Elle baissa les yeux, remuant la tête négativement. Elle sentit la main de Bea sur son épaule et elle l'entendit lui murmurer :

— Restez.

— Je ne sais que dire…

— Ne dites rien. Julián, pourquoi ne montres-tu pas ton premier livre à mademoiselle ? Vous allez voir…

L'enfant ne se le fit pas dire deux fois. Il courut chercher un carnet entièrement gribouillé de dessins et d'inscriptions incompréhensibles qu'il lui montra avec enthousiasme.

— Son premier roman, dit Daniel.

Julián la dévorait des yeux, dans l'expectative.

— Il m'a l'air très bien…

Le petit applaudit, heureux de l'accueil de la critique. Le grand-père Sempere, qui devait avoir l'âge qu'aurait eu son père, adressa à Alicia un regard triste qui paraissait l'avoir accompagné toute sa vie.

— Bienvenue dans la famille Sempere, Alicia.

8

Le tramway bleu, petit radeau de lumière dorée, grimpait lentement en se frayant un chemin dans la brume nocturne. Fernandito voyageait sur la plateforme arrière. Il avait garé sa Vespa à côté du bâtiment de la Rotonde comme il l'avait indiqué à Alicia, et il la vit rapetisser et disparaître. Il se pencha pour regarder la longue file de palais le long du parcours, châteaux ensorcelés et déserts protégés par des bosquets, fontaines et jardins de statues où l'on ne voyait jamais personne. Les grandes fortunes ne sont jamais chez elles. Sur les hauteurs de l'avenue, on apercevait la silhouette d'El Pinar. Son profil de cathédrale surgissait au milieu des lambeaux de nuages bas, émergeant tel un sortilège de tours, d'angles et de mansardes dentelées posé sur un monticule, en guise de sanctuaire d'où on pouvait contempler tout Barcelone et une bonne partie de la côte au nord et au sud de la ville. De ce promontoire on devait pouvoir distinguer les contours de l'île de Majorque, se dit Fernandito. Quand le ciel était très dégagé, ce qui n'était pas le cas ce soir-là où un manteau obscur et dense entourait la demeure.

Il avala sa salive. La mission que lui avait confiée Alicia commençait à l'inquiéter. On devient un héros lorsqu'on ressent la peur, pas avant, disait un de ses oncles qui avait perdu un bras et un œil à la guerre. Celui qui se lance au-devant du danger sans crainte est un idiot. Fernandito ne savait pas si Alicia attendait de lui qu'il fût un héros ou un idiot. Ou alors une savante combinaison des deux. Le salaire était imbattable, c'était vrai, mais l'image d'Alicia en pleurs, inconsolable dans ses bras, aurait suffi à le faire entrer en enfer sur la pointe des pieds, et en payant de surcroît.

Le tramway le déposa tout en haut de l'avenue avant de se perdre dans la brume, ses lumières s'évanouissant dans la descente, en un mirage de vapeur. La placette était déserte à cette heure. La lumière d'un réverbère solitaire éclairait à peine deux véhicules noirs garés en face du restaurant La Venta. La police, pensa Fernandito. Il entendit le bruit d'une autre voiture et il courut chercher un endroit obscur où se cacher près de la gare du funiculaire. Il aperçut bientôt les feux d'une automobile dans la nuit. Une Ford, d'après lui. Elle se gara à quelques mètres de l'endroit où il se trouvait.

Un des individus qu'il avait vu arrêter le banquier Sanchís à son domicile de la rue Iradier en descendit. Il était différent des autres. Il dégageait un air aristocratique et il portait des vêtements élégants, dont les modèles garnissaient les vitrines de Gales ou de Gonzalo Comella, sans rapport avec les tenues modestes et communes des agents en civil qui l'accompagnaient. Ses boutons de manchette brillant dans la pénombre fermaient les poignets d'une chemise fraîchement nettoyée et repassée. Éclaboussée de petites taches foncées. Fernandito le constata quand l'homme passa sous le halo du réverbère. Des taches de sang.

Le policier s'arrêta et revint vers la voiture. Fernandito crut un instant qu'il avait détecté sa présence. Il sentit son estomac se rétracter et prendre la taille d'une bille. Le type se dirigea vers le chauffeur et il lui sourit courtoisement.

— J'en ai pour un moment, Luis. Si tu veux, tu peux partir. N'oublie pas de nettoyer la banquette arrière. Je te préviendrai quand j'aurai besoin de toi.

— À vos ordres, capitaine Hendaya.

Le capitaine alluma une cigarette qu'il fuma tranquillement en regardant la voiture qui redescendait vers la ville. Il paraissait étrangement serein, comme s'il n'existait au monde aucun problème, aucun obstacle, susceptible de ternir ce moment de communion avec lui-même. Fernandito l'observait dans l'ombre, osant à peine respirer. Cet Hendaya fumait comme un jeune premier de cinéma, faisant de cet acte un exercice de style et une façon d'être. Il lui tourna le dos et il s'approcha du mirador qui surplombait toute la ville, puis, sans hâte, il laissa tomber son mégot par terre, l'éteignit proprement du bout de son soulier vernis et se dirigea vers la maison.

Fernandito constata qu'il allait perdre de vue Hendaya, lequel suivait la route bordant El Pinar. Il quitta sa cachette, le front couvert d'une sueur froide. Alicia s'était choisi un bien piètre héros ! Il courut pour retrouver la trace du capitaine. L'homme pénétrait dans la propriété en passant sous l'arche pratiquée dans le mur d'enceinte. La grande porte protégée par une grille et surmontée des mots EL PINAR ouvrait sur un sentier en escalier qui traversait le jardin et conduisait à la maison. Fernandito aperçut la silhouette d'Hendaya. Il montait tranquillement les marches, laissant sur son passage une trace de fumée bleue.

Il attendit de le voir arriver en haut du sentier. Deux agents sortis à sa rencontre paraissaient lui faire le compte rendu des événements. Après un bref échange, Hendaya pénétra dans la maison, suivi de l'un d'eux. L'autre resta posté au bord du sentier pour en surveiller l'accès. Fernando étudia les possibilités qui se présentaient à lui. Il ne pouvait pas approcher par cet escalier sans être vu. L'image du sang sur la chemise d'Hendaya n'incitait pas à s'exposer outre mesure. Il recula de quelques pas et il étudia le mur d'enceinte de la propriété. Il prit la rue étroite et déserte qui serpentait sur la colline et il arriva à l'arrière de la maison. Il se hissa discrètement sur le muret et il attrapa une branche qui lui servit de levier pour sauter dans le jardin. Il pensa alors aux chiens ! Ils repéreraient vite sa présence. Quelques instants plus tard il eut cependant la confirmation d'un fait plus inquiétant. Il n'y avait aucun bruit. Aucune feuille ne bougeait dans les arbres, pas le moindre murmure d'oiseaux ou d'insectes. Cet endroit était mort.

La position de la demeure, en haut de la colline, donnait l'illusion qu'elle se trouvait plus près de la rue qu'elle ne l'était en réalité. Il dut gravir une longue pente au milieu des arbres et sur des sentiers envahis d'arbustes avant d'arriver enfin à l'allée de pierre qui partait de l'entrée principale. Elle le conduisit à l'arrière de la maison. Toutes les ouvertures étaient dans l'obscurité sauf deux petites portes vitrées dans un angle caché, entre la maison et la partie la plus élevée de la colline. Elles devaient donner sur les cuisines, supposa Fernandito. Il rampa jusqu'à elles et, écartant son visage de la lumière qui émanait de la fenêtre, il jeta un coup d'œil à l'intérieur. Il la reconnut immédiatement. C'était la femme qu'il avait vue sortir de chez le banquier Sanchís en compagnie du chauffeur. Elle était sur une chaise, prostrée, étrangement immobile, le visage penché, l'air inconscient. Les yeux ouverts.

Il constata alors qu'elle avait les pieds et les mains attachés à la chaise. Une ombre passa devant elle et le garçon vit Hendaya prendre une chaise et s'asseoir en face de la femme. Fernandito supposa qu'elle était l'épouse de Sanchís. Le policier lui parlait mais elle ne semblait pas l'entendre. Elle avait le regard perdu sur un point lointain et elle se comportait comme si Hendaya n'était pas là. Le policier haussa les épaules. Il posa délicatement ses doigts sur le menton de la femme du banquier et il tourna son visage vers lui. Il lui parlait à nouveau quand elle lui cracha au visage. Il la gifla. Projetée au sol, elle resta là sans bouger, toujours attachée à la chaise. L'agent qui accompagnait Hendaya ainsi qu'un autre que Fernandito n'avait pas encore vu – il devait surveiller la scène, appuyé contre le mur où se trouvait la fenêtre – s'approchèrent et la redressèrent. Hendaya ôta la salive de son visage du revers de la main qu'il essuya ensuite sur le chemisier de l'épouse de Sanchís.

Sur un signe d'Hendaya, les deux agents quittèrent la cuisine. Ils revinrent avec le chauffeur menotté. C'était l'homme que Fernandito avait vu venir chercher la femme du banquier le matin même. Hendaya hocha la tête et les deux hommes l'allongèrent de force sur la table en bois au centre de la pièce. Ils lui attachèrent les pieds et les mains aux pieds de la table. Pendant ce temps, Hendaya enleva sa veste et la plia méticuleusement sur le dossier de la chaise. Il approcha de la table et il se pencha sur le chauffeur. Il arracha le masque qui lui couvrait une partie du visage, recouvrant une terrible blessure qui l'avait défiguré du menton au front. Une partie de la structure osseuse de la mâchoire et de la pommette avait disparu. Une fois le chauffeur immobilisé, les deux agents approchèrent de la table la chaise sur laquelle était attachée Mme Sanchís. L'un d'eux plaqua ses mains sur la tête de la femme pour l'empêcher de détourner le regard. Fernandito sentit un haut-le-cœur et un goût de bile sur ses lèvres.

Hendaya s'accroupit à côté de la femme du banquier et il lui murmura quelque chose à l'oreille. Elle ne desserra pas les lèvres, son visage figé en un masque de colère. Le policier se releva. Il tendit une main ouverte vers l'un des agents qui y posa une arme. Il plaça une balle dans le chargeur et pointa le canon du pistolet juste au-dessus du genou droit du chauffeur. Il jeta un regard rapide à la femme qui attendait puis il haussa à nouveau les épaules.

Le fracas du tir et les hurlements du blessé traversèrent la vitre et les murs de pierre. Un nuage de sang et d'os pulvérisés éclaboussa le visage de la femme qui cria. Le corps du chauffeur tressautait, comme secoué par un courant électrique. Hendaya fit le tour de la table, glissa une autre balle dans le chargeur et appuya le pistolet sur la rotule du deuxième genou. Une mare de sang et d'urine s'étalait sur la table et gouttait sur le sol. Hendaya jeta un bref coup d'œil à la femme. Fernandito ferma les yeux et il entendit le deuxième tir. Les hurlements eurent raison de lui, il se plia en deux et il se vomit dessus.

Il était tout tremblant quand il perçut un troisième tir. Le chauffeur ne criait plus. La femme sur la chaise avait le visage barbouillé de larmes et de sang. Elle balbutiait. Hendaya s'accroupit à nouveau près d'elle et il tendit l'oreille ; il lui caressait le visage en hochant la tête. Quand il eut entendu ce qu'il désirait, semblait-il, il se releva et sans presque lui adresser un regard il tira dans la tête du chauffeur. Ensuite, il rendit le pistolet au policier et il se dirigea vers l'évier, dans un coin de la pièce, pour se laver les mains. Il remit sa veste et son manteau. Réprimant ses haut-le-cœur, Fernandito s'éloigna de la fenêtre et glissa vers les arbustes. Il essaya de retrouver le chemin par la colline jusqu'à l'arbre qui lui avait permis de sauter du mur. Il transpirait comme jamais dans sa vie et la sueur froide lui brûlait la peau. Ses mains et ses jambes tremblotaient encore quand il escalada le mur, et il tomba en sautant de l'autre côté. Il vomit à nouveau. Quand il pensa qu'il ne lui restait plus rien dans l'estomac, il se remit en route d'un pas chancelant. Il passa devant l'entrée par laquelle Hendaya avait pénétré dans les lieux et il entendit des voix qui approchaient. Il courut jusqu'à la petite place.

Un tramway attendait à la station, oasis de lumière dans l'obscurité. Il n'y avait pas de voyageurs, seulement le contrôleur et le conducteur qui bavardaient et partageaient un thermos de café pour lutter contre le froid. Fernandito monta, ignorant le regard du contrôleur.

— Jeune homme ?

Fernandito chercha dans la poche de sa veste et tendit quelques pièces. Le contrôleur lui tendit le billet.

— Vous n'allez pas vomir ici, hein ?

Le garçon fit non de la tête. Il s'assit à l'avant, contre la fenêtre, et il ferma les yeux. Il essaya de contrôler sa respiration et de se concentrer sur l'image de sa Vespa blanche qui l'attendait au pied de l'avenue. Il entendit une voix, quelqu'un discutait avec le contrôleur. Le tramway se balança doucement lorsqu'un deuxième passager monta dans la voiture. Fernandito entendit les pas qui s'approchaient. Il serra les mâchoires. Puis il sentit son contact. Une main qui se posait sur son genou. Il ouvrit les yeux. Hendaya le regardait avec un sourire cordial.

— Tu te sens bien ?

Fernandito resta muet. Il essaya de ne pas regarder les points rouges sur le col de chemise d'Hendaya. Il fit signe que oui.

— Tu es sûr ?

— Je crois que j'ai trop bu.

Hendaya sourit, compréhensif. Le tramway entama sa descente.

— Un peu de bicarbonate de soude dans un demi-citron. C'était mon secret quand j'étais jeune. Et ensuite au lit.

— Merci. C'est ce que je ferai en arrivant à la maison, dit Fernandito.

Le tramway glissait très lentement, caressant la courbe en forme d'hameçon de l'avenue. Hendaya se pencha sur le siège en face de Fernandito et il le fixa du regard.

— Tu vis loin d'ici ?

Le garçon fit non de la tête.

— Non. À vingt minutes en métro.

Hendaya palpa son manteau et sortit une minuscule enveloppe en papier d'une poche intérieure.

— Un bonbon à l'eucalyptus ?

— Ce n'est pas la peine, merci.

— Prends-en un, l'incita Hendaya. Ça te fera du bien.

Fernandito accepta un bonbon et le dépapillota d'une main tremblante.

— Comment t'appelles-tu ?

— Alberto. Alberto García.

Fernandito mit le bonbon dans sa bouche tellement sèche qu'il colla à sa langue. Il s'efforça d'afficher un sourire satisfait.

— Alors ?

— Très bon, merci beaucoup. Ça me fait du bien, c'est vrai.

— Je te l'avais dit. Alberto García, est-ce que je peux voir tes papiers ?

— Pardon ?

— Tes papiers.

Fernandito déglutit et il commença à fouiller dans ses poches.

— Je ne sais pas… J'ai dû les laisser à la maison.

— Sais-tu qu'on n'a pas le droit de sortir dans la rue sans ses papiers ?

— Oui, monsieur. Mon père me le rappelle toujours. Je suis un peu nul…

— Du calme… Je comprends. Tâche de ne pas les oublier la prochaine fois. Je le dis pour toi.

— Cela ne se reproduira pas.

Le tramway entamait la dernière ligne droite avant le terminus. Fernando aperçut la coupole de l'hôtel de la Rotonde et un point blanc brillant devant les phares du tramway. Sa Vespa.

— Dis-moi, Alberto, qu'est-ce que tu faisais là-haut à cette heure-ci ?

— Je suis allé voir un oncle. Le pauvre est très malade. Les médecins disent qu'il n'en a plus pour longtemps.

— Je suis désolé.

Hendaya sortit une cigarette.

— Cela ne te gêne pas, n'est-ce pas ?

Fernando fit non de la tête, avec son meilleur sourire. Hendaya alluma sa cigarette. La braise du tabac projeta un éclair cuivré sur ses pupilles. Le garçon sentit que ses yeux se plantaient directement sur son esprit comme des aiguilles. Parle, dis quelque chose.

— Et vous ? demanda-t-il soudain. Que faites-vous par ici à cette heure ?

Hendaya laissa la fumée glisser entre ses doigts. Il avait un sourire de chacal.

— Je travaille, dit-il.

Ils firent les derniers mètres en silence. Quand le tramway s'arrêta, Fernandito se leva et il se dirigea vers la porte arrière après avoir lancé un chaleureux au revoir à Hendaya. Il sortit du tramway et il se dirigea vers la Vespa sans se presser. Il s'accroupit pour ouvrir le cadenas. Hendaya l'observait froidement depuis le marchepied du tramway.

— Je croyais que tu prenais le métro pour rentrer chez toi ?

— Euh, je voulais dire que je n'allais pas loin, à quelques stations de métro.

Fernandito mit son casque, comme le lui avait recommandé Alicia, et il ferma la courroie. Lentement, se répétait-il. Il rabattit la béquille d'un coup sec et il poussa le scooter sur le trottoir pour atteindre la chaussée. L'ombre d'Hendaya se dessina devant lui et Fernandito sentit la main de l'homme qui se posait sur son épaule. Il se retourna. Hendaya lui souriait d'un air paternel.

— Allez, descends et donne-moi les clefs.

Sans même s'en apercevoir, Fernandito acquiesça et lui tendit les clefs d'une main tremblante.

— Je crois qu'il vaut mieux que tu m'accompagnes au commissariat, *Alberto*.

9

Le grand-père Sempere vivait dans un petit appartement situé au-dessus de la librairie, donnant sur la rue Santa Ana. Du plus loin qu'elle s'en souvenait, la famille Sempere avait toujours vécu dans cet immeuble. Daniel y était né et y avait grandi avant d'emménager au dernier étage quand il avait épousé Bea. Peut-être Julián s'installerait-il à son tour dans un autre appartement du même escalier. Les Sempere voyageaient avec des livres, pas avec des cartes ou des plans. Le logis du vieux Sempere était un foyer modeste et envoûté par les souvenirs. Comme tant d'autres dans la vieille ville, la maison était vaguement lugubre et elle conservait ce mobilier fin de siècle tellement barcelonais qui protège les innocents des illusions du présent.

Contemplant la scène avec encore en tête les mots d'Isabella, Alicia ne put éviter de sentir sa présence dans la pièce. Elle la voyait fouler ce carrelage et partager le lit de M. Sempere dans cette minuscule chambre à coucher qu'on entrevoyait du corridor. Alicia s'arrêta un instant quand elle passa devant la porte entrouverte et elle imagina Isabella mettant Daniel au monde dans ce lit et y rendant son dernier soupir empoisonné, à peine quatre ans plus tard.

— Venez, Alicia, que je vous présente les autres, la poussa Bea.

En réunissant deux tables, qui occupaient toute la salle à manger d'un mur à l'autre et empiétaient un peu sur le couloir, Bea avait réussi le miracle de faire asseoir les onze convives invités à fêter l'anniversaire du patriarche. Daniel était resté en bas pour fermer la librairie pendant que son père, Julián et Bea accompagnaient Alicia. Là-haut les attendait Bernarda, l'épouse de Fermín. Elle avait dressé la table et elle mettait la dernière main à un ragoût qui sentait merveilleusement bon.

— Bernarda, venez que je vous présente Mlle Alicia Gris.

La femme s'essuya les mains sur son tablier et elle l'enlaça.

— Savez-vous quand Fermín arrivera ? lui demanda Bea.

— Oh là là, madame Bea, cette espèce de sans-gêne me tape sur les nerfs avec son histoire de mousseux pisseux, comme il l'appelle ! Pardonnez-moi, mademoiselle, c'est que mon mari est plus têtu qu'un taureau de combat, et il ne dit que des énormités. Ne faites pas attention à lui.

— Eh bien, s'il tarde trop, je nous imagine déjà trinquer à l'eau du robinet... déplora Bea.

— Pas question, proclama une voix théâtrale sur le seuil de la salle à manger.

Le propriétaire de cet organe sonore était un voisin de l'immeuble et ami de la famille prénommé Anacleto, professeur agrégé et poète à ses heures perdues au dire de Bea. Il baisa la main d'Alicia avec un cérémonial qui aurait déjà paru vieux jeu au mariage du Kaiser Guillaume II.

— Mes hommages, belle inconnue, la salua-t-il.

— Monsieur Anacleto, n'importunez pas nos invités, le coupa Bea. Vous avez apporté à boire, disiez-vous...

M. Anacleto exhiba deux bouteilles enveloppées dans du papier d'emballage.

— Un homme averti en vaut deux, énonça-t-il. Ayant été informé de la polémique éclose entre Fermín et l'épicier admirateur du fascisme le plus ranci, j'ai fait le choix de me présenter muni de ces deux bouteilles d'anisette – *Anís del Mono* bien entendu ! –, afin de pallier la moindre pénurie temporaire de boissons alcoolisées.

— Ce n'est pas chrétien de porter un toast avec de l'anisette, jugea Bernarda.

M. Anacleto, qui n'avait d'yeux que pour Alicia, afficha un sourire d'homme du monde laissant entendre que de telles considérations ne pouvaient inquiéter que des provinciaux.

— Dans ces conditions, et sous les auspices de Vénus, le toast sera donc païen, argumenta le professeur en adressant un clin d'œil à Alicia. Dites-moi, demoiselle à l'allure sensationnelle, me ferez-vous l'honneur de vous asseoir à côté de moi ?

Bea poussa le professeur vers l'autre extrémité de la pièce et elle sortit Alicia de ce pétrin.

— Avancez, monsieur Anacleto, et n'incommodez pas Alicia avec vos discours, l'avertit-elle. Allez vous asseoir là-bas au fond. Et tenez-vous bien. Pour les enfantillages, nous avons déjà Julián.

M. Anacleto haussa les épaules et il prononça ses félicitations à l'impétrant tandis que deux autres invités franchissaient la porte. L'un était un homme de belle prestance en costume et au port de mannequin. Il se présenta sous le nom de Federico Flavià, horloger du quartier, et il fit montre en effet de manières de précision.

— J'adore vos chaussures, dit-il à Alicia. Il faut me dire où vous les avez trouvées.

— Chez Calzados Summum, sur le Paseo de Gracia, répondit-elle.

— Évidemment. Il ne pouvait pas en être autrement. Pardonnez-moi, je vais féliciter mon ami Sempere.

Une jeune fille souriante accompagnait M. Federico. Tout laissait penser que Merceditas s'était ingénument entichée de l'élégant horloger. Quand on la présenta à Alicia, elle la dévisagea longuement, évaluant le danger potentiel, et après avoir complimenté sa beauté, son élégance et son style, elle courut rejoindre Federico pour le tenir le plus possible éloigné d'elle, dans cet espace limité. La salle à manger était déjà pleine à craquer et lorsque Daniel dut se glisser parmi les invités la manœuvre devint périlleuse. La dernière arrivée fut une jeune fille d'à peine vingt ans, irradiant l'éclat et la beauté simple et naturelle des très jeunes gens.

— C'est Sofía, la cousine de Daniel, expliqua Bea.

— *Piacere, signorina*, dit la jeune fille.

— En espagnol, Sofía, la corrigea Bea, avant d'expliquer à Alicia que la jeune fille, originaire de Naples, vivait chez son oncle le temps de ses études à l'université de Barcelone.

Elle baissa le ton :

— Sofía est la nièce de la mère de Daniel morte il y a des années, murmura-t-elle, visiblement peu désireuse de mentionner Isabella.

Alicia remarqua que M. Sempere prenait la jeune fille dans ses bras avec une dévotion et un air mélancolique qui faisaient peine à voir. Elle ne tarda pas à apercevoir une photographie encadrée dans la vitrine de la salle à manger. Elle y reconnut Isabella en robe de mariage, aux côtés d'un M. Sempere mille fois plus jeune. Sofía était le portrait craché d'Isabella. Alicia observa à la dérobée la manière dont Sempere la dévorait des yeux, avec une telle adoration et une telle tristesse qu'elle détourna le regard. Il n'échappa pas à Bea qu'Alicia avait fait le rapprochement en voyant la photo de mariage, et elle rumina tout bas :

— Cela ne lui fait aucun bien. Elle est très gentille, mais elle ne va pas rester éternellement, et quand elle rentrera à Naples...

Alicia hocha la tête, sobrement.

— Pourquoi ne vous asseyez-vous pas ? lança Bernarda sur le ton de l'ordre depuis la cuisine. Sofía, ma chérie, viens m'aider, j'ai besoin d'un peu de jeunesse.

— Daniel, le gâteau ? demanda Bea.

Il souffla et leva les yeux au ciel.

— J'ai oublié... Je descends, tout de suite.

Remarquant la manœuvre de M. Anacleto pour se faufiler dangereusement jusqu'à elle, Alicia sauta sur l'occasion, et lorsque Daniel passa devant elle pour sortir de la pièce, elle le suivit.

— Je vous accompagne. C'est moi qui offre le gâteau.

— Mais...

— J'insiste.

Bea les vit disparaître et elle resta les yeux dans le vague, le sourcil froncé.

— Tout va bien ? lui demanda Bernarda, qui se tenait à côté d'elle.

— Oui, oui...

— C'est une sainte, c'est certain, murmura Bernarda, mais je ne voudrais pas la voir assise à côté de mon Fermín. Et si je puis me permettre, pas non plus près de Danielito. Il est bon comme le bon pain, celui-là...

— Ne dis pas de bêtises, Bernarda. Il faudra bien la placer quelque part.

— Pas question ! Je sais ce que je dis !

Ils descendirent l'escalier en silence. Daniel ouvrait la marche. Dans le hall d'entrée, il lui ouvrit la porte.

— La boutique est juste à côté, presque au coin de la rue, dit-il comme si la pâtisserie ne se voyait pas avec sa grande enseigne lumineuse à quelques pas de là.

Quand ils entrèrent dans le magasin, la gérante leva les mains au ciel en signe de soulagement.

— Heureusement ! Je pensais que vous ne viendriez plus et qu'on allait devoir manger ce gâteau.

Sa voix s'éteignit en apercevant Alicia.

— Que désirez-vous, mademoiselle ?

— Nous sommes ensemble, dit Alicia.

L'affirmation eut pour effet de catapulter les sourcils de la pâtissière jusqu'au milieu de son front et de lui inspirer un regard débordant de malveillance qui gagna les deux employées penchées sur le comptoir.

— Sacré Danielito ! murmura l'une d'elles d'un air enjôleur. Il paraissait si niais...

— Gloria, ferme ton clapet, tu veux, et va chercher le gâteau de M. Sempere, lança la patronne, laissant entendre qu'entre les murs de cette boutique même l'exercice de la clabauderie respectait un ordre hiérarchique.

L'autre employée, une créature à l'air félin et à la consistance potelée paraissant résulter de l'ingestion des restes de meringues et de crème de l'établissement, se délectait à l'observer, savourant son inquiétude.

— Tu n'as rien de mieux à faire, Felisa ?

— Non.

Daniel avait pris la couleur de la groseille mûre et il avait hâte de sortir de là, avec ou sans le gâteau. Les pâtissières lançaient des regards alternativement à Alicia et à Daniel, des œillades si torrides qu'elles auraient permis de frire des beignets en plein vol. Gloria réapparut enfin avec le gâteau, une pièce de concours que la trinité pâtissière commença à empaqueter, la protégeant avec des archivoltes de carton avant de la placer dans une grande boîte rose.

— Crème, fraises et beaucoup de chocolat, précisa la patronne. Je mets les bougies avec.

— Mon père adore le chocolat, expliqua Daniel à Alicia, comme s'il en était besoin.

— Attention avec le chocolat, Daniel, il fait rougir, insista Gloria avec malice. De plaisir.

— Et il donne de l'ardeur, de l'énergie... appuya Felisa.

— Combien vous dois-je ?

Alicia avança et posa un billet de vingt-cinq pesetas sur le comptoir.

— Et en plus, elle invite... murmura Gloria.

La pâtissière en chef compta la monnaie scrupuleusement et elle la rendit à Alicia, pièce par pièce. Daniel prit la boîte et se dirigea vers la porte.

— Bonjour à Bea, lança Gloria.

Les rires des pâtissières les accompagnèrent jusque sur le trottoir, ainsi que leur regard cloué sur eux comme des fruits confits dans une *coca* de Pâques.

— Demain matin, vous serez célèbre dans tout le quartier, pronostiqua Daniel.

— J'espère ne pas vous avoir causé de problème, Daniel.

— Ne vous en faites pas. En général, je n'ai besoin de personne pour avoir des problèmes. Ne faites pas attention à ce trio de méduses. D'après Fermín, la meringue leur a monté à la tête.

Cette fois, Daniel la laissa passer devant dans les escaliers et il attendit qu'elle ait grimpé une volée de marches pour la suivre. Il ne souhaitait manifestement pas monter deux étages les yeux rivés sur ses hanches.

L'arrivée du gâteau fut célébrée par des applaudissements et des cris dignes d'une victoire sportive. Daniel souleva la boîte à deux mains comme s'il s'agissait d'une médaille olympique et il l'emporta à la cuisine. Alicia vit que Bea lui avait réservé une place entre Sofía et le petit Julián, assis à côté de son grand-père. Elle s'installa, consciente que l'assistance la regardait à la dérobée. Quand Daniel revint de la cuisine, il prit place à l'autre bout de la table à côté de Bea.

— Alors, je sers la soupe ? Ou est-ce qu'on attend Fermín ? demanda Bernarda.

— La soupe populaire n'attend pas les héros, proclama doctement M. Anacleto.

Bernarda commençait à remplir les assiettes à soupe quand un vacarme se fit entendre derrière la porte. Plusieurs récipients en verre venaient d'atterrir violemment sur le sol, à en croire le bruit. À l'instant, un Fermín triomphant fit son apparition, exhibant dans chaque main une bouteille de champagne sauvée par miracle.

— Fermín, vous nous avez contraints au vieux muscat insipide... protesta M. Anacleto.

— Affranchissez-vous de ce vil breuvage qui déshonore vos coupes, messeigneurs. Arrive enfin le camelot de la vigne afin d'honorer vos palais avec des nectars qui vous feront uriner des fleurs... proféra Fermín.

— Fermín ! avertit Bernarda. Quelle façon de parler !

— Mais, mon petit bouton de giroflée, sur ces rives, uriner sous le vent est aussi naturel et agréable que...

La volubilité et l'envolée poétique furent stoppées net. L'homme, pétrifié, regardait Alicia comme s'il avait sous les yeux un spectre revenu d'outre-tombe. Daniel le prit par le bras et le fit asseoir de force.

— Allez, on dîne à présent, décida M. Sempere, qui avait également remarqué le changement d'attitude de Fermín.

Un ballet de coupes, de rires et de plaisanteries anima progressivement le repas. Muet comme une tombe et la cuillère à soupe vide à la main, Fermín ne parvenait pas à détacher les yeux d'Alicia, qui feignit de ne rien remarquer, mais même Bea commença à se sentir mal à l'aide. Daniel donna un coup de coude à Fermín et il lui murmura quelque chose avec une certaine urgence. Il consentit à avaler une cuillerée de soupe, tendu. Par chance, alors que le verbe du conseiller littéraire de la librairie Sempere & Fils s'était tu en présence d'Alicia, celui de M. Anacleto retrouvait une deuxième jeunesse grâce au champagne. L'assemblée eut bientôt droit à son inévitable analyse de l'actualité du pays.

Le professeur se considérait comme l'héritier sentimental et le porteur de la flamme éternelle de don Miguel de Unamuno, avec lequel il partageait une certaine ressemblance physique et un long pedigree salmantin, et comme à son habitude il se mit à gloser un panorama de nature apocalyptique annonçant le naufrage imminent de la péninsule Ibérique dans les océans de la plus noire ignominie. Fermín aimait à le contredire systématiquement pour le plaisir et à saboter ses soirées et ses débats improvisés par des flèches empoisonnées du genre "le taux de réunionite d'une société est inversement proportionnel à celui de sa solvabilité intellectuelle : à parler pour ne rien dire, on pense peu, et on agit encore moins". Mais il était si taciturne ce soir-là que le professeur, privé de rival et de contestation, essaya de lui chercher des poux dans la tête.

— Les dirigeants de ce pays ne savent plus quoi faire pour laver le cerveau de la population. Ne croyez-vous pas, Fermín ?

Ce dernier haussa les épaules.

— Je me demande pourquoi ils se donnent tant de mal. Dans la plupart des cas, un simple rinçage suffit largement.

— Revoilà l'anarchiste, lâcha Merceditas.

M. Anacleto sourit d'un air satisfait en constatant l'étincelle du débat, son activité préférée. Fermín souffla.

— Écoutez, Merceditas, je sais que vous commencez et terminez la lecture du journal par l'horoscope, et que nous fêtons aujourd'hui l'éminence de cette maison…

— Fermín, pouvez-vous me passer le pain, s'il vous plaît ? le coupa Bea pour sauver la paix du repas de fête.

Fermín acquiesça et battit en retraite. M. Federico, l'horloger, vint les sauver du long silence.

— Dites-nous, Alicia, quel métier exercez-vous ?

Merceditas, qui ne voyait pas d'un bon œil la déférence et l'attention que tous accordaient à l'invitée surprise, se jeta dans l'arène.

— Pourquoi une femme devrait-elle avoir un métier ? N'est-ce pas largement suffisant de tenir une maison, de s'occuper de son mari et de ses enfants, comme nous devons le faire selon ce que nous ont enseigné nos parents ?

Fermín allait intervenir. Bernarda mit la main sur son poignet et il se mordit la langue.

— Bon, mais mademoiselle Alicia est célibataire, n'est-ce pas ? insista M. Federico.

Alicia hocha la tête poliment.

— Pas même un fiancé ? demanda M. Anacleto, incrédule.
Elle sourit modestement et fit non de la tête.

— C'est le comble ! Voici la preuve indélébile qu'il n'existe dans ce pays aucun garçon qui vaille la peine. Si j'avais vingt ans de moins... dit M. Anacleto.

— Cinquante, vous voulez dire, précisa Fermín.

— La virilité n'a pas d'âge, répliqua Anacleto.

— Ne mélangeons pas l'héroïsme et l'urologie.

— Fermín, il y a des mineurs autour de cette table, fit remarquer M. Sempere.

— Si vous voulez parler de Merceditas...

— Vous devriez vous laver la bouche à l'eau de Javel, et l'esprit aussi, ou vous finirez en enfer, le condamna Merceditas.

— J'économiserai le chauffage.

M. Federico leva les mains pour demander le silence.

Le calme revint et tous regardèrent Alicia.

— Alors, l'invita à nouveau M. Federico, vous alliez nous dire à quoi vous vous consacrez...

Alicia les regarda, tous suspendus à ses lèvres.

— En réalité, c'était mon dernier jour de travail aujourd'hui. Et je ne sais pas ce que je vais faire à partir de maintenant.

— Vous avez bien une idée... fit remarquer M. Sempere.

Elle baissa la tête.

— Je me disais que j'aimerais bien écrire. Essayer du moins.

— Bravo ! s'exclama le libraire. Vous serez notre Carmen Laforet.

— La Pardo Bazán plutôt, intervint M. Anacleto, qui partageait le sentiment national selon lequel un homme de lettres vivant, une femme en l'occurrence, ne méritait pas une once d'estime, à moins d'être à l'article de la mort et de ne plus pouvoir soulever une paupière. N'êtes-vous pas d'accord, Fermín ?

Ce dernier regarda tout le monde et posa enfin les yeux sur Alicia.

— Je le serais, cher ami, si je n'avais pas l'impression que Mme Pardo Bazán se regardait dans le miroir avec un certain air de basset alors que notre *demoiselle Gris* ici présente ressemble davantage à une héroïne des ténèbres. Je ne suis pas non plus certain que son image se reflète dans un miroir.

Un profond silence suivit ces mots.

— Qu'est-ce que c'est supposé vouloir dire tout ça, monsieur je-sais-tout, lança Merceditas.

Daniel attrapa Fermín par le bras et l'entraîna vers la cuisine.

— Cela signifie que si les hommes avaient le cerveau ne serait-ce que moitié moins grand que leur grande gueule, pour ne pas dire autre chose, le monde irait beaucoup mieux, laissa tomber Sofía qui semblait jusqu'alors dans la lune ou perdue dans ces contrées louches de la pensée que seuls fréquentent les très jeunes gens et les illuminés.

M. Sempere regarda à nouveau cette nièce que la vie lui avait envoyée pour le remercier ou le torturer avec son âge d'or, et il crut, comme si souvent, voir et entendre un instant son Isabella à travers le tunnel du temps.

— C'est ce qu'ils vous apprennent à présent à la faculté de lettres ? demanda M. Anacleto.

Sofía haussa les épaules et elle se réfugia dans sa bulle.

— Grand Dieu ! Quel monde nous attend ! vaticina le professeur.

— Ne vous faites pas de souci, monsieur Anacleto. Le monde est toujours le même, le rassura M. Sempere. Il n'attend personne en vérité, et il passe son chemin à la première occasion. Que diriez-vous d'un toast au passé, au futur et à nous qui sommes entre les deux ?

Le petit Julián leva son verre de lait avec enthousiasme pour soutenir cette proposition.

Pendant ce temps, Daniel avait coincé Fermín dans la cuisine, à l'abri des yeux et des oreilles des convives.

— Peut-on savoir quelle mouche vous a piqué, Fermín ? Elle doit être au moins de la taille d'une pastèque !

— Cette femme n'est pas celle qu'elle dit être, Daniel. Il y a anguille sous roche.

— Qui est-elle alors ?

— Je l'ignore, mais je découvrirai sa ruse. Je la sens d'ici, comme le parfum très ordinaire de Merceditas destiné à griser l'horloger et à le faire changer de bord.

— Comment pensez-vous la démasquer ?

— Avec votre aide.

— Pas question. Ne m'entraînez pas là-dedans.

— Ne vous laissez pas aveugler par ses effluves de femme fatale. C'est une petite maline, aussi sûr que je m'appelle Fermín.

— Je vous rappelle que la petite maline est l'invitée d'honneur de monsieur mon père.

— Ahhhhh ! Vous êtes-vous demandé comment ce hasard opportun est survenu ?

— Je ne sais pas. Et cela m'est égal. On ne questionne pas les hasards.

— Est-ce votre maigre intellect qui parle, ou vos glandes post-pubescentes ?

— C'est le bon sens. On a dû vous l'extraire en même temps que le sentiment de la honte.

Fermín éclata d'un rire sarcastique.

— C'est admirable ! Elle a embobeliné d'un seul coup le père et le fils, et en présence de l'épouse au corps de rêve de ce dernier !

— Arrêtez de dire des bêtises, on va nous entendre.

— Qu'ils m'entendent ! s'exclama Fermín en haussant le ton. Haut et fort.

— Fermín, je vous en supplie, laissez-nous fêter tranquillement l'anniversaire de mon père.

Fermín serra les lèvres et fronça les sourcils.

— À une condition.

— D'accord. Laquelle ?

— Que vous m'aidiez à la démasquer.

Daniel leva les yeux au ciel et soupira.

— Et comment comptez-vous vous y prendre ? À coups d'alexandrin ?

Fermín baissa la voix.

— J'ai un plan...

Fidèle à sa promesse, Fermín adopta un comportement exemplaire pendant le reste du dîner. Il rit aux plaisanteries de M. Anacleto, il traita Merceditas comme si elle était Mme Curie et il adressa de temps à autre à Alicia des regards d'enfant de chœur. Au moment de porter des toasts et de couper le gâteau, il se lança dans une péroraison enflammée, préparée à l'avance, un panégyrique du personnage de la soirée qui suscita des applaudissements et une embrassade sincère de la part de l'impétrant.

— Mon petit-fils va m'aider à souffler les bougies, n'est-ce pas, Julián ? annonça le libraire.

Bea éteignit les lumières et pendant un instant ils ne furent éclairés que par la flamme tremblotante des bougies.

— Faites un vœu, mon ami, lui rappela M. Anacleto. En forme de veuve potelée et débordante de vitalité si possible.

Bernarda retira discrètement la coupe de champagne du professeur et la remplaça par un verre d'eau minérale, en échangeant un regard avec Bea qui acquiesça.

Alicia contemplait ce spectacle, presque en transe. Elle feignait une sérénité aimable, mais son cœur battait à tout rompre. Elle n'avait jamais participé à une telle réunion. Presque tous les anniversaires qu'elle se rappelait, elle les avait passés avec Leandro, ou seule, le plus souvent cachée dans une salle de cinéma, où elle s'enfermait aussi tous les premiers de l'an, maudissant cette manie d'interrompre la projection du film et d'allumer les lumières pendant dix minutes à minuit, comme s'il n'était pas déjà assez honteux de passer la soirée dans ce lieu pratiquement désert avec six ou sept âmes solitaires que personne n'attendait nulle part. Ce sentiment de camaraderie, d'appartenance et de tendresse au-delà des plaisanteries et des disputes était une chose qu'elle ne savait pas comment digérer. Julián lui avait pris la main sous la table et il la serrait, comme si au milieu de toutes les personnes présentes seul un petit enfant pouvait comprendre son état d'esprit. S'il n'avait pas été là, elle aurait fondu en larmes.

Une fois les derniers toasts portés, Bernarda proposa un café ou du thé et M. Anacleto offrit des cigares. C'est le moment que choisit Alicia pour se lever. Tous la regardèrent d'un air surpris.

— Je voudrais vous remercier, vous tous ici présents, pour votre hospitalité et votre amabilité. Particulièrement vous, monsieur Sempere. Mon père vous tenait en haute estime, et je sais qu'il aurait été très heureux d'apprendre que j'ai partagé cette soirée si spéciale avec vous. Merci, merci encore.

Ils la regardèrent tous avec une certaine tristesse, ou peut-être lut-elle son propre sentiment dans les yeux des autres. Elle embrassa le petit Julián et elle se dirigea vers la porte. Bea se leva et la suivit, sa serviette de table toujours dans la main.

— Je vous accompagne, Alicia…

— Non, je vous en prie. Restez avec votre famille.

En passant devant la vitrine du buffet, elle jeta un dernier regard à la photographie d'Isabella. Elle poussa un soupir de soulagement et disparut dans les escaliers. Il lui fallait quitter ces lieux avant de commencer à croire qu'elle pourrait s'y sentir un jour chez elle.

Le départ d'Alicia suscita une vague de murmures parmi les commensaux. Le grand-père Sempere avait pris Julián sur ses genoux et il le regardait.

— Tu es tombé amoureux, n'est-ce pas ? lui demanda-t-il.

— Je crois qu'il est l'heure d'aller dormir, pour notre petit Casanova, dit Bea.

— Et de même pour moi, ajouta M. Anacleto en se levant de table. Vous, les jeunes, amusez-vous, la vie est courte…

Daniel allait soupirer de soulagement lorsque Fermín le prit par le bras en se levant.

— Venez, Daniel, nous avons oublié de remonter les caisses de la cave.

— Quelles caisses ?

— Les caisses.

Ils se faufilèrent vers la sortie sous le regard somnolent et surpris du libraire Sempere.

— Je comprends de moins en moins cette famille, dit-il.

— Je pensais que j'étais la seule, murmura Sofía.

Fermín jeta un coup d'œil sur la rue Santa Ana en direction de la trace bleutée projetée par les réverbères et il fit signe à Daniel de le suivre.

— Où pourrions-nous aller à cette heure-ci ?

— À la chasse à la femme fatale, répondit Fermín.

— Certainement pas.

— Venez, ne faites pas la sourde oreille, elle va nous filer entre les doigts…

Sans attendre la réponse, Fermín fila vers l'avenue de la Puerta del Ángel. Il se plaqua contre le mur sous la marquise des grands magasins Casa Jorba et il scruta la pénombre nocturne semée de nuages bas qui glissaient entre les terrasses. Daniel le rejoignit.

— Elle est là-bas, tel le serpent du paradis.

— Je vous en prie, Fermín, ne me faites pas cela.

— Écoutez, je me suis bien tenu. Êtes-vous un homme de parole ou une chiffe ?

Daniel maudit son sort et ils marchèrent tous deux sur les traces d'Alicia Gris, revenant à leur époque de détectives de seconde zone.

10

Ils la suivirent jusqu'à l'avenue de la Cathédrale en longeant les murs, les porches et les marquises. Là, devant l'église, s'ouvrait une agora avec vue panoramique depuis que les bombardements de la guerre avaient pulvérisé l'ancien quartier qui occupait la place. Une lune liquide éclaboussait le pavé et la silhouette d'Alicia se déplaçait telle une étoile sombre dans l'air.

— Avez-vous remarqué ? demanda Fermín, tandis qu'ils la regardaient s'engager dans la rue de la Paja.

— Remarqué quoi ?

— Nous sommes suivis.

Daniel se retourna pour scruter la pénombre argentée des rues.

— Là-bas. Sous le porche du magasin de jouets. Vous voyez ?

— Je ne vois rien.

— Le bout d'une cigarette.

— Et alors ?

— Alors il nous file le train depuis que nous sommes sortis de l'immeuble.

— Pourquoi nous suivrait-on ?

— Ce n'est peut-être pas nous qui sommes suivis, mais elle.

— Tout cela a de moins en moins de sens, Fermín.

— Au contraire. Il est de plus en plus clair que nous avons du pain sur la planche.

Ils suivirent la trace d'Alicia dans la rue Baños Nuevos, une voie étroite bordée d'immeubles centenaires qui paraissaient se rapprocher sur le tracé ondulant dans une étreinte ténébreuse.

— Où va-t-elle ? murmura Daniel.

Ils ne tardèrent pas à avoir la réponse. Alicia s'arrêta devant une porte de la rue Aviñon, en face du Gran Café. Ils la virent entrer dans l'immeuble. Ils continuèrent leur chemin et allèrent se cacher sous un porche, quelques mètres plus bas.

— Et maintenant ?

Pour toute réponse, Fermín indiqua la devanture de la Manuel Alpargatera, et Daniel constata que son ami disait vrai. Ils étaient suivis, eux ou Alicia. Dissimulée sous les arcades de l'entrée du magasin d'espadrilles, se tenait une silhouette menue en manteau et chapeau melon ordinaire.

— Il n'est pas effrayant au moins, estima Fermín.

— Qu'est-ce que cela change ?

— C'est un avantage dans le cas où vous devriez vous bagarrer avec lui.

— Quelle chance ! Pourquoi moi ?

— Parce que vous êtes le plus jeune, et que pour mettre une raclée à quelqu'un, ce qui compte, c'est la force brute. Moi je m'occupe de la vision stratégique.

— Je n'ai pas l'intention de mettre une raclée à quiconque.

— À quoi riment ces simagrées, Daniel, je ne comprends pas ? Vous avez déjà démontré vos ardeurs guerrières en une occasion au moins, lorsque vous avez cassé la figure de ce chaud lapin rouleur de mécaniques au Ritz, ce Cascos Buendía. Je n'ai pas oublié.

— Ce n'est pas mon meilleur souvenir, reconnut Daniel.

— Ne vous excusez pas. Je vous rappelle que ce cochon envoyait des lettres d'amour à madame votre épouse pour l'embabouiner sur ordre de cette ordure de Valls. Oui, la même ordure dont vous recherchez la piste à la bibliothèque de l'Ateneo, au département des périodiques, depuis le printemps dernier. Même si vous croyez que je ne m'en suis pas rendu compte.

Daniel baissa la tête, abattu.

— Y a-t-il un autre secret que vous ne connaîtriez pas ?

— Ne vous êtes-vous jamais demandé pourquoi diable on ne voyait plus Valls nulle part, depuis quelque temps ?

— Si, je m'interroge tous les jours, admit Daniel.

— Et où a atterri le butin que Salgado cachait à la gare du Nord ?

Daniel acquiesça.

— Qui nous dit que cette garce ne travaille pas non plus pour Valls ?

Daniel ferma les yeux.

— Vous avez gagné, Fermín. Que faisons-nous ?

En arrivant devant son appartement, Alicia aperçut un rai de lumière sous la porte et elle reconnut le parfum des cigarettes de Vargas. Elle entra et posa sac et manteau sur la table de la salle à manger. Face à la fenêtre et dos à la porte, Vargas fumait en silence. Elle se servit un verre de vin blanc et elle s'assit. En son absence, Vargas avait ressorti la caisse avec les documents dérobés dans le garde-meuble de l'avocat Brians. Le carnet d'Isabella Gispert trônait sur la table.

— Où étiez-vous passé toute la journée ? demanda enfin Alicia.

— Je me suis promené, répondit Vargas. J'ai essayé de m'éclaircir les idées.

— Avez-vous réussi ?

Il se retourna et il la regarda avec une expression de méfiance.

— Me pardonnez-vous d'avoir tout raconté à Leandro ?

Alicia dégusta une gorgée de blanc et elle haussa les épaules.

— Si vous cherchez un confesseur, il y a une église avant d'arriver aux Ramblas. Je crois qu'ils assurent une permanence jusqu'à minuit.

Vargas baissa la tête.

— Si ça peut vous consoler, j'ai eu l'impression que Leandro savait déjà une grande partie de ce que je lui ai dit. Il n'avait besoin que d'une confirmation.

— C'est toujours comme ça avec Leandro, dit Alicia. On ne lui révèle rien, on éclaire seulement un détail.

Vargas soupira avant de continuer.

— Je n'avais pas le choix. Il se doutait de quelque chose. Si je ne lui avais pas livré ce que nous avions découvert, je vous aurais ridiculisée.

— Vous n'avez pas d'explications à me donner, Vargas. Ce qui est fait est fait.

Le silence se fit lourd.

— Et Fernandito ? demanda Alicia. Il n'est pas revenu ?

— Je pensais qu'il était avec vous.

— Qu'est-ce que vous me cachez d'autre, Vargas ?

— Sanchís...

— Allez-y, crachez le morceau.

— Il est mort. Arrêt cardiaque pendant le trajet de la Préfecture à l'hôpital Clínico. Selon le communiqué officiel.

— Les salauds... murmura Alicia.

Le policier se laissa tomber à côté d'elle sur le canapé. Ils se regardèrent sans échanger un mot. Elle remplit son verre et elle le lui tendit. Vargas l'avala d'un trait.

— Quand devez-vous rentrer à Madrid ?

— J'ai cinq jours de congé. Et une prime de cinq mille pesetas.

— Félicitations. Si ça se trouve, vous voulez qu'on le dépense ensemble, on pourrait faire une excursion à Montserrat. Si vous n'avez jamais touché la Moreneta, vous ne savez pas ce que vous perdez.

Vargas sourit tristement.

— Vous allez me manquer, Alicia. Même si vous ne le croyez pas.

— Je vous crois ! Mais ne rêvez pas, vous, vous ne me manquerez pas.

Vargas sourit intérieurement.

— Et vous ? Où étiez-vous ?

— En visite chez les Sempere.

— Pourquoi ?

— Une fête d'anniversaire. Une longue histoire.

Vargas fit un geste affirmatif, comme si tout cela était plein de sens. Alicia indiqua le carnet d'Isabella.

— L'avez-vous lu en m'attendant ?

Vargas fit signe que oui.

— Quand elle est morte, Isabella Gispert savait que cette ordure de Valls l'avait empoisonnée, dit Alicia.

Il porta les mains à son visage et il tira ses cheveux vers l'arrière. Chacune des années de sa vie paraissait peser de tout son poids sur son âme.

— Je suis fatigué, murmura-t-il enfin. Je suis fatigué de toute cette merde.

— Pourquoi ne rentrez-vous pas chez vous ? demanda Alicia. Faites-leur ce plaisir. Encaissez votre pension et retirez-vous dans votre villa de Tolède pour lire Lope de Vega. N'était-ce pas votre programme ?

— Faire comme vous, en sorte ? Vivre de la littérature ?

— La moitié de ce pays vit d'amour et d'eau fraîche, alors deux de plus…

— Comment ça s'est passé chez les Sempere ? s'enquit Vargas.

— Ce sont des gens très gentils.

— Oui. Vous n'avez pas l'habitude, est-ce que je me trompe ?

— Non.

— Cela m'arrivait aussi, avant. Ça vous passera. Que pensez-vous faire avec le carnet d'Isabella ? Le lui donner ?

— Je ne sais pas, reconnut Alicia. Que feriez-vous à ma place ?

Vargas réfléchit.

— Je le détruirais. La vérité ne serait bonne pour personne. Et elle les mettrait en danger.

Alicia acquiesça.

— À moins que…

— Réfléchissez bien avant de parler, Alicia.

— Je crois que c'est tout réfléchi.

— Je pensais qu'on allait tout envoyer balader et être heureux, dit-il.

— Nous ne serons jamais heureux, Vargas. Ni vous ni moi.

— Bon, puisque vous le prenez comme ça, comment refuser !

— Vous n'avez pas à m'aider. C'est mon problème.

Vargas lui sourit.

— Vous êtes mon problème, Alicia. Ou mon salut, même si cette idée vous fait rire.

— Je n'ai jamais sauvé personne.

— Il n'est jamais trop tard pour commencer.

Il se leva, prit le manteau d'Alicia et le lui donna.

— Qu'en pensez-vous ? Ou nous foutons notre vie en l'air pour toujours ou nous laissons passer les années, au risque, pour vous, de découvrir un jour que vous n'avez aucun talent pour la littérature et de constater, pour moi, qu'il faut voir les pièces de Lope au théâtre plutôt que de les lire ?

Alicia enfila son manteau.

— Par où voulez-vous commencer ? demanda Vargas.

— Par l'entrée du labyrinthe...

Daniel grelottait dans sa cachette quand il remarqua que Fermín, à l'ossature sèche comme un bout de bois et à la substance cartilagineuse pure, avait l'air aux anges : il passait le temps en fredonnant un *son montuno* cubain et en se déhanchant discrètement d'une façon tropicale.

— Je ne comprends pas comment vous faites pour ne pas être gelé. Il fait un froid de canard, lui dit-il.

Fermín déboutonna le haut de son manteau pour lui montrer la couche de papier journal qu'il avait dessous.

— Science appliquée. C'est un des souvenirs de la petite mulâtresse que j'avais à La Havane quand j'étais jeune. La pratique est connue sous le nom de Gulf Stream...

— Bon sang...

Daniel venait de décider de s'aventurer jusqu'au Gran Café pour commander un bol de café au lait brûlant avec une bonne ration de cognac quand il entendit la porte grincer. Il vit Alicia qui sortait de chez elle en compagnie d'un homme robuste à l'allure militaire.

— Admirez le tarzan que cette garce s'est dégotté ! pointa Fermín.

— Cessez de l'appeler comme ça. Elle s'appelle Alicia.

— Voyons si nous arriverons un jour à dépasser le stade de la puberté... Vous êtes père de famille, je vous le rappelle. Allez, en route.

— Qu'est-ce qu'on fait avec l'autre ?

— L'espion ? Pas de souci. Je suis justement en train d'élaborer un plan grandiose...

Alicia et le malabar qui appartenait de toute évidence aux forces de l'ordre tournèrent dans la rue Fernando en direction des Ramblas. Daniel suivit le plan de Fermín et ils passèrent devant l'espion qui s'était plaqué dans l'obscurité du coin de la rue sans accuser réception de leur présence. À cette heure de la nuit, la rue était plus animée que d'habitude à cause d'un contingent de marins britanniques en quête d'échanges culturels et de quelques play-boys des beaux quartiers descendus dans les entrailles de la ville pour étancher leurs inavouables désirs d'alcôves. Fermín et Daniel utilisèrent les vagues de passants comme autant de rideaux pour dissimuler leur présence et ils atteignirent les arcades de la Plaza Real.

— Regardez, Daniel. C'est là que nous nous sommes rencontrés, vous rappelez-vous ? Les années passent mais ça sent toujours la pisse. C'est la Barcelone éternelle, qui ne disparaît pas...

— Ne devenez pas romantique.

Devant eux, Alicia et le policier traversaient la place en direction des Ramblas.

— Ils vont prendre un taxi, en déduisit Fermín. C'est le moment de nous délester du surplus.

Ils se retournèrent et ils aperçurent l'espion derrière une arcade de la place.

— Que suggérez-vous ? demanda Daniel.

— Vous pourriez aller à sa rencontre et lui donner un coup de genou dans les parties molles. C'est un petit gabarit, il se laissera sûrement faire.

— Avez-vous un plan alternatif ?

Fermín soupira, exaspéré. Il remarqua alors un gardien de la paix qui patrouillait sur la place, avec lenteur, admirant négligemment le décolleté généreux de deux catins qui faisaient le pied de grue devant les portes de l'hôtel des Deux-Mondes.

— Ne perdez pas de vue votre ange et son Hercule, indiqua Fermín.

— Et vous, qu'allez-vous faire ?

— Admirez le maître et prenez-en de la graine !

Fermín alla à la rencontre du gardien auquel il fit très cérémonieusement le salut militaire.

— Mon commandant, lui dit-il. J'ai le pénible devoir de dénoncer un crime contre la pudeur et la décence.

— Quel crime ?

— Votre excellence remarque-t-elle ce vaurien chétif et dangereusement dissimulé sous un manteau à prix cassé de chez Sepu ? Celui-là, qui fait comme s'il n'avait rien à voir avec l'affaire.

— Le gamin ?

— Gamin ? Pas du tout. Je suis consterné de devoir affirmer que sous son manteau il est nu comme un ver ! Il a exhibé son engin dressé devant des dames en leur disant des cochonneries que je n'oserais pas répéter, même face à un chœur de racoleuses.

Le gardien empoigna sa matraque.

— Que dites-vous ?

— Ce que vous venez d'entendre. Il est là-bas, ce porc, à l'affût, prêt à commettre un nouveau délit.

— Eh bien, il va voir ce qu'il va voir !

Le gardien sortit son sifflet et il pointa sa matraque en direction du suspect.

— Vous, là-bas ! Halte !

Comprenant le pétrin dans lequel il se trouvait, l'espion se mit à courir, le gardien à ses trousses. Satisfait de sa manœuvre de diversion, Fermín laissa le chef de la sécurité et des bonnes mœurs partir à la chasse de l'illustre fouineur et il se hâta de rejoindre Daniel qui attendait à la station de taxis.

— Où sont-ils ?

— Ils viennent de monter dans un taxi. Là-bas.

Fermín poussa Daniel dans la voiture suivante. Le chauffeur, qui faisait de l'équilibrisme avec un cure-dent entre ses mâchoires, les regarda dans le rétroviseur.

— Je ne vais pas à Pueblo Nuevo, avertit-il.

— Vous perdez quelque chose. Est-ce que vous voyez le taxi, devant, là-bas ?

— Celui de Cipriano ?

— Lui-même. Suivez-le et ne le perdez pas de vue. C'est une question de vie ou de mort. Et de pourboire généreux.

L'homme abaissa le panneau "occupé" et il sourit d'un air goguenard.

— Je croyais que ce genre de choses n'arrivait que dans les films américains.

— Vos prières ont été exaucées. Collez-lui au train, mais discrètement.

11

Les vingt minutes pour arriver jusqu'au commissariat lui parurent une éternité. Fernandito se trouvait sur la banquette arrière, à côté d'Hendaya qui fumait en silence et lui adressait de temps à autre un sourire serein accompagné d'un "Du calme, ne t'inquiète pas" à lui glacer le sang. Deux des hommes d'Hendaya étaient assis à l'avant. Ils ne desserrèrent pas les dents pendant le trajet. La nuit était froide et l'intérieur de la voiture glacial. Malgré tout, Fernandito était en sueur. Il regardait défiler la ville derrière la vitre comme un mirage lointain, un lieu qu'il ne reverrait jamais. Piétons et véhicules passaient à quelques mètres à peine, infatigablement. Au croisement de Balmes et de Gran Vía, au feu rouge, il sentit l'impulsion d'ouvrir la porte et de courir, mais son corps ne répondit pas. Quand la voiture redémarra, il vérifia que les portes étaient verrouillées. Hendaya lui tapota amicalement le genou.

— Du calme, Alberto, on y sera dans une petite minute.

Le véhicule s'arrêta devant le commissariat et deux agents en uniforme qui surveillaient l'entrée approchèrent. Ils ouvrirent la portière à Hendaya et acquiescèrent aux ordres qu'il murmura puis ils attrapèrent Fernandito par le bras et ils le conduisirent à l'intérieur. L'agent assis à l'avant ne descendit pas et il le regarda quand les autres l'emmenèrent. Le garçon vit qu'il disait quelque chose en riant à son compagnon toujours au volant.

Fernandito n'était jamais entré dans le commissariat central de la Vía Layetana. Il comptait au nombre de la foule de Barcelonais qui, s'ils se trouvaient par hasard dans le quartier, changeaient de trottoir pour ne pas passer devant l'abominable édifice et accéléraient le pas. L'intérieur lui parut aussi obscur et sépulcral qu'il se l'était imaginé. Dès que la lumière de la rue disparut derrière lui, il sentit une vague odeur d'ammoniaque. Les deux agents le soulevaient presque et ses pieds avançaient mécaniquement à pas lents et traînants. Les couloirs et les corridors se succédaient et Fernandito sentit son ventre se rétracter, comme avalé par une bête vorace. Un écho de voix et de pas flottait dans l'atmosphère. Une pénombre grise et glacée filtrait tout. Des regards furtifs se posaient brièvement sur lui et se détournaient immédiatement avec désintérêt. Ils le traînèrent dans des escaliers dont Fernandito n'aurait pu dire s'ils descendaient ou s'ils montaient. Les ampoules qui pendaient du plafond clignotaient par intermittence, comme si l'électricité leur arrivait au compte-gouttes. Ils franchirent une porte sur laquelle il lut BRIGADE D'INVESTIGATION SOCIALE, gravé sur une vitre en verre dépoli.

— Où on va ? balbutia-t-il.

Les deux agents ignorèrent sa question tout comme ils avaient ignoré sa personne tout au long du trajet. Ils agissaient comme s'ils transportaient un ballot. Ils traversèrent une salle lugubre meublée de tables métalliques uniquement occupées chacune par une lampe flexo qui dispensait une bulle de lumière jaunâtre. Un bureau aux parois vitrées les attendait, au fond, avec, à l'intérieur, une table de bureau en beau bois et deux chaises. Un des agents ouvrit la porte et lui fit signe d'entrer.

— Assieds-toi là, lui dit-il sans le regarder. Et sois sage.

Fernandito avança de quelques pas. La porte se referma derrière lui. Docile, il prit place sur une des chaises et il respira profondément. Il jeta un regard derrière lui et il vit que les deux agents s'étaient installés à une des tables de la salle. Un offrait une cigarette à l'autre. Ils souriaient. Au moins, tu n'es pas dans une cellule, se dit-il.

Il se passa plus d'une heure au cours de laquelle sa plus grande manifestation de courage fut de changer de chaise. Puis, incapable de rester une seconde de plus ancré sur ces sièges qui paraissaient rétrécir à mesure qu'on restait assis, il se leva, et s'armant de ce qui n'était pas pour autant du courage mais plutôt de la panique, il décida de cogner sur la paroi de verre pour crier son innocence et les circonstances trompeuses qui l'avaient mené ici et exiger des agents qui le surveillaient de le laisser partir. À ce moment-là, une porte s'ouvrit derrière lui et la silhouette d'Hendaya se détacha à contre-jour.

— Pardon pour le retard, Alberto. Une petite affaire d'intendance m'a retenu. T'a-t-on offert du café ?

Fernandito, la bouche complètement sèche, se rassit docilement sans attendre l'ordre.

— Pourquoi est-ce que je suis ici ? demanda-t-il. Je n'ai rien fait.

Hendaya sourit d'un air affable, comme si l'inquiétude du garçon lui inspirait une certaine tendresse.

— Personne n'a dit que tu avais fait quelque chose de mal, Alberto. Tu ne veux pas de café, vraiment ?

— Ce que je veux, c'est que vous me laissiez rentrer chez moi.

— Bien sûr. Tout de suite.

Hendaya lui approcha le téléphone posé sur la table de bureau et il décrocha le combiné avant de le lui tendre.

— Allez, Alberto. Appelle tes parents pour qu'ils t'apportent tes papiers et viennent te chercher. Ta famille est certainement inquiète pour toi.

12

Une couronne nuageuse en transit glissait sur le flanc de la colline. Les phares du taxi éclairaient la silhouette des grandes demeures aristocratiques qui s'élevaient au milieu des parcs arborés longeant la route grimpant à Vallvidrera.

— Je ne peux pas prendre la route de Las Aguas, informa le chauffeur de taxi. Depuis l'année dernière, l'accès est réservé aux riverains et aux véhicules municipaux. Dès qu'on pointe notre nez, un gardien caché dans un buisson sort avec son carnet à souches pour nous coller une amende. Je peux vous laisser à l'entrée de la rue…

Vargas lui montra un billet de cinquante pesetas. Les yeux du chauffeur s'y posèrent comme des mouches sur le miel.

— Écoutez, je n'ai pas le change pour ce…

— Inutile, si vous nous attendez. La mairie n'a qu'à aller se faire pendre !

L'homme souffla, avant de se ranger à la logique monétaire.

— À vos ordres, conclut-il.

Le chauffeur de taxi s'engagea prudemment sur la route de Las Aguas, une voie à peine goudronnée qui bordait l'amphithéâtre montagneux protégeant Barcelone.

— Vous êtes sûrs que c'est par là ?

— Continuez tout droit.

L'ancienne maison des Mataix se trouvait à trois cents mètres environ. Les phares du taxi illuminèrent bientôt une grille entrouverte surmontée de fers de lance, au bord de la route. Plus loin, on devinait un profil dentelé de mansardes et de tours émergeant des ruines d'un jardin abandonné depuis trop longtemps.

— C'est ici.

Le conducteur jeta un bref coup d'œil aux lieux avant de les regarder dans le rétroviseur sans aucun enthousiasme.

— Il me semble que plus personne ne vit ici.

Ignorant sa remarque, Alicia descendit du véhicule.

— Auriez-vous une lampe ? demanda Vargas.

— Les extras ne sont pas compris dans la course. On est toujours d'accord pour cinquante balles ?

Vargas ressortit le billet de cinquante pesetas et le lui montra.

— Comment vous appelez-vous ?

L'effet hypnotique du pognon à l'état pur éblouit le chauffeur de taxi.

— Cipriano Riruejo Cabezas, pour vous servir, ainsi que la corporation des chauffeurs de taxi, ânonna-t-il avec un accent andalou.

— Cipriano, c'est votre jour de chance. Y aurait-il une lampe de poche pour la demoiselle ? Il ne faudrait pas qu'elle tombe et se fasse une entorse à la cheville…

L'homme se pencha et fouilla dans la boîte à gants dont il sortit une lampe torche d'une dimension impressionnante. Vargas la prit et descendit du taxi, non sans avoir auparavant coupé le billet en deux et tendu la moitié au chauffeur.

— La deuxième moitié au retour.

Cipriano soupira, examinant la moitié de billet comme s'il s'agissait d'un ticket de loterie périmé.

— Si vous revenez… murmura-t-il.

Alicia s'était déjà faufilée dans l'ouverture étroite de la grille. Sa silhouette glissait au milieu de la broussaille, sous un croissant de lune. Deux ou trois fois plus volumineux qu'elle, Vargas dut se battre contre les barreaux rouillés pour entrer et la suivre. Une allée pavée faisait le tour de la maison et menait à l'entrée principale située à l'avant de la demeure. Un tapis de feuilles mortes recouvrait les pavés sous leurs pieds. Vargas suivit ses pas et traversa le jardin. Il arriva jusqu'à la balustrade suspendue, sur la colline, d'où on contemplait tout Barcelone. Au-delà, la mer s'embrasait à la lueur de la lune et formait un lac d'argent ardent.

Alicia observa la façade de la demeure. Ce qu'elle avait imaginé en écoutant le récit de Vilajuana se matérialisa sous ses yeux. Elle eut la vision de la maison à sa belle époque, le soleil caressant la pierre ocre des murs et éclaboussant le bassin de la fontaine, sec à présent et craquelé. Les filles de Mataix jouaient dans ce jardin et l'écrivain et son épouse les admiraient de la fenêtre du salon. Le foyer des Mataix était devenu un mausolée abandonné aux volets agités par la brise.

— Une caisse du meilleur vin blanc si nous remettons le projet à demain et que nous revenons quand il fera jour, proposa Vargas. Deux, si vous me pressez de partir.

Elle lui arracha la lampe des mains et elle marcha vers l'entrée. La porte était ouverte. Les restes d'un cadenas rouillé traînaient par terre. Elle pointa le faisceau de lumière sur les morceaux de métal et elle s'accroupit pour les examiner. Elle prit une pièce qui paraissait avoir appartenu au verrou et elle l'étudia minutieusement. Elle avait éclaté de l'intérieur.

— Une balle dans le piston, opina Vargas derrière elle. Des voleurs expérimentés.

— Si ce sont des voleurs…

Alicia laissa tomber le morceau de métal et se redressa.

— Sentez-vous la même chose que moi ? demanda le policier.

Elle hocha la tête. Elle pénétra dans le vestibule et elle s'arrêta au pied d'un escalier de marbre blanchâtre qui montait dans l'obscurité. Le faisceau de lumière caressa la pénombre qui se perdait au-delà des marches. La dépouille d'un vieux lustre de cristal se balançait dans les hauteurs.

— Je ne me fierais pas à cet escalier, conseilla Vargas.

Ils montèrent lentement, une marche après l'autre. La lampe éclairait à quatre ou cinq mètres devant eux et le halo pâle allait mourir dans l'obscurité. La puanteur qu'ils avaient perçue en entrant était toujours présente mais, à mesure qu'ils s'élevaient, un vent froid et humide provenant de l'étage supérieur leur caressait plus nettement le visage.

Sur le palier du premier étage, ils trouvèrent une galerie d'où partait un grand couloir avec des fenêtres intérieures qui laissaient passer la clarté de la lune. La plupart des portes avaient été arrachées et les pièces étaient vides. Ils parcoururent le couloir en inspectant ces espaces morts. Le sol était couvert d'une pellicule de cendre. Alicia dirigea la lampe sur des traces de pas qui se perdaient dans les ténèbres.

— Elles sont récentes, chuchota-t-elle.

— Un vagabond probablement, ou un voleur à la tire qui se sera faufilé pour voir s'il n'y avait quelque chose à barboter, dit Vargas.

Alicia ne fit pas attention à ces mots et elle suivit la trace. Ils firent le tour de l'étage et ils atteignirent le coin sud-est de la demeure où conduisait la piste. Alicia s'arrêta devant ce qui avait été sans aucun doute la chambre des époux Mataix. Il ne restait qu'un meuble, les voleurs ayant arraché jusqu'au papier peint des murs. Le plafond commençait à s'écrouler et une partie de ses anciens caissons s'écartait, traçant une fausse perspective et créant l'illusion que la pièce était plus profonde qu'elle ne l'était. Au fond se trouvait le trou noir du placard encastré où l'épouse de Mataix s'était cachée en vain pour protéger ses filles. Alicia sentit son estomac se soulever.

— Il ne reste rien, dit Vargas.

Elle revint sur ses pas et elle regagna la galerie qui commençait en haut de l'escalier. La puanteur se faisait plus présente à cet endroit, une odeur de putréfaction qui paraissait monter du plus profond de la maison. Elle descendit les marches, doucement, Vargas sur ses talons. Elle se dirigeait vers la sortie lorsqu'elle enregistra un mouvement sur sa droite. Elle s'immobilisa. Elle approcha d'un salon orné de grandes portes-fenêtres. Une partie des lames de bois du parquet avait été arrachée et les résidus d'un feu improvisé révélaient la présence de restes carbonisés de chaises et de dos noircis de livres reliés.

Au fond de la pièce, une plaque de bois bougeait doucement, masquant l'entrée d'un puits de noirceur. Vargas s'arrêta à côté d'Alicia et elle sortit son révolver. Ils avancèrent très lentement jusqu'à la porte, chacun d'un côté. En arrivant près du mur, Vargas ouvrit la porte coupée encastrée dans la marqueterie et il hocha la tête. Alicia pointa le faisceau lumineux de la lampe vers l'intérieur. Un grand escalier descendait vers le sous-sol de la maison. La jeune femme sentit un courant d'air qui remontait imprégné d'une puanteur de charogne. Elle plaqua sa main devant sa bouche et son nez. Vargas acquiesça de nouveau. Ils descendirent pas à pas, tâtant les murs, essayant chaque marche avant de s'engager de peur de tomber dans le vide.

Quand ils arrivèrent au sous-sol, ils se trouvèrent devant ce qui ressemblait à une grande voûte occupant tout l'espace de la bâtisse. Une série de soupiraux laissaient pénétrer des rais d'une clarté agonisante happés par les miasmes vaporeux qui montaient du sol. Vargas retint Alicia au moment où elle s'apprêtait à faire un pas en avant. Elle comprit immédiatement que ce qu'elle prenait pour un dallage était de l'eau. La piscine souterraine de l'Indien avait perdu sa couleur vert émeraude et elle était désormais un miroir noir. Ils s'approchèrent du bord. Alicia balaya la surface de sa lampe torche. Un enchevêtrement d'algues verdâtres se balançait sous l'eau. La puanteur venait de là. Alicia signala le fond de la piscine.

— Il y a quelque chose là-dessous.

Elle éclaira la surface de plus près. L'eau prit une teinte spectrale.

— Vous voyez ?

Une masse noirâtre oscillait dans le fond en se traînant très lentement. Vargas regarda autour de lui et il repéra le manche de ce qui avait dû être un râteau ou un balai pour nettoyer la piscine. Les fibres s'étaient détachées depuis un bail, mais la partie métallique à laquelle elles avaient été attachées adhérait toujours au manche. Vargas plongea le bâton dans l'eau et il essaya d'atteindre la forme obscure. Quand il la frôla enfin, elle tourna sur elle-même en donnant l'impression de se déplier avec une infinie lenteur.

— Attention, alerta Vargas.

Il sentit que le balai entrait en contact avec quelque chose de dur et il tira d'un coup sec. L'ombre commença à remonter du fond de la piscine. Alicia recula. Vargas fut le premier à comprendre de quoi il s'agissait.

— Écartez-vous, murmura-t-il.

Elle reconnut le costume. Elle l'avait accompagné chez un tailleur de la Gran Vía le jour où il l'avait acheté. Le visage qui apparut à la surface avait la blancheur de la craie et les yeux semblaient deux ovales de marbre poli sillonnés de lignes obscures autour de la pupille. La cicatrice sur la joue, qu'elle lui avait elle-même infligée, était devenue un signe violacé qu'on aurait dit marqué au fer rouge. La tête bascula sur le côté, découvrant l'entaille profonde qui avait tranché la gorge.

Alicia ferma les yeux et laissa échapper un sanglot. Elle sentit la main de Vargas sur son épaule.

— C'est Lomana, parvint-elle à articuler.

Quand elle rouvrit les yeux, le corps s'enfonçait de nouveau. Entre deux eaux, il tournoya au ralenti, les bras en croix. Alicia se tourna vers Vargas qui l'observait, consterné.

— Vilajuana m'a dit qu'il l'avait envoyé ici, dit Alicia. Il a dû être suivi.

— Ou bien il est tombé sur quelqu'un qu'il n'attendait pas.

— On ne peut pas le laisser là. Comme ça.

Vargas fit non de la tête.

— Je vais m'en charger. Pour le moment, fichons le camp d'ici.

Le policier la prit par le bras et il la conduisit doucement vers l'escalier.

— Alicia, le corps est ici depuis au moins deux ou trois semaines. Bien avant votre arrivée à Barcelone.

Elle ferma les yeux et fit signe que oui.

— Ce qui signifie que la personne qui est entrée chez vous et qui vous a volé le livre n'était pas Lomana, compléta Vargas.

— Je le sais.

Ils allaient remonter quand Vargas s'immobilisa. Il la retint. Des crissements de pas à l'étage supérieur résonnèrent sous la voûte. Ils suivirent du regard le mouvement de la marche. Le policier écoutait d'un air impénétrable.

— Il y a plusieurs personnes, dit-il dans un souffle.

Les pas parurent s'arrêter un instant, avant de s'éloigner. Alicia voulut s'engager dans l'escalier, mais elle perçut un bruit, au-dessus d'elle. Ils entendirent les marches grincer et l'écho d'une voix. Ils échangèrent un regard. Alicia éteignit la lampe, ils se placèrent chacun d'un côté de la porte et se rencognèrent dans l'ombre. Vargas pointa son arme sur la sortie de l'escalier. Il arma le chien. Les pas se rapprochèrent et une silhouette se découpa. Elle n'eut pas le temps de faire un geste. Vargas appuyait déjà le canon de son révolver sur la tempe de l'inconnu, prêt à faire voler sa tête en éclats.

13

Le contact du canon d'une arme à feu sur la peau était une chose à laquelle Fermín ne parvenait pas à s'habituer. Comme le flan en poudre. Et ce n'était pas faute d'en avoir fait l'expérience un nombre incalculable de fois.

— Il va sans dire que nous venons avec des intentions pacifiques, articula-t-il en fermant les yeux, les mains en l'air en signe de reddition inconditionnelle.

— Fermín ! C'est vous ? demanda Alicia, abasourdie.

Le susdit n'eut pas le temps d'ouvrir la bouche que Daniel apparaissait à son tour à l'entrée de l'escalier. La vision de l'arme de Vargas pointée sur la tempe de son ami le pétrifia. Le policier laissa échapper un soupir et baissa son arme. Fermín exhala un souffle angoissé.

— Peut-on savoir ce que vous faites ici ? demanda Alicia.

— À croire que vous lisez dans mes pensées ! répondit Fermín.

Alicia affronta les regards accusateurs de Daniel et de Fermín et elle envisagea les options possibles.

— Je vous l'avais bien dit, Daniel. Regardez-la en train de manigancer ses mauvaises actions comme la perfide lamie qu'elle est !

— Lamie ? Qu'est-ce que c'est que ça ? demanda Vargas.

— Que l'artilleur ne s'offusque pas, mais s'il s'occupait moins de son gros calibre et davantage du dictionnaire, il n'aurait possiblement pas besoin de poser la question, répondit Fermín.

Vargas avança d'un pas et Fermín recula de cinq. Alicia leva les mains pour sonner la trêve.

— Alicia, vous nous devez une explication, il me semble, dit Daniel.

Elle le regarda droit dans les yeux et elle acquiesça en lui offrant un regard d'une douceur qui aurait fait fondre tous les soupçons du monde. Fermín donna un coup de coude à Daniel.

— Daniel, surveillez votre circulation sanguine et faites en sorte qu'elle n'aille pas irriguer les parties basses de votre anatomie. Et ne vous laissez pas enjôler.

— Ici personne ne chercher à enjôler quiconque, dit Alicia.

— Expliquez cela au macchabée flottant, murmura Fermín en signalant l'eau glauque de la piscine. Une de vos connaissances, peut-être ?

— Tout cela a une explication... commença-t-elle.

— Alicia... la mit en garde Vargas.

Elle fit un geste conciliant et elle s'approcha de Fermín et de Daniel.

— Malheureusement, ce n'est pas simple.

— Laissez-nous une chance. Nous ne sommes pas tout à fait aussi idiots que nous en avons l'air. Du moins en ce qui concerne votre serviteur. Parce que l'ami Daniel ici présent à mes côtés, il lutte encore pour sortir de l'âge bête.

— Laissez-la parler, le coupa Daniel.

— J'ai vu des langues moins venimeuses chez les cobras enfermés au zoo...

— Pourquoi ne sortons-nous pas d'ici d'abord ? Nous pourrions aller dans un lieu où nous discuterions calmement... proposa Alicia.

Vargas manifesta clairement sa désapprobation devant cette proposition.

— Comment savoir que ce n'est pas un piège ? demanda Fermín.

— C'est vous qui choisirez le lieu, dit Alicia.

Daniel et Fermín échangèrent un regard.

Ils traversèrent le jardin et ils retrouvèrent le taxi dans lequel Cipriano s'était laissé aller à la consommation de celtas sans filtre tout en écoutant un débat radiophonique profond sur les questions essentielles concernant les citoyens au premier chef : la ligue de football et l'évolution de l'hallux valgus au pied gauche de Kubala par rapport au match Madrid-Barcelone du dimanche suivant. Par impératif volumétrique, Vargas prit place à côté du chauffeur et les autres se tassèrent comme ils purent sur la banquette arrière.

— Vous n'étiez pas deux ? demanda Cipriano, se demandant s'il n'avait pas eu la main un peu lourde sur les celtas.

Vargas émit un grognement pour toute réponse. Alicia était plongée dans ses mystères intérieurs, possiblement occupée à élaborer l'énorme baratin qu'elle tenterait de leur faire avaler, comme le soupçonnait Fermín. Son ami Daniel avait l'air trop troublé par le contact de la cuisse de la femme rusée contre sa jambe droite pour élaborer la moindre pensée ou aligner deux mots. Dans la mesure où il était le seul à garder le contrôle de ses facultés et à être en pleine possession de son discernement, Fermín prit sa plus belle voix pour donner ses instructions de navigation.

— Écoutez, chef, ayez la bonté de nous approcher du Raval et de nous déposer à la porte de Can Lluís.

La simple mention de son restaurant, et refuge spirituel par gros temps, préféré, redonna à Fermín toute son énergie. Lui à qui le plus minime contact avec les forces de l'ordre inspirait toujours une fringale féroce en lieu et place de l'envie de se suicider. Le taxi regagna la route de Vallvidrera en marche arrière puis il reprit le chemin de Barcelone qui attendait, étendue au pied de la colline. Pendant la descente vers le quartier de Sarriá, Fermín étudia discrètement l'arrière du crâne du personnage assis devant lui, choisi par Alicia comme escorte et gros bras. Tout en lui sentait le flic, et du lourd. Vargas dut sentir l'attention de Fermín qui lui dardait la nuque parce qu'il se retourna. Il lui jeta un des regards dont il avait le secret et qui relâchent les intestins des malheureux en route pour la taule. Ce petit bonhomme qu'Alicia appelait Fermín lui paraissait échappé d'une romance apocryphe de *Lazarillo de Tormes*.

— Ne vous fiez pas à mon aspect gringalet, l'avertit Fermín. Tout ce que vous voyez là n'est que du muscle, doublé de l'instinct de combat. Considérez-moi comme un ninja en civil.

Il pensait avoir tout vu dans son métier, et voici que Notre Seigneur lui envoyait une petite surprise, en cadeau.

— Fermín, c'est cela ?

— Qui le demande ?

— Appelez-moi Vargas.

— Lieutenant ?

— Capitaine.

— J'espère que votre excellence n'a pas d'objection de type religieux contre la bonne chère et la cuisine catalane ? dit Fermín.

— Aucune. Et je ne vous cache pas que j'ai très faim. Ce Can Lluís est-il bon ?

— Sublime, répliqua Fermín. Les jambes de Rita Hayworth en bas résille !

Vargas sourit.

— Ces deux-là sont devenus amis, dit Alicia. Les injonctions conjuguées de l'estomac et des parties génitales rapprochent les hommes.

— Ne faites pas attention à elle, Fermín. Alicia ne mange rien. Rien de solide du moins, expliqua Vargas. Elle se nourrit de l'âme des naïfs, qu'elle gobe.

Bien malgré eux, Fermín et Vargas échangèrent un sourire complice.

— Vous avez entendu, Daniel ? laissa tomber le premier. C'est confirmé par la direction générale de la police. Un capitaine !

Alicia tourna la tête et elle vit que Daniel la regardait à la dérobée.

— À sotte demande, point de réponse, lâcha-t-elle.

— Ne craignez rien, je crois qu'après cette histoire de gobage il n'a plus rien enregistré, signala Fermín.

— Pourquoi ne vous taisez-vous pas, tous, pour que nous finissions le trajet tranquillement ? suggéra Daniel.

— Ce sont les hormones, s'excusa Fermín. Le garçon est encore en croissance.

Et ainsi, chacun dans son silence et tous livrés à la chronique radiophonique homérique de la ligue de football, ils arrivèrent devant chez Can Lluís.

14

Fermín descendit du taxi tel un naufragé affamé accostant après avoir passé trois semaines accroché à un morceau de bois flottant. Le patron de Can Lluís, un vieil ami, le reçut à bras ouverts et salua chaleureusement Daniel. En revanche, il regarda Vargas et Alicia du coin de l'œil. Fermín lui murmura quelque chose à l'oreille et il les invita à entrer.

— On parlait justement de vous avec le professeur Albuquerque, qui est venu déjeuner aujourd'hui. Il nous demandait dans quelles aventures vous vous étiez encore fourré.

— Aucune. Des intrigues domestiques banales. Je ne suis plus ce que j'étais, dit Fermín.

— Je vous installe à la table du fond, vous serez plus tranquilles, qu'en pensez-vous ?

Ils prirent place dans un coin de la salle, Vargas s'adjugeant instinctivement une chaise située dos au mur et face à l'entrée.

— Que désirez-vous ? demanda le serveur.

— Surprenez-nous, l'ami, répondit Fermín. J'ai déjà dîné, mais avec toutes ces émotions je ne dirais pas non à un souper, et le capitaine ici présent m'a tout l'air d'avoir la gamelle de l'ordinaire dans les talons. Pour les jeunes, une bouteille d'eau gazeuse, ils s'en débrouilleront, insipides comme ils sont.

— Un verre de vin blanc pour moi, s'il vous plaît, demanda Alicia.

— J'ai un excellent penedès.

Elle acquiesça.

— Je vous apporte quelques petites tapas, et si vous voulez autre chose, vous me le direz.

— Motion approuvée à l'unanimité, déclara Fermín.

L'homme se précipita vers la cuisine avec la commande et il les laissa sans autre compagnie qu'un épais silence.

— Vous disiez, Alicia ? l'invita Fermín.

— Ce que je vais vous raconter doit rester entre nous, dit-elle.

Daniel et Fermín avaient les yeux rivés sur elle.

— Il faut me donner votre parole, insista-t-elle.

— La parole se donne à qui tient la sienne, dit Fermín. Et vous, avec tout mon respect, vous ne nous avez offert pour l'instant aucune preuve que ce soit le cas.

— Vous allez devoir me faire confiance.

Fermín échangea un regard avec Vargas. Le policier haussa les épaules.

— Ne me regardez pas comme ça, dit ce dernier, elle m'a dit la même chose il y a plusieurs jours, et voilà où j'en suis.

Un serveur arriva avec un plateau et il disposa un certain nombre de petites assiettes garnies sur la table ainsi que du pain. Fermín et Vargas honorèrent l'offrande sans rechigner tandis qu'Alicia dégustait lentement son vin blanc entre deux bouffées de cigarette. Daniel gardait les yeux rivés sur la table.

— Qu'en dites-vous ?, demanda Fermín.

— C'est terrible ! admit Vargas. À réveiller un mort !

— Goûtez-moi cette portion de fricandeau, mon capitaine, et vous allez sortir d'ici en chantant le *Virolai* à la Vierge de Montserrat.

Daniel observait ces deux hommes diamétralement différents dévorer tels des lions en chasse tout ce qu'on leur servait.

— Combien de fois êtes-vous capable de dîner, Fermín ?

— Toutes les fois qui se présentent. Ces jeunes qui n'ont pas vécu la guerre ne peuvent pas comprendre, mon capitaine.

Vargas acquiesça en se léchant les doigts. Alicia assistait au spectacle avec le regard alangui de celle qui attend que la pluie se calme. Elle fit signe au serveur de lui servir un autre verre de vin blanc.

— L'alcool ne vous monte pas à la tête, à boire ainsi sans manger ? demanda Fermín en sauçant l'assiette avec un morceau de pain.

— Tant que ça monte, cela ne m'inquiète pas, répondit Alicia. Du moment que ça ne retombe pas.

Une fois les cafés servis, accompagnés de petits verres d'alcool, Fermín et Vargas se laissèrent aller contre le dossier de leur chaise d'un air satisfait et Alicia écrasa sa cigarette dans le cendrier.

— Vous, je ne sais pas, mais moi, je suis tout ouïe, dit Fermín.

Alicia se pencha en avant et baissa la voix.

— Je suppose que vous savez tous qui est le ministre Mauricio Valls.

— L'ami Daniel le sait par ouï-dire, quant à moi, nous avons eu des petits accrochages, précisa Fermín d'un air malicieux.

— Vous avez donc remarqué qu'il n'est plus apparu en public depuis un certain temps.

— Maintenant que vous le dites... convint Fermín. Même si l'expert concernant Valls ici, c'est Daniel. À ses moments perdus, il va à la bibliothèque enquêter sur la vie et les miracles du grand homme, une vieille connaissance de la famille.

Alicia et Sempere se regardèrent.

— Il y a trois semaines, Mauricio Valls a quitté sa résidence personnelle de Somosaguas sans laisser de trace. Il est parti un matin à l'aube avec son principal garde du corps dans une voiture qui a été retrouvée à Barcelone quelques jours plus tard. Personne ne l'a revu depuis.

Alicia étudia le torrent d'émotions qui incendiait le regard de Daniel.

— D'après l'enquête de police, Valls aurait été victime d'un complot organisé par des individus qui cherchaient à se venger de supposés traitements frauduleux relatifs à des actions bancaires.

Daniel affichait un air perplexe et une indignation croissante.

— Quand vous dites "enquête", à quoi faites-vous référence ? intervint Fermín.

— À l'enquête menée par la direction générale de la police et autres forces de l'ordre.

— Je vois bien ce que fait le capitaine Vargas dans le film, mais vous, vraiment...

— Je travaille, ou plutôt je travaillais, pour un de ces services qui collaborent avec la police sur cette enquête.

— Ce service a-t-il un nom par hasard ? demanda Fermín, sceptique. Parce que vous n'avez pas l'apparence d'un garde civil.

— Non.

— Je vois. Et le défunt que nous avons eu le plaisir de voir flotter cette nuit... ?

— C'est un ancien collègue.

— Je suppose donc que c'est l'affliction qui vous aura coupé l'appétit...

— Tout cela est un tissu de mensonges, coupa Daniel.

— Daniel, dit Alicia en posant une main sur la sienne dans un geste de conciliation.

Il retira sa main et il la regarda dans les yeux.

— Pourquoi vous faire passer pour une vieille amie de la famille, venir à la librairie, rendre visite à ma femme, à mon fils et vous introduire dans ma famille ?

— Daniel, c'est compliqué, permettez-moi de...

— Alicia, c'est votre vrai nom ou l'avez-vous emprunté à un vieux souvenir de mon père ?

Ce fut au tour de Fermín de la dévisager comme s'il affrontait un fantôme de son passé.

— Je m'appelle bien Alicia Gris. Je n'ai pas menti sur mon identité.

— Seulement sur tout le reste, répliqua Daniel.

Vargas gardait le silence, laissant Alicia diriger le cours de la conversation. Elle soupira en manifestant une inquiétude convaincante enveloppée d'une aura de culpabilité, à l'authenticité desquelles Vargas ne crut pas une seconde.

— Au cours de l'enquête, nous avons trouvé des indices laissant penser que Mauricio Valls aurait été en relation avec votre mère, Mme Isabella, ainsi qu'avec un ancien prisonnier de Montjuïc nommé David Martín. La raison pour laquelle je vous ai impliqué dans l'affaire est que je devais écarter des soupçons et m'assurer que la famille Sempere n'avait rien à voir avec…

Daniel laissa échapper un rire amer et il regarda Alicia d'un air profondément méprisant.

— Vous me prenez certainement pour un imbécile. Et je dois l'être, car jusqu'à présent je ne m'étais pas rendu compte de ce que vous êtes réellement Alicia ou qui que vous soyez.

— Daniel, je vous en prie…

— Ne me touchez pas.

Il se leva et il se dirigea vers la sortie. Alicia soupira. Elle plongea le visage entre ses mains. Puis elle chercha la complicité de Fermín, mais le petit homme l'observait comme si elle était une petite voleuse prise en flagrant délit.

— Comme première tentative, elle me semble plutôt ratée, opina-t-il. Je crois que vous nous devez toujours une explication, et plus encore à présent, vu le baratin que vous avez essayé de nous faire avaler. Sans compter la vérité que vous me devez. Si vous êtes réellement Alicia Gris.

Elle sourit, abattue.

— Vous ne vous souvenez pas de moi, Fermín ?

Il la contempla comme si elle était une apparition.

— Je ne sais plus de quoi je me souviens. Seriez-vous revenue d'entre les morts ?

— On peut le dire.

— Pourquoi ?

— Je suis simplement en train d'essayer de vous protéger.

— On ne dirait pas...

Alicia se leva et elle regarda Vargas qui fit un geste affirmatif.

— Allez le retrouver, dit le policier. Moi, je m'occupe de Lomana et je vous tiens au courant dès que je le peux.

Alicia fit un signe d'acquiescement et elle partit à la recherche de Daniel. Fermín et Vargas restèrent seuls, se regardant en silence.

— Je crois que vous êtes trop dur avec elle, affirma le policier.

— Depuis quand la connaissez-vous ?

— Quelques jours.

— Pourriez-vous me certifier que c'est un être vivant et pas un fantôme ?

— Je crois qu'elle y ressemble, c'est tout, dit Vargas.

— C'est vrai qu'elle boit comme un trou, remarqua Fermín.

— Vous n'imaginez pas...

— Un petit café arrosé avant de retourner à la maison de l'horreur ? proposa Fermín.

Vargas fit signe que oui.

— Avez-vous besoin de compagnie et de soutien logistique pour récupérer le macchabée ?

— Je vous remercie, Fermín, mais il vaut mieux que j'y aille seul.

— Dites-moi une chose alors, et pas de baratin s'il vous plaît. On en a connu des corridas, vous et moi, alors on ne va pas la jouer avec des banderilles : cette affaire, elle est pire qu'elle n'en a l'air, est-ce que je me trompe ?

Vargas hésita.

— Bien pire, lâcha-t-il enfin.

— Cet excrément bipède de Valls est-il encore vivant ? Ou bien mange-t-il enfin les pissenlits empoisonnés par la racine ?

Vargas, sur qui toute la fatigue des derniers jours paraissait être brutalement tombée, le regarda d'un air vaincu.

— Cela, mon ami, je crois que ce n'est rien...

15

La silhouette de Daniel se détachait au loin, ombre placée sous la protection des lampadaires et des ruelles du Raval. Alicia accéléra le pas autant qu'elle le put. Elle ressentit vite la douleur dans sa hanche. À mesure qu'elle réduisait la distance qui la séparait de Daniel, elle notait un essoufflement et une souffrance croissante. En arrivant sur les Ramblas, il se retourna et, quand il la vit, il lui lança un regard empli de colère.

— Daniel, je vous en prie, attendez-moi, cria Alicia, agrippée à un lampadaire.

Il l'ignora et il poursuivit sa route d'un pas léger. Alicia se traîna derrière lui. La sueur couvrait son front et tout son côté droit n'était plus qu'une blessure ouverte au fer rouge.

Rue Santa Ana, Daniel regarda derrière lui. Alicia le suivait toujours, boitant d'une façon qui le déconcerta. Il s'arrêta pour l'observer. Elle levait la main, essayant d'attirer son attention. Il se maudit. Il allait repartir vers chez lui quand il la vit tomber. Quelque chose paraissait s'être soudainement brisé en elle. Il attendit quelques secondes. Elle ne se relevait pas. Il hésita avant de s'approcher d'elle. Elle se tordait sur le sol. À la lueur du lampadaire, il aperçut son visage couvert de sueur et distordu par une grimace de souffrance. Il fut tenté de l'abandonner là, livrée à elle-même, mais il s'agenouilla. Alicia le regardait, le visage mouillé de larmes.

— Vous jouez la comédie ? lui demanda Daniel.

Elle tendit la main vers lui, il la prit pour l'aider à se redresser. Le corps d'Alicia tremblait de douleur sous ses mains, et Daniel ressentit une pointe de remords.

— Que vous arrive-t-il ?

— C'est une vieille blessure, répondit-elle, haletante. J'ai besoin de m'asseoir, s'il vous plaît.

Il la soutint par la taille et il la conduisit jusqu'au café ouvert très tard à l'entrée de la rue Santa Ana. Le serveur le connaissait et Daniel sut immédiatement que le lendemain tout le quartier serait au courant dans le moindre détail de son apparition à presque minuit avec une demoiselle au charme trouble dans les bras. Il porta Alicia à une table à côté de l'entrée et il l'aida à s'asseoir.

— De l'eau, murmura-t-elle.

Daniel alla au comptoir et commanda.

— Une bouteille d'eau, Manuel.

— De l'eau, c'est tout ? demanda l'homme en lui adressant un clin d'œil complice.

Daniel ne perdit pas de temps en explications. Il revint avec une bouteille d'eau et un verre. Alicia se bagarrait avec un pilulier en métal. Il le lui prit des mains et il l'ouvrit. Elle avala deux comprimés avec une gorgée d'eau qui lui dégoulina sur le menton. Daniel la regardait, inquiet, sans savoir que faire d'autre. Elle ouvrit les yeux et essaya de lui sourire.

— Je me sentirai très vite mieux, dit-elle.

— Si vous mangiez quelque chose, l'effet serait peut-être plus rapide...

Alicia nia.

— Un verre de vin blanc, s'il vous plaît...

— Croyez-vous que ce soit une bonne idée de mélanger l'alcool et ces... ?

Elle fit un geste affirmatif et Daniel alla commander du vin.

— Manuel. Mets-moi un verre de blanc et quelque chose à grignoter.

— J'ai des petites croquettes au jambon, vous m'en direz des nouvelles.

— Ça ira.

De retour à la table, Daniel insista pour qu'Alicia accepte de manger une croquette et demie afin d'accompagner le vin et ce qu'elle venait d'avaler sous forme de comprimés blancs. Elle sembla retrouver peu à peu le contrôle d'elle-même et elle réussit même à lui sourire comme s'il ne s'était rien passé.

— Je suis désolée que vous m'ayez vue dans cet état, dit-elle.

— Vous sentez-vous mieux ?

Alicia fit oui de la tête. L'aspect vitreux de ses yeux laissait toutefois suspecter qu'une partie d'elle-même était déjà loin.

— Tout cela n'y change rien, l'avisa Daniel.

— Je comprends.

Il remarqua qu'elle parlait lentement, comme si elle arrachait d'elle-même chacun des mots qu'elle prononçait.

— Pourquoi nous avez-vous menti ?

— Je ne vous ai pas menti.

— Appelez cela comme vous voudrez. Vous ne m'avez raconté qu'une partie de la vérité, ce qui revient au même.

— La vérité ? Moi-même je ne la connais pas, Daniel. Pas encore. Et quand bien même je le voudrais, je ne pourrais pas vous la révéler.

Il fut tenté de la croire, malgré lui. Il ne manquerait plus qu'il se montrât encore plus sot que ne le soupçonnait Fermín !

— Mais je vais la découvrir, dit Alicia. J'irai au fond de cette affaire et je vous assure que je ne vous cacherai rien.

— Dans ce cas, laissez-moi vous aider. Vous me devez bien cela.

Alicia fit non de la tête.

— Je sais que Mauricio Valls a assassiné ma mère. Je suis parfaitement en droit de le regarder droit dans les yeux et de lui demander pourquoi. Plus que vous et que Vargas.

— C'est certain.

— Alors laissez-moi vous aider.

Alicia lui sourit tendrement. Il détourna les yeux.

— Vous pouvez m'aider en vous occupant de votre famille et en les maintenant sains et saufs. Vargas et moi ne sommes pas les seuls sur sa piste. Il y en a d'autres. Des gens très dangereux.

— Je n'ai pas peur.

— C'est bien ce qui m'inquiète, Daniel. Vous devriez avoir peur. Très peur. Laissez-moi faire ce que je sais faire.

Alicia chercha son regard et elle lui prit la main.

— Je vous jure sur ma vie que je vais retrouver Valls et faire en sorte que vous soyez à l'abri, vous et votre famille.

— Je ne veux pas être à l'abri. Je désire connaître la vérité.

— Ce que vous désirez, Daniel, c'est vous venger.

— Cela me regarde. Et si vous ne me racontez pas ce qui se passe, je le découvrirai par moi-même. Je parle sérieusement.

— Je sais. Puis-je vous demander un service ?

Il haussa les épaules.

— Laissez-moi vingt-quatre heures. Si je n'ai pas résolu l'affaire, je vous promets sur ce que vous voulez que je vous dirai tout ce que je sais.

Il l'observa avec méfiance.

— Vingt-quatre heures, concéda-t-il enfin. J'ai également un service à vous demander en échange.

— Ce que vous voulez.

— Pourquoi Fermín affirme-t-il que vous lui devez une explication ? À quel propos ?

Alicia baissa les yeux.

— Il y a très longtemps, quand j'étais petite, il m'a sauvé la vie. C'était pendant la guerre.

— Il le sait ?

— S'il ne le sait pas, il le devine. Il pensait que j'étais morte.

— C'est cette blessure qui vous fait souffrir aujourd'hui ?

— Oui, répondit-elle d'une façon qui lui laissa penser que ce n'était que l'une des nombreuses blessures que cachait Alicia.

— Fermín m'a aussi sauvé la vie, dit Daniel. Souvent.

Elle sourit.

— La vie nous offre parfois un ange gardien.

Alicia se redressa pour se lever et Daniel fit aussitôt le tour de la table pour l'aider. Elle l'arrêta.

— J'y arrive toute seule, merci.

— Êtes-vous sûre que ces pastilles ne vous ont pas un peu… ?

— Ne vous inquiétez pas. Je suis une grande fille. Venez, je vous accompagne jusqu'à votre porte. C'est sur mon chemin.

Ils marchèrent jusqu'à la vieille librairie. Daniel sortit la clef. Ils se regardèrent en silence.

— J'ai votre parole ?

Elle fit signe que oui.

— Bonne nuit, Alicia.

Elle resta à le contempler, immobile, avec ce regard vide dont Daniel ne savait s'il était dû au médicament ou au puits sans fond que l'on devinait derrière ces yeux verts. Il se tourna vers la porte pour entrer. Alicia se hissa sur la pointe des pieds et elle approcha ses lèvres des siennes. Il détourna le visage et embrassa sa joue. Elle fit demi-tour sans un mot et s'éloigna, sa silhouette s'évanouissant parmi les ombres.

Bea les observait derrière la fenêtre. Elle les avait vus sortir du café et avancer vers l'entrée de son immeuble, alors que les cloches sonnaient minuit. Quand Alicia s'approcha de Daniel, qui ne bougea pas, perdu dans son regard, Bea sentit son estomac se rétracter. Elle la vit sur la pointe des pieds, prête à embrasser sa bouche. Elle cessa de regarder.

Elle regagna lentement sa chambre à coucher. Elle s'arrêta un instant devant celle de Julián, qui dormait profondément. Elle entrouvrit la porte puis elle alla se coucher. Elle attendit le bruit de la porte. Elle distingua les pas discrets de Daniel dans le couloir. Étendue dans la pénombre, le regard fixé sur le plafond, elle écouta Daniel se déshabiller au pied du lit et enfiler le pyjama qu'elle avait posé sur la chaise. Elle sentit son corps se glisser entre les draps. Puis elle vérifia que Daniel lui tournait le dos.

— Où étais-tu ? demanda-t-elle.

— Avec Fermín.

16

Hendaya lui offrit une cigarette. Fernandito la refusa.

— Non merci, je ne fume pas.

— C'est bien, tu es sage. C'est pourquoi je ne comprends pas que tu n'appelles pas ton père. Il viendrait te chercher avec tes papiers et tout serait éclairci. À moins que tu ne caches quelque chose ?

Le garçon fit signe que non. Hendaya sourit aimablement et Fernandito se rappela comment il avait tiré dans les genoux du chauffeur quelques heures plus tôt. La tache foncée sur son col de chemise était toujours là.

— Je ne cache rien, monsieur.

— Alors ?

Hendaya poussa le téléphone vers lui.

— Un coup de téléphone et tu seras libre.

Fernandito avala sa salive.

— Je voudrais vous demander de ne pas m'obliger à passer cet appel. Pour une bonne raison.

— Une bonne raison ? Quelle est-elle, Alberto, mon ami ?

— Mon père. Il est malade.

— Ah bon ?

— Malade du cœur. Il a eu un infarctus il y a quelques mois et il est resté plusieurs semaines à l'hôpital. Maintenant, il est à la maison, en convalescence, mais il est très faible.

— Je suis désolé.

— C'est un homme bon, monsieur. Un héros de la guerre.

— Un héros de la guerre ?

— Il est entré dans Barcelone avec les troupes nationales. Il y a une photo de lui en couverture de *La Vanguardia*, en train de défiler sur la Diagonal. Elle est encadrée dans la salle à manger. C'est le troisième en partant de la droite. Si vous le voyiez ! Il a défilé dans les premiers rangs grâce à son comportement héroïque pendant la bataille de l'Èbre. Il était caporal-chef.

— Vous devez être tous très fiers de lui.

— Nous le sommes, mais le pauvre n'est plus le même depuis ce qui est arrivé à ma mère.

— Ta mère ?

— Elle est morte il y a quatre ans.

— Toutes mes condoléances.

— Merci, monsieur. Savez-vous quelle est la dernière chose qu'elle m'a dite avant de mourir ?

— Non.

— Prends soin de ton père et ne lui cause pas de soucis.

— Lui as-tu obéi ?

Fernandito baissa les yeux d'un air contrit. Il fit non de la tête.

— Je n'ai pas été le fils que ma mère aurait voulu, ni celui que mon père méritait. Tel que vous me voyez, je suis un écervelé.

— Moi qui pensais que tu étais un bon garçon.

— Pas du tout. Une vraie tête brûlée. Voilà ce que je suis. Je ne fais que causer des problèmes à mon pauvre père, comme s'il n'avait pas déjà assez de peine. Le jour où je ne suis pas viré de mon boulot, je sors sans mes papiers d'identité. Vous voyez ! Un père héros de la guerre et un fils vaurien.

Hendaya l'étudiait, sur la défensive.

— Si je comprends bien, si tu téléphonais à ton père pour lui dire que tu es au commissariat parce que tu n'avais pas tes papiers, tu lui causerais encore du souci ?

— Le dernier, je crois. Pour qu'il vienne me chercher, il faudrait qu'un voisin l'accompagne, avec sa chaise roulante, et il mourrait de honte et de tristesse à cause de ce fils aussi godiche.

Hendaya réfléchit.

— Je comprends, Alberto, mais tu dois aussi me comprendre. Tu me mets dans de sales draps.

— Oui, monsieur, et vous avez eu beaucoup de patience avec moi, plus que je n'en mérite. Si j'étais vous, je me serais déjà moi-même jeté dans une cellule avec la pire racaille pour que j'en prenne de la graine. Mais je vous en supplie, pensez-y à deux fois, pour mon pauvre père. Je vous écris à l'instant mon nom, mon prénom et mon adresse, et vous pouvez venir demain et interroger n'importe quel voisin, le matin si possible, c'est le moment où mon père dort, à cause des médicaments.

Hendaya prit le papier que lui tendit Fernandito.

— Alberto García Santamaría. 37 rue Comercio, cinquième étage droite, lut-il à voix haute. Et si des agents te raccompagnaient, maintenant ?

— Mon père passe la nuit à regarder par la fenêtre et à écouter la radio. S'il me voit revenir avec la police, il me mettra dehors, ce qui serait mérité, et après il tombera dans les pommes.

— Et nous ne voulons pas que cela se produise.

— Non, monsieur.

— Comment puis-je m'assurer que tu ne recommenceras pas les bêtises si je te laisse partir ?

Fernandito prit un air grave pour admirer le portrait officiel de Franco accroché au mur.

— Parce que je vais vous le jurer devant Dieu et devant le Généralissime. Et que je meure à l'instant si je mens.

Hendaya le regardait avec curiosité et une pointe de sympathie par moments.

— Je vois que tu tiens bon, c'est donc que tu dois dire la vérité.

— Oui, monsieur.

— Écoute, Alberto, tu m'es sympathique et il se fait tard, je suis fatigué. Je vais te donner une chance. Je ne devrais pas, car le règlement c'est le règlement, mais j'ai été un fils moi aussi, et pas toujours le meilleur. Tu peux partir.

Fernandito regarda la porte du bureau d'un air incrédule.

— Ouste, avant que je ne change d'idée.

— Mille mercis, monsieur.

— Remercie ton père. Et que cela ne se reproduise pas.

Fernandito se leva, essuya la sueur sur son front et partit sans demander son reste. Il traversa sans se presser la longue salle de la brigade sociale et, en passant devant les deux agents qui le regardaient en silence, il répondit à leur salut.

— Bonne nuit.

Quand il fut dans le couloir, il accéléra le pas et il se dirigea vers les escaliers qui menaient au rez-de-chaussée. Il ne respira profondément qu'une fois sur le trottoir de la Vía Layetana. Il bénit alors le ciel, l'enfer et tout ce qu'il y avait entre les deux pour la chance qui était la sienne.

Hendaya observa Fernandito sur la Vía Layetana et il entendit le pas des deux agents qu'il envoyait le suivre.

— Je veux savoir qui c'est, où il habite et qui sont ses amis, lança-t-il sans se retourner.

17.

Un brouillard qui déposait des brins d'humidité sur les vêtements noyait les rues de Vallvidrera quand Vargas sauta du taxi et se dirigea vers le bar situé juste à côté de la gare du funiculaire. L'endroit était désert à cette heure de la nuit et le carton FERMÉ pendait à la porte. Il regarda par la vitre éclairée. Un serveur essuyait des verres derrière le comptoir sans autre compagnie que la radio et un chien, un bâtard à moitié borgne qu'une puce n'aurait pas touché même si on l'avait payée pour le faire. Vargas toqua sur la vitre. Le serveur sortit momentanément de son ennui, il lui adressa un bref regard et remua la tête négativement. Vargas sortit sa plaque d'identification et frappa à nouveau, plus fort cette fois. Le serveur soupira, fit le tour du comptoir et s'approcha de la porte. Ressuscité de sa torpeur, le chien se traîna en boitant en guise d'escorte.

— Police, annonça Vargas. J'ai besoin d'utiliser votre téléphone.

Le serveur ouvrit la porte et le laissa entrer. Il indiqua l'appareil, juste à côté du comptoir.

— Je vous sers quelque chose, tant qu'à faire ?

— Une noisette, si cela ne vous dérange pas.

Pendant que le serveur préparait le café, Vargas composa le numéro du commissariat central. Le chien s'installa à côté de lui et le regarda de ses yeux endormis en remuant très mollement la queue.

— Chusco, laisse monsieur tranquille, lui dit le serveur.

En attendant la communication, Vargas et Chusco se jaugèrent mutuellement, comparant leur ancienneté et leur degré d'usure.

— Quel âge il a, votre chien ? demanda le policier.

Le serveur haussa les épaules.

— Quand j'ai pris le bar, il était déjà là il ne pouvait déjà pas se retenir de péter. Et ça fait dix ans de cela.

— C'est quelle race ?

— *Tutti frutti.*

Chusco se laissa rouler sur le côté et il lui montra un ventre rosé et pelé. Une voix toussota au bout du fils.

— Passez-moi Linares. C'est Vargas, de la Préfecture centrale.

Il entendit rapidement un clic sur la ligne et la voix de Linares, empreinte d'une certaine ironie.

— Je te croyais déjà à Madrid en train de récupérer des médailles.

— Je suis resté quelques jours de plus pour assister aux défilés de géants et de grosses têtes.

— N'y prends pas trop goût, toutes les places sont déjà prises ici. Que puis-je pour toi à cette heure-ci ? Ne me dis pas que tu as de mauvaises nouvelles.

— Ça dépend. Je suis à Vallvidrera, dans le bar à côté de la gare du funiculaire.

— La plus belle vue de Barcelone.

— Tu peux le dire. Il y a un moment, j'ai vu un cadavre dans une maison, sur la route de Las Aguas.

Vargas savoura le soupir de Linares.

— Merde, merde, merde. Était-ce vraiment nécessaire ?

— Tu ne me demandes pas qui est le défunt ?

— Tu ne me le diras pas.

— Je le ferais si je le savais.

— Tu peux peut-être me dire ce que tu faisais là-haut, à explorer les belles demeures en pleine nuit ? Du tourisme de montagne ?

— Je réglais les derniers détails. Tu sais comment c'est, ce genre de choses.

— Oui. Et je suppose que tu attends que je sorte un juge du lit pour la levée du corps.

— Si ce n'est pas trop te demander.

Linares soupira de nouveau. Vargas l'entendit crier.

— Donne-moi une heure, une heure et demie. Et fais-moi plaisir, ne trouve pas d'autres macchabées, tu veux bien.

— À tes ordres.

Vargas reposa le combiné et alluma une cigarette. Une noisette fumante l'attendait sur le comptoir. Le serveur le regardait avec une vague curiosité.

— Vous n'avez rien entendu, lui dit-il.

— Aucun risque. Je suis plus sourd que Chusco.

— Puis-je passer un autre coup de fil ?

Le serveur haussa les épaules. Vargas composa le numéro de l'appartement de la rue Aviñon. Il attendit plusieurs minutes et il entendit finalement le murmure d'une respiration à l'autre bout du fil.

— C'est moi, Vargas.

— Vargas ?

— Ne me dites pas que vous m'avez déjà oublié, Alicia.

Une longue pause. La voix d'Alicia semblait provenir du fond d'un aquarium.

— Je pensais que c'était Leandro, dit-elle en traînant sur chaque mot.

— Vous avez une drôle de voix. Avez-vous bu ?

— Quand je bois, je n'ai pas une voix bizarre, Vargas.

— Qu'avez-vous pris ?

— Un verre de lait chaud avant de faire mes prières du soir et d'aller me coucher.

— Où étiez-vous passée ? demanda-t-il.

— Je prenais un verre avec Daniel Sempere.

Vargas garda le silence un long moment.

— Je sais ce que je fais, Vargas.

— Si vous le dites.

— Où êtes-vous ?

— À Vallvidrera, j'attends la police et le juge pour procéder à la levée du corps.

— Que leur avez-vous dit ?

— Que je me suis rendu dans la maison de Mataix afin de régler les derniers détails, et que je suis tombé sur une surprise.

— Ils vous ont cru ?

— Non, mais j'ai encore quelques bons amis à la Préfecture.

— Et à propos du corps, que comptez-vous leur raconter ?

— Que je ne le reconnais pas, je ne l'avais jamais vu auparavant. Ce qui est strictement exact.

— Vos amis savent-ils que vous avez été relevé de l'affaire ?

— Ils ont dû l'apprendre avant moi. Ici, celui qui ne court pas vole !

— Dès qu'ils auront identifié le corps, la nouvelle parviendra à Madrid. Et aux oreilles de Leandro.

— Ce qui nous laisse quelques heures, estima Vargas. Avec un peu de chance.

— Fermín vous a-t-il dit quelque chose ? demanda Alicia.

— Des choses délicieuses. Et aussi que vous devriez avoir une conversation tous les deux.

— Je le sais. Vous a-t-il dit à quel propos ?

— Nous avons sympathisé, mais pas à ce point. J'ai l'impression que Fermín voit en vous un personnage appartenant à son passé.

— Et maintenant, que faisons-nous ?

— Dès que le juge aura rédigé le certificat, j'accompagnerai le corps jusqu'à la morgue au prétexte que cela fait partie de mon enquête. Je connais le médecin légiste depuis mes années à Leganés. C'est quelqu'un de bien. Je verrai ce que je peux glaner.

— Vous serez là-bas jusqu'au lever du soleil au moins.

— Au moins. Je ferai un petit somme à la morgue. Je suis certain qu'ils me prêteront une table d'autopsie, plaisanta Vargas sans entrain. Les médecins légistes sont toujours d'humeur à rigoler.

— Faites attention. Et appelez-moi dès que vous saurez quelque chose.

— Ne vous en faites pas, et vous, essayez de dormir un peu, reposez-vous.

Vargas raccrocha et s'approcha du comptoir. Il avala d'un trait sa noisette, tiède à présent.

— Je vous en mets une autre ?

— Un crème peut-être.

— Et une viennoiserie pour faire passer le tout ? Cadeau de la maison. Demain, elles ne seront plus bonnes.

— Dans ce cas, oui.

Vargas arracha une corne du croissant filandreux et il l'examina à contre-jour, débattant avec lui-même pour déterminer si l'ingestion d'une telle chose était ou non une bonne idée. Chusco, doté des piètres scrupules alimentaires propres à son espèce, l'observait fixement et se léchait par avance les babines. Vargas laissa tomber un morceau de croissant et il l'attrapa au vol avant de l'engloutir avidement. Il adressa à Vargas un halètement de gratitude éternelle.

— Attention, après vous ne pourrez plus vous en défaire, l'avertit le serveur.

Vargas échangea encore un regard avec son nouvel ami avant de lui donner le reste du croissant. Le chien n'en fit qu'une bouchée. Dans cette chienne de vie, pensa Vargas, quand tu te fais vieux et que même le bon sens te fait souffrir, un quignon d'amabilité ou de pitié est un mets divin.

L'heure et demie promise par Linares se transforma en deux grosses heures. Quand Vargas aperçut enfin les lumières de la voiture de police et la fourgonnette de la morgue montant dans le brouillard, il régla ses consommations, ajouta un généreux pourboire et sortit du bar pour les attendre en fumant une cigarette. Linares baissa la vitre arrière et fit signe à Vargas de monter à côté de lui. Un de ses hommes conduisait le véhicule et un individu trapu engoncé dans un manteau et affligé d'une expression taciturne occupait la place du mort.

— Monsieur le juge, salua Vargas.

Le juge ne prit pas la peine de le saluer en retour ou de se manifester à lui d'une quelconque manière. Linares lui adressa un regard acide et sourit en haussant les épaules.

— Où allons-nous ? demanda-t-il.

— Près d'ici. Sur la route de Las Aguas.

Vargas regarda son vieux compagnon à la dérobée. Les vingt années passées dans le Corps avaient marqué Linares.

— Tu as bonne mine, mentit-il.

Linares rit intérieurement. Vargas croisa le regard du juge dans le rétroviseur.

— De vieux amis ? interrogea-t-il.

— Vargas n'a pas d'amis, dit Linares.

— C'est un homme sage, opina le juge.

Vargas guida le conducteur le long du tracé ombreux que décrivait la route jusqu'à ce que la silhouette de la maison de Mataix apparût dans les phares du véhicule. La fourgonnette de la morgue les suivait de près. Ils descendirent de l'auto et le juge fit quelques pas pour contempler la demeure au milieu des arbres.

— Le corps est au sous-sol, indiqua Vargas. Dans une piscine. Il doit y être depuis deux ou trois semaines.

— Merde ! lâcha un des employés de la morgue, un novice apparemment.

Le juge s'approcha de Vargas et le regarda droit dans les yeux.

— Linares dit que vous avez découvert le corps au cours d'une enquête ?

— C'est le cas, monsieur le juge.

— Il dit aussi que vous n'avez pas pu l'identifier ?

— Effectivement, monsieur le juge.

Le juge regarda Linares qui se frottait les mains pour lutter contre le froid. Le deuxième employé de la morgue, plus expérimenté et au visage impénétrable, s'approcha du groupe et chercha Vargas du regard.

— Un ou plusieurs morceaux ?

— Pardon ?

— Le défunt.

— Ah, un, je pense.

L'homme hocha la tête.

— Manolo, le grand sac, la gaffe et deux pelles, ordonna-t-il à son apprenti.

Une demi-heure plus tard, tandis que les employés chargeaient le cadavre dans la fourgonnette et que le juge complétait les documents sur le capot de la voiture à la lueur de la torche tenue par le subalterne de Linares, Vargas remarqua à côté de lui la présence de son ancien compagnon. Ils observèrent en silence la façon dont les deux employés de la morgue s'y prenaient pour hisser à l'intérieur du véhicule le cadavre visiblement plus lourd qu'ils ne l'avaient supposé. Pendant la manœuvre, ils lui administrèrent plus d'un coup sur ce qui devait être la tête, tout en se disputant et en rechignant.

— On est peu de chose, murmura Linares. C'est l'un des nôtres ?

Vargas vérifia que le juge ne pouvait pas l'entendre.

— Ça y ressemble. Je vais avoir besoin d'un peu de temps.

Linares baissa les yeux.

— Douze heures, maximum. Je ne peux pas te laisser plus.

— Hendaya… dit Vargas.

Linares acquiesça.

— Manero est-il à la morgue ?

— Il t'y attend. Je lui ai dit que tu viendrais.

Vargas lui sourit d'un air reconnaissant.

— Y a-t-il quelque chose que je devrais savoir ? demanda Linares.

Vargas fit non de la tête.

— Et Manuela, comment va-t-elle ?

— Bien. Bien en chair, comme sa mère.

— C'est ce que tu aimes.

Linares acquiesça d'un air grave.

— Elle ne doit plus se souvenir de moi, avança Vargas.

— Non, mais elle continue de t'appeler *el hijo de puta*. Avec tendresse.

Vargas offrit une cigarette à son ami, qui refusa.

— Que nous est-il arrivé, Linares ?

Ce dernier haussa les épaules.

— C'est l'Espagne, je suppose.

— Ça pourrait être pire. On pourrait être dans le sac.

— Patience.

18

Fernandito sut qu'il était suivi sans avoir besoin de se retourner. Il obliqua au coin de la rue et il s'engagea dans l'avenue de la

Cathédrale. Là, il tourna légèrement la tête et il les aperçut. Les deux hommes le suivaient depuis qu'il avait quitté le commissariat. Il accéléra le pas et il prit au plus court pour gagner le côté opposé de l'esplanade, se fondant dans l'ombre des porches. Il s'arrêta un instant sous la marquise d'un café fermé et il constata que les deux sbires d'Hendaya n'avaient pas perdu sa trace. Il n'avait nullement l'intention de les conduire chez lui et encore moins chez Alicia. Il décida donc de leur imposer un parcours touristique dans la Barcelone noctambule avec l'espoir qu'ils se perdraient dans le piège, par hasard, à cause de la fatigue ou grâce à un coup du sort.

Il s'engagea dans la rue Puertaferrisa et il marcha au milieu de la voie, aussi visible qu'une cible sur un champ de tir. La rue était presque déserte et il avança sans se presser. Il croisa un ivrogne occasionnel, un veilleur de nuit et le contingent habituel des âmes perdues patrouillant dans les rues de Barcelone jusqu'aux petites heures du matin. Chaque fois qu'il regardait derrière lui, il constatait la présente des dogues d'Hendaya, toujours à la même distance.

En arrivant sur les Ramblas, il envisagea de piquer un sprint pour essayer de les semer dans les ruelles du Raval, mais il jugea que cela le trahirait et que ses chances de réussite étaient minces, vu l'habileté de ses poursuivants. Il descendit les Ramblas jusqu'à l'entrée du marché de la Boquería. Un cortège de camions était rassemblé devant les portes et à l'intérieur du marché un groupe fourni de débardeurs travaillaient sous une guirlande d'ampoules, déchargeant des cageots et approvisionnant les étals avant l'ouverture. Sans y réfléchir à deux fois, il se faufila entre les piles de caisses et il se fondit dans la masse des travailleurs qui parcouraient les allées. Dès qu'il se sentit à l'abri du regard de ses poursuivants, il courut vers l'arrière du marché. L'immense voûte s'ouvrait devant lui comme une cathédrale consacrée à la bonne chère, un temple où toutes les odeurs et les couleurs du monde étaient réunies pour satisfaire l'appétit de la ville.

Il serpenta entre les piles de fruits et de légumes, les monticules d'épices et de conserves, les bacs de glace et les créatures gélatineuses qui bougeaient encore. Il esquiva les cadavres sanguinolents suspendus à des crocs et il encaissa les invectives et les bousculades des bouchers, des déballeurs et des marchandes de légumes chaussées de bottes en caoutchouc. Quand il arriva de l'autre côté du marché, il déboucha sur une place remplie de cageots de bois vides. Il courut se cacher derrière un tas de bacs empilés et il fouilla du regard tout l'arrière du marché. Une trentaine de secondes s'écoulèrent sans signe de vie des deux agents. Il inspira profondément et il s'autorisa un sourire de soulagement. Sa tranquillité fut de très courte durée. Les deux policiers apparurent dans l'encadrement de la porte du marché et ils s'arrêtèrent pour scruter la place. Fernandito se glissa dans l'obscurité et il se faufila rapidement dans la ruelle qui bordait l'ancien hôpital de la Santa Cruz en direction de la rue du Carmel.

Dès qu'il passa le coin de la rue, il tomba nez à nez avec elle : teinte en blonde, jupe moulée sur le point de craquer et visage de madone perdue pour la piété aux lèvres d'un rouge infernal.

— Salut mon mignon, lui lança-t-elle d'un ton enjôleur. Tu ne devrais pas être en train de boire ton chocolat avant d'aller à l'école ?

Fernandito dévora des yeux la tapineuse, et surtout la perspective d'un abri, là, derrière cette porte. L'aspect de l'immeuble invitait à tout sauf à y entrer. Un individu au teint olivâtre faisait office de réceptionniste et occupait une guérite de la taille d'un confessionnal.

— Combien ? improvisa Fernandito tout en surveillant le bout de la ruelle.

— Ça dépend du service. Aujourd'hui, j'ai un spécial enfant de chœur et garçonnet encore au sein, parce que pour les seins…

— D'accord, coupa le garçon.

Jugeant le marché conclu, la professionnelle le prit par le bras et le tira vers l'escalier. À la troisième marche, il s'arrêta pour regarder derrière lui, mis en garde peut-être par le radar frileux que tout jeune morveux porte en lui ou par les odeurs qui se dégageaient de l'intérieur de l'immeuble. La prostituée craignit une perte financière dans une nuit déjà déficitaire. Elle lui infligea une solide étreinte et, l'haleine humide, elle lui susurra à l'oreille des mots très coquins qui donnaient généralement de bons résultats auprès des jeunots mollement disposés.

— Viens mon pigeon, viens, je vais t'offrir un voyage de fin d'année dont tu te souviendras, tu vas halluciner, lui promit-elle.

Ils passèrent devant la guérite où l'intendant leur tendit le nécessaire logistique comprenant un savon, un préservatif et autres ustensiles hygiéniques. Fernandito suivit la Vénus de location sans perdre de vue le porche d'entrée. Une fois arrivés sur le palier du premier étage d'où partait un couloir obscur de chambres parfumées à l'acide chlorhydrique, la gagneuse lui adressa un regard inquiet.

— Tu m'as l'air bien pressé, dit-elle.

Fernandito soupira. Elle chercha son regard apeuré. La rue vous diplôme en psychologie à marche forcée et l'expérience sur le terrain lui avait appris que si un client ne montait pas déjà chaud à l'idée du grand frisson, et de ses formes sculpturales, il était à craindre qu'il tournât les talons en découvrant la pièce crasseuse qui lui servait de bureau. Pis encore, qu'il baissât pavillon avant même d'ôter son slip et qu'il battît en retraite sans avoir satisfait ses attentes ni régler les honoraires.

— Écoute, mon chou, la précipitation n'est pas bonne conseillère pour ces choses-là, encore moins à ton âge. J'en connais plus d'un qui a perdu la tête simplement en frôlant ces pommes d'amour-là. Or vois-tu, il faut les déguster comme un gâteau à la crème. À petites bouchées, lentement.

Fernandito balbutia quelque chose que la fille choisit de prendre comme une capitulation devant l'allégation irréfutable de ses atouts. La chambre était au bout du couloir. En chemin, le garçon eut l'occasion d'apprécier un concert de halètements et de grincements de sommier filtrant par les portes. Quelque chose dans son visage dut trahir son maigre bagage culturel sur le sujet.

— C'est la première fois ? lui demanda-t-elle en ouvrant la porte et en lui cédant le passage.

Il hocha la tête, anxieux.

— Ne t'inquiète pas, les novices, c'est ma spécialité. La moitié des garçons de bonne famille de Barcelone sont passés par mon cabinet pour que je leur apprenne à changer leurs couches tout seul. Allez, entre.

Fernandito jeta un coup d'œil sur son refuge provisoire. C'était pire que ce qu'il avait imaginé.

La chambre offrait un résumé de misères et de puanteurs renfermées entre quatre murs à la peinture verte écaillée à cause d'une humidité à l'origine incertaine. Dans le simulacre de cabinet de toilette ouvert sur la chambre trônaient une cuvette de water sans abattant et un lave-mains de couleur ocre baignés dans la lueur grise déversée par un minuscule vasistas. La tuyauterie soupirait une curieuse mélodie de gros bouillons et de goutte-à-goutte qui invitait à tout sauf aux plaisirs de l'amour. Au pied du lit, une bassine de dimensions considérables suggérait des activités mystérieuses qu'il était préférable de ne pas dévoiler. Le lit se réduisait à un sommier métallique, un matelas qui avait été blanc une quinzaine d'années auparavant et deux oreillers qui avaient beaucoup vécu.

— Il vaut peut-être mieux que je rentre chez moi, expliqua Fernandito.

— Du calme, mon garçon, tu n'as encore rien vu. Dès que tu auras enlevé ton pantalon, tu te croiras dans la *suite** nuptiale du Ritz.

Elle le guida jusqu'à la paillasse et elle le poussa à s'asseoir. Une fois le client soumis, elle s'agenouilla devant lui et elle lui adressa un sourire dont la tendresse tranchait sur le maquillage et la tristesse du regard. Mais un geste volontairement mercantile vint gâter la maigre poésie populacière que Fernandito avait voulu imaginer. La prostituée attendait, une main tendue.

— Pas de pépètes, pas de septième ciel, mon chou.

Fernandito hocha la tête. Il fouilla dans ses poches et il sortit son portefeuille. Les yeux de la dame s'illuminèrent. Il prit tout l'argent qu'il avait sur lui et il le lui donna sans compter.

— C'est tout ce que j'ai. Ça suffira ?

Elle posa l'argent sur la table de nuit et elle le regarda dans les yeux avec une douceur étudiée.

— Je m'appelle Matilde, mais tu peux m'appeler comme ça te chante.

— Les autres, ils vous appellent comment ?

— Ça dépend. Pétasse, traînée, pute, salope... Ou du nom de leur femme, de leur mère... Une fois, un séminariste repenti m'a appelé *mater*. J'ai cru qu'il voulait dire water ! Il paraît que ça veut dire maman en latin.

— Moi, c'est Fernando, enfin Fernandito pour tout le monde.

— Dis-moi, Fernando, t'es déjà allé avec une femme ?

Il hocha la tête, sans aucune conviction. Mauvais signe.

— Tu sais ce que tu dois faire ?

— En vérité, ce que je voudrais, c'est pouvoir rester ici un petit moment. On n'a pas besoin de faire quelque chose.

Matilde fronça les sourcils. Les tordus, c'était les pires. Décidée à redresser la situation, elle déboutonner sa ceinture et baissa son pantalon. Fernandito l'interrompit.

— N'aie pas peur, mon ange.

— Je n'ai pas peur de vous, Matilde, dit-il.

Elle s'arrêta et le regarda.

— Tu es poursuivi ?

Fernandito fit oui de la tête.

— Ah. La police ?

— Je crois, oui.

La femme se releva et vint s'asseoir à côté de lui.

— Tu veux rien faire, t'es sûr ?

— Je veux seulement rester un peu ici. Si ça ne vous gêne pas.

— Je ne te plais pas ?

— Ce n'est pas ce que je veux dire. Vous êtes très séduisante.

Matilde rit intérieurement.

— T'as une fille, c'est ça, elle te plaît ?

Fernandito ne répondit pas.

— Je suis sûre que oui. Allez, dis-le-moi. Comme s'appelle ta fiancée ?

— Ce n'est pas ma fiancée.

Matilde le regardait d'un air interrogateur.

— Elle s'appelle Alicia.

La femme posa la main sur sa cuisse.

— Je suis sûre que je sais faire des choses que ton Alicia ignore.

Fernandito prit conscience qu'il n'avait pas la moindre idée de ce qu'Alicia savait faire ou pas, et que ce n'était pas faute d'y avoir réfléchi. Matilde l'observait avec curiosité. Elle s'allongea sur le matelas et lui prit la main. Quand il la regarda à la lumière de l'ampoule anémique qui lui conférait un teint jaunâtre, il comprit que Matilde était beaucoup plus jeune qu'il n'avait pensé, et qu'elle n'avait peut-être que quatre ou cinq ans de plus que lui.

— Si tu veux, je peux t'apprendre comment on caresse une fille.

Fernandito s'étrangla avec sa propre salive.

— Je sais comment on fait, articula-t-il d'un ton neutre.

— Aucun homme ne sait caresser une femme, mon chou. Crois-moi. Même le plus malin est adroit de ses mains comme un cochon de sa queue. Allez viens, allonge-toi à côté de moi.

Fernandito hésita.

— Déshabille-moi. Lentement. Plus tu prends ton temps pour dévêtir une fille, plus vite tu la conquiers. Imagine que je suis Alicia. Je dois bien lui ressembler un peu.

Le jour et la nuit, pensa Fernandito.

Malgré cela, l'image d'Alicia étendue devant lui sur le lit, les bras vers lui, lui brouilla la vue. Il serra le poing pour contenir son tremblement.

— Alicia n'en saura rien. Je garderai le secret. Allez.

19

Exilé dans un recoin obscur où la rue Hospital perdait son doux nom s'élevait un édifice sombre que la lumière du soleil ne paraissait jamais avoir caressé. Un portail en fer en interdisait l'entrée et aucun panneau, aucune indication ne permettait de deviner ce qu'il dissimulait entre ses murs. La voiture de la police s'arrêta. Vargas et Linares en descendirent.

— Le malheureux va rester ici ? demanda Vargas.

— Je crains qu'aucune autre possibilité ne s'offre à lui, dit Linares en appuyant sur la sonnette.

Ils attendirent une minute environ avant que la porte ne s'ouvrît. Un individu mal bâti au regard de reptile leur céda le pas d'un geste peu aimable.

— Je pensais que vous étiez mort, dit-il à Vargas en le reconnaissant.

— Vous m'avez manqué, vous aussi, Braulio.

Les plus anciens avaient entendu parler de cet avorton à la peau tannée par le formol et à la démarche brinquebalante qui officiait comme ordonnance, assistant du médecin légiste et âme en peine officielle des lieux. Les mauvaises langues racontaient qu'il vivait dans les sous-sols de la morgue, élevant la crasse au rang d'un art et vieillissant sans soin, dormant sur une paillasse pleine de punaises et sans autres vêtements que ceux qu'ils portaient sur lui à son entrée dans l'institution, à dix-sept ans, dans de fâcheuses circonstances.

— Le docteur vous attend.

Vargas et Linares le suivirent au long de corridors humides plongés dans une pénombre verdâtre qui conduisaient au cœur de la morgue. Selon la légende, Braulio y était arrivé trente ans plus tôt après avoir été renversé par un tramway devant le marché de San Antonio. Il fuyait la scène d'un petit larcin, comprenez le vol raté d'une poule squelettique ou d'une poignée de jupons selon les versions. En voyant le tas de membres entortillés, le chauffeur de l'ambulance qui le recueillit le déclara mort sur le coup. Il le chargea dans le véhicule comme un sac de gravats et il s'arrêta pour se jeter quelques verres derrière la cravate avec des compères dans un bistrot de la rue Comercio avant de livrer le fatras d'os sanguinolents à la morgue. Il choisit celle de l'hôpital Clínico plutôt que la morgue de la police, dans le Raval, parce qu'elle était sur son chemin. Quand le médecin légiste de garde appuya le bistouri pour ouvrir le corps en deux, le moribond écarquilla les yeux et ressuscita d'un coup. L'événement fut considéré comme un miracle du système sanitaire national et il eut les honneurs d'une ample couverture dans la presse locale. Il faut dire que l'événement eut lieu en plein été et que les journaux aimaient publier des curiosités et des sottises de poids pour égayer la canicule. "Un malheureux à deux doigts de la mort ressuscite comme par enchantement", écrivit le *Noticiero Universal* en première page.

La célébrité et la gloire de Braulio furent néanmoins éphémères et dans le ton de la frivolité de l'époque. Il fut bientôt notoire, en effet, que l'individu en question était laid, portait des lunettes et souffrait de flatulences chroniques du fait que son gros intestin était resté tressé comme une mantille. Le public se vit alors obligé de l'oublier urgemment afin de se concentrer sur la vie des chanteuses populaires et des étoiles du football. Le pauvre Braulio avait goûté aux délices de la célébrité et il supporta mal le retour au plus ignominieux des anonymats. Il songea à en finir en avalant une quantité astronomique de beignets de Carême trop vieux, mais, dans un accès de mysticisme, qui le toucha assis sur la cuvette des toilettes à cause de la colique sévère qui en résulta, il entrevit la lumière et il comprit que le Seigneur, dans ses desseins labyrinthiques, avait voulu pour lui une existence au royaume des ténébreux et au service de la rigidité cadavérique et de ce qui l'entourait.

Avec les années et l'ennui, la légende populaire de commissariat autour de la figure de Braulio, ses aventures et ses miracles se transforma en roman à l'eau de rose tarabiscoté : au cours de son passage interrompu entre les deux mondes, il aurait été adopté par une mauvaise âme qui refusait de descendre aux enfers, leur préférant la Barcelone des années trente qui lui ressemblait en tout point selon les spécialistes.

— Toujours pas de fiancée, Braulio ? lui demanda Linares. Vous devez en trouver à la pelle avec l'odeur de boudin noir ranci que vous dégagez.

— J'en ai à revendre, répliqua l'homme en clignant d'un œil à la paupière tombante et violacée qui ressemblait à une rustine. Et des bien sages.

— Cessez de dire des cochonneries et apportez-nous le corps, Braulio, ordonna une voix dans l'obscurité.

Au son de la voix de son maître, l'homme fila. Vargas aperçut la silhouette du Dr Andrés Manero, médecin légiste et vieux compagnon de galère, qui avança et lui tendit la main.

— Il y a des gens qu'on ne voit qu'aux enterrements, mais nous, même pas, seulement aux autopsies et autres fêtes de précepte, dit le docteur.

— C'est le signe que nous sommes vivants.

— C'est vous qui êtes fort comme un bœuf, Vargas. Quand était-ce, la dernière fois ?

— Il y a cinq ou six ans, au moins.

Manero acquiesça en souriant. Même sous la lumière blafarde de la salle, Vargas constata que son ami avait vieilli plus que l'indispensable. Ils entendirent bientôt le pas chaotique de l'infirme qui poussait le chariot. Le corps était recouvert d'un drap qui adhérait au cadavre et devenait transparent par endroits au contact de l'humidité. Manero approcha du chariot et leva la partie du linge qui recouvrait le visage. Son expression demeura immuable, mais il détourna brièvement le regard vers Vargas.

— Laissez-nous, Braulio.

L'assistant, contrarié, arqua les sourcils.

— Vous n'avez pas besoin de moi, docteur ?

— Non.

— Mais je pensais que j'allais vous assister pour...

— Vous pensez mal. Sortez un moment fumer une clope.

L'homme lança un regard hostile à Vargas. C'était sa faute s'il ne participait pas aux réjouissances, il en était persuadé. Vargas lui rendit son clin d'œil et lui indiqua la sortie.

— De l'air, Braulio ! ordonna Linares. Vous avez entendu le docteur ? Et prenez un bain bien chaud en essayant de gratter les parties génitales à la pierre ponce si possible, avec de l'eau de Javel. Une fois pas an, ça ne peut pas faire de mal.

Il quitta la pièce, visiblement exaspéré, boitant et maugréant. Une fois débarrassé de sa présence, Manero ôta le drap et il alluma la rampe lumineuse modulable qui pendait du plafond. Une lumière pâle, de vapeur et de glace, sculpta les contours du corps. Linares s'avança et soupira après avoir jeté un regard sommaire sur le cadavre.

— Bon sang...

Il détourna les yeux.

— Est-ce bien celui à qui il ressemble ? murmura-t-il.

Vargas soutint son regard sans répondre.

— Ça, je ne vais pas pouvoir le couvrir, dit Linares.

— Je comprends.

Linares baissa la tête, hochant la tête de droite à gauche.

— Y a-t-il autre chose que je puisse faire pour toi ? demanda-t-il.

— Tu peux toujours me débarrasser de la sangsue.

— Je ne te suis pas.

— Quelqu'un le fait pour toi. Un de tes hommes.

Linares le regarda fixement, le sourire en retrait.

— Je n'ai personne qui te file.

— C'est quelqu'un d'en haut alors.

Linares nia.

— Si quelqu'un le faisait, je le saurais. Un des miens ou pas.

— C'est un type jeune, plutôt mauvais. Petit. Un nouveau. Il s'appelle Rovira.

— Le seul Rovira qu'il y a à la Préfecture travaille aux archives. Il a soixante ans et suffisamment de mitrailles dans les jambes pour ouvrir une quincaillerie. Le pauvre ne pourrait même pas suivre son ombre.

Vargas fronça les sourcils. Le visage de Linares exprimait la déception.

— J'ai beaucoup de défauts, Vargas, mais je ne suis pas du genre à poignarder un ami dans le dos, dit-il.

Le policier allait répondre, mais Linares leva une main pour lui intimer le silence. Le mal était fait.

— Je te laisse jusqu'au milieu de la matinée. Ensuite il faudra que j'informe la hiérarchie. Ça va faire du bruit, tu le sais, dit-il en se dirigeant vers la sortie. Bonsoir, docteur.

Arrimé à l'obscurité de la ruelle qui longeait la morgue, Braulio regarda la silhouette de Linares s'éloigner dans la nuit. Je t'attraperai, ordure, se dit-il. Tôt ou tard, tous ces petits chefs qui étaient venus au monde pour lui manquer de respect finissaient comme les autres, morceau de viande tuméfiée sur une plaque de marbre à la merci de l'acier bien acéré et de celui qui savait le manœuvrer. Et lui était là pour leur faire les adieux qu'ils méritaient. Ce ne serait pas la première fois ni la dernière. Les individus qui voyaient dans la mort l'indignité finale que leur réservait la vie se trompaient. Un vaste répertoire d'humiliations les attendaient sur la scène, une fois le rideau tombé, et il restait toujours le gentil Braulio pour conserver un ou deux souvenirs afin d'agrémenter sa galerie de trophées et de s'assurer que chacun passe à l'éternité avec sa juste récompense. Il avait Linares dans le collimateur depuis longtemps. Il n'avait pas non plus oublié son petit copain Vargas. Rien de mieux que le ressentiment pour entretenir la mémoire.

— Je te désosserai comme un jambon et je me ferai un porteclefs de tes osselets, connard. Plus tôt que tu ne le penses…

Habitué à s'écouter parler, ce dont il ne se lassait pas, Braulio sourit d'un air satisfait, et il décida de fêter son ingéniosité en fumant une cigarette, ce qui lui permettrait aussi de lutter contre le froid qui s'infiltrait dans la rue Hospital aux petites heures du matin. Il palpa les poches du manteau hérité d'un défunt aux penchants subversifs passé par le guichet quelques semaines plut tôt. Les conditions dans lesquelles il était arrivé à la morgue attestaient qu'il continuait d'y avoir à la Préfecture des artistes qui en avaient encore dans le pantalon. Le paquet de celtas était vide. Braulio plongea les mains dans les poches et il regarda les volutes dessinées dans l'air par son haleine. Avec ce qu'Hendaya lui payerait quand il lui raconterait ce qu'il venait de voir, il pourrait s'acheter plusieurs cartouches de celtas, et même un pot de vaseline fine et parfumée de la boutique de capotes et lavements de Genaro le Chinois. Certains clients méritaient d'être traités avec élégance.

Un bruit de pas dans l'obscurité le sortit de sa rêverie. Entre les plis de la brume, il aperçut une silhouette qui avançait dans sa direction. Il recula et heurta la porte d'entrée. Le visiteur ne paraissait pas beaucoup plus grand que lui mais il dégageait un calme étrange et une détermination qui lui hérissa les trois poils qui pendaient encore dans sa nuque. Le type s'arrêta devant lui et tendit un paquet de cigarettes ouvert.

— Vous devez être monsieur don Braulio, dit-il.

De sa vie, personne ne l'avait appelé monsieur, ou don, alors pensez, les deux… Il s'aperçut pourtant que dans la bouche de cet étranger ces mots lui déplaisaient.

— Et vous, vous êtes qui ? C'est Hendaya qui vous envoie ?

Le visiteur se contenta de sourire et il exhiba le paquet de cigarettes devant le visage de Braulio, qui en accepta une. Puis il sortit un briquet à gaz, l'alluma et le lui tendit.

— Merci, murmura-t-il.

— Il n'y a pas de quoi. Dites-moi, don Braulio, qui y a-t-il à l'intérieur ?

— Un tas de macchabées… que voulez-vous d'autres…

— Je veux parler des vivants.

Braulio hésita.

— C'est donc Hendaya qui vous envoie, c'est ça ?

L'étranger le regarda fixement sans cesser de sourire. Braulio avala sa salive.

— Le médecin légiste et un policier de Madrid.

— Vargas ?

Braulio hocha la tête.

— Alors, qu'est-ce que vous en dites ?

— Pardon ?

— La cigarette. Comment la trouvez-vous ?

— Très bonne. D'importation ?

— Comme tout ce qui est bon. Vous avez les clefs, n'est-ce pas, Braulio ?

— Les clefs ?

— De la morgue. Je crains d'en avoir besoin.

— Hendaya ne m'a jamais demandé de confier les clefs à quelqu'un.

L'étranger haussa les épaules.

— Changement de plan, indiqua-t-il en enfilant des gants lentement.

— Eh ! Qu'est-ce que vous faites ?

Braulio entrevit brièvement l'éclat de l'acier et il sentit la lame du couteau s'enfoncer dans ses entrailles, le froid le plus tranchant qu'il avait connu dans sa misérable existence. Au début, il ne ressentit presque pas la douleur par rapport à la perception de clarté extrême et de faiblesse à mesure que la lame lui déchiquetait les intestins. Lorsque l'étranger lui enfonça à nouveau le couteau jusqu'à la garde dans le bas-ventre et tira brutalement vers le haut, il sentit que ce froid devenait brûlant. Une griffe de fer en fusion s'ouvrit un chemin jusqu'à son cœur. Le sang inonda sa gorge et étouffa ses cris tandis que l'étranger le traînait dans la ruelle et s'emparait du jeu de clefs qui pendait à sa ceinture.

20

Il parcourut les couloirs obscurs et le corridor qui conduisaient à la salle d'autopsie. Un halo verdâtre filtrait sous la porte. Il percevait la voix des deux hommes. Ils parlaient comme de vieux amis, laissant parfois des silences qui ne requéraient aucune excuse et plaisantant pour alléger l'atmosphère et faciliter la besogne. L'individu se hissa jusqu'à l'œil-de-bœuf à la vitre teintée qui surmontait la porte. Il observa Vargas assis sur un des plateaux de marbre, et le médecin légiste penché sur le cadavre. Il entendit le docteur décrire en détail le fruit de son travail. Il ne put s'empêcher de sourire devant l'habileté du légiste à percer dans le moindre détail le mystère des derniers instants de Lomana, sans faire la fine bouche devant la finesse et la précision de l'entaille sur les artères et la tranchée de ce plouc qu'il avait vu mourir à genoux, les yeux remplis de panique, le sang jaillissant à gros bouillons sur ses mains. On sait reconnaître le travail bien fait, entre maestros.

L'expert légiste décrivit également les plaies au couteau qu'il avait infligées au torse de Lomana lorsque ce dernier s'était accroché à ses jambes pour essayer en vain de le pousser au bord de la piscine. Il n'y a pas d'eau dans ses poumons, expliqua le légiste, seulement du sang. Lomana s'était étouffé dans son propre sang avant de sombrer dans l'eau putride. Le légiste était un homme expérimenté, un professionnel qui connaissait bien son métier et dont l'éloquence lui inspirait respect et admiration. Il n'en avait pas vu beaucoup comme lui. Pour cette seule raison, il décida de le laisser en vie.

Vargas, ce vieux renard, lâchait des questions de temps à autre, avec une remarquable perspicacité. Il ne le niait pas, mais il était évident qu'il avançait à l'aveuglette et qu'au-delà des détails concernant l'agonie de Lomana il ne tirerait pas grand-chose de sa visite à la morgue. Pendant qu'il les écoutait, il envisagea la possibilité d'aller se reposer quelques heures ou de se payer une péripatéticienne qui lui réchaufferait les pieds jusqu'à l'aube. Il semblait clair que les recherches de Vargas étaient au point mort et qu'il ne serait pas nécessaire d'intervenir. Tels étaient les ordres, en fin de compte. Ne pas bouger, sauf en cas d'absolue nécessité. Il le regrettait au fond. Il aurait été intéressant d'affronter le vieux policier pour voir s'il avait encore le cran de s'accrocher à la vie. Ceux qui résistaient face à l'inéluctable étaient ses préférés. Quant à la délicieuse Alicia, il lui réservait le dernier honneur. Avec elle, il prendrait son temps et il savourerait la récompense de tous ses efforts. Il savait qu'Alicia ne le décevrait pas.

Il attendit encore une demi-heure, que le médecin légiste eût terminé son examen et offert à Vargas un petit verre d'alcool dont il gardait la bouteille dans l'armoire réservée aux instruments. La conversation dévia sur les banalités en usage entre deux vieux amis que la vie a séparés, des discours peu originaux sur l'avenir qui les attendait, l'évocation des disparus en chemin et autres platitudes propres à l'âge. Il s'ennuyait. Il allait partir et laisser Vargas et le légiste bavarder sans but quand il vit le policier sortir un morceau de papier de sa poche et l'examiner sous la rampe lumineuse suspendue au plafond. Les voix ne furent bientôt plus qu'un murmure et il dut coller son oreille à la porte pour discerner quelques mots.

Le Dr Manero détecta le très léger mouvement sur la porte de la salle.

— Braulio ? C'est vous ?

N'obtenant pas de réponse, le légiste soupira et maugréa.

— Quand je ne l'autorise pas à assister à une autopsie, il se cache parfois derrière la porte pour écouter.

— Je ne sais pas comment vous le supportez.

— Je me dis qu'il vaut presque mieux qu'il soit ici qu'en train de rôder dehors. On le surveille au moins. Il est bon, hein, ce petit alcool ?

— Qu'est-ce que c'est ? Du liquide d'embaumement ?

— Non, ça je le garde pour les fois où je dois apporter quelque chose aux mariages ou aux communions de ma belle-famille. Me parlerez-vous enfin de l'affaire ? Que faisait ce malheureux Lomana dans la piscine d'une demeure abandonnée de Vallvidrera ?

Vargas haussa les épaules.

— Je l'ignore.

— Alors je vais tenter ma chance avec les vivants. Que faites-vous à Barcelone ? Si je me souviens bien, vous vous étiez juré de ne pas y remettre les pieds.

— Une promesse à laquelle on ne renonce pas n'est pas une promesse.

— Et ce que vous avez là ? Je vous croyais plutôt littéraire.

Manero désignait la liste de chiffres que Vargas tenait dans la main.

— Allez savoir. Je l'ai avec moi depuis plusieurs jours et je ne sais toujours pas ce qu'elle signifie.

— Je peux regarder ?

Vargas lui tendit la feuille et le légiste y jeta un coup d'œil tout en buvant une petite gorgée d'alcool.

— Je me disais que c'était peut-être des numéros de compte... indiqua le policier.

Le légiste fit non de la tête.

— La colonne de droite, je ne sais pas, mais les chiffres de gauche correspondent très certainement à des certificats, dit-il.

— Des certificats ?

— De décès.

Vargas le regarda sans comprendre. Manero signala la colonne de gauche.

— Voyez-vous la numérotation ? Elle correspond à l'ancien système. Le nouveau est entré en vigueur il y a des années. Dans l'ancien, on a le numéro de dossier, le livre et la page. Les derniers chiffres sont ajoutés après, mais ici nous fournissons des numéros de ce type tous les jours. Même votre ami Lomana en aura un pour l'éternité.

Vargas vida son verre d'un trait et il examina de nouveau la liste comme un puzzle qu'il tentait de reconstituer depuis des années et qui prenait subitement son sens.

— Et la colonne de droite ? On dirait qu'ils sont corrélés, mais la numérotation est différente. Est-ce que ça pourrait être aussi des chiffres de certificats ?

Manero regarda à nouveau et haussa les épaules.

— On dirait. Mais ils ne proviennent pas de mon département.

Vargas laissa échapper un soupir.

— Cela vous aide-t-il ? demanda le légiste, intrigué.

Le policier fit un geste affirmatif.

— Où est-ce que je peux trouver les dossiers qui correspondent à ces numéros ?

— Où voulez-vous que ce soit ? Là où tout commence et tout finit dans cette vie : à l'état civil.

21

Le filet de lumière du vasistas des toilettes lui indiqua que le jour se levait. Fernandito s'assit sur le lit et il tourna la tête vers Matilde qui dormait à ses côtés. Il caressa du regard la ligne de son corps nu et il sourit. Elle ouvrit les yeux et elle le contempla calmement.

— Alors l'artiste ? Un peu plus rassuré ?

— Est-ce qu'ils sont partis ? demanda le garçon.

Matilde s'étira et chercha ses vêtements éparpillés au pied du lit.

— Pour le cas où, sors par la lucarne donnant sur la ruelle, elle mène à une des entrées du marché.

— Merci.

— Merci à toi mon mignon. T'as un peu aimé ?

Fernandito rougit et il hocha la tête affirmativement tout en s'habillant. Matilde allongea le bras pour attraper le paquet de cigarettes qu'elle avait laissé sur la table de nuit et elle en alluma une. Elle observa Fernandito. Il se dépêchait ; sa pudeur et sa timidité demeuraient presque intactes malgré la séance didactique dont il venait de bénéficier. Une fois prêt, il la regarda et il pointa le doigt sur le vasistas.

— Par là ?

Matilde fit signe que oui.

— Sois prudent, ne va pas te casser la figure. Je veux que tu reviennes me voir en un seul morceau. Parce que tu reviendras, hein ?

— Bien sûr, mentit Fernandito. Quand j'aurai touché ma paie.

Le garçon passa la tête par la petite fenêtre. Il étudia la cour intérieure qui débouchait sur l'étroit passage dont avait parlé Matilde.

— Fais attention à l'escalier, il est un peu déglingué. Il vaut mieux que tu sautes, tu es jeune.

— Merci, et au revoir.

— Au revoir, mon chou. Bonne chance.

— À toi aussi, répondit Fernandito.

Il s'apprêtait à se glisser dans l'ouverture quand Matilde l'appela.

— Fernando ?

— Oui.

— Traite-la bien, ta fiancée. Peu importe son nom. Traite-la bien.

Dès qu'il quitta les locaux de la morgue, Vargas se sentit revivre après un long interlude au purgatoire. L'eau-de-vie du Dr Manero, et surtout la révélation sur la signification d'une moitié des chiffres de la liste lui avaient mis l'esprit en ébullition. Il réussit presque à oublier qu'il n'avait pas fermé l'œil depuis trop longtemps. Son corps trahissait la fatigue, et s'il s'était arrêté pour y penser, il se serait aperçu qu'il avait mal partout et la mémoire en sucette. Mais l'espoir que cette miette d'information nouvellement acquise pût le mener quelque part le maintint debout, déterminé. Il hésita un instant à se rendre chez Alicia pour partager la nouvelle, mais il n'était pas certain que la liste avec les numéros de certificats de décès que Valls avait emportée avec lui en quittant secrètement Madrid pût fournir une piste concrète. Il préféra s'en assurer d'abord. Il prit la direction de la place Medinaceli, une oasis de palmiers, un jardin découpé entre des palais décrépis et les brumes qui montaient du port, où les bureaux de l'état civil ne tarderaient pas à ouvrir leurs portes.

En chemin, Vargas s'arrêta à l'hôtel des Deux-Mondes de la Plaza Real. Il servait déjà des petits-déjeuners et des cafés aux noctambules atterrissant là pour boire le dernier verre. Il s'installa au comptoir, fit signe à un serveur à la forte mâchoire et aux pattes imposantes. Il commanda un sandwich au jambon *serrano*, une bière et un double café arrosé de cognac.

— Je n'ai plus que du cher, l'informa le serveur.

— Doublez la dose dans ce cas !

— Si vous fêtez quelque chose, vous aimerez peut-être un Romeo y Julieta en dessert ? On me les apporte directement de Cuba. Le fin du fin, roulé sur les cuisses par les petites mulâtresses…

— Ce n'est pas de refus.

Vargas avait toujours entendu dire que le petit-déjeuner était le repas le plus important de la journée, du moins jusqu'à l'en-cas de onze heures. Le conclure avec un bon havane ne pouvait que porter chance. Il se remit en route dans un nuage de fumée caribéenne, l'estomac plein et l'esprit empli d'espérance. Le ciel arborait une teinte orangée et la lumière vaporeuse qui glissait sur les façades lui laissa penser que ce serait une de ces rares journées où il rencontrerait la vérité, ou quelque chose qui lui ressemblerait suffisamment. Comme le chanterait des années plus tard un poète qui s'était bagarré dans ces rues, ce pourrait être un grand jour.

À une cinquantaine de mètres derrière lui, dissimulé dans un sombre recoin grâce à l'ombre projetée par les corniches d'un bâtiment en ruine, l'observateur ne le lâchait pas des yeux. Vargas, un cigare à la bouche, le ventre plein et l'âme abreuvée de faux espoirs, lui parut plus que jamais un homme fini. Le peu de respect qu'il était parvenu à ressentir à son endroit s'évaporait comme la pellicule de brume qui rampait encore à ses pieds, sur le pavé.

Il se dit qu'il ne serait jamais ainsi, il ne permettrait jamais à l'alcool et à la satisfaction de lui brouiller le jugement, ni à son corps de devenir un sac d'os dépourvu de sang-froid. Les vieux l'avaient toujours dégoûté. Si les gens n'avaient pas la dignité de se jeter par la fenêtre ou sous les roues du métro à l'approche de la décrépitude, quelqu'un devait leur donner le coup de grâce et les ôter de la circulation comme des chiens galeux, dans l'intérêt du bien public. L'observateur sourit, jamais indifférent à l'humour de ses idées de génie. Lui resterait toujours jeune, parce qu'il était plus intelligent que tous les autres. Il ne commettrait pas les erreurs qui conduisaient un homme au potentiel certain comme Vargas à devenir le triste reflet de ce qu'il avait été. Comme ce balourd de Lomana qui était mort à genoux en se tenant le gosier à deux mains pendant que lui regardait les veines de ses yeux éclater sous la cornée et ses pupilles se dilater dans un miroir noir. Une autre loque humaine qui n'avait pas su se retirer à temps.

Il n'avait pas peur de lui. Il n'avait pas peur de ce qu'il pourrait trouver, ou croyait pouvoir trouver. Il se mordit la langue pour ne pas rire. C'était pour très bientôt. Et quand il n'aurait plus besoin de le filer et que cette affaire serait bouclée, il pourrait savourer enfin sa récompense : Alicia. Tous les deux seuls, sans hâte, comme le maître le lui avait promis. Avec du temps et de l'art pour enseigner à cette garce de velours qu'il n'y avait plus rien à tirer d'elle et qu'avant de l'expédier dans un oubli dont elle n'aurait jamais dû sortir il allait la travailler en profondeur et lui apprendre ce qu'était vraiment la douleur.

Quand Alicia ouvrit les yeux, la lumière de l'aube passait par les fenêtres. Elle remua la tête et plongea le visage dans le coussin du canapé. Elle portait encore ses vêtements de la veille et elle avait dans la bouche l'arrière-goût d'amande amère des comprimés noyés dans l'alcool. Un bruit martelait ses oreilles. Elle entrouvrit les yeux et elle aperçut le flacon de comprimés sur la table à côté du reste de vin blanc tiède qu'elle avala d'un trait. Elle voulut remplir le verre mais elle constata que la bouteille était vide. Elle alla à tâtons vers la cuisine pour en chercher une autre et elle comprit alors que le martèlement qu'elle ressentait dans les tempes n'était ni son pouls ni la traînée migraineuse laissée par les médicaments mais des coups frappés à la porte. Elle s'appuya sur le dossier d'une chaise de la salle à manger et elle se frotta les yeux. Derrière la porte, une voix répétait son nom avec insistance. Elle se traîna jusqu'à l'entrée et elle ouvrit. Fernandito, dont l'aspect aurait pu faire croire qu'il revenait d'un tour du monde, la contemplait, plus inquiet que soulagé.

— Quelle heure est-il ? demanda Alicia.

— Tôt. Vous allez bien ?

Alicia acquiesça les yeux mi-clos et elle fit demi-tour pour aller se rallonger. Fernandito ferma la porte et il la retint avant qu'elle ne tombe. Il l'accompagna jusqu'au canapé.

— Qu'est-ce que vous prenez ? demanda-t-il en examinant le flacon de médicaments.

— De l'aspirine.

— Pour les chevaux !

— Que fais-tu ici si tôt ?

— J'étais à El Pinar hier soir. J'ai des choses à vous raconter.

Alicia palpa la table à la recherche de ses cigarettes. Fernandito les écarta sans qu'elle s'en aperçoive.

— Je suis tout ouïe.

— On ne dirait pas. Peut-être pourriez-vous prendre une bonne douche pendant que je prépare le café ?

— Je sens si mauvais ?

— Non. Mais je crois que ça vous ferait du bien. Venez, je vais vous aider.

Avant qu'Alicia ne pût protester, Fernandito la souleva du divan et il la conduisit à la salle de bains où il l'assit sur le rebord de la baignoire. Il fit couler l'eau, vérifia la température d'une main en la tenant de l'autre pour qu'elle ne tombe pas.

— Je ne suis pas un bébé, protesta Alicia.

— On le dirait parfois. Allez, à l'eau ! Vous vous déshabillez, ou voulez-vous que je le fasse ?

— Tu aimerais bien !

Alicia le repoussa hors de la salle de bains et ferma la porte. Elle laissa tomber ses habits par terre, l'un après l'autre, comme si elle écartait des peaux mortes, et elle se regarda dans la glace.

— Bon sang…

Quelques secondes après, l'eau froide lui mordit crûment la peau, la ramenant d'un coup au royaume des vivants. Fernandito, qui préparait un café bien fort à la cuisine, ne put s'empêcher de sourire en entendant le cri provenant de la salle de bains.

Un quart d'heure plus tard, enveloppée dans un peignoir trop grand et les cheveux entortillés dans une serviette, Alicia écouta le récit des événements de la nuit. Elle laissa Fernandito parler en tenant son bol à deux mains, avalant de petites gorgées de café serré. Quand le garçon eut terminé son explication, elle finit son café d'un trait et le regarda droit dans les yeux.

— Tu n'aurais pas dû prendre de tels risques, Fernandito.

— Ce n'est pas le plus grave. Ce type, Hendaya, il n'a pas idée de qui je suis. Mais je suis certain qu'il sait qui vous êtes, Alicia. C'est vous qui êtes en danger.

— Où es-tu allé après avoir semé les deux flics ?

— J'ai trouvé une espèce de pension, derrière le marché de la Boquería, pour attendre.

— Une espèce de pension ?

— Je laisse les détails scabreux pour une autre fois. Qu'est-ce qu'on fait maintenant ?

Alicia se leva.

— Toi, rien. Tu as assez fait.

— Comment ça, rien ? Après tout ce qui s'est passé ?

Elle s'approcha de lui. Il avait quelque chose de nouveau dans sa façon de la regarder, de se comporter. Elle décida d'attendre une occasion plus propice pour tâcher d'en savoir davantage.

— Tu vas attendre ici le retour de Vargas et tu lui raconteras exactement ce que tu m'as dit. Dans le moindre détail.

— Et vous, où allez-vous ?

Alicia sortit le révolver du sac qui était sur la table et elle vérifia qu'il était chargé. En voyant l'arme dans ses mains, Fernandito retrouva son état naturel de stupéfaction.

— Écoutez…

22

À un moment donné de sa détention, Mauricio Valls avait commencé à envisager la lumière comme un prélude à la douleur. Dans l'obscurité, il pouvait imaginer que ces barreaux rouillés ne le gardaient pas enfermé et que les murs de la cellule ne suintaient pas cette pellicule d'humidité crasseuse qui dégoulinait comme du miel noir sur la pierre, formant une mare gélatineuse à ses pieds. Surtout, dans l'obscurité, il ne pouvait pas se voir.

La pénombre dans laquelle il vivait n'était interrompue qu'une fois dans la journée par l'apparition d'une fente de lumière audessus de l'escalier. Valls distinguait alors la silhouette qui lui apportait une casserole d'eau sale et un morceau de pain qu'il dévorait en quelques secondes. Son geôlier avait changé, mais pas le rituel. Le nouveau ne s'arrêtait jamais pour le regarder et il ne lui adressait pas la parole. Il ignorait ses questions, ses supplications, ses insultes et ses injures. Il se contentait de poser la nourriture et l'eau à côté des barreaux et il repartait. La première fois, il avait vomi à cause de la puanteur qui se dégageait de la cellule et du prisonnier. Depuis, il couvrait presque toujours le bas de son visage avec un foulard et il ne restait en bas que le temps strictement nécessaire. Valls ne sentait plus l'odeur.

Il ne ressentait presque plus non plus la douleur dans le bras et les battements sourds des traînées pourpres qui montaient du moignon comme une toile d'araignée de veines noires. Ils le laissaient pourrir, et cela ne comptait plus pour lui.

Il avait commencé à penser qu'un jour personne ne descendrait ces marches, que la porte ne s'ouvrirait plus et qu'il passerait le reste de sa très brève existence dans le noir, sentant son corps pourrir morceau par morceau, se dévorant lui-même de l'intérieur. Il avait souvent assisté à ce processus pendant ses années de directeur de prison à Montjuïc. Avec un peu de chance, ce serait une affaire de jours. Il avait commencé à fantasmer sur l'état de faiblesse et de délire qui s'emparerait de lui une fois que l'agonie initiale de la faim aurait brûlé tous les ponts. Le plus cruel était le manque d'eau. Lorsque le désespoir et le tourment le tenailleraient sans répit et qu'il en viendrait à lécher les eaux fécales suintant des murs, peut-être alors son cœur cesserait-il de battre. Un des médecins qui avait travaillé à son service au château, vingt ans plus tôt, répétait que les premiers à inspirer pitié à Dieu étaient toujours les fils de pute. Même en cela la vie était une sacrée chienne. Peut-être, au dernier moment, Dieu aurait-il également pitié de lui et l'infection qu'il sentait se propager dans ses veines lui épargnerait-elle le pire.

Il rêvait qu'il était mort et que sa dépouille se trouvait dans un de ces sacs de toile de bâche dans lesquels on mettait les cadavres pour les sortir des cellules à Montjuïc. Il entendit la porte s'ouvrir en haut. Il sortit de sa torpeur et découvrit qu'il avait la langue enflée et douloureuse. Il mit ses doigts dans la bouche. Ses gencives saignaient et ses dents bougeaient comme si elles étaient enfoncées dans de l'argile molle.

— J'ai soif ! hurla-t-il. De l'eau, par pitié…

Des pas plus lourds que d'habitude descendirent les marches. En dessous, le son était beaucoup plus fiable que la lumière. Le monde s'était réduit à la douleur, à la lente décomposition de son corps et aux échos du bruit des pas et de la tuyauterie qui susurraient entre ces murs. Une lumière s'alluma dans un fracas de bruit blanc. Valls suivit à l'oreille la trajectoire des pas. Il devina une silhouette immobile au pied de l'escalier.

— De l'eau, je vous en prie, supplia-t-il.

Il se traîna jusqu'aux barreaux et il plissa les yeux. Un rai de lumière aveuglante lui brûla la rétine. Une lampe torche. Il recula et il se couvrit les yeux avec la seule main qui lui restait. Même ainsi, il sentait la lumière sur son visage et son corps couvert d'excréments, de sang séché et de guenilles.

— Regarde-moi, dit enfin la voix.

Il retira la main de ses yeux qu'il rouvrit lentement. Ses pupilles tardèrent à s'adapter à la clarté. Derrière les barreaux, le visage était différent, mais il lui était extrêmement familier.

— Je t'ai dit de me regarder.

Il obéit. Une fois qu'on a perdu sa dignité, il est beaucoup plus facile d'obéir que de donner des ordres. Le visiteur s'approcha des barreaux et il l'examina attentivement, pointant sa torche sur ses membres et sur son corps décharné. C'est alors que Valls comprit pourquoi les traits de ce visage lui étaient familiers.

— Hendaya ? balbutia-t-il. Hendaya, c'est vous ?

L'homme hocha la tête affirmativement. Valls sentit que le ciel s'ouvrait au-dessus de lui et il respira pour la première fois depuis des jours, des semaines. Ce devait être un rêve. Parfois, enlisé dans les ténèbres, il maintenait des conversations avec des sauveurs venus le libérer. Il plissa à nouveau les yeux, il le regarda et il rit. C'était Hendaya. En chair et en os.

— Merci mon Dieu, merci mon Dieu… sanglotait-il. Je suis Mauricio Valls. Le ministre Valls… C'est moi…

Il tendit le bras vers le policier en pleurant de gratitude, indifférent à la honte d'être vu ainsi, à moitié nu, mutilé et couvert de merde et d'urine. Hendaya fit un pas en avant.

— Depuis combien de temps êtes-vous là ? demanda Valls.

Hendaya ne répondit pas.

— Ma fille Mercedes va-t-elle bien ?

La question resta sans réponse. Valls se redressa péniblement en s'agrippant aux barreaux. Le policier l'observait sans aucune expression sur le visage. Rêvait-il de nouveau ?

— Hendaya ?

L'homme sortit une cigarette et l'alluma. Valls huma l'odeur du tabac pour la première fois depuis ce qui lui parut des années. C'était le parfum le plus exquis qu'il n'avait jamais senti. Il crut que la cigarette était pour lui, mais il vit Hendaya la porter à sa bouche et inhaler une longue bouffée.

— Hendaya, sortez-moi de là, supplia-t-il.

Les yeux du policier brillaient au milieu des spirales de fumée qui montaient de ses doigts.

— Hendaya, c'est un ordre. Sortez-moi de là.

L'autre sourit et aspira encore quelques bouffées.

— Tu as de mauvais amis, dit-il enfin.

— Où est ma fille ? Qu'est-ce que vous lui avez fait ?

— Rien. Pour l'instant.

Valls entendit une voix qui se déchira dans un hurlement désespéré, sans se rendre compte que c'était la sienne. Hendaya jeta sa cigarette à l'intérieur de la cellule, aux pieds de Valls, et il demeura impassible quand le prisonnier, le voyant partir, hurla et frappa contre les barreaux avec ses dernières forces avant de tomber à genoux, inanimé. La porte se referma comme sur un sépulcre et l'obscurité tomba à nouveau sur lui, plus froide que jamais.

23

Parmi les nombreuses aventures que recèle le cœur de Barcelone, il existe des lieux inexpugnables, des abîmes reculés et, pour les plus courageux, l'état civil. Quand il aperçut de loin la façade vétuste barbouillée de charbon, Vargas soupira. Les grandes fenêtres occultées et l'aspect de mausolée boursouflé paraissaient avertir l'imprudent qu'il valait mieux ne pas tenter l'assaut. Une fois franchie la lourde porte en chêne qui tenait les mortels à distance, un comptoir fortifié attendait le visiteur, derrière lequel un petit homme au regard de chouette regardait s'écouler la vie sans feindre de souhaiter la bienvenue.

— Bonjour, lança Vargas dans un esprit pacifique.

— Ce serait le cas si nous étions dans les horaires d'ouverture au public. Comme l'indique le panneau sur la rue, de onze à une, du mardi au jeudi. Or nous sommes lundi, et il est huit heures treize. Vous ne savez pas lire ?

Rompu à l'art d'affronter le petit tyran qu'abrite plus d'un fonctionnaire en possession d'un timbre officiel, Vargas oublia le geste aimable et il lui colla sa plaque d'identification sous le nez.

— Vous savez forcément lire, vous.

Le réceptionniste ravala sa salive et sa mauvaise disposition.

— À vos ordres, mon capitaine. Pardonnez le malentendu. En quoi puis-je vous aider ?

— Je souhaiterais parler à la personne qui commande ici, pas à un crétin comme vous si possible.

Le réceptionniste se dépêcha de décrocher le téléphone et il s'adressa à une certaine Mme Luisa.

— Peu importe, murmura-t-il dans l'appareil. Dites-lui de sortir tout de suite.

Il reposa le combiné, arrangea sa veste et recomposa sa posture avant de regarder Vargas.

— La secrétaire du directeur va vous recevoir tout de suite, annonça-t-il.

Vargas s'assit sur un banc de bois sans quitter des yeux le réceptionniste. Deux minutes plus tard, une femme menue apparut, les cheveux attachés, des lunettes à monture invisible et le regard pénétrant. Elle haussa les sourcils et il comprit immédiatement ce qui venait de se produire sans avoir besoin de sous-titres.

— Ne vous mettez pas en colère contre Carmona, il fait ce qu'il peut. Je suis Luisa Alcaine. En quoi puis-je vous aider ?

— Mon nom est Vargas. Préfecture supérieure de Madrid. J'aurais besoin de comparer des numéros de certificats. C'est important.

— Ne me dites pas que c'est également urgent, ça porte malheur dans cette maison. Voyons ces numéros.

Le policier lui tendit la liste. Luisa y jeta un bref coup d'œil et hocha la tête.

— Ceux d'entrée ou ceux de sortie ?

— Pardon ?

— Ici ce sont des certificats de décès, et là de naissance.

— En êtes-vous sûre ?

— Je suis toujours sûre de ce que je dis. La petite taille, c'est pour dérouter.

Luisa avait un sourire de chat rusé.

— Alors je souhaiterais voir les deux, si c'est possible.

— Tout est possible dans le monde prodigieux de la bureaucratie espagnole. Suivez-moi si vous le voulez bien, colonel, invita Luisa en lui tenant la porte, derrière le comptoir.

— Capitaine, seulement.

— Dommage. Après la peur que vous avez faite à Carmona, je vous attribuais un grade plus élevé, vous voyez. Ne concédez-vous pas les titres nobiliaires par ordre de taille ?

— Moi ça fait un moment que j'ai commencé à me tasser. Les heures de vol...

— Je vous comprends, croyez-moi. Je suis entrée ici avec une allure de ballerine, et voyez où j'en suis.

Vargas la suivit le long d'un couloir infini.

— Cet édifice est plus grand à l'intérieur qu'à l'extérieur si je ne m'abuse...

— Vous n'êtes pas le premier à le remarquer. Il grandit un peu chaque nuit. On raconte qu'il se nourrit des fonctionnaires en congé sans solde et des passants qui viennent compulser les dossiers et s'endorment dans la salle de consultation. Si j'étais vous, je ne baisserais pas la garde.

Arrivée au fond du couloir, Luisa s'arrêta devant une grande porte de type cathédrale. Quelqu'un y avait accroché un papier annonçant :

Que celui qui s'aventure derrière cette porte
abandonne toute patience...

Luisa poussa la porte et lui fit un clin d'œil.

— Bienvenue dans le monde magique du papier timbré et du timbre fiscal de deux pesetas.

Une ruche encombrée d'étagères, d'échelles, de classeurs et de meubles-classeurs s'étendait à l'infini sous une voûte d'ogive selon une perspective toute florentine, et une machinerie de lampes distribuait une lumière poussiéreuse tombant tel un rideau raidi.

— Grand Dieu ! murmura Vargas. Comment retrouver quelque chose ici ?

— L'idée est de ne pas pouvoir le retrouver, mais avec de l'astuce et de la patience, et grâce à la main experte de votre serviteur, on dénicherait même la pierre philosophale ici. Passez-moi la liste.

Vargas suivit Luisa devant une paroi couverte de chemises numérotées qui montait jusqu'au firmament. Luisa claqua des doigts. Deux employés rapides et efficaces apparurent à l'instant.

— Je vais avoir besoin que vous me descendiez les registres des sections 1 à 8 B de 1939 à 1943 et 6 à 14 C de la même période.

Les deux coururent chercher les échelles et Luisa invita Vargas à s'asseoir à l'une des tables de consultation placées au centre de la pièce.

— 1939 ? demanda le policier.

— Tous les dossiers sont catalogués selon l'ancienne numérotation. Le système a changé en 1944 avec l'introduction de la carte nationale d'identité. Vous avez de la chance parce que beaucoup des archives antérieures à la guerre ont été perdues, mais la période 1939-1944 constitue une section à part, qui a fini d'être cataloguée il y a deux ans.

— Vous voulez dire que tous ces certificats datent de juste après la guerre ?

Luisa acquiesça.

— Vous remuez le passé, hein ? insinua la fonctionnaire. Je loue votre courage, peut-être moins votre imprudence. Il n'y a pas beaucoup de gens qui trouvent un intérêt à fouiller ici, ou qui en ont simplement l'envie.

En attendant le retour des deux employés avec les registres demandés, Luisa examina Vargas avec une curiosité clinique.

— Depuis combien de temps n'avez-vous pas fermé l'œil ?

Il consulta sa montre.

— Un peu plus de vingt-quatre heures.

— Je vous commande un petit café ? Ça peut prendre un moment.

Deux heures et demie plus tard, Luisa et ses deux assistants, qui avaient navigué dans un océan de papiers, achevèrent la traversée et déposèrent devant Vargas qui tenait à peine debout un petit îlot de volumes. Il imagina la tâche à accomplir et il soupira.

— Me feriez-vous les honneurs, madame ?

— Je vous en prie.

Il avala sa troisième tasse de café et Luisa ordonna à ses assistants de se retirer. Elle classa elle-même les registres en deux piles qui montaient lentement.

— Vous ne me poserez pas de question, n'est-ce pas ? demanda Vargas.

— Le devrais-je ?

Il sourit. Luisa laissa enfin échapper un soupir de soulagement.

— Bon, tout doit être ici. Vérifions une dernière fois la liste. Voyons.

Il prit chaque volume et il compara les numéros. À mesure qu'il avançait, il constata que la directrice fronçait les sourcils.

— Que se passe-t-il ?

— Êtes-vous certain de l'exactitude des chiffres, demanda-t-elle à son tour.

— Ce sont ceux que j'ai... Pourquoi ?

— Pour rien. Ils correspondent tous à des nouveau-nés.

— Des nouveau-nés ?

— Regardez.

Luisa posa les livres de registre d'état civil en face de Vargas et elle compara les chiffres un à un.

— Voyez-vous les dates ?

Vargas tenta de déchiffrer ce charabia. Luisa le guidait de la pointe de son crayon.

— Ils vont par paires. À chaque acte de décès correspond un acte de naissance. Délivré le même jour, par le même fonctionnaire, dans la même division et à la même heure.

— Comment le savez-vous ?

— Grâce au code de contrôle. Là !

— Et ça, qu'est-ce que ça veut dire ?

— Je l'ignore.

— Est-il courant que le même fonctionnaire traite deux dossiers simultanément ?

— Non. Encore moins des dossiers de deux départements différents.

— Qu'est-ce qui aurait pu faire que cela se produise ?

— Cela ne fait pas partie de la procédure. Avant, les certificats étaient enregistrés par districts. Ceux-ci l'ont tous été au bureau central.

— Est-ce irrégulier ?

— Relativement. Plus encore, si ce qui est noté ici est exact. Ces dossiers ont tous été traités le même jour.

— Bizarre.

— En effet, c'est plus bizarre qu'un chien vert… Et ce n'est que le début.

Vargas la regarda.

— Tous les certificats de décès ont été établis au même endroit. À l'Hôpital militaire. Combien d'enfants meurent-ils dans un hôpital militaire ?

— Et les naissances ?

— À l'hôpital du Sacré-Cœur. Toutes, sans exception.

— C'est peut-être une coïncidence ?

— Si vous avez la foi… Regardez l'âge des enfants. Ils vont aussi par deux, comme vous pouvez le constater.

Vargas se concentra sur les chiffres mais la fatigue commençait à lui brouiller le cerveau.

— À chaque acte de décès correspond un acte de naissance, résuma Luisa.

— Je ne comprends pas.

— Les enfants… un est né le jour ou l'autre est mort.

— Pourriez-vous me prêter tous ces volumes ?

— Les originaux ne peuvent pas sortir d'ici. Il faudrait demander une copie et cela prendrait environ un mois, et encore, en jouant de toutes les influences.

— N'y a-t-il pas un moyen plus rapide ?

— Et plus discret ? compléta Luisa.

— Aussi.

— Poussez-vous.

Luisa prit du papier et un stylo et elle nota un résumé de chaque dossier, avec les noms, les dates, les numéros d'actes et les codes. Vargas suivait le dessin de sa plume sur le papier, sa calligraphie nette, admirable, en cherchant à trouver la clef lui permettant de comprendre ce que signifiait tout cela. Et alors que ses yeux glissaient sur la multitude de mots et de chiffres, il s'arrêta sur les nombres que la fonctionnaire venait d'écrire.

— Un moment, l'interrompit-il.

Luisa se poussa. Vargas rechercha parmi les actes et il trouva ce qu'il cherchait.

— Mataix, murmura-t-il.

Luisa se pencha sur les documents que le policier examinait.

— Deux fillettes. Mortes le même jour... Cela vous dit-il quelque chose ? lui demanda-t-elle.

Les yeux de Vargas glissèrent jusqu'au bas des actes.

— Qu'est-ce que c'est ?

— La signature du fonctionnaire qui a établi le certificat.

Le tracé était propre et élégant, la calligraphie dénotait une connaissance des bonnes manières et du protocole. Vargas forma le nom sur ses lèvres en silence, et il sentit son sang se glacer dans ses veines.

24

L'appartement avait l'odeur d'Alicia, de son parfum. Il fleurait sa présence et l'arôme laissé par le contact de sa peau. Fernandito était assis sur le canapé depuis une éternité, sans autre compagnie que cette fragrance et une angoisse qui commençait à le consumer. Alicia était partie avec son pistolet depuis une bonne quinzaine de minutes, mais l'attente lui semblait interminable. Incapable de rester immobile une seconde de plus, il se leva et il s'approcha de la fenêtre qui donnait sur la rue Aviñon pour l'ouvrir. Il avait besoin d'air frais. Avec un peu de chance, ce parfum troublant s'échapperait, en quête d'une autre victime. Le vent glacé lui remit les idées en place et il revint au centre de la pièce, déterminé à attendre comme le lui avait demandé Alicia. Sa noble persévérance survécut cinq minutes environ. Il se mit bientôt à tourner en rond dans la salle à manger, lisant les titres des livres sur les étagères, caressant les meubles du bout des doigts au passage, étudiant les objets qu'il avait remarqués lors de visites précédentes, imaginant Alicia faisant de même. Tu dérailles, Fernandito. Assieds-toi.

Les chaises le repoussaient. Quand il ne lui parut plus possible de trouver de nouveaux trajets dans le salon, il s'aventura dans le corridor au fond duquel il y avait deux portes. L'une d'elles ouvrait sur la salle de bains. L'autre devait être celle de la chambre à coucher. Il rougit, en proie à un sentiment mêlé de pudeur, d'inquiétude et de honte, et il fit marche arrière avant d'arriver à la porte de la salle de bains. Il s'assit sur une chaise et il attendit. Des minutes gélatineuses s'égrenèrent sans autre consolation que le tic-tac d'une horloge murale. Il comprit alors que le temps s'écoule toujours à une vitesse inversement proportionnelle à la nécessité de celui qui attend.

Il se releva et il s'approcha à nouveau de la fenêtre. Pas trace de Vargas. Le monde continuait sa course lointaine et banale, cinq étages plus bas. Sans savoir comment, il se retrouva à nouveau dans le corridor. Face à la salle de bains. Il entra et il se regarda dans la glace. Un bâton de rouge à lèvres traînait sur une tablette. Il le prit et l'examina. Rouge sang. Il le reposa et il sortit, tout rouge. Par la porte de la chambre, en face, il aperçut le lit pas défait. Alicia n'avait pas dormi là. Mille idées l'assaillirent et il les extermina les unes après les autres sans leur laisser le temps de s'exprimer.

Il entra, fit quelques pas et contempla le lit. Il l'imagina étendue et il détourna le regard. Il se demanda combien d'hommes s'étaient allongés à côté d'elle, avaient caressé son corps et ses lèvres. Il ouvrit l'armoire et il entraperçut les tenues d'Alicia dans la pénombre. Il frôla de la main les robes suspendues et il referma la porte. Il ouvrit le premier tiroir de la commode en bois qui se trouvait en face du lit. Il découvrit un arsenal de vêtements soyeux ou en maille parfaitement pliés. Noir, rouge ou blanc. Il mit un certain temps avant de comprendre ce qu'il avait sous les yeux. C'était la lingerie d'Alicia. Il avala sa salive. Ses doigts s'arrêtèrent à deux centimètres de la dentelle et il retira vivement la main comme si elle ardait. Il referma le tiroir.

— Espèce d'idiot ! se dit-il.

Idiot ou pas, il ouvrit le deuxième tiroir. Il contenait des bas de soie et des sortes de bandes qui avaient l'air inventées pour tenir les bas. La tête lui tourna. Il fit non de la tête et il repoussa doucement le tiroir dans l'intention de le refermer. À cet instant le téléphone sonna, si fort qu'il crut que son cœur se décrochait, sortait de son corps comme une fusée, par la bouche, et allait s'éclater contre le mur. Il ferma le tiroir d'un coup sec et il courut dans la salle à manger, hors d'haleine. La sonnerie du téléphone vrillait l'espace, accusatrice, pareille à une alarme d'incendie.

Il s'approcha et il regarda l'appareil sans savoir quoi faire. Il continua de sonner pendant une longue minute au moins, et quand le garçon finit par poser une main tremblante sur le combiné et le souleva, il se tut. Fernandito le laissa retomber et respira. Il s'assit et il ferma les yeux. Ça cognait dans sa poitrine. Son cœur palpitait et paraissait être resté enfermé dans sa gorge. Il rit de lui-même, trouvant un certain réconfort dans le ridicule de sa conduite. Si Alicia le voyait...

Il n'était pas fait pour ça, se dit-il. Plus vite il l'admettrait, mieux ce serait. Les événements de la nuit et sa brève expérience au service d'Alicia lui avaient démontré que ce n'était pas sa voie, il n'était pas fait pour les intrigues mais pour le commerce, pour se mettre au service du public. Dès qu'Alicia reviendrait, il lui présenterait sa démission. Quant à sa visite du sanctuaire des dessous intimes de sa patronne, mieux valait l'oublier. Des hommes de plus haute vertu avaient été ruinés pour moins que cela, se dit-il.

Il reprenait ses esprits, tout à ses réflexions édifiantes, quand la sonnerie du téléphone éclata de nouveau à côté de lui. Cette fois, dans un acte réflexe, il le prit et il répondit avec un filet de voix.

— Qui est-ce ? tonna la voix à l'autre bout du fil.

C'était Vargas.

— Fernandito, répondit-il.

— Dis à Alicia de prendre le téléphone.

— Mlle Alicia est sortie.

— Où est-elle allée ?

— Je ne sais pas.

Valgas fulmina dans sa barbe.

— Et toi, qu'est-ce que tu fais là ?

— Mlle Alicia m'a ordonné de vous attendre chez elle et de vous expliquer tout ce qui s'est passé cette nuit.

— Que s'est-il passé ?

— Je crois qu'il vaut mieux que je vous le raconte de vive voix. Où êtes-vous ?

— Dans les bureaux de l'état civil. Alicia a-t-elle dit quand elle reviendrait ?

— Elle n'a rien dit. Elle a pris un pistolet et elle est partie.

— Un pistolet ?

— Enfin, c'est un révolver pour être précis, avec un tambour qui...

— Je sais ce que c'est, le coupa Vargas.

— Vous allez venir ?

— Dans un moment. Je passerai d'abord me doucher et me changer dans ma chambre, parce que je fais vraiment peur à voir. Ensuite, je viendrai.

— Je vous attends.

— Ça vaudrait mieux pour toi. Ah, Fernandito…

— Oui ?

— Et que je n'apprenne pas que tu as mis tes pattes là où elles n'avaient pas à se poser…

Le tramway bleu glissait à la lenteur de l'ennui. Alicia était arrivée à l'arrêt juste à temps pour sauter à bord de la rame. Le conducteur s'apprêtait à commencer l'ascension de l'avenue du Tibidabo. Le wagon était plein à craquer, rempli par un groupe d'élèves, des internes sûrement. Les collégiens voyageaient sous la surveillance de deux curés à l'air sévère, et Alicia supposa que l'excursion avait pour objectif l'église située au sommet de la colline. Elle était la seule femme dans le paysage. Dès qu'elle prit la place qu'un élève lui laissa sur un signe du curé, le tumulte de la bande de gamins se calma au point de rendre audibles les gargouillements d'estomac de la troupe, à moins qu'il ne s'agît d'une chevauchée hormonale dans leurs veines. Alicia décida de garder les yeux baissés et de faire comme si elle voyageait seule. Les internes, de treize-quatorze ans d'après elle, l'observaient à la dérobée comme s'il n'avait jamais vu une telle créature. L'un d'eux, assis en face d'elle, un garçon roux criblé de taches de rousseur à l'air encore un peu plus niais que la normale, paraissait hypnotisé par sa présence. Ses yeux roulaient, comme bloqués, entre ses genoux et son visage. Alicia releva la tête et soutint son regard quelques secondes. Le pauvre malheureux sembla s'étrangler mais un des curés lui flanqua une tape sentie sur le crâne.

— Manolito, cela va mal finir, nous allons avoir des problèmes, avertit le curé.

Le reste du trajet s'effectua dans un silence ponctué de regards furtifs et de gloussements étouffés. Le spectacle exubérant de l'adolescence est le vaccin le plus efficace contre la nostalgie, songea Alicia.

Au terminus, elle préféra rester assise pendant que les deux curés faisaient sortir leur troupeau d'internes. Elle les regarda défiler en bande vers la gare du funiculaire se bousculant, échangeant des bourrades et des grossièretés dans des éclats de rire. Les plus excités se retournaient pour la regarder et échanger des commentaires avec leurs compagnons. Alicia attendit que les curés aient enclos tout le monde dans la gare du funiculaire, et elle se leva. Elle traversa la placette, les yeux rivés sur l'imposante façade d'El Pinar couronnant la colline en face. Deux voitures noires étaient garées à la porte de La Venta, à quelques mètres de la station de tramway. Alicia connaissait bien l'endroit, c'était le restaurant préféré de Leandro à Barcelone. Il l'y avait emmenée plus d'une fois pour lui enseigner les bonnes manières et l'art de se tenir à table. "Une demoiselle distinguée ne prend pas ses couverts, elle les caresse." Alicia mit la main dans son sac, palpa le révolver et ôta la sécurité.

La vaste propriété d'El Pinar disposait de deux entrées. La principale, par laquelle entraient les véhicules, donnait sur la rue Manuel Arnús, à une centaine de mètres de la place en suivant la route qui faisait le tour de la colline en direction de l'extrême nord de la route de Las Aguas. L'entrée secondaire, un portail en fer qui ouvrait sur un sentier en escalier dans le jardin, se trouvait à quelques pas de l'arrêt du tramway. Alicia tenta ce passage. Elle constata qu'il était fermé, comme elle le soupçonnait. Elle suivit le mur en direction de l'entrée principale. Il y avait là une deuxième maison, probablement l'ancien logement des gardiens de la propriété. Elle était probablement surveillée. En faisant le tour de la colline elle remarqua au moins une silhouette sur les hauteurs, en train de guetter les alentours de la maison. Hendaya avait peut-être réparti d'autres hommes à l'extérieur et à l'intérieur. Elle s'arrêta à mi-chemin, dans un angle où elle ne pouvait pas être vue depuis l'entrée principale, et elle étudia le mur d'enceinte. Elle trouva rapidement l'endroit par où Fernandito était passé la veille au soir. Il lui parut impraticable en plein jour. Elle allait avoir besoin d'aide, c'était évident. Elle retourna sur la place où le tramway commençait sa descente, marcha vers La Venta et entra dans le restaurant, désert à cette heure. Elle s'installa au bar sur un tabouret haut. Un serveur passa la tête au travers du rideau et il s'approcha d'un air courtois.

— Un verre de vin blanc, s'il vous plaît.

— Vous avez une préférence ?

— Étonnez-moi.

Le serveur hocha la tête et lui servit un verre d'une main experte, sans croiser une fois son regard.

— Puis-je téléphoner ?

— Certainement, mademoiselle. L'appareil est là, derrière, au bout du comptoir.

Alicia attendit que le serveur disparaisse à nouveau derrière le rideau, elle avala une gorgée de vin et elle se dirigea vers le téléphone.

Fernandito était occupé à regarder par la fenêtre, cherchant la silhouette de Vargas parmi les passants de la rue Aviñón, quand le téléphone sonna à nouveau. Il n'hésita pas cette fois et il répondit.

— Mais où êtes-vous ? Vous aviez dit que vous veniez !

— Qui venait ? demanda Alicia.

— Oh pardon, je croyais que c'était le capitaine Vargas.

— Vous l'avez vu ?

— Il a téléphoné et il a dit qu'il arrivait.

— Il y a combien de temps ?

— Un quart d'heure environ. Il a dit qu'il était dans les bureaux de l'état civil.

Alicia demeura silencieuse. Un silence que Fernandito attribua à sa perplexité.

— A-t-il dit ce qu'il faisait là-bas ?

— Non. Est-ce que vous allez bien ?

— Je vais bien, Fernandito. Dès que Vargas arrivera, tu lui rapporteras d'abord tout ce que tu m'as raconté et tu lui diras ensuite que je l'attends dans le bar qui est à côté de la gare du funiculaire du Tibidabo.

— C'est à côté d'El Pinar...

— Dis-lui de se dépêcher.

— Avez-vous besoin d'aide ? Voulez-vous que je vienne ?

— N'y pense même pas ! J'ai besoin que tu attendes Vargas et que tu fasses ce que je t'ai demandé. C'est compris ?

— Oui... Mademoiselle Alicia ?

Elle avait raccroché. Fernando regardait le combiné. Soudain, son œil détecta quelque chose, un mouvement derrière la fenêtre de la chambre de Vargas, de l'autre côté de la rue. Il supposa que le policier était rentré pendant qu'il parlait au téléphone avec Alicia. Il s'approcha de la vitre pour vérifier quand il aperçut Vargas dans la rue, près de l'entrée du Gran Café.

— Capitaine Vargas ! Vargas ! hurla-t-il.

Le policier entra dans le café. Fernandito regarda de nouveau les fenêtres en face, juste à temps pour apercevoir une silhouette qui fermait les rideaux. Il allait faire le numéro qu'Alicia venait de lui donner quand une inquiétude l'assaillit. Il se précipita dans les escaliers qu'il dévala de plus en plus vite.

25

Vargas comprit immédiatement quand il introduisit la clef de sa chambre dans la serrure. Elle glissa difficilement, heurtant quelque chose dans le mécanisme, et elle n'offrit pratiquement aucune résistance. La serrure avait été forcée. Le policier sortit son arme et poussa doucement la porte du bout du pied. L'intérieur, deux petites pièces séparées par un rideau de perles, était plongé dans la pénombre. Les rideaux étaient tirés. Il se rappelait les avoir laissés ouverts. Il arma le chien. La silhouette attendait, immobile, dans un coin. Vargas leva son arme et visa.

— Ne tirez pas, je vous en prie ! C'est moi !

Vargas fit quelques pas et la forme avança vers lui, les bras en l'air.

— Rovira ? Qu'est-ce que vous faites là, bon sang ? J'ai failli vous faire sauter la cervelle.

Le petit espion, toujours couvert de son manteau râpé, le regardait en tremblant.

— Baissez les mains, dit Vargas.

Rovira acquiesça plusieurs fois de suite et obéit.

— Pardonnez-moi, capitaine. Je ne savais pas quoi faire. Je voulais vous attendre en bas, dans la rue, mais j'étais suivi, j'en suis sûr, et j'ai pensé…

— Arrêtez ! C'est bon ! De quoi parlez-vous ?

Le petit homme prit une longue respiration et gesticula avec les mains, comme s'il ne savait par où commencer. Vargas ferma la porte derrière lui et le fit asseoir sur le fauteuil.

— Asseyez-vous.

— Oui, monsieur.

Vargas prit une chaise et s'installa en face de Rovira.

— Commencez par le commencement.

Le petit espion avala sa salive.

— Je vous apporte un message du commissaire Linares.

— Linares ?

Rovira hocha de la tête affirmativement.

— C'est lui qui m'avait demandé de vous suivre, vous et Mlle Alicia. Mais j'ai suivi vos instructions, je vous assure, et je suis resté à distance pour ne pas vous gêner. Et j'ai dit le minimum pour le rapport.

— Quel message ?

— En arrivant à la Préfecture, le commissaire Linares a reçu un appel. De Madrid. Une personne très haut placée. Il m'a demandé de vous dire que vous êtes en danger, qu'il vaudrait mieux que vous quittiez la ville. Vous et Mlle Alicia. Il m'a envoyé vous trouver à la morgue pour vous le dire. Là-bas, on m'a dit que vous étiez parti aux bureaux de l'état civil.

— Poursuivez.

— Avez-vous découvert quelque chose d'intéressant ? demanda Rovira.

— Rien qui ne soit de votre ressort. Quoi d'autre ?

— Eh bien je suis allé à l'état civil, mais on m'a dit que vous étiez parti, et je suis venu ici en courant pour vous attendre. C'est à ce moment-là que je me suis rendu compte qu'on vous surveillait.

— Ce n'était pas justement votre travail ?

— Non, quelqu'un d'autre. En plus de moi.

— Qui ?

— Je ne sais pas.

— Comment êtes-vous entré ?

— J'ai trouvé la porte ouverte. Je crois qu'on a forcé la serrure. J'ai vérifié qu'il n'y avait personne à l'intérieur et j'ai fermé les rideaux pour qu'on ne voie pas que j'étais là à vous attendre.

Vargas le regarda longuement, en silence.

— J'ai fait quelque chose de mal ? demanda Rovira, inquiet.

— Pourquoi Linares ne m'a-t-il pas téléphoné à la morgue ?

— Le commissaire a dit que les téléphones de la Préfecture ne sont pas sûrs.

— Pourquoi n'est-il pas venu lui-même dans ce cas ?

— Il a une réunion avec cet officiel envoyé par le ministère. Alaya, ou quelque chose comme ça.

— Hendaya.

Rovira acquiesça.

— C'est ça.

Il tremblait toujours comme une feuille.

— Pouvez-vous me donner un verre d'eau, s'il vous plaît ? implora-t-il.

Vargas hésita. Il s'approcha de la commode et il servit un verre de la cruche à moitié remplie.

— Et Mlle Alicia ? interrogea Rovira derrière lui. Elle n'est pas avec vous ?

Vargas nota que la voix de Rovira était très proche, et en se retournant avec le verre il le trouva face à lui. L'homme ne tremblait plus et son expression craintive avait cédé la place à un masque impénétrable.

Vargas ne vit pas le couteau.

Il sentit un coup brutal sur le côté, comme si on lui frappait les côtes avec un marteau, et il comprit que la lame s'était enfoncée jusqu'au poumon qu'elle perfora. Il eut l'impression que Rovira souriait et, quand il voulut prendre son révolver, il reçut un deuxième coup de couteau. L'arme s'enfonça dans son cou jusqu'à la garde et Vargas tituba. Sa vue se brouilla, il s'accrocha à la commode. Un troisième coup le frappa à l'estomac. Il s'effondra sur le sol. Une ombre planait au-dessus de lui. Son corps lâchait prise dans des convulsions. Rovira lui prit son arme, la regarda avec désintérêt et la jeta par terre.

— C'est de la camelote.

Vargas se perdit dans ces yeux sans fond. Rovira attendit quelques secondes avant de lui taillader à nouveau le ventre à deux reprises, en tournaillant la lame dans les chairs. Du sang jaillit de la bouche du policier qui essaya de frapper Rovira, ou qui que ce fut qui le déchiquetait. Ses poings lui frôlèrent à peine le visage. L'homme ressortit son couteau ensanglanté et le lui montra.

— Fils de pute, balbutia Vargas.

— Regarde-moi bien, vieux merdeux. Je veux que tu meures en sachant que je ne serai pas aussi charitable avec elle. Je prendrai tout mon temps. Et je te jure qu'elle te maudira de ne pas être là quand je lui démontrerai tout mon savoir-faire.

Un froid intense s'empara du corps de Vargas et paralysa ses membres. Son cœur palpitait à tout rompre et il pouvait à peine respirer. Une toile tiède et visqueuse se répandait sous lui. Ses yeux s'emplirent de larmes et une peur comme il n'en avait jamais connu l'envahit. Son assassin nettoya la lame du couteau sur le revers de son manteau et le rangea. Il resta là, agenouillé, à le regarder dans les yeux, à savourer son agonie.

— Tu la sens ? demanda-t-il. On la sent, hein ?

Vargas ferma les yeux et il convoqua l'image d'Alicia. Il mourut un sourire aux lèvres. Quand l'homme qu'il avait connu sous le nom de Rovira s'en aperçut, il en devint fou de rage au point de frapper son visage avec ses poings jusqu'à s'en déchirer la peau de la jointure des doigts, tout en le sachant déjà mort.

Fernandito écoutait, caché sur le palier. Il avait grimpé les escaliers à toute allure et en arrivant devant la porte de Vargas il s'était arrêté un instant avant de frapper. Le bruit des coups secs l'avait arrêté. Une voix cassée hurlait de rage et des coups terribles pleuvaient sur ce qui paraissait être des os et de la chair. Fernandito essaya de pousser la porte. Elle était fermée. Les coups cessèrent et des pas s'approchèrent. La peur eut raison de lui. Ravalant sa honte, il monta à l'étage supérieur pour se cacher et, collé contre le mur, il entendit la porte s'ouvrir. Quelqu'un descendait. Fernandito se pencha sur la cage d'escalier et il aperçut un homme de petite taille vêtu d'un manteau noir. Il hésita quelques secondes puis il revint sans faire de bruit jusqu'à la porte de Vargas. Elle était entrebâillée. Le corps du policier gisait dans une mare noirâtre, sorte de miroir liquide. Il avança, glissa et tomba à plat ventre à côté du corps. Vargas, blanc comme une statue de marbre, était mort. Fernandito resta figé. Apercevant l'arme du policier sur le sol, il la prit et il se lança dans les escaliers.

26

Un linceul de nuages s'étendait rapidement depuis la mer, étouffant Barcelone. Assise au comptoir, Alicia se retourna en entendant le premier coup de tonnerre. Elle contempla l'avancée inexorable de la ligne ombreuse sur la ville. Un spasme électrique éclaira le tourbillon nuageux et, peu après, les premières gouttes de pluie frappèrent les vitres du bar. En quelques minutes, l'averse plongea la ville dans une brume grise et impénétrable.

Elle quitta le restaurant dans le fracas de l'orage et elle retourna au mur d'enceinte d'El Pinar. Le rideau d'eau noyait les contours de la propriété à quelques mètres, offrant une couverture à ses déplacements. Elle repassa devant l'entrée du jardin et elle constata qu'on n'apercevait presque plus la façade de la maison. Elle fit le tour de la propriété et grimpa sur le mur à l'endroit qu'elle avait précédemment choisi. De l'autre côté, elle atterrit sur une épaisse couche de feuilles séchées qui commençait à ramollir sous l'effet de la pluie et qui amortit sa chute. Elle traversa le jardin en s'abritant sous les arbres jusqu'à l'allée principale qu'elle suivit. Elle gagna ainsi l'arrière de la demeure où elle trouva les fenêtres de la cuisine que Fernandito avait évoquées. La pluie cinglait rageusement la façade de la maison. Alicia colla son nez sur une des vitres et scruta l'intérieur. Elle reconnut la table en bois couverte de taches foncées où Fernandito avait vu mourir Valentín Morgado. Il n'y avait personne. Le tonnerre fit craquer la structure de l'édifice. Alicia frappa la vitre de la crosse de son révolver et le verre se brisa en mille morceaux. Une seconde après, elle était à l'intérieur.

Fernandito le suivait de près. L'étranger marchait lentement, comme s'il ne venait pas de tuer un homme de sang-froid. Il avait l'air d'être sorti faire un tour. Le premier éclair zébra les rues et tous coururent s'abriter sous les arcades de la Plaza Real. L'assassin poursuivit du même pas vers les Ramblas, indifférent à la pluie. Il s'arrêta au bord du trottoir. Fernandito s'approcha et remarqua ses vêtements trempés. Il ressentit le désir fugace de sortir l'arme de Vargas qu'il avait dans sa poche et de lui tirer dans le dos. L'assassin était là, immobile, comme s'il pressentait sa présence et l'attendait. Soudain, l'homme repartit, traversa les Ramblas et s'engagea dans la rue Conde de Asalto en direction du cœur du Raval.

Fernandito le suivit et le laissa prendre un peu d'avance. Il le vit tourner sur la gauche, dans la rue de Lancaster. Il courut et il arriva juste à temps pour le voir s'engouffrer dans une entrée d'immeuble, au milieu de la rue. Il attendit un peu avant de continuer doucement, plaqué contre le mur. L'eau sale qui tombait des corniches lui éclaboussait le visage et glissait dans le col de son manteau. Il s'arrêta devant la porte où il avait vu entrer l'assassin. Ce qu'il avait pris de loin pour l'entrée d'une cage d'escalier était la porte d'un local commercial fermée par un rideau métallique rouillé. À côté, il y avait une petite porte légèrement entrebâillée sur laquelle était écrit, à même le bois :

FABRIQUE DE MANNEQUINS

CORTÉS FRÈRES

ARTICLES DE COUTURE
ET ATELIER DE CONFECTION
MAISON FONDÉE EN 1909

L'atelier paraissait fermé depuis des années et abandonné. Fernandito hésita. Tout l'incitait à s'éloigner de là et à aller chercher de l'aide. Il rebroussa chemin presque jusqu'au coin de la rue quand l'image du corps de Vargas et de son visage couvert de sang le stoppa net. Il repartit jusqu'à la porte du local qu'il poussa.

À l'intérieur, l'obscurité était totale. Il ouvrit le battant en grand afin de laisser la faible lumière du jour atténuée par la pluie pénétrer au-delà du seuil. Il observa ce qu'il crut être une boutique. Elle lui rappela celle qu'il fréquentait quand il était petit. Il pensa d'abord qu'un voile transparent recouvrait tout, avant de constater qu'il s'agissait de toiles d'araignées. Dans un coin, deux mannequins dévêtus étaient enlacés, comme si un insecte géant les avait tirés jusque-là pour les dévorer.

Fernandito entendit un bruit métallique, une sorte d'écho surgi des entrailles du local. Il plissa les yeux pour mieux voir et, derrière un comptoir couvert de poussière, il aperçut le rideau qui séparait l'arrière-boutique. Il bougeait encore lentement. Derrière lui, la lueur de la rue baissait et il se retourna au moment où le vent poussa la petite porte qui se referma peu à peu. À moins que ce ne fût une main étrangère.

Alicia avançait dans les cuisines, le regard fixé sur une porte derrière laquelle elle percevait des voix étouffées par le martèlement de la pluie. Elle entendit des pas et le coup sec d'une lourde porte qui se fermait. Elle s'arrêta et elle attendit. Elle en profita pour examiner les lieux. Fourneaux, fours et planchas ne paraissaient pas avoir été utilisés depuis très longtemps. Des poêles, des cocottes, des couteaux et de nombreux autres ustensiles pendaient contre le mur, suspendus à une barre métallique noircie. Un vaste évier en marbre était rempli de gravats. La table en bois occupait le centre de la pièce. Alicia remarqua les chaînes et les courroies attachées à ses pieds et le sang séché sur le plateau. Elle se demanda ce qu'ils avaient fait du corps du chauffeur de Sanchís, et si son épouse Victoria était encore en vie.

Elle approcha de la porte et elle tendit l'oreille. Les voix provenaient d'une pièce proche. Elle posa la main sur la poignée mais elle entendit à nouveau le bruit qu'elle avait pris pour la pluie sur les vitres. Le tambourinement métallique paraissait monter des profondeurs de la maison. Elle retint sa respiration et elle l'entendit une troisième fois. Quelque chose ou quelqu'un frappait contre un mur ou une tuyauterie, quelque part, en un point relié aux cuisines. Elle s'approcha de l'ouverture du monte-charge et le son lui parvint plus nettement. Il y avait quelque chose sous les cuisines.

Elle fit le tour de la pièce en tapotant sur les murs. Ils étaient solides. Dans un coin, elle avisa une porte coupée métallique qui donnait sur une pièce d'environ six mètres carrés aux murs couverts d'étagères poussiéreuses. C'était probablement une ancienne resserre. Le tambourinement s'entendait encore plus clairement. Elle fit quelques pas et elle sentit la vibration sous ses pieds. Elle remarqua alors une ligne foncée, comme une fissure verticale sur le mur du fond. Elle le toucha et appuya de ses deux mains, il céda, vers l'extérieur. Une bouffée de puanteur animale intense de pourriture et d'excréments envahit la pièce. Alicia faillit vomir. Elle se couvrit le visage avec les mains.

Devant elle, un tunnel creusé dans la pierre descendait à quarante-cinq degrés et l'escalier aux marches irrégulières se perdait dans les ténèbres. Le bruit s'arrêta soudain. Alicia avança jusqu'à la première marche et écouta. Elle crut entendre le susurrement d'une respiration. Elle pointa le révolver devant elle avant de descendre une autre marche.

Elle avisa un objet allongé suspendu à un crochet fiché dans le mur. Une lampe torche. Elle l'alluma en tournant le manche et un faisceau de lumière blanche troua l'obscurité épaisse et humide montant du puits.

— Hendaya ? C'est vous ? Ne me laissez pas ici...

La voix montait du fond du tunnel. Cassée, à peine humaine. Alicia descendit les marches très précautionneusement et elle aperçut les barreaux. Elle balaya d'un faisceau de lumière l'intérieur de la cellule. Elle comprit ce qu'elle voyait, et son sang se glaça dans ses veines.

On aurait dit un animal blessé, couvert de crasse, en haillons. Des cheveux emmêlés et une grosse barbe cachaient un visage jaunâtre et lacéré d'éraflures et de griffures. La créature s'accrocha aux barreaux et tendit une main suppliante. Alicia baissa son arme et le regarda, stupéfaite. Le prisonnier appuya son autre bras contre les barreaux. Elle constata qu'il lui manquait une main. Elle avait été brutalement amputée à la hauteur du poignet. Le moignon était recouvert de goudron séché et la peau du bras présentait un aspect violacé. Alicia lutta pour contenir la nausée qui la tenaillait et elle approcha.

— Valls ? demanda-t-elle, incrédule. Êtes-vous Mauricio Valls ?

Le prisonnier ouvrit la bouche comme s'il essayait d'articuler un mot, ne laissant pourtant échapper qu'un gémissement poignant. Alicia examina la fermeture de la cellule. Un cadenas en fer forgé refermé sur un anneau de la chaîne passée autour des barreaux. Elle perçut un bruit de pas derrière les murs et elle comprit qu'il lui restait peu de temps. Valls la regardait avec un désespoir insondable dans les yeux. Elle ne pourrait pas le tirer de là, elle le savait. En supposant qu'elle arrive à faire sauter le cadenas en tirant dessus avec son révolver, elle calculait qu'Hendaya devait avoir laissé au moins deux ou trois de ses hommes dans la maison. Elle allait devoir laisser Valls dans sa cellule et chercher Vargas. Comme s'il suivait le cheminement de sa pensée, le prisonnier tendit sa main et essaya de l'agripper, mais il n'avait presque plus de force.

— Ne me laissez pas ici, gémit-il sur un ton à mi-chemin entre l'ordre et la prière.

— Je vais revenir avec du renfort, murmura Alicia.

— Non ! cria Valls.

Surmontant la répugnance que lui inspirait le contact avec ce sac d'os que quelqu'un avait décidé de laisser pourrir dans ce trou, elle saisit sa main.

— J'ai besoin que vous gardiez le silence. Ne dites à personne que je suis venue.

— Si tu essaies de partir, je crierai, sale pute merdeuse, et ils te colleront ici avec moi, menaça Valls.

Alicia le regarda droit dans les yeux. Elle crut un instant voir dans ce cadavre vivant le vrai Valls, ou le peu qui en restait.

— Si vous faites cela, vous ne reverrez jamais votre fille.

Le visage de Valls se décomposa, toute la rage et le désespoir se désagrégèrent sur-le-champ.

— J'ai promis à Mercedes de vous retrouver, dit Alicia.

— Elle est vivante ?

Alicia acquiesça.

Valls appuya le front sur les barreaux et pleura.

— Ne les laissez pas la retrouver et lui faire du mal, supplia-t-il.

— Qui ? Qui voudrait faire du mal à Mercedes ?

— Je vous en prie...

Alicia entendit de nouveau des pas au-dessus de sa tête. Elle se releva. Valls lui adressa un dernier regard empli de résignation et désespoir.

— Dépêchez-vous, gémit-il.

27

Fernandito gardait les yeux rivés sur la porte qui se refermait lentement sous la pression du vent. L'obscurité se solidifia autour de lui. La silhouette des mannequins et les vitrines s'évanouit dans la pénombre. Il ne resta bientôt plus qu'un mince interstice de clarté faiblarde. Il prit alors une inspiration profonde et il se dit qu'il avait suivi cet individu jusque dans sa tanière avec un objectif. Alicia comptait sur lui. Il agrippa la crosse du révolver et il se retourna vers le corridor sombre qui s'enfonçait dans l'intérieur de l'atelier.

— Je n'ai pas peur, se murmura-t-il à lui-même.

Un léger bruit parvint à ses oreilles. Il aurait juré que c'était un rire d'enfant. Très proche. À quelques mètres de l'endroit où il se trouvait. Il entendit des pas rapides sur le sol, dans sa direction, et la panique l'envahit. Il leva l'arme et sans très bien savoir ce qu'il faisait il appuya sur la gâchette. Un fracas assourdissant heurta ses tympans et ses bras furent projetés vers le haut, comme si quelqu'un lui avait asséné un coup de marteau sur les poignets. Un spasme de lumière soufrée éclaira le couloir pendant un centième de seconde et Fernandito le vit. Il avançait vers lui avec un couteau, le regard halluciné, le visage caché derrière ce qui ressemblait à un masque de peau.

Fernandito tira encore, et encore, jusqu'à ce que le révolver lui glisse des mains, puis il tomba à la renverse, persuadé que la silhouette démoniaque qu'il avait vue planer sur lui était toute proche, et qu'il allait sentir l'acier froid sur sa peau avant de reprendre son souffle. Il se traîna vers l'arrière, et quand il retrouva son équilibre, il se lança vers la petite porte qu'il ouvrit d'un coup. Il tomba à plat ventre sur la chaussée détrempée. Il se releva et sans regarder derrière lui il courut à en perdre haleine.

Tout le monde l'appelait Bernal. Ce n'était pas son véritable nom, mais il n'avait jamais pris la peine de les corriger. Il n'était que depuis quelques jours dans cette demeure qui donnait la chair de poule, sous les ordres d'Hendaya, mais il en avait déjà assez vu. Assez pour savoir que moins cet équarrisseur et son attelage de bouchers en sauraient à son sujet, mieux ce serait pour lui. Dans deux mois il prendrait sa retraite avec une misérable pension en récompense de toute une vie brûlée dans le Corps supérieur de la police. À cette étape-là de la farce, son grand rêve était de mourir seul et oublié dans la chambre obscure et humide d'une pension de la rue Joaquín Costa. Il préférait mourir comme une vieille pute que dans des habits de héros pour le plus grand honneur de ces petits chéris envoyé par le ministère de l'Intérieur. Les nouveaux centurions, tous bâtis sur le même patron, tous prêts à nettoyer les rues de Barcelone des malheureux et de rouges minables, des cocos qui pouvaient à peine uriner debout après avoir passé la moitié de leur vie à se cacher, ou claquemurés dans des prisons surpeuplées comme des ruches. Il y a des époques où il est plus honorable de mourir dans l'oubli que de vivre dans la gloire.

Le mal qui avait nom Bernal était perdu dans ses pensées quand il ouvrit la porte des cuisines. Hendaya insistait sur l'importance des rondes de surveillance dans la maison et l'homme exécutait les ordres au pied de la lettre. C'était sa spécialité. Trois pas lui suffirent pour constater que quelque chose n'allait pas. Un souffle d'air humide lui caressa le visage. Il leva les yeux vers le fond de la cuisine. Dans la lueur soudaine d'un éclair, il aperçut les traces dentelées d'une vitre brisée. Il alla regarder de près et il s'accroupit devant les morceaux de verre tombés de la fenêtre. Une trace de pas se perdait dans la poussière. Des pieds légers, des petites semelles et la trace du talon assorti. Une femme. Le faux Bernal évalua la preuve. Il se releva et il se dirigea vers la resserre. Il poussa le mur du fond, ouvrit l'entrée du tunnel et descendit quelques marches jusqu'à ce que la puanteur lui conseillât de s'arrêter. Il fit demi-tour et il s'apprêtait à refermer l'accès au tunnel quand il remarqua la lampe suspendue au crochet. Elle oscillait doucement. L'agent referma la porte et il revint dans la cuisine à laquelle il jeta un coup d'œil rapide, puis après une brève réflexion il effaça la trace de pied sur le sol et il poussa les morceaux de verre dans un coin sombre. Ce ne serait pas lui qui révélerait à Hendaya, quand il viendrait, que quelqu'un avait fait une visite surprise dans ces lieux. Le dernier malheureux qui avait donné de mauvaises nouvelles à Hendaya avait fini avec la mâchoire cassée. Et c'était un de ses hommes de confiance. Il ne fallait pas compter sur Bernal. Avec un peu de chance, dans sept semaines on lui remettrait une petite médaille qu'il pensait mettre en gage pour se payer les services d'une catin de haut vol en compagnie de laquelle il ferait ses adieux à ce bas monde. Et s'il survivait à ce moment critique, il aurait toute une vieillesse grise et maudite pour oublier ce dont il avait été le témoin ces derniers jours à El Pinar, et pour se convaincre que tout ce qu'il avait fait au nom du devoir était du ressort du Bernal qu'il n'avait jamais été et ne serait jamais.

Cachée dans le jardin, de l'autre côté de la fenêtre, Alicia observa le policier. Elle le vit parcourir lentement la cuisine, vérifier l'entrée du tunnel et ensuite, de façon incompréhensible, effacer les traces de pas qu'elle avait laissées derrière elle. Il avait jeté un dernier coup d'œil sur la pièce et il était sorti. Profitant que la pluie tombait encore très fort, et sans savoir avec certitude si cet agent rendrait compte à ses supérieurs de ce qu'il avait découvert, Alicia choisit de traverser le jardin le plus vite possible et de franchir le mur. Dans les soixante secondes qu'il lui fallut pour s'enfuir, elle s'attendit à prendre à tout moment une balle entre les omoplates. Ce qui ne se produisit pas. Elle sauta dans la rue et regagna la place en courant. Le tramway bleu commençait sa descente dans la tourmente. Elle monta dans le wagon en marche et, ignorant le regard désapprobateur du contrôleur, elle se laissa tomber sur la banquette, trempée et tremblante de froid ou de soulagement, elle l'ignorait.

Elle le trouva assis sous la pluie, recroquevillé sur la marche de la porte d'entrée. Elle s'approcha en tâchant d'éviter les nombreuses flaques dans la rue Aviñon. Elle s'arrêta devant lui et elle sut avant qu'il n'ouvre la bouche. Fernandito leva la tête, les yeux noyés de larmes.

— Où est Vargas ? demanda-t-elle.

Il baissa la tête.

— Ne montez pas, murmura-t-il.

Alicia monta les marches deux à deux, ignorant la douleur qui vrillait sa hanche et engourdissait tout son côté. Arrivée sur le palier du quatrième étage, elle s'arrêta devant la porte entrouverte de Vargas. Une odeur douceâtre, métallique, flottait dans l'air. Elle poussa la porte : le corps était étendu sur une mare foncée et brillante. Le froid l'envahit et lui coupa la respiration, elle s'accrocha au cadre de la porte. Puis elle avança, les jambes flageolantes. Vargas avait les yeux ouverts. Son visage était un masque de cire détruit à coups de poing, elle le reconnut à peine. Elle s'accroupit et elle lui caressa la joue. Il était froid. Des larmes de colère lui brouillèrent la vue, elle étouffa un gémissement.

Il y avait une chaise renversée à côté du cadavre. Alicia la releva et s'assit pour contempler le corps en silence. La sensation de brûlure dans sa hanche s'étendait maintenant à ses os. Elle frappa violemment la vieille blessure du poing et la douleur l'aveugla. Elle faillit tomber. Elle continua de frapper jusqu'à ce que Fernandito, qui assistait à la scène depuis le seuil de la porte, vînt arrêter son bras. Il l'enlaça et il l'immobilisa. Il la laissa hurler de douleur jusqu'à en perdre le souffle.

— Ce n'est pas votre faute, lui répétait-il à intervalles réguliers.

Quand Alicia cessa de trembler, Fernandito recouvrit le corps de Vargas avec une couverture qu'il trouva pliée sur un fauteuil.

— Cherche dans ses poches, lui ordonna Alicia.

Il fouilla le manteau et la veste du policier. Il trouva son portebillets, quelques pièces, un morceau de papier avec une liste de chiffres et une carte de visite.

> **María Luisa Alcaine**
> Secrétaire adjointe
> à la Direction des Archives et de la Documentation
>
> État civil de Barcelone

Il lui donna ce qu'il avait trouvé et Alicia examina le tout. Elle garda la liste et la carte de visite et lui rendit le reste en lui indiquant de tout remettre à sa place. Alicia maintenait le regard fixé sur la dépouille de Vargas, visible sous la couverture. Fernandito attendit quelques minutes avant de s'approcher de nouveau d'elle.

— On ne peut pas rester ici, dit-il.

Alicia le regarda comme si elle ne le comprenait pas, ou ne pouvait pas l'entendre.

— Donnez-moi la main.

Elle refusa son aide et elle tenta de se lever toute seule. Fernandito remarqua le rictus de douleur sur son visage. Il l'entoura de ses bras et il l'aida. Une fois debout elle fit quelques pas en cherchant à dissimuler sa boiterie.

— Je peux marcher toute seule, dit-elle.

Sa voix avait pris un ton glacial. Son regard impénétrable ne reflétait aucune émotion, même quand elle se tourna vers Vargas une dernière fois. Elle a fermé toutes les portes et poussé tous les verrous, songea Fernandito.

— Partons, murmura-t-elle en claudiquant vers la sortie.

Il la soutint et il la conduisit jusqu'à l'escalier.

Ils s'installèrent au fond du Gran Café. Fernandito commanda deux grands cafés au lait et un cognac qu'il versa dans une des tasses.

— Buvez. Ça vous réchauffera.

Alicia accepta la tasse et elle avala à petites gorgées. Sous la chape grise qui recouvrait la ville, la pluie griffait les vitres du café et traçait des rigoles sur le pavé. Quand Alicia eut repris quelque couleur, Fernandito lui raconta ce qui s'était passé.

— Tu n'aurais pas dû le suivre dans un tel endroit, dit-elle.

— Je n'allais pas le laisser échapper !

— Es-tu certain qu'il est mort ?

— Non. J'ai tiré deux ou trois fois avec l'arme du capitaine Vargas. Je n'étais pas à plus de deux mètres. On était dans le noir...

Alicia posa une main sur la sienne et elle lui sourit faiblement.

— Ça va, lui mentit-il.

— As-tu encore l'arme ?

Il fit non de la tête.

— Elle est tombée quand je me suis enfui de là-bas. Qu'est-ce que nous allons faire ?

Alicia garda le silence un moment, le regard perdu sur la vitre. Elle sentait la douleur à la hanche battre au rythme de son cœur.

— Ne devriez-vous pas prendre un de vos comprimés ? s'inquiéta-t-il.

— Après.

— Après quoi ?

Elle le regarda droit dans les yeux.

— J'ai besoin que tu fasses quelque chose pour moi.

Fernandito acquiesça.

— Tout ce que vous voulez.

Elle fouilla dans ses poches et elle lui confia une clef.

— C'est la clef de chez moi. Prends-la.

— Je ne comprends pas.

— Je veux que tu montes à l'appartement. Assure-toi qu'il n'y a personne à l'intérieur avant d'entrer. Si la porte est ouverte ou si la serrure a l'air d'avoir été forcée, pars et cours sans t'arrêter jusqu'à chez toi.

— Vous ne venez pas avec moi ?

— Dans la salle à manger, cherche sous le canapé. Tu y trouveras un carton avec des documents et des papiers. À l'intérieur, il y a une enveloppe sur laquelle est écrit "Isabella". Tu me suis ?

Il hocha la tête.

— *Isabella.*

— Je veux que tu prennes ce carton et que tu l'emportes. Garde-le. Cache-le. Là où personne ne le retrouvera jamais. Pourras-tu faire cela pour moi ?

— Oui. Ne vous inquiétez pas. Mais…

— Pas de "mais". S'il m'arrivait quelque chose…

— Ne dites pas cela.

— S'il m'arrivait quelque chose, insista Alicia, ne va pas voir la police. Si je ne viens pas chercher le carton, attends un peu et emporte ces documents à la librairie Sempere & Fils, dans la rue Santa Ana. Tu sais où c'est ?

— Je la connais…

— Avant d'entrer, assure-toi que personne ne surveille la boutique. Si tu as le moindre doute, passe ton chemin et attends un autre moment. Quand tu seras à l'intérieur, demande Fermín Romero de Torres. Répète ce nom.

— Fermín Romero de Torres.

— Ne te fie à personne d'autre. Tu ne peux faire confiance à personne d'autre.

— Vous me faites peur, mademoiselle Alicia.

— S'il m'arrive quelque chose, porte-lui les documents. Dis-lui que tu viens de ma part. Raconte-lui ce qui s'est passé. Explique-lui que parmi ces documents se trouve le journal intime d'Isabella Gispert, la mère de Daniel.

— Qui est Daniel ?

— Dis à Fermín qu'il doit le lire et décider de le donner ou non à Daniel. Il sera seul juge.

Fernandito acquiesça. Alicia sourit d'un air triste. Elle prit la main du garçon et elle la serra. Lui la porta à ses lèvres et la baisa.

— Je suis désolée de t'avoir entraîné dans toute cette histoire, Fernandito. Et aussi de te confier cette charge au cas où... Je n'en avais pas le droit...

— Je suis heureux que vous l'ayez fait. Je ne vous décevrai pas.

— Je le sais... Une dernière chose. Au cas où je ne reviendrais pas...

— Vous reviendrez.

— Au cas où je ne reviendrais pas, ne me cherche pas dans les hôpitaux ou dans les commissariats, nulle part. Fais-toi à l'idée que tu ne m'as jamais rencontrée. Oublie-moi.

— Jamais. Je ne vous oublierai jamais, mademoiselle Alicia. C'est comme ça, je suis trop idiot...

Elle se leva. La douleur la tenaillait, mais elle sourit à Fernandito comme s'il ne s'agissait que d'une petite gêne passagère.

— Vous allez rechercher cet homme, n'est-ce pas ?

Elle ne répondit pas.

— Qui est-ce ? demanda-t-il.

Alicia se remémora la description de l'assassin de Vargas faite par Fernandito.

— Il se fait appeler Rovira, dit-elle, mais je ne sais pas qui il est.

— Mais s'il est encore en vie, il est très dangereux.

Il se leva à son tour, prêt à l'escorter. Alicia le retint, en faisant non de la tête.

— J'ai besoin que tu ailles chez moi et que tu fasses ce que je t'ai demandé.

— Mais...

— Ne discute pas. Et jure-moi que tu feras exactement ce que je t'ai dit.

Il soupira.

— Je le jure.

Elle lui offrit en retour un de ces sourires dévastateurs qui avaient si souvent altéré le peu de raison dont Dieu avait doté le jeune garçon, puis elle partit en boitant. Il la regarda s'éloigner sous la pluie, plus fragile que jamais. Il attendit qu'elle ait disparu au bout de la rue, puis il régla les consommations et traversa pour se rendre chez elle. Dans l'entrée de l'immeuble il tomba sur la concierge, sa tante Jesusa. Armée d'un chiffon enroulé autour d'un balai, elle essayait de contenir l'eau de pluie qui inondait le sol. En voyant passer son neveu une clef à la main, elle fronça les sourcils d'un air réprobateur. Il comprit que la concierge, qui avait la prescience du ragot et l'acuité visuelle du faucon pour tout ce qui ne la concernait pas, avait dû assister à la scène dans le Gran Café, baisemain compris.

— On ne tire donc jamais de leçon, hein, Fernandito ?

— Ce n'est pas ce que vous croyez, ma tante.

— Ce que je crois ? Je préfère ne pas en parler, mais je suis ta tante, la seule de la famille qui a un peu de plomb dans la cervelle apparemment, et à ce titre je dois te redire ce que je t'ai déjà répété cent fois.

— Que Mlle Alicia n'est pas une femme pour moi, récita-t-il par cœur.

— Et qu'un jour elle te brisera le cœur, comme ils disent à la radio, compléta Jesusa.

C'était déjà fait, et cela s'était produit des années auparavant. Mais Fernandito ne souhaitait pas remuer le passé. Jesusa s'approcha et lui sourit tendrement en pinçant ses joues comme s'il avait toujours dix ans.

— Je ne veux pas que tu souffres, c'est tout. Mlle Alicia, que j'aime comme si elle faisait partie de la famille, est une bombe ambulante : elle explosera un jour, au moment où on ne s'y attend pas, et elle entraînera tous ceux qui sont près d'elle. Que Dieu me pardonne de le dire comme ça.

— Je le sais, ma tante. Ne vous inquiétez pas, je sais ce que je fais.

— C'est ce que ton oncle a dit le jour où il s'est étranglé.

Fernandito se pencha pour l'embrasser sur le front et il s'engagea dans l'escalier. Il entra dans l'appartement et il laissa la porte entrebâillée pendant qu'il suivait à la lettre les instructions d'Alicia. Il trouva le carton sous le canapé du salon. Il l'ouvrit et il jeta un coup d'œil sur le tas de documents d'où dépassait une enveloppe sur laquelle était écrit :

Isabella

Il n'osa pas l'ouvrir. Il referma le carton et il se demanda qui était ce Fermín Romero de Torres, dépositaire d'une telle confiance de la part d'Alicia qu'elle s'en remettait à lui comme ultime salut. Il présuma qu'il y avait de nombreux autres personnages dans la vie d'Alicia qu'il ne connaissait pas, et ils devaient jouer un rôle beaucoup plus important que le sien.

Tu croyais peut-être qu'il n'y avait que toi !…

Il prit la boîte et avant de sortir il regarda pour la dernière fois l'appartement d'Alicia, convaincu qu'il n'y remettrait plus jamais les pieds. Il referma derrière lui. Dans l'entrée de l'immeuble, sa tante essayait toujours de contenir la montée des eaux à coups de balai. Il s'arrêta.

— Espèce de lâche, s'accusa-t-il dans un murmure. Tu n'aurais jamais dû la laisser y aller.

Jesusa cessa ses manœuvres et elle le regarda, intriguée.

— Qu'est-ce que tu dis, chaton ?

Fernandito soupira.

— Ma tante ? Est-ce que je peux vous demander un service ?

— Bien sûr. Tout ce que tu veux, quand tu demandes avec ta petite bouche en cœur.

— J'ai besoin que vous me gardiez cette boîte dans un endroit où personne ne la trouvera. C'est très important. N'en parlez à personne. Pas même à la police, si on vient vous interroger. À personne.

Le visage de Jesusa s'assombrit. La concierge regarda brièvement l'objet et se signa.

— Aïe, aïe, aïe… Dans quel pétrin vous êtes-vous encore fourrés tous les deux.

— Rien qui ne puisse pas s'arranger.

— C'est ce que répétait ton oncle.

— Je sais. Me ferez-vous cette faveur ? C'est très important.

Jesusa fit signe que oui d'un air grave.

— Je reviens dans un petit moment.

— Tu me le jures ?

— Oui.

Fuyant le regard anxieux de sa tante Jesusa, il sortit et il affronta la pluie avec une telle peur au ventre qu'il remarqua à peine le froid qui s'insinuait en lui jusqu'aux os. En chemin pour ce qui pouvait bien être le dernier jour de sa courte existence, il se dit que grâce à Alicia il avait au moins appris deux choses utiles qui lui serviraient à jamais, s'il survivait. Premièrement, à mentir. Deuxièmement, et il le ressentait encore dans sa chair, que les serments sont un peu comme les cœurs : une fois passée la première rupture, les autres, c'est du gâteau.

28

Alicia s'arrêta au coin de la rue de Lancaster et elle observa pendant quelques minutes l'entrée de l'ancienne fabrique de mannequins. La petite porte par laquelle Fernandito était entré demeurait entrouverte. Le bâtiment en pierre noircie qui abritait l'atelier comportait deux niveaux surmontés d'un toit arrondi. À l'étage, des grosses planches de bois et des pavés encrassés condamnaient les fenêtres. Une boîte lézardée remplie de câbles électriques saillait sur la façade et des fils téléphoniques sortaient par deux orifices percés à la chignole dans la pierre. Ces détails conféraient au lieu un aspect d'abandon caractéristique de la plupart des anciens ateliers industriels encore présents dans cette partie du Raval.

Alicia avança en longeant la façade pour éviter d'être vue de l'entrée. L'averse avait vidé les rues de leurs passants et elle n'hésita pas à sortir son arme qu'elle pointa à l'intérieur dès qu'elle fut devant l'entrée. Elle poussa la petite porte jusqu'à l'ouvrir entièrement. Elle scruta le vestibule et avança en tenant son arme à deux mains. Un léger courant d'air parvenait de l'intérieur, chargé d'une odeur de vieilles canalisations et de ce qu'elle pensa être du kérosène ou un combustible quelconque.

L'entrée débouchait sur ce qui avait dû être la pièce de réception de la clientèle. Un comptoir, des vitrines vides et deux mannequins enveloppés d'un voile blanchâtre et translucide occupaient les lieux. Alicia contourna la lourde table et elle avança vers l'arrière-boutique séparée de la pièce par un rideau de perles. Elle allait l'écarter quand son pied heurta un objet métallique. Sans baisser son révolver, elle jeta un rapide coup d'œil sur le sol et elle aperçut l'arme de Vargas. Elle la ramassa et elle la rangea dans la poche gauche de sa veste. Écartant le rideau, elle vit un couloir qui se prolongeait dans les entrailles du bâtiment. Une odeur de poudre flottait encore dans l'air. Une ligne de reflets ténus oscillait au plafond. Alicia tâta les murs et elle finit par trouver un interrupteur dont elle tourna la manette. Une rampe d'ampoules basse tension s'alluma tout le long du corridor. La pénombre rougeâtre qu'elle projeta révéla un étroit passage légèrement en pente. À quelques mètres de l'entrée, la paroi était criblée de taches noires, comme si un jet de peinture rouge avait taché le mur. Au moins une des balles de Fernandito avait atteint son objectif. Plus, probablement. Elle suivit des yeux la trace de sang sur le sol, le long du couloir. Un peu plus loin, elle trouva le couteau avec lequel Rovira avait essayé d'attaquer Fernandito. La lame était maculée de sang. Celui de Vargas, comprit Alicia. Elle continua d'avancer et elle ne s'arrêta que lorsqu'elle distingua un halo de lumière pâle tout au bout du tunnel.

— Rovira ? appela-t-elle.

Elle perçut un ballet d'ombres et le bruissement de quelque chose se traînant dans l'obscurité au fond du corridor. Elle essaya de déglutir, mais sa bouche était sèche. Depuis qu'elle avait pénétré dans ce couloir, elle ne sentait plus la douleur dans sa hanche ni le froid de ses vêtements mouillés, mais elle ne le remarqua même pas. Elle ne ressentait plus que de la peur.

Elle parcourut la distance jusqu'au bout du couloir, ignorant le bruit de ses semelles sur le sol humide et visqueux.

— Rovira, je sais que vous êtes blessé. Sortez. Il faut qu'on parle.

Le son de sa propre voix lui parut fragile et craintif, mais la direction prise par l'écho la guida. Arrivée au bout du corridor, elle s'arrêta devant une grande pièce haute sous plafond et elle observa ce qui restait des tables de travail, de l'outillage et des machines disposées de part et d'autre de la salle. Au fond de l'atelier, un soupirail au verre dépoli diffusait une pâle clarté illusoire.

Ils pendaient du plafond, attachés par des cordes qui leur donnaient une allure de pendus se balançant à cinquante centimètres du sol. Hommes, femmes et enfants, mannequins revêtus de tenues d'un autre temps, tanguant dans la pénombre telles des âmes enfermées dans un purgatoire secret. Ils étaient des dizaines. Certains avaient un visage souriant et des yeux de cristal. D'autres étaient inachevés. Alicia sentait son cœur battre dans sa gorge. Elle s'obligea à inspirer profondément et elle avança dans cette cage de corps suspendus. Elle marchait lentement. Des bras et des mains lui caressaient les cheveux et le visage. Les corps se balançaient et s'agitaient sur son passage.

La rumeur du frôlement des corps de bois se répercutait dans la nef, couvrant un bruissement mécanique, et l'odeur de kérosène devenait plus forte à mesure qu'elle approchait du fond de l'atelier. Laissant la forêt de mannequins derrière elle, elle aperçut une machine industrielle dont une pièce vibrait et dégageait de la vapeur. Un générateur. Avec, sur le côté, un empilement de résidus et de parties de mannequins écartelés. Des têtes, des mains et des torses démembrés. Ils lui rappelèrent les corps entassés dans les rues après les bombardements aériens pendant la guerre.

— Rovira ? appela-t-elle de nouveau, davantage pour entendre sa voix qu'en attente d'une réponse.

Elle avait la certitude d'être observée depuis un recoin sombre. Elle fouilla la pièce du regard en essayant de déchiffrer les reliefs perceptibles dans la pénombre. Elle ne détecta aucun mouvement. Derrière la pile de pièces mises au rebut, elle distingua une porte sous laquelle passaient des câbles électriques reliés au générateur. Un filet de lumière se profilait derrière le châssis de la porte. Elle pria pour que le corps inanimé de Rovira se trouvât derrière, étendu sur le sol. Elle s'approcha et elle ouvrit la porte d'un coup de pied.

29

La cabine rectangulaire aux murs noirs et privée de fenêtres sentait l'humidité et ressemblait à une crypte. Au plafond, une rangée d'ampoules nues diffusait une lumière jaune et produisait un léger vrombissement crépitant, comme si une multitude d'insectes rampaient le long des murs. Alicia scruta le moindre centimètre carré avant d'entrer. Il n'y avait pas trace de Rovira. Un grabat métallique garni de deux vieilles couvertures occupait un pan de mur. Une caisse en bois servait de table de nuit. Dessus, un téléphone noir et un pot en verre rempli de pièces. Sous la couche, une vieille valise, une paire de chaussures et un seau. À côté, une imposante armoire à linge en bois façonné, un meuble d'antiquaire qui aurait davantage trouvé sa place dans une demeure chic et raffinée que dans un atelier de fabrication industrielle. Les portes étaient légèrement entrebâillées. Alicia fit quelques pas, très lentement, prête à vider son chargeur. Elle eut la vision fugitive d'un Rovira souriant à l'intérieur et attendant qu'elle baissât la garde en ouvrant l'armoire.

Maintenant fermement l'arme de ses deux mains, elle donna un coup de pied sur la porte de l'armoire qui s'ouvrit lentement et marqua un petit rebond en heurtant le cadre. Le meuble était vide, hormis une douzaine de portemanteaux nus. Sur la planche du bas, elle trouva une boîte en carton sur laquelle figurait le mot :

SALGADO

Elle la tira vers elle et le contenu s'éparpilla à ses pieds. Bijoux, montres et autres objets de valeur. Liasses de billets apparemment hors d'usage entourés de ficelle. Lingots d'or coulés à la hâte, maladroitement. Elle s'accroupit et elle contempla ce butin, une petite fortune. Ce devait être le trésor que Sebastían Salgado, ancien prisonnier de Montjuïc et premier suspect mentionné lors de la disparition de Valls, avait caché à la consigne de la gare du Nord et qu'il rêvait de récupérer quand le ministre avait organisé sa grâce et sa remise en liberté. Or Salgado n'avait jamais pu reprendre le fil de ses crimes et de ses pillages. Lorsqu'il avait ouvert la consigne, il n'avait trouvé qu'une valise vide, et il était mort en voleur volé. Quelqu'un l'avait devancé. Quelqu'un qui connaissait l'existence du butin et le contenu des lettres anonymes envoyées à Valls depuis des années. Quelqu'un qui tirait les ficelles de cette affaire bien avant la disparition du ministre.

Les lumières clignotèrent une fraction de seconde. Alicia sursauta et se retourna. Et elle la vit, qui occupait tout le mur, du sol au plafond. Elle s'approcha. Comprenant ce qu'elle voyait, elle sentit ses jambes flageoler. Ses bras retombèrent le long de son corps.

Des centaines de photographies, de notes et de coupures de presse composaient cette immense mosaïque confectionnée avec une précision extraordinaire. Un vrai travail d'orfèvre. Toutes les images sans exception la représentaient, elle, Alicia. Elle reconnut des clichés de ses premiers temps dans l'unité à côté de photographies anciennes datant de l'orphelinat du Patronato Ribas, quand elle était petite fille. La collection incluait des dizaines de clichés pris de loin, dans les rues de Madrid ou de Barcelone, à l'entrée de l'hôtel Palace, la représentant assise dans un café avec un livre, descendant les marches de la Bibliothèque nationale, faisant des courses dans des boutiques de la capitale, et même se promenant à côté du palais de Cristal dans le parc du Retiro. Une des photos montrait la porte de sa chambre à l'hôtel Hispania.

Elle remarqua des coupures de journaux relatant des affaires auxquelles elle avait participé, qui ne mentionnaient jamais, bien entendu, ni Alicia ni l'unité, et qui attribuaient tout le mérite de la résolution des cas à la police ou à la garde civile. À côté de la mosaïque, sur une table basse devenue une sorte d'autel, elle reconnut de nombreux objets : des menus de restaurant qu'elle se souvenait avoir consultés, des serviettes en papier sur lesquelles elle avait écrit quelque chose, des notes de sa main, un mégot, un morceau de son billet de train de Madrid à Barcelone…

À l'extrémité de la table, exposées comme des reliques, trônaient dans un vase en verre des pièces de lingerie qu'elle ne retrouvait plus depuis la nuit où on s'était introduit chez elle tandis qu'elle était anesthésiée par les médicaments. Une paire de bas était proprement étalée sur la table, maintenue par des épingles. À côté se trouvait le volume du *Labyrinthe des esprits* de Víctor Mataix dérobé chez elle. Elle ressentit le besoin violent de fuir cet endroit cauchemardesque.

Elle ne vit pas le corps émerger lentement de la pile de corps démembrés, de l'autre côté de la porte, et venir vers elle.

30

Lorsqu'elle comprit, il était trop tard. Elle entendit une respiration haletante derrière elle et elle se retourna, mais elle n'eut pas le temps de viser avec son révolver. Elle sentit un choc brutal dans le ventre. L'élancement lui coupa le souffle et elle tomba à genoux. Elle le vit alors distinctement, et la raison pour laquelle elle n'avait pas détecté sa présence plus tôt lui sauta aux yeux. Il était nu et il portait un masque blanc sur le visage. Il tenait une sorte de poinçon industriel.

Elle essaya de tirer, mais Rovira lui embrocha la main avec son outil en métal. Le révolver roula sur le sol. L'homme la prit par le cou et il la traîna jusqu'au grabat où il la jeta. Il s'assit sur ses jambes pour l'immobiliser, il attrapa sa main droite, qu'il avait perforée avec son poinçon, et il se pencha pour l'attacher aux barreaux du lit avec du fil de fer. Son masque glissa et Alicia aperçut le visage disloqué de Rovira à quelques centimètres du sien, les yeux vitreux et la peau d'un côté de la figure émaillée de brûlures caractéristiques d'un coup de révolver à bout portant. Son oreille saignait et il souriait comme un enfant qui s'apprête à arracher les ailes d'un insecte et à se délecter de son agonie.

— Qui es-tu ? demanda Alicia.

Rovira la regarda, il savourait l'instant.

— Tu te crois tellement intelligente et tu n'as pas encore compris ? Je suis toi. Tout ce que tu aurais dû être. Au début, je t'admirais. Mais j'ai fini par me rendre compte que tu es faible, et que tu n'avais plus rien à m'apprendre. Je suis meilleur que toi. Meilleur que tu n'aurais jamais pu l'être...

Rovira avait laissé le poinçon sur le lit. Alicia calcula que si elle arrivait à le distraire une seconde, elle parviendrait peut-être à atteindre l'outil de sa main restée libre et à le lui planter dans le cou, ou dans l'œil.

— Ne me fais pas mal, je t'en prie, le supplia-t-elle. Je ferais ce que tu veux…

Rovira rit.

— Ma chérie, ce que je veux, c'est précisément te faire mal. Très mal. Je l'ai bien mérité…

Il la plaqua sur le lit en la tenant par les cheveux et il lui lécha les lèvres et le visage. Alicia ferma les yeux, cherchant le poinçon à tâtons sur la couverture. Les mains de Rovira allaient et venaient sur son corps et elles s'arrêtèrent sur la vieille blessure. Alicia frôla enfin le manche de l'outil à l'instant où Rovira lui murmura à l'oreille :

— Ouvre les yeux, sale petite pute. Je veux voir ton visage quand tu le sentiras.

Elle souleva les paupières, consciente de ce qui l'attendait, en priant le ciel de perdre connaissance au premier coup. Rovira se redressa, leva les poings et frappa de toutes ses forces sur sa blessure. Un hurlement assourdissant s'échappa d'elle. Elle oublia tout, Rovira, la pièce, la lumière, le froid au profond d'elle-même. Il n'y avait plus que la douleur. Elle se déchargeait dans son corps comme un courant électrique, lui faisant oublier qui elle était et où elle se trouvait.

Il éclata de rire en regardant son corps tendu comme un arc et ses yeux révulsés. Il lui releva la jupe jusqu'à la cicatrice qui couvrait toute sa hanche telle une toile d'araignée noire et il en suivit les lignes du bout des doigts. Il se pencha pour l'embrasser avant de la frapper sans relâche au point de se blesser les poings sur l'os de sa hanche. Quand plus aucun son ne sortit de la gorge d'Alicia, il cessa enfin. Immergée dans le puits noir de l'agonie, elle convulsait. Rovira prit le poinçon et il en passa la pointe sur le réseau de lignes obscures visibles sous la peau pâle de la hanche d'Alicia.

— Regarde-moi, lui ordonna-t-il. Je suis ton remplaçant. Et je serai bien meilleur que toi. À partir de maintenant, je serai le favori.

Alicia le regarda d'un air provocateur. Rovira lui fit un clin d'œil.

— Voilà, ça, c'est mon Alicia !

Il mourut le sourire aux lèvres. Il ne la vit pas prendre le révolver dans la poche droite de sa veste. Lorsqu'il commença à fouiller sa blessure du bout du poinçon, elle glissa le canon de l'arme sous son menton.

— Petite maligne, murmura-t-il.

L'instant d'après, le visage de Rovira explosa dans un nuage d'os et de sang. Le second tir, à bout portant, le rejeta en arrière. Le corps nu tomba sur le dos au pied de la couche, un orifice fumant sur la poitrine, la main toujours fermement refermée sur le poinçon. Alicia lâcha l'arme et elle se débattit pour libérer sa main droite attachée au grabat. L'adrénaline avait occulté la douleur mais elle savait que ce n'était que momentané. Lorsqu'elle réapparaîtrait, tôt ou tard, elle lui ferait perdre conscience. Il fallait qu'elle sorte de cet endroit le plus vite possible.

Elle réussit à se redresser et à s'asseoir sur le lit. Elle essaya de se lever, mais elle dut attendre plusieurs minutes, ses jambes ne la portaient plus et elle était en proie à une faiblesse qu'elle ne comprenait pas. Elle avait froid. Très froid. Elle parvint enfin à se mettre debout, tremblante, et elle s'appuya contre le mur. Le sang de Rovira maculait son corps et ses vêtements. Elle ne sentait de sa main droite qu'une pulsation sourde. Elle examina la blessure faite par le poinçon. Elle n'était pas belle à voir.

Le téléphone posé sur la caisse à côté du lit sonna. Alicia étouffa un cri.

Elle le laissa sonner, regardant l'objet comme si c'était une bombe susceptible d'exploser à tout moment. Elle décrocha enfin et elle porta le combiné à son oreille. Elle écouta, retenant sa respiration. Après un long silence accompagné du bourdonnement caractéristique des communications interurbaines, elle perçut une respiration sereine.

— Tu es là ? demanda la voix.

Le combiné trembla violemment dans sa main.

C'était la voix de Leandro.

Le téléphona tomba par terre. Elle tituba jusqu'à la porte. En passant devant le sanctuaire que Rovira lui avait consacré, elle s'arrêta. La rage lui donna la force de quitter la pièce, de prendre des bidons de kérosène à côté du générateur et d'en déverser le contenu sur le sol. La couche de liquide visqueux se répandit et entoura le cadavre de Rovira, formant un miroir noir d'où s'élevaient des volutes de vapeur irisées. En passant devant le générateur, elle arracha un des câbles qu'elle laissa tomber par terre et elle continua en direction de la sortie. Elle marchait entre les mannequins suspendus. Elle distingua le crépitement derrière elle. Lorsque le combustible s'enflamma, un souffle soudain secoua les pantins qui l'entouraient et dégagea un éclat orangé qui l'accompagna le long du couloir. Elle avançait d'un pas mal assuré en se rattrapant au mur pour rester debout. Elle n'avait jamais eu si froid.

Elle pria le ciel ou l'enfer de ne pas la laisser mourir dans ce tunnel. Elle voulait atteindre la lueur qu'elle devinait au fond. La fuite lui parut interminable. Elle avait l'impression d'escalader l'intestin d'une bête qui l'avait engloutie et de remonter vers la gueule de l'animal pour éviter d'être dévorée. La chaleur qu'elle sentait derrière elle parvenait à peine à briser l'étreinte glaciale qui l'enserrait. Elle ne s'arrêta pas avant d'atteindre la rue. Elle respira enfin. La pluie lui caressait la peau. Une silhouette avançait vers elle d'un pas vif.

Elle tomba dans les bras de Fernandito et elle sourit au garçon qui la regardait, terrorisé. Elle porta la main à son ventre, là où elle avait reçu le premier coup. Le sang tiède coulait entre ses doigts et se diluait sous la pluie. Elle n'avait plus mal. Seulement froid. Un froid qui lui susurrait de se laisser aller, de s'abandonner, de baisser les paupières et de glisser dans un sommeil éternel, promesse de paix et de vérité. Elle regard Fernandito et elle lui sourit.

— Ne me laisse pas mourir ici, murmura-t-elle.

31

L'orage avait vidé les rues de leurs passants, laissant la librairie orpheline de ses clients. Vu le déluge, Fermín avait choisi de consacrer sa journée aux impératifs de l'intendance et à des travaux contemplatifs. Indifférent au fracas du tonnerre et des éclairs ainsi qu'au tambourinement de la pluie visiblement décidée à démolir la vitrine, il alluma la radio. Il tourna patiemment le bouton des fréquences, comme s'il tentait d'ouvrir un coffre-fort, et il tomba sur un grand orchestre qui jouait les premières mesures de *Siboney*. Aux premiers roulements de tambour, Fermín commença à se balancer sur le rythme caribéen tout en reprenant son ouvrage de restauration et de remise en état d'une édition en six volumes des *Mystères de Paris* d'Eugène Sue, avec Daniel dans le rôle de la pince à linge et de l'assistant.

— Je dansais sur cet air avec ma petite mulâtresse au Tropicana de La Havane, quand j'étais jeune. À l'époque j'avais encore un beau déhanchement. Quels souvenirs... Si au lieu de cette allure de tombeur, j'avais eu du talent pour la littérature, j'aurais écrit les *Mystères de La Havane*, proclama-t-il.

— Éros a gagné ce que le Parnasse a perdu, opina Bea.

Fermín se dirigea vers elle les bras grands ouverts, marquant la mesure et se dandinant sur le rythme de clave.

— Madame Bea, venez que je vous apprenne les pas de base du *son montuno*, vous dont le mari danse comme s'il avait des sabots aux pieds. Vous ignorez ce qu'est la frénésie du tempo afro-cubain. *A gosar...*

Bea courut se réfugier dans l'arrière-boutique pour finir de mettre à jour le livre de comptes et mettre une certaine distance entre elle et les déhanchements et les chantonnements de Fermín.

— Oh là là, parfois votre femme est plus ennuyeuse que les minutes du cadastre municipal !

— Ne m'en parlez pas, répliqua Daniel.

— On entend tout d'ici, avertit Bea depuis l'arrière-boutique.

Ils s'attendaient à passer tous les deux un sale quart d'heure quand une voiture freina bruyamment sur la voie trempée. Ils levèrent les yeux et virent un taxi devant la boutique de Sempere & Fils. Un éclair éclata au-dessus d'eux et la voiture ressembla un bref instant à un carrosse de plomb ardent et fumant sous la pluie.

— Comme disaient les vieux, évidemment c'était un taxi ! dit Fermín.

La suite se produisit à la vitesse de la catastrophe. Un garçon trempé jusqu'aux os, le visage déformé par la terreur, descendit du véhicule et, avisant sur la porte le panneau FERMÉ, il frappa la vitre de ses poings. Fermín et Daniel échangèrent un regard.

— Et après on dira que dans ce pays les gens n'ont pas envie d'acheter des livres...

Daniel alla ouvrir. Le garçon, qui paraissait sur le point de s'évanouir, porta la main à sa poitrine, respira et demanda presque en criant :

— Qui de vous deux est Fermín Romero de Torres ?

Fermín leva la main.

— C'est moi, l'homme musclé.

Fernandito se jeta sur lui, l'attrapa par le bras et le tira.

— J'ai besoin de vous, l'implora-t-il.

— Écoutez, gamin, ne le prenez pas mal, mais des femmes sensationnelles me l'ont déjà dit très souvent et j'ai toujours su résister.

— C'est Alicia, haleta Fernandito. Je crois qu'elle est en train de mourir...

Le visage de Fermín pâlit d'un coup. Il lança un regard inquiet vers Daniel et sans dire un mot il se laissa traîner dans la rue puis dans le taxi qui redémarra à toute vitesse.

Bea s'était approchée du rideau de l'arrière-boutique d'où elle avait assisté à la scène. Elle regarda Daniel d'un air perplexe.

— Que se passe-t-il ?

Son mari soupira, accablé.

— Une mauvaise nouvelle, murmura-t-il.

Une fois dans la voiture, Fermín croisa le regard du chauffeur.

— Il ne manquait que lui. Où allons-nous maintenant ?

Fermín essaya de se faire une idée de la situation et il lui fallut plusieurs secondes avant de comprendre que le corps pâle comme la cire qui gisait sur le siège arrière était Alicia. Fernandito lui soutenait la tête entre ses mains et il s'efforçait de retenir des larmes de panique.

— Roulez, ordonna Fermín au chauffeur.

— Dans quelle direction ?

— Tout droit, pour le moment. Et au trot !

Fermín se tourna vers Fernandito.

— Je ne savais pas quoi faire, balbutia le garçon. Elle m'a empêché de l'emmener à l'hôpital, ou chez un médecin, et...

Dans un bref accès de lucidité, Alicia regarda Fermín et lui sourit avec douceur.

— Fermín, vous essayez donc toujours de me sauver…

En entendant cette voix brisée, l'homme sentit son estomac se rétracter, et ses viscères avec, ce qui lui fut triplement douloureux dans la mesure où il avait avalé le matin même un paquet entier de croquants aux amandes. Puisque Alicia flottait entre la conscience et l'abîme, il décida de s'en remettre au témoignage du gamin, le plus effrayé des trois à l'évidence.

— Comment t'appelles-tu ?

— Fernandito.

— Peut-on savoir ce qui s'est passé ?

Le garçon se mit en devoir de résumer les événements survenus au cours des dernières vingt-quatre heures avec une telle précipitation et un tel luxe de détails confus que Fermín l'arrêta et décida d'établir des priorités pratiques. Il palpa le ventre d'Alicia puis il examina ses doigts pleins de sang.

— Timonier ! À l'hôpital Notre-Dame-de-la-Mer. À toute berzingue ! ordonna-t-il au chauffeur.

— Vous auriez dû monter dans un ballon ! Vous avez vu le trafic ?

— Si nous n'y sommes pas dans moins de dix minutes, je mets le feu à votre guimbarde. Vous avez ma parole.

Le chauffeur grogna et il écrasa le champignon. Son regard méfiant croisa celui de Fermín dans le rétroviseur.

— Eh ! Vous ne seriez pas celui de la dernière fois, par hasard ? Vous avez déjà failli mourir dans mon taxi il y a des années, pas vrai ?

— Vous dégagez une telle pestilence qu'à part mourir subitement de puanteur, je ne vois pas comment je pourrais ou je voudrais mourir ici. Plutôt me jeter du pont de Vallcarca avec un exemplaire de *la Régente* accroché au cou…

— Moi je…

— Ne vous disputez pas, les gronda Fernandito. Mlle Alicia est en train de nous quitter.

— Bon Dieu ! grommela le chauffeur de taxi en louvoyant entre les véhicules sur la Vía Layetana, en direction de la Barceloneta.

Fermín sortit un mouchoir de sa poche et il le tendit à Fernandito.

— Agite-le par la fenêtre, lui ordonna-t-il.

Fernandito obéit. Fermín souleva doucement le chemisier d'Alicia et il vit la blessure faite par le poinçon dans son ventre. Elle saignait abondamment.

— Jésus, Marie, Joseph...

Il exerça un point de compression de la main et il analysa l'état de la circulation routière. Toujours grommelant, le chauffeur zigzaguait entre les voitures, les autobus et les passants à une vitesse vertigineuse. Fermín sentit son petit-déjeuner lui remonter dans la gorge.

— Si c'était possible d'arriver vivants à l'hôpital... On a déjà une moribonde, c'est amplement suffisant !

— Priez le petit Jésus, ou alors prenez le volant, répliqua le chauffeur de taxi. Comment ça va, derrière ?

— Ça pourrait aller mieux.

Fermín caressa le visage d'Alicia et lui tapota doucement la joue pour la faire revenir à elle. Elle ouvrit les paupières. Ses yeux étaient injectés de sang à cause des coups.

— Il ne faut pas dormir, Alicia, pas maintenant. Faites un effort, restez éveillée. Faites-le pour moi. Si vous voulez, je peux vous raconter des plaisanteries grivoises, ou alors vous chanter des succès d'Antonio Machín.

Alicia lui adressa un sourire moribond. Elle l'entendait, c'était déjà ça.

— Pensez au Généralissime, imaginez-le en costume de chasseur, avec son petit chapeau et ses bottes... Moi, cette image me donne toujours des cauchemars et elle m'empêche de dormir.

— J'ai froid, murmura-t-elle dans un filet de voix.

— On arrive...

Fernandito les regardait d'un air consterné.

— C'est ma faute. Elle n'arrêtait pas de me dire de ne pas l'emmener à l'hôpital et j'ai eu peur. Elle me disait qu'ils la chercheraient là-bas...

— C'est l'hôpital ou le cimetière, le coupa Fermín.

Fernandito encaissa la sévérité de la réplique cinglante comme une gifle en pleine figure, et Fermín réalisa qu'il était encore un jeune garçon, probablement infiniment plus inquiet que tous les passagers du taxi.

— Ne vous inquiétez pas, Fernando. Vous avez fait ce qu'il fallait. Vous savez, dans des moments pareils, tout le monde perd les pédales.

Fernandito soupira, dévoré par un sentiment la culpabilité.

— S'il arrive quoi que ce soit à Mlle Alicia, j'en mourrais...

Elle lui prit la main et elle la serra dans la sienne.

— Et si cet homme la retrouve ? Cet Hendaya ? murmura-t-il.

— Personne ne la retrouvera. Personne, tu m'entends ? affirma Fermín. J'en fais une affaire personnelle.

Alicia essayait de suivre la conversation, les yeux entrouverts.

— Où allons-nous ? murmura-t-elle.

— À Can Solé. Leurs gambas à l'ail ressuscitent les défunts. Vous allez voir.

— Vous ne m'emmenez pas dans un hôpital, Fermín...

— Qui a parlé d'hôpital ici ? C'est des endroits où on meurt. Les plus dangereux au monde, statistiquement. Calmez-vous, je ne leur confierais même pas un troupeau de morpions.

Afin d'éviter l'embouteillage bien installé dans le bas de la Vía Layetana, le chauffeur prit la voie à gauche à contresens de la circulation et Fermín vit passer un autobus à deux centimètres à peine de la vitre.

— Papa, c'est vous ? appela Alicia. Papa, ne me laissez pas...

Fernandito, atterré, regarda Fermín.

— Fais pas attention, gamin. Elle délire, la pauvre, elle a des hallucinations. C'est normal. On a ça dans le sang, nous, les Espagnols, c'est notre tempérament. Chef, comment ça se profile pour vous, devant ?

— Nous arriverons tous en vie ou nous y resterons tous, répondit le chauffeur.

— Voilà ! Ça c'est l'esprit d'équipe !

Fermín constata qu'ils approchaient du Paseo de Colón à un rythme d'escargot. Une muraille de tramways, de voitures et d'humains s'érigea soudain devant lui. Le chauffeur tourna le volant d'un coup sec et il maugréa un chapelet d'injures. Fermín s'en remit à la déesse Fortune ou à celle de garde ce soir-là, et il sourit du bout des lèvres à Fernandito.

— Accroche-toi, bleusaillon.

Jamais un engin à quatre roues n'avait fait preuve d'une telle témérité au moment de couper la circulation du Paseo de Colón. Un tonnerre de klaxons, d'injures et de malédictions se déchaîna à son passage. Sur sa lancée, le taxi s'engouffra dans la Barceloneta où il enfila une rue étroite comme un tunnel d'égout, emportant à l'avant, sur son capot, presque la moitié d'une écurie de motocyclettes garées sur le bord de la rue.

— *Torero ! Olé !* le félicita Fermín.

Ils aperçurent enfin la plage et une Méditerranée empourprée et, dans une plainte mécanique profonde de capitulation et de détresse, le taxi pila devant l'entrée de l'hôpital à côté de deux ambulances. De la vapeur sortait des jointures du capot.

— Vous êtes un artiste, déclara Fermín en tapotant l'épaule du chauffeur. Fernandito, prends le nom et le numéro de licence de ce champion, nous lui enverrons un panier garni pour Noël, avec un jambon et du touron.

— Je me contenterais de la promesse que vous ne monterez plus jamais dans mon taxi.

Vingt secondes plus tard, un escadron d'infirmiers sortit Alicia de la voiture, l'installa sur un brancard et la conduisit à toute vitesse au bloc opératoire, Fermín courant à côté, les mains toujours appuyées sur la blessure.

— Vous allez avoir besoin de plusieurs hectolitres de sang, informa-t-il. Prélevez-moi tout ce que vous voudrez. J'ai l'air maigre, comme ça, mais je possède plus de réserves naturelles que les dépôts aquifères du parc d'Aigüestortes.

— Vous êtes un membre de la famille de la patiente ? demanda un appariteur qui lui barra l'entrée du service de chirurgie.

— Un père putatif, au rang de tentative, répondit Fermín.

— Qu'est-ce que ça veut dire ?

— Que vous allez vous écartez de mon chemin, sinon je me verrai dans la douloureuse obligation de vous catapulter les bourses au sommet du crâne d'un coup de genou. Me suis-je bien fait comprendre ?

L'appariteur s'écarta et Fermín accompagna Alicia, jusqu'à ce qu'on la lui arrache des mains. Il la vit alors passer sur une table d'opération, transparente comme un spectre. Les infirmières coupèrent ses vêtements et son corps maltraité, couverts d'hématomes, d'égratignures et de coupures, fut exposé à la vue de tous, révélant la blessure qui saignait abondamment. Fermín aperçut la cicatrice foncée sur la hanche dont les ramifications s'étendaient sur le corps telle une hydre prête à la dévorer. Il serra les poings pour tenter de dominer le tremblement de ses mains.

Alicia le cherchait des yeux, le regard voilé de larmes, un pâle sourire sur les lèvres. Fermín supplia le diable boiteux auquel il confiait toujours ses désirs les plus vains de ne pas l'emporter tout de suite. Pas cette fois.

— Quel est votre groupe sanguin ? interrogea une voix à côté de lui.

Sans quitter Alicia des yeux, il tendit un bras.

— O négatif, donneur universel et de première bourre.

32

Dans ces années-là, la science n'avait pas encore élucidé l'énigme du temps dans les hôpitaux, où il s'écoule à une infime fraction de son rythme de croisière. Après que Fermín eut évacué de son corps l'équivalent d'un tonneau de sang, au jugé, il s'installa avec Fernandito dans une salle d'attente avec vue sur la plage. Derrière la vitre ils apercevaient les baraquements du Somorrostro, un quartier échoué entre la mer et un ciel encombré de nuages de plomb. Au-delà s'élevait la mosaïque de croix, d'angelots et de panthéons du cimetière de Pueblo Nuevo, tel un avertissement abominable pour les âmes qui purgeaient une douloureuse attente sur des chaises conçues pour infliger des lésions lombaires aux parents et aux proches, créant ainsi parmi les visiteurs une clientèle fraîche pour l'hôpital. Fernandito contemplait le paysage avec une tête de condamné, tandis que Fermín, plus prosaïquement, dévorait un énorme sandwich à la saucisse sèche acheté à la cafeteria qu'il faisait descendre à grandes lampées de bière Moritz.

— Je ne sais pas comment vous faites pour manger dans un moment pareil, Fermín.

— Après m'être délesté de quatre-vingts pour cent environ de mon sang et de la totalité de ma moelle probablement, j'ai besoin de me régénérer, figurez-vous. Comme Prométhée, mais sans les rapaces.

— Prométhée ?

— À l'adolescence, on ne peut pas se contenter de se palucher comme un macaque, Fernandito, il faut lire ! En outre, l'homme d'action que je suis possède un métabolisme fragile. J'ai besoin d'ingérer chaque semaine le triple de mon poids en mets riches pour conserver ce corps de rêve en parfaite condition.

— Mlle Alicia ne mange presque rien, fit remarquer Fernandito. Boire, ça c'est autre chose...

— Chacun fait face à ses propres appétits, opina Fermín. Moi, par exemple, depuis la guerre, j'ai toujours faim. Vous êtes jeune, vous ne pouvez pas comprendre.

Fernandito se résigna à le regarder dévorer son festin. Enfin, un homme aux allures d'avoué de province passa la tête par la porte de la salle d'attente, un porte-documents à la main, et il toussota pour manifester sa présence.

— Êtes-vous les parents de la patiente ?

Fernandito sollicita le regard de Fermín qui se contenta de poser la main sur son épaule, laissant clairement entendre qu'à partir de maintenant le rôle de porte-parole retomberait de manière exclusive sur sa personne.

— Le mot *parent* ne rend pas justice au lien qui nous unit à elle, affirma Fermín en époussetant les miettes sur sa veste.

— Quel mot emploieriez-vous donc pour le définir, si ce n'est pas trop vous demander ?

Avant d'assister au récital offert par le maestro Fermín Romero de Torres pendant qu'Alicia sombrait dans les ténèbres de la chirurgie, Fernandito croyait avoir commencé à assimiler la science et l'art de monter des bobards. À peine l'individu qui se présentait comme l'adjoint du directeur de l'hôpital manifesta-t-il son intention de mener l'enquête sur ce qui s'était passé, leur demandant au passage leurs papiers d'identité, que Fermín l'abreuva d'une rapsodie cousue main et brodée qui laissa l'homme sans voix. Il commença par se présenter comme l'homme de confiance du gouverneur civil de Barcelone, le petit chouchou du régime dans la province.

— L'entière discrétion n'est rien par rapport à ce que je dois attendre de vous, monsieur, entonna-t-il.

— Les blessures subies par la demoiselle, de nature clairement violente, sont d'une extraordinaire gravité, et je suis dans l'obligation au regard de la loi d'en informer la police...

— Je vous le déconseille, à moins que vous ne souhaitiez occuper dès demain le poste de réceptionniste auxiliaire au dispensaire situé derrière les abattoirs de Castellfollit.

— Je ne vous comprends pas.

— C'est simple. Prenez place et pénétrez-vous de ce qui suit.

Fermín se lança dans un récit où Alicia, rebaptisée Violeta LeBlanc, était une péripatéticienne de luxe dont les services avaient été requis par le gouverneur et quelques-uns de ses amis de la principale confédération patronale catalane, le Foment del Treball Nacional, pour faire la bringue sur le dos des cotisations du Sindicato Vertical, comme on surnommait le syndicat unique dans l'Espagne du Généralissime.

— Vous savez comment ça se passe... Quelques verres de brandy, des dessous en dentelle, et ils deviennent tous des créatures écervelées. Le *macho* ibérique est très *macho*, et la version méditerranéenne, je n'en parle même pas.

Fermín soutint qu'au cours de certains jeux floraux et érotiques le gouverneur avait eu la main un peu lourde et que la douce Violeta avait été gravement blessée.

— Les catins d'aujourd'hui ne supportent plus rien, conclut-il.

— Mais...

— Entre nous, au cas où vous dévoileriez un tel écart, inutile de vous dépeindre le scandale qui en résulterait. N'oubliez pas que monsieur le gouverneur a une sainte épouse et huit enfants, qu'il occupe le siège de cinq vice-présidences de caisses d'épargne, qu'il est l'actionnaire majoritaire de trois sociétés du bâtiment conjointement avec des gendres, cousins et proches de hauts dignitaires de notre excellente administration, comme l'exige la règle de notre si chère patrie.

— Je comprends bien, mais la loi est la loi, et je me dois...

— C'est à l'Espagne que vous vous devez, monsieur, et à la renommée des meilleurs de ses fils. Comme moi-même et mon serviteur Miguelito ici présent, qui, avec son air d'avoir fait dans sa culotte de peur, est le filleul en second du marquis de Villa-verde, rien de moins. Miguelito, dis-lui que c'est vrai.

Fernandito agita affirmativement la tête de façon répétée.

— Que voulez-vous que je fasse ? protesta l'administrateur.

— Moi, dans ces cas-là – et j'ai l'habitude, croyez-moi –, je remplis les documents à l'aide de noms tirés d'œuvres de l'insigne Ramón María del Valle Inclán, car il est démontré qu'une plume aussi fine figure très rarement dans les listes de lectures recommandées par la Préfecture supérieure de police. De cette façon, personne ne remarque les modifications.

— Comment voulez-vous que je fasse une chose aussi absurde ?

— Laissez-moi les papiers. Et concentrez-vous sur les généreux émoluments que vous allez recevoir pour avoir accompli votre devoir patriotique. De la sorte, on sauve l'Espagne un peu tous les jours. Ce n'est pas comme à Rome. Ici, oui, on paie les traîtres !

L'adjoint du directeur, dont le teint tournait au violet et qui semblait défier les taux raisonnables de pression sanguine, hocha la tête dans un semblant d'indignation tout à fait impériale.

— Puis-je savoir comment vous vous appelez ?

— Ramon Llull pour vous servir ainsi que l'Espagne, répondit Fermín.

— C'est une honte.

Fermín le regarda fixement et acquiesça.

— Absolument. Et que faisons-nous ici avec les choses honteuses sinon les balayer, les mettre sous le tapis, et en tenir le compte.

Une heure plus tard, Fermín et Fernandito étaient toujours au même endroit dans l'attente de nouvelles du bloc opératoire. Sur l'insistance de Fermín, le garçon avait avalé une tasse de chocolat chaud et il reprenait des couleurs. Il retrouvait également un peu de calme.

— Fermín, croyez-vous qu'il a gobé tout ce que vous lui avez raconté ? N'avez-vous pas exagéré, avec les détails scabreux ?

— Fernandito, nous avons semé le doute, c'est le plus important. Lorsqu'on ment, il faut prendre en compte non pas la vraisemblance du mensonge mais la cupidité, la convoitise, la vanité et la stupidité du destinataire. On ne ment jamais à des gens ; ils se mentent à eux-mêmes. Un bon menteur donne aux crédules ce qu'ils veulent entendre. Voilà le secret.

— Ce que vous insinuez est terrible, objecta Fernandito.

Fermín haussa les épaules.

— Tout dépend… Dans cette comédie de singes vêtus de pourpre qu'est le monde, la fausseté est le mortier qui tient ensemble toutes les pièces du bourbier. Par peur, par intérêt ou par ineptie, les gens s'habituent tellement à mentir et à perpétuer les mensonges des autres qu'ils finissent par affabuler quand ils croient dire la vérité. C'est le mal de notre temps. L'homme sincère et honnête, si tant est qu'il ait existé un jour et qu'il ne s'agisse pas d'une licorne, est une espèce en voie de disparition, à l'égal du plésiosaure ou de la chanteuse de *cuplé*.

— Je ne peux pas accepter ce que vous dites là. Les gens sont honnêtes et bons, dans leur majorité. Il suffit toutefois de quelques branches pourries pour disqualifier tout l'arbre. J'en suis certain.

Fermín lui tapota le genou affectueusement.

— C'est parce que vous êtes encore vert et un peu benêt. Quand on est jeune, on voit le monde comme il devrait être. En vieillissant, on le voit comme il est réellement. Vous guérirez, vous verrez.

Fernandito laissa tomber sa tête, abattu, et tandis qu'il luttait contre la tentation du fatalisme, Fermín scrutait tout autour d'eux. Il aperçut bientôt deux infirmières qui approchaient dans le couloir, uniforme très près du corps et silhouette saine. Leur démarche heureuse et chaloupée lui produisit un chatouillement agréable dans la partie basse de l'âme. À défaut d'autre entreprise de plus grande importance avec laquelle tromper l'attente, il les croqua d'un œil expert. L'une, apparemment débutante et dix-neuf ans tout au plus, lui décocha un regard laissant clairement entendre qu'un tel destin ne concernait pas et ne concernerait jamais un pauvre diable tel que lui, et elle rit. L'autre, apparemment plus expérimentée dans le traitement des oisifs, lui adressa un regard de censure.

— Cochon, murmura la jeunette.

— Si vous n'aimez pas ça, n'en dégoûtez pas les autres ! répondit Fermín.

— Comment pouvez-vous penser à des choses pareilles alors que Mlle Alicia se débat entre la vie et la mort ?

— Vous ne savez donc qu'enfiler les lieux communs, vous ? Ou alors vous avez appris la prosodie en regardant les actualités cinématographiques ? répliqua le conseiller littéraire de Sempere & fils.

Un long silence s'installa entre eux. Fermín essayait de regarder sous le tapon de coton tenu par un sparadrap qu'on lui avait mis après la prise de sang et il s'aperçut que Fernandito le regardait du coin de l'œil sans plus oser ouvrir la bouche.

— Allons bon, que vous arrive-t-il ? Auriez-vous envie de faire pipi ? lui demanda-t-il.

— Je me demandais si vous connaissiez Alicia depuis longtemps.

— On pourrait dire que nous sommes de vieux amis.

— Elle ne vous avait jamais mentionné avant, lâcha Fernandito.

— On ne s'était pas revus depuis plus de vingt ans, et on pensait chacun de notre côté que l'autre était mort.

Le garçon le regardait d'un air perplexe.

— Et vous ? Est-ce que vous êtes un cœur d'artichaut bêta pris dans la toile de la reine de la nuit ou un bigot volontaire ?

Fernandito réfléchit.

— Plutôt le premier, je suppose.

— N'en ayez pas honte, c'est la vie. Apprendre à distinguer pourquoi on fait les choses et pourquoi on dit qu'on les fait est le premier pas pour se connaître soi-même. Mais de là à cesser d'être un crétin, il y a un sacré chemin.

— Vous parlez comme un livre, Fermín.

— Si les livres parlaient, il n'y aurait pas autant de sourds. Pour commencer, Fernandito, évitez de laisser les autres écrire vos dialogues. Utilisez la tête que Dieu a posée sur vos cervicales et rédigez vous-même le livret. Le monde est plein de charlatans avides de remplir le cerveau de l'homme respectable d'âneries qui leur conviennent pour rester assis sur le baudet, la carotte à portée de main. Vous comprenez ?

— Je n'en suis pas sûr…

— C'est comme ça. Mais enfin, je vois que vous êtes plus tranquille et je vais en profiter pour vous demander de me raconter à nouveau tout ce qui s'est passé. Depuis le début, dans l'ordre et sans recours stylistiques d'avant-garde. Croyez-vous que ce soit faisable ?

— Je peux essayer.

— Dans ce cas, allez-y.

Cette fois, Fernandito n'omit pas le moindre détail. Fermín l'écouta, consterné, complétant les pièces manquantes du puzzle qui commençait à se dessiner dans son esprit à l'aide d'hypothèses et de spéculations.

— Et où sont actuellement ces documents et le journal d'Isabella que vous avez mentionnés ?

— Je les ai laissés à ma tante Jesusa. C'est la concierge de l'immeuble où habite Mlle Alicia. Elle est de toute confiance.

— Je n'en doute pas, mais nous allons devoir chercher un endroit plus sûr. Dans la tradition de l'intrigue policière, les concierges rendent de nombreux services, c'est notoire, mais ce ne sont pas les reines du secret et de la confidentialité.

— À vous de décider.

— Et je voudrais que tout cela reste entre nous. Pas un mot à M. Daniel Sempere.

— Compris. À vos ordres.

— Voilà, j'aime quand ça se passe comme ça. Avez-vous de l'argent sur vous ?

— Quelques pièces, je crois…

Fermín tendit la main, paume ouverte, réclamant les fonds.

— Je dois téléphoner.

Daniel répondit à la première sonnerie.

— Pour l'amour de Dieu, Fermín, où étiez-vous passé ?

— À l'hôpital de la Mer.

— À l'hôpital ? Que se passe-t-il ?

— On a essayé d'assassiner Alicia.

— Quoi ? Qui ? Pourquoi ?

— Faites-moi plaisir, Daniel, calmez-vous.

— Comment voulez-vous que je me calme ?

— Bea est-elle là ?

— Bien sûr, mais…

— Qu'elle prenne le téléphone.

Une pause, des voix, une dispute, et enfin le ton tranquille de Bea à l'appareil.

— Dites-moi, Fermín.

— Je n'ai pas le temps de rentrer dans les détails, mais Alicia a failli mourir. Elle se trouve en ce moment au bloc opératoire et nous attendons des nouvelles.

— Vous ?

— Je suis avec un garçon nommé Fernandito qui semble travailler pour Alicia, comme assistant, coursier et rapporteur. Je sais de quoi tout cela a l'air, mais soyez patiente.

— De quoi avez-vous besoin, Fermín ?

— J'ai fait le maximum pour contenir l'affaire à l'aide d'une rhétorique élégante, mais j'ai l'impression que nous ne pourrons pas en rester là très longtemps. Si Alicia s'en sort, je ne crois pas que l'hôpital soit un lieu sûr pour elle. Quelqu'un pourrait essayer de terminer le travail.

— Que proposez-vous ?

— De l'installer dès que possible dans un endroit où personne ne la retrouvera.

Bea laissa un long silence s'installer.

— Sommes-nous en train de penser la même chose ?

— Les grands esprits se retrouvent toujours sur les grandes idées.

— Comment pensez-vous la faire sortir de l'hôpital et la conduire jusque là-bas ?

— Je suis précisément en train d'élaborer une stratégie.

— Dieu nous en préserve !

— Femme de peu de foi !

— Que puis-je faire ?

— Solliciter l'aide du Dr Soldevila.

— Il est à la retraite et il n'exerce plus depuis deux ans au moins. Ne vaudrait-il pas mieux…

— Nous avons besoin de quelqu'un de confiance, répondit Fermín. Et puis Soldevila est une éminence, il est incollable et il a plus d'un tour dans son sac. Il sera ravi si vous lui dites que c'est moi qui vous ai demandé de le contacter, j'en suis certain.

— Les derniers mots que j'ai entendus sortir de sa bouche, c'était que vous étiez une canaille, qu'il en avait par-dessus la tête que vous pinciez les fesses de ses infirmières et qu'il ne voulait plus jamais vous revoir, même en peinture.

— C'est de l'histoire ancienne. Il m'apprécie beaucoup.

— Si vous le dites... Que voulez-vous d'autre ?

— Des vivres pour une semaine au moins pour une patiente qui a survécu à un coup de couteau dans le ventre, un autre dans la main et une correction qui aurait mis hors jeu un spécialiste du lever de pierre de la force basque.

— Mon Dieu... murmura Bea.

— Concentrez-vous, Bea. De l'approvisionnement. Le docteur saura ce qui conviendra.

— Il ne va pas du tout aimer cela.

— C'est là que votre charme et votre pouvoir de persuasion entrent en jeu, suggéra Fermín.

— Magnifique ! Je suppose qu'il faudra des vêtements propres et ce genre de choses.

— Exactement. Je vous en laisse seule juge. Daniel est-il toujours dans les parages ?

— L'oreille collée à l'appareil. Voulez-vous que je vous l'envoie ?

— Non. Qu'il ne bouge pas et qu'il se tranquillise. Je vous rappellerai dès que j'en saurai plus.

— Nous resterons ici.

— Je l'ai toujours dit : lorsqu'on veut que tout se déroule bien, il faut mettre une femme à la tête des opérations.

— Arrêtez de me passer la brosse à reluire, Fermín, je vous vois venir. Autre chose ?

— Soyez prudents tous les deux. Je ne serais pas étonné que la librairie soit surveillée.

— Il ne manquait plus que cela. J'ai compris. Fermín ?

— À vos ordres.

— Êtes-vous certain qu'on puisse faire confiance à cette femme ?

— Alicia ?

— Si c'est bien son vrai nom...

— Ça l'est.

— Et le reste ? Tout est-il également vrai ?

Fermín soupira.

— Nous allons lui laisser sa chance. Ferez-vous cela pour moi, Bea ?

— Bien entendu, Fermín. C'est vous qui décidez.

Fermín raccrocha et il revint dans la salle d'attente. Fernandito l'observait, nerveux.

— À qui parliez-vous ?

— Au bon sens incarné.

Fermín s'assit et il contempla ce garçon qui lui devenait sympathique. Il ressemblait tellement à Daniel plus jeune.

— Vous êtes quelqu'un de bien, Fernandito. Alicia sera fière de vous.

— Si elle survit.

— Elle survivra. Je l'ai déjà vue revenir d'entre les morts, et quand on apprend le truc on ne l'oublie plus. Je parle par expérience. Ressusciter, c'est un peu comme faire du vélo ou dégrafer le soutien-gorge d'une fille d'une seule main. Le tout c'est de piger le truc.

Fernandito esquissa un pauvre sourire.

— Comment fait-on ?

— Ne me dites pas que vous ne savez pas monter sur un vélo ?

— Pour dégrafer un soutien-gorge d'une seule main, je veux dire.

Fermín lui tapota le genou et lui fit un clin d'œil complice.

— Nous avons beaucoup de choses à nous dire, vous et moi…

Avant que Fermín pût dispenser à Fernandito la première leçon de son cours accéléré sur les réalités de la vie, le destin voulut que le chirurgien entrât dans la salle d'attente et se laissât tomber sur une chaise avec un long soupir, épuisé.

33

Le chirurgien était de ces hommes qui, à tant penser, perdent déjà leurs cheveux avant la trentaine. Grand et mince, il avait un beau profil et un regard intelligent qui passait l'entourage au peigne fin derrière des lunettes appelées Truman en hommage au président des États-Unis. L'homme qui d'une main légère avait lâché sur le pays du Soleil-Levant des bombes atomiques de la taille d'un dragon.

— Nous avons pu la stabiliser, suturer la plaie et contrôler l'hémorragie. Pour le moment, il n'y a pas d'infection, mais je lui ai administré des antibiotiques de façon préventive. La plaie était plus profonde qu'il n'y paraissait. C'est un pur miracle que l'artère fémorale n'ait pas été touchée, mais la suture a été très compliquée à réaliser. Au début elle ne tenait pas. Nous comptons maintenant sur la diminution de l'inflammation, l'absence d'infection et un peu de chance. Nous verrons bien.

— Elle s'en sortira, docteur ?

Le chirurgien haussa les épaules.

— Tout dépendra de l'évolution dans les prochaines quarante-huit heures. La patiente est jeune et elle a un cœur en très bon état. Une personne plus fragile n'aurait pas survécu à l'opération. Cela ne signifie pas qu'elle soit sortie du tunnel, loin s'en faut. Et en cas d'infection...

Fermín hocha la tête tout en intégrant l'information. Le chirurgien le regardait avec une curiosité toute... chirurgicale.

— Puis-je vous demander d'où vient la cicatrice de la patiente sur sa hanche droite ?

— Un accident quand elle était enfant, pendant la guerre.

— Ha... Elle doit en souffrir affreusement.

— Elle est très résistante à la douleur, mais parfois, cela affecte son caractère, il est vrai.

— Si elle s'en sort, je pourrai l'aider. Il existe maintenant des procédés de reconstruction qui étaient inconnus il y a vingt ans. Cela soulagerait peut-être ses douleurs. Personne ne devrait vivre ainsi.

— Ce sera la première chose que je dirai à Violeta quand elle se réveillera.

— Violeta ? demanda le docteur.

— La patiente, précisa Fermín.

Le chirurgien, qui manquait peut-être de cheveux mais sûrement pas d'intelligence, le regarda du coin de l'œil.

— Écoutez, cela ne me concerne pas, et j'ignore ce que vous avez fait gober à ce benêt de Coll, mais quelqu'un a frappé brutalement cette femme et l'a presque tuée. Qui que ce soit...

— Je sais, coupa Fermín. J'en suis bien conscient, croyez-moi. Quand pourrons-nous la sortir d'ici, d'après vous ?

Le chirurgien leva les sourcils de stupéfaction.

— La sortir d'ici ? Dans le meilleur des cas, elle a un mois de repos total devant elle. Violeta, ou qui qu'elle soit, ne partira nulle part, sauf si vous tenez à organiser ses funérailles dans les plus brefs délais. Je parle sérieusement.

Fermín étudia le visage du chirurgien.

— Et la transporter ailleurs ?

— Dans un autre hôpital, dans ce cas. Mais je ne le recommanderais pas.

Fermín acquiesça d'un air grave.

— Merci, docteur.

— Il n'y a pas de quoi. Dans deux heures, si tout va bien, nous la monterons à l'étage. En attendant, vous ne pouvez pas la voir. Je vous le dis pour le cas ou vous voudriez sortir un moment prendre l'air. Je vous le répète, pour l'instant son état est stable et le pronostic modérément optimiste.

— Modérément ?

Le chirurgien afficha un sourire ambigu.

— Si vous voulez mon opinion personnelle, et pas celle du chirurgien, cette fille n'a pas envie de mourir dans l'immédiat. Il arrive que des gens survivent de rage...

Fermín fit un geste affirmatif.

— Les femmes sont ainsi. Quand elles ont quelque chose dans la tête...

Il attendit que le médecin les laisse seuls pour jeter un coup d'œil dans le couloir et évaluer la situation. Fernandito le rejoignit. Deux silhouettes vêtues d'un uniforme très peu sanitaire avançaient à pas lents depuis le fond du couloir.

— Ne dirait-on pas des poulagas, là-bas ?

— Des quoi ? s'étonna Fernandito.

— Des flics, des policiers. Vous ne lisez jamais de bandes dessinées ou quoi ?

— Maintenant que vous le dites, c'est vrai, on dirait...

Fermín grogna et repoussa Fernandito dans la salle d'attente.

— Pensez-vous que l'administrateur a alerté la police ? demanda le garçon.

— Cela sera plus compliqué que je ne pensais. Il n'y a pas de temps à perdre. Fernandito, il va falloir me donner un coup de main.

— Deux, si vous avez besoin. À vos ordres.

— J'ai besoin que vous retourniez à la librairie Sempere & Fils et que vous parliez à Bea.

— Bea ?

— La femme de Daniel.

— Comment saurai-je… ?

— On ne peut pas se tromper. C'est la plus intelligente de la compagnie, et jolie comme un cœur avec ça, mais attention, honnête et réservée.

— Que dois-je lui dire ?

— Qu'il va nous falloir faire un gambit dame plus tôt que prévu.

— Un gambit dame ?

— Elle comprendra. Et qu'elle envoie Daniel prévenir Isaac.

— Isaac ? Quel Isaac ?

Fermín souffla, exaspéré par la lenteur des réflexes de Fernandito.

— Isaac Peral peut-être, l'inventeur du sous-marin. Isaac tout court, veux-tu que je te l'écrive ?

— Non, j'ai tout enregistré.

— Bon, alors déguerpis, ouste, nous sommes déjà en retard.

— Et vous, où allez-vous ?

Fermín lui fit un clin d'œil.

— Une guerre ne se gagne pas sans infanterie au sol…

34

L'orage était largement passé quand Fermín quitta l'hôpital pour la plage et le Somorrostro. Un vent d'est soufflait fort et poussait des vagues qui se brisaient sur le sable à quelques mètres des baraquements qui s'étendaient à perte de vue jusqu'aux murs d'enceinte du cimetière de Pueblo Nuevo. Même les morts étaient mieux logés que ce monceau d'âmes sans nom qui vivait pauvrement au bord de la mer, pensa Fermín.

Quand il pénétra dans la première ruelle flanquée de baraques, des regards méfiants l'accueillirent. Enfants en haillons, matrones au visage assombri par la misère, homme vieillis prématurément. Tous le regardaient passer. Un groupe de quatre jeunes gens à l'allure hostile vint bientôt à sa rencontre. Ils l'entourèrent et ils lui bloquèrent le passage.

— Tu t'es perdu, gadjo ?

— Je cherche Armando, dit Fermín sans manifester le moindre signe d'inquiétude ou de crainte.

Un des jeunes au visage barré d'une cicatrice du front à la joue s'avança avec un sourire menaçant en le regardant droit dans les yeux d'un air provocateur. Fermín soutint son regard.

— Armando, répéta-t-il. C'est un ami.

Le jeune évalua son adversaire qu'il aurait pu envoyer valser d'un revers de la main et il finit par sourire.

— T'étais pas le mort ? demanda-t-il.

— J'ai changé d'avis au dernier moment, répondit Fermín.

— Sur la plage, indiqua le jeune, en faisant un geste de la tête.

Fermín lui manifesta sa reconnaissance et les jeunes s'écartèrent pour le laisser passer. Il suivit la ruelle sur une centaine de mètres, désormais ignoré par les occupants des lieux. Au bout, le passage tournait vers la mer et Fermín entendit des voix et des rires d'enfants en provenance de la plage. Il marcha dans cette direction et il découvrit la scène qui avait réuni les enfants au bord de l'eau.

La tempête avait rejeté un vieux cargo venu s'échouer à quelques mètres de là. La coque ayant gîté à bâbord, la quille et les hélices apparaissaient au milieu de l'écume. Sous l'effet des vagues, une bonne partie du chargement flottait à la surface de l'eau. Une bande de mouettes tournoyaient au-dessus des restes du naufrage tandis que l'équipage essayait de sauver ce qui pouvait l'être et que les enfants fêtaient la catastrophe. Plus loin, une forêt de cheminées industrielles et de fabriques s'élevait sous un ciel semé de nuages qui glissaient, encore porteur de l'écho du tonnerre et de la lueur des éclairs.

— Fermín, prononça une voix grave et sereine à côté de lui.

Il se retourna et il vit Armando, le prince des Gitans et l'empereur de ce monde oublié dans son costume noir impeccable, ses souliers vernis à la main. Il avait remonté les jambes de son pantalon pour marcher sur le sable humide et il regardait les enfants jouer dans les vagues. Il signala du doigt le naufrage et il hocha la tête.

— Le malheur des uns fait le bonheur des autres, opina-t-il. Qu'est-ce qui vous amène dans les parages, mon ami, un malheur ou un bonheur ?

— Le désespoir. La rage.

— Elle n'est jamais bonne conseillère.

— Mais elle est très convaincante.

Armando acquiesça en souriant. Il alluma une cigarette et il tendit son paquet à Fermín, qui déclina l'invitation.

— On me dit qu'on vous a vu sortir de l'hôpital de la Mer, dit Armando.

— Vous avez des yeux partout.

— Je vous soupçonne d'avoir besoin de bras, et pas d'yeux. À quoi puis-je vous aider ?

— À sauver une vie.

— La vôtre ?

— Celle-là, je vous la dois déjà, Armando. Ce qui m'amène est une vie que j'aurais dû sauver il y a des années déjà. Le destin l'avait mise entre mes mains et j'ai failli à mon devoir.

— Le destin nous connaît mieux que nous nous connaissons nous-mêmes, Fermín. Je ne crois pas que vous ayez failli à quiconque. Mais j'ai l'impression qu'il faut faire vite. Donnez-moi des détails.

— Cela peut être compliqué. Et dangereux.

— Si c'était facile et sûr, je sais que vous ne me feriez pas l'insulte de venir réclamer mon aide. Quel est son nom ?

— Alicia.

— Un amour ?

— Une dette.

Hendaya s'agenouilla à côté du corps et il écarta la couverture qui le recouvrait.

— C'est lui ? demanda-t-il.

En l'absence de réponse, il se retourna. Linares, derrière lui, contemplait le cadavre de Vargas comme si on venait de le gifler.

— C'est lui ou ce n'est pas lui ? insista Hendaya.

Linares hocha la tête affirmativement en fermant brièvement les yeux. Hendaya recouvrit le visage du policier mort et il se releva. Il parcourut la pièce lentement, examinant les vêtements et les objets éparpillés sans leur prêter une grande attention. Outre Linares, deux de ses hommes attendaient patiemment, en silence.

— On me dit qu'avant de revenir ici Vargas était à la morgue avec vous, dit Hendaya. Allez-vous me tenir au courant ?

— Le capitaine Vargas avait trouvé un corps la nuit précédente et il m'avait appelé pour m'en informer.

— A-t-il dit dans quelles circonstances il avait trouvé le corps ?

— Au cours d'une enquête qu'il menait. Il n'a pas évoqué les détails de l'affaire devant moi.

— Et vous ne lui avez pas posé de questions ?

— Je pensais qu'il me donnerait des détails le moment venu.

— Vous aviez une telle confiance en lui ? voulut savoir Hendaya.

— Comme en moi-même, répondit Linares.

— Analogie intéressante. Rien de tel que d'avoir de bons amis à la Préfecture. Dites-moi, avez-vous pu identifier le corps tous les deux ?

Linares hésita un instant.

— Vargas soupçonnait qu'il s'agissait d'un certain Ricardo Lomana. Ce nom doit vous dire quelque chose. C'était un de vos collègues, je crois.

— Non, pas le mien, mais j'ai déjà entendu ce nom. En avez-vous informé les autorités compétentes ?

— Non.

— Pour quelle raison ?

— J'attendais la confirmation du médecin légiste.

— Vous pensiez donc le faire ?

— Bien sûr.

— Bien sûr. Entre-temps, avez-vous fait part des soupçons de Vargas concernant l'identité de Lomana à quelqu'un au commissariat ?

— Non.

— Non ? insista Hendaya. À aucun employé subalterne ?

— Non.

— Quelqu'un d'autre était-il au courant de la levée du corps, à part le légiste et son personnel, le juge et les agents qui vous ont accompagnés ?

— Non. Qu'insinuez-vous ?

Hendaya lui fit un clin d'œil.

— Rien. Je vous crois.

— Savez-vous où s'est rendu Vargas en quittant la morgue ?

Linares fit non de la tête.

— À l'état civil, dit Hendaya.

Linares fronça les sourcils.

— Vous l'ignoriez ?

— Oui, répondit Linares. Pourquoi l'aurais-je su ?

— Vargas ne vous en a rien dit ?

— Non.

— En êtes-vous certain ? Vargas ne vous a-t-il pas téléphoné depuis les bureaux de l'état civil pour vous poser une question ?

Linares soutint son regard. Hendaya souriait, prenant grand plaisir à ce petit jeu.

— Non.

— Le nom de Rovira vous dit-il quelque chose ?

— C'est un nom de famille plutôt courant.

— Au commissariat aussi ?

— Je crois que quelqu'un porte ce nom. Il travaille aux archives et il va très bientôt prendre sa retraite.

— Vous a-t-on posé des questions récemment à son sujet ?

Linares fit non de la tête de nouveau.

— Puis-je savoir de quoi nous parlons en ce moment ?

— D'un crime, mon ami. Un crime commis contre l'un des nôtres, un des meilleurs. Qui pourrait avoir agi ainsi ?

— Un professionnel, sans aucun doute.

— En êtes-vous certain ? Moi je trouve que cela ressemble plutôt au travail d'un cambrioleur.

— Un cambrioleur ?

Hendaya acquiesça sans conviction.

— Ce quartier n'est pas sûr, et Dieu sait que ces Catalans sont capables de voler les culottes de leur mère sur son lit de mort quand le corps est encore chaud ! Ils ont ça dans le sang.

— Aucun petit voleur n'aurait eu la moindre chance face à Vargas, argumenta Linares. Vous le savez aussi bien que moi. Ce n'est pas un travail d'amateur.

Hendaya lui lança un long regard tranquille.

— Allons, Linares. Il existe des voleurs professionnels. Des gens durs, sans scrupule. Vous le savez aussi bien que moi. Et votre ami Vargas n'était plus très en forme, reconnaissons-le. Les années passent...

— L'enquête nous le dira.

— Malheureusement, il n'y en aura pas.

— Parce que *vous* en décidez ainsi ! explosa Linares.

Hendaya sourit d'un air satisfait.

— Non, pas parce que *j*'en décide ainsi, non. Je ne suis personne. Mais si vous savez ce qui vous convient, vous n'attendrez pas que quiconque en décide.

Linares se mordit la langue.

— Cela, je ne l'accepterai pas. Ni de vous, ni de personne.

— Vous avez fait une belle carrière, Linares. On ne va pas se mentir. Vous n'êtes pas arrivé où vous en êtes actuellement en jouant à Roberto Alcázar y Pedrín ou à Blake et Mortimer ! Les héros se sont perdus en chemin. Ne commencez pas à faire l'idiot à une encablure d'une retraite dorée. Les temps changent. Je le dis pour votre bien, vous le savez.

Linares le regarda avec mépris.

— Ce que je sais, c'est que vous êtes un sacré fils de pute, et je me fiche complètement de ceux pour qui vous travaillez. On n'en restera pas là. Appelez qui vous devez appeler.

Hendaya haussa les épaules. Linares fit demi-tour et se dirigea vers la sortie. Hendaya capta le regard de l'un de ses hommes et il lui fit signe que oui. L'agent emboîta le pas au policier. L'autre homme s'approcha et son chef le regarda d'un air interrogatif.

— Et la poule ? On a une piste ?

— Il n'y avait qu'un corps dans l'entrepôt. Aucune trace d'elle. Nous avons fouillé l'appartement, de l'autre côté de la rue. Rien. Aucun voisin ne l'a vue et la concierge assure qu'elle l'a aperçue hier pour la dernière fois, quand elle est sortie.

— Elle dit la vérité ?

— Je pense que oui, mais si vous voulez on peut lui mettre
un peu de pression.
— Ce ne sera pas utile. Faites le tour des hôpitaux et des dis-
pensaires. Elle aura sûrement pris un faux nom. Elle ne peut
pas être bien loin.
— S'ils appellent de Madrid ?
— Pas un mot tant que nous ne l'avons pas retrouvée. Faisons le moins de vagues possible.
— Bien, monsieur.

35

Ce fut le plus beau rêve de sa vie. Alicia se réveilla dans une
salle aux murs blancs qui sentait le camphre. Des voix allaient
et venaient au loin, dans un flot de murmures. Avant toute
autre chose, elle nota l'absence de douleur. Pour la première fois
depuis vingt ans, elle ne souffrait pas. La douleur avait complètement disparu, emportant avec elle le monde dans lequel
Alicia avait vécu presque toute sa vie, un univers remplacé par
un espace où la lumière voyageait dans l'air comme un liquide
épais qui percutait les particules de poussière flottant dans l'atmosphère dans des scintillements irisés. Elle rit. Elle respirait,
elle sentait son corps détendu, délivré de l'agonie, et son esprit
libéré de ces tenailles métalliques qui l'emprisonnaient depuis
toujours. Un visage d'ange se pencha sur elle et examina ses
paupières. L'ange, très grand, portait une blouse blanche et il
n'avait pas d'ailes. Pas non plus de cheveux ou presque. Il tenait
une seringue à la main. Elle lui demanda si elle était morte, et si
elle était en enfer. L'ange sourit. Tout dépendait de la façon de
voir les choses, lâcha-t-il. Elle n'avait pas à s'inquiéter. Elle sentit
une petite piqûre et un torrent de bonheur liquide se répandit
dans ses veines, laissant dans son sillage une sensation chaude
de paix. Après l'ange apparut un petit diable décharné accroché
à un appendice nasal majuscule qui aurait inspiré à Molière une
comédie et à Cervantès une geste.
— Alicia, nous rentrons à la maison, annonça le diablotin
d'une voix qui lui parut étrangement familière.

Il était accompagné d'un esprit aux cheveux noir jais et aux traits si parfaits qu'Alicia ressentit le désir de baiser ses lèvres, de passer les mains dans sa chevelure de légende et de tomber amoureuse ne fût-ce qu'un instant, juste le temps de se dire qu'elle était réveillée et qu'elle se retrouvait nez à nez avec un bonheur que quelque imprudent aurait laissé tomber en chemin.

— Est-ce que je peux le caresser ? demanda-t-elle.

Le prince obscur, car ce devait être un prince au moins, regarda le diablotin d'un air hésitant. Ce dernier fit un geste signifiant qu'il ne devait pas y prêter attention.

— C'est à cause de mon sang. Il circule à présent dans ses veines et il lui fait perdre momentanément la tête. Ne faites pas attention.

Sur un signe du prince, une bande de nains se matérialisa. Ils n'étaient pas nains en réalité, et ils étaient tous vêtus de blanc. Quatre d'entre eux la levèrent du lit en tenant fermement le drap de dessous et ils la placèrent sur un chariot brancard. Le prince lui prit la main et la serra dans la sienne. C'est sûrement un père merveilleux, pensa Alicia. Ce contact de velours le confirmait.

— Aimeriez-vous avoir un enfant ? lui demanda-t-elle.

— J'en ai dix-sept, mon ange, répondit le prince.

— Dormez, Alicia, supplia le diablotin, vous me faites honte.

Elle ne dormit pas. Installée sur le chariot magique, la main dans celle de son galant, elle poursuivit son rêve tout au long d'une infinité de couloirs ornés d'un panache de lumières blanches. Ils naviguèrent dans des ascenseurs, le long de tunnels et de salles emplies de lamentations, avant qu'Alicia ne sentît un air plus froid. Le plafond pâle s'effaça devant une voûte nuageuse rougeâtre effleurant un soleil cotonneux. Le diablotin plaça une couverture sur elle et, suivant les instructions du prince, les nains la hissèrent dans un véhicule d'aspect incongru pour un conte : dépourvu de fringants coursiers et d'ornements en cuivre, il arborait en revanche sur le côté un message ésotérique :

CHARCUTERIE
LA PONDEROSA
Vente en gros
et livraisons à domicile

Le prince refermait les portières de l'attelage lorsque Alicia entendit des voix, l'ordre d'arrêter et des menaces. Elle se retrouva soudainement seule, ses champions affrontant une conjuration de la populace. L'air se remplit de la rumeur caractéristique de soufflets et de coups de gourdin. Lorsqu'il revint près d'elle, le diablotin avait les cheveux en bataille, une lèvre fendue et un sourire victorieux. Le véhicule se mit en marche au milieu des secousses et Alicia eut l'étrange sensation de percevoir une odeur de saucisse sèche de piètre qualité.

La chevauchée lui sembla ne jamais devoir finir. Ils sillonnèrent avenues et ruelles et déformèrent la carte du labyrinthe, et lorsque les portes s'ouvrirent enfin et que les nains, ressemblant désormais à des hommes normaux tant ils avaient grandi, sortirent le chariot brancard, Alicia remarqua que le véhicule miraculeusement métamorphosé en fourgonnette se trouvait dans une rue étroite et sombre ouvrant une brèche dans les ténèbres. Le diablotin afficha soudainement les traits caractéristiques du visage de Fermín. Il lui annonça qu'elle était pratiquement à l'abri. Ils l'approchèrent d'un portail en chêne sculpté où un homme aux cheveux clairsemés et aux yeux de rapace apparut et regarda des deux côtés de la rue avant de murmurer "entrez".

— C'est là que je vous dis adieu, annonça le prince.
— Donnez-moi au moins un baiser, marmonna Alicia.
Fermín leva les yeux au ciel et menaça le noble chevalier :
— Donnez-lui le baiser qu'elle réclame, bordel, finissons-en !
Le prince Armando l'embrassa de ses lèvres de cannelle et avec toute sa noirceur. Il possédait à la fois l'art d'embrasser une femme et une longue expérience d'artiste fier de son savoir-faire. Alicia laissa un frisson lui parcourir des endroits de son corps qu'elle avait oubliés et elle ferma les yeux en retenant ses larmes.
— Merci, murmura-t-elle.

— Ce n'est pas croyable ! dit Fermín. On dirait qu'elle a quinze ans ! Heureusement que son père n'est pas là pour voir ça.

Un mécanisme de carillon solennel accompagna la fermeture du portail. Ils avancèrent dans un long corridor orné de fresques représentant des créatures fabuleuses qui apparaissaient et disparaissaient au passage de la lampe à huile portée par le gardien des lieux. Il flottait dans l'air une odeur de papier et de magie, et lorsque le couloir déboucha sous une grande voûte, Alicia aperçut la plus prodigieuse structure qu'elle avait jamais vue, ou dont elle se souvenait peut-être en rêve.

Un labyrinthe au tracé délirant montait vers une immense coupole en verre d'où se déversait une clarté lunaire décomposée en une multitude de lames dessinant l'impossible géométrie d'un sortilège conçu à partir de tous les livres, de toutes les histoires, de tous les rêves du monde. Alicia reconnut l'endroit qu'elle avait si souvent rêvé et elle tendit les bras pour le toucher de crainte qu'il ne s'évanouît. Les visages de Daniel et de Bea se penchèrent vers elle.

— Où suis-je ? Quel est cet endroit ?

Isaac Monfort, le gardien qui leur avait ouvert la porte et qu'Alicia reconnut après autant d'années, s'accroupit à côté d'elle et il lui caressa le visage.

— Bienvenue une nouvelle fois au Cimetière des Livres oubliés, Alicia.

36

Valls commençait à se dire qu'il l'avait imaginée. Ses visions s'évanouissaient et il n'était plus certain d'avoir rêvé cette femme qui était descendue jusqu'à la porte de sa cellule et qui lui avait demandé s'il était le ministre Valls. Il doutait parfois de l'être. Il l'avait peut-être rêvé aussi. Peut-être n'était-il qu'un cadavre parmi d'autres en train de se décomposer dans les cachots du château de Montjuïc, une dépouille mortelle qui, en proie au délire, avait fini par se prendre pour le geôlier. Il croyait se rappeler un cas similaire. Un certain Mitjans. Un dramaturge célèbre dans les années de la République. Un homme que Valls avait toujours envié et méprisé à la fois parce qu'il avait reçu de la vie tout ce que lui, Valls, désirait et ne parvenait pas à obtenir. Comme de nombreux autres dans ce cas, Mitjans avait fini ses jours au château dans la cellule dix-neuf, sans plus même savoir qui il était.

Mais Valls savait qui il était, lui, car il se souvenait. Et comme le lui avait dit un jour le diabolique David Martín, ce sont les souvenirs qui nous font exister. Il avait donc la certitude que cette femme était venue et qu'elle reviendrait un jour, ou quelqu'un comme elle, pour le délivrer, le sortir de là. Il n'était pas comme Mitjans et tous ces malheureux morts sur son ordre. Lui, Mauricio Valls, ne mourrait pas ici. Il le devait à sa fille Mercedes. Elle l'avait maintenu en vie jusqu'à présent. Peut-être était-ce pour cela que dès qu'il entendait la porte du souterrain s'ouvrir et des pas descendre dans la pénombre il levait les yeux avec espoir. Ce jour était peut-être le bon, qui sait.

C'était l'aube. Il avait appris à distinguer les heures de la journée en fonction du froid. Il sut qu'il se passait quelque chose parce que personne ne descendait jamais si tôt d'habitude. Il entendit la porte et des pas pesants. Lents. Une silhouette se dessina dans l'ombre, portant un plateau qui exhalait un parfum absolument délicieux. Elle posa le plateau sur le sol et elle alluma une bougie qu'elle mit dans un chandelier.

— Bonjour, ministre, je t'apporte le petit-déjeuner, annonça Hendaya.

Il approcha le plateau et il souleva le couvercle d'un plat. Le mirage avait l'aspect d'une pièce de viande juteuse baignant dans une sauce au poivre crémeuse, accompagnée de pommes de terre au four et de légumes verts sautés. Valls sentit sa bouche se remplir de salive et son estomac se retourner.

— À point, précisa Hendaya. Comme tu l'aimes.

Autour de l'assiette, des petits pains, des couverts en argent, une serviette de table en lin et, dans un verre à pied en cristal de Murano, un excellent rioja.

— Aujourd'hui est un grand jour, ministre. Tu l'as bien mérité.

Hendaya fit glisser le plateau sous les barreaux. Ignorant les couverts et la serviette, Valls attrapa la viande à pleine main et la fourra dans sa bouche édentée. Il la dévora avec une férocité qu'il ne se connaissait pas lui-même et il continua avec les pommes de terre et le pain. Il lécha l'assiette et il but le vin jusqu'à la dernière goutte. Hendaya l'observait calmement, souriant d'un air affable, fumant avec délectation.

— Je dois te présenter mes excuses. J'avais commandé un dessert, mais on ne me l'a pas apporté.

Valls écarta le plateau vide et il s'accrocha aux barreaux, les yeux rivés sur lui.

— Tu as l'air surpris, ministre. Je ne sais pas si c'est à cause du repas de fête ou parce que tu attendais quelqu'un d'autre.

Les plaisirs du festin se volatilisèrent. Valls se laissa tomber au fond de sa cellule. Hendaya resta quelques minutes, feuilletant un journal et fumant, puis il jeta son mégot et il replia le quotidien. Voyant que Valls fixait la feuille du regard, il lui dit :

— Peut-être aimerais-tu un peu de lecture ? Ça doit te manquer, un homme de lettres comme toi.

— S'il vous plaît, implora Valls.

— Bien entendu !

Valls tendit la main, l'air suppliant.

— Aujourd'hui, les nouvelles sont bonnes. À vrai dire, c'est en les lisant ce matin que j'ai pensé que tu méritais une célébration digne de ce nom.

Hendaya lança le quotidien à l'intérieur de la cellule et il remonta l'escalier.

— Garde-le. La bougie aussi.

Valls se jeta sur le journal. Les pages, en tombant, s'étaient dispersées sur le sol et il eut du mal à les remettre dans l'ordre d'une seule main. Il approcha la bougie.

Au début, il ne parvint pas à déchiffrer les lettres. Ses yeux étaient plongés dans l'obscurité depuis trop longtemps. En revanche, il reconnut la photo à la une, en pleine page. Un cliché pris au palais du Pardo où il posait devant une grande fresque, dans son costume bleu marine à fines rayures blanches, confectionné sur mesure à Londres trois ans auparavant. C'était la dernière photo officielle distribuée par le ministère de Mauricio Valls. Les mots émergèrent lentement, tel un mirage sous les eaux.

Dernière heure

Mort d'un grand Espagnol

LE MINISTRE

MAURICIO VALLS

VICTIME D'UN ACCIDENT DE LA ROUTE

Le Généralissime décrète trois jours de deuil national.

« Lumière resplendissante au firmament
d'une nouvelle Espagne grande et libre,
renaissante dans la gloire des cendres
de la guerre, il incarna les plus hautes valeurs
du Mouvement et porta les lettres et la culture
espagnoles à des sommets. »

(Agence/Rédaction) Madrid, 9 janvier 1960

"L'Espagne tout entière s'est réveillée ce matin bouleversée par la nouvelle de la perte incommensurable de l'un de ses fils préférés, don Mauricio Valls y Echevarría, ministre de l'Éducation nationale. La tragédie s'est produite à l'aube, au kilomètre quatre de la route de Somosaguas. Le ministre regagnait sa résidence personnelle en compagnie de son chauffeur et garde du corps après une réunion au Pardo avec d'autres membres du cabinet qui s'était achevée très tard dans la nuit. D'après les premières informations, l'accident est dû à la crevaison d'un pneu d'un camion-citerne qui roulait en sens inverse, qui a entraîné la perte de contrôle du véhicule par le chauffeur. Le camion, qui transportait un chargement de combustible, s'est déporté sur l'autre voie et a percuté la voiture du ministre qui roulait à grande vitesse. Le choc a entraîné une grande explosion. Immédiatement alertés par le bruit, les voisins ont donné l'alerte. Le ministre Valls et son garde du corps sont morts sur le coup.

Le conducteur du camion-citerne, Rosendo M.S. natif d'Alcobendas, est décédé avant l'arrivée des secours. Après la collision, un très gros incendie s'est déclaré et les corps du ministre et de son garde du corps ont été carbonisés.

Le gouvernement a convoqué ce matin même une réunion d'urgence et le chef de l'État a annoncé qu'il fera un communiqué officiel en milieu de journée depuis le palais du Pardo.

Mauricio Valls, âgé de cinquante-neuf ans, avait consacré plus de deux décennies de sa vie au régime. Sa disparition prive les lettres et la littérature espagnoles, désormais orphelines, de son labeur acharné à la tête du ministère de l'Éducation nationale ainsi que dans sa remarquable carrière d'éditeur, d'écrivain et d'académicien. Les sommités de toutes les institutions publiques ainsi que les plus éminentes personnalités du monde des lettres sont venues ce matin au ministère pour exprimer leur consternation et témoigner de l'admiration et du respect que don Mauricio Valls a inspirés chez tous ceux qui l'ont connu.

Don Mauricio Valls laisse une épouse et une fille. De source gouvernementale, on apprend qu'une chapelle ardente sera ouverte au palais d'Orient cet après-midi à partir de cinq heures pour le public désireux de faire ses adieux à cet Espagnol universel. La direction et les employés de ce journal expriment leur émotion et leur tristesse profonde pour la perte de don Mauricio Valls, dont la vie exemplaire témoigne de l'engagement auquel peut aspirer un citoyen de notre nation.

Vive Franco !

¡ Arriba España !

Don Mauricio Valls *¡ presente !*

AGNUS DEI

Janvier 1960

1

Victoria Sanchís se réveilla dans des draps fins, repassés et parfumés à la lavande, et un pyjama de soie parfaitement coupé. Elle porta la main à son visage et elle sentit l'odeur des sels de bain sur sa peau. Ses cheveux étaient propres mais elle ne se souvenait pas se les être lavés. Elle ne se souvenait de rien.

Elle se redressa contre la tête de lit en velours et elle essaya de s'expliquer où elle se trouvait. Le grand lit avec des oreillers qui invitaient à l'abandon trônait dans une vaste chambre à coucher décorée dans un style élégant et opulent. La lumière ténue diffusée par une baie vitrée ornée de voilages blancs révélait une commode sur laquelle reposait un vase rempli de fleurs fraîchement coupées, une coiffeuse, un miroir et un secrétaire. Un papier peint gaufré et des aquarelles de scènes pastorales encadrées avec une certaine pompe recouvraient les murs. Elle écarta les draps, s'assit au bord du lit et contempla à ses pieds le tapis aux tons pastel assortis au reste de la chambre. Le décor révélait un goût professionnel et une main experte, chaleureuse et impersonnelle à la fois. Victoria se demanda s'il s'agissait de l'enfer.

Elle ferma les yeux et elle essaya de comprendre comment elle était arrivée là. La dernière chose qu'elle se rappelait était la maison d'El Pinar, dont les images lui revinrent peu à peu. Les cuisines. Ses chevilles et ses poignets attachés à une chaise par des fils de fer. Hendaya accroupi devant elle. Il l'interrogeait. Elle lui crachait au visage. Une gifle brutale la projetait au sol. Un de ses hommes relevait la chaise. Deux autres traînaient Morgado et l'attachaient à une table. Hendaya l'interrogeait à nouveau. Elle se taisait. Le policier prenait une arme et tirait à bout portant dans le genou de Morgado. Les hurlements du chauffeur lui déchiraient le cœur. Elle n'avait jamais entendu un homme hurler ainsi de douleur. L'homme revenait vers elle, calmement. Elle était muette à présent. Elle tremblait, terrorisée. Il haussait les épaules, faisait le tour de la table et posait le canon de son révolver sur l'autre genou du chauffeur. Un des sbires du capitaine lui maintenant la tête pour l'empêcher de détourner les yeux. "Regarde bien ce qui arrive à ceux qui m'emmerdent, sale pute." Hendaya appuyait sur la gâchette. Une nuée de sang et de poussière d'os lui éclaboussait le visage. Le corps de Morgado se convulsionnait comme parcouru d'un courant haute tension. Sa voix ne produisait plus aucun son. Victoria serrait les paupières. Un troisième tir arrivait peu après.

La nausée la prit d'un coup et elle sauta du lit. Une porte entrouverte menait à une salle de bains. Elle s'affaissa sur les genoux devant la cuvette et vomit de la bile. Les spasmes se succédèrent jusqu'à ce qu'elle ne pût plus rejeter la moindre goutte de salive. Elle glissa contre le mur et elle resta là, assise par terre, haletante. Elle regarda autour d'elle. L'imposante salle de bains en marbre rose était agréablement chauffée. Un haut-parleur encastré dans le mur diffusait à un volume très bas une version affectée et mielleuse d'un adagio de Bach interprété par un orchestre à cordes.

Elle reprit son souffle et elle se leva en s'appuyant contre la cloison. La tête lui tournait. Elle ouvrit le robinet du lavabo et elle laissa l'eau couler avant de se laver le visage et la bouche, évacuant l'arrière-goût acide qui lui restait dans la gorge. Elle s'essuya avec une serviette douce et moelleuse qu'elle jeta ensuite par terre. Elle regagna la chambre en titubant et elle se laissa tomber sur le lit. Elle essaya d'effacer les images de son esprit, mais la vision du visage éclaboussé de sang d'Hendaya était comme imprimée au fer rouge sur sa rétine. Elle contempla l'étrange endroit où elle s'était réveillée. Elle ignorait depuis combien de temps elle était là. Si c'était l'enfer – et cela méritait de l'être –, il avait l'aspect d'un hôtel de luxe. Elle se rendormit rapidement, désireuse de ne plus jamais se réveiller.

Quand elle rouvrit les yeux, l'éclat du soleil derrière les rideaux l'aveugla. Elle sentit l'odeur du café. Elle se redressa et elle trouva au pied du lit un peignoir en soie assorti à son pyjama ainsi que des pantoufles. Elle entendit une voix de l'autre côté d'une porte qui paraissait donner sur une autre pièce de la *suite**. Elle s'approcha et elle tendit l'oreille. Elle perçut le doux tintement d'une petite cuiller dans une tasse de porcelaine. Elle ouvrit la porte.

Un bref couloir conduisait à une pièce ovale au centre de laquelle se trouvait une table avec un petit-déjeuner servi pour deux : une carafe de jus d'orange, un panier de viennoiseries gourmandes, un assortiment de confitures, de la crème, du beurre, des œufs brouillés, du bacon croustillant, des champignons sautés, du thé, du café, du lait et des pierres de sucre blanc et roux. L'ensemble dégageait un parfum exquis et Victoria saliva malgré elle.

Un homme d'âge moyen, de taille moyenne, de calvitie moyenne, passablement moyen en somme, était assis à la table. Il se leva courtoisement avec un sourire aimable en la voyant entrer et il lui offrit la chaise qui se trouvait en face de lui. Il portait un costume trois pièces noir et il avait la pâleur des gens qui vivent enfermés. Elle n'aurait pas fait attention à lui en le croisant dans la rue. Elle l'aurait pris pour un fonctionnaire de ministère ou un notaire de province de passage dans la capitale pour se rendre au musée du Prado et au théâtre.

Un examen plus attentif permettait de remarquer ses yeux clairs, pénétrants, cristallins. Son regard, qui paraissait plongé dans un calcul perpétuel. Il l'observait sans presque ciller derrière des verres qui agrandissaient ses yeux. La monture en écaille trop grande lui donnait un air vaguement efféminé.

— Bonjour, Ariadna, dit-il. Je t'en prie, prends un siège.

Victoria regarda autour d'elle et elle attrapa un chandelier sur une étagère qu'elle brandit de façon menaçante. Sans s'émouvoir, l'homme souleva le couvercle d'un des plats dont il huma le parfum.

— Ça sent divinement bon. Tu dois avoir faim.

Il ne bougea pas. Victoria gardait le chandelier levé.

— Je crois que tu n'en auras pas besoin, Ariadna, dit-il calmement.

— Je ne m'appelle pas Ariadna. Mon nom est Victoria. Victoria Sanchís.

— Assieds-toi, s'il te plaît. Tu es en sécurité ici, tu n'as rien à craindre.

Victoria se perdit dans ce regard hypnotique. Elle sentit à nouveau l'odeur appétissante du petit-déjeuner. Elle comprit que la douleur atroce qui lui tordait les boyaux était tout simplement la faim. Elle baissa le bras et reposa le chandelier sur l'étagère puis elle avança très doucement vers la table, sans quitter l'homme des yeux. Il attendit qu'elle soit assise pour lui servir une tasse de café au lait.

— Combien de cuillérées de sucre désires-tu ? Moi j'aime le café très sucré, même si le médecin me dit que ce n'est pas bon pour ma santé.

Elle assista à la préparation de sa tasse de café.

— Pourquoi m'avez-vous appelée Ariadna ?

— Parce que c'est ton vrai nom. Ariadna Mataix. Serait-ce inexact ? Si tu préfères, je peux t'appeler Victoria. Mon nom est Leandro.

Il se redressa brièvement et il lui tendit une main qu'elle ne serra pas. Il se rassit d'un air cordial.

— Des œufs brouillés ? Je les ai goûtés, ils ne sont pas empoisonnés. Enfin, je l'espère.

Victoria désirait que cet homme cessât de sourire de cette manière qui la faisait se sentir coupable de ne pas répondre à son exquise amabilité.

— C'est une plaisanterie. Rien n'est empoisonné, bien entendu. Des œufs au bacon ?

Elle se surprit à acquiescer. Leandro sourit d'un air satisfait et il la servit, saupoudrant une pincée de sel et de poivre sur les œufs fumants. Son amphitryon s'en tirait avec l'adresse d'un chef.

— Si tu préfères quoi que ce soit d'autre, nous le commanderons. La cuisine est excellente ici.

— C'est très bien comme cela, merci.

Elle faillit se mordre la langue en prononçant le mot "merci". Merci de quoi ? À qui ?

— Les croissants sont très bons. Goûte-les. Ce sont les meilleurs de la ville.

— Où suis-je ?

— Nous sommes à l'hôtel Palace.

Victoria fronça les sourcils.

— À Madrid ?

Leandro hocha la tête tout en lui tendant un panier de viennoiseries. Elle hésita.

— Ils sont tout frais. Prends-en un, autrement je terminerai tout. Or je dois faire un régime.

En tendant le bras pour prendre un croissant, elle remarqua les traces de piqûre sur son avant-bras.

— Nous avons dû t'administrer un calmant, je suis désolé. Après ce qui s'était passé à El Pinar...

Victoria retira son bras brusquement.

— Comment suis-je arrivée ici ? Qui êtes-vous ?

— Je suis ton ami, Ariadna. Ne crains rien. Tu es à l'abri ici. Hendaya ne pourra plus te faire de mal. Personne ne te fera plus jamais de mal. Je t'en donne ma parole.

— Où est Ignacio ? Où est mon mari ? Qu'ont-ils fait de lui ?

Leandro la contempla tendrement et il esquissa un pâle sourire.

— Allez, tu dois d'abord manger quelque chose pour reprendre des forces. Après je te raconterai tout ce qui s'est passé et je répondrai à toutes tes questions. Je te le promets. Fais-moi confiance et sois tranquille.

Leandro avait une voix mielleuse et un discours apaisant. Il choisissait les mots comme un parfumeur mélange les fragrances pour préparer ses formules. Victoria s'aperçut qu'elle se détendait malgré elle. La peur qui la tenaillait se dissipait. La nourriture délicieuse, la chaleur de la pièce et la présence sereine, détendue et paternelle de Leandro produisaient sur elle un effet de calme et d'abandon. Pourvu que tout cela soit vrai.

— N'avais-je pas raison ? Pour les croissants, je veux dire.

Victoria fit timidement oui de la tête. Leandro s'essuya les lèvres avec la serviette qu'il replia lentement avant d'utiliser la sonnette de table. La porte s'ouvrit immédiatement et un serveur apparut pour débarrasser sans jeter un seul regard à Victoria ni prononcer un mot. Lorsqu'ils furent de nouveau seuls, Leandro prit un air affligé, croisa les mains sur un genou et baissa les yeux.

— J'ai de mauvaises nouvelles pour toi, je le crains, Ariadna. Ton mari Ignacio est décédé. Je suis absolument désolé. Nous sommes arrivés trop tard.

Les yeux d'Ariadna s'emplirent de larmes. Des larmes de colère. Elle n'avait nul besoin d'explication pour savoir qu'Ignacio était mort pour rien. Elle regarda Leandro les mâchoires serrées. Il paraissait évaluer sa force de caractère.

— Dites-moi la vérité, parvint-elle à articuler.

Leandro remua la tête plusieurs fois.

— Ce ne sera pas facile, mais je te demande de m'écouter. Ensuite, tu pourras me poser toutes les questions que tu veux. Je souhaiterais que tu regardes tout d'abord quelque chose.

Il se leva et prit un journal plié sur une petite table à thé dans un coin du salon. Il le tendit à Victoria.

— Ouvre-le.

Elle prit le quotidien sans comprendre et l'ouvrit à la première page.

LE MINISTRE
MAURICIO VALLS
VICTIME D'UN ACCIDENT DE LA ROUTE

Elle laissa échapper un cri étouffé. Le journal lui tomba des mains et elle sanglota et gémit de manière incontrôlée. Leandro s'approcha d'elle avec une infinie délicatesse et il la prit doucement dans ses bras. Elle se laissa enlacer et, tremblante comme une enfant, elle se réfugia contre cet étranger. Il posa la tête contre son épaule et il lui caressa les cheveux pendant qu'elle déversait les larmes et la douleur accumulées durant toute une vie.

3

— Nous enquêtions sur Valls depuis longtemps. Depuis qu'un rapport de la commission de valeurs mobilières de la Banque d'Espagne avait détecté des irrégularités dans les transactions d'un certain Consortium financier de regroupement national, auparavant présidé par ton père, Miguel Ángel Ubach... Ou plutôt par l'homme qui se faisait passer pour ton père. Nous soupçonnions depuis longtemps ce consortium de n'être qu'un écran de fumée estampillé par le gouvernement afin de permettre la répartition entre quelques-uns des biens spoliés ou simplement volés durant et après la guerre. Comme tous les conflits, cette guerre avait ruiné le pays et enrichit un petit nombre d'hommes déjà riches avant qu'elle n'éclate. C'est la raison d'être des guerres. Le Consortium a également été utilisé pour rémunérer les faveurs, les trahisons et les services rendus, acheter des silences et des complicités. Pour beaucoup, comme Mauricio Valls, il a fonctionné comme un ascenseur ! Nous savons ce qu'il a fait, Ariadna. Ce qu'il t'a fait, à toi et à ta famille. Mais cela ne suffit pas. Nous avons besoin de ton aide pour tout connaître de cette histoire.

— Pourquoi ? Valls est mort.

— Pour faire justice. Valls est mort, certes, mais parmi les centaines de personnes dont il a détruit la vie, beaucoup sont toujours vivantes et elles méritent que justice soit faite.

Victoria le regarda avec méfiance.

— C'est ce que vous cherchez ? La justice ?

— Nous recherchons la vérité.

— Qui êtes-vous exactement ?

— Un groupe de citoyens qui ont juré de servir l'Espagne pour en faire un pays plus juste, plus honnête et plus ouvert.

Victoria rit. Leandro la regarda, l'air sérieux.

— Je n'attends pas de toi que tu me croies. Pas encore. Mais je vais te prouver que nous essayons réellement de changer les choses de l'intérieur du régime, parce qu'il n'y a pas d'autre moyen de les faire évoluer pour régénérer ce pays et le rendre à ses habitants. Nous risquons notre vie pour que ce qui t'est arrivé à toi et à ta sœur, et aussi pour que ce que tes parents ont vécu, ne se reproduise plus jamais, et pour que les hommes qui ont commis ces crimes paient pour cela, et qu'on sache la vérité. Car sans vérité, pas de justice, et sans justice, pas de paix. Nous sommes en faveur du changement et du progrès. Nous voulons en finir avec un État au service d'une poignée de privilégiés qui utilisent les institutions pour consolider leurs privilèges aux dépens des travailleurs et des défavorisés. Nous ne sommes pas des héros, mais il faut bien que quelqu'un agisse. Et il n'y a personne d'autre. Nous avons besoin de ton aide pour continuer. Si nous nous unissons, ce sera possible.

Ils se regardèrent pendant un long silence.

— Et si je ne veux pas vous aider ?

Leandro haussa les épaules.

— Personne ne peut t'obliger à le faire. Si tu décides de ne pas te joindre à nous et que le sort des gens qui ont souffert le même destin que le tien et auxquels il n'est pas rendu justice t'importe peu, je ne t'obligerai en rien. Toi seule peux décider. Valls est mort. Le plus simple, pour quelqu'un dans ta situation, serait de laisser tout cela derrière toi et de recommencer une nouvelle vie. Qui sait, peut-être agirais-je ainsi à ta place. Mais je crois que tu n'es pas ainsi. Je crois qu'au fond, ce qui t'importe n'est pas la vengeance mais la justice et la vérité. Autant qu'à nous ou plus encore. Je crois que tu désires que les coupables paient pour leurs crimes et que leurs victimes puissent continuer de vivre avec la certitude que les personnes qui ont perdu la vie pour elles ne l'ont pas fait en vain. C'est à toi de décider. Je ne te retiendrai pas. La porte est là. Tu peux sortir d'ici à tout moment. La seule raison pour laquelle nous t'avons conduite ici, c'est parce que c'est un endroit sûr. Ici, nous pouvons te protéger pendant que nous essayons de traiter cette affaire à fond. Cela dépend de toi.

Victoria regarda la porte de la chambre. Leandro se resservit une tasse de café, dans laquelle il versa le contenu de cinq sachets de sucre, et il la but tranquillement.

— Dès que tu le demanderas, une voiture viendra te chercher et elle te conduira où tu le souhaites. Tu ne me reverras jamais et tu ne sauras rien de nous. Il te suffit de demander.

Victoria sentit son estomac se contracter.

— Tu n'as pas à prendre la décision maintenant. Je sais ce par quoi tu es passée. Tu es désorientée, tu ne me fais pas confiance, ni à personne d'autre. Et c'est parfaitement compréhensible. Je ne le ferais pas non plus à ta place. Mais tu n'as rien à perdre à nous laisser une opportunité. Un jour de plus. Ou quelques heures. Tu peux partir à tout moment, sans fournir d'explications à quiconque. Mais je garde espoir. Je te prie de ne pas agir ainsi et de nous donner cette possibilité d'aider les autres.

Victoria remarqua que ses mains tremblaient. Leandro lui sourit avec une infinie délicatesse.

— Je t'en prie…

Elle finit par acquiescer, le visage baigné de larmes.

4

En une heure et demie environ, Leandro reconstitua ce qu'ils avaient découvert.

— Je tente de rétablir les faits depuis un long moment. Je vais te résumer ce que nous savons, ou croyons savoir. Il y a des lacunes, tu verras, et nous avons probablement commis des erreurs, ici ou là. Quelques-unes ou beaucoup. C'est là que tu interviens. Si cela te convient, je te raconterai ce qui s'est passé selon moi, et tu me corrigeras le cas échéant. D'accord ?

La voix de Leandro berçait et invitait à la reddition. Elle aurait voulu fermer les yeux et rester un temps dans l'étreinte de cette voix, dans le cadre velouté des mots qui prenaient un sens indépendamment de leur signification.

— D'accord, dit-elle. Je vais essayer.

L'homme lui sourit avec une gratitude et une chaleur qui la firent se sentir sûre d'elle-même et protégée de tous les individus qui la traquaient au-delà de ces murs. Peu à peu, sans hâte, il lui narra une histoire qu'elle ne connaissait que trop bien. Elle débutait quand elle était une toute petite fille. Son père Víctor Mataix faisait la connaissance d'un homme dénommé Miguel Ángel Ubach, un puissant financier dont l'épouse lisait tous ses livres. Persuadé par elle, Ubach avait décidé d'embaucher son père pour qu'il rédige une prétendue autobiographie en échange d'une somme d'argent considérable. Son père rencontrait alors des difficultés matérielles qui lui avaient fait accepter la commande. Après la guerre, le couple avait rendu inopinément visite aux Mataix dans leur maison de Vallvidrera, sur la route de Las Aguas. Nettement plus jeune que son époux, Mme Ubach avait le physique des beautés de magazines et elle refusait d'abîmer son corps magnifique pour donner la vie. Mais elle aimait les enfants presque autant que les chats affectueux et le vodka martini. Du moins aimait-elle l'idée d'en avoir et que les domestiques s'en occupent. Les Ubach avaient donc passé la journée avec les Mataix. À cette époque, ses parents lui avaient donné une petite sœur, Sonia, qui n'était encore qu'un bébé. En partant, Mme Ubach avait embrassé les petites et déclaré qu'elles étaient merveilleuses. Quelques jours plus tard, des hommes armés étaient revenus chez les Mataix. Ils avaient arrêté son père – qui fut enfermé dans la prison de Montjuïc – et ils les avaient emmenées, sa sœur et elle, laissant sa mère blessée. Morte, avait cru Victoria.

— Jusque-là, suis-je dans le vrai ? demanda Leandro.

Elle hocha la tête, séchant les larmes de rage qui coulaient sur ses joues.

Le soir même, les hommes l'avaient séparée de sa sœur. Elle n'avait plus jamais revu Sonia. Ils lui avaient dit qu'elle devait oublier ses parents si elle ne voulait pas qu'ils tuent la petite. C'étaient des criminels. Désormais, elle ne s'appellerait plus Ariadna Mataix mais Victoria Ubach, et ses nouveaux parents seraient à dater de ce jour Miguel Ángel Ubach et son épouse Federica. Elle avait beaucoup de chance, elle vivrait avec eux dans la plus jolie maison de Barcelone, El Pinar. Elle aurait des domestiques et tout ce qu'elle désirerait. Ariadna avait dix ans.

— À partir de ce moment-là, l'histoire est confuse, avertit Leandro.

Il raconta comment ils avaient découvert que Víctor Mataix, suicidé selon le rapport officiel, avait été fusillé comme tant d'autres au château de Montjuïc, sur ordre du directeur de la prison, Mauricio Valls. Selon Leandro, Valls avait vendu Ariadna aux Ubach en échange de faveurs pour grimper dans les échelons du régime et aussi d'un paquet d'actions d'une banque récemment créée grâce à la spoliation du patrimoine de centaines de personnes incarcérées, expropriées et, pour beaucoup, exécutées peu après la fin de la guerre.

— Sais-tu ce qu'est devenue ta mère ?

Victoria fit un geste affirmatif, les lèvres serrées.

Pour ce qu'ils en savaient, poursuivit Leandro, le lendemain du jour où son mari et ses enfants avaient été enlevés, Susana, sa mère, avait réussi à trouver la force de se rendre au commissariat pour dénoncer les faits. Une grande erreur. Elle avait été immédiatement arrêtée et enfermée dans l'asile de fous d'Horta où elle fut mise à l'isolement et soumise aux électrochocs pendant cinq ans. Lorsqu'ils avaient été assurés qu'elle avait oublié jusqu'à son propre nom, elle avait été abandonnée dans un terrain des environs de Barcelone.

— C'est du moins ce qu'ils crurent. Mais elle n'avait pas oublié.

Susana avait survécu dans les rues de Barcelone en mendiant, en dormant sur les trottoirs et en volant dans les poubelles pour manger, animée par l'espoir de retrouver ses filles un jour. Cette espérance l'avait maintenue en vie. Des années plus tard, dans une ruelle du Raval, au milieu des détritus, elle avait déniché un journal avec la photo de Valls et de sa famille. Il était devenu un homme très important, dont le passé de directeur de prison était bien enfoui. Sur la photographie, il posait avec une enfant, Mercedes.

— Mercedes n'est autre que ta petite sœur Sonia. Ta mère l'a reconnue grâce à sa tache de naissance qu'elle n'avait jamais oubliée.

— Une tache en forme d'étoile à la base du cou, s'entendit dire Victoria.

Leandro sourit et acquiesça.

— Comme sa femme souffrait d'une maladie chronique qui l'empêchait d'avoir des enfants, Valls avait décidé de garder ta sœur, rebaptisée Mercedes en souvenir de sa propre mère, et de l'élever comme sa fille. Susana avait enfin réussi à réunir la somme suffisante pour se rendre à Madrid en train et elle avait passé des mois à épier les cours des écoles de toute la ville, certaine de retrouver ta sœur. Elle s'était construit une nouvelle identité, elle logeait dans une misérable chambre d'une pension du quartier de Chueca et le soir elle travaillait comme couturière dans un atelier. Dans la journée, elle parcourait Madrid et ses écoles. Un jour, alors qu'elle perdait espoir, elle la vit. Même de loin, elle sut que c'était elle. Elle revint chaque matin. Elle restait derrière la grille de la cour et elle essayait d'attirer l'attention de Mercedes. Elle parvint même à lui parler à deux reprises. Elle ne voulait pas l'effrayer. Quand elle comprit que Sonia ne se souvenait absolument pas d'elle, ta mère faillit mettre fin à ses jours. Pourtant, elle n'abandonna pas. Elle revenait tous les matins avec l'espoir de la voir et de lui parler. Un jour, elle décida qu'elle devait lui raconter la vérité. Les gardes du corps de l'escorte de Valls la surprirent en train de parler avec ta sœur. Ils lui firent sauter la cervelle sous les yeux de la petite. Veux-tu que nous arrêtions un moment ?

Victoria fit non de la tête.

Leandro poursuivit en relatant ce qu'il connaissait de la façon dont Victoria avait grandi dans sa prison dorée d'El Pinar. Puis, Miguel Ángel Ubach ayant été appelé par le Caudillo pour diriger un groupe de banquiers et de notables qui avaient financé son armée et concevoir la nouvelle structure économique de l'État, la famille avait quitté Barcelone et emménagé dans la grande maison de Madrid qu'elle avait toujours détestée. Elle s'en était d'ailleurs échappée et elle avait disparu pendant des mois, jusqu'à ce qu'on la retrouve dans des circonstances étranges à une centaine de kilomètres de Barcelone, sur une plage proche de Sant Feliu de Guíxols.

— C'est une des lacunes importantes dans notre reconstitution des faits, dit Leandro. Personne ne sait où tu as été pendant tous ces mois, ni avec qui. Ce que nous savons, c'est que peu après ton retour à Madrid la maison des Ubach a été réduite en cendres par un terrible incendie, une nuit de 1948. Un incendie au cours duquel le banquier et son épouse Federica ont péri.

Leandro la regarda. Victoria ne desserra pas les dents.

— Je comprends combien il est difficile et douloureux d'évoquer cela, mais nous devons savoir ce qui s'est passé pendant ces mois où tu as disparu, c'est important.

Elle serra les mâchoires et Leandro hocha la tête, patient.

— Ce n'est pas nécessairement aujourd'hui.

Il poursuivit son récit.

Orpheline et héritière d'une immense fortune, Victoria avait été placée sous la tutelle d'un jeune avocat, Ignacio Sanchís, l'exécuteur testamentaire des Ubach. C'était un homme brillant que le banquier avait pris sous son aile très jeune, un orphelin qui avait pu poursuivre ses études grâce à une bourse de la Fondation Ubach. Il se murmurait qu'il était le fils adultérin du banquier, fruit de ses amours clandestines avec une célèbre actrice de l'époque.

La petite Victoria s'était toujours sentie attirée par lui. Comme elle, il vivait dans le luxe et les privilèges assurés par la fortune de l'empire Ubach, or ils étaient pourtant seuls au monde. Ignacio Sanchís se rendait fréquemment au domicile personnel du banquier pour régler des affaires avec lui, dans le jardin. Victoria l'épiait de la fenêtre du grenier. Un jour qu'il l'avait surprise dans la piscine, il lui avait révélé qu'il n'avait jamais connu ses parents et qu'il avait grandi dans un orphelinat des environs de Madrid, à La Navata. De ce jour, lorsque Sanchís venait chez eux, Victoria ne se cachait plus et elle descendait même le saluer.

Mme Ubach n'aimait pas Ignacio et elle interdisait à sa fille de lui adresser la parole. C'est un sans-le-sou, disait la femme qui combattait l'ennui dans les bras d'amants de vingt ans qu'elle retrouvait dans de luxeux hôtels madrilènes, quand elle ne cuvait pas son vin dans sa chambre au troisième étage. Elle avait ignoré jusqu'au bout que Victoria et le jeune avocat étaient devenus amis, qu'ils partageaient des lectures et une complicité que personne au monde, pas même Ubach, n'aurait pu imaginer.

— Un jour je lui ai dit que nous étions pareils, avoua Victoria.

Après la mort tragique des Ubach dans l'incendie qui avait dévasté leur maison, Ignacio Sanchís était devenu *de facto* son tuteur légal jusqu'à sa majorité, avant d'être son mari à sa majorité. Ce qui avait beaucoup fait jaser, bien entendu. Certains avaient qualifié ce mariage de "*braguetazo* du siècle". Victoria sourit amèrement en entendant ces mots.

— Ignacio Sanchís n'a jamais été un époux pour toi, dit Leandro, pas dans le sens où tout le monde le croyait. C'était un homme bon qui avait découvert la vérité et qui t'avait épousée pour te protéger.

— Je l'aimais.

— Et lui t'aimait. Il a donné sa vie pour toi.

Victoria s'absorba dans un long silence.

— Pendant des années, tu as essayé de faire justice toute seule, avec l'aide d'Ignacio et de Valentín Morgado, l'homme qui avait été en prison avec ton père et que ton mari avait engagé comme chauffeur. Ensemble, vous avez conçu un plan pour piéger Valls, et vous avez réussi à l'enlever. Ce que tu ignorais, c'est que vous étiez surveillés. Par une personne qui ne pouvait pas laisser éclater la vérité au grand jour.

— Est-ce pour cela que Valls a été tué ?

Leandro fit signe que oui.

— Hendaya ? demanda Victoria

Il nia.

— Hendaya n'est qu'un pion. Nous cherchons celui qui tire les ficelles.

— Qui est-ce ?

— Je crois que tu le sais.

Victoria nia lentement, désorientée.

— Tu n'en es peut-être pas encore consciente.

— Si je le savais, il aurait fini dans la même cellule que Valls.

— Nous le découvrirons peut-être ensemble. Grâce à ton aide et à nos moyens. Tu as déjà assez souffert, et tu as pris suffisamment de risques. C'est notre tour à présent. Parce que vous n'avez pas été les seules, toi et ta sœur. Tu le sais. Il y en a eu beaucoup, beaucoup d'autres. Qui n'ont peut-être même pas idée que leur vie est un mensonge, qu'on leur a tout volé…

Elle acquiesça.

— Comment l'avez-vous su ? Comment en êtes-vous venus à la conclusion, toi et ta sœur, que vous n'étiez pas les seules ?

— Nous avons trouvé une liste avec des numéros de dossiers. Des références d'actes de naissance et d'actes de décès falsifiés par Valls.

— Qui concernaient-ils ? demanda Leandro.

— Des enfants de prisonniers incarcérés au château de Montjuïc après la guerre, lorsque Valls dirigeait la prison. Des détenus qui avaient tous disparu. Valls commençait par faire emprisonner et assassiner les parents. Ensuite il gardait les enfants. Il faisait conjointement établir de faux actes de décès et de naissance, attribuant une nouvelle identité aux enfants qu'il vendait aux familles haut placées en échange d'influences, d'argent ou de pouvoir. C'était un plan parfait, car dès que les nouveaux parents possédaient leur enfant volé, ils devenaient complices et ils devaient garder le silence à jamais.

— Sais-tu combien on recense de cas de ce genre ?

— Non. Des centaines, d'après Ignacio.

— Nous parlons d'une opération très complexe. Valls n'aurait pas pu faire tout cela si…

— Ignacio pensait qu'il avait compté sur un ou plusieurs complices.

— Je suis d'accord. Plus encore, j'oserais dire qu'il est possible que Valls n'ait été qu'un simple instrument dans le réseau. Il avait les moyens de réalisation et l'enthousiasme pour agir. Mais j'ai du mal à croire qu'il aurait pu élaborer un plan d'une telle complexité.

— C'était aussi l'avis d'Ignacio.

— L'homme que nous n'avons pas encore découvert est le cerveau de toute l'opération.

— La *mano negra*… L'âme damnée, souffla Victoria.

— Comment ?

Elle esquissa un sourire.

— C'est un conte que me racontait mon père quand j'étais petite. *La mano negra*. La force occulte, le mal toujours dans l'ombre, qui tire les ficelles…

— Tu dois nous aider à le trouver, Ariadna.

— D'après vous, Hendaya est-il sous les ordres de l'associé de Valls ?

— Oui, très probablement.

— Cela signifie que c'est une personnalité du régime, sans doute. Un homme puissant.

Leandro acquiesça.

— C'est pour cela qu'il est très important d'agir avec prudence et de ne pas se précipiter. Pour pouvoir le capturer, il est impératif de connaître d'abord toute la vérité, avec des noms, des dates, des détails. Il faut aussi découvrir qui était au courant de l'affaire et qui était impliqué. Nous ne pourrons atteindre la tête que si nous savons qui l'entourait.

— Que puis-je faire ?

— Nous aider à reconstituer ton histoire, comme je te l'ai expliqué. Je suis convaincu que si nous assemblons toutes les pièces du puzzle, nous trouverons le cerveau qui l'a conçu. Tant que nous ne l'aurons pas fait, tu ne seras pas en sécurité. C'est la raison pour laquelle tu dois rester ici et nous laisser te protéger. Le feras-tu ?

Victoria hésita avant de hocher la tête affirmativement. Leandro se pencha vers elle et il lui prit les mains.

— J'ai besoin que tu saches combien je te suis reconnaissant pour ta force et ton courage. Sans toi, sans ton combat et tes souffrances, rien de ce que nous sommes en train d'essayer de faire ne serait possible.

— Je désire seulement que la justice soit faite. C'est tout. J'ai cru toute ma vie que j'aspirais à me venger. Mais la vengeance n'existe pas. La seule chose qui importe est la vérité.

Leandro l'embrassa sur le front. Un baiser paternel, protecteur et noble, qui la fit se sentir moins seule, ne fût-ce qu'un instant.

— Je crois que nous avons déjà beaucoup avancé pour aujourd'hui. Il faut que tu te reposes. Une tâche difficile nous attend.

— Vous partez ? demanda Victoria.

— Ne crains rien. Je ne serai pas loin. Et sache que tu es surveillée et protégée. Je te demande la permission de fermer cette porte. Non pas pour t'enfermer, mais pour empêcher que quelqu'un n'entre. Crois-tu que ce sera possible ?

— Oui.

— Si tu as besoin de quoi que ce soit, utilise cette sonnette. Quelqu'un viendra dans les secondes qui suivent.

— J'aimerais lire. Serait-il possible de trouver des livres de mon père ?

— Bien sûr. Je vais demander qu'on te les monte. À présent, tu dois te reposer et dormir.

— Je ne sais pas si je pourrais dormir.

— Si tu le souhaites, nous pouvons t'aider...

— M'administrer un calmant, une nouvelle fois ?

— Pour t'aider. Tu te sentiras mieux. Seulement si tu le souhaites.

— D'accord.

— Je reviendrai demain matin. Nous commencerons à reconstruire tout ce qui s'est passé, pas à pas.

— Combien de temps vais-je rester ici ?

— Quelques jours. Une semaine au plus. Le temps que nous comprenions qui se trouve derrière tout cela. Tant que le coupable ne sera pas arrêté, tu ne seras pas en sécurité ailleurs. Hendaya et ses hommes te recherchent. Nous avons réussi à te sauver à El Pinar, mais cet homme ne te lâchera pas. Il ne lâche jamais.

— Comment cela... ? Je ne me souviens pas.

— Tu étais commotionnée. Deux des nôtres ont perdu la vie pour te sortir de là.

— Et Valls ?

— Il était trop tard. N'y pense plus à présent. Repose-toi, Ariadna.

— Ariadna, répéta-t-elle. Merci.

— Merci à toi, dit Leandro en se dirigeant vers la porte.

Dès qu'elle se retrouva seule, un malaise et une sensation de vide inexplicables l'envahirent. Il n'y avait pas un seul réveil dans la pièce et, quand elle voulut tirer les rideaux, elle constata que les fenêtres étaient bloquées et que les vitres étaient recouvertes à l'extérieur d'un papier blanc opaque laissant passer la clarté mais occultant totalement la vue.

Elle alla et vint sans but dans la chambre, se retenant d'appuyer sur la sonnette que Leandro avait laissée sur la table du salon. Puis, épuisée d'explorer les recoins de la *suite**, elle revint dans la chambre à coucher, s'assit devant la coiffeuse et se regarda dans le miroir. Elle se sourit.

— La vérité... s'entendit-elle murmurer.

5

Leandro étudia le visage pâle et triste de l'autre côté du miroir. Ariadna dégageait le parfum des âmes brisées égarées en chemin et pourtant persuadées d'avancer vers un but. Une chose avait toujours fasciné Leandro : pour peu que l'on sût déchiffrer les regards et le temps, on pouvait deviner dans un visage les traits de l'enfant et apprécier le moment où, poignardé par le dard empoisonné du monde, son esprit avait commencé à vieillir. Tels des marionnettes ou des jouets mécaniques, les individus possédaient tous un ressort caché permettant de les mouvoir et de les faire avancer dans la direction souhaitée. Leandro tirait son plaisir, ou peut-être simplement sa substance, de cet abandon, de ce désir trouble auquel ils succombaient tôt ou tard pour capituler devant sa volonté, recevoir sa bénédiction et lui offrir leur âme en échange d'un sourire approbateur et d'un regard leur permettant de croire.

Assis à côté de lui, Hendaya l'observait d'un air méfiant.

— J'ai l'impression qu'on perd notre temps, monsieur. Si vous me laissez une heure avec elle, je crois que je lui ferai cracher tout ce qu'elle sait.

— Tu as déjà eu tout le temps. Il n'y a pas que la boucherie. Chacun son travail. Je fais le mien.

— Oui, monsieur.

Le docteur entra en scène peu après. Leandro avait soigneusement choisi cet homme à l'allure placide de médecin de famille, la soixantaine affable, lunettes et moustache de vieux sage, qui aurait pu être l'oncle ou le grand-père doux comme le miel. Un homme devant qui les dragons de vertu elles-mêmes se déshabillaient sans gêne, laissant ses mains tièdes palper leurs parties génitales tandis qu'elles levaient les yeux au ciel et murmuraient "quelles mains, docteur, quelles mains !"

Il n'était pas médecin, mais personne ne l'aurait dit en le voyant dans son costume gris, sa mallette et sa claudication due à l'âge. Il était chimiste. Un des meilleurs. Leandro le regarda aider Ariadna à s'allonger sur le lit, relever sa manche et chercher son pouls. La seringue était petite et l'aiguille si fine que Victoria ne bougea pas. Leandro sourit intérieurement en voyant le regard d'Ariadna vaguer et son corps s'abandonner. En quelques secondes, elle sombra dans une torpeur chimique destinée à durer au moins seize heures, probablement plus étant donné sa constitution fragile, des heures pendant lesquelles elle flotterait dans un calme sans rêve, dans un état de suspension et de plaisir absolus qui enfoncerait progressivement ses griffes dans ses organes, dans ses veines, dans son cerveau. Jour après jour.

— Cela ne risque-t-il pas de la tuer ? demanda Hendaya.

— Pas si la dose est correcte, dit Leandro. Pour le moment en tout cas.

Le docteur rangea son matériel dans la mallette, remonta le drap et la couverture sur Ariadna et sortit de la chambre. En passant devant le miroir, il esquissa un signe respectueux et déférent. Leandro percevait la respiration impatiente d'Hendaya derrière lui.

— Autre chose ? lui demanda-t-il.

— Non, monsieur.

— Dans ce cas, je te remercie de nous l'avoir amenée saine et sauve, mais tu n'as plus rien à faire ici. Retourne à Barcelone et retrouve Alicia Gris.

— Elle est morte, c'est plus que probable, monsieur…

Leandro se retourna.

— Alicia est vivante.

— Avec tout le respect que je vous dois, monsieur, comment pouvez-vous en être si sûr ?

Leandro le regarda comme s'il avait sous les yeux une pièce de bétail à l'intellect plus que limité.

— Parce que je le sais.

6

Alicia ouvrit les yeux à la faible lueur des bougies. Elle se dit tout d'abord qu'elle avait beaucoup trop soif pour une morte. Puis elle vit un visage d'homme aux cheveux et à la barbe grisonnants qui l'observait derrière de minuscules verres ronds. Ses traits lui rappelèrent ceux de Dieu dans son livre de catéchisme, quand elle était à l'orphelinat.

— Viendriez-vous des cieux ? lui demanda-t-elle.

— Oh, ne rêvez pas, je suis originaire de Matadepera. À une trentaine de kilomètres de Barcelone.

Le Dr Soldevila lui prit le poignet et il contrôla son pouls en regardant sa montre.

— Comment vous sentez-vous ?

— J'ai très soif.

— Je sais, répondit-il sans manifester la moindre volonté de lui offrir à boire.

— Où suis-je ?

— Bonne question.

Le docteur écarta les draps et Alicia sentit ses mains sur son pelvis.

— Sentez-vous la pression ?

Elle fit oui de la tête.

— Est-ce douloureux ?

— J'ai soif.

— Je sais. Mais il faut attendre.

Avant de remonter le drap, le Dr Soldevila posa les yeux sur la cicatrice noire qui embrassait la hanche d'Alicia et elle lut dans son regard l'horreur qu'il tenta pourtant de dissimuler.

— Je vais vous laisser quelque chose pour ça, mais soyez prudente. Vous êtes encore très faible.

— Je suis habituée à la douleur, docteur.

Le docteur soupira et il la couvrit.

— Est-ce que je vais mourir ?

— Pas aujourd'hui. Je sais que ça va vous paraître idiot, mais essayez de vous détendre et de vous reposer.

— Comme si j'étais en vacances.

— En quelque sorte. Essayez, du moins.

Il se redressa et Alicia l'entendit murmurer des mots. Puis elle perçut des bruits de pas qui approchaient et des silhouettes apparurent autour de sa couche. Elle reconnut Fermín, Daniel et Bea. Un homme aux cheveux clairsemés et au regard d'aigle les accompagnait. Elle avait la sensation de le connaître depuis toujours mais son identité lui échappait. Fermín et le Dr Soldevila chuchotaient. Daniel souriait, soulagé. Bea, à ses côtés, la regardait fixement avec une expression de méfiance. Fermín s'accroupit à côté d'elle et il posa une main sur son front.

— C'est la deuxième fois que vous me faites le coup de mourir, ou presque, et je commence à en avoir ras le bol. Vous avez une tête de cadavre, c'est certain, mais à part ça, je vous trouve fraîche comme une rose. Comment vous sentez-vous ?

— J'ai soif.

— Je ne me l'explique pas. Vous avez absorbé au moins quatre-vingts pour cent de mon débit sanguin.

— Tant que vous n'aurez pas entièrement éliminé l'anesthésie, vous ne pouvez pas boire, l'informa le docteur.

— C'est du gâteau, vous verrez, commenta Fermín. L'anes-thésie s'élimine comme les années passées au séminaire : en agi-tant un peu les parties.

Le Dr Soldevila lui lança un regard courroucé.

— Tâchez de ne pas épuiser la patiente avec vos grossièretés, si ce n'est pas trop vous demander.

— Je serai une tombe, déclara Fermín en se signant pour confirmer ses dires.

Le Dr Soldevila grogna.

— Je reviendrai demain matin. Restez près d'elle à tour de rôle, c'est plus prudent. Venez me chercher au moindre symp-tôme de fièvre, d'inflammation ou d'infection. Quelle que soit l'heure. Qui assure le premier tour de garde ? Pas vous, Fermín, je vous vois venir.

Bea avança.

— Je reste, dit-elle d'un ton qui ne laissait pas place à la dis-cussion. Fermín, j'ai laissé Julián avec Sofía, mais je n'ai pas confiance, il en fait ce qu'il veut. J'ai appelé Bernarda pour qu'elle vienne à la maison surveiller le petit. Vous pouvez vous installer dans la chambre à coucher. J'ai laissé des draps propres sur la commode et Bernarda sait où tout se trouve. Daniel dor-mira sur le canapé.

Ce dernier regarda sa femme, sans piper mot.

— Soyez tranquille. Le minot dormira comme un loir, j'en fais mon affaire. Une goutte de cognac avec du miel dans le lait, c'est miraculeux.

— Ne vous avisez pas d'alcooliser mon fils ! Et faites-moi le plaisir de ne pas lui parler de politique, ensuite il répète tout.

— À vos ordres. Suspension de l'information décrétée *sine die*.

— Bea, n'oubliez pas la piqûre d'antibiotiques. Toutes les quatre heures, rappela le docteur.

Fermín fit un grand sourire à Alicia.

— N'ayez crainte, cette Mme Bea que vous voyez aujourd'hui avec son air de sergent-major pique comme un ange. Monsieur son père étant diabétique, elle a acquis l'art d'aiguillonner avec un talent que lui envie le moustique panthère du Nil, ou je ne sais plus quelle bestiole il y a là-bas. Elle a appris toute jeune parce que personne d'autre dans la famille n'osait le faire et désormais elle nous pique tous, moi y compris, et pourtant je suis un patient très difficile à cause de mes fesses d'acier. Leur tension musculaire est telle qu'elle fait plier les aiguilles et...

— Fermín ! brama Bea.

Il fit le salut militaire et il adressa un clin d'œil à Alicia.

— Bon, ma petite vampiresse, je vous laisse entre de bonnes mains. Essayez de ne mordre personne. Je reviendrai demain. Faites tout ce que vous demande Mme Bea et tâchez de ne pas mourir, si possible.

— Je ferai ce que je peux. Merci pour tout Fermín. Une fois de plus.

— Ne me le rappelez pas. Venez, Daniel, cet air de pâmoison n'accélérera pas la cicatrisation !

Fermín partit en traînant Daniel avec lui.

— Tout est clair, dit le docteur. Mais comment sort-on d'ici ?

— Je vous accompagne, offrit le gardien.

Elles restèrent seules. Bea prit une chaise et s'installa à côté d'Alicia. Elles se regardèrent en silence. Alicia tenta un sourire de gratitude. Bea l'observait, l'air impénétrable. Quand le gardien revint, il jeta un coup d'œil à la chambre et il évalua la situation.

— Madame Beatriz, si vous avez besoin de quoi que ce soit, vous savez où me trouver. Je vous ai laissé des couvertures, et les médicaments avec les instructions du docteur sur l'étagère.

— Merci, Isaac. Bonne nuit.

— Bonne nuit à vous. Bonne nuit, Alicia.

Les pas du gardien s'éloignèrent dans le couloir.

— Tout le monde a l'air de me connaître ici, dit Alicia.

— Oui. Dommage que personne ne sache très bien qui vous êtes en réalité.

Alicia acquiesça, offrant un autre sourire docile que Bea laissa sans réponse. Un silence lourd et long s'abattit sur elles deux. Alicia parcourut du regard les murs couverts de livres du sol au plafond. Elle sentait les yeux de Bea rivés sur elle

— De quoi riez-vous, si ce n'est pas indiscret ? interrogea Bea.

— Des bêtises. J'ai rêvé que j'embrassais un très bel homme et je ne sais pas qui c'était.

— Est-ce une habitude chez vous d'embrasser des étrangers, ou le faites-vous seulement lorsqu'on vous anesthésie ?

Bea avait prononcé ces mots d'un ton tranchant comme une lame de poignard, et elle s'en voulut immédiatement.

— Je suis désolée, murmura-t-elle.

— Vous n'avez pas à l'être. Je le mérite.

— Dans un peu plus de trois heures, je vous injecterai l'antibiotique. Pourquoi n'essayez-vous pas de dormir un peu, comme l'a recommandé le médecin ?

— Je ne crois pas que je pourrai. J'ai peur.

— Je croyais que vous n'aviez peur de rien.

— Je cache bien mon jeu.

Bea allait dire quelque chose mais elle se retint.

— Bea ?

— Quoi ?

— Je sais que je n'ai pas le droit de vous demander pardon, mais...

— Oubliez cela pour le moment. Je n'ai rien à vous pardonner.

— Et si je vous le demandais, le feriez-vous ?

— Votre ami Fermín a l'habitude de dire que celui qui réclame le pardon ferait mieux d'aller au confessionnal ou de s'acheter un chien. Pour une fois, et parce qu'il ne m'entend pas, je lui donne raison.

— Fermín est un homme sage.

— Il a ses moments. Mais ne le lui dites pas, il deviendrait insupportable. Dormez, maintenant.

— Est-ce que je peux tenir votre main ? demanda Alicia.

Bea hésita un instant avant de prendre la main d'Alicia. Elles restèrent un long moment en silence. Alicia ferma les yeux et elle respira plus lentement. Bea contempla cette étrange créature qui lui inspirait à la fois de la crainte et de la compassion. Peu après leur arrivée, alors qu'Alicia délirait encore, elle avait aidé le docteur à la déshabiller et elle gardait gravée sur sa rétine l'image de l'impressionnante cicatrice qui lui mordait tout le côté droit.

— Daniel a de la chance, murmura Alicia.

— Auriez-vous jeté votre dévolu sur moi ?

— Mariée et mère. Je n'oserais jamais.

— Je croyais que vous dormiez, dit Bea.

— Moi aussi.

— Souffrez-vous ?

— Vous parlez de ma cicatrice ?

Bea ne répondit pas. Alicia gardait les yeux fermés.

— Un peu. L'anesthésie a endormi la douleur.

— Comment est-ce arrivé ?

— C'était pendant la guerre. Dans les bombardements.

— Je suis navrée.

Alicia haussa les épaules.

— Elle me sert à faire fuir les prétendants.

— Vous devez en voir des tas, je suppose.

— Aucun qui vaille la peine. Les meilleurs hommes tombent amoureux de femmes comme vous. Moi, ils m'aiment simplement pour fantasmer.

— Si vous attendez que je vous plaigne, vous serez déçue.

Alicia sourit.

— Ne croyez pas qu'ils ne fantasment pas à mon sujet, avança Bea, riant intérieurement.

— Je n'en doute pas.

— Pourquoi sont-ils si bêtes par moments ?

— Les hommes ? Qui sait ? C'est peut-être parce que la nature est mère, bien que cruelle, et qu'elle les abêtit dès la naissance. Mais certains ne sont pas si mal.

— C'est ce que dit Bernarda, admit Bea.

— Et votre Daniel ?

Bea aiguisa le regard.

— Que se passe-t-il avec mon Daniel ?

— Rien. Il a l'air d'être quelqu'un de bien. Une âme pure.

— Il a son côté obscur, n'allez pas croire.

— À cause de ce qui est arrivé à sa mère ? À Isabella ?

— Que savez-vous d'Isabella ?

— Très peu de choses.

— Vous mentiez beaucoup mieux avant l'anesthésie.

— Puis-je vous faire confiance ?

— Vous n'avez guère le choix, me semble-t-il. La question est de savoir si je peux me fier à vous.

— Vous en doutez ?

— Absolument.

— Certaines choses, à propos d'Isabella, de son passé… commença Alicia. Daniel a le droit de les connaître, je pense, mais au fond, je me demande s'il ne vaudrait pas mieux qu'il ne les apprenne jamais.

— Alicia ?

Elle ouvrit les yeux. Le visage de Bea était à quelques centimètres du sien. Elle sentit qu'on lui serrait la main avec force.

— Oui ?

— Je vais vous demander quelque chose. Je ne vous le dirai qu'une seule fois.

— Tout ce que vous voulez.

— Ne vous aventurez pas à faire du mal à Daniel ou à ma famille.

Alicia soutint ce regard qui l'impressionna au point qu'elle osa à peine respirer.

— Jurez-le-moi.

Alicia avala sa salive.

— Je vous le jure.

Bea hocha la tête et elle se laissa aller contre le dossier de la chaise. Alicia la vit cligner des yeux.

— Bea ?

— Qu'y a-t-il ?

— Il y a quelque chose... L'autre soir, quand j'ai raccompagné Daniel jusqu'à chez vous...

— Taisez-vous et dormez.

7

L'orage de la veille avait peint le ciel de Barcelone de ce bleu électrique qu'il n'offre que par quelques matins d'hiver. Le soleil avait fait déguerpir les nuages à coups de pied dans le derrière et il flottait dans l'air une lumière propre, liquide, digne d'être mise en bouteille. M. Sempere s'était levé avec un optimisme à fleur de peau. Ignorant les conseils de son médecin, il avait bu une grande tasse de café noir qui avait le goût délicieux de la rébellion. Il décida que cette journée serait de celles dont on se souvient.

— Aujourd'hui, le tiroir-caisse va marcher autrement mieux que celui du Molino ou de tout autre cabaret pendant le Carême, annonça-t-il. Vous allez voir !

Il enlevait le panneau FERMÉ sur la porte de la librairie quand il aperçut Fermín et Daniel en train de chuchoter dans un coin.

— Qu'est-ce que vous manigancez tous les deux ?

Ils se retournèrent et ils le regardèrent de l'air idiot qui dénonçait un projet de conspiration. Ils avaient l'air de ne pas avoir fermé l'œil depuis une semaine et ils portaient les mêmes vêtements que la veille, si la mémoire du libraire ne lui faisait pas défaut.

— Nous étions en train de dire que vous êtes chaque jour plus jeune et gaillard. Les jeunes filles en âge de convoler doivent se jeter à vos pieds.

Le libraire n'eut pas le temps de répondre. La cloche de la porte tinta et un homme élégamment vêtu, au regard cristallin, s'approcha du comptoir, un sourire tranquille aux lèvres.

— Bonjour monsieur, en quoi puis-je vous aider ?

Le visiteur ôta ses gants sans se presser.

— J'ai bon espoir que vous puissiez répondre à quelques questions, dit Hendaya. Police.

Le libraire fronça les sourcils et il jeta un regard à Daniel qui avait pâli au point de prendre le teint du papier bible sur lequel sont imprimées les œuvres complètes des classiques universels.

— Je vous écoute.

Hendaya sourit courtoisement et il sortit une photographie qu'il posa sur le comptoir.

— Si vous aviez l'amabilité de vous approcher et de jeter un coup d'œil…

Les trois, groupés derrière le comptoir, examinèrent la photo. Elle montrait une Alicia Gris avec environ cinq ans de moins, souriant à l'appareil et affectant un air innocent qui n'aurait même pas trompé un nourrisson.

— Reconnaissez-vous cette demoiselle ?

M. Sempere prit la photo et la regarda attentivement. Il haussa les épaules et il la passa à Daniel, qui exécuta le même rituel. Le dernier, Fermín, leva le cliché pour l'étudier à contre-jour tel un faux billet de banque, puis il fit non de la tête et il le rendit à Hendaya.

— Nous ne connaissons pas cette personne, je le crains, dit le libraire.

— Je reconnais qu'elle a un petit air voyou, mais son visage ne me dit rien, confirma Fermín.

— Non ? En êtes-vous certains ?

Les trois nièrent à l'unisson.

— Vous n'en êtes pas certains ou vous ne l'avez pas vue ?

— Oui et non, répondit Daniel.

— Ah.

— Puis-je vous demander qui c'est ? demanda le libraire.

Hendaya rangea la photographie.

— Elle s'appelle Alicia Gris et c'est une criminelle. Elle a commis trois assassinats ces derniers jours. À notre connaissance. Le dernier en date, hier, sur un capitaine de police nommé Vargas. Elle est très dangereuse et probablement armée. Elle a été aperçue dans le quartier dernièrement et certains voisins affirment qu'elle est entrée dans votre librairie. Une des employés de la boulangerie située au coin de la rue déclare l'avoir vue en compagnie d'un employé de cet établissement.

— Elle a dû se tromper, répondit M. Sempere.

— C'est possible. Quelqu'un d'autre travaille-t-il dans la boutique à part vous trois ?

— Ma bru.

— Peut-être la reconnaîtra-t-elle ?

— Je le lui demanderai.

— Si vous ou votre bru vous rappelez quelque chose, je vous prie de m'appeler à ce numéro de téléphone. À toute heure. Hendaya.

— Nous le ferons.

Le policier hocha la tête aimablement et se dirigea vers la sortie.

— Merci pour votre aide. Bonne journée à vous.

Ils restèrent derrière le comptoir, en silence, regardant Hendaya traverser tranquillement la rue et s'arrêter devant le café d'en face. Là, un individu en manteau noir s'approcha de lui. Ils se parlèrent durant une minute environ. L'homme acquiesça et Hendaya s'éloigna. L'individu au manteau noir jeta un coup d'œil vers la devanture de la librairie avant d'entrer dans le café. Il s'installa contre la vitre et il resta là à les surveiller.

— Puis-je savoir ce qui se passe ? interrogea M. Sempere.

— C'est compliqué, tenta Fermín.

À ce moment-là, le libraire aperçut sa nièce Sofía qui revenait du jardin avec Julián, un grand sourire sur le visage.

— Qui est le type qui vient de sortir ? demanda-t-elle sur le pas de la porte. Que se passe-il ? Quelqu'un est-il mort ?

Ils tinrent un conclave dans l'arrière-boutique et Fermín prit la direction des opérations sans attendre.

— Sofía, je sais que l'adolescence met le cerveau en jachère en attendant que la tempête hormonale se calme, mais si la brute séduisante qui vient de sortir de la librairie ou quelque autre sujet se présentant sous un prétexte quelconque vous demande si vous avez vu Mlle Alicia Gris ou entendu parler d'elle, si vous la connaissez ou si vous avez la moindre idée à son sujet, vous lui mentirez avec ce charme napolitain dont Dieu vous a pourvu. Vous lui répondrez que non, vous ne l'avez jamais vue, pas même en peinture. Et vous prendrez une tête de bécassine, comme si Merceditas était votre voisine. Sinon, bien que n'étant ni votre père ni votre tuteur légal, je vous jure que je vous enfermerai dans l'aile claustrale d'un couvent d'où vous ne serez autorisée à sortir que lorsque Gil Robles vous semblera beau. Compris ?

Sofía acquiesça d'un air penaud.

— À présent, filez derrière le comptoir et feignez de faire quelque chose d'utile.

Une fois Sofía partie, M. Sempere se planta en face de son fils et de Fermín.

— J'attends toujours que vous m'expliquiez ce qui se passe, bon sang.

— Avez-vous pris votre médicament pour la tension ?

— Avec mon café.

— Idée judicieuse ! Vous n'avez plus qu'à y tremper un bâton de dynamite en guise de boudoir, comme ça ce sera clair.

— Ne changez pas de sujet, Fermín.

Ce dernier désigna Daniel.

— Vous, sortez et comportez-vous comme si vous étiez moi.

— Qu'est-ce que ça veut dire ?

— Que vous ne ferez pas l'idiot. Ces petits mignons surveillent la boutique et ils vont attendre qu'on commette une erreur.

— Je partais relayer Bea et…

— Relayer Bea ? s'exclama M. Sempere. Mais de quoi ?

— C'est une autre affaire, coupa Fermín. Daniel, ne bougez pas d'ici. C'est moi qui irai, j'ai davantage d'expérience en matière d'intelligence militaire et je me faufile comme une anguille. Allez-y. N'ayons pas l'air de comploter…

Daniel passa derrière le rideau à contrecœur et il les laissa seuls dans l'arrière-boutique.

— Alors ? demanda M. Sempere. M'expliquerez-vous ce qui se trame ici à la fin ?

Fermín afficha un sourire docile.

— Un Sugus vous tenterait-il ?

8

La journée n'en finissait pas. Daniel regarda passer les heures en attendant le retour de Bea, laissant son père servir la plupart des clients. Fermín avait disparu peu après avoir élaboré pour son père un de ses assemblages hybrides de mensonge monumental et de confidence prudente afin de faire taire ses questions et ses craintes au minimum pendant quelques heures.

— Il conviendra que nous paraissions plus normaux que jamais, Daniel, lui avait-il dit avant de se glisser dans le soupirail de l'arrière-boutique qui débouchait sur la place Santa Ana, afin de déjouer la surveillance de l'agent posté par Hendaya.

— Avons-nous déjà été normaux ?

— Ne me chatouillez pas avec des questions existentielles. Dès que le chemin sera libre, je m'éclipserai et je prendrai la relève de Bea.

Daniel commençait à se faire des cheveux blancs et il s'était déjà rongé les ongles jusqu'aux coudes lorsque sa femme apparut enfin, vers midi.

— Fermín m'a tout raconté.

— Est-il bien arrivé ?

— En chemin il s'est arrêté pour acheter du vin blanc et des pets-de-nonne, il ne peut pas résister à ces petits gâteaux, c'est plus fort que lui.

— Du vin blanc ?

— Pour Alicia. Le Dr Soldevila lui a confisqué la bouteille.

— Comment va-t-elle ?

— Son état est stable. D'après le docteur, elle est encore très faible, mais elle ne montre aucun signe d'infection et elle n'a pas de fièvre.

— A-t-il dit autre chose ? insista Daniel.

— À quel propos ?

— Pourquoi ai-je l'impression que tout le monde me cache quelque chose ?

Bea lui caressa le visage.

— Personne ne te cache quoi que ce soit, Daniel. Et Julián ?

— Il est au jardin d'enfants, Sofía l'y a accompagné.

— J'irai le chercher cet après-midi. Il faut maintenir les apparences de la normalité. Et ton père ?

— Il est derrière. Il fulmine.

Bea baissa la voix.

— Que lui avez-vous raconté ?

— Fermín lui a fourgué un de ses poèmes épiques.

— Je vois. Je vais au marché. Veux-tu que je te rapporte quelque chose de la Boquería ?

— Une vie normale.

Dans l'après-midi, son père le laissa seul. Bea n'était pas rentrée. Inquiet, et d'une humeur de chien parce qu'il se sentait trompé, Daniel décida de monter dans l'appartement avec l'excuse de faire un petit somme. Depuis plusieurs jours, il soupçonnait Alicia et Fermín de lui cacher quelque chose, et voilà que Bea se joignait à eux. Il retourna tout cela dans sa tête pendant deux bonnes heures, chaque fois plus préoccupé, bouillonnant d'inquiétude et l'esprit en fusion. L'expérience lui avait appris que, dans ces cas-là, le mieux était de jouer les imbéciles et de feindre de ne s'apercevoir de rien. En définitive, on lui réservait toujours le même rôle dans la représentation. Personne n'attendait du gentil Daniel, pauvre orphelin, perpétuel adolescent et âme pure, qu'il comprît les choses. Les autres étaient là pour ça et paraissaient toujours lui apporter les réponses toutes faites, quand ce n'était pas également les questions. Personne ne semblait d'ailleurs avoir remarqué qu'il ne portait plus de culottes courtes depuis des années. Parfois, le petit Julián lui-même le regardait du coin de l'œil et riait, comme si son père était venu au monde pour faire l'idiot et prendre un air stupéfait quand les autres lui révélaient des mystères.

Je rirais aussi de moi, si je le pouvais, pensait Daniel. Il n'y avait pas si longtemps, il avait été capable de se moquer de sa propre ombre, d'aller dans le sens de Fermín et de ses moqueries, et d'incarner le plouc de service adopté par son don Quichotte d'ange gardien. C'était un bon rôle dans lequel il s'était senti à l'aise. Il aurait volontiers continué à être le Daniel que tous voyaient en lui, et non le Daniel qui, à l'aube, quand Bea et Julián dormaient encore, descendait à tâtons dans la librairie et se réfugiait dans l'arrière-boutique, écartait le vieux radiateur qui ne fonctionnait plus et actionnait le panneau qui cédait quand on appuyait dessus.

Là, au fond d'une caisse couverte d'une grosse pile de livres poussiéreux, se trouvait l'album rempli de coupures de presse qu'il avait dérobées lors de ses visites à la bibliothèque de l'Ateneo. La vie publique du ministre Mauricio Valls était enregistrée dans ces pages année après année. Il connaissait sur le bout des doigts chacune de ces informations et notes de presse. La dernière, celle de son décès dans un accident de la route, était la plus douloureuse.

L'homme qui lui avait volé sa mère lui avait échappé.

Daniel avait appris à haïr ce visage qui aimait tant se laisser photographier dans des poses glorieuses. Il en était arrivé à la conclusion qu'on ne sait jamais qui on est véritablement avant d'apprendre à haïr. Et lorsqu'on se laisse aller à cette rage qui brûle à l'intérieur et consume lentement le peu de bonnes choses qu'on pensait porter en soi, on le fait en secret. Daniel sourit amèrement. Personne ne le croyait capable de garder un secret. Il n'avait jamais su le faire. Pas même enfant, à l'âge où cela est un art et une manière de tenir le monde et sa vacuité à distance. Ni Fermín ni Bea ne le soupçonnaient de cacher ce dossier dans lequel il s'était si souvent réfugié pour alimenter la noirceur qui grandissait en lui depuis sa découverte : le grand

Mauricio Valls, l'espoir du régime, avait empoisonné sa mère. Ce n'était que des conjectures, lui disait-on. Personne ne savait vraiment ce qui s'était passé. Daniel avait laissé les soupçons de côté et il vivait dans un monde de certitudes.

La pire de toutes, la plus difficile à envisager, était qu'il ne se ferait jamais justice.

Ce jour dont il avait tellement rêvé, qui avait gangréné son esprit, ne viendrait décidément jamais. Le jour où il aurait rencontré Mauricio Valls et où il l'aurait regardé droit dans les yeux pour que le ministre découvre la haine qui l'avait nourri avant de prendre l'arme. Il l'avait achetée à un trafiquant au marché noir qui faisait parfois des affaires dans le bidonville de Can Tunis, et il la gardait, enveloppée dans un chiffon, au fond de la caisse. Elle était vieille, elle datait de la guerre, mais les munitions étaient neuves et le trafiquant lui avait appris à s'en servir.

— Tu tires d'abord dans les jambes, sous les genoux. Et tu attends. Tu le vois ramper. Tu tires alors dans le ventre. Et tu attends. Qu'il se torde. Puis tu tires dans la poitrine, à droite. Et tu attends que ses poumons se remplissent de sang, et qu'il s'étouffe dans sa propre merde. Seulement alors, quand il paraît déjà mort, tu vides les trois balles restantes dans la tête. Une dans la nuque, une dans la tempe et une sous le menton. Et tu jettes l'arme dans le fleuve Besós, près de la plage, pour que le courant l'emporte.

Peut-être le courant emporterait-il aussi pour toujours la rage et la douleur qui pourrissaient dans ses entrailles.

— Daniel ?

Il leva la tête et il vit Bea. Il ne l'avait pas entendue entrer.

— Daniel ? Ça va ?

Il hocha la tête affirmativement.

— Tu es pâle. Tu te sens bien, tu es certain ?

— Parfaitement. Un peu fatigué, le manque de sommeil. C'est tout.

Daniel afficha son sourire un peu benêt, celui qu'il traînait depuis ses années d'école et qui l'avait rendu célèbre dans le quartier. Le gentil Daniel Sempere, le gendre désiré par toutes les femmes honnêtes pour leurs filles. L'homme au cœur pur.

— Je t'ai acheté des oranges. Ne les montre pas à Fermín autrement il n'en fera qu'une bouchée, comme la dernière fois.

— Merci.

— Daniel, qu'y a-t-il ? Vas-tu me le dire ? C'est à cause d'Alicia ? À cause du policier ?

— Il n'y a rien. Je suis un peu inquiet. C'est normal. Mais nous nous sommes tirés d'ennuis bien pires. On va s'en sortir.

Daniel n'avait jamais su lui mentir. Bea le regarda dans les yeux. Depuis des mois, ce qu'elle y voyait lui faisait peur. Elle s'approcha et le prit dans ses bras. Daniel se laissa faire, mais il ne dit rien, comme s'il était absent. Elle s'écarta lentement, et elle reprit son filet à provisions qu'elle posa sur la table, en baissant les yeux.

— Je vais chercher Julián.

— Je reste ici.

9

Quatre jours passèrent avant qu'Alicia pût se lever seule sans l'aide de personne. Le temps paraissait s'être arrêté depuis son arrivée dans ce lieu. Elle était la plupart du temps dans un état suspendu entre la veille et le sommeil, confinée dans la pièce où elle était installée. Isaac alimentait régulièrement le brasero et la lueur d'une bougie ou d'une lampe à huile rompait à peine l'obscurité. Le produit laissé par le Dr Soldevila pour pallier la douleur la plongeait dans une torpeur gélatineuse dont elle émergeait occasionnellement pour voir Fermín ou Daniel qui la veillaient. L'argent ne fait pas le bonheur, mais la chimie nous en approche parfois.

Lorsqu'elle récupérait une vague conscience d'elle-même et du lieu où elle se trouvait, Alicia essayait d'articuler quelques mots. Elle obtenait la réponse à la plupart de ses questions avant d'avoir pu les poser. Non, personne ne la retrouverait ici. Non, l'infection tant redoutée ne s'était pas produite et le Dr Soldevila estimait que son état de santé évoluait favorablement même si elle était encore très faible. Oui, Fernandito était sain et sauf. M. Sempere lui avait proposé un emploi à mi-temps : il faisait des livraisons et il rapportait les lots de livres achetés à des particuliers. Il demandait toujours de ses nouvelles, mais d'après

Fermín, un peu moins souvent depuis qu'il avait croisé Sofía dans la librairie, et battu son record personnel d'émerveillement ahuri, ce qui paraissait impossible *a priori*. Alicia s'en réjouit pour lui. Quitte à souffrir, que ce fut pour quelqu'un qui le méritait.

— C'est un vrai cœur d'artichaut, le pauvre, il souffrira mille morts dans cette vie, disait Fermín.

— La personne incapable de tomber amoureuse souffre bien davantage, laissa tomber Alicia.

— Je crois que ce traitement affecte votre cervelet, Alicia. Le jour où vous prendrez une guitare et chanterez des cantiques, je serai dans l'obligation de demander au toubib de vous limiter au comprimé d'aspirine pour bébé.

— Ne m'enlevez pas la seule bonne chose qui me reste !

— Quelle dépravée vous faites, mon Dieu !

La vertu du vice était sous-évaluée. Ce qui manquait à Alicia, c'était ses verres de vin blanc, ses cigarettes d'importation et son espace de solitude. Les médicaments l'assommaient suffisamment pour laisser les jours s'écouler dans la douce compagnie de ces bonnes gens qui avaient tout organisé pour lui sauver la vie et qui paraissaient plus inquiets de son état qu'elle-même. Parfois, quand elle plongeait dans ce baume chimique, elle se disait que le mieux serait d'atteindre le fond et d'y rester, de végéter dans une léthargie à perpétuité. Mais tôt ou tard elle se réveillait et elle se rappelait que seuls les êtres ayant soldé tous leurs comptes méritaient de mourir.

Elle s'était réveillée plus d'une fois dans l'obscurité devant un Fermín assis près d'elle, pensif.

— Quelle heure est-il, Fermín ?

— L'heure des sorcières. Enfin, la vôtre !

— Vous ne dormez jamais ?

— Je n'ai jamais aimé les siestes. Mon truc, c'est l'insomnie élevée au rang d'art. Quand je mourrai, je remettrai les pendules du sommeil à l'heure.

Fermín l'observait avec un mélange de tendresse et de méfiance qui l'exaspérait.

— Vous ne m'avez toujours pas pardonné, Fermín ?

— Rappelez-moi ce que je dois vous pardonner, parce que là, maintenant, je ne sais plus.

Alicia soupira.

— De vous avoir laissé croire que j'étais morte cette nuit-là, pendant la guerre. De vous avoir laissé vivre avec la culpabilité que vous n'aviez pas tenu votre parole, pour mes parents et pour moi. D'être revenue à Barcelone et, lorsque vous m'avez reconnue à la gare de France, d'avoir feint de ne pas vous voir et de vous avoir laissé penser que vous deveniez fou ou que vous voyiez des fantômes…

— Ah, ça…

Il lui adressa un sourire acide mais ses yeux brillaient de larmes à la lueur des bougies.

— Me pardonnerez-vous donc ?

— Je vais y réfléchir.

— J'en ai besoin. Je ne veux pas mourir avec ce poids sur le cœur.

Ils se regardèrent en silence.

— Vous êtes une mauvaise actrice.

— Je suis une excellente actrice. Ce qui se passe, c'est qu'avec toutes les cochonneries que le docteur me prescrit j'oublie mon rôle.

— Sachez que je n'en éprouve aucune peine.

— Je ne veux pas que vous me plaigniez, Fermín. Ni vous ni personne.

— Vous préférez qu'on vous craigne.

Alicia sourit en montrant les dents.

— Eh bien, je n'ai pas peur non plus, opina-t-il.

— C'est parce que vous me connaissez peu.

— Je vous préférais avant, en pauvre moribonde.

— Alors, me pardonnez-vous ?

— Qu'est-ce que ça change ?

— Je n'aime pas penser que c'est à cause de moi que vous tenez le rôle d'ange gardien des uns et des autres, de Daniel et de sa famille.

— Je suis assistant bibliographique de Sempere & Fils. C'est vous qui m'inventez des attributs angéliques.

— N'êtes-vous pas convaincu qu'en sauvant une personne honnête vous sauvez le monde, ou au moins la possibilité qu'il reste quelque chose de bon en lui ?

— Qui a dit que vous étiez une personne honnête ?

— Je parlais des Sempere.

— Ne faites-vous pas la même chose dans le fond, ma chère Alicia ?

— Je ne pense pas qu'il existe quoi que ce soit d'honnête à sauver dans le monde, Fermín.

— Vous ne croyez pas ce que vous dites, et vous avez simplement peur de constater qu'il existe de l'honnêteté.

— À moins que ce ne soit vous qui craigniez le contraire.

Fermín grogna et il plongea la main dans la poche de sa gabardine à la recherche de friandises.

— Allons, ne devenons pas sentimentaux, ça vaut mieux, conclut-il. Continuez avec votre nihilisme et moi avec mes Sugus.

— Deux valeurs sûres.

— Si tant est qu'il y en ait.

— Allez, Fermín, embrassez-moi pour me souhaiter bonne nuit.

— Qu'est-ce que vous avez avec les baisers !

— Sur la joue.

Il hésita mais il se pencha finalement et il frôla son front de ses lèvres.

— Dormez une fois pour toutes, succube.

Alicia ferma les yeux et sourit.

— Je vous aime beaucoup, Fermín.

Quand elle l'entendit pleurer en silence, elle tendit la main et trouva la sienne. Ils s'endormirent la main dans la main, à la lueur d'une bougie qui se consumait.

10

Deux ou trois fois par jour, Isaac Montfort, le gardien des lieux, lui apportait un plateau avec un verre de lait, des toasts beurrés à la confiture et un fruit ou un gâteau de la pâtisserie Escribà, de ceux qu'on achète le dimanche. Car, outre la littérature et la vie d'ermite, il avait aussi ses vices, surtout s'ils étaient aux pignons et à la crème. Après qu'elle l'eut beaucoup prié, il lui apporta aussi des journaux, mais des jours précédents, ce que le Dr Soldevila ne voyait pas d'un bon œil. Elle put ainsi lire tout ce que la presse avait publié sur la mort de Mauricio Valls et elle sentit son sang bouillonner de nouveau. C'est ce qui t'a sauvée, Alicia, pensa-t-elle pour elle-même.

Le gentil Isaac était un petit homme à l'air féroce mais au cœur tendre, un cœur dans lequel avait éclos une faiblesse pour Alicia qu'il ne parvenait pratiquement pas à dissimuler. Elle lui rappelait sa fille décédée. Nuria. Il avait toujours sur lui deux photos d'elle : une où elle était une femme mystérieuse au regard triste, et une autre, fillette souriante dans les bras d'un homme en qui Alicia reconnut un Isaac beaucoup plus jeune.

— Elle est partie sans savoir à quel point je l'aimais, disait-il.

Parfois, quand il lui apportait le plateau du repas et qu'Alicia s'efforçait d'avaler deux ou trois bouchées, Isaac sombrait dans un puits de souvenirs et il lui parlait de Nuria et de ses remords. Alicia l'écoutait, soupçonnant le vieil homme de n'avoir partagé ce chagrin avec personne. Elle suspectait aussi la providence de l'envoyer, elle qui ressemblait à l'être qu'il avait le plus aimé, afin qu'il pût enfin trouver la consolation en tentant de la sauver et en lui prodiguant une tendresse qui ne lui appartenait pas. Tout cela à présent qu'il était trop tard et que cela ne servait plus à rien. Il fondait parfois en larmes en évoquant sa fille, vaincu par les souvenirs. Il partait et il ne revenait pas avant plusieurs heures. La douleur la plus sincère se vit dans la solitude. Alicia se sentait secrètement soulagée lorsque Isaac emportait son infinie tristesse plus loin afin de s'y noyer, car la seule douleur qu'elle n'avait jamais appris à supporter était les pleurs des vieux.

Ils se relayaient pour la veiller et rester auprès d'elle. Daniel aimait lui lire à voix haute des pages de livres empruntés à la bibliothèque labyrinthique, en particulier ceux d'un certain Julián Carax pour lequel il ressentait une prédilection particulière. Quant à Alicia, la plume de Carax évoquait pour elle la musique et les gâteaux au chocolat. Les moments qu'elle passait quotidiennement avec Daniel à l'écouter lire des pages de Carax lui permettaient de se perdre dans une forêt de mots et d'images qu'elle quittait toujours à regret. Son livre préféré était un court roman intitulé *Personne*, dont elle finit par connaître par cœur le dernier paragraphe. Elle se le récitait à voix basse quand elle essayait de trouver le sommeil :

Pendant la guerre il fit fortune, et à cause de l'amour il perdit tout. Il était écrit qu'il n'avait pas vu le jour pour être heureux et que jamais il ne pourrait savourer le fruit offert à son cœur par ce printemps tardif. Il sut alors qu'il vivrait le reste de ses jours dans le perpétuel automne de la solitude, sans autre compagnie ni souvenir que le désir et le remords. Et lorsqu'on demanderait qui avait construit et habité cette maison avant qu'elle ne devînt un sortilège de ruines maléfiques, les gens qui avaient connu les lieux et qui savaient son histoire maudite baisseraient les yeux et souffleraient d'une petite voix, priant pour que le vent emporte leurs paroles : personne.

Alicia découvrit rapidement qu'elle ne pouvait parler de Julián Carax avec personne ou presque, et moins encore avec Isaac. Les Sempere partageaient une certaine histoire avec Carax et elle jugea opportun de ne pas fouiller dans les zones d'ombre de la famille. Quant à Isaac, il ne pouvait pas entendre ce nom sans rougir de colère. D'après ce que Daniel lui avait raconté, sa fille Nuria avait été amoureuse de l'écrivain et le vieux croyait que tous les malheurs qui avaient accablé sa pauvre fille et conduit à sa fin tragique venaient de lui. Elle apprit que cet étrange personnage avait essayé de brûler tous les exemplaires de ses livres, et que si Isaac ne s'était pas engagé solennellement à occuper le poste de gardien du labyrinthe, Carax aurait pu compter sur son aide enthousiaste.

— Mieux vaut ne pas mentionner Carax devant Isaac, conseilla Daniel. Et tout compte fait, mieux vaut ne pas en parler du tout.

La seule personne qui ne projetait sur Alicia aucun fantasme et qui la considérait telle qu'elle était, sans ménagement, c'était Bea, l'épouse de Daniel. Elle lui faisait sa toilette, elle l'habillait, elle la peignait, elle lui administrait ses médicaments et elle lui rappelait du regard l'impératif régissant la relation tacitement établie entre elles deux. Bea s'occuperait d'Alicia, l'aiderait à guérir et à se rétablir afin de lui permettre de sortir dès que possible de leurs vies et pour toujours, avant qu'elle ne leur fît du mal.

Bea. La femme qu'Alicia aurait aimé être et qu'elle ne serait jamais, comme elle le comprenait plus nettement à chaque jour passé près d'elle. Avare de paroles et plus encore de questions, Bea était pourtant celle qui la comprenait le mieux. Alicia n'avait jamais été adepte des grandes effusions, mais elle sentit plus d'une fois l'envie de la prendre dans ses bras. Elle se retint au dernier moment, heureusement. Il lui suffisait d'échanger un regard avec Bea pour savoir qu'elle ne participait pas à une représentation paroissiale des *Quatre Filles du Dr March*, et qu'elles avaient toutes deux un devoir à accomplir.

— Je crois que vous serez bientôt débarrassée de moi, disait Alicia.

Bea ne mordait jamais à l'hameçon. Elle ne se plaignait jamais. Elle ne lui faisait jamais de reproches. Elle changeait ses bandages avec un soin extrême et elle appliquait sur la vieille cicatrice une pommade que le Dr Soldevila faisait préparer spécialement par son apothicaire de confiance et qui calmait la douleur sans contaminer le sang. Elle agissait sans manifester ni pitié ni compassion. À l'exception de Leandro, c'était la seule personne dans les yeux de qui Alicia n'avait détecté ni horreur ni appréhension en découvrant l'étendue des blessures qui avaient détruit une partie de son corps pendant la guerre.

Leur seul sujet de conversation pacifique et sans arrière-pensée était le petit Julián. Elles l'évoquaient longuement et tranquillement pendant que Bea lui faisait sa toilette au savon et à l'eau tiède, après qu'Isaac avait fait chauffer de l'eau sur un petit réchaud dans la pièce qui lui servait à la fois de bureau, de cuisine et de chambre. Bea vouait au bambin une véritable adoration dont Alicia savait qu'elle ne parviendrait jamais à la comprendre.

— L'autre jour, il a laissé entendre que quand il serait grand il voudrait se marier avec vous.

— En mère attentionnée que vous êtes, je suppose que vous l'avez prévenu qu'il existe dans ce bas monde des mauvaises filles qui ne sont pas faites pour lui.

— Et dont vous êtes la reine...

— En effet, d'après toutes mes belles-mères potentielles. Et à juste titre.

— Dans ces matières, la raison est la moindre des choses. Je vis entourée de mâles et je sais depuis longtemps qu'ils sont dépourvus de logique, pour la plupart. La seule chose dont ils tirent quelques leçons, et encore pas tous, c'est la loi de la gravitation universelle. Quand ils prennent un gadin, qu'ils se cassent la figure.

— On dirait une maxime de Fermín !

— Qui se couche avec des chiens se lève avec des puces... Je l'entends lâcher des perles depuis de nombreuses années, vous savez.

— Et Julián, qu'est-ce qu'il dit d'autre ?

— Sa dernière trouvaille est qu'il veut être romancier.

— Il est précoce.

— Vous n'avez pas idée.

— Vous en aurez d'autres ?

— Des enfants ? Je ne sais pas. J'aimerais que Julián ne grandisse pas tout seul. Qu'il ait une petite sœur...

— Une autre femme dans la famille.

— Fermín dit que cela aiderait à diluer le taux excessif de testostérone qui abrutit le clan. Sauf la sienne, dont il soutient qu'elle n'est pas soluble, même dans l'eau de Javel.

— Et Daniel, qu'en dit-il ?

Bea observa un long silence et haussa les épaules.

— Il parle chaque jour un peu moins.

Les semaines passaient et Alicia sentait qu'elle reprenait des forces. Le Dr Soldevila l'examinait deux fois par jour. Ce n'était pas un homme bavard et les rares paroles qu'il prononçait, il les adressait aux autres. Alicia le surprenait parfois à l'observer à la dérobée, comme s'il se demandait qui était cette créature sans être certain de vouloir connaître la réponse.

— Vous avez beaucoup de cicatrices de vieilles blessures. Sérieuses pour certaines. Vous devriez songer à changer vos habitudes.

— Ne vous en faites pas pour moi, docteur. J'ai plus de vies qu'un chat.

— Je ne suis pas vétérinaire, mais selon la théorie, les chats n'en ont que sept, or je vois que vous arrivez au bout de la réserve.

— Une seule, la dernière, me suffira.

— J'ai comme l'impression que vous ne la mettrez pas au service d'œuvres de charité.

— Tout dépend du point de vue où on se place.

— Je ne sais pas ce qui m'inquiète le plus, l'état de votre santé ou de votre âme.

— Non seulement médecin, mais également prêtre ! Vous êtes un beau parti.

— À mon âge, la différence entre la médecine et le confessionnal s'estompe. Il me semble toutefois que je suis trop jeune pour vous. Comment supportez-vous la douleur ? À la hanche, je veux dire.

— La pommade m'aide.

— Mais pas autant que ce que vous preniez avant.

— Non, reconnut Alicia.

— À quelle dose en étiez-vous arrivée ?

— Quatre cents milligrammes. Parfois plus.

— Grand Dieu ! Vous ne pouvez pas continuer comme cela, vous le savez, n'est-ce pas ?

— Donnez-moi une bonne raison.

— Demandez à votre foie, si toutefois vous vous parlez encore.

— Si vous ne me confisquiez pas le vin blanc, je pourrais l'inviter à boire un verre et bavarder avec lui.

— Vous êtes incorrigible.

— Là-dessus, nous sommes tous les trois d'accord.

Tout le monde tirait déjà des plans pour ses funérailles, mais Alicia savait qu'elle était sortie du purgatoire, ne fût-ce que pour un week-end. Elle le savait parce qu'elle était en train de récupérer sa sinistre vision du monde et de perdre son goût pour les scènes touchantes et tendres des derniers jours. Le souffle obscur d'autrefois recouvrait à nouveau les choses, et les élancements dans sa hanche qui lui vrillaient les os lui rappelaient que son rôle de Dame aux camélias touchait à sa fin.

Les jours avaient repris leur rythme habituel et les heures passées à reprendre des forces avaient un goût de temps perdu.

Alternant les rôles de pleureuse précoce et de télépathe amateur, Fermín se montrait le plus consterné par son état.

— Je vous rappelle que d'après le poète la vengeance est un plat qui se mange froid, entonnait Fermín, en lisant dans ses mauvaises pensées.

— Vous devez confondre avec le gaspacho, parce que les poètes sont le plus souvent des crève-la-faim, et ils n'ont pas la moindre idée de gastronomie.

— Dites-moi que vous ne manigancez pas une bêtise quelconque ?

— Je ne manigance pas une quelconque bêtise.

— Ce que j'aimerais, c'est que vous m'en assuriez.

— Faites appeler un notaire et signons un papier officiel.

— J'ai suffisamment à faire avec Daniel et son penchant criminel acquis. J'ai trouvé un pistolet caché, le croirez-vous ? Jésus, Marie, Joseph. Il y a deux jours encore, il mangeait ses crottes de nez, et voilà qu'il me cache des flingues comme s'il était un fantoche de la Fédération anarchiste ibérique !

— Qu'avez-vous fait de ce pistolet ? demanda Alicia avec un sourire qui donna la chair de poule à Fermín.

— À votre avis ? Je l'ai caché à mon tour. Là où personne ne le trouvera, bien sûr.

— Apportez-le moi, susurra Alicia, séductrice.

— Pas question. Je commence à vous connaître. Je ne vous fournirais même pas un pistolet à eau. Vous seriez capable de le remplir d'acide sulfu…

— Vous n'avez pas la moindre idée de ce dont je suis capable, le coupa-t-elle.

Fermín la regarda d'un air consterné.

— Je commence à me l'imaginer, femme crocodile !

Alicia arbora à nouveau son sourire innocent.

— Ni vous ni Daniel ne savez vous servir d'une arme, confiez-la-moi avant de vous blesser.

— Pour que vous blessiez quelqu'un ?

— Je vous promets de ne tirer sur personne qui ne le mériterait pas.

— Alors… S'il en est ainsi, je vous apporte une mitraillette et des grenades. Préférez-vous un calibre en particulier ?

— Je parle sérieusement, Fermín.

— Justement. Ce que vous devez faire, c'est vous remettre sur pied.

— La seule chose qui me remettra sur pied, c'est de faire ce que j'ai à faire. Et vous savez bien que c'est la seule garantie pour vous tous d'être en sécurité.

— Alicia, j'ai le regret de vous dire que plus je vous écoute et moins j'apprécie le ton et la teneur de cette conversation.

— Apportez-moi l'arme. Ou je m'en procurerai une.

— Pour aller mourir dans un taxi, une fois de plus ? Et pour de vrai cette fois ? Ou être jetée dans une impasse ? Ou enfermée dans une cellule, aux mains de bouchers qui vous couperont en petits morceaux pour s'amuser ?

— C'est cela qui vous inquiète ? Qu'on me tue, qu'on me torture ?

— Oui, ça m'est passé par la tête. Entre nous, et ne le prenez pas pour vous, j'en ai ras le pompon qu'on aille me claquer entre les doigts ici ou là. Comment pourrais-je avoir des enfants et être un père honnête puisque je suis incapable de garder en vie le premier enfant dont j'ai assumé la responsabilité ?

— Je ne suis plus une enfant, Fermín, et vous n'êtes pas responsable de moi. En outre, pour ce qui est de me garder en vie, vous êtes un as, vous m'avez déjà sauvée deux fois.

— La troisième fois sera la bonne.

— Il n'y aura pas de troisième fois.

— Et il n'y aura pas d'arme. Je pense la détruire aujourd'hui même. Je l'écraserai et j'éparpillerai les morceaux dans le bassin du port afin que les poissons nettoyeurs, ces gros ventrus qui s'empiffrent de cochonneries, les avalent.

— Même vous, vous ne pourrez empêcher l'inévitable, Fermín.

— C'est pourtant une de mes spécialités. Avec la danse de salon. Fin de la discussion. Vous pouvez me regarder avec ces yeux de tigresse, vous ne m'impressionnez pas. Je ne suis pas Fernandito, ni aucun de ces blancs-becs que vous menez par le bout du nez, avec vos bas noirs à couture.

— Vous êtes le seul à pouvoir m'aider, Fermín. Plus encore maintenant qu'un même sang coule dans nos veines.

— Un sang qui, à ce rythme, vous durera aussi peu de temps qu'à un cochon le jour de la Saint-Martin.

— Ne réagissez pas comme ça. Aidez-moi à quitter Barcelone et procurez-moi une arme. Le reste, j'en fais mon affaire. Vous savez que c'est le mieux pour vous au fond. Bea me donnerait raison.

— Réclamez-lui le pistolet, vous verrez ce qu'elle vous répondra.

— Bea ne me fait pas confiance.

— Comme c'est curieux !

— Nous perdons un temps précieux, Fermín. Qu'en dites-vous ?

— Que vous pouvez aller vous faire voir ailleurs. Je ne dis pas en enfer, parce que vous y foncez déjà, bille en tête.

— On ne parle pas ainsi à une demoiselle.

— Vous êtes une demoiselle comme je suis un pelotari. Prenez une bonne lampée et retournez cuver dans votre cercueil avant de faire un mauvais coup.

Quand Fermín était fatigué de se battre, il partait. Alicia dînait avec Isaac, écoutait ses histoires de Nuria et, lorsque le vieux gardien se retirait, elle se servait un verre de vin blanc (elle avait fini par trouver où Isaac cachait les bouteilles confisquées par le docteur), puis elle sortait. Elle prenait le couloir jusqu'à la grande salle circulaire et là, à la lueur de la nuit qui glissait en cascade depuis la coupole, elle contemplait le sortilège du grand labyrinthe des livres.

Puis, à l'aide d'une lanterne, elle pénétrait dans les tunnels et le long des corridors. Elle montait en boitant sur la structure impressionnante, passait devant des salles, des embranchements et des passerelles qui conduisaient à des pièces occultes traversées par des escaliers en spirale ou des passerelles suspendues traçant des arcs et des contreforts. En chemin, elle caressait les milliers de livres qui attendaient leur lecteur. Il lui arrivait de s'endormir sur une chaise dans une des salles croisées sur sa route. Elle effectuait tous les soirs un trajet différent.

Le Cimetière des Livres oubliés avait sa propre géométrie et il était pratiquement impossible de passer deux fois par le même endroit. Elle s'était souvent perdue à l'intérieur, et il lui avait fallu un long moment pour retrouver le chemin et redescendre vers la sortie. Une nuit, alors que les prémices de l'aube éclairaient déjà les hauteurs, elle émergea au sommet du labyrinthe et elle se retrouva là où, enfant, elle avait atterri après être passée au travers de la coupole brisée, au cours de la nuit des bombardements aériens de 1938. En se penchant dans le vide, elle aperçut la minuscule silhouette d'Isaac Montfort au pied du labyrinthe. Quand elle redescendit, le gardien était toujours là.

— Je pensais être le seul à souffrir d'insomnies, dit-il.

— Dormir, c'est pour les rêveurs.

— J'ai préparé une tisane qui m'aide à dormir. En voulez-vous une tasse ?

— Si nous y ajoutons une goutte d'autre chose…

— Il ne me reste qu'un vieux brandy que je n'utiliserais même pas pour déboucher les tuyauteries.

— Je ne suis pas chochotte.

— Que dira le Dr Soldevila ?

— Comme tous les médecins, que ce qui ne tue pas rend plus fort.

— Cela vous ferait du bien de prendre des forces.

Elle suivit le gardien jusqu'à son local et elle s'assit à la table pendant qu'Isaac préparait deux tasses d'infusion, y ajoutant quelques gouttes d'alcool après avoir humé la bouteille de brandy.

— Ce n'est pas si mal, dit Alicia, en dégustant le cocktail.

Ils burent leur tisane tranquillement, en silence, comme de vieux amis qui n'ont pas besoin de se parler pour jouir de leur compagnie réciproque.

— Vous avez bonne mine, dit enfin Isaac. Je suppose que cela signifie que vous nous quitterez bientôt.

— Je ne fais de bien à personne en restant ici, Isaac.

— L'endroit n'est pas si mal, assura-t-il.

— Si je n'avais pas quelques affaires à régler, je ne trouverais aucun endroit meilleur au monde.

— Vous êtes invitée à revenir quand vous le désirez, même si j'ai bien l'impression que vous partirez pour ne jamais revenir.

Alicia sourit.

— Vous allez avoir besoin de vêtements neufs. Fermín assure que votre maison est surveillée et il ne serait pas très prudent d'aller y chercher quoi que ce soit. J'ai ici quelques affaires de Nuria qui vous iraient peut-être.

— Je ne voudrais pas...

— Ce serait un honneur pour moi que vous acceptiez les affaires de ma fille. Je crois que ma Nuria aurait aimé que vous les portiez. Vous devez faire la même taille, me semble-t-il.

Isaac approcha d'une armoire et il en sortit une valise qu'il traîna jusqu'à la table. Il l'ouvrit et Alicia jeta un coup d'œil. Elle contenait des robes, des chaussures, des livres et d'autres objets dont la vision déclencha en elle une immense tristesse. Elle n'avait jamais connu Nuria Montfort, mais elle commençait à s'habituer à sa présence qui enchantait les lieux, et aussi à écouter son père parler d'elle comme si elle était toujours à ses côtés. Devant le naufrage d'une vie contenue dans une vieille valise qu'un pauvre vieux avait gardée pour sauver le souvenir de sa fille morte, elle ne parvint pas à trouver les mots. Elle se contenta de hocher lentement la tête.

— Ce sont des vêtements de bonne qualité, dit-elle.

Elle avait l'œil pour repérer les étiquettes et les tissus.

— Ma Nuria dépensait tout son argent en livres et en vêtements, la pauvre. Sa mère disait toujours qu'elle avait l'air d'une actrice de cinéma. Vous l'auriez vue !

Alicia écarta quelques habits et elle remarqua, entre les plis de tissu, une sorte de statue blanche d'une dizaine de centimètres. Elle l'examina à la lumière de la lampe. Elle était en plâtre peint et elle représentait un ange aux ailes déployées.

— Il y a longtemps que je ne l'avais pas vue. J'ignorais que Nuria l'avait gardée. C'était un de ses jouets préférés, quand elle était petite. Je me souviens du jour où nous la lui avions achetée à la foire de Santa Lucía, avant Noël, devant la cathédrale.

Le corps de la statue paraissait percé, creux. En passant le doigt dessus, Alicia ouvrit une minuscule trappe qui masquait un compartiment secret.

— Nuria aimait bien me laisser des messages secrets à l'intérieur de l'ange. Elle le cachait dans la maison et je devais le trouver. C'était un de nos jeux.

— Il est très beau, dit Alicia.

— Gardez-le.

— Non, il n'en est pas question...

— Je vous en prie. Il y a trop longtemps que cet ange ne délivre plus de message. Vous saurez en faire bon usage.

C'est ainsi que, pour la première fois de sa vie, Alicia dormit avec un petit ange gardien qu'elle priait de l'aider à sortir rapidement de là et à quitter ces âmes pures pour reprendre un chemin dont elle savait qu'il la ramènerait au cœur des ténèbres.

— Tu ne pourras pas m'accompagner là-bas, murmura-t-elle à l'ange.

11

Leandro venait ponctuellement tous les matins à huit heures et demie. Il l'attendait dans le salon devant un petit-déjeuner tout juste servi et un bouquet de fleurs fraîches. Ariadna Mataix était déjà réveillée depuis une heure, avec la venue du médecin qui entrait dans la chambre sans frapper, négligeant désormais tout formalisme. Il était toujours accompagné d'une infirmière dont elle n'avait jamais entendu le son de la voix. Il commençait par lui administrer la piqûre du matin, qui permettait d'ouvrir les yeux et de se rappeler qui elle était. Ensuite l'infirmière la levait, la déshabillait, la conduisait à la salle de bains et la laissait sous la douche dix minutes. Puis, elle l'habillait avec des vêtements qu'elle croyait avoir achetés un jour. Jamais les mêmes. Pendant que le docteur lui prenait le pouls et la pression, l'infirmière la coiffait et la maquillait. Leandro aimait la voir belle et présentable. Lorsqu'elle s'asseyait à table avec lui, tout était rentré dans l'ordre.

— As-tu bien dormi ?

— Que m'administrez-vous ?

— Un sédatif léger, je te l'ai déjà dit. Si tu préfères, je dirai au docteur de ne plus te le donner.

— Non, non, je vous en prie.

— Comme tu voudras. Aimerais-tu manger quelque chose ?

— Je n'ai pas faim.

— Un peu de jus d'orange, au moins.

Certains jours, Ariadna vomissait la nourriture ou bien elle était prise de profondes nausées qui lui faisaient perdre conscience et tomber de sa chaise. Quand cela se produisait, Leandro appuyait sur la sonnette et quelques secondes plus tard quelqu'un arrivait, la soulevait et la lavait à nouveau. Dans ces cas-là, le médecin lui injectait un produit qui la plongeait dans un état de calme glacé qu'elle désirait au point d'être tentée de feindre l'évanouissement pour obtenir qu'on lui en administrât une dose. Elle ignorait depuis combien de jours elle se trouvait là. Elle mesurait le temps grâce aux heures écoulées entre les piqûres, le sommeil sans conscience bénéfique et le réveil. Elle avait maigri et elle flottait dans ses vêtements. Quand elle se voyait nue dans la glace, elle se demandait qui était cette femme en face d'elle. Elle aspirait en permanence à ce que Leandro estimât terminée la séance du jour et que le médecin vînt avec sa mallette magique et ses potions pour l'oubli. Les instants où elle sentait son sang bouillonner avant de perdre conscience étaient ce qui ressemblait le plus au bonheur qu'elle se souvenait avoir connu dans sa vie.

— Comment te sens-tu ce matin, Ariadna ?

— Bien.

— J'ai pensé que nous pourrions parler des mois où tu as disparu, si tu en es d'accord.

— Nous en avons déjà parlé l'autre jour. Et aussi avant.

— Oui, mais je crois que de nouveaux détails reviennent peu à peu. La mémoire fonctionne ainsi. Elle aime se jouer de nous.

— Que voulez-vous savoir ?

— Je voudrais qu'on revienne au jour où tu t'es échappée de la maison. Te souviens-tu ?

— Je suis fatiguée.

— Fais un petit effort. Le docteur te donnera un fortifiant, tu te sentiras mieux.

— Pourquoi pas maintenant ?

— Parlons d'abord, et ensuite tu pourras prendre le médicament.

Ariadna acquiesça. Le petit jeu se répétait tous les jours. Elle ne savait plus ce qu'elle avait raconté ou pas. Peu importait. Cela n'avait plus aucun sens de cacher quoi que ce soit. Ils étaient tous morts. Et elle ne sortirait jamais de cet endroit.

— C'était la veille de mon anniversaire, commença-t-elle. Les Ubach avaient organisé une fête pour moi. Toutes mes amies du collège étaient invitées.

— Tes amies ?

— Ce n'étaient pas mes amies, mais des camarades de classe. Une compagnie achetée. Comme tout dans cette maison.

— Ce soir-là, tu as donc décidé de fuguer, c'est cela ?

— Oui.

— Et quelqu'un t'a aidé, n'est-ce pas ?

— Oui.

— Parle-moi de cet homme. David Martín, non ?

— David.

— Comment l'avais-tu rencontré ?

— C'était un ami de mon père. Ils avaient travaillé ensemble.

— Avaient-ils écrit un livre ensemble ?

— Des feuilletons pour la radio. Il y en avait un qui s'intitulait *L'Orchidée de glace*. Une mystérieuse histoire qui se déroulait dans la Barcelone du XIXᵉ siècle. Mon père ne me laissait pas l'écouter, ce n'était pas pour les petites filles, disait-il, mais je m'éclipsais et j'allais l'écouter à la radio du salon, dans la maison de Vallvidrera. Je mettais le son très bas.

— D'après mes informations, David Martín a été arrêté en 1939, à la fin de la guerre, en essayant de passer la frontière pour rentrer à Barcelone. Il a été incarcéré un temps au château de Montjuïc, en même temps que ton père, puis il a été déclaré mort à la fin de 1941. Tu me parles de 1948, des années plus tard donc. Es-tu certaine que l'homme qui t'a aidée à t'enfuir était Martín ?

— C'était lui.

— Cela n'aurait-il pas pu être quelqu'un qui se serait fait passer pour lui ? Tu ne le voyais plus depuis de nombreuses années.

— C'était lui.

— D'accord. Comment l'avais-tu revu ?

— Mlle Manuela, ma gouvernante, m'accompagnait tous les samedis au parc du Retiro. Au palais de Cristal, mon endroit préféré.

— C'est aussi le mien. C'est là que tu as retrouvé Martín ?

— Oui. Je l'avais vu plusieurs fois. De loin.

— Crois-tu que c'était un hasard ?

— Non.

— Quand lui as-tu parlé pour la première fois ?

— Mlle Manuela avait toujours sur elle une bouteille d'anisette, et parfois elle s'endormait.

— Et David Martín s'approchait.

— Oui.

— Que te disait-il ?

— Je ne me rappelle plus.

— Je sais que c'est difficile, Ariadna. Fais un effort.

— Je veux le médicament.

— Dis-moi d'abord ce que Martín te disait.

— Il me parlait de mon père. Du temps où ils étaient ensemble, en prison. Mon père lui avait parlé de nous. De ce qui s'était passé. Je crois qu'ils avaient conclu une sorte de pacte. Le premier qui réussirait à sortir de là viendrait en aide à la famille de l'autre.

— David Martín n'avait pas de famille.

— Il y avait des gens qu'il aimait.

— T'a-t-il raconté comment il avait réussi à s'échapper du château ?

— Sur ordre de Valls, deux hommes l'avaient emmené dans une bâtisse à côté du parc Güell pour l'assassiner. Ils avaient l'habitude de tuer des gens là-bas et de les enterrer dans le jardin.

— Que s'était-il passé ?

— David m'a dit qu'il y avait quelqu'un d'autre, dans la maison, qui l'avait aidé à s'enfuir.

— Un complice ?

— Il l'appelait le patron.

— Le patron ?

— Il avait un nom étranger. Italien. Je m'en souviens parce que c'était celui d'un compositeur célèbre que mes parents aimaient beaucoup.

— Te souviens-tu de ce nom ?

— Andreas Corelli.

— Il n'apparaît nulle part dans mes rapports.

— Parce qu'il n'existait pas.

— Je ne comprends pas.

— David n'allait pas bien. Il imaginait des choses. Des gens.

— Veux-tu dire que David Martín avait inventé cet Andreas Corelli ?

— Oui.

— Comment le sais-tu ?

— Je le sais. En prison, David avait perdu la tête, ou le peu de lucidité qui lui restait. Il était très malade et il ne s'en rendait pas compte.

— Tu l'appelles toujours David.

— Nous étions amis.

— Amants ?

— Amis.

— Que t'a-t-il dit ce jour-là ?

— Qu'il essayait depuis trois ans d'approcher Mauricio Valls.

— Pour se venger de lui ?

— Valls avait assassiné quelqu'un qu'il avait beaucoup aimé.

— Isabella.

— Oui, Isabella.

— T'a-t-il dit comment Valls l'avait assassinée, selon lui ?

— Il l'avait empoisonnée.

— Et pourquoi est-il venu te chercher, toi ?

— Pour tenir la promesse faite à mon père.

— Rien d'autre ?

— Et parce qu'il pensait que si je lui facilitais l'accès à la maison de mes parents, un jour ou l'autre Mauricio Valls y retournerait, et il pourrait le tuer. Valls rendait fréquemment visite à Ubach. Ils faisaient des affaires ensemble. Des histoires d'actions bancaires. Autrement, il était impossible d'approcher Valls, toujours sous escorte ou protégé.

— Mais cela ne s'est jamais produit.

— Non.

— Pourquoi ?

— Parce que je lui ai dit que s'il essayait de le faire, ils le tueraient.

— Il devait bien s'en douter. Il y a dû y avoir autre chose.

— Autre chose ?

— Tu as dû lui dire autre chose pour qu'il change ses plans.

— J'ai besoin du médicament. S'il vous plaît.

— Révèle-moi ce que tu as dit à David Martín pour qu'il change d'idée, qu'il abandonne le plan qui l'avait amené à Madrid pour se venger de Valls, et qu'il décide au contraire de t'aider à t'enfuir.

— S'il vous plaît…

— Encore un petit effort, Ariadna. Ensuite tu auras le médicament et tu pourras te reposer.

— Je lui ai dit la vérité. Que j'étais enceinte.

— Je ne comprends pas. Enceinte ? De qui ?

— D'Ubach.

— Ton père ?

— Ce n'était pas mon père.

— Miguel Ángel Ubach, le banquier. L'homme qui t'avait adoptée.

— L'homme qui m'avait achetée.

— Comment cela était-il arrivé ?

— Il venait souvent dans ma chambre, il était ivre et il me racontait que sa femme ne l'aimait pas, qu'elle avait des amants, qu'ils ne partageaient plus rien. Il fondait en larmes. Puis il me violait. Quand il avait terminé, il déclarait que c'était ma faute, je l'aguichais, j'étais une putain comme ma mère. Il me battait et il me menaçait, si je racontais quoi que ce soit il ferait tuer ma sœur, il savait où elle était. Un coup de fil de sa part et elle serait enterrée vivante.

— Qu'a fait David Martín en entendant cela ?

— Il a volé une voiture et il m'a sortie de là. J'ai besoin du médicament, je vous en prie…

— Bien sûr. Tout de suite. Merci, Ariadna. Merci pour ta sincérité.

12

— Quel jour sommes-nous ?

— Mardi.

— Hier aussi, c'était mardi.

— Un autre mardi. Parle-moi de ta fugue avec David Martín.

— David avait une voiture. Il l'avait volée et il la cachait dans un garage de Carabanchel. Ce jour-là, il m'a dit qu'il viendrait avec, le samedi suivant. Il m'attendrait à l'une des entrées du parc à midi et demi. Dès que Manuela serait assoupie, je devais courir le retrouver, devant la porte d'Alcalá.

— Ce que tu as fait.

— Je suis montée dans l'automobile et on s'est cachés dans le garage jusqu'au soir.

— La police a accusé ta gouvernante de complicité dans ton enlèvement. Elle a été interrogée pendant quarante-huit heures puis elle a été retrouvée dans un fossé, sur la route de Burgos, les jambes et les bras brisés, une balle dans la nuque.

— N'essayez pas de m'attendrir.

— Savait-elle qu'Ubach abusait de toi ?

— C'est la seule personne à qui je l'avais raconté.

— Que t'avait-elle conseillé ?

— De me taire. Les hommes importants avaient des besoins et je me rendrais compte plus tard qu'Ubach m'aimait beaucoup.

— Que s'est-il passé ce soir-là ?

— On a quitté le garage, David et moi, et on a roulé toute la nuit.

— Où alliez-vous ?

— On a voyagé pendant deux jours. On attendait que la nuit tombe et on prenait des routes secondaires ou des voies communales. David me faisait allonger sur la banquette arrière sous une couverture quand on s'arrêtait dans une station d'essence pour qu'on ne me voie pas. Je m'endormais parfois et quand je me réveillais je l'entendais parler comme si quelqu'un était assis à côté de lui, sur le siège du passager.

— Le fameux Corelli ?

— Oui.

— Il ne te faisait pas peur ?

— Il me faisait de la peine.

— Où t'a-t-il emmenée ?

— Dans les Pyrénées, là où il s'était caché quelques jours quand il était rentré en Espagne à la fin de la guerre. À Bolvir, près de Puigcerdà, une petite ville proche de la frontière française. Dans un bâtiment abandonné qui avait été un hôpital pendant la guerre. Je crois que ça s'appelait la Torre del Remei. On y est restés plusieurs semaines.

— T'a-t-il dit pourquoi il t'emmenait là ?

— Parce que c'était un lieu sûr. Il avait un vieil ami qui lui avait fait passer la frontière, Alfons Brosel, un écrivain local qui nous a aidés en nous fournissant des vêtements et des vivres. Sans lui, nous serions morts de faim et de froid.

— Martín avait dû choisir cet endroit pour une autre raison.

— Il avait des souvenirs dans ce village. Il ne m'a jamais dit ce qui s'y était passé, mais je sais que c'était important pour lui. Il vivait dans le passé. Quand le grand froid de l'hiver est arrivé, Alfons nous a conseillé de partir et il nous a donné un peu d'argent pour continuer le voyage. Les gens du village commençaient à jaser. David connaissait un coin sur la côte où un autre de ses anciens amis, un homme riche dénommé Pedro Vidal, avait une maison. Il s'est dit que ce serait une bonne cachette, au moins jusqu'à l'été. David connaissait bien la maison. Il y était déjà allé, je crois.

— C'était le village où tu as été retrouvée des mois plus tard ? Sant Feliu de Guíxols ?

— On était à deux kilomètres du village, au lieu-dit S'Agaró, à côté de la baie de Sant Pol.

— Je connais.

— La maison était sur les rochers, dans un endroit appelé le Chemin de ronde. Personne ne vivait là en hiver. C'était une zone de grandes villas d'été, des propriétés appartenant à de riches familles de Barcelone et de Gérone.

— C'est là que vous avez passé l'hiver ?

— Oui. Jusqu'au début du printemps.

— Quand on t'a retrouvée, tu étais seule. Martín n'était pas avec toi. Qu'est-il devenu ?

— Je ne veux pas en parler.

— Faisons une pause, si tu le souhaites. Je peux demander au médecin de te donner quelque chose.

— Je veux partir d'ici.

— Nous en avons déjà parlé, Ariadna. Tu es en sécurité ici. Protégée.

— Qui êtes-vous ?

— Je suis Leandro. Tu le sais. Ton ami.

— Je n'ai pas d'ami.

— Tu es nerveuse. Je crois qu'il vaut mieux que nous arrêtions pour aujourd'hui. Repose-toi. Je vais appeler le médecin.

C'était toujours mardi dans la *suite** de l'hôtel Palace.

— Tu as très bonne mine ce matin, Ariadna.

— J'ai très mal à la tête.

— C'est à cause du temps. La pression est très basse. Cela m'arrive aussi. Prends cela, ça va passer.

— Qu'est-ce que c'est ?

— De l'aspirine, rien de plus. Nous avons vérifié ce que tu as dit à propos de la maison de S'Agaró. C'était bien la propriété de M. Pedro Vidal, membre d'une des grandes familles de Barcelone. D'après ce que nous avons trouvé, il avait été une sorte de mentor pour David. Le rapport de la police indique qu'il a été assassiné dans sa maison de Pedralbes en 1930 par David Martín, jaloux qu'il ait épousé la femme que lui, David, aimait, une certaine Cristina.

— Ce sont des mensonges. Vidal s'est suicidé.

— C'est ce que David Martín t'a raconté ? Il avait l'air très rancunier. Valls, Vidal... Les gens commettent des folies sous l'emprise de la jalousie...

— Celle que David aimait, c'était Isabella.

— Tu me l'as raconté. Mais ça ne colle pas avec les éléments portés au dossier. Qu'est-ce qui le liait à Isabella ?

— Elle avait été son apprentie.

— J'ignorais que les écrivains avaient des apprentis.

— Isabella était très têtue.

— C'est Martín qui te l'a dit ?

— Il parlait beaucoup d'elle. C'est ce qui le maintenait en vie.

— Mais Isabella était morte depuis presque dix ans.

— Il lui arrivait de l'oublier. C'est pour cela qu'il était revenu là.

— Dans la maison de S'Agaró ?

— Il y était venu avec elle.

— Quand ? Le sais-tu ?

— Juste avant la guerre. Avant de devoir fuir en France.

— C'est donc pour cette raison qu'il était revenu en Espagne alors qu'il se savait recherché ? Pour Isabella ?

— Je crois, oui.

— Parle-moi de votre séjour là-bas. Que faisiez-vous ?

— David était déjà très malade, mais quand on est arrivés dans la maison, il ne faisait presque plus la différence entre la réalité et ce qu'il croyait voir et entendre. La maison lui évoquait beaucoup de souvenirs. Selon moi, il était revenu là pour y mourir.

— David Martín est donc mort ?

— À votre avis ?

— Dis-moi la vérité. Qu'as-tu fait pendant tous ces mois ?

— Je me suis occupée de lui.

— Je croyais que c'était lui qui devait s'occuper de toi.

— David ne pouvait plus s'occuper de personne, et encore moins de lui.

— Ariadna... As-tu tué David Martín ?

13

— À peine un mois après notre arrivée dans la villa, l'état de David a empiré. J'étais sortie acheter quelque chose à manger. Des paysans venaient tous les matins avec une charrette à La Taberna del Mar, devant la plage. Au début, c'était David qui s'y rendait, ou alors au village, pour chercher des vivres, mais il ne pouvait plus sortir de la maison. Il avait des maux de tête terribles, de la fièvre, des nausées... Presque toutes les nuits, il errait de pièce en pièce, il délirait. Il croyait que Corelli viendrait le chercher.

— As-tu vu ce Corelli ?

— Corelli n'existait pas. Il ne vivait que dans son imagination.

— Comment peux-tu en être si sûre ?

— Dans la petite crique située sous la maison, les Vidal avaient fait construire un petit ponton de bois qui s'avançait dans la mer. David allait souvent s'asseoir tout au bout pour regarder la mer. C'est là qu'il entretenait ses conversations imaginaires avec Corelli. Il m'arrivait de l'accompagner. Je m'installais à côté de lui. Il ne s'en rendait pas compte. Je l'entendais converser avec Corelli, comme il l'avait fait dans la voiture quand on avait fui Madrid. Quand il reprenait pied dans la réalité, il me souriait. Un jour, comme il commençait à pleuvoir, je l'ai pris par la main pour rentrer. Il m'a enlacée en m'appelant Isabella. À partir de ce jour, il ne m'a plus reconnue. Les deux derniers mois de sa vie, il était persuadé de vivre avec Isabella.

— Cela a dû être très difficile pour toi.

— Non. La période pendant laquelle je me suis occupée de lui a été la plus heureuse, et triste, de ma vie.

— Comment David Martín est-il mort, Ariadna ?

— Un soir, je lui ai demandé qui était Corelli et pourquoi il en avait tellement peur. Il m'a répondu que c'était une âme noire. C'étaient ses mots. David avait fait un pacte avec lui pour écrire un livre, une commande, mais il l'avait trahi en détruisant le livre avant qu'il arrive dans les mains de Corelli.

— Quel genre de livre ?

— Je ne sais pas très bien. Une sorte de texte religieux, quelque chose comme ça. David l'appelait *Lux æterna*.

— David croyait que Corelli voulait se venger de lui.

— Oui.

— De quelle manière ?

— Qu'est-ce que cela change ? Cela n'a rien à voir avec Valls…

— Tout est lié, Ariadna. Je t'en prie, aide-moi.

— David était convaincu que le bébé que je portais était un être qu'il avait connu et perdu.

— A-t-il dit qui ?

— Il l'appelait Cristina. Il ne parlait pratiquement jamais d'elle. Mais quand il mentionnait ce nom, sa voix s'étranglait de remords et de culpabilité.

— Cristina était l'épouse de Pedro Vidal. La police avait également accusé David Martín de l'avoir tuée. Il l'aurait noyée dans le lac de Puigcerdà, très près de là où il t'a emmenée dans les Pyrénées.

— Ce sont des mensonges.

— Peut-être. Mais tu me dis que lorsqu'il parlait d'elle il manifestait des signes de culpabilité…

— David était un homme bon.

— Tu m'as toi-même affirmé qu'il perdait complètement la raison, qu'il imaginait des choses et des personnes qui n'étaient pas là, qu'il te prenait pour son ancienne apprentie, Isabella, morte dix ans plus tôt… Tu n'avais pas peur ? Pour toi ? Pour ton bébé ?

— Non.

— Ne me dis pas que tu n'as pas envisagé de quitter cette maison, de t'enfuir…

— Non.

— Bon. Que s'est-il passé ensuite ?

14

— C'était à la fin du mois de mars, je crois. Depuis quelques jours, David allait mieux. Il avait trouvé une petite barque en bois dans un hangar au pied des rochers, et presque tous les matins il partait en mer, de bonne heure, à la rame. J'étais enceinte de sept mois et je passais la journée à lire. La maison possédait une énorme bibliothèque qui renfermait presque toute l'œuvre de l'écrivain préféré de David, un auteur dont je n'avais jamais entendu parler, Julián Carax. À la nuit tombée, nous faisions un feu dans la cheminée du salon et je lisais à voix haute. Nous avons lu tous les romans de Carax et nous avons passé les deux dernières semaines en compagnie du dernier ouvrage intitulé *L'Ombre du vent*.

— Je ne le connais pas.

— Presque personne ne le connaît. On croit que si, mais ce n'est pas le cas. On a fini le livre très tard dans la nuit. Je suis allée me coucher et deux heures plus tard j'ai senti les premières contractions.

— Il manquait encore deux mois…

— J'ai ressenti une douleur affreuse, comme si on m'avait poignardée dans le ventre. J'ai paniqué. J'ai crié, j'ai appelé David. Quand il a écarté les draps pour me prendre dans ses bras et m'emmener chez le médecin, le lit était plein de sang…

— Je suis désolé…

— Tout le monde est désolé.

— Tu es allée chez le médecin ?

— Non.

— Et le bébé ?

— C'était une petite fille. Mort-née.

— Je suis désolée, Ariadna. Nous devrions nous arrêter, maintenant, et j'appelle le docteur pour qu'il te donne quelque chose.

— Non. Je ne veux pas arrêter maintenant.

— D'accord. Que s'est-il passé ensuite ?

— David…

— Tranquillement… Prends ton temps.

— David a pris le petit cadavre dans ses bras et il a gémi comme un animal blessé. La petite avait la peau bleutée. Elle ressemblait à une poupée cassée. J'ai voulu me lever et la prendre avec moi, mais j'étais si faible… Quand le soleil s'est levé, David a emporté la petite, il m'a regardée pour la dernière fois et il m'a demandé pardon. Il est sorti de la maison. Je me suis traînée jusqu'à la fenêtre. Je l'ai vu descendre les marches creusées dans les rochers jusqu'au ponton. La barque était amarrée au bout des planches. Il est monté dedans avec le corps du bébé enveloppé dans un tissu et il a ramé en direction de la haute mer, en me regardant. J'ai levé la main en espérant qu'il me verrait. Qu'il reviendrait. Il s'est arrêté à une centaine de mètres de la côte. Le soleil incendiait déjà la mer. On aurait dit un lac de feu. J'ai vu la silhouette de David attraper quelque chose dans la barque, se redresser et frapper le fond plusieurs fois. L'embarcation a sombré en quelques minutes. David, immobile, tenait l'enfant dans ses bras et me contemplait. La mer l'a englouti à jamais.

— Qu'est-ce que tu as fait ?

— J'avais perdu beaucoup de sang et j'étais très affaiblie. J'ai eu de la fièvre pendant plusieurs jours. J'étais persuadée que tout n'était qu'un cauchemar et que David allait pousser la porte à tout moment. Quand j'ai enfin pu me lever et marcher, j'ai fait le tour des plages. Pleine d'espoir.

— Pleine d'espoir ?

— Qu'ils reviendraient. Vous allez penser que j'étais aussi folle que David.

— Non. Je ne le pense pas du tout.

— Les paysans qui venaient tous les jours avec leur charrette m'ont demandé si j'allais bien. Ils m'ont apporté de la nourriture. Ils m'ont dit que j'avais très mauvaise mine et ils ont proposé de me conduire à l'hôpital de Sant Feliu. C'est sûrement eux qui ont prévenu la garde civile. Une patrouille m'a trouvée endormie sur la plage et m'a conduite à l'hôpital. J'étais en hypothermie, j'avais un début de bronchite et une hémorragie interne qui m'aurait emportée en quelques heures si je n'avais pas été soignée. Je n'ai pas révélé qui j'étais, mais ils n'ont pas eu de mal à le découvrir. Il y avait des avis de recherche avec ma photo placardés dans tous les commissariats et les casernes du pays. Je suis restée deux semaines à l'hôpital.

— Tes parents sont-ils venus te voir ?

— Ce n'était pas mes parents.

— Je veux parler des Ubach.

— Non. Quand on m'a laissé sortir de l'hôpital, deux policiers m'ont ramenée à Madrid, dans le palais des Ubach, en ambulance.

— Qu'ont dit les Ubach en te voyant ?

— Elle, madame, comme elle aimait qu'on l'appelle, m'a craché au visage et m'a traitée de misérable salope. Ubach m'a fait venir dans son bureau. Pendant le temps que j'y suis restée, il n'a pas levé les yeux de sa table. Il m'a expliqué qu'il m'inscrivait à l'internat d'un collège proche de l'Escorial, et que je pourrais rentrer quelques jours pour Noël si je me comportais bien. On m'y a conduite le lendemain.

— Combien de temps as-tu passé dans cet internat ?

— Trois semaines.

— Pourquoi si peu de temps ?

— La direction du collège a découvert que j'avais tout raconté à ma compagne de dortoir, Ana María.

— Qu'est-ce que tu lui avais raconté ?

— Tout.

— Même le vol des enfants ?

— Tout.

— Et elle t'avait cru ?

— Oui. Il lui était arrivé une chose semblable. Presque toutes les filles de l'internat avaient une histoire de ce genre.

— Que s'est-il passé ensuite ?

— Elle a été retrouvée pendue quelques jours plus tard dans le grenier du collège. Elle avait dix-sept ans.

— Un suicide ?

— Selon vous ?

— Et toi, qu'est-ce qu'ils t'ont fait ?

— Ils m'ont renvoyée chez les Ubach.

— Et ensuite ?

— Ubach m'a frappée et il m'a enfermée dans ma chambre. Il m'a menacée de m'interner dans un asile de fou pour le restant de mes jours si je recommençais à raconter des mensonges à son propos.

— Qu'est-ce que tu lui as répondu ?

— Rien. Le soir même, pendant qu'ils dormaient, je me suis évadée par la fenêtre et j'ai fermé leur chambre à clef, au troisième étage. Je suis descendue dans les cuisines et j'ai ouvert le gaz. Au sous-sol, j'ai pris les bidons de kérosène stockés là pour le générateur et je les ai vidés partout au premier étage. J'ai mis le feu aux rideaux et je suis sortie dans le jardin.

— Tu ne t'es pas enfuie ?

— Non.

— Pourquoi ?

— Parce que je voulais les voir brûler.

— Je comprends.

— Je ne crois pas que vous compreniez. Mais je vous ai raconté la vérité. Maintenant dites-moi une chose.

— Mais bien entendu.

— Où est ma sœur ?

15

— Ta sœur s'appelle désormais Mercedes et elle est en lieu sûr.

— Comme ici ?

— Non.

— Je veux la voir.

— Bientôt. Parle-moi d'abord de ton époux, Ignacio Sanchís. Je n'arrive toujours pas à comprendre pourquoi Miguel Ángel Ubach, qui avait les meilleurs cabinets d'avocats du pays à son service, avait choisi un jeune homme prometteur mais peu expérimenté comme légataire universel. As-tu une idée de la raison ?

— N'est-ce pas évident ?

— Non.

— Ignacio était le fils d'Ubach et d'une chanteuse du Paralelo qu'il fréquentait quand il était jeune. Dolores Ribas. Madame ne voulant pas avoir d'enfant pour ne pas abîmer son corps, Ubach avait entretenu le garçon en secret. Il avait payé ses études et fait en sorte qu'il soit embauché dans un cabinet d'avocats auquel il avait ensuite fait appel.

— Sanchís était-il au courant ? Savait-il qu'Ubach était son père ?

— Bien sûr.

— C'est pour cette raison qu'il t'a épousée ?

— Il m'a épousée pour me protéger. Il était mon seul ami. C'était un homme honnête et droit. Le seul que j'ai rencontré.

— Était-ce un mariage fictif ?

— C'est le mariage le plus réel que j'ai vu de ma vie, mais non, il ne m'a jamais touchée, si c'est ce qui vous intéresse.

— Quand as-tu commencé à élaborer ta vengeance ?

— Ignacio avait accès à tous les papiers des Ubach et il a facilement fait des recoupements avec Valls. C'est lui qui a eu l'idée. En enquêtant sur l'histoire de mon vrai père, Víctor Mataix, on a appris l'existence de ses compagnons de prison, David Martín, Sebastián Salgado ou Morgado, l'homme qu'on a engagé comme chauffeur et garde du corps. On en a déjà parlé, non ?

— Ce n'est pas grave. Est-ce lui qui a eu l'idée d'utiliser le fantôme de David Martín pour terroriser Valls ?

— C'est moi.

— Qui a écrit les lettres que vous envoyiez à Valls ?

— Moi.

— Que s'est-il passé en novembre 1956 au Cercle des beaux-arts de Madrid ?

— Les lettres ne produisaient pas l'effet escompté. L'idée était de faire naître la peur chez Valls et de lui faire croire qu'il existait une conspiration orchestrée par David Martín pour se venger de lui et révéler la vérité sur son passé.

— À quelle fin ?

— Pour obtenir qu'il commette un faux pas et revienne à Barcelone afin de retrouver David Martín.

— Ce que vous avez obtenu.

— Oui, mais en accentuant la pression.

— Comme avec la tentative d'assassinat de 1956 ?

— Entre autres.

— Qui l'avait perpétré ?

— Morgado. Il ne devait pas le tuer, seulement l'effrayer et le convaincre qu'il n'était pas en sécurité même dans son propre bunker, et qu'il ne le serait jamais tant qu'il ne viendrait pas en personne à Barcelone pour faire taire définitivement David Martín.

— Qu'il ne risquait pas de rencontrer puisqu'il était mort.

— Exactement.

— Qu'est-ce que vous avez fait d'autre pour accentuer la pression, comme tu le disais ?

— Ignacio a payé un membre du personnel de chez Valls pour qu'il dépose dans son bureau un des livres de mon père, *Ariadna et le Prince écarlate*, le soir du bal masqué à la Villa Mercedes. Le livre contenait une note et la liste avec les numéros d'actes falsifiés que nous avions découverts. Il n'en a pas supporté davantage.

— Pourquoi n'êtes-vous jamais allés trouver la police ou la presse ?

— Ne me faites pas rire !

— Revenons-en à la liste, si tu veux bien.

— Je vous ai dit tout ce que je savais. Pourquoi cette liste est-elle si importante pour vous ?

— Il s'agit d'aller au fond de cette histoire. Pour pouvoir faire justice. Pour trouver le véritable architecte de tout ce cauchemar que toi et beaucoup d'autres avez vécu.

— L'associé de Valls ?

— Oui. C'est pour cela que j'insiste.

— Que voulez-vous savoir ?

— Je te demande de faire un effort et d'essayer de te rappeler. La liste. Elle ne comportait que des numéros, n'est-ce pas ? Pas les noms des enfants ?

— Non. Seulement des numéros.

— Te souviens-tu combien ? Approximativement.

— Une quarantaine, je pense.

— Comment aviez-vous obtenu ces numéros ? Qu'est-ce qui vous laissait penser qu'il existait d'autres cas d'enfants volés à des parents assassinés sur ordre de Valls ?

— Morgado. Quand Valentín a commencé à travailler pour la famille, il nous a raconté qu'il avait entendu parler de familles entières subitement disparues. Dont beaucoup de celles de ses anciens compagnons de prison morts au château. Leurs épouses et leurs enfants avaient disparu sans laisser de trace. Ignacio lui a demandé une liste des noms et il a contacté un avocat, Brians, pour enquêter discrètement à l'état civil sur ce qu'étaient devenus tous ces gens. Les certificats de décès ont été les pièces les plus faciles à trouver. Quand il a constaté que la majorité d'entre eux dataient du même jour, Brians a eu un doute, et il a consulté les actes de naissance de la même date.

— Ingénieux, ce Brians ! Tout le monde n'aurait pas eu l'idée d'effectuer un tel rapprochement...

— En découvrant tout cela, nous avons commencé à penser que si Valls avait agi comme il semblait que c'était le cas pour ces familles, il pouvait y en avoir bien d'autres. Dans d'autres prisons. Des familles inconnues, dans tout le pays. Des centaines. Des milliers peut-être.

— Avez-vous fait part de ces soupçons à quelqu'un ?

— Non.

— Avez-vous poursuivi les investigations au-delà de ces cas ?

— Ignacio avait l'intention de le faire, mais il a été arrêté.

— Qu'est devenue la liste originale ?

— L'homme l'a gardée. Hendaya.

— En existe-t-il des copies ?

Victoria fit non de la tête.

— N'en avez-vous pas fait au moins une, toi ou ton mari ? Par précaution ?

— Celles que nous possédions étaient à la maison. Hendaya les a trouvées et les a détruites. Il pensait que c'était le mieux. La seule chose qu'il voulait savoir, c'était où nous avions caché Valls.

— En es-tu certaine ?

— Tout à fait. Je vous l'ai déjà dit plusieurs fois.

— Je sais, je sais. Malgré tout, quelque chose fait que je n'arrive pas à te croire entièrement. M'as-tu menti, Ariadna ? Dis-moi la vérité.

— Je vous ai dit la vérité. Ce que j'ignore, c'est si vous l'avez également fait.

Leandro posa sur elle un regard dépourvu d'expression, comme s'il venait de détecter sa présence. Il esquissa un sourire et il se pencha vers elle.

666

— Je ne sais pas ce que tu sous-entends, Ariadna.

Elle sentit que ses yeux se remplissaient de larmes. Les mots coulèrent de ses lèvres avant qu'elle pût se rendre compte qu'elle les prononçait.

— Je crois que vous le savez. Vous étiez dans la voiture, n'est-ce pas ? Le jour où ils sont venus arrêter mon père et nous enlever, ma sœur et moi. Vous étiez l'associé de Valls... la *mano negra*, l'âme damnée, occulte.

Leandro la regarda avec tristesse.

— Je crois que tu me confonds avec quelqu'un d'autre, Ariadna.

— Pourquoi ? demanda-t-elle dans un filet de voix.

Leandro se leva et s'approcha d'elle.

— Tu as été très courageuse, Ariadna. Merci pour ton aide. Je ne veux pas que tu t'inquiètes. Ce fut un honneur de faire ta connaissance.

Elle leva les yeux et elle vit le sourire de Leandro, un baume de paix et de miséricorde dans lequel elle aurait voulu se perdre et ne jamais se réveiller. Il se pencha et déposa un baiser sur son front.

Ses lèvres étaient froides.

Cette nuit-là, tandis que la potion magique du docteur se répandait dans ses veines pour la dernière fois, Ariadna rêva du Prince écarlate des histoires que son père avait écrites pour elle et elle se souvint.

Beaucoup d'années avaient passé et elle n'arrivait presque plus à se remémorer le visage de ses parents et de sa sœur. Hormis en rêve. Des rêves qui la transportaient toujours le jour où ces hommes étaient venus emporter son père et les enlever, elle et sa sœur, laissant leur mère moribonde dans la maison de Vallvidrera.

Cette nuit-là, elle rêva qu'elle entendait à nouveau le bruit de la voiture qui approchait au milieu des arbres. Elle se rappela la voix de son père dans le jardin. Elle alla à la fenêtre de sa chambre et elle vit le carrosse noir du Prince écarlate qui s'arrêtait devant la fontaine. La portière du carrosse s'ouvrit et la lumière devint sombre.

Ariadna sentit le contact des lèvres de glace sur sa peau et la voix silencieuse s'infiltra comme du venin sanglant à travers les murs. Elle voulut courir se cacher avec sa sœur au fond d'un placard, mais le regard du Prince écarlate voyait tout, savait tout. Recroquevillée dans l'obscurité, elle entendit les pas de l'architecte de tous les cauchemars approcher lentement.

16

Un parfum d'eau de Cologne et de tabac blond le précédait. Valls entendit ses pas dans l'escalier mais il refusa de lui offrir ce plaisir. Dans les batailles perdues, la dernière défense c'est l'indifférence.

— Je sais que tu es réveillé, dit enfin Hendaya. Ne m'oblige pas à te jeter un seau d'eau froide.

Valls ouvrit les yeux dans la pénombre. La fumée de cigarette émergeait des ombres, créant des formes dans l'air. La braise brûlait dans les pupilles d'Hendaya.

— Que voulez-vous ?

— Je pensais que nous pourrions bavarder.

— Je n'ai rien à vous dire.

— Aimerais-tu fumer ? On dit que ça abrège la vie.

Valls haussa les épaules. Hendaya sourit, alluma une cigarette et la lui tendit entre les barreaux. Valls l'accepta entre ses doigts tremblants et il tira une bouffée.

— De quoi voulez-vous parler ?

— De la liste.

— Je ne sais pas de quoi vous parlez.

— La liste que tu as trouvée à l'intérieur d'un livre dans ton bureau, à ton domicile. La liste que tu avais sur toi la nuit où tu as été enlevé. Celle qui contenait une quarantaine de numéros d'actes de décès et de naissance. Tu sais de *quelle* liste je parle.

— Je ne l'ai plus. C'est ce que cherche Leandro ? C'est pour lui que tu travailles, c'est ça ?

Hendaya s'installa sur les marches et il le regarda avec mépris.

— En as-tu fait une copie ?

Valls fit non de la tête.

— En es-tu certain ? Réfléchis bien.

— J'en ai peut-être fait une.

— Où est-elle ?

— Vicente l'avait sur lui. Mon garde du corps. Avant d'arriver à Barcelone, on s'est arrêtés à une station-service. J'ai demandé à Vicente d'acheter un carnet et j'ai copié les numéros pour qu'il en garde aussi un exemplaire au cas où il se passerait quelque chose et que nous devions nous séparer. Il avait un contact de toute confiance à Barcelone à qui il comptait demander de localiser ces documents officiels puis de les détruire dès qu'on en aurait eu terminé avec Martín et découvert à qui d'autre il avait fourni l'information. C'était le plan.

— Où se trouve cette copie maintenant ?

— Je l'ignore. Vicente l'avait sur lui. Je ne sais pas ce que vous avez fait de son corps.

— Existe-t-il une autre copie, à part celle de Vicente ?

— Non.

— En es-tu certain à présent ?

— Oui.

— Tu sais que si tu me mens ou que tu me caches quelque chose, je te garderai ici indéfiniment.

— Je ne vous mens pas.

Hendaya hocha la tête et plongea dans un long silence. Valls craignait qu'il ne s'en allât, le laissant à nouveau seul pendant douze heures ou plus. Il en était arrivé au point où les brèves visites d'Hendaya constituaient la seule attraction de la journée.

— Pourquoi ne m'avez-vous pas déjà tué ?

Hendaya sourit comme s'il attendait cette question, à laquelle il apporta une réponse parfaitement rodée.

— Parce que tu ne le mérites pas.

— Leandro me hait à ce point ?

— M. Montalvo ne hait personne.

— Que devrais-je faire pour le mériter ?

Hendaya l'observait avec curiosité.

— D'après mon expérience, les individus qui fanfaronnent le plus avec leur envie de mourir s'effondrent au dernier moment, quand ils aperçoivent les dents du loup. Et ils supplient comme des pisseuses.

— Les oreilles. Ce sont les oreilles.

— Quoi ?

— Le dicton. On dit voir les oreilles du loup. Pas les dents.

— J'oublie toujours que notre invité est un homme de lettres distingué.

— C'est donc ce que je suis ? Un des *invités* de Leandro ?

— Toi tu n'es plus rien maintenant. Et quand le loup viendra te chercher, car il viendra, il le fera avec les dents.

— Je suis prêt.

— Je ne te reproche rien. Ne crois pas que je ne prends pas en compte ta situation, et ce que tu subis.

— Un boucher compatissant.

— Il est avis au renard que chacun mange des poules comme lui. Tu vois, je m'y connais aussi en dicton et proverbe. Je te propose un marché. Entre toi et moi. Si tu te comportes bien et que tu m'aides, c'est moi qui te tuerai. Proprement. Une balle dans la nuque. Tu ne sentiras rien. Qu'en dis-tu ?

— Que dois-je faire ?

— Approche. Je voudrais te montrer quelque chose.

Valls approcha des barreaux de la cellule. Hendaya cherchait quelque chose dans sa veste, et Valls pria une seconde pour que ce soit un révolver et qu'il lui tire dans la tête. Il sortit une photographie.

— Je sais que quelqu'un est venu ici. Inutile de le nier. Je veux que tu regardes bien cette photo et que tu me dises si c'est la personne que tu as vue.

Hendaya lui montra le portrait. Valls acquiesça.

— Qui est-ce ?

— Elle s'appelait Alicia Gris.

— Elle s'appelait ? Elle est morte ?

— Oui. Même si elle ne le sait pas, répondit-il en rangeant le cliché.

— Puis-je la garder ?

Hendaya haussa les sourcils, surpris.

— Je ne te pensais pas sentimental.

— S'il vous plaît.

— La compagnie féminine te manque, hein ?

Hendaya sourit, magnanime, et il lança la photo dans la cellule avec mépris.

— Tout à toi ! Dans son genre, c'est une poupée, c'est vrai. Tu vas pouvoir la reluquer à ton aise et t'astiquer le jonc à deux mains. Pardon, à une seule.

Valls le regarda sans la moindre expression dans les yeux.

— Sois sage et accumule les bons points, tu auras une image. Comme cadeau d'adieu, et en récompense des bons et loyaux services rendus à la patrie, je te réserverai une balle à pointe creuse.

Valls attendit qu'Hendaya eût disparu en haut des marches pour s'agenouiller et prendre la photographie.

17

Ariadna sut qu'elle allait mourir le jour même. Elle le sut dès son réveil dans la *suite** de l'hôtel Palace. Elle ouvrit les yeux et elle constata qu'un des sbires de Leandro avait déposé un paquet enrubanné sur le secrétaire pendant qu'elle dormait. Elle écarta le drap et elle tituba jusqu'au meuble. La boîte était grande, blanche et ornée du nom PERTEGAZ gravé en lettres dorées. Sous le nœud du ruban se trouvait une enveloppe à son nom, écrit à la main. Elle l'ouvrit et prit le bristol.

Chère Ariadna,

Aujourd'hui, tu vas enfin pouvoir retrouver ta sœur. J'ai pensé que tu aimerais te faire belle et célébrer le fait que la justice va enfin pouvoir être rendue. Tu n'auras plus jamais à avoir peur de rien ni de personne. J'espère qu'elle te plaira. Je l'ai personnellement choisie pour toi.

Affectueusement,

Leandro

Ariadna caressa la boîte avant de l'ouvrir. Elle imagina une seconde un serpent venimeux prêt à lui sauter au cou dès qu'elle soulèverait le couvercle. Elle sourit. À l'intérieur, elle écarta une première couche de papier de soie et elle découvrit des sous-vêtements blancs en soie et des bas, et dessous, une robe en laine couleur ivoire, des souliers et un sac à main assortis. Ainsi qu'un foulard. Leandro l'envoyait à la mort en costume de vierge.

Elle fit sa toilette toute seule, sans l'aide des infirmières. Puis elle enfila tranquillement les vêtements choisis par Leandro pour le dernier jour de sa vie et elle se contempla dans le miroir. Il ne manquait plus que le cercueil blanc et le crucifix entre les mains. Elle s'assit pour attendre en se demandant combien de vierges immaculées avaient été purifiées avant elle dans cette cellule de luxe, combien de tenues de chez Pertegaz Leandro avait commandées pour faire ses adieux à ses tendrons, avec un baiser sur le front.

Elle n'eut pas très longtemps à attendre. Une demi-heure plus tard, elle entendit le bruit de la clef dans la serrure. Le mécanisme céda doucement et le bon docteur au visage affable de médecin de famille entra avec le sourire paisible et compréhensif qui l'accompagnait toujours, comme sa mallette merveilleuse.

— Bonjour, Ariadna. Comment vous sentez-vous ce matin ?

— Très bien. Merci, docteur.

Il s'approcha et il posa sa mallette sur la table.

— Vous êtes très jolie et très élégante. J'ai cru comprendre que c'était un grand jour pour vous.

— Oui. Je vais retrouver ma famille.

— Formidable. La famille, c'est ce qui compte le plus dans la vie. M. Leandro m'a prié de vous transmettre ses plus sincères excuses pour ne pas vous saluer en personne. Une urgence l'a obligé à s'absenter momentanément. Je lui dirai que vous étiez resplendissante.

— Merci.

— Un petit fortifiant pour vous redonner un peu de force ?

Ariadna tendit son bras, soumise. Le docteur sourit. Il ouvrit sa mallette noire et il sortit un étui en cuir qu'il déplia sur la table. Ariadna reconnut la douzaine de flacons numérotés tenus ensemble par des élastiques et la boîte à seringue métallique. Le docteur se pencha sur elle et prit délicatement son bras.

— Vous permettez…

Il passa la main sur sa peau constellée de marques et de bleus laissés par les innombrables piqûres. Il explora l'intérieur de l'avant-bras, le poignet, l'espace entre les articulations, tapotant doucement du bout des doigts, toujours souriant. Ariadna le regardait dans les yeux et elle souleva sa robe pour découvrir ses cuisses. Elles comportaient aussi des marques, mais plus espacées.

— Vous pouvez me piquer ici, si vous voulez.

Le docteur affecta une modestie sans borne et hocha la tête, d'un air pudique.

— Merci. Je crois que ce sera mieux.

Elle le regarda préparer l'injection. Il avait choisi le flacon numéro neuf. Il ne l'avait jamais pris auparavant. Quand la seringue fut prête, il chercha un endroit sur la face intérieure de sa cuisse gauche, à la limite du bas de soie.

— Il est possible que ce soit un peu douloureux au départ, avec une sensation de froid. Cela ne durera que quelques secondes.

Ariadna observa le docteur approcher la seringue de sa peau. Quand la pointe de l'aiguille se trouva à quelques millimètres de sa cuisse, elle parla.

— Vous n'avez pas désinfecté avec le coton et l'alcool aujourd'hui, docteur ?

L'homme, surpris, leva les yeux rapidement et lui sourit d'un air confus.

— Avez-vous des filles, docteur ?

— Deux. Dieu les bénisse. M. Leandro est leur parr...

Ce fut une question d'une seconde. Avant qu'il eût fini sa phrase et qu'il pût reprendre sa tâche, Ariadna lui attrapa la main avec force et lui planta la seringue dans la gorge. La perplexité envahit les yeux du bon docteur. Ses bras tombèrent le long de son corps et il se mit à trembler, la seringue plantée dans le cou. La solution contenue dans le piston se teignit de sang. Ariadna soutint son regard, attrapa la seringue et vida son contenu dans la jugulaire. Le docteur ouvrit la bouche sans émettre un seul son et il tomba à genoux. Elle le rassit sur la chaise et elle le regarda mourir. Ce qui dura deux à trois minutes.

Elle se pencha sur lui, ôta l'aiguille de sa chair et essuya le sang sur le revers de sa veste. Elle rangea la seringue dans la boîte métallique, remit le flacon numéro neuf à sa place et replia l'étui en cuir. Elle s'agenouilla près du corps, fouilla les poches et trouva un portefeuille dont elle sortit une douzaine de billets de cent pesetas. Elle enfila ensuite la ravissante veste de l'ensemble et le chapeau assorti. Elle prit les clefs que le médecin avait laissées sur la table, et l'étui avec les flacons et la seringue qu'elle fourra dans le sac blanc. Elle noua le foulard autour de son cou et, son sac sous le bras, elle ouvrit la porte et sortit de la chambre.

Le salon de la *suite** était vide. Un vase avec des roses blanches se trouvait sur la table où elle avait partagé tant de petits-déjeuners avec Leandro. La porte était fermée. Elle essaya une à une les clefs du docteur jusqu'à trouver la bonne. Le large couloir aux murs tapissés et ornés de tableaux et de statues évoquait un luxueux bateau de croisière. Il était désert. L'écho d'une musique de fond et le bruit d'un aspirateur dans une des *suites** lui parvinrent atténués. Elle avança lentement. En passant devant une porte ouverte, elle aperçut un chariot de linge et une domestique en train de ramasser les serviettes de toilette. Devant les ascenseurs, elle rencontra un couple d'âge mûr en habits de soirée qui interrompit sa conversation dès qu'elle arriva.

— Bonjour, dit Ariadna.

Le couple se borna à hocher la tête et garda le regard fixé sur le tapis. Ils attendirent en silence. Lorsque les portes de l'ascenseur s'ouvrirent enfin, l'homme lui céda le passage et la femme qui l'accompagnait lui jeta un regard assassin. La descente commença. La dame l'examinait à la dérobée et inspectait sa tenue avec un air rapace. Ariadna lui sourit courtoisement, et elle lui retourna un sourire froid et coupant.

— Vous ressemblez à Evita.

Le ton mordant laissait clairement entendre que ce n'était pas un compliment. Ariadna baissa les yeux d'un air modeste. Quand les portes s'ouvrirent sur le hall d'entrée, le couple ne bougea pas avant qu'elle eût quitté l'habitacle.

— Une putain de luxe, sûrement, entendit-elle l'homme murmurer dans son dos.

Le hall était rempli de gens. Ariadna aperçut une *boutique** d'articles de luxe à quelques mètres. Elle s'y réfugia. En la voyant entrer, une employée prévenante la dévisagea de la tête aux pieds, elle évalua le montant de ce qu'elle portait sur le dos avant de lui sourire comme à une vieille amie. Cinq minutes plus tard, Ariadna quittait la boutique avec une paire de lunettes de soleil tape-à-l'œil qui lui couvrait la moitié du visage et, sur la bouche, un rouge à lèvres de la couleur la plus criarde qu'elle avait pu trouver. Quelques accessoires l'avaient fait passer de la vierge à la courtisane de luxe.

Elle descendit les marches vers la sortie tout en enfilant des gants, le regard des clients et du personnel de l'hôtel détaillant le moindre centimètre de son corps. Lentement, se dit-elle. Avant de sortir, elle s'arrêta et le portier qui lui tenait la porte l'observa avec un mélange de désir et de complicité.

— Un taxi, la belle ?

18

Toute une vie consacrée à la médecine avait appris au Dr Soldevila que la maladie la plus difficile à guérir est l'habitude. Comme tous les après-midis depuis qu'il avait eu l'idée funeste de fermer sa consultation, capitulant face à la deuxième épidémie la plus mortifère connue de l'homme, la retraite, le bon docteur mit le nez dehors, sur le balcon de son appartement de la rue Puertaferrisa, et il constata que la journée tirait vers sa fin, comme tout en ce bas monde.

La lumière des lampadaires parait les rues et le ciel avait la texture rosée des délicieux cocktails de chez Boadas que le docteur s'autorisait de temps à autre, histoire de récompenser un foie dédié à l'exemplarité. C'était le signal. Il enfila son manteau, mit son écharpe et prit sa mallette et, protégé par son chapeau de Monsieur de Barcelone, il sortit pour son rendez-vous quotidien avec cet étrange esprit appelé Alicia Gris que les intrigues de Fermín et des Sempere avaient mis sur son chemin. Une créature pour laquelle il ressentait une curiosité sans limite et une faiblesse lui faisant oublier, dans ses longues nuits d'insomnie, qu'il n'avait pas touché une femme en bonne santé depuis trente ans.

Il descendait les Ramblas, étranger à l'agitation de la ville, obnubilé par la certitude que, par chance pour elle et malheureusement pour lui, Mlle Gris s'était remise de ses blessures à une vitesse qu'il n'attribuait pas à son talent médical mais au concentré de malice qui courait dans les veines de la créature des ténèbres. Il lui remettrait bientôt son bulletin de sortie, et il le déplorait.

Il pourrait toujours essayer de la convaincre de venir de temps à autre faire une "visite de contrôle", comme disent les professionnels, mais il savait que ce serait aussi inutile que de demander à un tigre du Bengale récemment libéré de sa cage de se présenter tous les dimanches avant la messe pour boire son écuelle de lait. Le mieux pour tout le monde, excepté pour Alicia elle-même, était probablement qu'elle disparût de leurs vies le plus rapidement possible. Il suffisait à Soldevila de la regarder dans les yeux pour établir ce diagnostic, doublé de la certitude que c'était le plus fiable de tous ceux de sa longue carrière.

Le vieux médecin était plongé dans une telle mélancolie à l'idée de faire ses adieux à la patiente qui serait sans nul doute la dernière qu'en s'engageant dans la ténébreuse rue Arco del Teatro il ne remarqua pas, parmi les ombres planant sur lui, celle qui dégageait un parfum particulier d'eau de Cologne piquante et de tabac blond d'importation.

Au cours de la dernière semaine, il avait découvert le portail de ce lieu dont il avait dû jurer de ne révéler l'existence pas même à l'Esprit Saint, sous peine de voir Fermín débarquer chez lui tous les après-midis à l'heure du goûter et lui raconter des blagues salaces. "Il vaut mieux que vous y alliez seul, docteur", avait conseillé les Sempere. Pour des raisons de sécurité. Il n'aurait jamais imaginé les libraires capables de se fourrer dans des intrigues tarabiscotées et d'une telle envergure. On pouvait ausculter les viscères des gens pendant toute une vie et s'apercevoir qu'on les connaissait à peine. La vie est un mystère. Comme l'appendice.

Perdu dans ses pensées et prêt à s'immerger à nouveau dans cette maison mystérieuse que tous appelaient le Cimetière des Livres oubliés, le docteur posa le pied sur la marche du vieux palais et la main sur le heurtoir en forme de diablotin. Il allait frapper à la porte quand l'ombre qui le suivait depuis qu'il était sorti de chez lui se matérialisa à ses côtés, plaquant le canon d'un révolver sur sa tempe.

— Bonne nuit, docteur, dit Hendaya.

Isaac contemplait Alicia avec une pointe de méfiance. Peu enclin à la bagatelle, il avait remarqué non sans une certaine inquiétude qu'il avait laissé croître en lui dans les dernières semaines un sentiment trop semblable à de l'affection pour la jeune femme. Il en accusait le poids des ans, qui ramollissaient tout. La présence d'Alicia l'avait obligé à réévaluer la solitude choisie de sa retraite parmi les livres. En la voyant récupérer et renaître, il avait senti se raviver en lui le souvenir de sa fille Nuria qui, loin de s'évanouir, s'était peu à peu effilé avec le temps jusqu'à ce que l'arrivée d'Alicia rouvre des blessures dont il ignorait même qu'il les avait.

— Pourquoi me regardez-vous ainsi, Isaac ?

— Parce que je suis un vieil imbécile.

Alicia sourit. Isaac avait remarqué que lorsqu'elle souriait la jeune femme découvrait ses dents et dégageait une sorte d'air malintentionné.

— Un imbécile qui a vieilli, ou un vieux devenu imbécile ?

— Ne riez pas de moi, Alicia, même si je le mérite.

Elle le regarda tendrement et le vieux gardien détourna les yeux. Quand Alicia se départait de ce voile obscur, ne serait-ce qu'un instant, elle lui rappelait tellement Nuria que sa gorge se serrait et le souffle lui manquait.

— Que portez-vous là ?

Isaac lui montra un étui en bois.

— C'est pour moi ?

— Mon cadeau d'adieu.

— Vous voulez vous débarrasser de moi, c'est cela ?

— Moi, non.

— Et pourquoi pensez-vous que je vais partir ?

— Est-ce que je me trompe ?

Alicia ne répondit pas, mais elle accepta l'étui.

— Ouvrez-le.

À l'intérieur, elle trouva un porte-plume en bois d'acajou à la plume dorée et un flacon d'encre bleue qui brillait à la lumière de la lampe à huile.

— Il appartenait à Nuria ?

Isaac acquiesça.

— C'est le cadeau que je lui avais fait pour ses dix-huit ans.

677

Alicia examina la belle pièce d'artisanat.

— Personne n'écrit plus avec depuis des années, dit le gardien.

— Pourquoi ne l'utilisez-vous pas ?

— Je n'ai rien à écrire.

Alicia allait contredire cette affirmation lorsque deux coups secs résonnèrent en écho dans le palais. Suivis, cinq secondes plus tard, de deux nouveaux coups frappés.

— C'est le docteur, dit Alicia. Il a appris le code.

Isaac acquiesça et se leva.

— Qui a dit qu'on ne peut pas enseigner aux vieux chiens de nouveaux tours ?

Il prit une lampe à huile et il s'engagea dans le couloir menant à l'entrée.

— Essayez la plume ! Il y a des feuilles blanches, là.

Isaac parcourut le long corridor courbe qui menait au portail. Il ne prenait la lampe que lorsqu'il allait chercher quelqu'un. Quand il était seul, il n'en avait pas besoin. Il connaissait les lieux par cœur et il préférait arpenter leurs entrailles dans la pénombre permanente qui y régnait. Il s'arrêta devant la porte, posa la lampe par terre et attrapa à deux mains la manivelle qui activait le mécanisme de fermeture. Il avait déjà remarqué que la manœuvre lui devenait plus difficile et déclenchait une sensation nouvelle dans sa poitrine. Ses jours en tant que gardien des lieux étaient peut-être comptés.

Les rouages de la serrure, aussi anciens que le bâtiment, formaient un système alambiqué de ressorts, de leviers, de poulies et de roues dentées, qui mettait une quinzaine de secondes à se dégager de tous ses points d'ancrage. Une fois le panneau de bois libéré, Isaac tira la barre qui activait les contrepoids et permettait de mouvoir du bout du doigt la lourde structure de chêne ouvragé. Il leva la lanterne pour accueillir le médecin et il s'écarta pour le laisser passer. La silhouette du Dr Soldevila se détacha sur le seuil.

— Ponctuel, comme toujours, docteur, commença Isaac.

Le corps du médecin s'affaissa vers l'intérieur, et une forme haute et anguleuse bloqua le passage.

— Qui... ?

Hendaya pointa son révolver entre les deux yeux d'Isaac et il repoussa du pied le corps du docteur.

— Fermez la porte.

Alicia plongea délicatement la plume dans l'encrier et elle la laissa glisser sur le papier, traçant une ligne de couleur bleue, brillante. Elle écrivit son nom et elle regarda l'encre sécher. Le plaisir de la page blanche, toujours chargée de mystère et de promesse, s'évanouit sur-le-champ. En déposant les premiers mots, on constatait que la distance entre l'intention et le résultat allait de pair avec l'innocence à réaliser l'une et à accepter l'autre, dans l'écriture comme dans la vie. Elle voulut écrire une phrase tirée d'un de ses livres préférés, qu'elle connaissait par cœur. Mais elle s'immobilisa, les yeux tournés vers la porte. Elle posa la plume sur le papier et scruta le silence.

Il se passait quelque chose. Elle le perçut immédiatement, alertée par le silence. Elle n'entendait pas les voix étouffées d'Isaac et du docteur. Les anciens bavardaient toujours. L'écho incertain de pas saccadés et ce silence empoisonné lui donnèrent la chair de poule. Elle regarda autour d'elle et elle maudit son destin. Elle avait toujours pensé qu'elle mourrait autrement.

19

Dans n'importe quelle autre circonstance, Hendaya aurait liquidé les deux vieux d'un coup de révolver dès que le gardien aurait ouvert la porte, mais il ne voulait pas alerter Alicia. Le Dr Soldevila était tombé, inconscient, après avoir reçu un coup dans la nuque. Il n'aurait pas à s'occuper de lui avant une bonne demi-heure.

— Où est-elle ? interrogea-t-il à voix basse le gardien.

— Qui ?

Il le frappa au visage avec son arme et il entendit un os craquer. Isaac tomba, sur les genoux d'abord puis sur un côté, en gémissant. Hendaya se baissa, l'attrapa par le col et le tira vers lui.

— Où est-elle ?

Le nez du vieux saignait abondamment. Hendaya lui colla le canon de l'arme sous le menton et il le regarda droit dans les yeux. Isaac lui cracha au visage. Un courageux, pensa Hendaya.

— Allez, grand-père, arrête ton cirque, tu as passé l'âge de jouer les héros. Où est Alicia Gris ?

— Je ne sais pas de quoi vous me parlez.

Hendaya sourit.

— Tu veux que je te casse les jambes, pépé ? À ton âge, une fracture du fémur…

Isaac ne desserra pas les dents. Hendaya le prit par la nuque et il le traîna à l'intérieur. Ils avancèrent le long d'une vaste galerie qui décrivait une courbe après laquelle on devinait une lueur évanescente. Les parois étaient recouvertes de fresques représentant des scènes fantastiques. Hendaya se demanda dans quel genre d'endroit il était tombé. Au bout du corridor, il déboucha sur une immense voûte qui s'élevait à l'infini. Cette image lui fit baisser le révolver et laisser tomber le vieux comme un poids mort.

Il eut l'impression d'une apparition, une vision de rêve qui flottait dans un nuage de lumière spectrale. Un vaste labyrinthe enroulé sur lui-même se développait dans une agglomération de tunnels, de plates-formes, d'arcades et de passerelles. La structure paraissait jaillir du sol pour escalader une géométrie impossible qui frôlait la grande coupole en verre opaque couronnant la voûte. Il sourit intérieurement. Il existait donc une ville interdite de livres et de mots cachée dans les ténèbres d'un vieux palais de Barcelone ! Après avoir réduit la délicieuse Alicia Gris en morceaux, il y mettrait le feu. C'était son jour de chance.

Isaac se traînait sur le dallage, laissait derrière lui une trace sanglante. Il voulait hausser la voix, mais il n'émettait qu'un faible gémissement et il luttait pour rester conscient. Il entendit le pas d'Hendaya qui approchait. Il posa son pied entre ses épaules et l'écrasa contre le sol.

— Tranquille, grand-père.

Hendaya attrapa son poignet et il le tira jusqu'à une des colonnes soutenant la voûte le long de laquelle descendaient trois petits tuyaux accrochés à la pierre par des crochets en métal. Hendaya sortit une paire de menottes, il attacha un anneau à l'un des tuyaux et il referma l'autre sur le poignet d'Isaac qui sentit la morsure sur sa peau. Le gardien laissa échapper un cri sourd.

— Alicia n'est plus là, haleta-t-il. Vous perdez votre temps…

Hendaya l'ignora et scruta la pénombre. Il aperçut un encadrement de porte d'où filtrait la lueur d'une bougie. Il prit son arme à deux mains et il avança dans cette direction, le dos collé au mur. L'inquiétude dans les yeux du vieux lui confirma qu'il était sur la bonne piste.

Il entra dans la pièce, l'arme levée devant lui. Au milieu, il y avait un lit, avec les draps rejetés sur un côté, et contre le mur, une commode couverte de médicaments et d'ustensiles. Il examina tous les recoins avant d'avancer. L'endroit sentait l'alcool et la cire, avec un relent doux et poudreux qui le fit saliver. Il s'approcha de la petite table près du lit où brûlait la bougie, à côté d'un encrier ouvert et de feuilles blanches. Sur la première il lut, dans une calligraphie penchée et agile :

Alicia

Hendaya sourit et il regagna la partie de la pièce plongée dans l'ombre. Il jeta un coup d'œil sur le gardien qui luttait toujours pour se dégager des menottes accrochées au tuyau. Au-delà, à l'entrée du labyrinthe de livres, il perçut une légère fluctuation de l'obscurité. On aurait dit une ondulation se répercutant sur l'eau après qu'une goutte de pluie avait troublé la surface de l'étang. En passant devant Isaac, il s'empara de la lampe à huile. Il ne prit pas la peine de regarder le vieil homme. Il aurait bien le temps de régler ses comptes avec lui.

Il s'arrêta au pied de la grande structure pour contempler la basilique de livres qui s'élevait devant lui et il cracha. Il vérifia que son magasin était plein et qu'il y avait une balle dans le chargeur, et il pénétra dans le labyrinthe, sur les traces du parfum d'Alicia et de l'écho de ses pas.

20

Le tunnel décrivait une légère courbe ascendante qui s'enfonçait au centre de la structure et rétrécissait à mesure qu'Hendaya s'éloignait du seuil. Les murs couraient du sol au plafond, pareils à des dos de livres. Un lambris fait de vieilles couvertures en cuir sur lesquelles on lisait encore des titres dans des dizaines de langues fermait la voie. Il atteignit un palier octogonal avec, en son centre, une table recouverte de volumes ouverts et de lutrins ainsi qu'une lampe diffusant une lumière dorée très ténue. Divers couloirs partaient dans des directions opposées, descendante ou ascendante, le long de la structure. Hendaya s'immobilisa, aux aguets, attentif aux sons du labyrinthe, une sorte de murmure de vieux bois et de papier qui semblait perpétuellement et presque imperceptiblement en mouvement. Il décida de suivre un des couloirs qui descendait. Il imaginait Alicia à la recherche d'une autre sortie avec l'espoir que lui se perdrait, lui laissant ainsi un peu de temps pour fuir. C'est ce qu'il aurait fait à sa place. Une fraction de seconde avant de s'engager dans le couloir, il aperçut un livre, sur une étagère. Il dépassait, sur le point de tomber. Hendaya lut le titre sur la couverture.

DE L'AUTRE CÔTÉ DU MIROIR
Lewis Carroll

— La petite a envie de jouer ? lança-t-il à voix haute.

Sa voix se perdit dans l'écheveau de tunnels et de salles, sans obtenir de réponse. Il repoussa le livre contre le mur et il continua d'avancer dans le couloir. Il montait désormais, de plus en plus nettement, avec des marches tous les quatre ou cinq pas. À mesure qu'il s'enfonçait dans le labyrinthe, il avait la sensation de parcourir les entrailles d'une créature légendaire, un Léviathan de mots parfaitement conscient de sa présence et de chacun de ses pas. Il leva la lampe et il poursuivit. Dix mètres plus loin, il s'arrêta net devant la silhouette d'un ange au regard canin. Il allait lui tirer dessus quand il constata qu'elle était en cire et tenait dans des mains grandes comme des tenailles un livre dont il n'avait jamais entendu parler :

LE PARADIS PERDU
John Milton

L'ange surveillait une autre salle ovale, deux fois plus grande que la précédente, une nécropole de livres flanquée de vitrines, d'étagères incurvées et de niches. Hendaya soupira.

— Alicia ? Arrêtez vos enfantillages et montrez-vous. Je veux simplement vous parler. Une discussion entre professionnels.

Il traversa la pièce et il jeta un coup d'œil sur les corridors qui en partaient. Une fois de plus, un livre dépassait d'une étagère dans la pénombre d'un des couloirs. Il serra les mâchoires. Si la putain de Leandro voulait jouer au chat et à la souris, elle allait avoir la surprise de sa vie.

— D'accord, dit-il en s'engageant dans ce couloir qui accusait une pente plutôt raide.

Il ne prit pas la peine de regarder quelle œuvre avait choisie Alicia cette fois. Durant une vingtaine de minutes, il escalada la gigantesque machinerie. Il rencontra des salons et des balustrades suspendues entre des arcades et des plates-formes d'où il constata qu'il montait beaucoup plus qu'il ne croyait. Tout en bas, la silhouette d'Isaac, menotté au tuyau, était minuscule. Quand il levait les yeux vers la coupole, il lui semblait que la structure continuait de s'élever et de s'enrouler sur elle-même suivant un tracé de plus en plus alambiqué. Chaque fois qu'il croyait avoir perdu la piste d'Alicia, il trouvait un livre dépassant d'une étagère à l'entrée d'un nouveau tunnel qui le conduisait à une autre salle où le chemin bifurquait en de multiples arabesques.

La nature du labyrinthe se transmuait à mesure qu'il grimpait vers le sommet. Le tracé, chaque fois plus complexe et capricieux, mettait à profit les arcades et les bouches de lumière pour laisser pénétrer des faisceaux de clarté vaporeuse. La magie de miroirs assemblés par la tranche et multipliant les images en éventail régulait l'obscurité flottant à l'intérieur. Chaque nouvelle salle était plus peuplée que la précédente de statues, tableaux et engins qu'il identifiait à grand-peine. Certaines statues avaient l'air d'être des automates inachevés, d'autres des sculptures de papier ou de plâtre suspendues au plafond ou encastrées dans les murs telles des créatures occultes dans des sarcophages faits de livres. Une vague sensation de vertige et d'inquiétude submergea Hendaya qui remarqua soudain que son arme glissait entre ses mains inondées de sueur.

— Alicia, si vous ne sortez pas d'ici, je vais mettre le feu à tout ce tas de merde et je vous regarderai brûler vive. Est-ce ce que vous souhaitez ?

Il entendit un bruit derrière lui et il se retourna. Un objet qu'il prit d'abord pour une balle ou une boule de la taille d'un poing roulait le long des marches depuis un des tunnels. Il s'accroupit pour l'attraper. C'était une tête de poupée au sourire inquiétant, avec des yeux de verre. Une mélodie métallique rappelant une berceuse résonna alors sous la voûte.

— Salope, bégaya-t-il.

Il se lança dans l'escalier, le pouls lui martelant les tempes. L'écho de la musique le conduisit à une salle ronde au bout de laquelle une balustrade laissait pénétrer une grande traînée de lumière. Le verre de la coupole se voyait de l'autre côté et Hendaya comprit qu'il avait atteint le sommet. La musique provenait du fond de la pièce. Deux silhouettes blanchâtres encadraient le seuil, enchâssées dans les livres, corps momifiés abandonnés à leur sort. Le sol était recouvert de volumes ouverts qu'Hendaya écrasa pour atteindre la partie opposée de la salle où se trouvait une toute petite armoire ressemblant à un reliquaire, encastrée dans le mur. La mélodie s'en échappait. Il ouvrit lentement la petite porte.

Une boîte à musique recouverte de glace tintait au bas de l'armoire. À l'intérieur, une statuette d'ange aux ailes déployées tournait doucement sur lui-même dans une transe hypnotique. Le son diminuait à mesure que la ficelle approchait de la fin. L'ange resta suspendu à mi-parcours. Hendaya remarqua le reflet d'une des petites plaques de miroir recouvrant la boîte à musique.

Une des formes qu'il avait prise pour un cadavre en plâtre, à l'entrée, bougea. Il sentit ses poils se hérisser. Il fit volte-face vivement et il tira à trois reprises sur la statue qui se découpait dans un rai de lumière. Les couches de papier et de plâtre qui la composaient explosèrent dans un nuage de poussière. Le policier baissa un peu son arme et il plissa les yeux. Il perçut alors un léger mouvement dans l'air, à côté de lui. Il se tourna et il arma à nouveau le chien, puis il reconnut l'éclat du regard obscur et pénétrant qui émergeait de l'ombre.

La plume lui perfora la cornée et traversa le cerveau jusqu'à érafler l'os du crâne. Hendaya s'effondra immédiatement comme une marionnette dont on a coupé les fils. Son corps étendu sur les livres tressautait. Alicia s'agenouilla et prit l'arme qu'il tenait encore dans la main. Elle se releva et le poussa du pied jusqu'au bord de la balustrade avant de le précipiter dans le vide, encore vivant. Elle le regarda s'écraser sur le sol dans un bruit sourd et humide.

21

Isaac la vit sortir du labyrinthe. Elle boitait légèrement et elle tenait une arme à la main avec un naturel qui lui glaça le sang. Il la regarda avancer vers l'endroit où le corps d'Hendaya s'était écrasé. Elle était pieds nus et elle n'hésita pas à marcher dans la flaque de sang qui se répandait autour de lui. Elle se pencha sur le cadavre, fouilla dans ses poches et sortit un portefeuille qu'elle examina. Elle garda la poignée de billets et laissa tomber le reste. Dans une poche de la veste, elle trouva des clefs qu'elle garda. Après avoir contemplé froidement la dépouille pendant un bref instant, elle attrapa quelque chose qui dépassait du visage d'Hendaya et elle tira d'un geste brusque. Isaac reconnut le porte-plume qu'il lui avait offert une heure à peine auparavant.

Alicia vint vers lui, lentement. Elle s'accroupit et lui enleva les menottes. Isaac, qui ne s'était rendu compte ni qu'il avait le visage baigné de larmes ni qu'il tremblait comme une feuille, leva les yeux. Elle avait un regard dénué d'expression, comme si elle désirait obliger le vieil homme naïf qui avait voulu voir en elle une réincarnation de sa fille perdue à regarder la réalité en face. Elle nettoya la plume sur le bas de sa chemise de nuit et lui tendit l'objet.

— Je ne pourrais jamais être comme elle, Isaac.

Le gardien sécha ses larmes, sans un mot. Alicia lui proposa sa main et l'aida à se relever, puis elle se dirigea vers le petit cabinet de toilette, à côté de la chambre d'Isaac. Il entendit l'eau couler.

Le Dr Soldevila apparut, titubant. Isaac lui fit un signe de la main et le médecin approcha.

— Que s'est-il passé ? Qui était cet homme ?

Isaac désigna d'un mouvement de tête l'amas de membres écrasés au sol à une vingtaine de mètres.

— Dieu du ciel… murmura le médecin. Et la demoiselle… ?

Alicia sortit de la salle de bains enveloppée dans une serviette. Ils la virent entrer dans la chambre d'Isaac. Le docteur adressa un regard interrogateur au gardien qui haussa les épaules. Soldevila s'approcha de la porte de la chambre. Alicia était en train de revêtir des vêtements de Nuria Montfort.

— Comment vous sentez-vous ? lui demanda le docteur.

— Parfaitement bien, répondit-elle sans quitter des yeux la grande glace.

Masquant son étonnement, Soldevila s'assit sur une chaise et l'observa en silence tandis qu'elle explorait l'ancienne trousse de toilette de la fille d'Isaac et choisissait quelques produits. Elle se maquilla avec soin, construisant une nouvelle fois un personnage qui correspondait bien davantage à ses actes que le corps invalide qu'il avait soigné au cours des dernières semaines. Lorsqu'elle croisa son regard dans le miroir, Alicia lui fit un clin d'œil.

— Quand je serai partie, il faudra que vous préveniez Fermín. Dites-lui qu'il faut faire disparaître le corps. Qu'il aille voir de ma part le taxidermiste de la Plaza Real. Il a les produits chimiques nécessaires.

Elle se redressa, tourna sur elle-même pour évaluer son image dans la glace, rangea dans un sac noir l'arme et l'argent pris sur le cadavre d'Hendaya avant de se diriger vers la porte.

— Qui êtes-vous ? demanda le Dr Soldevila quand elle passa devant lui.

— Le démon, répondit Alicia.

22

Dès que Fermín vit entrer le bon docteur dans la librairie, il sut que la chasse aux fantômes était ouverte. Soldevila montrait des signes évidents de gnon reçu en pleine figure et administré par un professionnel. Derrière le comptoir, Daniel et Bea levèrent les yeux des comptes du mois et restèrent bouche bée.

— Que s'est-il passé, docteur ?

Soldevila laissa échapper un soupir qui sonna comme un ballon de baudruche mitraillé et il baissa la tête d'un air abattu.

— Daniel, sortez la bouteille de cognac ordinaire que monsieur votre père cache derrière la rangée de livres de formation de l'esprit national, ordonna Fermín.

Bea accompagna le docteur jusqu'à la chaise et elle l'aida à s'asseoir.

— Vous allez bien ? Qui vous a fait cela ?

— Oui. Je ne sais pas vraiment, répondit-il. Dans cet ordre.

— Et Alicia ? demanda Bea.

— Je ne m'en ferais pas pour elle, vraiment...

Fermín soupira.

— Elle s'est envolée ? insista-t-elle.

— Dans un nuage de soufre, répondit le docteur.

Daniel lui tendit un verre de cognac qu'il accepta sans rechigner. Il l'avala cul sec et laissa le breuvage opérer son alchimie.

— Un autre, s'il vous plaît.

— Et Isaac ? demanda Fermín.

— Il est pensif.

Fermín se pencha vers le docteur.

— Allons, docteur, videz votre sac, et sans vous répandre si possible.

Son récit terminé, Soldevila réclama un autre verre, pour la route. Bea, Daniel et Fermín se joignirent à lui. Ils étaient circonspects. Après un silence prudent, Daniel ouvrit la discussion.

— Où a-t-elle pu aller ?

— Redresser des torts, j'imagine, répondit Fermín.

— Madame, messieurs, parlez chrétien, je vous en prie ! réclama le docteur. Les sous-entendus et les mystères des Sempere ne figuraient pas au programme de l'université.

— Croyez-moi, docteur, je ne vous veux que du bien : faites-moi le plaisir de rentrer chez vous, de placer une escalope de veau sur votre tête en guise de béret et de nous laisser démêler ce sac de nœuds, conseilla Fermín.

Le docteur acquiesça.

— Dois-je m'attendre à croiser d'autres pistoleros ? Je pose la question pour être préparé au cas où...

— Je ne pense pas. Pas pour le moment, répondit Fermín. Mais ce ne serait peut-être pas une mauvaise chose que vous quittiez la ville un moment. Vous pourriez aller aux bains à Montgat, deux semaines, avec une veuve démonstrative, pour travailler à l'élimination des calculs rénaux ou d'un quelconque corpuscule qui aurait pu rester coincé dans vos voies urinaires.

— Pour une fois, je ne vous dirais pas non, reconnut le docteur.

— Daniel, pourquoi ne faites-vous pas le plaisir au docteur de le raccompagner chez lui et de vous assurer qu'il y arrive en entier ? suggéra Fermín.

— Pourquoi moi ? protesta Daniel. Vous cherchez à vous débarrasser de moi, une fois de plus, c'est cela ?

— Je peux envoyer votre fils Julián, si vous préférez, même s'il serait plus indiqué de confier cette mission à quelqu'un ayant déjà fait sa première communion.

Daniel hocha la tête en rouspétant. Fermín remarqua que Bea le foudroyait du regard, ce qu'il préféra ignorer pour le moment. Avant de faire ses adieux au docteur, il lui servit un dernier verre de cognac, et, voyant qu'il ne restait qu'un doigt de liqueur dans la bouteille, il la termina au goulot. Débarrassé du docteur et de Daniel, Fermín se laissa tomber sur la chaise et prit son visage entre les mains.

— Qu'est-ce que c'est que cette histoire de taxidermiste et de disparition du corps ? interrogea Bea.

— Un impératif scabreux dont par malheur il faudra nous occuper. L'une des deux caractéristiques les plus terribles d'Alicia, c'est qu'elle ne se trompe généralement pas.

— Et l'autre ?

— Elle ne pardonne jamais. Vous a-t-elle dit quelque chose ces jours-ci qui permettrait de deviner ce qui lui trottait dans la tête ? Réfléchissez bien.

Bea hésita, et fit non. Fermín hocha la tête lentement et se leva. Il prit sa veste sur le portemanteau et il se prépara à affronter un après-midi d'hiver qui ne laissait rien présager de bon.

— Il vaut donc mieux que j'aille voir le taxidermiste. J'aurai peut-être une idée en chemin...

— Fermín ? appela Bea avant qu'il ouvre la porte.

Il s'arrêta, sans se retourner.

— Il y a quelque chose qu'Alicia ne nous a pas raconté, n'est-ce pas ?

— Beaucoup de choses, je subodore, madame Bea. Et je crois qu'elle l'a fait pour notre bien.

— L'une d'elles est liée à Daniel. Et pourrait le faire beaucoup souffrir.

Fermín se retourna et lui sourit d'un air triste.

— C'est à cela que nous servons, vous et moi, pas vrai ? À éviter que cela ne se produise.

Bea le regarda fixement.

— Soyez très prudent, Fermín.

Elle le vit partir dans le bleu d'un crépuscule menaçant de tourner à la neige fondue. Elle resta à regarder les gens emmitouflés passer dans la rue Santa Ana. Quelque chose lui dit que l'hiver, le vrai, venait de s'abattre sur eux sans prévenir. Et que cette fois, il laisserait des traces.

23

Fernandito était allongé sur son lit, le regard perdu sur la lucarne. Sa chambre, enfin sa piaule au dire de tous, était mitoyenne du lavoir commun, et elle lui évoquait toujours les scènes de sous-marins des films projetés le matin au ciné Capitol, mais en plus lugubre et en moins accueillant. Malgré tout, cet après-midi-là, il était aux anges, sous l'influence d'une poussée hormonale en laquelle il voyait un élan spirituel et mystique. L'Amour, avec une majuscule et une jupe cintrée, avait frappé à sa porte. Enfin, pas concrètement à sa porte. Il était passé devant plutôt, mais il croyait que le destin, comme la rage de dents, ne vous laissait pas tranquille tant qu'on n'avait pas le cran de l'affronter. Plus encore sur le sujet des amourettes.

L'apparition, responsable de l'exorcisme définitif du fantasme de la perfide Alicia et de ses charmes spectraux qui avaient ensorcelé son adolescence, s'était produite quelques jours plus tôt. Un amour, même raté, conduit à un autre. C'est ce que chantaient les boléros. Plus sucrés encore que les choux à la crème, ils n'en avaient pas moins raison le plus souvent dans le domaine de l'amour. Grâce à sa passion illusoire pour Mlle Alicia, il avait rencontré la famille Sempere dans cette période de chaos et de périls, et le bon libraire lui avait offert un emploi. De là au paradis, il n'avait fallu qu'une occasion.

Elle s'était présentée un matin où il était venu à la librairie prendre ses fonctions de livreur. Une créature au charme troublant et à l'accent délicat allait et venait dans l'établissement. Elle répondait au nom de Sofía, comme cela ressortait de la conversation des Sempere. Une brève enquête apprit aussi à Fernandito qu'elle était la nièce du libraire Sempere et la cousine de Daniel, dont la mère, Isabella, était d'origine italienne. Native de la ville de Naples, Sofía était chez les Sempere pour étudier à l'université de Barcelone et perfectionner son espagnol. Tout cela n'était qu'une somme de détails techniques, bien entendu.

Environ quatre-vingt-cinq pour cent de la masse cérébrale de Fernandito, pour ne pas évoquer d'autres organes mineurs, se consacraient à la contemplation et à l'adoration de Sofía. Elle avait dix-neuf ans et la nature, infiniment cruelle envers les garçons timides en état de convoler, l'avait dotée d'une paire de turgescences, de courbes et d'une démarche ferme dont la contemplation plongeait Fernandito dans un état proche de l'arrêt respiratoire. Ses yeux, ses lèvres, ses dents blanches et la langue rose qu'elle laissait entrevoir quand elle souriait obnubilaient le pauvre garçon. Il pouvait s'imaginer pendant des heures caresser du bout des doigts cette bouche digne des portraits de la Renaissance, descendre le long de sa gorge pâle en direction de la vallée paradisiaque mise en valeur par les sweaters en laine si près du corps que portait la jeune fille, illustrant le fait que les Italiens avaient toujours été les maîtres de l'architecture.

Fernandito leva les yeux au ciel et il oublia le bruit de la radio dans la salle à manger et les cris des voisins pour évoquer l'image d'une Sofía étendue, languide, sur un lit de roses, ou n'importe quel autre végétal à pétales, s'offrant dans son plus tendre printemps afin que lui, d'une main ferme et experte en fermetures de toutes sortes, à crémaillères, à glissière et autres mystères de l'éternel féminin, effeuillât son bouton de rose à coups de baisers et de mordillements, avant de glisser son visage dans cet incomparable havre de perfection que le ciel a tenu à placer entre les jambes de toute femme. Fernandito en était là de son rêve, convaincu que si le bon Dieu le foudroyait en cet instant précis à cause de ses cochonneries, cela aurait tout de même valu la peine.

La foudre l'épargna mais le téléphone sonna. Un pas léger comme une pelleteuse se fit entendre dans le couloir et la porte de son réduit s'ouvrit brusquement, révélant la silhouette corpulente de son père en maillot marcel et caleçon, un sandwich au chorizo à la main.

— Lève-toi, vaurien, c'est pour toi.

Tiré des griffes du paradis, Fernandito se traîna au bout du couloir où, dans un étroit recoin, se trouvait le téléphone, surmonté d'un Christ en plastique acheté par sa mère à Montserrat, dont les yeux s'allumaient quand on appuyait sur l'interrupteur. Cela lui conférait un brillant surnaturel qui avait valu à Fernandito des années de cauchemars. Dès qu'il prit le combiné, son frère Fulgencio passa la tête pour l'épier, son grand talent.

— Fernandito ?

— C'est moi.

— C'est Alicia.

Son cœur s'emballa.

— Est-ce que tu peux parler ? demanda-t-elle.

Fernandito lança une de ses espadrilles à la tête de Fulgencio qui se réfugia dans sa chambre.

— Oui. Vous allez bien ? Où êtes-vous ?

— Écoute-moi bien Fernandito, je vais devoir m'absenter quelque temps.

— Oh, ce n'est pas bon signe…

— J'ai besoin que tu me rendes un service. C'est important.

— Tout ce que vous voudrez.

— As-tu toujours les papiers qui étaient dans la caisse, chez moi ?

— Oui, ils sont en lieu sûr.

— Je veux que tu récupères un carnet manuscrit intitulé *Isabella*.

— Je vois ce que c'est. Je ne l'ai pas ouvert, hein ? Croyez-moi.

— Je sais que tu ne l'as pas fait. Ce que je souhaiterais, c'est que tu le remettes à Daniel. À lui seul, en main propre. Tu m'as bien comprise ?

— Oui...

— Et rapporte-lui ce que je viens de te dire. Que je t'ai demandé de le lui remettre. Qu'il lui appartient, et à personne d'autre.

— Oui, mademoiselle Alicia. Où êtes-vous ?

— Peu importe.

— Êtes-vous en danger ?

— Ne t'inquiète pas pour moi, Fernandito.

— Bien sûr que je m'inquiète... !

— Merci pour tout.

— On dirait un adieu.

— Nous savons toi et moi que seuls les gens sentimentaux et nunuches se disent adieu.

— Et vous ne serez jamais une sentimentale, vous. Même si vous le vouliez.

— Tu es un bon ami, Fernandito. Et un homme bien. Sofía a de la chance.

Fernandito rougit comme une tomate.

— Comment savez-vous... ?

— Je suis heureuse que tu rencontres enfin une fille qui te mérite.

— Personne ne sera jamais comme vous, mademoiselle Alicia.

— Feras-tu ce que je t'ai demandé ?

— Soyez tranquille.

— Je t'aime, Fernandito. Garde les clefs de l'appartement. Il est à toi. Sois heureux. Et oublie-moi.

Il n'eut pas le temps d'ajouter quoi que ce soit. Alicia avait raccroché. Il avala sa salive, sécha ses larmes et reposa le combiné.

24

Alicia sortit de la cabine téléphonique. Le taxi l'attendait à quelques mètres. Le chauffeur avait ouvert la vitre et il fumait d'un air pensif. En la voyant revenir, il s'apprêta à jeter sa cigarette.

— On y va ?

— Un petit moment. Terminez votre cigarette.

— Ils ferment les portes dans dix minutes... dit le chauffeur de taxi.

— Dans dix minutes, nous serons dehors, répondit Alicia.

Elle prit le chemin qui montait et elle arriva devant la forêt de mausolées, de croix, d'anges et de gargouilles qui couvrait le flanc de la colline. Le crépuscule avait tiré un linceul de nuages rouges sur le cimetière de Montjuïc. Un rideau de neige fondue se balançait dans le vent, tendant un voile de poussières de cristal sur son passage. Elle avança sur un sentier et grimpa quelques marches jusqu'à une avancée peuplée de tombes et de sculptures à l'aspect fantomatique. Là, se découpant sur la lumière de la Méditerranée, elle vit le nom sur une pierre légèrement inclinée :

ISABELLA SEMPERE
1917 - 1939

Elle s'agenouilla devant la tombe et elle posa la main sur la pierre. Elle se remémora le visage qu'elle avait vu sur les photos chez M. Sempere, et le portrait que l'avocat Brians avait conservé de son ancienne cliente, son amour inavoué selon toute probabilité. Elle se rappela les mots lus dans le carnet et elle sut que, même si elle ne l'avait pas connue, elle ne s'était jamais sentie aussi proche de personne comme de cette femme dont la dépouille gisait sous ses pieds.

— Il vaudrait peut-être mieux que Daniel ne sache rien de la vérité, qu'il ne puisse jamais retrouver Valls et accomplir la vengeance qu'il désire. Mais je ne peux pas décider pour lui. Pardonne-moi.

Elle ouvrit le manteau que lui avait prêté le vieux gardien du Cimetière des Livres oubliés et elle sortit de la poche la statuette qu'il lui avait offerte. Elle examina le petit ange aux ailes dépliées acheté par Isaac pour sa fille sur un marché de Noël, des années plus tôt, à l'intérieur duquel la fillette cachait des messages secrets pour son père. Elle ouvrit la petite cavité et elle regarda le petit papier qu'elle avait écrit, en chemin vers le cimetière.

Mauricio Valls
El Pinar
Rue Manuel Arnús
Barcelone

Elle roula le morceau de papier et elle l'introduisit dans la minuscule cachette qu'elle referma. Elle posa la statuette de l'ange au pied de la pierre tombale, au milieu des vases de fleurs séchées.

— Au destin d'en décider... murmura-t-elle.

Elle revint au taxi. Le chauffeur l'attendait, appuyé sur son véhicule. Il lui ouvrit la portière et s'installa au volant. Il la regarda dans le rétroviseur. Alicia paraissait perdue dans ses pensées. Il la vit ouvrir son sac et sortir un flacon de pilules blanches. Elle en avala une poignée qu'elle mastiqua. Le chauffeur lui tendit une gourde. Alicia but. Elle leva enfin les yeux.

— Je vous écoute, dit-il.

Elle lui montra une liasse de billets.

— Il y a au moins deux mille pesetas, estima-t-il.

— Trois mille, précisa Alicia. Ils sont à vous si nous arrivons à Madrid avant l'aube.

25

Fernandito s'arrêta de l'autre côté de la rue et il regarda Daniel à travers la devanture de la librairie. Il avait commencé à neiger quand il était sorti de chez lui et les rues étaient pratiquement désertes. Il observa le libraire durant quelques minutes pour s'assurer qu'il était seul dans la boutique, et lorsque Daniel vint accrocher sur la porte le panneau FERMÉ, Fernandito émergea de l'ombre et se planta devant lui, un sourire figé sur le visage. Daniel le regarda, surpris, et il ouvrit la porte.

— Fernandito ? Si tu cherches Sofía, elle est restée chez une amie à Sarrià, elles avaient un devoir à terminer...

— Non, c'est vous que je cherchais.

— Moi ?

Le garçon hocha la tête.

— Entre.

— Vous êtes seul ?

Daniel l'observa d'un air étrange. Fernandito entra dans la librairie et attendit qu'il referme la porte.

— Alors...

— J'apporte quelque chose de la part de Mlle Alicia.

— Sais-tu où elle est ?

— Non.

— Qu'est-ce que c'est ?

Fernandito hésita un instant avant de sortir le carnet de la poche intérieure de sa veste. On aurait dit un carnet d'école. Il lui tendit. Daniel le prit, souriant devant l'apparente ingénuité de toute cette aura de mystère. Dès qu'il lut le nom sur la couverture, son sourire s'évanouit.

— Bon... dit Fernandito. Je vous laisse. Bonsoir, monsieur Daniel.

Daniel acquiesça sans lever les yeux du carnet. Quand Fernandito eut quitté les lieux, il éteignit l'éclairage de la librairie et il se réfugia dans l'arrière-boutique. Il s'assit devant le vieux secrétaire qui avait appartenu à son grand-père, il alluma la lampe de bureau articulée et il ferma les yeux quelques secondes. Son pouls s'emballait et ses mains tremblaient.

Les cloches de la cathédrale sonnaient au loin quand il ouvrit le carnet. Il commença à lire.

LE CARNET D'ISABELLA

1939

Je m'appelle Isabella Gispert et je suis née à Barcelone en 1917. J'ai vingt-deux ans et je sais que je n'atteindrai jamais les vingt-trois. J'écris ces lignes avec la certitude qu'il ne me reste que quelques jours à vivre et que j'abandonnerai bientôt les êtres auxquels je suis le plus redevable sur cette terre, mon fils Daniel et mon époux Juan Sempere. J'ai reçu de cet homme le meilleur qu'il m'a été donné de connaître, une confiance, un amour et un dévouement que je n'aurai jamais mérités jusqu'à l'heure de ma mort. J'écris pour moi, emportant dans la tombe des secrets qui ne m'appartiennent pas, consciente que personne jamais ne lira ces pages. J'écris pour me remémorer et me cramponner à la vie. Tant que j'en suis encore capable et avant que la conscience ne m'abandonne — je la sens faiblir —, mon unique ambition est de me souvenir et de comprendre qui j'ai été et pourquoi j'ai agi comme je l'ai fait. J'écris même si j'en souffre parce que seules la perte et la douleur me maintiennent en vie, et que j'ai peur de mourir. J'écris pour livrer à ces pages ce que je ne peux pas révéler aux êtres que j'aime sous peine de les blesser et de mettre leur vie en danger. J'écris parce que tant que je serai capable de me souvenir, je serai avec eux, encore un peu...

1

Devant l'image de mon corps en train de dépérir, dans le miroir de cette chambre à coucher, j'ai peine à le croire, mais j'ai été une petite fille, il y a des années de cela. Ma famille tenait une épicerie à côté de l'église Santa Maria del Mar et nous habitions dans un immeuble situé derrière la boutique. De la cour intérieure, on apercevait le sommet de la basilique. Enfant, j'aimais imaginer que c'était un château enchanté qui se promenait toutes les nuits dans Barcelone et rentrait à l'aube pour dormir au soleil. La famille de mon père, les Gispert, était une longue dynastie de commerçants barcelonais, et celle de ma mère, les Ferratini, une lignée de marins et de pêcheurs napolitains. J'ai hérité le caractère de ma grand-mère maternelle, une femme au tempérament volcanique surnommée la Vésuve. Nous étions trois sœurs, mais mon père affirmait qu'il avait deux filles et une mule. J'ai beaucoup aimé mon père, même si je l'ai rendu très malheureux. C'était un homme bon qui savait mieux y faire avec l'épicerie qu'avec les petites filles. Le confesseur de la famille disait de moi que nous venons tous au monde avec un projet et que le mien était de contredire et de contrarier. Mes sœurs aînées, plus dociles, partageaient le même objectif : faire un beau mariage et s'élever ainsi dans l'échelle sociale. Moi, je suis entrée en rébellion à l'âge de huit ans, pour le malheur de mes pauvres parents, quand je leur ai alors annoncé que je ne marierais jamais et que je ne porterais jamais de tablier de cuisine, même devant un peloton d'exécution. Je voulais être écrivain ou plongeuse sous-marine – à cette époque j'étais encore sous l'emprise de Jules Vernes. Pour mon père, les responsables de cette situation étaient les sœurs Brontë dont je parlais toujours avec admiration. Pour lui, ce nom désignait un tas de bonnes sœurs libertaires retranchées près de la porte de Santa Madrona qui avaient perdu la tête pendant les émeutes de la Semaine Tragique et fumaient de l'opium et dansaient enlacées après minuit. "Cela ne se serait jamais produit si nous l'avions mise chez les thérésiennes", se lamentait-il à mon propos. Je n'ai jamais été la fille que mes parents auraient voulue, je le reconnais, ni la jeune fille que le monde dans lequel je suis née attendait que je fus. Plus exactement, je n'ai jamais voulu l'être. J'ai toujours contredit tout le monde, mes parents, mes professeurs, et quand tous se sont lassés de batailler contre moi, je me suis retournée contre moi-même.

Je n'aimais pas jouer avec les autres fillettes, et ma spécialité était la décapitation de poupées au lance-pierre. Je préférais la compagnie des garçons qui se laissaient facilement commander, même s'ils finissaient par découvrir que je gagnais tout le temps. Je devais me débrouiller toute seule. Je crois que je me suis habituée à cette impression d'être en permanence à l'écart des autres, loin d'eux. En cela, je ressemblais à ma mère. Elle avait l'habitude de dire que nous étions toujours seuls au fond, surtout les femmes. Ma mère était une personne mélancolique avec laquelle je ne me suis jamais bien entendue, peut-être parce qu'elle était la seule de la famille à me comprendre un peu. J'étais petite quand elle est morte. Mon père s'est remarié avec une veuve de Valladolid qui ne m'a jamais aimée et qui, quand nous étions seules, m'appelaient "petite peste".

J'ai mesuré bien après sa mort combien ma mère me manquait. C'est peut-être pour cela que j'ai commencé à fréquenter assidûment la bibliothèque de l'université où elle m'avait inscrite avant de mourir. Elle s'était bien gardée de le dire à mon père qui estimait que ma destinée était de suivre le catéchisme et de lire les vies de saints. Ma mère adoptive détestait les livres dont la présence l'offensait. Elle les cachait au fond des armoires afin qu'ils ne gâtent pas la décoration de la maison.

Ma vie changea à la bibliothèque. Je ne m'étais jamais frottée au catéchisme, même par inadvertance, et la seule vie de saint que j'avais lue, et avec délice, était celle de sainte Thérèse d'Avila. J'étais très intriguée par ses mystérieuses extases que j'associais aux pratiques inavouables que je n'ose même pas rapporter dans ces pages. À la bibliothèque, je dévorai tout ce qu'on me laissa lire, et surtout ce que certains me recommandaient de ne pas lire. Une bibliothécaire érudite présente les après-midis me préparait toujours une pile d'ouvrages qu'elle qualifiait de "lectures que toute demoiselle devait lire bien que tout le monde l'en empêcha". Selon Mme Lorena, le niveau de barbarie d'une société se mesurait à la distance que l'on tentait de mettre entre les femmes et les livres. "Rien n'effraie davantage un barbare qu'une femme sachant lire, écrire et penser. Et qui, en outre, montre ses genoux." Elle fut emprisonnée pendant la guerre, et ils ont prétendu qu'elle s'était pendue.

Je sus immédiatement que je voulais vivre au milieu des livres, et je commençai à rêver qu'un jour mes propres histoires figureraient dans un de ces volumes que je vénérais tant. Les livres m'ont appris à penser, à sentir et à vivre une multitude de vies différentes. Je reconnais aussi sans honte qu'un jour les garçons aussi ont commencé à me plaire, comme Mme Lorena l'avait prédit. Trop, même. Je peux l'écrire et rire des tremblements qui m'agitaient quand je voyais passer les débardeurs qui se rendaient aux halles, sur la place du Born. Ils me regardaient avec un sourire vorace, le torse couvert de sueur, la peau bronzée, au goût de sel, imaginai-je alors. "Hé, beauté, si tu savais ce que je t'offrirais...", me lança l'un d'eux un jour, avant que mon père ne m'enfermât dans ma chambre pendant une semaine. Un temps que je consacrai à fantasmer sur ce que cet intrépide voulait m'offrir, me sentant alors assez proche de sainte Thérèse.

À dire vrai, les garçons de mon âge ne m'intéressaient pas tellement, et je leur faisais un peu peur parce que j'étais plus forte qu'eux en tout, sauf au concours de celui qui pisse le plus loin. Comme presque toutes les filles de mon âge, qu'elles l'admettent ou pas, j'aimais les hommes plus âgés, et surtout ceux qui entraient dans la catégorie du "garçon qui n'est pas pour toi" en usage chez toutes les mères du monde. Je ne savais pas me mettre en valeur, prendre soin de moi, au début du moins, mais j'appris rapidement à reconnaître si je leur plaisais. La plupart des garçons se révélèrent l'exact opposé des livres : ils étaient simples et ils se déchiffraient instantanément. Je suppose que je n'ai jamais été ce qui s'appelle une gentille fille. Je ne vais pas me mentir. Qui aspire à être une gentille fille ? Pas moi. Je poussais les garçons qui me plaisaient dans un coin de porte et je leur ordonnais de m'embrasser. Beaucoup étaient morts de peur, ou ne savaient pas comment s'y prendre, alors c'est moi qui les embrassais. Mes exploits parvinrent aux oreilles du curé du quartier qui, devant mes symptômes évidents de possession, estima nécessaire de m'exorciser sur-le-champ. La honte que je lui avais infligée déclencha chez ma mère adoptive une crise de nerfs qui dura un mois. Après cet épisode, elle déclara que je finirais danseuse de cabaret, ou directement dans le ruisseau, selon son expression favorite. "Et personne ne t'aimera plus, petite peste !" Mon père ne savait plus que faire de moi. Il entama les démarches pour m'enfermer dans un pensionnat religieux très strict, mais ma réputation me précéda et les religieuses refusèrent de m'admettre par crainte de la contamination des autres pensionnaires. J'écris tout cela sans rougir parce que je crois que si j'ai péché dans mon adolescence, ce fut par excès d'innocence. J'ai brisé un cœur, mais pas par méchanceté, et je croyais alors que personne, jamais, ne briserait le mien.

Ma belle-mère, qui avait déclaré une grande dévotion à la Vierge de Lourdes, ne perdait pas espoir de me voir un jour recouvrer la raison. Ou me faire écraser par un tramway qui la débarrasserait de moi une bonne fois pour toutes. Mon salut, d'après le curé, passait par la canalisation de mes instincts troubles grâce à la voie catholique et apostolique. Un plan fut concocté en urgence pour me fiancer, de gré ou de force, à un fils du pâtissier de la rue Flassaders, Vicentet, un bon parti aux yeux de mes parents. Un garçon doux et inconsistant comme le sucre en poudre, tendre et mou comme les madeleines de sa mère. J'en aurais fait mon petit-déjeuner, il le savait, le pauvre, mais nos familles respectives voyaient dans cette union l'occasion de faire d'une pierre deux coups. Caser le gamin et remettre la petite peste d'Isabella sur le droit chemin.

Vicentet, béni soit-il entre tous les confiseurs, m'adorait. J'étais à ses yeux ce qu'il y avait de plus beau et de plus pur dans l'univers, pauvre petit, et il m'admirait avec un air d'agneau égorgé en rêvant à notre banquet nuptial au Set Portes *et à notre voyage de noces à bord d'une* Golondrina, *jusqu'au bout de la jetée du port de Barcelone. De mon côté, je l'ai rendu le plus malheureux possible. Malheureusement pour tous les Vicentet du monde, qui ne sont pas rares, le cœur d'une fille est comme un stand de pétards sous un soleil d'été. Combien ce pauvre Vicentet dut-il souffrir par ma faute ! Il s'est finalement marié, m'a-t-on dit, avec une cousine issue de germain, habitante de Ripoll destinée au noviciat ; elle aurait épousé la statue du soldat inconnu si cela avait pu la sauver du couvent ! Ils continuent de mettre au monde ensemble des enfants et des madeleines.*

Je n'en démordis pas et, comme c'était prévisible, je fis ce que mon père avait toujours davantage craint que la perspective de l'installation de sa belle-mère, la Vésuve, chez eux. Les livres ayant, selon lui, empoisonné mon cerveau enfiévré, son pire cauchemar était que je tombasse amoureuse de la pire sorte d'individu, de l'être le plus perfide, cruel et malveillant qui eut jamais foulé cette terre et dont le principal objectif dans la vie, hormis la satisfaction de sa vanité sans limite, était de rendre malheureux les pauvres qui commettaient la grossière erreur de s'en éprendre : un écrivain. Pas un poète, un genre qu'il qualifiait en catalan de somiatruites, *un réveilleur éveillé inoffensif que l'on pouvait convaincre de chercher un emploi honnête, dans une boutique de légumes secs par exemple, et de se consacrer aux vers le dimanche après la messe. Non ! Un* romancier, la pire variété de l'espèce ! Avec eux, c'était sans issue et il n'en voulait pas, même en enfer.

Le seul écrivain en chair et en os vivant dans mon entourage était un individu un peu extravagant, pour ne pas dire plus, qui allait et venait dans le quartier. Ma petite enquête m'apprit qu'il habitait à quelques mètres de la pâtisserie de la famille de Vicentet, rue Flassaders, dans un lieu mal famé. D'après les ragots des vieilles femmes, des conservateurs des hypothèques et d'un veilleur de nuit très cancanier, un certain Soponcio au courant de tous les potins du quartier, l'immeuble était hanté et son occupant un peu toqué. Il s'appelait David Martín.

Je ne l'avais jamais vu. Il ne sortait que la nuit, supposait-on, et il fréquentait des lieux peu recommandables pour une demoiselle et les honnêtes gens. Ne me considérant ni l'une ni l'autre, je méditai un plan afin que nos destins entrassent en collision, tels deux trains fous. David Martín, le seul romancier vivant dans un périmètre de cinq rues autour de chez moi, l'ignorait encore, mais sa vie allait changer très bientôt. En mieux. Le ciel ou l'enfer lui enverrait ce dont il avait précisément besoin pour redresser son existence dissolue : une apprentie, la grande Isabella.

2

Le récit de la façon dont je parvins à devenir l'apprentie officielle de David Martín est long et foisonnant. Le connaissant, je n'aurais pas été surprise que David lui-même l'eût relaté quelque part, n'offrant probablement pas à mon personnage le rôle de l'héroïne. Bref, malgré sa résistance enragée, je réussis à me glisser chez lui, dans son étrange vie et dans sa conscience, qui était en soi un lieu hanté. Ce fut peut-être le destin. Ou peut-être le fait que David Martín, un esprit tourmenté, eut en réalité et sans le savoir plus besoin de moi que moi de lui. "Des âmes perdues qui se rencontrent au cœur de la nuit", écrivis-je alors dans une tentative de poème mélodramatique sirupeux, un exercice que mon nouveau mentor qualifia de hautement dangereux pour les diabétiques. Il était comme cela.

J'ai souvent pensé que David Martín avait été mon premier véritable ami après Mme Lorena. Il avait presque le double de mon âge *et il me donnait parfois l'impression d'avoir vécu cent vies avant de me connaître. Mais même lorsqu'il me fuyait ou que nous nous disputions pour des bêtises, je me sentais si proche de lui qu'il m'arrivait de comprendre, malgré moi, son interprétation du "Qui se ressemble, s'assemble : Grandis aux enfers, ils y complotent", qu'il répétait en plaisantant. Comme beaucoup d'être doux et bons, David aimait se dissimuler derrière une carapace cynique et bourrue, et en dépit des nombreuses piques qu'il me lançait (pas moins nombreuses que celles que je lui décochais, pour être honnête), et malgré ses efforts pour le cacher, il manifesta toujours de la patience et une grande générosité à mon égard.*

David Martín m'apprit quantité de choses : à fabriquer une phrase, à considérer le langage et tous ses artifices comme un orchestre disposé face à une page blanche, à analyser un texte, à en comprendre la construction et la raison d'être... Il me réapprit à lire et à écrire, consciente cette fois de ce que je faisais et pourquoi. Et surtout comment. Il me répétait inlassablement que la seule chose qui compte véritablement en littérature ce n'est pas le sujet du livre mais la manière de le raconter. Le reste, c'était des fioritures. Il m'expliqua aussi que si le métier d'écrivain devait s'apprendre, il ne pouvait pas s'enseigner. "Celui qui ne comprend pas ce principe de base ferait mieux de s'occuper à autre chose, les activités ne manquent pas." Il affirmait que j'avais moins d'avenir comme écrivain que l'Espagne comme nation raisonnable, mais il était un pessimiste né, ou ce qu'il appelait un "réaliste informé". Et donc, fidèle à moi-même, je le contredis.

Auprès de lui j'appris à m'accepter comme j'étais, à penser par moi-même et à m'aimer un peu. Durant le temps où j'ai vécu dans sa demeure hantée, nous sommes devenus amis, de très bons amis. David Martín était un homme solitaire qui coupait les ponts avec le monde extérieur sans s'en rendre compte. À moins qu'il ne le fît de façon délibérée parce qu'il pensait que rien de bon ne pouvait lui arriver par ces ponts. Son âme était brisée depuis l'enfance, et jamais il ne parvint à la recoller. J'ai commencé par faire semblant de le détester, puis j'ai masqué mon admiration et enfin j'ai tout fait pour éviter qu'il ne se rendît compte de la peine qu'il me faisait. Il en serait devenu fou. Plus il tentait de m'éloigner et plus je me sentais proche de lui. J'ai alors cessé de le contredire à tout propos. Je ne souhaitais plus qu'une chose, le protéger. L'ironie de notre amitié, c'est que j'ai débarqué dans sa vie comme apprentie, un vrai boulet, alors qu'au fond c'était comme s'il m'avait toujours attendue. Pour le sauver de lui-même peut-être, ou de tout ce qu'il emprisonnait en lui et le dévorait tout cru.

On ne tombe vraiment amoureux que lorsqu'on ne s'en rend pas compte. J'ai aimé cet homme brisé et profondément malheureux bien avant de commencer à soupçonner qu'il me plaisait. Lui ayant toujours lu en moi comme dans un livre ouvert, il s'inquiétait pour moi. C'est lui qui eut l'idée de me faire embaucher dans la librairie Sempere & Fils dont il était client depuis toujours. Et aussi de convaincre Juan, le "fils" Sempere qui deviendrait mon mari, de me faire la cour. Juan, aussi timide que David pouvait être expansif. Le jour et la nuit en quelque sorte. Et ce, d'autant que la nuit régnait en permanence sur le cœur de David.

À cette époque, j'avais commencé à comprendre que je ne deviendrais jamais écrivain – les sœurs Brontë pouvaient toujours attendre une autre candidate pour leur succéder –, ni non plus plongeuse sous-marine. J'avais également commencé à comprendre que David Martín était malade. Un abîme s'était ouvert en lui. Après une existence passée à lutter pour rester lucide, David avait perdu la bataille et sa raison le fuyait tel du sable qu'il aurait tenté en vain de retenir entre ses doigts. Si j'avais écouté le bon sens, je serais partie en courant, mais à ce moment-là il avait pris goût à me contredire.

On a raconté beaucoup de choses sur David Martín et on lui a attribué des crimes horribles. Moi qui l'ai connu mieux que personne, je crois, je suis convaincue que ses seuls crimes furent contre lui-même. C'est pourquoi je l'ai aidé à s'enfuir de Barcelone quand la police l'a accusé de l'assassinat de son protecteur Pedro Vidal, et de son épouse Cristina. Il croyait en être amoureux, de cette manière idiote et fatale dont certains hommes s'imaginent aimer des femmes qu'ils sont incapables de distinguer d'un mirage. J'ai donc prié pour qu'il ne revînt jamais dans cette ville et qu'il trouvât la paix ailleurs, loin. Et pour que je pusse l'oublier, ou me convaincre avec le temps qu'il en était ainsi. Las, Dieu ne fait cas que de nos suppliques inutiles.

J'ai consacré les quatre années suivantes à essayer d'oublier David Martín et à me répéter que j'y avais presque réussi. Mon rêve d'écriture abandonné, j'avais réalisé celui de vivre parmi les livres et les mots. Je travaillais à la librairie Sempere & Fils où Juan était devenu "monsieur" Sempere à la mort du grand-père. Nous eûmes des fiançailles caractéristiques de l'avant-guerre : flirt retenu, brèves caresses sur la joue, promenades dominicales et baisers volés sous les auvents des fêtes de Gracia, lorsqu'il n'y avait ni parents ni connaissances aux environs. Sans grands frissons, pas non plus nécessaires. On ne peut pas vivre toute sa vie comme si on avait toujours quatorze ans.

Juan me proposa rapidement le mariage. Mon père accepta à la seconde, éperdu de gratitude à l'égard de sainte Rita, la patronne des causes désespérées, en entrevoyant l'image improbable de sa fille vêtue de blanc s'inclinant devant un curé, obéissante. Barcelone, la ville des miracles. Je dis oui à Juan avec la conviction qu'il était le meilleur des hommes qu'il me serait donné de rencontrer, que je ne le méritais pas et que j'avais appris à l'aimer non seulement avec mon cœur mais aussi avec ma tête. Ce ne fut pas le oui d'une jeune fille. Je me sentis tellement sage ! Ma mère aurait été fière de moi. Tous ces livres avaient servi à quelque chose. J'acceptai sa main, certaine que ce que je désirais le plus au monde était de le rendre heureux et de former une famille avec lui. Je crus pendant un temps qu'il en serait ainsi. J'étais toujours aussi naïve.

3

Les personnes conservent les espérances, mais le destin, c'est le diable qui l'attribue. Le mariage devait être célébré dans la chapelle Santa Ana, sur la placette située juste derrière la librairie. On avait envoyé les invitations, engagé le traiteur, commandé les fleurs et réservé la voiture chargée de conduire la fiancée jusqu'à la porte de l'église. Je me répétais quotidiennement que cela me remplissait de joie et que j'allais enfin être heureuse. Je me rappelle ce jour de mars, un vendredi, un mois exactement avant la cérémonie. J'étais seule dans la librairie. Juan était allé à Tiana pour livrer une commande à un client important. J'entendis la cloche de la porte et en levant les yeux je le vis. Il n'avait presque pas changé.

David Martín était de ces hommes qui ne vieillissent pas, ou seulement à l'intérieur. Quiconque aurait plaisanté en évoquant un possible pacte avec le diable. Quiconque sauf moi. Je savais qu'au fond de son âme fantasmagorique il était persuadé que c'était le cas, même si son diable personnel était un personnage imaginaire logé dans l'arrière-fond de son cerveau. Cet Andreas Corelli était un éditeur parisien, un personnage aussi sinistre que s'il était né sous sa propre plume. David demeurait convaincu que ce Corelli l'avait engagé pour écrire un livre maudit, le texte fondateur d'une nouvelle religion fanatique, enragée et destructrice, supposée mettre le feu au monde entier pour toujours. David endossait ces délires et il croyait dur comme fer que si ce petit diable littéraire le poursuivait sans relâche, c'était parce que ce qu'il n'avait rien trouvé de plus malin, lui l'indécrottable, que de le trahir, de rompre leur accord et de détruire le Malleus Maleficarum *de service au dernier moment, peut-être à cause de la bonté rayonnante de son insupportable apprentie, qui lui avait fait entrapercevoir la lumière et l'erreur de ses plans. J'entrais alors en scène, moi, la grande Isabella, qui ne croyais en rien, pas même à la loterie ! Je pensai que le parfum de mon charme juvénile allié au fait d'aller respirer quelque temps un autre air que celui de Barcelone (où il était recherché par la police, en plus) le guérirait de ses folies. Il m'avait suffi de plonger mes yeux dans les siens pour comprendre que ses quatre années à errer Dieu sait où ne l'avait pas soigné d'un iota. Quand il me sourit en me déclarant que je lui avais manqué, mon âme se brisa, j'éclatai en larmes et je maudis mon sort. Il caressa ma joue et je compris que j'étais encore amoureuse de mon Dorian Gray particulier, mon fou préféré, le seul homme dont j'avais toujours désiré qu'il fît de moi ce qui lui plaisait.*

J'ai oublié les paroles que nous échangeâmes alors. Le flou entoure ce moment dans ma mémoire. Tout ce que j'avais échafaudé en imagination pendant les années de son absence me tomba dessus en quelques secondes je crois, et quand je parvins à sortir des décombres je fus seulement capable de laisser quelques mots à Juan sur un papier, à côté de la caisse enregistreuse.

Je dois partir. Pardonne-moi, mon amour.
Isabella

Je savais que la police le recherchait toujours, et il ne se passait pas un mois sans qu'un membre du Corps ne vînt à la librairie pour demander si nous avions des nouvelles du fugitif. Je quittai la librairie au bras de David et je l'entraînai jusqu'à la gare du Nord. Il paraissait enchanté d'être de retour à Barcelone, et il regardait autour de lui avec la nostalgie d'un moribond et l'innocence d'un enfant. J'étais morte de peur. Je ne pensais qu'à une chose : où le cacher. Je lui demandai s'il connaissait un endroit où personne ne pourrait le retrouver, où personne n'aurait l'idée de le chercher.

— Le Salon des cent de l'Hôtel de Ville.

— Je suis sérieuse, David.

J'ai toujours été la spécialiste des trouvailles, mais ce jour-là, je fis des prouesses. David m'avait raconté une fois que son vieil ami et mentor Pedro Vidal possédait une maison face à la mer dans un coin perdu de la Costa Brava, à S'Agaró. L'endroit lui avait servi un temps de garçonnière, une institution dans la bourgeoisie catalane qui avalisait la nécessité d'un lieu où rencontrer des demoiselles, des prostituées ou autres aspirantes à l'amour fugace, afin de soulager la fougue des caballeros de bonne famille sans entacher les liens immaculés du mariage.

Disposant d'autres pied-à-terre et garçonnières dans Barcelone, Vidal avait souvent proposé sa tanière face à la mer à David, pour ce qu'il désirait y faire. Lui et ses cousins ne s'y rendaient qu'en été, et seulement une ou deux semaines. La clef était cachée sous une pierre à côté de la porte d'entrée. Avec l'argent que j'avais pris dans la caisse de la librairie j'achetai deux billets pour Gérone, et là deux autres pour Sant Feliu de Guíxols, le village situé à deux kilomètres de la plage de Sant Pol où se trouvait l'enclave de S'Agaró. David n'opposa aucune résistance, et pendant le voyage, il posa sa tête sur mon épaule et dormit.

— Cela fait des années que je ne dors plus, dit-il.

Nous arrivâmes à la tombée de la nuit, sans bagages. Je jugeai plus prudent de ne pas prendre la guimbarde en face de la gare et, profitant de l'obscurité, nous fîmes le trajet à pied jusqu'à la villa. La clef était toujours au même endroit. La maison était fermée depuis des années ; j'ouvris les fenêtres et je laissais l'air entrer jusqu'à l'aube. David dormit comme un bébé et il n'ouvrit les yeux que lorsque le soleil lui caressa le visage. Il se leva, s'approcha de moi et m'enlaça avec force. Je lui demandai pourquoi il était revenu. Il avait compris qu'il m'aimait, me répondit-il.

— Tu n'as pas le droit de m'aimer, lui dis-je.

La Vésuve que je portais toujours en moi resurgit après trois ans d'inactivité. Je hurlai, je laissai sortir toute ma colère, toute la tristesse et tout le désir qu'il m'avait laissés. Le rencontrer était la pire chose qui me fut arrivée dans la vie, je le détestais, je ne voulais plus jamais le revoir, je voulais qu'il restât dans cette maison à pourrir à jamais. David hocha la tête en signe d'acquiescement et il baissa les yeux. C'est à ce moment-là, je suppose, que j'embrassai ses lèvres et que je fis voler en éclats le reste de ma vie. Le curé de mon enfance s'était trompé. Je n'étais pas venue au monde pour contredire et contrarier, mais bien pour commettre des erreurs. Et ce matin-là, dans ses bras, je commis la pire des erreurs.

4

On ne mesure le vide du temps passé que le jour où l'on existe véritablement. La vie, non les jours qui passent, se résume parfois à un instant, une journée, une semaine ou un mois. On sait qu'on vit parce qu'on souffre, parce que soudain tout compte et parce que ce moment se terminant, le reste de l'existence devient un souvenir qu'on essaie vainement de revivre jusqu'au dernier souffle. Pour moi, ce moment correspond aux semaines vécues dans la villa face à la mer en compagnie de David. De David et de ses démons qui cohabitaient avec nous, devrais-je dire, ce dont je me fichais à l'époque. Je l'aurais accompagné en enfer s'il me l'avait demandé. Ce que je fis à ma manière, je présume.

Au pied des rochers se trouvaient une sorte de cabane abritant deux barques ainsi qu'un ponton en bois qui avançait dans la mer. Presque tous les matins, à l'aube, David allait s'asseoir tout au bout du ponton pour assister au lever du soleil. Certains jours, je l'accompagnais et nous nous baignions dans la crique. Nous étions en mars, l'eau était encore froide, et nous en sortions rapidement. Nous courions jusqu'à la maison nous installer devant le feu de cheminée. Nous faisions aussi de longues promenades sur le chemin qui longeait les falaises. Il menait à une plage déserte que les gens du coin appelaient Sa Conca.

Dans le bois, derrière la plage, vivaient des Gitans à qui David achetait des vivres. De retour à la maison, il faisait la cuisine. À la tombée de la nuit nous mangions en écoutant des vieux disques de Vidal. La tramontane se levait souvent au coucher du soleil, soufflant fort dans les arbres et faisant battre les volets. Nous fermions les fenêtres et nous allumions des bougies dans la maison. J'étalais des couvertures devant la cheminée et je prenais David par la main. Il avait beau avoir deux fois mon âge ou presque, et avoir vécu des choses que je n'imaginais même pas, il se montrait timide et je devais guider ses mains pour qu'il me déshabillât lentement comme j'aimais qu'il le fît. J'imagine que je devrais avoir honte d'écrire ces mots, d'évoquer ces souvenirs, mais il ne me reste ni pudeur ni honte. Le souvenir de ces nuits, de ses mains et de ses lèvres explorant ma peau, le souvenir du bonheur et du plaisir vécus entre ces quatre murs, est le plus beau que j'emporte avec moi, avec celui de la naissance de Daniel et des années passées à le regarder grandir.

Je sais à présent que le véritable objectif de ma vie, celui que personne n'eût pu prévoir, pas même moi, fut la conception de mon fils Daniel au cours de ces semaines avec David. On me jugerait et me condamnerait avec plaisir pour avoir aimé cet homme, pour avoir conçu un enfant dans le péché et en cachette, et pour avoir menti. Je le sais. Le châtiment, juste ou non, ne se fit pas attendre. Sur cette terre, personne n'est heureux gratuitement, sans contrepartie, ne fût-ce qu'un bref instant.

Un matin que David était descendu au ponton, je m'habillai et je me dirigeai vers un endroit appelé La Taverne de la Mer, dans l'anse de Sant Pol. Je téléphonai à Juan. J'avais disparu depuis deux semaines et demie.

— Où es-tu ? Tu vas bien ? Tu es en sécurité ? me demanda-t-il.
— Oui.
— Vas-tu revenir ?
— Je ne sais pas. Je ne sais rien, Juan.
— Je t'aime profondément, Isabella. Et je t'aimerai toujours. Que tu reviennes ou pas.
— Tu ne me demandes pas si je t'aime moi aussi ?
— Tu n'as aucune explication à me donner, si tu n'en as pas envie. Je t'attendrai. Toujours.

Ces paroles me frappèrent comme un poignard et quand je revins à la maison je pleurais encore. David m'attendait à la porte. Il me prit dans ses bras.

— Je ne peux pas rester ici avec toi, David.

— Je le sais.

Deux jours après, un des Gitans de la plage vint nous avertir que la garde civile avait posé des questions au sujet d'un homme et d'une jeune fille aperçus dans les environs. Ils montraient une photo de David, il était recherché pour meurtre. Ce fut notre dernière nuit ensemble. Le lendemain, quand je me réveillai devant le feu, David était parti. Il avait laissé un mot pour me dire qu'il rentrait à Barcelone, que je devais épouser Juan et être heureuse pour eux deux. La nuit précédente, je lui avais avoué que Juan m'avait demandé en mariage et que j'avais dit oui. Encore aujourd'hui, je ne sais pas pour quelle raison je lui avais raconté cela. Pour l'éloigner de moi ou pour qu'il me supplie de partir avec lui, dans sa descente aux enfers. Il décida pour moi. Lorsque je lui avais dit qu'il n'avait pas le droit de m'aimer, il m'avait cru.

L'attendre n'avait aucun sens. Je le sus tout de suite. Il ne reviendrait pas, ni le jour même ni le lendemain. Je fis le ménage dans la maison, je remis les housses sur les meubles et je fermai volets et fenêtres. Je laissai les clefs sous la pierre et je marchai jusqu'à la gare.

Dès que je montai dans le train à Sant Feliu, je sus que je portais son fils. J'avais appelé Juan de la gare avant de partir et il vint me chercher. Il m'enlaça, et il ne me posa aucune question. Je n'osai pas le regarder dans les yeux.

— Je ne mérite pas que tu m'aimes, lui avouai-je.

— Ne dis pas de sottises.

Je fus lâche et j'eus peur. Pour moi. Pour l'enfant que je portais, je le savais. Une semaine plus tard, j'épousai Juan Sempere dans la chapelle Santa Ana, le jour convenu. Le dîner de noces se déroula à l'auberge España. Le lendemain matin, en me réveillant, j'entendis Juan dans la salle de bains. Combien la vie serait belle si nous étions capables d'aimer la personne qui le méritait.

Daniel Sempere Gispert, mon fils, naquit neuf mois plus tard.

5

Je n'ai jamais bien compris pourquoi David avait décidé de revenir à Barcelone dans les derniers jours de la guerre. Le matin où il avait quitté S'Agaró, je crus que je ne le reverrais plus jamais. La naissance de Daniel me fit oublier la jeune fille que j'étais et les temps que nous avions passés ensemble. Je vécus ces années sans autre horizon que Daniel. M'occuper de lui, être pour lui la mère qu'il fallait, et le protéger dans un monde que j'avais appris à voir à travers les yeux de David. Un monde de ténèbres, de rancœurs et de jalousies, de mesquineries et de haine. Un monde de fausseté, de mensonges. Un monde qui ne méritait pas de continuer d'être mais dans lequel mon fils était né, dont je devais le protéger. Je n'ai jamais voulu que David connût l'existence de Daniel, et le jour de la naissance de mon fils, je me jurai que cet enfant ne saurait jamais qui avait été son père, parce que son véritable père, l'homme qui l'éveilla à la vie et l'éleva à mes côtés, Juan Sempere, était le meilleur des pères. J'étais convaincue que si Daniel découvrait ou soupçonnait un jour la vérité, il ne me le pardonnerait jamais. Malgré tout, si c'était à refaire j'agirais de même. David Martín n'aurait jamais dû revenir à Barcelone. Au fond de mon âme, je crois que s'il l'a fait, c'était parce qu'il se doutait de quelque chose. Ce fut peut-être le véritable châtiment que lui avaient réservé ses propres démons. Au moment où il franchit la frontière, il nous condamna tous les deux.

Il a été arrêté il y a quelques mois dans les Pyrénées et transféré à Barcelone où le dossier des affaires le concernant a été rouvert, alourdi des accusations de subversions, trahison envers la patrie et je ne sais quelles autres idioties. Il a été emprisonné à la Modelo, déjà pleine de milliers de prisonniers. Ces temps-ci, on assassine et on emprisonne à grande échelle dans les principales villes d'Espagne, et plus encore à Barcelone. La période de la vengeance et de la revanche est ouverte. Le désir d'anéantir l'adversaire, cette grande vocation nationale ! Comme il fallait s'y attendre, les nouveaux croisés sortent flambant neuf de sous les décombres et ils courent prendre leur place dans le nouvel ordre des choses, avides de se hisser dans les instances de la nouvelle société. Beaucoup d'entre eux ont traversé les lignes et changé de camp une ou plusieurs fois, par *opportunité ou intérêt. Quiconque ayant vécu une guerre les yeux grands ouverts ne peut plus croire que les humains sont meilleurs que n'importe quel autre animal.*

Les choses ne paraissaient pas pouvoir aller plus mal. Pourtant, la limite de la petitesse et de la vilenie n'est jamais atteinte quand on lâche les rênes. Un personnage qui semblait fait pour incarner l'esprit du temps apparut bientôt dans le paysage. J'imagine qu'ils sont nombreux comme lui parmi la vermine qui refait surface lorsque tout échoue. Il s'appelait Mauricio Valls et, comme tous les grands hommes dans des périodes de médiocrité, il n'était personne.

6

Je présume qu'un jour tous les grands journaux du pays publieront des articles dithyrambiques à la gloire de don Mauricio Valls, chantant ses louanges aux quatre vents. Notre terre est fertile en personnages de cet acabit, des individus jamais en peine de courtisans qui se traînent à leurs pieds pour ramasser les miettes tombées de leur table quand ils accèdent aux plus hautes sphères du pouvoir. En attendant ce moment, qui ne manquera pas d'arriver, Mauricio Valls est l'un des aspirants à la renommée parmi d'autres. J'en ai appris beaucoup sur lui au cours de ces derniers mois. Je sais qu'il a commencé au sein de cercles réunis dans les cafés, comme beaucoup d'apprentis écrivains. Un homme médiocre, oisif, qui, comme souvent, compensait ses carences par une vanité sans borne et un désir vorace de reconnaissance. Soupçonnant que ses seuls mérites ne lui rapporteraient jamais un sou vaillant, ni la position qu'il ambitionnait et qu'il était convaincu de mériter, il a décidé de faire carrière dans le copinage et de cultiver une coterie d'individus de son espèce pour échanger des prébendes et mettre hors jeu ceux qu'ils jalousaient.

J'écris avec rage et rancœur, oui, et j'en ai honte parce que je ne sais plus si mes mots sont justes ou non, et je me fiche de savoir si je juge des innocents ou si je suis aveuglée par la colère et la douleur qui me brûlent de l'intérieur. Durant ces derniers mois, j'ai appris à haïr, et je suis atterrée à l'idée que je mourrai avec cette amertume au cœur.

J'ai entendu son nom pour la première fois peu après avoir appris l'arrestation et l'incarcération de David Martín. Mauricio Valls, jeune loup du nouveau régime et partisan fidèle, s'est enfin fait un nom en épousant la fille d'un cacique du conglomérat entrepreneurial et financier qui a soutenu le camp des vainqueurs. Ayant commencé dans la vie comme apprenti écrivain, son grand succès a été de séduire et de conduire devant l'autel une pauvre malheureuse atteinte d'une maladie congénitale cruelle et dont les os se brisent, la condamnant au fauteuil roulant depuis l'adolescence. La riche héritière incasable a été une chance en or.

Valls avait dû imaginer que ce coup de maître le propulserait à la cime du Parnasse national, à un poste important de l'Académie ou à une position prestigieuse dans le milieu des arts et de la culture. Il avait omis dans ses calculs le fait que beaucoup, voyant se profiler la victoire, s'étaient déjà mis sur les rangs en vue du jour de gloire.

L'heure des récompenses et du partage du butin venue, Valls a reçu sa part accompagnée d'une bonne leçon sur les règles du jeu. Le régime n'avait pas besoin de poètes mais de geôliers et d'inquisiteurs. Contre toute attente de sa part, il a été nommé au poste de directeur de la prison du château de Montjuïc, un emploi qu'il a jugé indigne et très en dessous de ses aptitudes intellectuelles. Un homme comme Valls n'a pas pour autant gaspillé cette opportunité et il a su rentabiliser ce tour du destin. Il s'est montré zélé, il a gagné ses galons, il a préparé sa future ascension et, au passage, il a emprisonné et fait disparaître les quelques adversaires réels ou imaginaires dont il avait dressé la liste. Ou alors il a profité d'eux. Je ne comprends pas comment le nom de David Martín était arrivé sur cette liste, mais il n'était pas le seul. Or, pour une raison ou une autre, Valls avait développé envers lui une fixation obsessionnelle et maladive.

Dès qu'il a appris l'incarcération de David Martín à la Modelo, il a sollicité son transfert immédiat au château de Montjuïc, et il l'a réclamé sans relâche jusqu'à le voir derrière les barreaux d'une de ses cellules. Juan, mon époux, connaît un jeune avocat client de la librairie, Fernando Brians. Je suis allée le trouver pour savoir ce que je pouvais faire afin d'aider David. Nous n'avions presque pas d'économies et Brians, un homme bon devenu un grand ami au cours de ces mois si difficiles, a accepté de travailler gracieusement. Il avait quelques contacts à la prison de Montjuïc. Un des gardiens en particulier, Bebo, a réussi à découvrir que Valls nourrissait une sorte de plan concernant David. Il connaissait son œuvre et il avait beau le qualifier inlassablement de "pire écrivain du monde", il essayait de le convaincre d'écrire, ou de réécrire, quelques feuilles en son nom. Aidé par sa nouvelle position dans le régime, Valls comptait sur ce texte pour établir sa notoriété d'homme de lettres. J'imagine sans peine quelle a été la réponse de David.

Brians a fait tout son possible, mais les charges qui pesaient sur David étaient trop graves. Il ne restait qu'une option : en appeler à la clémence de Valls pour qu'il lui évite un traitement que nous imaginions tous. Contre l'avis de Brians, j'ai rendu visite à Valls. C'était une erreur, une grave erreur, je le sais maintenant. Je suis apparue aux yeux du directeur de prison comme un bien supplémentaire de l'homme qu'il haïssait tant et je suis devenue l'objet de cristallisation de son désir.

À l'égal de beaucoup d'hommes de sa condition, Valls avait rapidement appris à négocier avec les attentes et les angoisses des familles de prisonniers qu'ils tenaient en son pouvoir. Brians m'avait toujours mise en garde et Juan, subodorant ma relation avec David et mon admiration pour lui, voyait d'un très mauvais œil mes visites à Valls au château. "Pense à ton fils", me disait-il. Il avait raison. J'ai été égoïste. Je ne pouvais pas abandonner David dans cet endroit tant que je pouvais encore faire quelque chose. Ce n'était plus une simple question de dignité. Personne ayant survécu à une guerre civile ne peut se vanter de conserver un soupçon de dignité. Mon erreur a été de ne pas comprendre que Valls ne désirait pas me posséder ou m'humilier. Ce qu'il voulait, c'était me détruire. C'était le seul moyen de faire plier David, de le blesser. Il l'avait compris.

Ma détermination et ma naïveté pour essayer de le convaincre se sont retournées contre nous. J'ai eu beau l'aduler, feindre de le respecter et de le craindre, m'humilier devant lui en le suppliant d'accorder sa miséricorde au prisonnier qu'il avait sous sa responsabilité, je n'ai fait qu'aviver le feu qui brûlait en lui. Je sais maintenant que toutes mes tentatives pour aider David ont fini par le condamner.

Quand je l'ai compris, il était trop tard. Las de son travail, de lui-même et de la lenteur que mettait la gloire à se manifester, Valls passait son temps à bâtir des chimères. Dont celle de son amour pour moi. J'ai voulu croire que si je lui laissais quelque espoir, il

716

se montrerait magnanime. Mais il s'est lassé aussi de moi. Désespérée, j'ai menacé de tout révéler, de faire connaître son vrai visage et l'ampleur de sa médiocrité. Il s'est ri de moi et de ma naïveté. Puis il a voulu me punir. Pour atteindre David et lui porter le coup fatal.

Il y a une semaine et demie à peine, il m'a fixé rendez-vous au café de l'Opera, sur les Ramblas. Je m'y suis rendue sans rien dire à personne, pas même à mon mari. J'étais certaine que c'était la dernière occasion qui me restait. J'ai échoué. J'ai su le soir même que quelque chose n'avait pas fonctionné. De fortes nausées m'ont réveillée à l'aube et j'ai vu dans le miroir mes yeux jaunes et des taches sur ma peau, autour du cou et sur le torse. J'ai été prise de vomissements, et la douleur s'est installée. Froide comme la lame d'un couteau qui entaille les entrailles et se fraie un chemin à l'intérieur du corps. La fièvre m'a terrassée et j'étais incapable de retenir le moindre liquide ou aliment. Mes cheveux tombaient par poignées. Mes muscles se tendaient comme des arcs et me tiraient des cris de douleur. Ma peau saignait, mes yeux, ma bouche.

Les médecins et les hôpitaux n'ont rien pu faire. Juan pense que j'ai contracté une maladie et qu'il reste de l'espoir. Il ne peut se faire à l'idée de me perdre, et je ne peux me faire à l'idée de les abandonner, lui et Daniel. J'ai manqué à mon devoir de mère en faisant passer avant tout le reste mon désir de sauver l'homme dont je voulus croire qu'il était l'amour de ma vie.

Je sais que Mauricio Valls m'a empoisonnée ce soir-là au café de l'Opera. Il l'a fait pour blesser David. Je sais qu'il ne me reste que quelques jours à vivre. Tout s'est passé si vite. Ma seule consolation est le laudanum qui calme la douleur dans mes entrailles, et ce carnet sur lequel j'ai souhaité confesser mes fautes et mes erreurs. Brians me rend visite tous les jours, conscient que j'écris pour rester en vie, pour contenir ce feu qui me dévore. Je lui ai demandé de détruire ces pages à ma mort, sans les lire. Personne ne doit découvrir ce que j'ai raconté ici. Personne ne doit connaître la vérité. J'ai appris que, dans ce monde, la vérité ne fait que meurtrir, et aussi que Dieu n'aime et n'aide que les menteurs.

Je n'ai plus personne à prier. Je suis abandonnée de tout ce en quoi je croyais. Il m'arrive de ne plus me souvenir de qui je suis, et relire ce carnet me permet alors de comprendre ce qui m'arrive. J'écrirai jusqu'à la fin. Pour me souvenir. Pour essayer de survivre.

J'aimerais pouvoir embrasser mon fils et lui faire comprendre que je ne l'abandonnerai jamais, quoi qu'il arrive. Je serai toujours à ses côtés. Je l'aime. Mon Dieu, pardonne-moi. Je ne savais pas ce que je faisais. Je ne veux pas mourir. Mon Dieu, laisse-moi vivre un jour de plus pour que je puisse prendre Daniel dans mes bras et lui dire combien je l'aime...

Aux petites heures du matin, Fermín était sorti, comme souvent, marcher dans les rues désertes d'une Barcelone parsemée de givre. Quand il le voyait passer, Remigio, le veilleur de nuit du quartier, l'interrogeait toujours sur son insomnie, un mot qu'il avait appris dans le courrier du cœur féminin radiophonique qu'il écoutait en cachette. Il se sentait concerné par tous les chagrins et les problèmes exposés par ces dames, et même par celui qui portait le nom très intrigant de ménopause, qui se soignait, croyait-il, en se frottant les parties génitales à la pierre ponce.

— Pourquoi ce nom d'insomnie, alors que c'est de conscience qu'on veut parler ?

— Vous êtes un vrai mystique, Fermín ! Si j'avais une femme comme la vôtre en train de m'attendre au chaud entre les draps, je serais ravi d'être le seul à ne pas dormir. Attention, couvrez-vous, l'hiver est peut-être arrivé tard cette année, mais il est gratiné.

Après une heure passée à lutter contre une brise coupante sous une neige fondue qui trempait les rues, Fermín décida de diriger ses pas vers la librairie. Il avait du travail en retard et il avait appris à profiter de ces moments de solitude dans la boutique avant le lever du soleil ou l'apparition de Daniel descendu ouvrir. Il s'engagea dans la rue Santa Ana et il aperçut de loin une lueur émanant de la vitrine. Il ralentit la marche, attentif au bruit de ses pas. À quelques mètres de la boutique, il s'immobilisa et il se protégea du froid dans un encadrement de porte. Il était trop tôt, même pour Daniel. Cette histoire de conscience devenait-elle contagieuse ?

Il se débattait entre l'envie de rentrer chez lui et de réveiller Bernarda par une vigoureuse démonstration de virilité ibérique, et celle d'entrer dans la librairie et d'interrompre Daniel dans ses activités (surtout pour s'assurer qu'il n'était pas question

718

d'arme, à feu ou contondante), quand il avisa son ami qui sortait du magasin. Il se plaqua contre la porte au point de sentir le heurtoir s'incruster dans ses reins. Daniel referma la porte de la librairie à clef et il se dirigea vers la Puerta del Ángel. Il était en bras de chemise et il portait quelque chose sous le bras, un livre ou un carnet. Fermín soupira. Tout cela ne laissait rien présager de bon. Bernarda devrait attendre pour comprendre vraiment ce qui en valait la peine.

Il le suivit pendant presque une demi-heure dans le dédale de rues descendant vers le port. Il n'avait pas besoin de se cacher ou de feinter. Daniel était à tel point plongé dans ses pensées qu'il n'aurait pas remarqué, le cas échéant, qu'il était suivi par un corps de ballet dansant les claquettes. Fermín grelottait de froid. Il regrettait d'avoir fourré son manteau avec la presse sportive, poreuse et peu fiable dans ce domaine, au lieu du supplément dominicale de *La Vanguardia* au papier épais. Il fut tenté d'appeler son ami, mais il se ravisa. Daniel avançait, en transe, indifférent à la brume de neige fondue qui dégoulinait sur lui.

Ils arrivèrent sur le Paseo de Colón avec, au loin, la fantasmagorie de hangars, de mâts et de brouillard, gardienne du port. Daniel traversa le Paseo et contourna des tramways échoués là en attente de l'aube. Il pénétra dans les étroits passages entre les entrepôts, nefs de cathédrale abritant des chargements de toutes sortes, et il atteignit les docks où des pêcheurs qui préparaient les filets et les voiles pour sortir en mer avaient allumé un feu dans un bidon de gasoil vide pour se chauffer un peu. Daniel s'approcha d'eux. Quand ils l'aperçurent, les hommes s'écartèrent. Quelque chose dans son visage dut les dissuader d'entamer la conversation avec lui. Fermín hâta le pas et il vit comment Daniel jetait dans les flammes le paquet qu'il tenait sous le bras.

Il s'approcha de son ami et il lui sourit par-dessus le brasero. Les yeux de Daniel brillaient à la lueur des flammes.

— Si vous cherchez à attraper une pneumonie, je préfère vous prévenir, le pôle Nord est de l'autre côté, plaisanta Fermín.

Daniel ne lui fit aucun cas, absorbé par le feu qui dévorait le papier. Les pages se fripaient au milieu des flammes comme si une main invisible les tournait une à une.

— Bea va s'inquiéter, Daniel. Venez, on rentre ?

Daniel leva la tête et il regarda Fermín sans la moindre expression sur le visage, comme s'il ne l'avait jamais vu.

— Daniel ?

— Où est-il ? demanda-t-il d'une voix froide et atone.

— Comment ?

— Le pistolet. Qu'en avez-vous fait, Fermín ?

— Je l'ai confié aux sœurs de la Charité.

Un sourire glacial effleura les lèvres de Daniel. Fermín sentit qu'il était sur le point de le perdre à tout jamais. Il s'approcha de lui et il passa un bras autour de ses épaules.

— Rentrons à la maison, Daniel. Je vous en prie.

Il acquiesça enfin et ils prirent le chemin du retour, sans échanger un mot.

Le jour se levait quand Bea entendit la porte de l'appartement s'ouvrir et Daniel avancer dans le vestibule. Elle était assise depuis des heures dans la salle à manger, une couverture sur les épaules. La silhouette de Daniel se découpa dans le couloir. S'il la vit, il n'en manifesta rien. Il passa devant la porte et il continua jusqu'à la chambre de Julián, à l'arrière, donnant sur la placette de la chapelle Santa Ana. Bea se leva et le suivit. Sur le seuil de la chambre, Daniel contemplait le garçonnet qui dormait tranquillement. Elle posa la main sur son dos.

— Où étais-tu ? murmura-t-elle.

Daniel se retourna et la regarda.

— Quand tout cela se terminera-t-il, Daniel ?

— Bientôt. Bientôt.

LIBERA ME

Madrid
Janvier 1960

1

Dans une aube grise et métallique, Ariadna s'engagea le long de l'allée flanquée de cyprès avec un bouquet de roses rouges à la main. Elle l'avait acheté en chemin, à l'entrée d'un cimetière. Le silence était total. Nul chant d'oiseau ne se faisait entendre, aucun souffle de vent ne se risquait à caresser le tapis de feuilles séchées qui recouvrait les pavés. Avec pour seule compagnie le bruit de ses pas, elle fit le trajet jusqu'à la grande grille équipée de fers de lance qui gardait l'entrée de la propriété, surmontée de deux mots :

VILLA MERCEDES

La demeure de Mauricio Valls s'élevait au fond d'un paysage idyllique de jardin et de bosquets. Des tours et des combles se découpaient sur un ciel de cendres. Poussière blanche dans l'obscurité, Ariadna observa la silhouette de la villa qu'elle apercevait entre les statues, les haies, les buissons et les fontaines, pareille à une créature monstrueuse blessée à mort qui se serait traînée jusque dans ce bois. La grille était entrouverte. Elle entra.

En chemin, elle aperçut un tracé de rails qui parcouraient le jardin et dessinaient le périmètre de la propriété. Un train miniature composé d'une locomotive à vapeur et de deux wagons était abandonné là, parmi les arbustes. Elle continua d'avancer sur l'allée dallée menant à la maison principale. Les fontaines étaient asséchées, leurs anges de pierre et les madones en marbre noircis. Une infinité de chrysalides blanchâtres écloses comme de petits sépulcres tissés de fils de sucre couvraient les branches des arbres. Une nuée d'araignées pendaient à des fils suspendus. Ariadna traversa le pont qui enjambait la grande piscine. Les cadavres de petits oiseaux qu'on aurait dit tombés du ciel sous le coup d'une malédiction parsemaient une eau verdâtre recouverte d'une fine pellicule d'algues brillantes. Au-delà, on apercevait les garages vides et les dépendances du personnel plongés dans l'ombre.

Ariadna monta les marches menant à la porte principale et elle frappa trois fois avant de réaliser qu'elle était ouverte, elle aussi. Elle tourna la tête et elle regarda derrière elle : il émanait de la propriété une apparence d'abandon et de ruine. Une fois l'empereur déchu, les serviteurs avaient détalé, désertant le palais. Elle poussa la porte et elle pénétra dans la maison qui sentait déjà le mausolée et l'oubli. Une pénombre veloutée enveloppait un réseau de corridors et d'escaliers ouvert devant elle. Elle resta immobile, spectre blanc aux portes du purgatoire, contemplant la splendeur défunte sous laquelle Mauricio Valls avait déguisé ses années de gloire.

Une plainte faible et lointaine lui parvint, une sorte de gémissement animal moribond. Il provenait du premier étage. Elle monta lentement les marches. Elle vit sur les murs la trace des tableaux décrochés et, des deux côtés de l'escalier, celle des statues et des bustes pillés sur des socles vides. En arrivant au premier étage, elle s'immobilisa et elle tendit l'oreille. Elle perçut à nouveau la plainte. Elle émanait d'une pièce située à l'extrémité du couloir. Ariadna s'avança à pas lents. La porte entrebâillée laissait échapper une puanteur intense qui lui frôla le visage.

La chambre était plongée dans l'obscurité. Elle marcha jusqu'au lit à baldaquin qui évoquait un carrosse funéraire. À côté du lit gisait un arsenal de machines et d'instruments débranchés et repoussés contre le mur. Des décombres et des bouteilles d'oxygène abandonnées jonchaient le tapis. Évitant tous ces obstacles, elle écarta le voilage qui entourait le lit et elle distingua une silhouette recroquevillée. Le squelette paraissait réduit à l'état de gélatine autour de laquelle la douleur avait redessiné une anatomie. Dans un visage décharné, des yeux agrandis et injectés de sang l'observaient avec méfiance. Le gémissement guttural, entre l'asphyxie et le sanglot, sortit à nouveau de la gorge de la femme de Valls, qui avait perdu ses cheveux, ses ongles et presque toutes ses dents.

Ariadna la contempla sans miséricorde. Elle s'assit sur le bord du lit et elle se pencha vers elle.

— Où est ma sœur ?

La femme essaya de prononcer un mot. Ignorant la puanteur qui se dégageait d'elle, Ariadna approcha son visage de ses lèvres.

— Tue-moi, l'entendit-elle supplier.

2

Cachée dans sa maison de poupées, Mercedes l'avait vue franchir la grille de la villa. Toute de blanc vêtue, telle un fantôme, elle avançait très lentement en ligne droite, un bouquet de roses rouges à la main. Mercedes sourit. Elle l'attendait depuis des jours. Elle avait rêvé d'elle souvent. La mort, habillée par Pertegaz, daignait enfin rendre visite à la Villa Mercedes avant que l'enfer ne l'engloutît pour ne laisser qu'une terre en friche où jamais le gazon ne repousserait, ni le vent ne soufflerait.

Elle regardait par une fenêtre du pavillon de poupées où elle s'était installée depuis que les domestiques avaient quitté la maison, peu après la nouvelle de la mort de son père. Mme Mariana, la secrétaire de son père, avait essayé de les retenir, mais le soir même des hommes en noir étaient arrivés et l'avaient traînée avec eux. Mercedes avait entendu des détonations derrière les garages. Elle ne voulut pas aller voir. Pendant plusieurs nuits, ils emportèrent les tableaux, les statues, les meubles, les vêtements, la vaisselle, l'argenterie, tout ce qu'ils voulurent. Ils arrivaient à la tombée de la nuit, meute famélique, et ils emportèrent jusqu'aux véhicules. Ils cassèrent les murs des salons à la recherche de trésors cachés qu'ils ne trouvèrent pas. Quand il ne resta plus rien, ils quittèrent définitivement les lieux.

Un jour, Mercedes vit arriver deux voitures de police. Plusieurs gardes du corps de l'escorte de son père accompagnaient les policiers. Elle hésita un instant à sortir à leur rencontre pour leur raconter ce qui s'était passé, mais en les voyant monter dans la tour vers le bureau de son père pour tout dévaliser, elle courut se cacher à nouveau au milieu de ses poupées. Là, parmi les centaines de silhouettes qui regardaient dans le vide de leurs yeux de verre, personne ne la trouva. Quant à l'épouse de Valls, ils l'abandonnèrent à son sort après avoir débranché les machines qui la maintenaient dans un état de tourment éternel. Elle gémissait depuis des jours mais elle n'était toujours pas morte.

Ce jour-là, la mort rendait visite à la Villa Mercedes. Bientôt, la jeune fille disposerait des ruines de la propriété pour elle seule. Tout le monde lui avait menti, elle le savait. Son père était vivant, sain et sauf quelque part. Dès qu'il le pourrait, il reviendrait près d'elle. Elle le savait parce que Alicia lui en avait fait la promesse. Elle lui avait promis de retrouver son père.

En voyant la mort monter les marches de l'entrée de la maison et pénétrer à l'intérieur, Mercedes fut prise d'un doute. Elle s'était peut-être trompée. Cette forme blanche qu'elle avait prise pour la faucheuse était peut-être Alicia revenue pour la conduire près de son père. C'était la seule explication qui avait du sens. Elle savait qu'Alicia ne l'abandonnerait jamais.

Elle sortit du pavillon des poupées et elle se dirigea vers la maison principale. À l'intérieur, elle entendit des bruis de pas à l'étage et elle courut dans l'escalier. Elle arriva à temps sur le palier pour la voir entrer dans la chambre de madame. La puanteur qui inondait le couloir était terrible. Elle se protégea la bouche et le nez de la main et elle avança jusqu'à la porte. La silhouette blanche était penchée sur le lit, tel un ange. Mercedes retint sa respiration. Elle la vit attraper un oreiller, le poser sur le visage de la femme et appuyer de toutes ses forces. Le corps tressauta avant de retomber, inerte.

La silhouette se tourna doucement. Mercedes sentit un grand froid l'envahir. Elle s'était trompée. Ce n'était pas Alicia. La mort de blanc vêtue s'approcha lentement en lui souriant et elle lui offrit une rose rouge qu'elle accepta d'une main tremblante.

— Sais-tu qui je suis ?

Mercedes fit signe que oui. La mort l'enlaça avec une grande douceur et une tendresse infinie. La jeune fille se laissa caresser en retenant ses larmes.

— Chuuut, murmura la mort. Personne ne nous séparera plus désormais. Personne ne nous fera plus de mal. Nous resterons ensemble. Avec papa et maman. Ensemble pour toujours. Toi et moi...

<h2 style="text-align:center">3</h2>

Alicia se réveilla sur la banquette arrière d'un taxi. Elle se redressa et elle constata qu'elle était seule. Elle nettoya de sa manche une des vitres couvertes de buée et elle constata qu'ils étaient arrêtés dans une station-service. Un lampadaire projetait un faisceau lumineux jaunâtre qui vibrait à chaque fois qu'un camion passait à vive allure sur la route. Au loin, une aube de plomb cachetait le ciel sans laisser de brèche. Elle se frotta les yeux et elle baissa la vitre. L'air glacé la tira de son état de somnolence. Une douleur vive lui traversa la hanche et lui arracha un gémissement. Elle agrippa son flanc. La douleur se réduisit progressivement à une palpitation sourde, un avis de la crise qui approchait. Il eût été plus sage de prendre un ou deux comprimés dès à présent, avant que la souffrance ne gagnât en intensité, mais elle voulait rester lucide. Elle n'avait pas le choix. Quelques minutes plus tard, elle vit le chauffeur de taxi qui sortait du bar de la station-service avec deux gobelets en carton et un sac taché de graisse. Il la salua, fit le tour de la voiture d'un pas léger et s'assit devant le volant.

— Bonjour. Il fait un froid de loup. Je vous ai apporté un petit-déjeuner, plus campagnard que continental, mais au moins c'est chaud. Un café au lait et des churros appétissants. Je leur ai demandé d'ajouter un peu de cognac au café pour nous remonter le moral.

— Merci. Vous me direz ce que je vous dois.

— C'est tout compris, taxi pension complète. Allez, mangez quelque chose. Cela vous fera du bien.

Ils déjeunèrent en silence dans la voiture. Alicia n'avait pas faim mais elle avait besoin de manger, elle le savait. Chaque fois qu'un gros camion passait, le rétroviseur intérieur vibrait et tout le véhicule était secoué.

— Où sommes-nous ?

— À dix kilomètres de Madrid. Plusieurs livreurs m'ont dit qu'il y a des contrôles de la garde civile aux entrées de presque toutes les routes nationales venant de l'est. J'ai pensé qu'on pourrait faire le tour et arriver par la route de Casa de Campo, ou par le quartier de Moncloa.

— Pourquoi ferions-nous cela ?

— Je ne sais pas. Je me suis dit qu'un taxi immatriculé à Barcelone entrant à Madrid à sept heures du matin, ça pouvait attirer l'attention. À cause du jaune, c'est tout. Et vous et moi formons un couple un peu bizarre, ne le prenez pas mal. À vous de décider.

Alicia termina le café au lait d'un trait. Le cognac brûlait comme de l'essence, mais il lui réchauffa un peu les os. Le chauffeur la regardait du coin de l'œil. Alicia ne lui avait pas prêté attention jusqu'alors. C'était un homme plus jeune qu'il n'en avait l'air, aux cheveux roux et au teint pâle. Il portait des lunettes dont le pont était tenu par du ruban adhésif isolant et il avait toujours un regard d'adolescent.

— Comment vous appelez-vous ? demanda Alicia.

— Moi ?

— Non, votre taxi !

— Ernesto. Je m'appelle Ernesto.

— Me faites-vous confiance, Ernesto ?

— Peut-on vous faire confiance ?

— Jusqu'à un certain point.

— Bon. Est-ce que je peux vous poser une question de nature personnelle ? Vous ne répondez pas si vous ne voulez pas.

— Allez-y.

— J'y viens. En sortant de Guadalajara, il y a eu un tournant très serré et le contenu de votre sac s'est renversé sur la banquette. Comme vous dormiez, je n'ai pas voulu vous déranger et j'ai tout remis...

Alicia soupira en hochant la tête.

— Et vous avez vu un pistolet.

— Oui. Pas à eau, apparemment, même si je n'y connais rien.

— Si cela vous rassure, vous pouvez me laisser ici. Je vous paierai comme convenu et je demanderai à un de vos amis camionneurs de me conduire à Madrid. Je suis sûr qu'il y en aura bien un qui acceptera.

— J'en suis certain, mais je ne serai pas tranquille pour autant.

— Ne vous inquiétez pas pour moi. Je sais me débrouiller.

— Non, les camionneurs m'inquiètent presque plus que vous, faites-moi confiance. Je vous emmène, c'est ce que nous avions décidé, n'en parlons plus.

Ernesto mit le moteur en marche et il posa les deux mains sur le volant.

— Où allons-nous ?

Ils trouvèrent une ville enterrée sous la neige. Un brouillard épais se traînait sur les tours et les coupoles couronnant les toits de la Gran Vía. Des voiles de vapeur métallique balayaient le pavé et enveloppaient les voitures et les autobus qui essayaient d'avancer, leurs phares parvenant à peine à trouer l'obscurité. Le trafic était très ralenti et les silhouettes des passants paraissaient des fantômes figés sur les trottoirs.

En passant devant l'Hispania, son domicile officiel durant ces dernières années, Alicia leva les yeux pour regarder ce qui avait été sa fenêtre. Ils traversèrent le centre-ville sous cette chape sombre jusqu'à apercevoir la fontaine de Neptune.

— Je vous écoute, dit Ernesto.

— Continuez jusqu'à la rue Lope de Vega, tournez à droite et continuez dans Duque de Medinaceli, la première à droite, indiqua Alicia.

— Vous allez au Palace ?

— À l'arrière, oui. À l'entrée des cuisines.

Le chauffeur fit oui de la tête et il suivit ses instructions. Les rues étaient pratiquement désertes. L'hôtel Palace occupait tout un bloc de forme trapézoïdale et il renfermait une ville en son sein. Ils en firent le tour jusqu'à un coin de rue où Alicia lui demanda de se garer juste derrière une camionnette. Des livreurs déchargeaient des caisses de baguettes de pain, de fruits et autres vivres.

Ernesto pencha la tête et lança un coup d'œil sur la façade monumentale.

— Voilà. Chose promise… dit Alicia.

Le chauffeur se retourna. Alicia tenait dans la main la liasse de billets.

— Vous ne préférez pas que je vous attende ?

Elle ne répondit pas.

— Parce que vous allez revenir, non ?

— Prenez l'argent.

Le chauffeur hésita.

— Vous me faites perdre du temps. Prenez l'argent.

Ernesto accepta.

— Comptez.

— Je vous fais confiance.

— Comme vous voudrez.

Ernesto la vit sortir quelque chose de son sac et l'introduire dans la poche de sa veste. Ce n'était pas un bâton de rouge à lèvres, paria-t-il.

— Écoutez, je n'aime pas ça. Pourquoi ne partons-nous pas ?

— C'est vous qui partez, Ernesto. Dès que je serai descendue de votre taxi, repartez à Barcelone et oubliez-moi. Vous ne m'avez jamais vue.

Il sentit son estomac se contracter. Alicia posa la main sur son épaule et imprima une pression légère et affectueuse, puis elle descendit de la voiture. Quelques secondes après, Ernesto la vit disparaître à l'intérieur de l'hôtel Palace.

4

Les entrailles du grand hôtel fonctionnaient déjà à plein rendement pour distribuer la première tournée de petits-déjeuners. Une armée de cuisiniers, de marmitons, de garçons et de serveurs entrait et sortait des cuisines et des tunnels chargés de plateaux ou poussant des chariots. Alicia passa sur le côté de cette effervescence odorante, enveloppée de parfums de café et de mets délicieux. Elle suscita des regards étonnés mais trop occupés pour s'arrêter sur un hôte égaré ou, plus probablement, une poule de luxe filant discrètement une fois le travail accompli. L'étiquette de tout grand hôtel de luxe comprend l'invisibilité élevée au rang d'art. Alicia joua cette carte sans vergogne pour atteindre la zone des ascenseurs de service. Elle entra dans le premier avec une femme de chambre qui portait des serviettes de toilette et des savons, et la dévisageait d'un air curieux et envieux à la fois. Alicia lui sourit amicalement, laissant entendre qu'elles étaient toutes les deux du même bord.

— D'aussi bonne heure ? s'étonna la femme de chambre.

— À qui se lève matin, Dieu aide et prête la main !

La femme de chambre hocha la tête timidement. Elle sortit au quatrième étage. Lorsque les portes se refermèrent, Alicia prit un trousseau de clefs dans son sac. Elle chercha la dorée que Leandro lui avait remise deux ans plus tôt. "C'est un passe-partout. Il ouvre toutes les chambres de l'hôtel. Même la mienne. Fais-en bon usage. N'entre jamais là où tu ignores ce qui t'attend."

Au dernier étage, l'ascenseur de service ouvrit ses portes sur un petit corridor dissimulé par les placards à balais et la buanderie qu'Alicia parcourut d'un pas léger. Elle entrouvrit la porte qui donnait sur le couloir principal. Il faisait tout le tour de l'étage. La *suite** de Leandro se trouvait dans un des angles surplombant la fontaine de Neptune. Elle prit cette direction et elle croisa un client qui regagnait sa chambre après avoir pris son petit-déjeuner, apparemment. Il lui sourit aimablement et Alicia lui retourna son sourire. Le couloir fit un angle et elle aperçut la porte de la *suite** de Leandro. Aucun membre de son escorte n'était visible dans les parages. Leandro détestait ce genre de cérémonial et il privilégiait la discrétion. Mais Alicia savait qu'au moins deux de ses hommes ne devaient pas être loin, dans une pièce voisine ou dans les couloirs de l'hôtel en cet instant même. Elle estima qu'elle avait cinq à dix minutes devant elle dans le meilleur des cas.

Elle s'arrêta devant la porte et elle regarda de part et d'autre avant d'introduire très discrètement la clef dans la serrure. Elle la tourna doucement et la porte s'ouvrit. Elle se glissa à l'intérieur, referma derrière elle et s'appuya quelques secondes contre la porte. Un couloir partait du petit vestibule et conduisait au salon ovale situé sous la coupole d'une des tourelles. Du plus loin qu'elle s'en souvenait, Leandro avait toujours vécu là. Elle avança jusqu'à la salle et elle posa la main sur l'arme qu'elle portait à la ceinture. La pièce était plongée dans la pénombre. Seul un rai de lumière s'échappait de la porte entrebâillée donnant sur la chambre. Elle entendit l'eau qui coulait et un sifflotement qu'elle ne connaissait que trop bien. Elle traversa la pièce et ouvrit la porte de la chambre en grand. Au fond, elle vit le lit vide et défait. Sur la gauche, un halo de vapeur et une odeur de savon sortaient de la salle de bains par la porte ouverte. Elle avança.

Leandro lui tournait le dos. Il se rasait scrupuleusement devant la glace, vêtu d'un peignoir écarlate, les pieds dans des pantoufles assorties. La baignoire remplie fumait et la radio diffusait tout bas un air que Leandro sifflait. Alicia croisa son regard dans la glace. Il lui sourit chaleureusement, sans manifester la moindre surprise.

— Je t'attendais depuis plusieurs jours déjà. Tu auras remarqué que j'ai demandé aux gars de te laisser tranquille.

— Merci.

Il se retourna et il ôta la mousse sur son visage avec une serviette.

— Je l'ai fait pour leur bien. Je sais que tu n'as jamais aimé travailler en équipe. As-tu déjeuné ? Je te commande quelque chose ?

Alicia fit non de la tête. Elle sortit le pistolet qu'elle pointa sur son ventre. Leandro versa quelques gouttes de lotion après-rasage dans sa main et il se massa le visage.

— C'est l'arme du pauvre Hendaya, n'est-ce pas ? Bien vu. J'imagine qu'il est inutile de te demander où nous pouvons trouver son corps. Je le dis surtout parce qu'il avait une femme et des enfants.

— Essaie toujours dans une boîte de pâté pour chats…

— Tu n'as vraiment pas l'esprit de famille, Alicia. Peut-on s'asseoir ?

— On est bien comme ça.

Leandro s'appuya contre la tablette de la coiffeuse.

— Comme tu voudras.

Alicia hésita une seconde. Le plus simple serait de faire feu tout de suite. Vider le chargeur et essayer de quitter les lieux, saine et sauve. Avec un peu de chance, elle parviendrait à atteindre l'escalier de service. Comme toujours, Leandro lut dans ses pensées, et il remua doucement la tête avec un regard de commisération et d'affection toute paternelle.

— Tu n'aurais jamais dû me quitter. Tu n'imagines pas à quel point j'ai souffert de ta trahison.

— Je ne vous ai jamais trahi.

— Je t'en prie, Alicia. Tu as toujours été ma préférée, tu le sais parfaitement. Mon chef-d'œuvre. Nous sommes faits l'un pour l'autre, toi et moi. Nous formons l'équipe idéale.

— C'est pour cela que vous avez chargé cette vermine de m'éliminer ?

— Rovira ?

— C'était son nom ?

— Parfois. Il était appelé à te remplacer, et je l'avais envoyé pour qu'il apprenne de toi et te surveille. Il t'admirait beaucoup. Il t'étudiait depuis deux ans. Sur chaque dossier. Chaque affaire. Il disait que tu étais la meilleure. C'est ma faute. J'ai fait l'erreur de croire qu'il pourrait peut-être occuper ton poste. Personne ne peut te remplacer, je l'ai compris maintenant.

— Même pas Lomana ?

— Ricardo n'a jamais bien compris quelle était sa mission. Il commençait à porter des jugements de valeur et à mettre son nez dans des histoires qui ne le regardaient pas, alors que ce qu'on attendait de lui c'était sa force physique. Il s'est trompé de priorité. Personne ne survit dans ce métier s'il ne connaît pas clairement l'ordre des loyautés.

— Quelles sont les vôtres ?

Leandro remua la tête.

— Pourquoi ne reviens-tu pas avec moi, Alicia ? Qui s'occupera de toi comme je le fais ? Je te connais comme si tu étais la chair de ma chair. Il me suffit de te regarder pour savoir, à l'instant précis, que la douleur te dévore et que tu n'as rien voulu prendre pour rester lucide. Je te regarde dans les yeux et j'y lis la peur. Tu as peur de moi. Et cela me blesse. Tellement...

— Si vous désirez un comprimé, ou la boîte entière, elle est à vous.

Leandro sourit tristement en se maudissant.

— Je me suis trompé, je l'admets. Et je t'en demande pardon. Est-ce ce que tu souhaites ? S'il le faut, je le ferai à deux genoux. Je n'ai pas de pudeur. Ta trahison m'a fait très mal et elle m'a aveuglé. Pourtant, c'est moi qui t'avais enseigné qu'il ne faut jamais prendre de décision sous le coup de la rancune, de la douleur ou de la peur. Tu vois, je suis humain, moi aussi, Alicia.

— Vous allez me faire pleurer.

Il lui adressa un sourire méchant.

— Tu vois, nous sommes pareils, au fond. Où seras-tu mieux qu'à mes côtés ? J'ai de grands projets pour nous deux. J'ai beaucoup réfléchi ces dernières semaines, et j'ai compris pourquoi tu veux tout arrêter. Plus encore, j'ai compris que moi aussi j'avais envie de tout arrêter. Je suis las de résoudre des affaires délicates pour le compte d'incompétents et d'idiots qui en tirent leur bénéfice. Toi et moi sommes appelés à d'autres tâches.

— Ah oui ?

— Oui. Croyais-tu que nous allions continuer de trimer dans les bourbiers des autres ? C'est terminé. Je vise autre chose, de beaucoup plus important. Moi aussi, j'ai tout arrêté. Et j'ai besoin que tu sois à mes côtés, que tu m'accompagnes. Sans toi, je ne peux rien faire. Tu sais de quoi je parle, n'est-ce pas ?

— Je n'en ai pas la moindre idée.

— Je parle de politique. Ce pays va changer. À plus ou moins longue échéance. Le Général ne sera pas éternel. Il faut du sang neuf. Des gens avec des idées. Des gens qui sachent prendre la réalité en compte.

— Comme vous.

— Comme toi et moi. Ensemble, nous pouvons faire de grandes choses pour ce pays.

— Assassiner des innocents pour voler leurs enfants et les vendre par exemple ?

Leandro soupira avec une mine de dégoût sur les lèvres.

— Ne sois pas naïve, Alicia. C'était une autre époque.

— Qui a eu l'idée, Valls ou vous ?

— Qu'est-ce que cela change ?

— Pour moi, cela change quelque chose.

— Ce ne fut une idée de personne. Les choses se sont passées ainsi, c'est tout. Ubach et son épouse s'étaient entichés des filles de Mataix, et Valls y a vu une opportunité. Ensuite, il y en a eu d'autres. C'était l'époque des opportunités. Et il n'y a pas d'offre sans demande. Je me suis contenté de faire ce qu'il y avait à faire, et de m'assurer que Valls gardait le contrôle.

— Vous n'avez pas réussi, on dirait.

— Valls est un homme cupide. Malheureusement, ce genre de gens ne savent jamais quand le moment est venu d'arrêter d'abuser de leur position. Ils vont trop loin, ils détraquent tout. C'est pour cela qu'ils tombent, tôt ou tard.

— Il est donc toujours vivant ?

— Alicia… Que veux-tu de moi ?

— La vérité.

Leandro gloussa.

— La vérité ? Toi et moi savons parfaitement qu'une telle chose n'existe pas. La vérité est l'accord permettant aux innocents de ne pas avoir à cohabiter avec la réalité.

— Je ne suis pas venue pour vous entendre débiter vos citations.

Le regard de Leandro se durcit.

— Non. Tu es venue fouiner là où tu savais qu'il ne fallait pas mettre le nez. Comme toujours. Pour tout compliquer. Comme à ton habitude. C'est pour cela que tu m'as quitté. Que tu m'as trahi. C'est pour cela que tu viens ici me parler de la vérité. Parce que tu veux que je te dise que tu es meilleure que moi, meilleure que tout ça.

— Je ne suis meilleure que personne.

— Bien sûr que si. C'est la raison pour laquelle tu as toujours été ma préférée. Pour cette raison, je te veux à mes côtés, à nouveau. Ce pays a besoin de gens comme toi, et comme moi. Des gens qui sachent le contrôler, le maîtriser et maintenir le calme pour que tout ne se transforme pas de nouveau en panier de crabes où tous ne font qu'alimenter leur haine, leur convoitise, leur rage mesquine, se dévorant les uns les autres. J'ai raison, tu le sais. Sans nous, ce pays deviendrait un enfer, même si on nous rend coupables de tout. Qu'en dis-tu ?

Leandro la regarda longuement. En l'absence de réponse, il se dirigea vers la baignoire. Il lui tourna le dos et il ôta son peignoir. Alicia regarda son corps nu, blanc comme le ventre d'un poisson. Il prit appui sur la barre dorée fixée à la paroi en marbre et il entra lentement dans la baignoire. Allongé dans l'eau, la vapeur lui caressant le visage, il ouvrit les yeux et il l'observa d'un air légèrement mélancolique.

— Tout aurait dû être différent, Alicia, mais nous sommes les enfants de notre temps. Au fond, c'est presque mieux ainsi. J'ai toujours su que ce serait toi.

Alicia laissa tomber son bras qui tenait l'arme.

— Qu'attends-tu ?

— Je ne vous tuerai pas.

— Pourquoi es-tu venue alors ?

— Je ne sais pas.

— Bien sûr que tu le sais !

Leandro tendit le bras pour attraper le téléphone suspendu à la paroi de la baignoire. Alicia le mit en joue de nouveau.

— Que faites-vous ?

— Tu sais comment ça marche, Alicia… Mademoiselle ? Oui. Mettez-moi en contact avec le ministère de l'Intérieur. Gil de Partera. Oui. Leandro Montalvo. J'attends. Merci.

— Raccrochez. Immédiatement. Je vous prie.

— C'est impossible. La mission n'a jamais été de sauver Valls. Il était question de le retrouver et de le réduire au silence pour éviter que cette triste affaire ne sorte au grand jour. Nous étions sur le point de conclure cette mission avec succès, une fois de plus. Mais tu ne m'as pas écouté. Je vais alors devoir ordonner, malgré moi, la mort de tous ceux que tu as impliqués dans cette aventure. Daniel Sempere, son épouse, toute sa famille, et même ce taré qui travaille pour eux, et aussi tous les individus à qui tu as eu la mauvaise idée de raconter ce qu'ils n'auraient jamais dû savoir, dans ta croisade rédemptrice. C'est toi qui l'as voulu ainsi. Heureusement, tu nous as conduits jusqu'à eux. Comme toujours, quand tu ne veux pas, tu es la meilleure. Mademoiselle ? Oui. Monsieur le ministre. Pareillement. C'est ainsi. J'ai des informations…

Un seul coup suffit. Le combiné glissa de sa main et tomba au sol, au pied de la baignoire. Leandro tourna la tête et il lui lança un regard empoisonné d'affection et de désir. Un nuage écarlate se répandit dans l'eau formant un voile sur son corps. Alicia demeura immobile et elle le regarda se vider de son sang à chaque palpitation de son cœur. Les pupilles de Leandro se dilatèrent et son sourire se figea en une grimace moqueuse.

— Je t'attendrai, susurra-t-il. Ne tarde pas.

Son corps glissa peu à peu et le visage de Leandro Montalvo s'enfonça dans l'eau rouge de sang, les yeux ouverts.

5

Alicia récupéra le combiné par terre et elle le porta à son oreille. La ligne n'était pas reliée au central. Leandro n'avait appelé personne. Elle sortit le flacon de comprimés et elle en avala deux avec une gorgée du brandy de première qualité que Leandro conservait dans un petit meuble du salon. Avant de quitter la *suite**, elle nettoya consciencieusement l'arme d'Hendaya et elle la laissa tomber sur le tapis.

Le trajet jusqu'au corridor de service lui parut interminable. Les deux ascenseurs montaient et elle décida de prendre les escaliers qu'elle descendit aussi vite que possible. Elle enfila de nouveau tous les couloirs menant aux cuisines, puis le dernier vers la sortie. Elle s'attendait à recevoir une balle dans le dos à chaque seconde, et à tomber le nez par terre pour rendre son dernier soupir comme un chien dans les sous-sols du Palace, la cour du Prince écarlate. Quand elle arriva dehors, la neige fondue lui frôla le visage. Elle s'arrêta un instant pour reprendre son souffle, et elle vit le chauffeur de taxi. Il l'attendait, inquiet, devant son véhicule, à l'endroit où il l'avait déposée. Dès qu'il la vit apparaître, Ernesto courut vers elle et sans dire un mot il la prit par le bras et il l'accompagna jusqu'à la voiture. Il la fit s'asseoir devant, sur le siège du passager, et il s'installa au volant.

Des sirènes hurlaient déjà au loin quand il mit le moteur en marche. Le taxi se faufila en direction de l'avenue San Jerónimo. En passant devant l'entrée principale du Palace, Ernesto compta au moins trois voitures noires arrêtées. Plusieurs hommes couraient vers l'intérieur de l'hôtel, écartant tous les gens qui se trouvaient sur leur passage. Avec un grand calme, le chauffeur mit son clignotant et se fondit dans la circulation qui descendait vers la promenade de Recoletos. Là, protégé par une multitude d'automobiles, d'autobus et de tramways qui se traînaient dans le brouillard, il laissa échapper un soupir de soulagement et il s'aventura à regarder Alicia. Elle avait le visage baigné de larmes et les lèvres tremblantes.

— Merci de m'avoir attendue.

— Comment vous sentez-vous ?

Elle ne répondit pas.

— Nous rentrons à la maison ?

Elle fit non de la tête.

— Pas encore. J'ai un ultime rendez-vous...

6

La voiture s'arrêta devant la grille surmontée de fers de lance. Ernesto coupa le moteur et contempla les contours de la Villa Mercedes qui émergeait au loin, derrière les arbres. Alicia scruta également la demeure sans prononcer un mot. Ils restèrent ainsi quelques minutes, laissant le silence qui enveloppait ce lieu les gagner peu à peu.

— On dirait qu'il n'y a personne, dit le chauffeur.

Alicia ouvrit la porte de la voiture.

— Je vous accompagne ?

— Attendez-moi ici.

— Je ne bouge pas.

Alicia descendit du taxi et elle s'approcha de la grille. Avant d'entrer, elle se retourna pour regarder Ernesto qui lui sourit légèrement et la salua de la main, mort de peur. Elle traversa les jardins en direction de la maison. En chemin, elle aperçut un train à vapeur entre les arbres. Elle passa devant les statues. Le seul bruit était le crissement de ses pas sur les feuilles tombées. Elle traversa la propriété sans distinguer aucun signe de vie hormis une armée d'araignées noires suspendues aux chrysalides accrochées aux feuilles des arbres et courant à ses pieds.

Arrivée devant l'escalier principal, elle constata que la porte était ouverte et elle s'immobilisa. Elle observa autour d'elle et elle vit les garages vides. Il se dégageait de la Villa Mercedes un parfum inquiétant de désolation et d'abandon, comme si tous ses éléments constitutifs s'étaient évaporés dans la nuit, fuyant une malédiction. Elle monta lentement les marches et elle pénétra dans le vestibule.

— Mercedes ?

L'écho de sa voix se perdit dans une ribambelle de salons et de couloirs déserts. Un éventail de corridors sombres s'ouvrait sur les côtés. Alicia s'approcha de la double porte d'une salle de bal ou le vent avait poussé les feuilles d'automne. Les voilages ondoyaient dans la brise et les insectes qui avaient rampé depuis le jardin envahissaient les dalles de marbre blanc.

— Mercedes ?

Sa voix se perdit dans les profondeurs de la demeure et elle remarqua soudain une odeur douceâtre provenant de l'étage. Elle suivit cette piste et elle entra dans la chambre du fond. Elle s'arrêta à mi-chemin. Un tapis d'araignées noires recouvrait le cadavre de l'épouse de Valls qu'elles avaient commencé à dévorer.

Elle courut jusqu'au couloir et elle ouvrit une des fenêtres qui donnaient sur la cour intérieure pour prendre une bouffée d'air frais. En se penchant, elle constata que toutes les fenêtres étaient fermées sauf une, au bout du troisième étage. Elle reprit l'escalier et elle monta au troisième. Un long couloir s'enfonçait dans l'obscurité. Au fond, elle discerna une porte blanche à deux battants entrebâillée.

— Mercedes ? C'est Alicia. Es-tu là ?

Elle avança prudemment, scrutant les mouvements derrière les rideaux ainsi que les ombres qui se découpaient entre les portes au long du couloir. Au bout du corridor, elle posa les mains sur la porte et elle s'arrêta.

— Mercedes ?

Elle poussa les deux battants.

Une constellation de dessins inspirés des contes et légendes ornait des murs de couleur bleu ciel. Un château, un carrosse, une princesse, et toutes sortes de créatures fantastiques qui couraient sur un ciel parsemé d'étoiles argentées incrustées sur la coupole du plafond. C'était une pièce de jeu, un paradis pour enfant privilégié, avec tous les jouets possibles et désirés. Les deux sœurs attendaient au fond de la pièce.

Une tête de lit en bois ouvragé représentait un ange aux ailes déployées qui contemplait la salle avec une infinie dévotion. Ariadna et Mercedes étaient allongées sur la couche immaculée, la main dans la main. Toutes habillées de blanc, elles tenaient chacune une rose rouge sur leur poitrine. Sur la table de nuit, du côté d'Ariadna, se trouvait un étui contenant une seringue et des flacons en verre.

Alicia sentit ses jambes se dérober sous elle. Elle se retint à une chaise.

Elle ignora combien de temps elle était restée dans cette pièce, une minute ou une heure, elle se souvint seulement qu'au rez-de-chaussée ses pas la conduisirent dans la salle de bal. Là, elle se dirigea vers la cheminée. Elle trouva une boîte de grandes allumettes, elle en alluma une et mit le feu aux voilages et aux tentures. Les flammes rugirent bientôt derrière elle. Elle quitta cette maison de la mort. Elle traversa le jardin sans un regard en arrière. La Villa Mercedes flambait et une fumée noire montait dans le ciel.

IN PARADISUM

Barcelone

Février 1960

IN PARADISUM

Buxtehude

Ravel 1960

1

Tous les dimanches depuis qu'il était resté veuf, il y a plus de vingt ans, Juan Sempere se levait de bonne heure, se préparait un café bien serré, revêtait son costume et son chapeau de *señor* de Barcelone et il se rendait à l'église Santa Ana. Le libraire n'avait jamais été un homme pieux, sauf à compter M. Alexandre Dumas parmi les membres *ex cathedra* du commun des saints. Il aimait s'asseoir au dernier rang et assister au rituel en silence. Il se levait et il se rasseyait quand le prêtre l'indiquait, par respect, mais il ne prenait pas part aux cantiques, aux prières et à la communion. Le ciel et lui n'avaient jamais été très intimes, et depuis qu'Isabella était morte ils avaient très peu à se dire.

Le curé connaissait ses convictions, ou plutôt leur absence, et il lui souhaitait toujours la bienvenue. Il lui rappelait chaque dimanche que l'église était sa maison, qu'il croit ou pas. "Chacun vit sa foi à sa manière, lui disait-il. Mais ne le répétez pas, sinon on m'expédiera dans je ne sais quelle mission avec l'espoir que je me fasse manger par un anaconda." Le libraire lui répondait toujours qu'il n'avait pas la foi, mais que dans ce lieu il se sentait plus proche d'Isabella, peut-être parce qu'il l'avait épousée entre ces murs et qu'il y avait organisé ses funérailles cinq petites années après, les seules heureuses de sa vie.

Ce dimanche matin, Juan Sempere s'assit comme toujours au dernier rang pour écouter la messe et observer les lève-tôt du quartier, un mélange hétéroclite de bigotes et de pêcheurs, de solitaires, d'insomniaques, d'optimistes et de retraités de l'espérance réunis pour supplier Dieu de se souvenir d'eux et de leurs existences éphémères, dans son infini silence. Il voyait l'haleine du prêtre dessiner des prières de vapeur. L'assistance se tassait près du seul poêle à gaz que pouvait se permettre la paroisse, et qui ne faisait pas de miracle, malgré le concours des vierges et des saints œuvrant depuis leurs niches.

Alors que le prêtre s'apprêtait à consacrer l'hostie et à boire le vin, Juan Sempere, qui n'aurait pas refusé le breuvage par ce froid glacial, aperçut du coin de l'œil une forme qui se glissait à côté de lui sur le banc. Il tourna la tête et il vit son fils Daniel, qui n'avait pas dû mettre les pieds dans une chapelle depuis le jour de son mariage. Il ne manquait plus que l'apparition de Fermín, un missel à la main, pour faire admettre à Sempere père que ce matin-là le réveil s'était rebellé et que toute cette scène n'était que le songe placide d'un dimanche d'hiver.

— Ça va ?

Daniel acquiesça avec un sourire apaisé et il regarda le curé qui commençait à distribuer la communion aux fidèles pendant que l'organiste faisait ce qu'il pouvait. Ce professeur de musique, qui officiait dans plusieurs églises du quartier, était un client de la librairie.

— À en juger par les crimes perpétrés contre M. Jean-Sébastien Bach, maître Clemente doit avoir les doigts gelés ce matin, opina Juan.

Daniel acquiesça de nouveau. Sans plus. Sempere observa son fils, renfermé sur lui-même depuis plusieurs jours déjà. Daniel possédait un monde d'absences et de silences que personne n'avait jamais pu pénétrer. Le libraire se rappelait souvent ce matin où son fils s'était réveillé en hurlant parce qu'il ne parvenait plus à se souvenir du visage de sa mère. C'était quinze ans auparavant. Ce matin-là, il lui avait fait découvrir le Cimetière des Livres oubliés, dans l'espoir peut-être que ce lieu et ce qu'il signifiait pussent remplir le vide laissé dans leurs vies par la disparition. Il l'avait vu grandir et devenir un homme, se marier et devenir père, et malgré cela il se levait chaque matin en craignant pour lui, et avec le désir qu'Isabella fût à ses côtés pour lui dire ce que lui ne pourrait jamais lui dire. Un père ne voit pas vieillir ses enfants. Ils demeurent toujours à ses yeux les petits qui le regardaient avec vénération, convaincus qu'il possédait les réponses à tous les mystères de l'univers.

Ce matin-là, pourtant, dans la faible lumière d'une chapelle, loin de Dieu et du monde, le libraire contempla son fils et il se dit pour la première fois que le temps avait commencé à passer pour lui aussi ; il ne verrait jamais plus en lui l'enfant qui vivait pour se rappeler le visage d'une mère qui ne reviendrait plus. Il essaya de trouver les mots pour lui dire qu'il le comprenait, qu'il n'était pas seul, mais cette noirceur suspendue au-dessus de son fils comme une ombre empoisonnée lui fit peur. Daniel se tourna vers son père et Sempere lut dans ses yeux une rage, une colère qu'il n'avait jamais vue même dans le regard de vieux miséreux condamnés par la vie.

— Daniel... murmura-t-il.

Son fils l'enlaça avec force, lui imposant silence et le retenant comme s'il craignait que quelqu'un ne le lui arrachât. Le libraire ne voyait pas son visage, mais il savait que son fils pleurait en silence. Pour la première fois depuis qu'Isabella les avait quittés, il pria pour lui.

2

L'autobus les laissa à la porte du cimetière de Montjuïc un peu avant midi. Daniel laissa descendre Bea en premier puis il prit Julián dans ses bras. Il n'avait jamais emmené son fils dans cet endroit. Un soleil froid avait brûlé les nuages et le bleu métallique du ciel jurait dans le paysage. Ils franchirent la porte de la cité des morts et ils entamèrent l'ascension. Le chemin à flanc de colline longeait la partie ancienne de la nécropole construite à la fin du xixe siècle. Il était bordé de mausolées et de tombes à l'architecture mélodramatique évoquant des anges et des spectres dans un extravagant capharnaüm à la gloire des grandes fortunes et des familles puissantes de la ville.

Bea avait toujours exécré la cité des morts. Elle détestait visiter cette enceinte où elle ne voyait qu'une mise en scène morbide de la mort et une tentative de convaincre les visiteurs effrayés de la permanence jusque dans l'obscurité éternelle d'une noble lignée et d'un nom illustre. Elle déplorait le fait qu'une armada d'architectes, de sculpteurs et d'artisans avaient vendu leur talent pour construire une somptueuse nécropole et la peupler de statues où des esprits de la mort se penchaient pour déposer un baiser sur le front d'enfants nés avant la découverte de la pénicilline ; où des jeunes filles fantomatiques restaient figées dans une mélancolie éternelle et où des anges inconsolables étendus sur des pierres tombales en marbre pleuraient la perte d'un Indien, boucher enrichi par la traite des esclaves et le sucre ensanglanté dans les îles de la Caraïbe. À Barcelone, même la mort mettait ses habits du dimanche. Bea détestait ce lieu, mais elle n'aurait jamais osé l'avouer à Daniel.

Le petit Julián regardait tout ce carnaval dantesque les yeux grands ouverts. Il montrait du doigt les statues et les structures labyrinthiques des panthéons avec un mélange de crainte et d'étonnement.

— Ce ne sont que des statues, Julián, lui dit sa mère. Elles ne peuvent rien te faire parce qu'il n'y a rien ici.

Elle regretta immédiatement ses mots. Daniel sembla ne pas les avoir entendus. Il avait à peine desserré les lèvres depuis son retour à la maison dans la nuit. Il n'avait pas dit où il était allé. Il s'était allongé à côté d'elle sur le lit, mais il n'avait pas fermé l'œil.

À l'aube, quand Bea lui avait demandé ce qui se passait, il l'avait regardée sans rien dire. Il lui avait enlevé sa chemise de nuit rageusement et il l'avait prise de force sans la regarder en lui maintenant les bras au-dessus de la tête d'une main et en écartant ses jambes de l'autre, avec brutalité.

— Tu me fais mal. Arrête, Daniel, s'il te plaît. Arrête.

Ignorant ses protestations, il l'avait chevauchée avec une rage inconnue de Bea. Elle avait enfin réussi à libérer ses mains et elle lui avait planté ses ongles dans le dos. Puis elle avait repoussé de toutes ses forces un Daniel gémissant de douleur. À peine libérée de lui, elle avait sauté hors du lit et enfilé une robe de chambre. Elle aurait voulu l'insulter, mais elle avait retenu ses larmes. Daniel, recroquevillé sur le lit, évitait son regard. Elle avait pris une respiration profonde.

— Ne refais jamais ça, Daniel. Jamais. Tu m'as bien comprise ? Regarde-moi et réponds-moi.

Il avait levé la tête et fait signe que oui. Bea s'était enfermée dans la salle de bains jusqu'à ce qu'elle entende Daniel sortir de l'appartement. Il était revenu une heure plus tard. Il avait acheté des fleurs.

— Je ne veux pas de fleurs.

— Je pensais aller voir ma mère.

Assis à table, un bol de lait entre les mains, le petit Julián regardait ses parents, conscient que quelque chose ne tournait pas rond. On peut tromper le monde entier, mais pas Julián, avait songé Bea.

— On ira avec toi dans ce cas, dit-elle.

— Ce n'est pas la peine.

— On ira avec toi, j'ai dit.

En arrivant au pied du monticule que surplombait une balustrade suspendue au-dessus de la Méditerranée, Bea s'arrêta. Elle savait que Daniel voulait lui rendre visite seul. Il fit le geste de lui donner Julián, mais l'enfant refusa de quitter les bras de son père.

— Emmène-le avec toi. Je vous attendrai ici.

3

Daniel s'agenouilla devant la pierre tombale et il déposa les fleurs. Il caressa les lettres gravées dans la pierre :

ISABELLA SEMPERE
1917 – 1939

Il resta là les yeux fermés, quand il entendit Julián balbutier de cette façon incompréhensible qu'il adoptait quand quelque chose lui trottait dans la tête.

— Que se passe-t-il, Julián ?

Son fils lui signalait quelque chose au pied de la tombe. Daniel aperçut une statuette en plâtre au milieu des pétales de fleurs séchées, au pied d'un vase en verre. Il était certain qu'elle n'y était pas lors de sa dernière visite à la tombe de sa mère. Il la prit et l'examina. C'était un ange.

Julián observait la statuette avec fascination. Il se pencha et essaya de lui prendre des mains. L'ange glissa, tomba sur le marbre et se brisa. Daniel remarqua alors une chose qui dépassait d'une des deux moitiés. Un petit morceau de papier roulé. Il posa Julián sur le sol et il prit la statuette. Il déroula le papier et il reconnut l'écriture d'Alicia Gris.

Mauricio Valls
El Pinar
Rue Manuel Arnús
Barcelone

Julián le regardait avec attention. Daniel glissa le papier dans sa poche et lui sourit. Le garçon, peu convaincu, observait son père comme il le faisait généralement quand il avait de la fièvre et qu'il s'allongeait sur le canapé. Daniel déposa une rose blanche sur la tombe et il prit son fils dans ses bras.

Bea les attendait au pied du monticule. Quand il arriva près d'elle, il l'enlaça en silence. Il voulait lui demander pardon pour sa conduite, le matin même, et pour tout, mais il ne trouvait pas les mots. Bea le regarda.

— Ça va, Daniel ?

Il se cacha derrière ce sourire qui n'avait pas convaincu Julián, et persuada encore moins Bea.

— Je t'aime, dit-il.

Ce soir-là, après avoir couché Julián, ils firent l'amour lentement, dans une lumière tamisée. Daniel embrassa chaque centimètre carré du corps de Bea comme s'il avait peur de ne plus jamais pouvoir le faire. Après, enlacés sous les couvertures, Bea lui murmura à l'oreille :

— J'aimerais que nous ayons un autre enfant. Une petite fille. Et toi, tu aimerais ?

Daniel fit oui de la tête et il l'embrassa sur le front. Il la caressa jusqu'à ce qu'elle s'endorme. Il attendit que sa respiration se fît lente et profonde pour se relever sans faire de bruit. Il prit ses vêtements et il s'habilla dans la salle à manger. Avant de sortir, il s'arrêta devant la chambre de Julián et il entrouvrit la porte.

Son fils dormait tranquillement, les bras autour d'un crocodile en peluche qui mesurait deux fois sa taille, un cadeau de Fermín. Julián l'avait baptisé Carlitos et il était hors de question qu'il dormît sans lui, malgré tous les efforts de Bea pour le remplacer par une peluche plus maniable. Il se retint d'entrer dans la chambre et d'embrasser son fils. Julián avait le sommeil très léger et il possédait un radar particulier pour détecter les mouvements de ses parents dans la maison. En refermant la porte de l'appartement, Daniel se demanda s'il reviendrait.

4

Il héla le tramway qui partait de la Plaza de Cataluña juste au moment où il commençait à glisser sur les rails. Il n'y avait pas plus d'une demi-douzaine de passagers recroquevillés à cause du froid qui se balançaient, les yeux fermés, au rythme des secousses du tramway, indifférents à ce qui se passait autour d'eux. Personne ne se souviendrait de l'avoir vu.

La montée dura une demi-heure. Il n'y avait aucune circulation. Le chauffeur passait sans ralentir devant des arrêts déserts, laissant au passage des étincelles bleues dans le câblage et une odeur d'électricité et de bois brûlé. De temps à autre, certains passagers revenaient à la vie, titubaient jusqu'à la sortie et descendaient avant même l'arrêt complet du véhicule. Il fit le dernier tronçon du parcours, du croisement de la Vía Augusta et de la rue Balmes jusqu'à l'avenue du Tibidabo, sans autre compagnie que celle d'un contrôleur somnolent appuyé contre son tabouret à l'arrière et du conducteur, un petit bonhomme relié au monde par un cigare dégageant des volutes de fumée jaunâtres et une odeur d'essence.

Au terminus, le conducteur lâcha une bouffée solennelle et il sonna la cloche. Daniel descendit, laissant derrière lui la bulle de lumière orangée qui enveloppait le tramway. Il avait sous les yeux la ligne de fuite de l'avenue du Tibidabo et le chapelet de résidences et de demeures sur le flanc de la colline. Tout en haut, on devinait la silhouette d'El Pinar, sentinelle silencieuse surveillant la ville. Daniel sentit son pouls qui s'emballait. Il ferma bien son manteau et il se mit à marcher.

Il traversa en face du numéro 32 de l'avenue et il leva les yeux pour admirer, depuis la grille, l'ancienne maison des Aldaya. Les souvenirs l'assaillirent. Dans cette vieille demeure, il avait trouvé et presque perdu la vie quelques années plus tôt, autant dire une éternité. Si Fermín avait été avec lui, il aurait indubitablement trouvé le moyen d'improviser ironiquement sur le résumé de sa destinée que paraissait illustrer cette avenue et il n'aurait pas manqué de lui faire remarquer que seul un imbécile aurait l'idée de réaliser le projet qu'il avait en tête alors que son épouse et son fils vivaient leur ultime nuit de paix sur cette terre. Peut-être aurait-il dû l'emmener avec lui. Fermín aurait tout fait pour l'arrêter et l'empêcher de commettre une folie. Il se serait interposé entre lui et son devoir, ou simplement son obscur désir de vengeance. Pour cette raison, il savait qu'il devait affronter son destin seul, cette nuit-là.

Sur la placette où se terminait l'avenue, Daniel se fondit parmi les ombres et s'engagea dans la rue qui contournait la colline, dominée par la silhouette sombre et anguleuse d'El Pinar. De loin, la maison paraissait suspendue dans le ciel. Ce n'est qu'à ses pieds qu'on prenait conscience de la taille de la propriété qui l'entourait et de l'échelle imposante de la structure. Un mur entourait la parcelle montagneuse aménagée en jardins, le long de la rue où se trouvait l'entrée principale et la maison du gardien coiffée d'une tour. La grille très ouvragée datait de l'époque où le travail du métal était encore un art. Plus loin, il existait un autre accès, un portail en pierre taillé dans le mur d'enceinte surmonté du nom de la demeure. Il ouvrait sur un long sentier labyrinthique en escalier traversant les jardins. La grille paraissait aussi solide que celle de l'entrée principale. Daniel conclut que la seule solution était de sauter par-dessus le mur. Il se demanda s'il y avait des chiens ou des gardiens. Aucune lumière n'était visible du dehors. El Pinar dégageait un parfum funèbre de solitude et d'abandon.

Il réfléchit deux minutes puis il choisit la partie de l'enceinte davantage protégée par les arbres. La pierre était humide et glissante, et il dut s'y reprendre à plusieurs fois pour se hisser en haut du mur. De l'autre côté, il atterrit sur une couche d'aiguilles de pin et de branches mortes et il ressentit immédiatement une fraîcheur autour de lui, comme s'il venait de pénétrer dans un souterrain. Il prit la direction de la maison le plus discrètement possible, s'arrêtant souvent pour tendre l'oreille. Il n'entendait que le bruit du vent dans les feuilles. Il déboucha bientôt sur une allée dallée venant de l'entrée principale de la propriété et conduisant à l'esplanade de la villa. Devant la façade, il regarda autour de lui, enveloppé par le silence et une pénombre épaisse. Si quelqu'un demeurait entre ces murs, il n'avait aucunement l'intention de manifester sa présence.

Le bâtiment était plongé dans l'ombre avec ses grandes ouvertures obscures. Le seul bruit perceptible était celui de ses pas et du vent qui sifflait dans les arbres. Même à la faible lueur de la lune, El Pinar était sans nul doute déserté depuis des années. Daniel regarda l'édifice, déconcerté. Il s'attendait à trouver des gardiens, des chiens, des veilleurs armés... Il l'espérait aussi peut-être, secrètement. Pour être arrêté. Il n'y avait personne.

Il s'approcha d'une des grandes fenêtres et il plaqua son visage contre le verre lézardé. L'intérieur n'était que ténèbres. Il fit le tour du bâtiment et il arriva dans une sorte de cour donnant sur une galerie vitrée. Il ne détecta ni lumière ni mouvement. Il prit une pierre, frappa le carreau d'une porte, passa la main par le trou et fit tourner la poignée de l'intérieur. L'odeur des lieux l'accueillit tel un vieil esprit malveillant qui l'aurait ardemment attendu. Il fit quelques pas. Il tremblait et il tenait toujours la pierre dans sa main. Il s'y agrippa.

La galerie débouchait sur une pièce rectangulaire qui devait avoir été une salle à manger de réception en son temps. Il la traversa pour gagner un salon percé de grandes portes-fenêtres en arabesque d'où l'on admirait tout Barcelone, plus lointaine que jamais. Il explora la maison avec la sensation de parcourir l'épave d'un navire englouti. Un linceul de brume blanchâtre recouvrait le mobilier. Les murs étaient noircis, et les rideaux raidis ou tombés. Au centre, un hall intérieur s'élevait jusqu'à une toiture percée qui laissait pénétrer des rais de clarté tels des sabres vaporeux. Un bruissement d'ailes et un bruit se firent entendre, en haut. Sur le côté, un somptueux escalier en marbre, évoquant davantage une scène d'opéra qu'un intérieur particulier, voisinait avec un ancien oratoire laissant deviner le visage d'un Christ en croix baigné de larmes de sang au regard accusateur. Plus loin, derrière plusieurs portes de pièces fermées, un portail paraissait s'enfoncer dans les profondeurs de la villa. Daniel s'arrêta sur le seuil. Un léger courant d'air lui caressa le visage, chargé d'une odeur de cire.

Il fit quelques pas dans un couloir et il tomba sur un escalier d'aspect plus normal qui devait avoir été réservé au service. Quelques mètres plus loin il y avait une grande salle meublée en son centre d'une table en bois et de chaises, à présent renversées. Daniel comprit qu'il se trouvait dans les anciennes cuisines. L'odeur de cire venait de là. Sur la table, il distingua une grosse tache foncée qui avait éclaboussé le sol telle une mare d'ombre liquide. Du sang.

— Qui va là ? dit une voix apparemment aussi terrorisée que Daniel.

Ce dernier s'immobilisa et chercha une cachette dans l'obscurité. Des pas s'approchaient, très lents.

— Qui va là ?

Daniel serra la pierre dans sa main et il retint son souffle. Une silhouette avançait, une bougie dans une main et un objet brillant dans l'autre. Elle s'arrêta brusquement comme si elle devinait sa présence. Daniel étudia son ombre. La main qui tenait l'arme tremblait. L'ombre glissa de quelques pas et soudainement Daniel vit la main portant le pistolet franchir le seuil derrière lequel il se cachait.

Sa peur se mua en rage, et sans réfléchir à ses actes, il se jeta en avant et frappa cette main de toutes ses forces avec la pierre. Il entendit le craquement des os suivi d'un hurlement. L'arme tomba à terre. Daniel se lança sur l'homme et il déchargea sur lui toute la colère qui l'habitait. Il le frappa à poings nus, au visage et au torse. L'autre essayait de se protéger avec ses bras et il hurlait comme un animal pris de panique. En tombant, la bougie avait fait une petite flaque de cire qui s'enflamma. Cette lumière orangée révéla à Daniel le visage terrorisé d'un homme d'aspect fragile. Il s'arrêta aussitôt, troublé. L'homme à la respiration haletante et au visage ensanglanté le regardait sans comprendre. Daniel prit le pistolet et il enfonça le canon contre un de ses yeux. Le type laissa échapper un gémissement.

— Ne me tuez pas, je vous en supplie...

— Où est Valls ?

L'homme ne comprenait pas.

— Où est Valls ? répéta Daniel dont la voix dénotait un ton tranchant et une haine qu'il ne reconnaissait pas.

— Qui est Valls ? balbutia l'homme.

Daniel fit le geste de le frapper avec la crosse du pistolet. Le malheureux ferma les yeux, tremblant de tous ses membres. Daniel prit alors conscience qu'il frappait un vieillard. Il recula et il se laissa glisser le long du mur. Il prit une respiration profonde et il essaya de retrouver la maîtrise de lui-même. Le vieil homme, roulé en boule sur le sol, sanglotait.

— Qui êtes-vous ? parvint à articuler Daniel. Je ne vous tuerai pas. Je veux juste savoir qui vous êtes et où est Valls.

— Je suis le gardien, gémit l'homme.

— Que faites-vous ici ?

— Ils m'ont dit qu'ils allaient revenir. Je dois lui apporter à manger et les attendre, ils ont dit.

— Que vous donniez à manger à qui ?

Le vieux haussa les épaules.

— À Valls ?

— Je ne connais pas son nom. Ils m'ont laissé ce pistolet. S'ils ne revenaient pas dans les trois jours, je devais le tuer et le jeter dans le puits, ils m'en avaient donné l'ordre. Mais je ne suis pas un assassin...

— Il y a combien de temps de cela ?

— Je ne sais pas. Plusieurs jours.

— Qui vous a dit qu'il reviendrait ?

— Un capitaine de police. Il n'a pas dit son nom. Il m'a donné de l'argent. Tenez, il est à vous, si vous voulez.

Daniel refusa de la tête.

— Où est cet homme ? Valls.

— En bas... répondit-il en indiquant une porte métallique au fond des cuisines.

— Donnez-moi les clefs.

— Vous êtes venu pour le tuer ?

— Les clefs !

Le vieux chercha dans ses poches et il lui tendit un trousseau.

— Vous êtes avec eux ? Avec la police ? J'ai fait tout ce qu'on m'a dit, mais je ne pouvais pas le tuer...

— Comment vous appelez-vous ?

— Manuel. Manuel Requejo.

— Rentrez chez vous, Manuel.

— Je n'ai pas de maison… Je vis dans un appentis là-bas derrière, dans le bois…

— Partez.

Le vieil homme hocha la tête. Il se releva avec difficulté et il s'accrocha à la table pour tenir debout.

— Je ne voulais pas vous faire de mal, assura Daniel. Je vous ai pris pour quelqu'un d'autre.

L'homme évita son regard et se traîna vers la sortie.

— Vous allez lui rendre service, dit-il.

5

Derrière la porte métallique, Daniel trouva une pièce avec des étagères couvertes de boîtes de conserve. Sur le mur du fond, une ouverture laissait deviner un tunnel creusé dans la pierre. La pente était très raide. Aussitôt qu'il s'engagea, Daniel fut frappé par la puanteur intense qui montait du souterrain. Une puanteur animale, un mélange d'excréments, de sang et de peur mêlés. Il se couvrit le visage avec les mains et il écouta les ombres. Il aperçut une lanterne suspendue au mur, il l'alluma et il projeta le faisceau lumineux devant lui. Un escalier creusé dans la roche se perdait dans un puits de noirceur.

Il descendit lentement. Les murs suintaient l'humidité et le sol glissait. Il devait avoir descendu une vingtaine de mètres quand il aperçut le bout de l'escalier : le tunnel s'élargissait devant une cavité de la taille d'une pièce. L'intensité de la puanteur altérait ses sens. Il bougea la lanterne pour balayer les ténèbres et il distingua les barreaux séparant en deux la cavité creusée dans la pierre. Il promena le faisceau lumineux à l'intérieur de la cellule sans comprendre. Elle était vide. Il finit par percevoir une respiration laborieuse et il entrevit une ombre squelettique se traînant vers la lumière. Il y avait bien une chose là, qu'il eut du mal à identifier comme un homme.

Des yeux brûlés par l'obscurité. Recouverts d'un voile blanchâtre qui paraissaient ne pas voir. Des yeux qui le cherchaient.

La silhouette, tas de hardes sur un sac d'os au milieu de flaques de sang séché, de déjections et d'urine, s'accrocha à un barreau et tenta de se relever. Il ne lui restait qu'une main. À la place de l'autre, il n'y avait qu'un moignon purulent brûlé vif. La créature se colla contre les barreaux comme si elle voulait le sentir. Soudain, elle sourit, et Daniel comprit : le squelette avait vu le pistolet dans sa main.

Daniel finit par trouver la bonne clef et il ouvrit la cellule, le regard de la créature fixé sur lui, dans l'expectative. Il y reconnut le pâle reflet de l'homme qu'il avait appris à haïr durant les dernières années. Il ne restait rien de son allure souveraine, de sa superbe et de sa présence hautaine. Quelqu'un ou quelque chose l'avait dépouillé de tout ce qu'il était possible de priver un être humain afin de ne laisser en lui que l'aspiration à l'obscurité et à l'oubli. Daniel leva l'arme et visa son visage. Valls gloussa de plaisir.

— Tu as tué ma mère.

Valls acquiesça de façon répétée et enlaça ses genoux. Il chercha l'arme de sa seule main et il la guida vers son front.

— S'il vous plaît, s'il vous plaît... implora-t-il en larmes.

Daniel arma le chien. Valls ferma les yeux et pressa fortement son visage contre le canon.

— Regarde-moi, fils de pute.

Valls ouvrit les yeux.

— Dis-moi pourquoi.

Valls sourit sans comprendre. Il avait perdu beaucoup de dents et ses gencives saignaient. Daniel détourna le visage. La nausée montait dans sa gorge. Il ferma les yeux. Il vit son fils en train de dormir, dans sa chambre. Il écarta l'arme, ouvrit le tambour, laissa tomber les balles sur le sol détrempé et repoussa Valls brutalement.

Valls le regarda, d'un air interdit puis paniqué, et il récupéra les balles une à une pour les lui offrir d'une main tremblante. Daniel lança l'arme au fond de la cellule. Il attrapa Valls par le col. Un éclat d'espoir illumina le regard du ministre. Daniel le tira hors de la cellule et dans l'escalier. Arrivé dans la cuisine, il ouvrit la porte d'un coup de pied et il sortit dans le jardin sans lâcher Valls qui chancelait derrière lui. Il ne lui adressa pas un regard, pas un mot. Il se borna à le tirer sur le sentier du jardin jusqu'au portail métallique. Une fois là, il chercha la clef dans le trousseau du gardien et il ouvrit la grille.

Valls gémissait, terrifié. D'une forte bourrade, Daniel le lança dans la rue. L'homme tomba par terre. Daniel l'attrapa par le bras et l'obligea à se relever. Valls fit quelques pas et s'arrêta. Daniel le poussa pour le forcer à continuer jusqu'à la placette où attendait le premier tramway bleu. Le jour se levait et la toile rougeoyante couvrant le ciel se répandait sur Barcelone, incendiant la mer au loin. Valls se prosterna devant Daniel, implorant.

— Tu es libre. Fiche le camp.

Don Mauricio Valls, gloire de son époque, s'éloigna en boitant le long de l'avenue. Daniel resta immobile jusqu'à ce que sa silhouette se fondît dans le gris de l'aube, puis il alla se réfugier dans le tramway qui attendait, vide. Il monta et il s'assit à l'arrière. Il appuya sa tête contre la vitre, il ferma les yeux et il s'endormit à l'instant. Lorsque le contrôleur le réveilla, un soleil tout neuf chassait les nuages et Barcelone sentait le propre.

— Où allez-vous, chef ?

— À la maison, répondit Daniel. Je rentre à la maison.

Le tramway entama sa descente et Daniel, le regard perdu sur l'horizon qui se dessinait au pied de la grande avenue, comprit qu'il n'avait plus de rancœur. Pour la première fois depuis des années, il s'était réveillé avec le souvenir qui l'accompagnerait le restant de ses jours : le visage de sa mère, une jeune fille beaucoup plus jeune que lui à présent.

— Isabella, murmura-t-il pour lui. Si j'avais pu te connaître...

6

On raconte qu'on le vit arriver à la bouche du métro et descendre les marches à la recherche des couloirs souterrains, comme s'il aspirait à retourner aux enfers. On raconte que ses haillons et la puanteur qu'il dégageait écartaient de lui les passagers qui faisaient semblant de ne pas le voir. On raconte qu'il monta dans un wagon et se mit dans un coin. Personne ne s'approcha de lui, ne le regarda. Personne ne voulut admettre plus tard qu'il l'avait vu.

L'homme invisible pleurait et criait dans le wagon, implorant quelqu'un d'avoir pitié de lui et de le tuer. Mais pas un voyageur ne voulut même croiser le regard d'une telle loque humaine. Il erra toute la journée dans les couloirs du métro, changeant de rame, attendant sur le quai qu'un autre wagon le conduisît au cœur du réseau souterrain occulte, sous le labyrinthe de Barcelone, et de celui-ci à un autre, et encore à un autre qui ne menait lui-même nulle part.

On raconte qu'à la fin de la journée un de ces maudits trains échoua au terminus de la ligne, et que le mendiant refusa de descendre, faisant comme s'il n'entendait pas les ordres du contrôleur et du chef de station. Ces derniers appelèrent la police. Les agents pénétrèrent dans le wagon et s'approchèrent du vagabond. Il n'obéit pas davantage à leurs ordres. Un des agents s'approcha de lui en se couvrant le nez et la bouche, et il le poussa doucement avec le canon de son arme. On raconte que le corps s'effondra sur le sol, inanimé. Les hardes qui le couvraient s'écartèrent, révélant ce qui leur parut être un cadavre en voie de décomposition.

Pour seul élément d'identification, l'homme tenait dans sa seule main la photographie d'une jeune femme inconnue. Un des agents conserva le portrait d'Alicia Gris pendant des années dans son casier, à la caserne, croyant y voir le visage de la mort qui avait laissé sa carte de visite dans la main de ce pauvre diable avant de le destiner à la condamnation éternelle.

Les pompes funèbres se chargèrent du corps et elles le firent transporter à la morgue où finissent tous les indigents, les corps non identifiés et les âmes perdues que la ville abandonnait chaque nuit. Au crépuscule, deux employés le mirent dans un sac de toile de bâche, linceul provisoire empestant les centaines de corps précédents ainsi transportés pour leur dernier voyage, et ils le hissèrent à l'arrière du camion. Ils prirent la vieille route qui longeait le château de Montjuïc. La bâtisse se découpait sur une mer de feu et sur les mille silhouettes d'anges et d'esprits de la cité des morts qu'on aurait dit réunis pour cracher leur ultime insulte au gueux qui, dans une autre vie, avait envoyé tant d'hommes dont il se rappelait à peine le nom sur ce même chemin de la fosse commune.

Au bord du trou, un puits sans fond de corps recouverts de chaux, les deux employés ouvrirent le sac et laissèrent don Mauricio Valls glisser sur le tas de cadavres. On raconte qu'il tomba sur le dos, les paupières ouvertes, et que la dernière chose que virent les employés avant de quitter les lieux fut un oiseau noir venu se poser sur lui, qui lui arracha les yeux à coups de bec, tandis que toutes les cloches de Barcelone résonnaient au loin.

BARCELONE

23 avril 1960

1

Le jour se leva.

Fermín s'était réveillé peu avant l'aube, en rut. Sur sa lancée, il avait laissé Bernarda exténuée pour une bonne semaine grâce à un de ses élans amoureux matutinaux qui fit valser le mobilier de la chambre et suscita les protestations énergiques des voisins directs.

— C'est la pleine lune... s'excusa Fermín en saluant la voisine par la lucarne qui ouvrait sur la buanderie collective. Je ne sais pas ce qui m'arrive, je me métamorphose.

— Peut-être, mais pas en loup. En cochon ! Contrôlez-vous, ici vivent des enfants qui n'ont pas encore fait leur première communion.

Comme chaque fois que Fermín obéissait à l'appel de l'étalon primitif sommeillant en lui, il ressentait ensuite une faim de tigre. Il se prépara une omelette de quatre œufs, agrémentée de dés de jambon et de fromage, qu'il engloutit avec une baguette de pain et une chopine de champagne. Comblé, il couronna le tout d'un petit verre d'alcool blanc et il revêtit la tenue prescrite pour affronter une journée qui promettait d'être compliquée.

— Peut-on savoir pourquoi tu as mis une tenue de plongée ? demanda Bernarda depuis la cuisine.

— Par précaution. En réalité, c'est une vieille gabardine doublée de numéros de l'*ABC* qui ne laissent même pas passer l'eau bénite. Ça doit être à cause de l'encre. Il va tomber des trombes...

— Aujourd'hui ? Pour la Sant Jordi ?

— Les voies du Seigneur sont impénétrables, mais généralement elles enquiquinent le monde dès qu'elles le peuvent, confirma Fermín.

— Dans cette maison, on ne blasphème pas, Fermín !

— Pardon, mon amour. Je prends tout de suite ma pastille contre l'agnosticisme, ça me passera vite.

Fermín ne mentait pas. On annonçait depuis un moment une journée de désastres bibliques incalculables supposés s'abattre sur Barcelone, la ville des livres et des roses, le jour de la plus belle de ses festivités. Tous les experts concordaient sur ce point, le Service national de météorologie, Radio Barcelone, *La Vanguardia* et la garde civile. Auxquels se joignait la célèbre voyante, Mme Carmanyola, qui avait ajouté la dernière goutte avant le déluge proverbial. Deux raisons la rendaient célèbre. L'une était sa condition de demoiselle aux traits épais sous laquelle se dissimulait en réalité un robuste mâle de Cornellà, Cucufate Brotolí ; au terme d'une longue carrière de notaire, l'homme avait découvert sa vérité intime, une féminité débridée, et son véritable destin : s'habiller en putain et remuer la croupe au rythme sensuel des claquements de mains. L'autre était ses prévisions météorologiques infaillibles. Qualités et procédés mis à part, tous étaient d'accord. Il ferait un temps de chien pour la Sant Jordi, la fête du livre et de la rose.

— Il vaudrait peut-être mieux ne pas installer de stand dans la rue, conseilla Bernarda.

— Pas question. Don Miguel de Cervantès et son collègue don Guillermo de Shakespeare ne sont pas morts le même jour pour rien, un 23 avril en l'occurrence. S'ils ont tous deux tiré leur révérence si précisément à la même date, nous ne pouvons pas faire moins, nous, les libraires, et nous laisser intimider. Aujourd'hui, nous sortirons pour réunir les livres et les lecteurs, même si le général Espartero revenait bombarder à nouveau la ville depuis le château de Montjuïc !

— Tu m'apporteras une rose au moins ?

— Je t'apporterai une charrette entière des fleurs les plus fermes et odorantes, mon petit bouton de rose.

— Et n'oublie pas d'en offrir une à Mme Béa. Daniel aura sûrement oublié, il est nul pour ce genre de choses.

— J'ai passé trop d'années à changer les couches proverbiales du garçon pour oublier un détail stratégique de cette envergure.

— Promets-moi que tu ne te mouilleras pas.

— Si je me mouille, je n'en reviendrai que plus fécond et fertile.

— Ah, mon Dieu, nous irons en enfer.

— Raison de plus pour y arriver en nombre !

Après une volée de baisers, des pincements sur les fesses et des cajoleries à sa Bernarda adorée, Fermín partit, convaincu qu'il se produirait un miracle au dernier moment et qu'un soleil digne d'un tableau de Sorolla illuminerait la journée.

Il chipa le journal à la concierge, une moucharde phalangiste, et il y lut la confirmation des dernières prévisions météorologiques. Foudre, tonnerre, éclairs, tempête de grêle avec des grains de la taille de marrons glacés et des vents d'ouragan qui enverraient valser au moins un million de livres et de roses, qui amerriraient pour former une île de Barataria là où l'horizon perdait son doux nom.

— Nous verrons bien, opina Fermín en donnant le journal à un malheureux qui cuvait, calé sur une chaise à côté du kiosque de Canaletas.

Il n'était pas le seul à partager cette impression. Le Barcelonais est un enfant qui ne perd pas une occasion de contredire des classiques tels que les cartes de pression atmosphérique ou la logique aristotélicienne. Ce matin avait commencé avec un ciel couleur trompette-de-la-mort, mais tous les libraires de la ville s'étaient levés très tôt, prêts à monter leurs étals sur le trottoir et à affronter tornades et typhons s'il le fallait. À voir un tel déploiement de l'*esprit de corps** sur les Ramblas, Fermín sentit que les optimistes allaient triompher.

— Voilà ce que j'aime. Ça c'est couillu ! Il peut toujours tomber des hallebardes, nous ne bougerons pas.

À la tête d'un océan de roses rouges, les fleuristes ne déméritaient pas. À neuf heures tapantes, les rues du centre de Barcelone étaient décorées pour la grande journée des livres avec l'espoir que les prophéties glauques n'effraieraient pas les amoureux, les lecteurs et tous les rêveurs qui se réunissaient ponctuellement tous les 23 avril depuis 1930 pour célébrer la meilleure fête du monde connu, selon Fermín. À neuf heures et vingt-quatre minutes, contre toute attente, le miracle se produisit.

2

Un soleil saharien vrilla les persiennes de la chambre à coucher et gifla Daniel. Il ouvrit les yeux et il constata le prodige, incrédule. À côté de lui, il vit l'épaule nue de Bea qu'il entreprit de lécher avec avidité. Elle se réveilla en riant et elle se retourna d'un coup. Daniel l'enlaça et embrassa ses lèvres lentement, comme s'il voulait la boire. Puis il écarta le drap et il se délecta de la vision, caressant son ventre du bout des doigts avant qu'elle n'enserre sa main entre ses cuisses et l'embrasse avidement.

— C'est Sant Jordi. On va être en retard.

— Fermín a sûrement déjà ouvert.

— Quinze minutes, concéda Bea.

— Trente, répliqua Daniel.

Ce qui se solda par quarante-cinq minutes, environ.

Les rues s'animèrent au milieu de la matinée. Un astre velouté et un ciel bleu électrique tapissaient la ville tandis que des milliers de Barcelonais sortaient se promener au soleil parmi les centaines d'étals de livres qui occupaient les trottoirs et les avenues. M. Sempere avait décidé qu'ils installeraient leur étal en face de la librairie, au milieu de la rue Santa Ana. Plusieurs tables couvertes de livres s'exhibaient fièrement au soleil. Derrière, l'écurie Sempere au grand complet renseignait et conseillait les lecteurs, emballait des livres ou regardait simplement passer les gens. À la tête de la formation se tenait Fermín, sans sa gabardine et en manches de chemise. À ses côtés, Daniel, et Bea qui vérifiait les comptes et la caisse.

— Alors, ce déluge annoncé ? demanda Daniel.

— En route pour Tunis, ils en ont plus besoin que nous. Daniel, qu'est-ce que c'est que cet air fripouille ce matin ? Au printemps, le sang se renouvelle, c'est bien connu...

M. Sempere, assis sur une chaise, recommandait des titres aux indécis en compagnie de M. Anacleto qui se joignait à eux chaque année pour apporter son aide. C'était un expert de l'emballage des livres. Sofía éblouissait les jeunots qui s'approchaient de l'étal pour la regarder et repartait toujours avec quelque chose. À côté d'elle, Fernandito brûlait de jalousie, et aussi d'orgueil, un peu. Même l'horloger du quartier, M. Federico, accompagné de Merceditas, son *paramour** intermittent, étaient venus donner un coup de main.

Celui qui en profitait le plus était le petit Julián, qui regardait avec délice le spectacle des gens portant des livres et des roses. Juché sur une caisse à côté de sa mère, il l'aidait à compter les pièces tout en liquidant consciencieusement la réserve de Sugus de Fermín qu'il avait dénichée dans la poche de sa gabardine. Il surprit le regard de Daniel qui lui sourit. Cela faisait un bon moment que Julián n'avait pas vu son père de si bonne humeur. L'ombre de tristesse qui l'accompagnait depuis si longtemps se dissiperait peut-être, comme ces nuages annonciateurs de tempête dont tout le monde parlait et que personne n'avait vus ? Parfois, quand les dieux regardent ailleurs et que le destin se perd en chemin, même les bonnes gens ont un peu de chance dans la vie.

3

Habillée en noir de la tête aux pieds, elle cachait ses yeux derrière des lunettes de soleil dans lesquelles se reflétait une rue Santa Ana pleine à craquer de monde. Alicia fit quelques pas et elle se réfugia sous l'arcade d'un porche. De là, elle contempla à la dérobée la famille Sempere qui vendait des livres, bavardait avec les passants et profitait de la journée comme elle, Alicia, ne pourrait jamais le faire, elle le savait.

Elle sourit en voyant Fermín arracher des livres des mains de lecteurs crédules et les remplacer par d'autres, Daniel et Bea se frôler et échanger des regards dans un langage intime qui la remplissait de jalousie mais qu'elle savait ne pas mériter, Fernandito captivé par Sofía et le grand-père Sempere admirer avec satisfaction sa famille et ses amis. Elle aurait aimé pouvoir aller les saluer. Leur dire qu'ils n'avaient plus rien à craindre et les remercier de lui avoir permis de croiser leur chemin, même brièvement. Elle aurait aimé plus que tout au monde être une des leurs, mais il lui suffisait d'emporter ce souvenir avec elle pour se sentir privilégiée. Elle s'apprêtait à partir quand elle aperçut un regard qui arrêta le temps.

Le petit Julián l'observait, un sourire triste aux lèvres, comme s'il lisait dans ses pensées. L'enfant leva la main et il lui fit un signe d'adieu. Alicia lui retourna le geste. L'instant d'après, elle avait disparu.

— Qui salues-tu, chéri ? demanda Bea en voyant son fils regarder la foule, hypnotisé.

Julián se retourna vers sa mère et il lui prit la main. Fermín, venu se réapprovisionner dans sa réserve de Sugus, trouva les deux sachets vides. Il se tourna vers Julián, prêt à lui passer un savon, mais à cet instant il remarqua lui aussi le geste de l'enfant et il suivit son regard captif.

Alicia.

Il la sentit dans son absence, sans avoir besoin de la voir, et il bénit le ciel, ou quiconque avait emporté les nuages de pluie vers d'autres pâturages, de la lui avoir rendue une fois de plus. Bernarda avait peut-être raison finalement. Dans cette chienne de vie, quelques rares choses finissent parfois comme elles doivent finir.

Il prit sa gabardine et il se pencha vers Bea qui venait d'encaisser le montant d'une collection de sir Arthur Conan Doyle à un gamin avec des culs-de-bouteille sur le nez.

— Eh, patronne, le minot m'a liquidé toutes mes munitions et je commence à sentir une baisse de mon taux de sucre, nettement plus que si j'avais écouté un discours de La Pasionaria. Et dans la mesure où tous ici sont surqualifiés pour l'emploi, hormis cette bécassine de Merceditas, je vais voir si je trouve une confiserie de qualité pour procéder au ravitaillement et acheter une rose à Bernarda, au passage.

— J'ai réservé des roses chez le fleuriste de l'église, répliqua Bea.

— Que ferions-nous sans vous…

Bea le vit partir très rapidement et elle fronça le sourcil.

— Où va Fermín ? demanda Daniel.

— Dieu seul le sait…

4

Il la trouva au bout du quai, assise sur sa valise. Elle fumait au soleil en observant l'équipage qui chargeait des malles et des caisses sur le navire de croisière dont la blancheur tranchait sur les eaux du port. Fermín s'installa à côté d'elle. Ils restèrent un moment en silence, profitant de leur compagnie mutuelle sans besoin d'ajouter autre chose.

— Une grande valise, dit-il à la fin. Moi qui vous pensais la seule femme capable de voyager léger.

— Il est plus aisé de laisser derrière soi des mauvais souvenirs que de bons souliers.

— Comme je n'en ai qu'une paire…

— Vous êtes un ascète.

— Qui est allé vous les chercher ? Fernandito ? Sacrée canaille, il a vite appris à se la boucler !

— Je lui avais fait jurer de ne rien dire.

— Comment l'avez-vous soudoyé ? Un gros patin ?

— Fernandito n'a de baisers que pour Sofía, et c'est normal. Je lui ai donné les clefs de l'appartement pour qu'il s'y installe.

— Nous laisserons ce fragment d'information hors de portée de M. Sempere, le tuteur légal de la jeune fille.

— Bonne idée.

Alicia le regarda. Fermín se perdit dans ces yeux félins, profonds et insondables. Un puits d'obscurité. Elle lui prit la main et l'embrassa.

— Où étiez-vous passée ? demanda Fermín.

— Ici et là. Liant des fils…

— Autour de quel cou ?

Alicia lui adressa un sourire glacial.

— Il y avait des choses à résoudre. Des affaires à expédier. J'ai fait mon travail.

— Je croyais que vous aviez démissionné.

— Je voulais seulement quitter un bureau propre et bien rangé. Je n'aime pas laisser des affaires en plan.

— Et vous ne pensiez pas dire au revoir ?

— Vous savez que je n'aime pas les adieux, Fermín.

— Ç'aurait été bien de savoir que vous étiez toujours en vie et entière.

— Vous en doutiez ?

— J'ai eu mes moments de faiblesse. C'est l'âge. On devient de plus en plus peureux à mesure qu'on distingue mieux les oreilles du loup. On qualifie cela de prudence.

— Je pensais vous envoyer une carte postale.

— D'où ?

— Je n'ai pas encore décidé.

— Ce navire ne va pas à Marbella, me semble-t-il.

Alicia hocha la tête.

— Il va un peu plus loin.

— C'est ce que je pensais. C'est un gros bateau. Puis-je vous poser une question ?

— Du moment qu'elle ne concerne pas la destination…

— La famille Sempere est-elle en sécurité ? Daniel, Bea, le grand-père, Julián ?

— Maintenant, oui.

— Dans quels enfers avez-vous dû descendre pour vous assurer que les innocents vivraient en paix, ou au moins dans une innocence placide ?

— Dans aucun qui ne se trouvait sur mon chemin, Fermín.

— Ces cigarettes sentent bon. Elles sont chères, on dirait. Pas étonnant. Vous avez toujours aimé les choses jolies, élégantes. Je suis plus ordinaire, et moins dépensier.

— Vous en voulez une ?

— Pourquoi pas ? En l'absence de Sugus, il faut bien nourrir la bête. Il est vrai que je n'ai pas fumé depuis la guerre, et à l'époque on roulait les cigarettes avec les mégots et les mauvaises herbes pleines de pisse. Le genre a dû s'améliorer, c'est sûr.

Alicia alluma une cigarette et la lui tendit. Fermín admira la trace de rouge à lèvres sur le filtre avant de tirer une bouffée.

— Envisagez-vous de me raconter ce qui s'est réellement passé ?

— Tenez-vous vraiment à le savoir, Fermín ?

— J'ai la manie de toujours vouloir connaître la vérité. Vous n'imaginez pas le nombre de déceptions qu'on encaisse… On vit si bien quand on est abruti…

— C'est une longue histoire, et j'ai un bateau à prendre.

— Avant de larguer les amarres, vous aurez bien un peu de temps pour éclairer un pauvre nigaud ignorant.

— Êtes-vous certain de vouloir que je vous raconte ?

— Oui. Je suis comme ça…

Dans l'heure qui suivit, Alicia lui rapporta ce dont elle se souvenait, depuis ses années à l'orphelinat puis dans la rue jusqu'à ses débuts sous les ordres de Leandro Montalvo. Elle lui raconta ses années de service, et comment elle avait fini par croire qu'elle avait perdu son âme quelque part en chemin, sans soupçonner qu'elle la gardait au fond d'elle-même. Elle avait enfin renoncé à travailler pour Leandro.

— L'affaire Valls devait être mon passeport pour la liberté, ma dernière mission.

— Mais une telle chose n'existe pas, n'est-ce pas ?

— Non, bien sûr que non. On n'est libre que tant qu'on ignore la vérité.

Alicia résuma la réunion au Palace avec Gil de Partera ainsi que la mission qu'on leur avait confiée, à elle et à son collègue, le capitaine Vargas : aider à résoudre une enquête au point mort.

— J'ai fait l'erreur de ne pas comprendre que la mission était un leurre. Depuis le début. Personne ne voulait sauver Valls, en réalité. Il s'était fait trop d'ennemis. Il avait commis trop de maladresses. Il avait brisé les règles du jeu en abusant de ses privilèges et en compromettant la sécurité de ses complices. Lorsque les traces de ses crimes se retournèrent contre lui, tous l'abandonnèrent à son sort et le laissèrent seul. Valls croyait en l'existence d'une conspiration pour l'assassiner. Il n'avait pas tout à fait tort, mais il avait fait couler tellement de sang qu'il ne savait pas d'où sortirait le lièvre. Il s'est imaginé pendant des années que les fantômes de son passé, Salgado ou David Martín, son Prisonnier du ciel, et tant d'autres, étaient revenus régler leurs comptes avec lui.

Sans douter un instant des hommes qu'il pensait être ses amis et ses protecteurs, ces proches qui souhaitaient véritablement en finir avec lui. Dans les sphères du pouvoir, les coups n'arrivent jamais de face, mais toujours dans le dos et dans une embrassade. Au sommet, personne ne désirait le sauver ni le retrouver. En revanche, tous voulaient s'assurer de sa disparition et de la destruction définitive des preuves de ses actes. Il y avait trop de gens impliqués. Vargas et moi n'étions que de simples exécutants, raison pour laquelle nous devions également disparaître à la fin.

— Mais mon Alicia a plus de vies qu'un chat, et elle a su déjouer les plans de la faucheuse, une fois de plus...

— De justesse, Fermín. Je crois que j'ai utilisé toutes les vies qu'il me restait. Il est temps que je quitte la scène à mon tour.

— Puis-je vous dire que vous me manquerez ?

— Si vous devenez sentimental, je vous jette à l'eau.

La sirène du bateau résonna et son écho se perdit dans le port. Alicia se leva.

— Puis-je vous aider à porter votre valise ? Je promets de rester à terre. La navigation m'a laissé de mauvais souvenirs.

Il l'accompagna jusqu'à la passerelle sur laquelle les derniers passagers s'engageaient. Alicia présenta son billet au contremaître qui, en échange d'un généreux pourboire, fit signe à un mousse de porter le bagage de la dame jusqu'à sa cabine.

— Reviendrez-vous à Barcelone un jour ? Cette ville est ensorcelante, le savez-vous ? Elle s'insinue en vous et elle ne vous laisse jamais partir...

— Vous devrez en prendre soin pour moi, Fermín. Comme de Bea, Daniel et M. Sempere, de Bernarda, Fernandito et Sofía, et surtout de vous et du petit Julián, qui nous rendra tous un jour immortels.

— Voilà ce que j'aime. Être immortel, particulièrement maintenant que tout commence à craquer en moi...

Alicia le prit dans ses bras et l'embrassa sur la joue. Elle pleurait, Fermín le savait et il ne voulut pas la regarder en face. Aucun des deux n'allait perdre sa dignité au moment précis où ils s'apprêtaient à se faire leurs adieux.

— Ne vous avisez pas de rester sur le quai et d'agiter la main ! menaça Alicia.

— Ne vous inquiétez pas.

Fermín baissa les yeux et il écouta le bruit des pas d'Alicia qui s'éloignaient sur la passerelle. Il se retourna, le regard toujours rivé sur le sol, et il se mit à marcher, les mains dans les poches.

Il le rencontra au début du quai. Daniel était assis sur le bord, les jambes dans le vide. Ils échangèrent un regard et Fermín soupira. Il s'assit à côté de lui et il lâcha :

— Je croyais que tu ne voulais plus entendre parler d'elle.

— C'est à cause de son nouveau parfum. On peut la suivre à la trace, même le long de la halle aux poissons. Que vous a-t-elle raconté ?

— Alicia ? Des histoires à dormir debout.

— Vous aimeriez peut-être les partager.

— Un autre jour. J'ai une certaine expérience dans le domaine de l'insomnie, et je ne vous le conseille pas.

Daniel haussa les épaules.

— J'ai l'impression que la mise en garde arrive un peu tard.

L'écho d'une sirène de bateau à vapeur envahit le port. Daniel désigna d'un mouvement de tête le navire qui larguait les amarres et s'écartait du quai.

— Ce sont ceux qui partent en Amérique.

Fermín acquiesça.

— Vous souvenez-vous quand on venait ici, Fermín, il y a des années ? On s'asseyait là et on refaisait le monde à coups de marteau.

— On croyait encore que ça pouvait s'arranger.

— Je continue à le penser.

— Parce que vous êtes toujours novice, malgré votre poil au menton.

Ils contemplèrent le navire de croisière qui traversait les eaux du port dans lesquelles se reflétait Barcelone, brisant dans un sillage blanc le plus bel effet de miroir du monde. Fermín ne le lâcha pas des yeux jusqu'à ce que la poupe du navire se perdît dans la brume qui noyait l'entrée du port, escorté par une nuée de mouettes. Daniel l'observait d'un air pensif.

— Vous sentez-vous bien, Fermín ?

— Comme un taureau de combat.

— Je ne vous avais jamais vu aussi triste, je crois.

— Ce qui veut dire qu'il est temps d'aller faire examiner votre vision.

Daniel n'insista pas.

— Qu'est-ce que vous racontez ! On ne va pas se laisser abattre, non ? Et si je vous invitais à partager une coupe de cava au Xampanyet ?

— Merci Daniel, aujourd'hui je serais tenté de refuser...

— Auriez-vous oublié ? La vie nous attend !

Fermín lui sourit et pour la première fois Daniel se rendit compte que son vieil ami avait les cheveux entièrement gris.

— Parlez pour vous, Daniel. Moi, seuls les souvenirs m'attendent.

Daniel lui pressa le bras tendrement et le laissa seul avec sa mémoire et sa conscience.

— Ne tardez pas, dit-il.

1964

Chaque fois que son fils Nicolás lui demandait comment on devient un bon journaliste, Sergio Vilajuana lui répétait la même maxime :

— Un bon journaliste, c'est comme un éléphant : il a du nez, de grandes oreilles et, surtout, il n'oublie jamais.

— Et les défenses ?

— Il doit y faire très attention, parce qu'il y a toujours un homme armé désireux de les lui prendre.

Comme tous les matins, Vilajuana avait accompagné son fils cadet au collège avant de se rendre à la rédaction de *La Vanguardia*. C'était un moment qui lui permettait de réfléchir et d'organiser ses idées avant de plonger dans la jungle du journal et d'affronter les sujets du jour. Quand il arriva au siège du quotidien, rue Pelayo, Jenaro vint à sa rencontre. Depuis quinze ans, l'appariteur essayait de convaincre le directeur du journal de le prendre comme stagiaire au service des sports, avec le suprême espoir de mettre un jour le pied dans la tribune présidentielle du Barça, le grand rêve de son existence.

— Le jour où vous apprendrez à lire et à écrire, Jenaro, car même à Fátima il n'y a pas de miracle. À ce train-là, on ne vous laissera jamais entrer dans la tribune officielle, même pas pour des éliminatoires juniors, sauf pour y passer le chiffon à poussière, lui répondait invariablement Mariano Carolo, le directeur.

Dès que Jenaro le vit entrer, il s'approcha de lui avec circonspection.

— M. Vilajuana, le censeur du ministère est ici, il vous attend… murmura-t-il.

— Encore ! Ces gens n'ont donc rien d'autre à faire ?

Vilajuana jeta un coup d'œil dans la salle de rédaction et il localisa la silhouette reconnaissable entre toutes de son censeur préféré, un type aux cheveux gominés et au corps en forme de poire qui faisait le pied de grue à côté de sa table de bureau.

— Ah, et il y a aussi un paquet pour vous, ajouta Jenaro. Ce n'est pas une bombe, je pense. Il est tombé par terre et on est encore tous vivants.

Vilajuana prit le paquet et il choisit de tourner les talons, s'épargnant la visite du censeur qui essayait de le prendre par surprise depuis des semaines pour le semoncer à propos d'un article sur les Marx Brothers qui constituait selon lui une apologie de la maçonnerie internationale.

Vilajuana se dirigea vers une cafeteria située dans les abysses *de profundis* de la rue Tallers et surnommée La Pouacre par sa clientèle d'habitués, des journalistes, des danseuses de cabaret et la faune de l'extrême Nord du Raval. Il commanda un café et il s'installa à une table du fond, à l'abri, là où aucun rayon solaire n'avait jamais pénétré. Il examina le paquet, une enveloppe volumineuse à son nom, renforcée avec du ruban adhésif d'emballage et adressée à la direction de *La Vanguardia*. Le timbre, à moitié effacé au cours du transport, venait des États-Unis. En guise de nom d'expéditeur, deux initiales :

A. G.

Elles étaient suivies d'un dessin identique à l'escalier en colimaçon gravé sur toutes les couvertures des romans de la série du *Labyrinthe des esprits* de Víctor Mataix. Il ouvrit l'enveloppe et en sortit une liasse de documents attachés par une ficelle. Sous le nœud, un bristol avec l'en-tête de l'hôtel Algonquin de New York contenait ces quelques mots :

Un bon journaliste saura trouver l'histoire qu'il faut raconter...

Vilajuana fronça les sourcils et défit le nœud. Il étala les documents sur la table et il tenta de déchiffrer le galimatias composé de listes, de coupures de presse, de photographies et de notes manuscrites. Il lui fallut plusieurs minutes pour comprendre ce qu'il avait sous les yeux.

— Dieu du ciel ! murmura-t-il.

L'après-midi même, il fit savoir qu'il avait contracté un virus hautement contagieux qui transformait le système digestif en champ de mines, et qu'il ne pourrait pas venir à la rédaction pendant toute la semaine sous peine de contaminer l'équipe et de l'obliger à un pèlerinage incessant aux lieux d'aisances. Le jeudi, Mariano Carolo, le directeur du journal, qui se doutait de quelque chose, lui rendit visite à son domicile avec un rouleau de papier hygiénique.

— Un homme averti en vaut deux !

Vilajuana soupira et le fit entrer. Le directeur se rendit directement au salon où il avisa un mur entier recouvert de documents divers. Il approcha pour opérer une reconnaissance sommaire du contenu.

— Est-ce vraiment ce que cela paraît être ? finit-il par demander.

— Seulement le début, à mon avis.

— Qui est ta source ?

— Je ne sais pas par où commencer…

— Bon. Est-elle fiable au moins ?

— Je crois que oui.

— Je suppose que tu es conscient que si nous publions quoi que ce soit là-dessus, le journal sera bouclé, on n'aura plus qu'à donner des cours de diction et de rhétorique dans le Cerro Muriano, enfin à Pétaouchnok !, et notre cher propriétaire devra s'exiler dans un pays montagneux très difficile d'accès.

— Je comprends.

Carolo lui adressa un regard angoissé tout en se frottant la panse dans la région de l'estomac. Depuis qu'il était directeur, il lui sortait des ulcères partout, même en rêve.

— Moi qui me sentais tellement bien dans le rôle du Noel Coward catalan, murmura-t-il.

— Je ne sais pas quoi faire, en vérité, lâcha Vilajuana.

— Sais-tu dans quelle direction poursuivre ?

— J'ai une piste, oui.

— Bon, je dirai que tu prépares une série de reportages sur l'activité secrète et néanmoins admirable du Généralissime dans sa facette peu explorée de scénariste de cinéma.

— Hollywood ne sait pas ce qu'il a perdu.

— Excellent titre. Tiens-moi informé. Je te laisse deux semaines.

Vilajuana consacra le reste de la semaine à analyser les documents et à les organiser dans un diagramme en arbre. Il l'observait longuement et il avait alors l'impression que ce n'était qu'un arbre parmi beaucoup d'autres et qu'au-delà des murs de son salon l'attendait une forêt. Une fois les informations et leurs implications digérées, la question demeurait de savoir s'il suivrait ou non la piste.

Alicia lui avait fourni presque toutes les pièces du puzzle. Tout dépendait de lui, à présent. Deux nuits blanches décidèrent pour lui. Il choisit comme première étape les bureaux de l'état civil, un bâtiment profond échoué en face du port, un purgatoire pour des archives et des bureaucrates en parfaite symbiose. Il y passa plusieurs jours à fouiller dans un puits sans fond de dossiers, sans rien trouver. Il commençait à penser que la piste fournie par Alicia était fausse quand, le cinquième jour, il tomba sur un ancien concierge à deux doigts de la retraite. L'homme vivait dans un réduit à balais, l'oreille collée à son poste à transistors pour écouter les retransmissions des matchs de foot de la *Liga* et les émissions de courrier du cœur. La nouvelle fournée de fonctionnaires l'appelait Mathusalem. Il était en effet le seul survivant de la dernière purge administrative en date. Les nouveaux centurions, plus policés et formés que leurs prédécesseurs, étaient aussi doublement hermétiques. Aucun d'eux ne put lui expliquer pourquoi, malgré tous leurs efforts, ils ne trouvaient pas les registres des décès ou des naissances dans la ville de Barcelone avant l'année 1944.

— C'est antérieur au changement de système, lui répétait-on pour toute réponse.

Mathusalem, qui se débrouillait toujours pour passer le grand balai sous ses pieds pendant qu'il naviguait péniblement entre les chemises et les caisses de dossiers, eut enfin pitié de lui.

— Que cherchez-vous, saint homme ?

— Je commence à penser que c'est le Saint Suaire…

Grâce au pourboire et à la complicité engendrée par l'ostracisme, Mathusalem finit par l'informer que ce qu'il cherchait n'était pas des documents, en réalité, mais une personne.

— Mme María Luisa. C'était autre chose quand elle organisait les choses dans cette maison ! Vous voyez ce que je veux dire.

Les tentatives pour retrouver cette María Luisa se heurtèrent au même mur.

— Cette personne a pris sa retraite, lui communiqua le nouveau directeur sur un ton qui laissait entendre qu'un homme sage abandonnerait tout de suite le sujet pour aller se promener à la Barceloneta.

Il lui fallut deux semaines pour la retrouver. María Luisa Alcaine habitait un minuscule appartement au dernier étage d'un immeuble sans ascenseur, près de la Plaza Real. Elle vivait entourée de pigeonniers, de terrasses en chantier et de caisses d'archives empilées du sol au plafond. Les années de retraite n'avaient pas été douces avec elle. La personne qui lui ouvrit la porte ressemblait à une vieille femme.

— Madame María Luisa Alcaine ?

— Qui êtes-vous ?

Vilajuana avait anticipé la question. Il avait préparé une réponse dont il espérait qu'elle suffirait à garder la porte ouverte ne serait-ce que quelques secondes.

— Mon nom est Sergio Vilajuana et je suis journaliste à *La Vanguardia*. Je viens de la part d'une amie d'un homme que vous connaissiez. Le capitaine Vargas. Vous souvenez-vous de lui ?

Mme María Luisa poussa un profond soupir et elle tourna les talons en laissant la porte ouverte derrière elle. Elle vivait seule dans ce trou et elle se mourait de cancer, ou de solitude. Elle allumait une cigarette après l'autre comme des feux de Bengale le soir de la Saint-Jean, et lorsqu'elle toussait, elle avait l'air de rendre l'âme par petits bouts.

— Cela n'a plus d'importance, se justifia-t-elle. Asseyez-vous. Si vous trouvez où…

Elle lui raconta tout, comme elle l'avait fait des années auparavant au capitaine de police Vargas venu la voir à l'état civil. Elle était encore secrétaire générale à l'époque.

783

— Un homme charmant, comme on n'en fait plus.

Vargas lui avait montré une liste correspondant à des actes d'état civil de décès et de naissance apparemment liés. La même liste que celle que Vilajuana venait de recevoir, des années plus tard, proprement dactylographiée.

— Vous vous en souvenez donc ?

— Bien sûr.

— Savez-vous où je pourrais trouver les registres avec ces actes antérieurs à 1944 ?

Luisa alluma une nouvelle cigarette et tira une bouffée dont Vilajuana pensa qu'elle allait la détruire, mais elle émergea d'un nuage de fumée créant l'illusion que quelque chose avait explosé en elle, et elle lui fit signe de la suivre.

— Aidez-moi, dit-elle en désignant une montagne de caisses empilées dans un placard de la cuisine. Celles du fond. Je les ai emportées chez moi pour éviter qu'ils ne les détruisent. Je pensais que Vargas reviendrait un jour les chercher, et moi aussi, avec un peu de chance. Cela fait quatre ans, et j'imagine que le bon capitaine m'a précédée au paradis.

María Luisa lui raconta comment elle avait commencé à récapituler les faits dès que Vargas avait quitté le bâtiment de l'état civil, ce jour-là. En fouillant dans les dossiers, elle avait trouvé de nombreux numéros croisés, et aussi des cas où la manipulation de la procédure était évidente.

— Des centaines d'enfants. Volés à des parents probablement assassinés ou incarcérés jusqu'à ce que mort s'ensuive. Voilà ce que j'ai pu découvrir en quelques jours. J'ai rapporté tout ce que j'ai pu chez moi, parce que je les ai vus venir dès qu'ils ont commencé à m'interroger au sujet du capitaine et de ses visites. Voici ce que j'ai pu sauver. Une semaine après la visite de Vargas, un incendie a ravagé les archives et tous les documents antérieurs à 1944 ont été perdus. On m'a rendu responsable de la catastrophe et j'ai été renvoyée deux jours plus tard. Je ne sais pas ce que je serais devenue s'ils avaient su que j'avais emporté ces dossiers. Ils ont cru que toutes les archives avaient disparu dans l'incendie. Mais les idiots ont beau s'efforcer de l'oublier et les escrocs de le falsifier pour pouvoir le vendre à nouveau comme du neuf, le passé ne disparaît jamais…

— Qu'avez-vous fait durant ces dernières années ?

— Je me suis consumée. Dans ce pays, on tue les gens honnêtes à petit feu. On réserve la mort rapide aux crapules. Les personnes comme moi, on les détruit en les ignorant, en leur fermant toutes les portes, en faisant comme si elles n'existaient plus. J'ai vendu des billets de loterie à la sauvette dans les couloirs du métro jusqu'à ce qu'ils me découvrent et me l'interdisent aussi. Ensuite, je n'ai plus rien trouvé d'autre. Je vis de la charité de mes voisins.

— Vous n'avez pas de famille ?

— J'avais un fils. On lui a raconté que sa mère était une saleté de rouge, et je ne l'ai plus revu depuis des années.

María Luisa le regardait avec un sourire difficile à décrire.

— Puis-je faire quelque chose pour vous, madame ?

— Raconter la vérité.

Vilajuana soupira.

— Pour être honnête, je ne suis pas certain de pouvoir le faire.

— Avez-vous des enfants ?

— Quatre.

Vilajuana se perdit dans le regard de cette moribonde ; il n'y avait pas un endroit où se cacher.

— Faites-le pour eux. Racontez la vérité pour eux. Quand et comme vous le pourrez. Mais ne nous laissez pas mourir. Nous sommes nombreux. Quelqu'un doit nous prêter sa voix.

Vilajuana acquiesça. María Luisa lui tendit la main et il la serra.

— Je ferai tout ce que je peux, promit-il.

Le soir même, tandis qu'il remontait le drap sur Nicolás, son fils le regarda fixement. Il devinait que les pensées qui occupaient son père vagabondaient dans des zones bien éloignées de la géographie céleste.

— Papa ?

— Oui.

— Une question d'éléphant.

— Vas-y.

— Pourquoi es-tu devenu journaliste ? Maman dit que grand-père voulait que tu fasses autre chose.

— Ton grand-père voulait que je sois avocat.

— Et tu ne l'as pas écouté ?

— Dans certaines occasions, il faut savoir désobéir à un père. Attention, cela ne te concerne pas, ni en ce moment ni dans un futur proche, mais dans beaucoup plus longtemps !

— Pourquoi ?

— Parce que certains pères, pas le tien, se trompent en décidant ce qui convient à leurs enfants.

— Non… Je voulais savoir pourquoi tu voulais être journaliste.

Vilajuana haussa les épaules.

— Pour le salaire à plusieurs zéros et les horaires fixes.

Nicolás éclata de rire.

— Non, sérieusement, pourquoi ?

— Je ne sais pas, Nico. C'était il y a longtemps. Parfois, quand on vieillit, ce qui nous paraissait évident au début ne l'est plus autant.

— Mais l'éléphant n'oublie jamais. Même si on veut lui voler ses défenses.

— Je suppose que non.

— Alors ?

Vilajuana hocha la tête, vaincu.

— Pour raconter la vérité. Voilà pourquoi je suis devenu journaliste.

Nicolás évalua cette réponse solennelle d'un air pensif.

— Et quelle est la vérité ?

Vilajuana éteignit la lumière et déposa un baiser sur le front de son fils.

— Ça, il va falloir que tu le demandes à ta mère.

Une histoire n'a ni début ni fin, seulement des portes d'entrée. Une histoire est un labyrinthe sans fin de mots, d'images et de pensées réunis pour nous révéler la vérité invisible sur nous-mêmes. En définitive, une histoire est une conversation entre une personne qui raconte et une personne qui écoute. Or un narrateur ne peut conter que dans la mesure de ses capacités, et un lecteur ne lit que ce qui est déjà écrit dans son âme.

Telle est la règle d'or sur laquelle repose tout artifice d'encre et de papier, parce que lorsque les lumières s'éteignent, que la musique cesse, que le parterre se vide, seul compte le mirage demeurant gravé dans le théâtre de l'imagination interne de tout lecteur. Et également l'espoir de tout faiseur de contes : que le lecteur ait ouvert son cœur à l'une de ses créatures de papier et lui ait confié quelque chose de lui-même pour le rendre immortel, ne fût-ce que pendant quelques minutes.

Cela étant dit de façon plus grave que ne le mériterait sans doute le sujet, mieux vaut atterrir au ras de la page et demander à l'ami lecteur de nous accompagner jusqu'à la fin de cette histoire et de nous aider à trouver le plus difficile pour un pauvre narrateur pris dans son propre labyrinthe : la porte de sortie.

Le Labyrinthe des esprits, Prologue
(*Le Cimetière des Livres oubliés*, volume IV)
de Julián Carax
Édition assurée par Émile de Rosiers Castellaine.
Éditions de la Lumière, Paris, 1922.

LE LIVRE DE JULIÁN

1

J'ai toujours su que je finirais par écrire cette histoire. L'histoire de ma famille et de cette Barcelone ensorcelée par les livres, les souvenirs et les secrets, dans laquelle j'ai grandi et qui m'a poursuivi toute ma vie, même si j'étais conscient qu'elle n'a jamais été qu'un rêve de papier.

Mon père, Daniel Sempere, s'y était essayé avant moi, et il avait usé sa jeunesse ou presque dans cette tentative. Pendant des années, le bon libraire s'éclipsa sur la pointe des pieds avant l'aube, laissant ma mère dans les bras de Morphée pour descendre dans la librairie et s'enfermer dans l'arrière-boutique. Là, à la lumière d'une lampe à huile et armé d'un vulgaire stylo, il livrait un duel interminable avec des centaines de pages jusqu'au lever du soleil.

Ma mère ne le lui reprocha jamais et elle feignit de ne s'apercevoir de rien, comme il arrive si fréquemment dans un couple pour continuer de naviguer en eau calme. Cette obsession l'inquiétait presque autant que moi. Je commençais à craindre que mon père ne perdît la boule comme don Quichotte, non pas de tant lire mais de tant écrire, à la différence de ce dernier. Elle savait que mon père avait besoin d'effectuer cette traversée en solitaire. Non qu'il nourrît quelque prétention littéraire, mais affronter les mots était sa façon à lui de découvrir sa véritable identité et d'essayer de récupérer la mémoire et l'esprit de sa mère qu'il avait perdue à l'âge de cinq ans.

Je me souviens du jour où je m'étais réveillé brusquement, peu avant l'aube, le cœur battant de colère, avec l'impression de manquer d'air. J'avais rêvé que mon père s'évanouissait dans la brume et que je le perdais pour toujours. Ce n'était pas la première fois. J'avais sauté de mon lit et j'étais descendu en courant à la librairie. Je l'avais trouvé dans l'arrière-boutique, toujours à l'état solide, un tas de feuilles froissées à ses pieds, les doigts tachés d'encre et les yeux rougis. Sur le bureau, il avait posé le vieux portrait d'Isabella à dix-neuf ans. Il l'avait toujours sur lui, nous le savions tous. L'idée d'oublier son visage le terrifiait.

— Je n'y arrive pas, avait-il murmuré. Je ne peux pas lui rendre la vie.

J'avais retenu mes larmes et je l'avais regardé droit dans les yeux.

— Je le ferai pour toi, lui avais-je dit. Je te le promets.

Mon père, à qui mes accès occasionnels de solennité arrachaient toujours un sourire, m'avait pris dans ses bras. En me lâchant, il avait constaté que je ne bougeais pas, et que je parlais sérieusement. Il m'avait offert son stylo.

— Tu en auras besoin.

J'avais examiné l'objet banal et de médiocre qualité et j'avais refusé d'un geste de la tête.

— J'écrirai à la machine. Sur une Underwood, le choix du professionnel !

Ce slogan, "le choix du professionnel", je l'avais vu sur une publicité dans le journal et il m'avait impressionné. Qui aurait pu dire qu'il suffisait de disposer d'un engin de la taille et du tonnage d'une locomotive à vapeur pour passer du statut d'écrivailleur du dimanche à celui de rédacteur professionnel. Ma déclaration d'intention avait dû prendre mon père par surprise.

— Tu veux devenir un écrivain professionnel maintenant ? Avec une Underwood et tout ?

Et avec un bureau au sommet d'un gratte-ciel gothique, des cigarettes américaines, un martini dry à la main et une muse aux lèvres rouge carmin en lingerie de luxe assise sur les genoux, ajouta mon lobe gauche. À l'époque, c'était ainsi que j'imaginais les professionnels, tout du moins les auteurs des romans policiers qui me faisaient perdre le sommeil et l'âme, sans parler du reste. Pourtant, les grandes espérances mises à part, la pointe d'ironie derrière le ton aimable de mon géniteur ne m'avait pas échappé. S'il commençait à remettre en cause ma vocation, nous n'aurions plus la paix.

— Oui, avais-je répondu sèchement. Comme Julián Carax. Pan, dans les dents ! avais-je pensé.

Mon père avait arqué les sourcils. Le coup l'avait déboussolé.

— Comment sais-tu avec quoi écrit Carax ? Et qui il est, d'abord ?

J'avais affiché ce regard mystérieux que j'avais breveté pour laisser entendre que j'en savais beaucoup plus que ce que tout le monde soupçonnait.

— J'en connais des wagons, avais-je insinué.

À la maison, le nom de Julián Carax avait toujours été murmuré une fois les portes fermées, à l'abri des regards et loin des oreilles des enfants, comme s'il s'agissait d'un flacon de potion avec une tête de mort et deux os croisés. Mes parents étaient loin de soupçonner qu'à huit ans j'avais découvert, dans le dernier tiroir de l'armoire de la salle à manger auquel j'accédais en grimpant sur une chaise posée sur une caisse en bois, derrière deux boîtes de biscuits de Camprodón (que j'avais engloutis dans leur intégralité) et une bouteille de muscat qui faillit me plonger dans un coma éthylique dans mon âge tendre, une collection de romans de Julián Carax réédités par Gustavo Barceló, un ami de la famille.

À dix ans, je les avais tous déjà lus deux fois. Sans les comprendre, probablement, j'étais tombé sous le charme de cette prose forgée dans la lumière qui avait incendié mon imagination avec des images, des univers et des personnages que je n'oublierais plus jamais de ma vie. Arrivé à ce point d'intoxication sensorielle, je savais clairement que j'aspirais à faire comme Julián Carax et à devenir son héritier le plus doué dans l'art de raconter des histoires. Mais je me doutais que pour y arriver il me fallait d'abord découvrir qui il était et pourquoi mes parents avaient préféré que j'ignorasse tout de lui.

Par chance, mon oncle honoraire, Fermín Romero de Torres, ne partageait pas la politique informationnelle de mes parents. À cette époque, il ne travaillait plus à la librairie, mais il nous rendait souvent visite. Un halo de mystère entourait toujours sa nouvelle occupation, que Fermín et les membres de la famille se gardaient de dissiper. Une chose était certaine, c'est que quel que fût son nouveau travail il lui laissait beaucoup de temps pour lire. Parmi ses dernières lectures figuraient de nombreux manuels d'anthropologie qui l'avaient conduit à élaborer des théories spéculatives. Il assurait que cette pratique l'aidait à conjurer les coliques néphrétiques et lui facilitait l'expulsion par les voies urinaires de calculs rénaux de la taille d'un noyau de nèfle *(sic)*.

Une de ces théories particulières était que l'évidence médico-légale accumulée pendant des siècles montrait qu'après des millénaires de supposée évolution l'humanité n'avait pas obtenu beaucoup plus qu'éliminer un peu de poils sur le corps, perfectionner le cache-sexe et le coup de silex. De ce postulat, il inférait inexplicablement une deuxième partie du théorème qui ressemblait à peu de chose près à ça : ce que cette évolution de pacotille n'avait en aucune manière réussi, c'était à considérer que plus on essaie de cacher quelque chose à un enfant, plus il s'ingénie à le trouver, un bonbon comme une image de femme légère effrontée donnant libre cours à ses charmes.

— Et heureusement qu'il en est ainsi, parce que le jour où cette étincelle de volonté de savoir s'éteindra et que les jeunes se contenteront de la cochonnerie clinquante – de l'électroménager miniature à l'urinoir à piles –, que leur vendent les margoulins et qu'ils seront incapables de voir plus loin que le bout de leurs fesses, nous retournerons à l'ère de la limace.

— C'est *apocalíptico* ! m'exclamais-je dans ces cas-là, faisant briller un mot que j'avais appris de Fermín et dont la mention me rapportait toujours un Sugus.

— Ça, ça me plaît ! s'exclamait Fermín. Tant que des gamins en culottes courtes seront capables d'accentuer l'antépénultième syllabe, il y aura de l'espoir.

Peut-être à cause de la mauvaise influence de Fermín ou des finasseries découvertes dans les romans à suspense que je dévorais comme des dragées, le mystère concernant Julián Carax et la raison pour laquelle mes parents avaient décidé de me prénommer comme lui se dissipèrent rapidement grâce à mon penchant pour établir des recoupements, surprendre des conversations furtives, fouiller dans des tiroirs interdits et, surtout, lire les pages que mon père croyait jeter à la poubelle. Là où s'arrêtaient mes capacités de détection et de déduction, Fermín prenait le relais avec ses opuscules qui me fournissaient en cachette les clefs pour résoudre le mystère et relier les différentes lignes du récit.

Ce matin-là, mon père apprit la double nouvelle : son fils de dix ans voulait devenir écrivain *professionnel* et il était au courant de tous les secrets qu'il essayait de lui cacher, peut-être surtout par pudeur. Je dois dire à sa décharge qu'il encaissa tout cela plutôt bien et qu'au lieu de crier et de me menacer de m'enfermer dans un internat ou de m'envoyer comme manœuvre dans une carrière il me regarda sans savoir que dire, le pauvre.

— Je pensais que tu voulais être libraire comme moi, comme ton grand-père, et comme le mien encore avant, et comme presque tous les Sempere depuis des temps immémoriaux...

Voyant que je l'avais pris au dépourvu, je décidai d'affermir ma position.

— Je veux être écrivain. Romancier. Pour couronner le tout. C'est ce qu'on dit dans ce cas, il me semble.

Je lâchai ces derniers mots comme un coussin humoristique, dont la drôlerie échappa clairement à mon père. Il croisa les bras, il se cala contre le dossier de sa chaise et il m'étudia prudemment. Le chiot manifestait une veine indocile qui ne lui plaisait guère. Bienvenue dans le monde de la paternité, pensai-je. Mettre des enfants au monde pour en arriver là !

— Ta mère l'a toujours dit, mais je pensais que c'était surtout pour m'asticoter.

Un point de plus en ma faveur. Le jour où ma mère se tromperait, le Jugement dernier tomberait à la même date que les Saints Innocents. Allergique par nature à la résignation, mon père demeurait ferme dans sa mise en garde, et je craignis que cela ne préfigurât un discours dissuasif.

— Moi aussi, à ton âge je pensais avoir l'étoffe d'un écrivain, commença-t-il.

Je le voyais venir tel une météorite entourée de flammes. Si je ne le désarmais pas immédiatement, cela pouvait se transformer en homélie sur les dangers de consacrer sa vie à la littérature qui, semblable à la mante religieuse, vouait à ses fidèles partisans une dévotion dévorante. J'avais souvent entendu ces propos dans la bouche de plus d'un auteur famélique qui passait par la librairie, et qu'il fallait toujours croire, quand ce n'était pas les inviter à goûter.

— Comme le dit Fermín, l'homme sage apprend de ses erreurs, concédai-je.

Je me rendis compte que mon contre-argument pouvait servir de pont à son postulat de base, à savoir que les Sempere n'avaient pas l'écriture dans le sang et qu'on servait tout aussi bien la littérature en étant libraire, sans s'exposer à la ruine absolue et à l'abîme ténébreux. Dans le fond, je le soupçonnais d'avoir entièrement raison, et je passai donc à l'offensive. Dans un duel rhétorique, il ne faut jamais laisser l'initiative, encore moins lorsque l'adversaire a l'avantage.

— Ce que dit Fermín, c'est que les sages reconnaissent quand il leur arrive de se tromper, alors que les imbéciles se trompent tout le temps sans jamais l'admettre, convaincus qu'ils sont d'avoir toujours raison. Il appelle cela son "principe d'Archimède d'imbécillités communicantes".

— Ah, oui ?

— Oui. D'après lui, un imbécile est un animal qui ne sait pas ou ne peut pas changer d'idée, bombardai-je.

— Je vois que tu es très versé dans la philosophie et la science de Fermín.

— Aurait-il tort ?

— Il a surtout une tendance démesurée à parler *foris cathedra*.

— Qu'est-ce que ça veut dire ?

— Être à côté de la plaque.

— Eh bien une fois, à côté de la plaque, il m'a dit que tu devais m'apprendre quelque chose depuis longtemps.

Mon père resta momentanément interdit. Toute velléité de sermon envolée, il chancela, sans savoir d'où viendrait la prochaine relance.

— A-t-il dit à quel sujet ?

— À propos de livres. Et de morts.

— De morts ?

— Il était question d'un cimetière. Les morts, c'est moi qui les ai ajoutés.

En réalité, je m'étais imaginé que le sujet avait à voir avec Carax, qui, selon mes critères personnels, combinait à la perfection les notions de livre et de mort. Mon père considéra la question et un éclair passa dans son regard, comme toujours lorsqu'il avait une idée.

— Là, pour une fois, il a peut-être raison, je crois, admit-il.

Je humai le doux arôme de la victoire affleurant quelque part.

— Monte à la maison et habille-toi. Ne réveille pas ta mère surtout.

— On va quelque part ?

— C'est un secret. Je vais te montrer quelque chose qui a changé ma vie, et qui changera peut-être la tienne.

Je m'aperçus que j'avais perdu l'initiative et que le vent avait tourné.

— À cette heure-ci ?

Mon père sourit de nouveau et il me fit un clin d'œil.

— Il y a des choses qu'on ne peut voir que dans l'obscurité.

2

À l'aube de ce jour d'automne de l'année 1966, mon père m'emmena pour la première fois au Cimetière des Livres oubliés. La bruine avait parsemé les Ramblas de petites flaques qui brillaient comme des larmes de cuivre sur notre passage. La brume dont j'avais si souvent rêvé nous accompagna et elle prit son envol quand nous pénétrâmes dans la rue Arco del Teatro. Une brèche obscure s'ouvrit devant nous, laissant bientôt émerger un grand palais de pierre noircie. Mon père actionna le heurtoir en forme de diablotin du portail. À ma grande surprise, la personne qui vint nous ouvrir n'était autre que Fermín Romero de Torres. Il sourit malicieusement en me voyant.

— Il était temps. Tant de mystères et de cachotteries me provoquaient un ulcère.

— Vous travaillez ici, maintenant, Fermín ? Est-ce une librairie ?

— Quelque chose comme ça, mais la section bandes dessinées est un peu faiblarde… Entrez…

Il nous accompagna le long d'une galerie courbe aux murs ornés de fresques d'anges et de créatures fabuleuses. Il importe de préciser que j'étais déjà dans un état second. J'ignorais pourtant que les prodiges ne faisaient que commencer.

La galerie nous conduisit jusqu'au seuil d'une immense salle voûtée s'élevant à l'infini sous une cascade de lumière vaporeuse.

Je levai les yeux et, comme surgie d'un mirage, une structure labyrinthique se matérialisa sous mes yeux. La tour montait en une spirale perpétuelle, telle un récif sur lequel se seraient échouées toutes les bibliothèques du monde. Bouche bée, j'avançai lentement vers ce château composé de la totalité des livres. J'eus l'impression de pénétrer dans l'une des histoires de Julián Carax et je craignis, si je faisais un pas de plus, de voir cet instant partir en poussière et de me réveiller dans mon lit. Mon père apparut à côté de moi. Je le regardai et je lui pris la main, ne fût-ce que pour me convaincre que j'étais éveillé et que ce lieu existait bel et bien. Il me sourit.

— Bienvenue au Cimetière des Livres oubliés, Julián.

Il me fallut un moment pour retrouver mon calme et obéir à nouveau à la loi de la pesanteur. Quand il me vit plus serein, mon père me murmura, au milieu des ténèbres :

— Ce lieu est un mystère, Julián. Un sanctuaire. Chaque livre, chaque tome que tu vois a une âme. L'âme de celui qui l'a écrit et l'âme de ceux qui l'ont lu, ont vécu et ont rêvé avec lui. Toutes les fois qu'un livre change de main, toutes les fois que quelqu'un parcourt ses pages, son esprit grandit et devient plus fort. Il y a des années, quand mon grand-père m'a amené ici pour la première fois, ce lieu était déjà vieux. Aussi vieux que la ville, peut-être. Personne ne sait de source sûre depuis combien de temps il existe, ni qui l'a créé. Je te répéterai ce que mon grand-père m'a dit alors. Quand une bibliothèque disparaît, qu'une librairie ferme ses portes, qu'un livre tombe dans l'oubli, nous qui connaissons ce lieu et en sommes ses gardiens faisons en sorte qu'il arrive ici. Entre ces murs, les livres dont personne ne se souvient, les livres qui se sont évanouis avec le temps, vivent pour toujours en attendant de parvenir un jour entre les mains d'un nouveau lecteur, d'atteindre un nouvel esprit. Dans la librairie, nous vendons et achetons des livres, mais en réalité ils n'ont pas de maîtres. Chaque ouvrage que tu vois ici a été le meilleur ami de quelqu'un. Aujourd'hui, ils n'ont plus que nous, Julián. Crois-tu que tu pourras garder ce secret ?

Mon regard balaya l'immensité du lieu, sa lumière enchantée. J'acquiesçai et mon père me sourit. Fermín m'offrit un verre d'eau.

— Le gamin connaît les règles ? demanda-t-il.

— J'allais y venir, répondit mon père.

Il me détailla alors les règles et les responsabilités que devait accepter tout nouveau membre de la confrérie secrète du Cimetière des Livres oubliés, y compris le privilège de pouvoir adopter un livre à perpétuité et de devenir son protecteur.

Tout en l'écoutant, je me demandai s'il n'existait pas une autre raison pour laquelle il avait choisi précisément ce jour pour me dynamiter la cervelle et la rétine avec cette vision. Le bon libraire espérait peut-être, en dernier recours, que la contemplation de cette ville peuplée de centaines de milliers de volumes abandonnés, et d'autant de vies, d'idées et de mondes oubliés, constituerait une métaphore de l'avenir qui m'attendait si je persistais à croire que je pourrais un jour gagner ma vie avec la littérature. Si tel était son objectif, il échoua. Cette vision provoquant en moi l'effet contraire. Ma vocation, qui n'avait été jusqu'alors qu'un simple rêve d'enfant, s'imprima dans mon cœur. Et rien de ce que mon père, ni personne d'autre, pourrait dire ne réussirait à me faire changer d'avis.

Le destin avait choisi pour moi, je suppose.

Au cours de mon long périple dans les tunnels du labyrinthe, je choisis un livre intitulé *La Tunique cramoisie*, un roman appartenant au cycle de *La Ville des maudits*, d'un certain David Martín dont je n'avais jamais entendu parler. Je devrais plutôt dire que ce livre me choisit. En posant les yeux sur la couverture, j'eus l'étrange impression que cet exemplaire m'attendait, comme s'il savait que ce matin-là je me retrouverais devant lui.

Lorsque je sortis enfin de la structure et que mon père vit le livre que je tenais à la main, il pâlit. J'eus peur qu'il ne s'effondrât.

— Où as-tu trouvé ce livre ? balbutia-t-il.

— Sur une table, dans l'une des pièces... Il était posé, debout, comme si on l'avait laissé là pour que je le prenne.

Fermín et lui échangèrent un regard indéchiffrable.

— Que se passe-t-il ? Dois-je en choisir un autre ?

Mon père fit signe que non.

— C'est le destin, murmura Fermín.

Je souris, tout excité. C'était exactement ce que j'avais pensé, sans trop savoir pourquoi.

Je passai le reste de la semaine dans les transes à lire les aventures relatées par David Martín. Je savourais chaque scène comme si je contemplais une grande toile ; plus je l'explorais plus je percevais de détails. Mon père se perdit dans ses propres chimères, mais ses préoccupations ne paraissaient absolument pas littéraires.

Il commençait à se douter qu'il n'était plus un jeune homme, et il revisitait souvent des moments de sa prime jeunesse, cherchant des réponses à des questions qu'il ne comprenait pas encore très bien.

— Qu'est-ce qu'il a, papa ? demandai-je à ma mère.

— Rien. Il grandit.

— Il n'a plus l'âge de grandir, non ?

Ma mère soupira, patiente.

— Vous êtes comme ça, vous les hommes.

— Je grandirai vite, comme ça tu n'auras plus à t'inquiéter.

Elle sourit.

— On n'est pas pressé, Julián. Laisse faire la vie, elle s'en chargera.

Au cours d'un de ses mystérieux voyages au centre de son nombril, mon père revint de la poste avec un paquet envoyé de Paris. Il contenait un livre intitulé *L'Ange des brumes*. Tout ce qui se rapportait aux anges et au brouillard avait toutes les chances de retenir mon attention, et je décidai de mener l'enquête, ne fût-ce qu'à cause de la tête de mon père quand il ouvrit le paquet et vit la couverture du livre. Je découvris que c'était un roman de Boris Laurent, un des pseudonymes de Julián Carax comme je l'appris plus tard, accompagné d'une dédicace qui fit pleurer ma mère, elle qui n'avait pas la larme facile, et qui finit de convaincre mon père : le destin nous tenait tous par un endroit qu'il se refusa à préciser, mais je compris que cela impliquait une manœuvre complexe.

Je fus le plus surpris de tous, je l'avoue, moi qui, allez savoir pourquoi, avais toujours imaginé Carax mort depuis des temps immémoriaux (la période historique englobant tout ce qui était survenu avant ma naissance). À mes yeux, il était un des nombreux fantômes du passé faisant le guet dans ce palais ensorcelé qu'était la mémoire officielle de la famille. Je compris que je faisais erreur. Carax était bien vivant, il vivait toujours à Paris et il continuait d'écrire. Ce fut une révélation.

En caressant les pages de *L'Ange des brumes*, j'eus soudain l'illumination de ce que je devais faire. C'est ainsi que naquit le plan qui me permettrait d'accomplir le destin qui avait décidé de me rendre une petite visite à domicile. Le destin responsable de la naissance de ce livre des années plus tard.

3

La vie passa à son rythme de croisière, entre révélations et chimères, comme à son habitude, sans trop se préoccuper de nous tous qui voyageons sur son marchepied. J'avais vécu deux enfances : une relativement conventionnelle si cela existe, visible aux yeux des autres ; l'autre imaginaire, tout intérieure. J'avais quelques bons amis, des livres pour la plupart. À l'école, chez les pères jésuites, je m'ennuyais souverainement et je m'étais habitué à rester assis pendant des heures devant mon pupitre, la tête dans les nuages. Une habitude que je conserve aujourd'hui. J'avais rencontré quelques bons maîtres, par chance, qui firent preuve de patience à mon égard. Ils admirent que mon caractère radicalement différent de celui des autres enfants n'était pas un mal à combattre. Il faut de tout pour faire un monde. Même un Julián Sempere.

J'ai probablement plus appris du monde en lisant entre les quatre murs de la librairie, dans les bibliothèques ou en écoutant Fermín – il avait toujours une théorie, un conseil ou une réprimande sous le coude –, qu'au cours de toutes mes années d'études.

— À l'école, ils disent que je suis un peu bizarre, avouai-je un jour à Fermín.

— C'est une chance. Le jour où on vous dira que vous êtes normal, vous pourrez commencer à vous faire du souci.

Mais personne, jamais, ne porta une telle accusation à mon endroit.

Mon adolescence offre peut-être un intérêt biographique légèrement accru parce que je l'ai davantage vécue en dehors de mon imagination. Mes rêves d'encre et de papier et mes ambitions de devenir un guerrier de l'écriture et de ne pas y succomber se renforçaient. Tempérés, il faut le préciser, par une certaine dose de réalisme acquis à mesure que le temps passait et que je découvrais le fonctionnement des rouages du monde. Au milieu du gué, j'avais compris que mes rêves étaient constitués d'impossibles, mais que si je les abandonnais avant d'entrer sur le champ de bataille, je ne gagnerais jamais le moindre combat.

Les dieux du Parnasse finiraient par prendre pitié de moi un jour et ils me permettraient d'apprendre à raconter une histoire, je n'en doutais pas. En attendant, je faisais provision de matières premières pour le jour où je pourrais inaugurer ma propre fabrique de rêves et de cauchemars. Avec ou sans talent, mais consciencieusement, je recueillis tous ce qui avait trait à l'histoire de ma famille, à ses nombreux secrets et aux mille et une intrigues composant le petit monde des Sempere, un imaginaire que je baptisais la *Saga du Cimetière des Livres oubliés*.

Hormis la vérification de tout le vérifiable et ce qui résistait au sujet de ma famille, j'entretenais alors deux grandes passions : l'une, magique et éthérée, la lecture ; l'autre, charnelle et réalisable, les flirts juvéniles.

Mes ambitions littéraires se soldaient au mieux par de piètres résultats. Dans ces années-là, je mis en chantier cent romans exécrables qui rendirent l'âme en chemin, des centaines de récits, des pièces de théâtre, des séries radiophoniques et même des poèmes, que je ne permettais à personne de lire, pour le bien de l'humanité. C'était déjà trop de devoir les parcourir moi-même et de constater tout ce qui restait à apprendre et la ténuité de mes progrès, malgré l'envie et l'enthousiasme qui m'animaient. Je relisais inlassablement les romans de Carax et de nombreux autres auteurs dont j'empruntais les œuvres à la librairie paternelle. J'essayais de les démonter, comme on le fait d'un transistor ou d'un moteur de Rolls Royce, dans l'espoir d'en découvrir les principes de construction et de fonctionnement.

Dans un journal, j'avais lu un reportage sur la rétro-ingénierie pratiquée par des ingénieurs japonais. Ces travailleurs nippons démontaient une machine jusqu'à la dernière vis et ils analysaient la fonction de chacune des pièces, la dynamique de l'ensemble et la conception interne de l'engin en question, afin d'en déduire le principe de fonctionnement. Un frère de ma mère étant ingénieur en Allemagne, j'en déduisis que quelque chose dans mes gènes devait me permettre de faire de même avec un livre ou une histoire.

J'étais chaque jour plus convaincu que la bonne littérature ne dépendait pas, ou si peu, de trivialités aussi chimériques que "l'inspiration" ou "la chose à raconter", et plus en revanche de l'ingénierie du langage, de l'architecture du récit, de la peinture des textures, des timbres et des couleurs de la construction, de la photographie des images et de la musique produite par un orchestre de mots.

Ma seconde grande occupation, la première devrais-je dire, s'épanouissait surtout dans le domaine de la comédie, frôlant même parfois l'intermède. Il y eut un temps où je tombais amoureux toutes les semaines, ce que je déconseille avec le recul. Je m'amourachais d'un regard, d'une voix et surtout de ce que recouvraient les fines robes de lainage des jeunes filles de mon époque.

— Ce n'est pas de l'amour, c'est un accès de fièvre, précisait Fermín. À votre âge, il est chimiquement impossible de faire la différence. Mère nature use de semblables artifices pour repeupler la planète, injectant hormones et niaiseries à gogo dans les veines des jeunes gens pour se procurer de la chair fraîche disposée à pondre sans relâche et de la chair à canon prête à s'immoler au nom de pseudo-idéaux vantés par les banquiers, les curés et les illuminés de la révolution toujours en quête d'idéalistes, entre autres plaies, pour empêcher le monde d'évoluer et le maintenir sous leur coupe.

— Quel rapport entre tout cela et les tourments du cœur, Fermín ?

— Arrêtez les violons ! On se connaît, tous les deux. Le cœur est un viscère qui pompe du sang, pas des rimes. Avec un peu de chance, une once de ce flux arrive jusqu'à la tête, mais il irrigue majoritairement les tripes, et dans votre cas les génitoires qui, si vous n'y prenez garde, vous serviront également de cortex cérébral jusqu'à vos vingt-cinq printemps. Maintenez la masse testiculaire éloignée du gouvernail, et vous arriverez à bon port.

Faites l'imbécile, et vous passerez votre vie sans avoir rien fait de bénéfique.

— Amen.

Je partageais mon temps libre entre des aventures sous les porches sombres et des excursions plus ou moins heureuses sous le chemisier et les jupes des filles au dernier rang d'une salle de cinéma de quartier, des surprises-parties à la Paloma et des promenades sur la jetée, main dans la main avec des *innamoratas* du dimanche. Je n'entre pas dans les détails parce que je n'ai vécu aucun événement mémorable méritant d'être rapporté jusqu'à mes dix-sept ans, le jour où je tombais nez à nez avec une créature prénommée Valentina. Tout navigateur qui se respecte croise un iceberg sur sa route ; le mien s'appelait Valentina. Elle avait trois ans de plus que moi (qui en paraissais dix), et elle me plongea dans un état catatonique pendant des semaines et des semaines.

Je fis sa connaissance un après-midi d'automne dans une vieille librairie française du Paseo de Gracia où j'étais entré pour m'abriter de la pluie. Je la vis de dos et quelque chose en elle m'attira. Je lui jetai un regard à la dérobée. Elle feuilletait un roman de Julián Carax, *L'Ombre du vent*, et si j'eus le cran de m'approcher et d'ouvrir la bouche ce fut parce qu'à cette époque je me sentais indestructible.

— J'ai lu ce livre moi aussi, dis-je, faisant preuve d'un esprit qui démontrait au-delà de tout doute possible les théories de Fermín concernant le flux sanguin.

Elle me toisa de son regard vert émeraude tranchant comme une lame de rasoir et elle cilla si lentement que je crus que le temps s'était arrêté.

— Tant mieux pour toi, répondit-elle.

Elle remit l'exemplaire sur le rayonnage, tourna les talons et prit le chemin de la sortie. Je restai quelques secondes immobile, blanc comme un linge. Quand je recouvrai la mobilité, je sauvai le livre sur l'étagère, le portai à la caisse, payai et sortis en courant dans l'espoir que mon iceberg ne fût pas enfoncé sous les eaux à jamais.

Le ciel avait pris une tonalité acier et il tombait des gouttes grosses comme des perles. Je la rejoignis alors qu'elle attendait à un feu rouge pour traverser la rue Rosellón, indifférente à la pluie.

— Dois-je appeler la police ? demanda-t-elle sans tourner la tête.

— J'espère que non. Je m'appelle Julián.

Elle souffla, se retourna, me fixa de nouveau de ses yeux affûtés. Je souris comme un idiot et je lui tendis le livre. Elle haussa un sourcil et, après une légère hésitation, elle l'accepta.

— Un autre Julián ? Avez-vous un lien de famille ?

— Mes parents m'ont prénommé ainsi en hommage à l'auteur de ce livre, un de leurs amis. C'est le meilleur roman que j'ai jamais lu.

Je dus ma chance à la mise en scène, comme souvent dans ce genre d'événement. Un éclair teinta d'argent les façades du Paseo de Gracia et le bruit de l'orage rampa d'un air peu aimable sur la ville. Le feu passa au vert et je brûlai ma dernière cartouche avant que Valentina pût m'envoyer balader ou appeler un agent de police.

— Dix minutes ! Un café ! Si je n'ai pas remporté la partie en dix minutes, je me désintégrerai et tu n'entendras plus jamais parler de moi. Je te le promets.

Valentina me regarda, hésitante, et elle réprima un sourire. La pluie fut la cause de tout.

— D'accord, dit-elle.

Et moi qui croyais que ma vie avait changé le jour où je m'étais décidé à être romancier…

Valentina vivait seule au dernier étage d'un immeuble de la rue Provenza, d'où on contemplait tout Barcelone, ce que je ne fis que rarement parce que je préférais la contempler elle, aux différents stades de la nudité que je m'employais invariablement à atteindre. Sa mère était hollandaise et son père barcelonais. Un avocat de renom dont j'avais même déjà entendu citer le nom. À sa mort, sa mère était retournée vivre dans son pays d'origine. Valentina, majeure, avait préféré rester à Barcelone. Elle parlait cinq langues et travaillait pour le cabinet d'avocats fondé par son père, où elle traduisait des instructions d'affaires de plusieurs millions entre de grandes entreprises et des familles possédant une loge au Liceo depuis quatre générations. Quand je lui demandai ce qu'elle souhaitait faire de sa vie, elle me lança ce regard qui me désarmait et répondit "voyager".

Valentina fut la première personne que j'autorisai à lire mes modestes essais. Elle avait une certaine tendance à réserver sa tendresse et ses effusions à la portion la plus prosaïque de notre relation. Lorsqu'il s'agissait de m'offrir son opinion sur mes premiers pas littéraires, elle avait l'habitude de me dire que je n'avais retenu de Carax que le prénom. Comme j'étais d'accord avec elle, dans le fond, je ne le prenais pas mal. Peut-être pour cette raison, parce que je croyais que personne au monde ne pouvait mieux comprendre le plan que je mijotais depuis des années, un jour où je me sentais particulièrement préparé à tout encaisser, je lui dévoilai ce que je comptais faire dès que j'aurais dix-huit ans.

— Ce n'est pas demander ma main, j'espère !

J'aurais dû savoir interpréter le signe tracé par le destin. Toutes mes grandes scènes avec Valentina avaient commencé sous une pluie qui nous faisait presser le pas ou qui battait contre la fenêtre. Et c'était le cas cette fois.

— Quel est ce plan ?

— Écrire l'histoire de ma famille.

Nous étions ensemble depuis presque un an – si tant est qu'on puisse appeler ainsi les après-midis passés à tutoyer les nuages dans son studio, entre ses draps –, et j'avais beau avoir appris sa peau par cœur, je ne parvenais toujours pas à déchiffrer ses silences.

— Et alors ?

— Cela te paraît peu ?

— Tout le monde a une famille. Et toutes les familles ont une histoire.

Avec Valentina, rien n'était jamais acquis, il fallait toujours batailler. Sur quelque terrain que ce fût. Elle tourna les talons, et ce fut ainsi que, m'adressant à ce délicieux dos dénudé, je formulai à haute voix pour la première fois l'idée que je portais en moi depuis des années. L'exposition ne fut pas brillante, mais j'avais besoin de l'entendre de ma propre bouche pour lui accorder du crédit.

Je possédais ce qu'il fallait pour commencer : le titre. *Le Cimetière des Livres oubliés*. Pendant des années, j'avais toujours eu avec moi un carnet sur la couverture duquel j'avais écrit en lettres cursives et en grande pompe calligraphique :

Le Cimetière
des Livres oubliés
Un roman en quatre tomes
de
Julián Sempere

Fermín m'avait surpris un jour la plume à la main, admirant d'un air ébaubi la première page, blanche, du carnet. Il avait inspecté la couverture puis proféré un son au carrefour du grognement et du pet avant de clamer :

— Malheur à vous, rêveurs d'encre et de papier, car le purgatoire des vanités et des désillusions est à vous !

— Avec votre permission… Votre excellence aurait-elle la bonté de me traduire un aphorisme si solennel ? avais-je demandé.

— Probablement que la niaiserie me rend biblique. C'est vous qui taquinez la muse ! À vous donc de flairer le signifié, de déchiffrer la sémantique.

J'avais calculé que ce *magnum opus*, produit de ma fiévreuse imagination juvénile, atteindrait des dimensions diaboliques et une masse avoisinant la quinzaine de kilos. Tel que je le rêvais, le récit se divisait en quatre volumes reliés entre eux et conçus comme autant de portes d'entrée dans le labyrinthe d'histoires. À mesure que le lecteur avancerait dans ces pages, il assisterait au fonctionnement du récit comme un jeu de poupées russes, les intrigues et les personnages conduisant à d'autres qui à leur tour déboucheraient sur de nouveaux personnages et intrigues, et ainsi de suite.

— On dirait le mode d'emploi d'un Meccano ou d'un train électrique.

Ma douce Valentina, toujours si prosaïque !

— Il y a quelque chose du Meccano, admis-je.

J'avais réussi à lui vendre cette déclaration d'intention fracassante sans rougir parce que c'était mot pour mot celle que j'avais rédigée à dix-sept ans, persuadé d'avoir ainsi réalisé la moitié du travail. Le fait d'avoir éhontément copié le roman que j'avais offert à Valentina le jour où je l'avais rencontrée, *L'Ombre du vent*, n'était rien.

— Carax n'a pas déjà fait une chose semblable ? demanda Valentina.

— Tout a déjà été fait auparavant par quelqu'un dans la vie, au moins pour ce qui en vaut la peine. Le truc, c'est d'essayer de le faire un peu mieux.

— Et pour cela, te voilà ! Avec la modestie de la jeunesse.

Habitué aux seaux d'eau glacée de mon iceberg adoré, je poursuivis avec la détermination du soldat qui bondit hors de la tranchée et avance face aux mitrailleuses en hurlant.

Selon mon plan infaillible, le premier tome serait centré sur l'histoire d'un lecteur, mon père en l'occurrence, et de la façon dont il avait découvert le monde des livres et, par extension, la vie dans sa jeunesse à travers un roman énigmatique écrit par un auteur inconnu qui cachait un incroyable mystère à faire dresser les cheveux sur la tête. Tout cela donnerait lieu à la construction, d'un trait de plume, d'un roman combinant tous les genres existants et encore à inventer.

— Au passage, il pourrait aussi soigner la grippe et le rhume, suggéra Valentina.

Le deuxième tome serait imprégné d'un arrière-goût morbide et sinistre destiné à titiller le lecteur conventionnel. Il raconterait la macabre aventure d'un romancier maudit – hommage à David Martín –, lequel décrirait à la première personne comment il avait perdu la raison, entraînant le lecteur dans sa descente aux enfers, dans sa propre folie, et devenant un narrateur moins fiable encore que le prince des ténèbres qui passerait aussi par ces pages. Ou pas. L'ensemble composerait en effet un jeu où il reviendrait au lecteur de compléter le puzzle et de décider du livre qu'il lirait.

— Et si personne ne suit et n'a envie de rentrer dans ton jeu ?

— Cela aura pareillement valu la peine. Il y aura toujours une personne pour participer.

— Faut être optimiste pour écrire !

En supposant que le lecteur aura survécu aux deux premiers volumes et qu'il n'aura pas décidé de remonter dans le tramway du *happy end*, le troisième tome nous sauverait momentanément du séjour des morts et nous offrirait l'histoire d'un personnage. Le personnage par excellence, et la voix de la conscience officielle de l'histoire, je veux parler de mon oncle adoptif : Fermín Romero de Torres. Son récit dépeindrait avec un esprit picaresque la façon dont il était devenu ce personnage. Ses nombreuses aventures au long des plus troubles années du siècle révéleraient également les lignes qui relient entre elles toutes les parties du labyrinthe.

— Là on rira, au moins.

— Fermín le sauveur.

— Comment finira cette monstruosité ?

— En feu d'artifice, avec un grand orchestre et la puissance de la machinerie à toute vapeur.

La quatrième livraison, formidablement virulente et saupoudrée de tous les parfums des précédentes, nous conduira enfin au centre du mystère et nous révélera tous les secrets de la bouche de mon ange des ténèbres préférée, Alicia Gris. La saga comprendra des scélérats et des héros, et mille tunnels grâce auxquels le lecteur pourra explorer une trame kaléidoscopique pareille à la vision féerique que j'avais découverte avec mon père au cœur du Cimetière des Livres oubliés.

— Et toi, tu n'apparais pas ?

— Seulement à la fin, un tout petit peu.

— Quelle modestie !

Son ton laissait présager ce qui allait me tomber dessus.

— Je ne comprends pas pourquoi tu n'écris pas cette histoire, au lieu de tant en parler. Là, maintenant.

Je m'étais posé la même question des milliers de fois ces dernières années.

— Parce que en parler m'aide à mieux l'imaginer encore. Et surtout, parce que je ne sais pas comment faire. D'où mon plan.

Valentina se retourna et elle me regarda sans comprendre.

— Je croyais que c'était ça, le plan.

— Non, ça, c'est l'ambition. Le plan est différent.

— C'est quoi ?

— Que Julián Carax l'écrive pour moi.

Valentina me fixa de ce regard qui plongeait directement dans son âme.

— Pourquoi le ferait-il ?

— Parce que c'est aussi son histoire, et celle de sa famille.

— Je croyais que Carax vivait à Paris.

J'acquiesçai. Valentina plissa les yeux. Froide et intelligente, ma Valentina adorée.

— Voyons voir : ton plan est de partir à Paris, de rencontrer Julián Carax, en supposant qu'il vit toujours, et de le convaincre d'écrire en ton nom un roman de trois mille pages avec l'histoire prétendument si importante pour toi.

— C'est plus ou moins cela.

Je lui souris en tendant le dos. Elle allait me traiter de crédule, d'inconscient ou de naïf. J'étais préparé à tout encaisser sauf l'insulte qu'elle me lança, méritée d'ailleurs.

— Tu es un lâche.

Elle se leva, rassembla ses vêtements et s'habilla devant la fenêtre. Puis, sans me regarder, elle alluma une cigarette et elle laissa son regard se perdre sur l'horizon de toits de l'Ensanche sous la pluie.

— J'aimerais être seule, dit-elle.

Cinq jours plus tard, je montai l'escalier jusqu'à la mansarde de Valentina et je trouvai la porte ouverte, la pièce vide et une chaise face à la fenêtre sur laquelle se trouvait une enveloppe à mon nom. Je l'ouvris. Elle renfermait vingt mille francs et quelques mots en français :

Bon voyage et bonne chance.

V.

Quand je sortis sur le trottoir, la pluie commença à tomber.

Trois semaines plus tard, un après-midi où nous avions réuni des lecteurs et des habitués à la librairie pour célébrer la parution du premier roman du professeur Alburquerque, un bon ami de Sempere & Fils, l'événement que beaucoup espéraient depuis longtemps et qui allait changer l'histoire du pays, ou la replacer dans le présent du moins, se produisit.

C'était presque l'heure de la fermeture quand M. Federico, l'horloger du quartier, entra dans la librairie d'un air hagard en charriant un machin qui se révéla être un téléviseur portable acheté à Andorre. Il le posa sur le comptoir et il nous dévisagea tous d'un air grave.

— Vite, j'ai besoin d'une prise.

Quelque chose dans le visage de M. Federico laissait entendre qu'il ne plaisantait pas. Le professeur Alburquerque, qui soupçonnait la raison de cette urgence, aida à brancher le téléviseur et l'horloger alluma l'appareil. De la neige grise apparut sur l'écran et projeta un halo scintillant dans la librairie. Alerté par le bruit, mon grand-père passa la tête par la porte de l'arrière-boutique et nous regarda d'un air interrogatif.

— Prévenez tout le monde, ordonna Federico.

Tandis qu'il orientait l'antenne et essayait de régler la chaîne, nous nous pressâmes devant le téléviseur comme en attente d'un office liturgique. Fermín et le professeur Alburquerque approchèrent des chaises. Bientôt mes parents, mon grand-père, Fermín, M. Anacleto (qui, revenant de sa promenade vespérale et apercevant la lueur du poste, avait cru que nous avions cédé à la mode yé-yé et venait fureter), Fernandito et Sofía, Merceditas et les clients présents pour le toast en l'honneur du professeur Alburquerque remplirent le parterre improvisé en attente d'on ne savait trop quoi.

— Ai-je le temps d'aller faire pipi et d'acheter un cornet de pop-corn ? demanda Fermín.

— Si j'étais vous, je retiendrais mes envies, prévint le Dr Alburquerque. J'ai l'impression que c'est du sérieux.

M. Federico changea l'orientation de l'antenne et la fenêtre statique céda la place au cadrage lugubre du glorieux noir et blanc distillé par la Télévision espagnole de l'époque. Un visage larmoyant et bouleversé, aux traits évoquant à la fois le procureur de province et Super Souris, apparut à l'écran. M. Federico monta le son.

— Franco… est mort, annonça Arias Navarro, le président du gouvernement, dans un sanglot.

Un silence de plomb s'abattit. Venu du ciel, ou d'ailleurs. Si l'horloge murale avait fonctionné, le balancier se serait arrêté net.

Presque simultanément, Merceditas fondit en larmes, mon grand-père devint pâle comme une meringue, paniqué à l'idée d'entendre d'un moment à l'autre le ronronnement des chars sur la Diagonal et la déclaration d'une autre guerre, monsieur Anacleto, le rapsode enclin à la versification, resta muet et entrevit l'incendie de couvents et autres festivités. Mes parents se regardèrent, interloqués. Le professeur Alburquerque, qui ne fumait pas, accepta une cigarette de l'horloger et il l'alluma. Étrangers à la commotion générale, Fernandito et Sofía se sourirent comme s'ils retrouvaient le pays des contes de fées, et ils continuèrent à se peloter. Quelques lecteurs firent le signe de croix et s'éclipsèrent, apeurés.

Je cherchai du regard un adulte en pleine possession de ses facultés et je tombai sur Fermín qui suivait le discours du président avec un intérêt froid et un calme absolu. Je vins près de lui.

— Regardez-le, ce minuscule pleurnichard, il a l'air de n'avoir jamais fait de mal à une mouche, lui qui a signé plus d'arrêts de mort qu'Attila...

— Que va-t-il se passer, maintenant ? demandai-je, inquiet.

Fermín me sourit d'un air serein et il me tapota l'épaule. Il m'offrit un Sugus, dépapillota le sien, au citron, et le suçota avec délice.

— Pas de panique, il ne va rien se passer. Escarmouches, effets théâtraux et hypocrisie à foison pendant un temps, ça oui, mais rien de sérieux. Avec un peu de malchance, un pauvre type aura la main leste, mais celui qui tire les ficelles ne laissera pas la pagaille s'installer. Ce ne serait pas rentable. Beaucoup de bruit pour rien. Les records seront battus dans la discipline olympique du retournement de veste et nous verrons les héros sortir des placards, comme il est de rigueur dans ces cas-là. Ce sera comme une longue période de constipation. Un moment difficile, mais la crotte finira par sortir, en tout cas pour la partie qui ne s'est pas encore métabolisée. Le sang ne coulera pas, vous verrez. Pour la simple raison que cela n'arrangerait personne. Au bout du compte, tout cela n'est qu'une foire d'intérêts plus ou moins déguisés destinés à la

consommation de la sottise populaire. Le petit numéro de marionnettes mis à part, la seule chose qui compte, c'est qui commande,
qui possède la clef de la caisse et comment se répartit l'argent des
autres. Sur le chemin du butin, tout le monde sera blanchi, et
ce ne sera pas superflu. De nouveaux scélérats feront surface, et
de nouveaux chefs et une fanfare d'innocents privés de mémoire
descendront dans la rue, prêts à croire tout ce qu'on leur dit, tout
ce qu'ils ont besoin d'entendre. Ils suivront le joueur de flûte de
Hamelin du moment, celui qui saura le mieux les flatter et leur
promettre un paradis en carton-pâte. Voilà, Julianito, il en est
ainsi, avec ses grandeurs et ses misères, et ce n'est pas rien. Il y a
ceux qui anticipent l'entourloupe et partent loin, comme notre
Alicia, et ceux qui restent comme nous, les pieds dans la fange,
aussi parce que nous n'avons pas de meilleur endroit où aller.
Pour ce qui est du cirque, ne craignez rien, nous entrons dans
l'ère des clowns. Les trapézistes mettront plus de temps à venir.
C'est peut-être la meilleure chose qui pouvait nous arriver. Moi,
pour ce qui me concerne, je célèbre l'événement.
  — Comment savez-vous qu'Alicia est partie loin ?
  Fermín sourit d'un air espiègle.
  — *Touché**.
  — Que m'avez-vous caché ?
  Fermín me prit par le bras et il me tira vers un coin de la salle.
  — Plus tard. Aujourd'hui, c'est jour de deuil national.
  — Mais…
  Il ne me laissa pas continuer et il rejoignit l'assistance tou-
jours sous le choc de l'annonce du décès de celui qui avait été
le chef de l'État pendant les quarante dernières années.
  — Proposerez-vous que nous portions un toast ? demanda
M. Anacleto.
  Fermín fit non de la tête.
  — Je ne trinque à la mort de personne. Vous, je ne sais pas,
mais moi, je rentre chez moi près de Bernarda et, avec l'aide de
Dieu, je vais essayer de lui faire un autre enfant. Je vous sug-
gère, dans la mesure où la logistique le permettrait, de faire de
même. Et autrement, de lire un bon livre, comme celui de notre
ami Alburquerque. Demain sera un autre jour.

Ce fut un autre jour, suivi d'un autre, et plusieurs mois passèrent ainsi pendant lesquels Fermín s'éclipsa comme il savait si bien le faire, me privant d'informations concernant ses insinuations sur Alicia Gris. Subodorant qu'il me raconterait le moment venu ou quand ça lui chanterait ce qu'il avait à me dire, je pris les francs que Valentina m'avait laissés et j'achetai un billet de train pour Paris. Nous étions en 1976, et j'avais dix-neuf ans.

Mes parents ignoraient le véritable but de mon voyage que j'attribuai au désir de voir du pays, même si ma mère soupçonna toujours mes véritables intentions. Je n'ai jamais pu lui cacher la vérité. Comme je l'avais confié une fois à mon père, je n'avais aucun secret avec elle. Elle était au courant de mon aventure avec Valentina et de mes ambitions. Elle les avait toujours soutenues même quand, dans des moments de découragement, je jurai que j'abandonnais tout par manque de talent et de détermination.

— Personne n'a jamais triomphé sans avoir échoué auparavant, m'assura-t-elle.

J'étais sûr que mon père était contrarié et qu'il ne voyait pas d'un bon œil mon voyage à Paris, même s'il n'osait pas me le dire. D'après lui, je devais m'éclaircir les idées et me consacrer une fois pour toutes à ce que je devais faire. Si je voulais être écrivain, il fallait me mettre sérieusement à écrire. Et il en allait de même dans le cas où je voudrais être libraire, dompteur de perruches ou n'importe quoi d'autre.

Je ne savais pas comment lui expliquer que j'avais besoin d'aller à Paris et de rencontrer Carax, parce que j'étais conscient que cela n'avait aucun sens. Je n'avais aucun argument pour défendre cette idée, simplement une prémonition. Il ne voulut pas m'accompagner à la gare et il prétexta un rendez-vous à Vic avec son collègue distingué, M. Costa, le doyen de la corporation et sûrement le professionnel le plus savant dans le domaine du livre ancien. En arrivant à la gare de France, je tombai sur ma mère, assise sur un banc du quai.

— Je t'ai acheté des gants. Il fait un froid de loup à Paris, paraît-il.

Je la pris dans mes bras.

— Est-ce que tu crois toi aussi que je me trompe ?

Elle fit non de la tête.

— Chacun doit commettre ses propres erreurs, pas celles des autres. Fais ce que tu as à faire, et reviens vite. Ou quand tu le pourras.

À Paris, je découvris le monde. Mon maigre budget me permit de louer une mansarde de la taille d'un cendrier tout en haut d'un immeuble d'angle de la rue Soufflot qui était l'équivalent architectural d'une pièce pour violon seul de Paganini. De ma tour de guet suspendue au-dessus de la place du Panthéon, je pouvais contempler tout le Quartier latin, les toits de la Sorbonne et l'autre rive de la Seine.

Je l'avais louée parce qu'elle me rappelait Valentina, je pense.

Quand je découvris les mansardes et les cheminées du dernier étage, je me sentis l'homme le plus heureux du monde. Les premiers jours, j'explorai un univers prodigieux de cafés, de librairies et de rues longées d'hôtels particuliers et de musées. Les gens respiraient une liberté qui éblouit le pauvre novice que j'étais, gobe-mouches débarqué de l'âge de pierre en proie à la berlue.

La Ville lumière m'offrit un atterrissage en douceur. Au cours de mes périples, j'entamais d'innombrables conversations avec des jeunes, des vieux et des créatures venues d'ailleurs, dans un français macaronique et une langue de gestes. Sans oublier, au passage, une belle en minijupe qui se rit de moi tendrement et me dit que j'avais beau être plus vert que le blé en herbe, elle me trouvait *tout à fait adorable**. Je pensais rapidement que l'univers, à savoir une petite partie de Paris et rien d'autre, était rempli de Valentina. Au cours de ma deuxième semaine, le Parisien d'adoption que j'étais persuada sans grandes difficultés l'une d'elles de l'accompagner dans sa mansarde bohème pour apprécier la vue panoramique. Je découvris vite que Paris n'était pas Barcelone et que les règles du jeu y étaient très différentes.

— Fermín, si vous saviez ce que vous avez perdu en ne parlant pas français...

— *Qui est Fermín** ?

Je mis un moment à me réveiller de l'enchantement de Paris et de ses mirages. Grâce à une de mes Valentina prénommée Pascale, une fille rousse aux cheveux courts avec un certain air à la Jean Seberg, je trouvai un emploi de serveur à mi-temps. Je travaillais le matin dans un café situé en face de la faculté, le Comptoir du Panthéon, où je déjeunais gratuitement à la fin de mon service. Le patron était un homme affable qui ne parvenait pas à comprendre pourquoi l'Espagnol que j'étais ne pratiquait ni la corrida ni le flamenco. Il me demanda si j'étais venu à Paris pour étudier, faire fortune, chercher la gloire ou perfectionner mon français. À dire vrai, plutôt qu'un perfectionnement, mon français avait bien besoin d'une opération à cœur ouvert et d'une transplantation de cerveau...

— Je suis venu pour rencontrer un homme, avouai-je.

— Je pensais que vous vous intéressiez aux demoiselles... On voit bien que Franco est mort... Quelques jours sans dictateur et voilà que les Espagnols deviennent bisexuels. Tant mieux pour vous. Il faut profiter, la vie est courte. *Et vive la différence** !

Cela me rappela que j'étais venu à Paris pour une raison précise, et non pour me fuir. Le lendemain, je me mis en quête de Julián Carax. Je commençai par faire le tour des librairies qui illuminaient les trottoirs du boulevard Saint-Germain en demandant si on le connaissait. Pascale, avec laquelle j'avais finalement établi une bonne amitié après qu'elle m'eut clairement laissé entendre qu'elle ne voyait aucun avenir à nos parties de jambes en l'air (elle me trouvait *trop doux** à son goût), Pascale donc était correctrice dans une maison d'édition et elle connaissait beaucoup de monde dans le milieu littéraire parisien. Elle se rendait tous les vendredis dans un café du Quartier latin fréquenté par des écrivains, des traducteurs, des éditeurs, des libraires et toute la faune de cette jungle des livres et de ses environs. Le public changeait selon les jours mais la règle restait la même : trop boire et trop fumer, s'enflammer à propos de livres et d'idées et prendre son adversaire à la gorge comme si sa vie en dépendait. Le plus souvent, j'écoutais, enveloppé d'un nuage de fumée hallucinogène, en essayant de glisser la main sous la jupe de Pascale qui jugeait cette attitude *gauche**, *bourgeoise**, digne d'un plouc, en bref.

Dans ce café, j'eus la chance de faire la connaissance des traducteurs de Carax de passage à Paris pour un colloque de traduction organisé par la Sorbonne. La traductrice anglaise, Lucia Hargreaves, une romancière qui avait grandi à Majorque et retrouvé

Londres par amour, me confia qu'elle était sans nouvelles de Carax depuis longtemps. Le traducteur allemand, *Herr* Peter Schwarzenbeld, un monsieur de Zurich qui préférait des latitudes plus tempérées et arpentait Paris sur une bicyclette pliable, soupçonnait Carax de se consacrer désormais exclusivement à la composition de sonates pour piano, et d'avoir pris un autre nom. Le traducteur italien, *signor* Bruno Arpaiani, avait vent depuis des années de rumeurs selon lesquelles un nouveau roman de Carax verrait bientôt le jour, mais il n'y croyait pas. En définitive, personne ne savait rien de concret sur le lieu de résidence de Julián Carax et ce qu'il était devenu.

Au cours d'une de ces réunions de café, je fis fortuitement la connaissance d'un monsieur d'une rare intelligence. François Maspero avait été libraire et éditeur, et il traduisait désormais avec brio des romans. Il avait été le mentor de Pascale à son arrivée à Paris. Il m'invita à prendre un café aux Deux-Magots et je pus lui faire part de mon idée, dans les grandes lignes.

— C'est un plan très ambitieux, jeune homme, et plus encore, complexe, mais…

Quelques jours plus tard, je croisai *monsieur** Maspero dans le quartier et il proposa de me présenter à une dame allemande d'une humeur cassante et d'une intelligence véloce. Elle partageait sa vie entre Paris et Berlin, elle parlait plus de langues que celles que je pourrais citer et elle se consacrait à la découverte de merveilles et de secrets littéraires qu'elle plaçait ensuite chez différents éditeurs européens. Elle s'appelait Michi Strausmann.

— Peut-être saura-t-elle quelque chose au sujet de Carax…

Pascale m'avoua qu'elle aimerait être comme elle quand elle serait âgée. Elle m'avertit également que *Fraülein* Strausmann avait un fichu caractère et qu'elle n'était pas là pour rigoler. M. Maspero fit les présentations et il nous réunit tous les quatre autour d'une table dans un café du Marais, non loin de la maison de Victor Hugo.

— *Fraülein* Strausmann est une spécialiste de l'œuvre de Carax, dit-il en guise d'introduction. Racontez-lui ce que vous m'avez dit.

Je m'exécutai et j'obtins pour toute réponse un regard qui aurait fait retomber le plus réussi des soufflés.

— Seriez-vous un idiot ? me lança *Fraülein* Strausmann dans un espagnol parfait.

— En apprentissage, pour l'instant, admis-je.

La Walkyrie se radoucit immédiatement et elle reconnut qu'elle avait été trop sévère avec moi. Elle me confirma que, comme tout le monde, elle n'avait plus de nouvelles de Carax depuis longtemps, et elle le regrettait.

— Julián n'écrit plus depuis un moment. Il ne répond plus non plus au courrier. Je vous souhaite bonne chance dans votre projet, mais...

— Auriez-vous une adresse où je pourrais lui écrire ? Elle fit non de la tête.

— Essayer par Currygan et Coliccio. C'est là que je lui envoyais le courrier, et là où j'ai perdu sa trace il y a des années.

Pascale se chargea de m'expliquer que *madame** Currygan et Tomaso Coliccio avaient été les agents littéraires de Julián Carax pendant plus de vingt-cinq ans, et elle s'engagea à m'obtenir un rendez-vous avec eux.

*Madame** Currygan avait ses bureaux rue de Rennes. Dans le milieu de l'édition, la légende voulait qu'elle eût progressivement transformé son propre bureau en un exquis jardin d'orchidées. Aussi Pascale me conseilla-t-elle de lui en apporter un nouvel exemplaire pour sa collection, en signe d'offrande. Pascale était amie avec une des membres de la célèbre *Brigade Currygan*, un formidable quatuor féminin de différentes nationalités qui travaillaient sous les ordres de *madame**, et dont les bons auspices me permirent de rencontre l'agent de Carax.

Je me présentai à son bureau, une orchidée à la main. Les membres de la *Brigade Currygan* (Hilde, Claudia, Norma et Tonya) me prirent d'abord pour le coursier du fleuriste du coin. Dès que j'ouvris la bouche, mon identité fut révélée. Une fois le malentendu levé, elles me conduisirent dans la pièce où m'attendait Mme Currygan. En entrant, j'eus l'œil immédiatement attiré par la vitrine contenant les œuvres complètes de Julián Carax et par le magnifique jardin botanique. Mme Currygan m'écouta patiemment en fumant une cigarette dont la fumée flottait dans la pièce.

— J'ai entendu Julián parler quelquefois de Daniel et de Bea, c'est vrai. Il y a longtemps. Je n'ai plus de ses nouvelles. Avant, il me rendait visite, mais…

— Serait-il malade ?

— On peut dire cela, je suppose.

— Malade de quoi ?

— De mélancolie.

— Le *signor* Coliccio aurait peut-être des informations…

— J'en doute. Je m'entretiens toutes les semaines avec Tomaso pour des questions professionnelles, et d'après ce que je sais il n'a pas non plus de nouvelles depuis au moins trois ans. Mais vous pouvez tenter votre chance. Prévenez-moi si vous apprenez quelque chose.

M. Coliccio vivait sur une péniche remplie de livres amarrée sur les quais de la Seine, à cinq cents mètres environ de l'île de la Cité. Son épouse Élaine, une éditrice, m'attendait à quai avec un sourire chaleureux.

— Vous devez être le garçon de Barcelone ?

— Lui-même.

— Montez à bord. Tomaso est en train de lire un manuscrit épouvantable et il vous sera reconnaissant de l'interrompre !

Le *signor* Coliccio avait tout du loup de mer, avec sa casquette de capitaine de navire vissée sur la tête et sa chevelure argentée, mais son regard conservait une certaine insolence juvénile. Il écouta mon histoire et il resta pensif un moment avant de se prononcer.

— Écoutez, jeune homme, il y a deux choses pratiquement impossibles à trouver à Paris : une pizza correcte et Julián Carax.

— Disons que je renonce à la pizza, Carax me suffira.

— Ne renoncez jamais à une bonne pizza. Qu'est-ce qui vous fait penser que Julián, en supposant qu'il soit toujours de ce monde, accepterait de parler avec vous ?

— Pourquoi serait-il mort ?

Tomaso Coliccio me lança un regard mélancolique.

— Les gens meurent, surtout ceux qui mériteraient le plus de continuer de vivre. Dieu a peut-être besoin de faire de la place pour la multitude de fils de chien dont il s'amuse à parsemer la terre…

— J'ai besoin de croire que Carax est vivant…

Tomaso Colliccio sourit.

— Prenez contact avec De Rosiers.

Émile de Rosiers avait été l'éditeur de Carax pendant de nombreuses années. Poète et écrivain à ses heures, il avait également une longue carrière d'éditeur à succès dans différentes maisons parisiennes au cours de laquelle il avait publié, tant en langue originale que dans sa traduction française, l'œuvre d'auteurs espagnols proscrits par le régime et exilés ainsi que de remarquables écrivains latino-américains. Rosiers avait été le directeur éditorial d'une petite maison prestigieuse, les Éditions de la Lumière. Ses bureaux n'étaient pas loin et je m'y rendis sur-le-champ.

Émile de Rosiers avait peu de temps à me consacrer mais il m'invita aimablement à déjeuner dans un café situé au coin de la rue du Dragon, et il m'écouta.

— J'aime votre idée de livre, dit-il par politesse ou par véritable intérêt. *Le Cimetière des Livres oubliés.* C'est un bon titre !

— C'est la seule chose que j'ai. Pour le reste, j'ai besoin de *monsieur* Carax.

— Il est à la retraite, que je sache. Il a publié un roman sous un pseudonyme il y a un moment, mais pas chez moi. Et puis plus rien. Silence complet.

— Croyez-vous qu'il est toujours à Paris ?

— Cela m'étonnerait. J'aurais entendu parler de lui. Le mois dernier, j'étais avec son ancienne éditrice en Hollande, Nelleke, une amie. À Amsterdam, on lui a raconté que Carax avait embarqué pour l'Amérique il y a deux ans et qu'il était mort pendant la traversée. D'après un autre, il était bien arrivé sur la terre ferme et il écrivait des séries pour la télévision, sous un pseudonyme. Choisissez la version qui vous plaît le plus.

Rosiers dut lire le désespoir sur mon visage, après tant d'impasses depuis tant de jours.

— Voulez-vous un conseil ?

— S'il vous plaît.

— C'est un conseil pratique que je donne à tous les auteurs débutants quand ils me demandent ce qu'ils doivent faire. Si vous voulez être écrivain, écrivez. Si vous avez une histoire à raconter, racontez-la. Essayez, en tout cas.

— S'il suffisait d'avoir une histoire à raconter pour être écrivain, tout le monde serait romancier.

— Quelle horreur, vous imaginez ? Un monde plein de romanciers ! La fin des temps…

— Ce dont le monde a probablement le moins besoin, c'est d'un romancier supplémentaire.

— Laissez le monde en décider. Et s'il n'intervient pas, tant mieux. Mais si vous réussissez un jour à retenir sur le papier, avec un certain métier, quelque chose qui ressemble à l'idée que vous m'avez racontée, venez me voir. Je pourrais être intéressé.

— Et en attendant ?

— En attendant, oubliez Carax.

— Les Sempere n'oublient jamais. C'est une maladie congénitale.

— Dans ce cas, je vous plains.

— Soyez charitable, alors.

Rosiers hésita.

— Julián avait un grand ami. Son meilleur ami, je crois. Jean-Raymond Planaux. Il n'avait rien à voir avec notre petit monde absurde. C'était un type intelligent, sain, sans arrière-pensées. Si quelqu'un a des nouvelles de Julián, c'est lui.

— Où puis-je le trouver ?

— Dans les catacombes.

J'aurais dû commencer par là ! S'agissant de Carax, il paraissait inévitable que s'il restait le moindre espoir de retrouver sa trace, il fallait chercher dans un cadre apparemment emprunté à l'un de ses livres : les catacombes de Paris.

Jean-Raymond de Planaux Flavieu, un homme robuste à l'allure intimidante de prime abord, était aimable et enclin à la plaisanterie. Employé de l'agence commerciale de la compagnie qui administrait les catacombes de Paris, il était chargé de la maintenance et de l'exploitation touristique de cet aspect particulier de l'au-delà.

— Bienvenue au royaume de la mort, gamin, dit-il en me serrant la main si fort que j'entendis mes os craquer. Que puis-je faire pour vous ?

— M'aider à rencontrer un de vos amis…

— Vivant ?

Il éclata de rire.

— Les vivants, je les ai oubliés depuis longtemps.

— Julián Carax.

En entendant ce nom, M. Planaux fronça les sourcils. Son attitude aimable se dissipa et il se pencha vers moi d'un air à la fois menaçant et protecteur et il me poussa contre le mur.

— Qui diantre êtes-vous ?

— Julián Sempere. Mes parents m'ont appelé comme cela en hommage à M. Carax.

— Pour moi, c'est comme s'ils vous avaient baptisé en hommage à l'inventeur de l'urinoir public.

Craignant pour mon intégrité physique, j'essayai de reculer. Un mur probablement relié aux catacombes m'en empêcha. Je me vis encastré là pour l'éternité, au milieu de centaines de milliers de têtes de mort.

— Mes parents ont connu *monsieur** Carax. Daniel et Bea… dis-je d'un ton conciliant.

Planaux me vrilla du regard pendant plusieurs secondes. Je calculai qu'il y avait environ cinquante pour cent de risques qu'il me casse la figure. Les cinquante pour cent restants étaient incertains à mes yeux.

— Vous êtes le fils de Daniel et de Bea ?

J'acquiesçai.

— De la librairie Sempere ?

J'acquiesçai de nouveau.

— Prouvez-le moi.

Je débitai le même discours que devant les anciens agents littéraires de Carax et son éditeur. Planaux m'écouta attentivement et il me sembla voir passer sur son visage un voile de tristesse de plus en plus prononcé à mesure que j'avançais dans mon récit. À la fin, il sortit un havane de sa veste et il l'alluma, produisant une fumée qui menaça d'envelopper tout Paris.

— Savez-vous comment nous avons fait connaissance, Julián et moi ?

Je fis non de la tête.

— Quand on était jeunes, on travaillait ensemble dans une maison d'édition de seconde zone. C'était avant que je comprenne que la mort avait beaucoup plus d'avenir que la littérature.

J'étais au service commercial et je faisais du porte-à-porte pour vendre les saletés qu'on publiait habituellement. Carax écrivait des récits d'horreur pour nous, à la commande. Qu'est-ce qu'on a pu en fumer, des cigares comme celui-ci, au café situé en bas de la maison d'édition, tard le soir en regardant passer les filles en état de convoler ! C'était le bon temps. Ne faites pas l'idiot, ne vieillissez jamais, cela n'apporte ni noblesse, si sagesse, ni bouquet merdeux qui vaillent. Cette expression, "une merde plantée au bout d'une pique", elle vient de chez vous, je crois, je l'ai entendue dans la bouche de Julián et je l'ai trouvée très juste.

— Savez-vous où je peux le trouver ?

Planaux haussa les épaules.

— Il a quitté Paris depuis longtemps.

— Savez-vous où il est parti ?

— Il ne l'a pas dit.

— Et vous ne l'imaginez pas ?

— Vous êtes perspicace, vous.

— Où ?

— Où se cache-t-on quand on se fait vieux ?

— Je l'ignore.

— Alors, vous ne retrouverez jamais Julián.

— Dans ses souvenirs ? tentai-je.

Planaux m'adressa un sourire blessé, mélancolique.

— Vous pensez qu'il est rentré à Barcelone ?

— À Barcelone, non. Il est revenu à ce qu'il aimait.

— Je ne comprends pas.

— Lui non plus. Pendant longtemps, du moins. Il lui a fallu toute une vie pour comprendre ce qu'il avait le plus aimé au monde.

Après tant d'années passées à écouter des histoires sur Carax, je me sentais aussi perdu que le jour où j'étais arrivé à Paris.

— Si vous êtes bien celui que vous prétendez être, vous devriez le savoir. Et si vous me répondez "la littérature", je vous colle deux tartes. Mais je ne vous crois pas aussi bête.

J'avalais ma salive.

— Je pense savoir à quoi vous faites allusion. À qui, plutôt.

— Vous savez maintenant ce qu'il vous reste à faire.

L'après-midi même, je fis mes adieux à Paris, à Pascale, à ma fulgurante carrière de garçon de café et à mes pénates dans les nuages, et je me rendis à la gare d'Austerlitz. Je dépensai tout l'argent qui me restait pour m'offrir un billet de troisième classe dans le train de nuit pour Barcelone. J'arrivai à l'aube, ayant survécu au voyage grâce à un couple de retraités de Lyon. Ils revenaient d'avoir rendu visite à leur fille dans la capitale et ils partagèrent avec moi les délicieux produits qu'ils avaient achetés l'après-midi même au marché de la rue Mouffetard. Je leur relatai mon histoire, et quand ils descendirent du train, ils me souhaitèrent *bonne chance**, ajoutant *"Cherchez la femme*…"*

À mon retour, tout me parut petit, renfermé et gris. Ma mémoire conservait, gravée, la lumière de Paris et le monde était soudain devenu grand et lointain.

— Alors ça y est, vous avez vu *Emmanuelle* ? s'enquit Fermín.

— Un scénario formidable.

— Je m'en doutais. Billy Wilder et compagnie auraient aimé en avoir autant ! Dites-moi, le Fantôme de l'Opéra, vous l'avez croisé ?

Fermín sourit comme un diablotin. Il devait très bien se douter de la raison de mon voyage à Paris.

— Pas vraiment.

— Vous ne me raconterez rien de croustillant ?

— Je pensais que c'était à vous de me raconter quelque chose de croustillant. Vous rappelez-vous ?

— Résolvez votre énigme et ensuite nous verrons.

— Ce n'est pas juste.

— Bienvenue sur la planète Terre. Allez, impressionnez-moi. Dites-moi quelque chose en français. *Bonjour** et *ho là là** ne comptent pas.

— *Cherchez la femme**…

Fermín fronça les sourcils.

— La maxime classique de toute intrigue qui se respecte…

— *Voilà**.

La tombe de Nuria Monfort était située sur un promontoire entouré d'arbres dans la partie ancienne du cimetière de Montjuïc, avec vue sur la Méditerranée. Non loin de la sépulture d'Isabella.

C'est là qu'un après-midi d'été, en 1977, après avoir parcouru en vain et dans le moindre recoin une Barcelone qui commençait à se diluer dans le temps, je rencontrai Julián Carax. Il avait déposé des fleurs sur la pierre tombale et il s'était assis en face, sur un banc où il resta presque une heure. Il parlait tout seul et je n'osai pas l'interrompre. Je le retrouvai là le lendemain, et le surlendemain. Julián Carax avait compris, beaucoup trop tard, que la personne qu'il aimait le plus au monde, la femme qui avait donné sa vie pour lui, ne pourrait plus jamais entendre sa voix. Il venait là tous les jours et il s'asseyait en face de la sépulture pour parler avec elle, passant le temps qui lui restait à vivre en sa compagnie.

Ce fut lui qui s'approcha de moi un jour. Il resta immobile, me regardant en silence. La peau perdue dans l'incendie avait repoussé, ce qui lui conférait un visage sans âge et dépourvu d'expression qu'il cachait sous une barbe fournie et un chapeau à larges bords.

— Qui êtes-vous ?

Il n'y avait aucune hostilité dans sa voix.

— Je m'appelle Julián Sempere. Je suis le fils de Daniel et de Bea.

Il hocha lentement la tête.

— Ils vont bien ?

— Oui.

— Savent-ils que vous êtes ici ?

— Non. Personne ne le sait.

— Puis-je vous demander pourquoi vous venez ici ?

Ne sachant trop par où commencer, je lançai :

— Puis-je vous proposer un café ?

— Je ne bois pas de café. Mais je veux bien une glace.

La surprise dut se lire sur mon visage.

— Quand j'étais jeune, il n'y avait pas de glaces, ou presque. Je les ai découvertes plus tard, comme tant d'autres choses…

Ce fut ainsi qu'au cours de ce lent après-midi d'été, après avoir rêvé ce moment depuis l'enfance et sillonné Paris et Barcelone à sa recherche, je finis par partager une table avec Julián Carax dans une *horchatería* de la Plaza Real. Je lui offris deux boules à la fraise et une gaufrette et je commandai un granité au citron, devant les prémices de cette chaleur humide caractéristique des étés barcelonais, une vraie malédiction.

— Que puis-je faire pour vous, monsieur Sempere ?

— Si je vous le dis, vous me prendrez pour un idiot.

— Vous me cherchez depuis un bon moment, me semble-t-il, et maintenant que vous m'avez trouvé, je vous prendrais pour un idiot si vous m'en révéliez la raison ?

J'avalai la moitié de mon granité d'un seul trait pour reprendre des forces avant de lui faire part de mon idée. Il m'écouta attentivement, sans manifester sa désapprobation ou sa réserve.

— Très ingénieux.

— Ne vous moquez pas de moi.

— Je n'oserais pas. Je dis ce que je pense.

— Que pensez-vous d'autre ?

— Que vous devriez écrire cette histoire. Elle vous appartient.

Je refusais d'un signe de tête.

— Je ne sais pas comment le faire. Je ne suis pas écrivain.

— Achetez une Underwood.

— J'ignorais que cette réclame était aussi sortie en France !

— Comme partout dans le monde. Ne vous fiez pas aux réclames. Une Olivetti fera aussi bien l'affaire.

Je souris. J'avais au moins une chose en commun avec Carax : le sens de l'humour.

— Laissez-moi vous apprendre quelque chose.

— À écrire ?

— Cela, il faudra que vous l'appreniez tout seul. Écrire est un métier qui s'apprend, mais que personne ne peut enseigner. Le jour où vous comprendrez ce que cela signifie, vous commencerez à apprendre à être écrivain.

Il ouvrit sa veste en lin noir et il sortit de sa poche intérieure un objet brillant qu'il posa sur la table. Il le poussa vers moi.

— Prenez-le.

C'était le plus merveilleux stylo à plume que j'avais jamais vu, le roi des Montblanc, avec une plume en or et platine dont ne pouvaient jaillir que des chefs-d'œuvre, me serais-je dit si j'étais encore un enfant.

— On dit qu'il a appartenu à Victor Hugo, mais moi, je le prendrais plutôt dans le sens métaphorique.

— Les stylos à plume existaient déjà du temps de Victor Hugo ?

— Le premier modèle à piston a été breveté en 1827 par un roumain, Petrache Poenaru, mais il a fallu attendre les années 1880 pour qu'il soit perfectionné et commercialisé à grande échelle.

— Donc, il aurait pu appartenir à Victor Hugo.

— Si vous y tenez... Disons que de la main de M. Hugo il passe à celle, non moins illustre et plus probable, d'un certain Daniel Sempere, un bon ami. Je l'ai trouvé sur mon chemin et je l'ai gardé toutes ces années en attendant le jour où quelqu'un, comme vous, viendrait le récupérer. Il était temps.

Je refusai énergiquement, repoussant le stylo vers lui.

— Il n'en est pas question. Je ne peux pas accepter. Il est à vous.

— Un stylo n'appartient à personne. C'est un esprit libre qui reste avec une personne le temps nécessaire.

— Ce sont les mots d'un personnage dans un de vos romans.

— On m'accuse toujours de me répéter. C'est un mal qui touche tous les romanciers.

— Un mal que je n'ai jamais attrapé ! Preuve que je ne suis pas romancier.

— Tout finit par arriver. Prenez-le.

— Non.

Carax haussa les épaules et rangea le stylo.

— Cela signifie que vous n'êtes pas encore tout à fait prêt. Un stylo ne suit que celui qui peut le nourrir, comme un chat. Et il repart comme il est venu.

— Que dites-vous de ma proposition ?

Carax termina la dernière cuillerée de glace.

— Nous allons faire une chose. Nous allons l'écrire à deux. Vous y mettrez la force de votre jeunesse et j'y glisserai des trucs de vieux singe.

Je restai pétrifié.

— Vous parlez sérieusement ?

Il se leva de la table et me tapota l'épaule.

— Merci pour la glace. La prochaine fois, c'est moi qui invite.

Il y eut une prochaine fois, et beaucoup d'autres. Carax commandait toujours deux boules de glace à la fraise, hiver comme été, mais il ne mangeait jamais la gaufrette. Je lui apportais les pages que j'avais écrites. Il les lisait, annotait dans la marge, barrait et réorganisait.

— Je ne suis pas certain que ce début soit le bon.

— Une histoire n'a ni commencement ni fin, seulement des portes d'entrée.

À chacune de nos rencontres, Carax lisait avec une grande attention les nouvelles pages que je lui apportais. Il ôtait le capuchon de son stylo et il prenait des notes qu'il utilisait ensuite pour me signaler avec une patience infinie ce que j'avais mal fait, c'est-à-dire à peu près tout. Il m'indiquait point par point ce qui ne fonctionnait pas, il m'en donnait la raison et il détaillait devant moi la manière dont je pouvais m'améliorer. Son analyse était extraordinairement méticuleuse. Pour chaque erreur que je pensais avoir commise, il m'en signalait quinze autres dont je ne soupçonnais pas l'existence. Il décortiquait chaque mot, chaque phrase, chaque paragraphe et il les réorganisait à la façon d'un orfèvre travaillant à la loupe. Il le faisait sans aucune condescendance. On aurait dit un ingénieur expliquant à un apprenti le fonctionnement d'un moteur à combustion ou d'une machine à vapeur. Il interrogeait parfois des tournures et des idées que je pensais les seules valables de la journée, le plus souvent copiées d'un de ses textes.

— Ne cherchez pas à imiter. Imiter un autre auteur permet d'apprendre et de trouver son propre registre, mais c'est une attitude de débutant.

— Et moi, que suis-je ?

Je ne sus jamais où il passait ses soirées, ou le temps qu'il ne partageait pas avec moi. Il ne m'en dit jamais rien et je n'osai pas le lui demander. Nous nous retrouvions toujours dans des cafés et des bars de la vieille ville. La seule condition était qu'ils servissent des glaces à la fraise. Je savais qu'il honorait chaque après-midi son rendez-vous avec Nuria Monfort. La première fois qu'il lut le passage où elle apparaissait comme personnage, il sourit avec une tristesse qui encore aujourd'hui me submerge. Julián Carax avait perdu les glandes lacrymales dans l'incendie qui l'avait défiguré et il ne pouvait plus pleurer, mais je n'ai jamais connu personne qui exhalât un tel désespoir.

Je veux croire que nous finîmes par devenir des amis. Au moins en ce qui me concerne, je n'en ai jamais eu de meilleur et ne pense pas en avoir un jour. Peut-être grâce à l'affection qu'il éprouvait pour mes parents ou à l'étrange rituel de reconstruction du passé qui l'aidait peut-être à se réconcilier avec la douleur qui avait consumé sa vie, ou simplement parce ce qu'il voyait en moi quelque chose de lui-même, il fut à mes côtés et guida mes pas et ma plume pendant toutes les années où j'écrivis ces quatre romans, me corrigeant, raturant et réorganisant jusqu'à la fin.

— Écrire, c'est réécrire, me rappelait-il sans cesse. On écrit pour soi et on réécrit pour les autres.

Il existait évidemment une vie en dehors de la fiction. Pendant ces années consacrées aux mille et une réécritures de chacune des pages de la saga, il se passa beaucoup de choses. Fidèle à ma promesse de ne pas suivre les pas de mon père à la tête de la librairie (lui et ma mère suffisaient largement en outre), j'avais trouvé un emploi dans une agence publicitaire qui, autre tour du destin, était située sur l'avenue du Tibidabo, au numéro 32, dans la vieille demeure des Aldaya où mes parents m'avaient conçu par une lointaine nuit de tempête de l'année 1955.

Je ne jugeais pas mes contributions dans le genre particulier de l'annonce publicitaire particulièrement mémorables, mais à mon grand étonnement mon salaire augmentait de mois en mois, et ma cote comme mercenaire des mots et des images était à la hausse. Les années passaient et je laissai dans mon sillage une large écume de publicité pour la télévision, la radio et la presse, pour le plus grand bénéfice d'automobiles de luxe qui faisaient rêver les employés prometteurs, de banques toujours occupées à rendre réels les rêves du petit épargnant, du secteur de l'électroménager qui augurait la félicité, de parfums évocateurs de luxure et de dérèglement des sens, et d'un chapelet de libéralités qui prospéraient dans une Espagne délivrée de l'ancien régime, de ses plus visibles censeurs du moins. Le pays se modernisait à la vitesse de l'argent et il se développait en traçant au passage des courbes boursières qui ridiculisaient les Alpes suisses. Quand il était question de la hauteur de mon salaire, mon père me demandait si ce que je faisais était bien légal.

— Légal, oui. Moral, c'est autre chose...

Fermín se gardait de tout commentaire à propos de ma prospérité. Il était enchanté.

— Tant que vous n'y croyez pas et que vous ne perdez pas le nord, gagnez de l'argent, vous êtes jeune, c'est maintenant que cela vous sert. Un célibataire en or comme vous ! Vous devez avoir des filles magnifiques, dans ce milieu de la publicité où tout est beau, où tout brille. J'aurais aimé goûter à tout cela dans cette merde d'après-guerre qui a été notre lot, mais même les vierges avaient de la moustache à l'époque. Profitez-en. C'est le moment. Vivez des aventures, vous me comprenez, dépassez tout ce qui peut l'être, et n'oubliez pas de sauter du train à temps, parce que certains métiers ne sont faits que pour les jeunes gens. À moins de devenir l'actionnaire majoritaire de la guitoune, et je ne pense pas que ce soit votre cas car nous savons vous et moi que vous avez des affaires moins rémunérées en cours dans le monde des lettres. Rester dans une telle poudrière passé trente ans serait de la folie.

Secrètement, j'avais honte de ce je faisais et de la quantité obscène d'argent qu'on me payait pour le faire. C'est en tout cas ce que je croyais. J'acceptais pourtant de bon cœur mon salaire astronomique, que je dilapidais à peine était-il arrivé sur mon compte bancaire.

— Il n'y a rien de honteux à cela, opinait Carax. Au contraire, c'est un métier qui requiert de l'ingéniosité et des occasions et qui vous permettra, si vous jouez les bonnes cartes, d'acheter votre liberté et le temps nécessaire pour devenir qui vous êtes vraiment, quand vous arrêterez.

— Mais qui suis-je vraiment ? L'inventeur de réclames pour des boissons rafraîchissantes, des cartes de crédit et des voitures de luxe ?

— Vous serez celui que vous croyez être.

Au fond, savoir qui j'étais me préoccupait moins que l'idée que Carax se faisait de moi ou de ce que je pouvais devenir. Il continuait de travailler à notre livre, comme j'aimais l'appeler, et ce projet était devenu ma seconde vie, un monde à la porte duquel je pendais le déguisement dans lequel je circulais au quotidien afin de prendre la plume ou l'Underwood et me plonger dans une histoire infiniment plus réelle à mes yeux que mon existence terrestre prospère.

Nos vies avaient changé au cours de ces années. Après avoir hébergé Alicia Gris, Isaac Montfort avait annoncé que le moment était venu pour lui de se retirer. Il avait proposé Fermín, devenu père, pour lui succéder comme gardien du Cimetière des Livres oubliés.

— Le moment est venu de mettre une canaille aux commandes.

Fermín avait sollicité l'avis de Bernarda, qui s'était résolue à accepter de déménager dans un appartement en rez-de-chaussée attenant au Cimetière des Livres oubliés. Fermín avait construit une porte secrète qui menait aux tunnels du palais, et il avait transformé les anciennes pièces d'Isaac en bureau.

À cette époque, je travaillais pour une célèbre marque japonaise d'électronique et j'en profitai pour offrir à Fermín un énorme téléviseur en couleur *haut de gamme*, comme on commençait à dire alors. Lui qui considérait autrefois la télévision comme l'antéchrist, il avait révisé son jugement en constatant la présence de films d'Orson Wells dans les programmes – "celui-là, il s'y connaît, la fripouille !" – et surtout de Kim Novak. Les *brassières** en dentelle de cette dernière continuaient d'alimenter sa croyance dans le futur de l'humanité.

Après quelques années de tempêtes et de gros temps où j'avais cru que leur couple se fracasserait, mes parents réussirent à éviter des écueils dont ils ne voulurent rien me dire, ni l'un ni l'autre, et à la surprise générale ils me firent cadeau d'une petite sœur tardive qu'ils baptisèrent Isabella. Mon grand-père Sempere eut juste le temps de la tenir dans ses bras avant de mourir quelques jours plus tard d'une crise cardiaque qui le terrassa alors qu'il portait les œuvres complètes d'Alexandre Dumas. Nous l'enterrâmes à côté d'Isabella, avec un exemplaire du *Comte de Montecristo*. Perdre son père fit vieillir le mien d'un coup. Il ne fut plus jamais le même. "Je pensais que grand-père vivrait toujours", me dit-il le jour où je le trouvai terré dans l'arrière-boutique en pleurs.

Fernandito et Sofía se marièrent, comme tout le monde l'avait prévu, et ils s'installèrent dans l'ancien appartement d'Alicia Gris, rue Aviñon, là où Fernandito avait acquis ses galons d'amant avec Sofía, en secret, mettant en pratique les leçons dispensées une nuit par une certaine Matilde. Plus tard, Sofía décida d'ouvrir sa propre librairie, petite et spécialisée en littérature pour la jeunesse. Elle la baptisa "La Petite Sempere". Fernandito fut embauché dans un grand magasin et devint, au fil des ans, le directeur de la section librairie.

En 1981, peu après le coup d'État raté qui faillit replonger l'Espagne dans l'âge de pierre ou pire encore, Sergio Vilajuana publia une série de reportages dans *La Vanguardia*. Il révélait le cas de centaines d'enfants volés à leurs parents, principalement des prisonniers politiques disparus dans les premières années d'après-guerre, dans les prisons de Barcelone, assassinés afin d'effacer toutes les traces. Ces révélations provoquèrent un scandale. Elles rouvrirent une plaie que beaucoup ignoraient jusqu'alors et que certains avaient voulu dissimuler. Les séquelles de ces reportages, qui entraînèrent l'ouverture d'une série d'enquêtes toujours en cours aujourd'hui et qui produisirent une montagne de documents, de plaintes et de procès, civils et pénaux, permirent à de nombreuses personnes de trouver le courage de franchir le pas. On commença à récupérer des dossiers et des témoignages enterrés jusqu'alors sur les années les plus noires de l'histoire du pays.

L'ami lecteur se demandera si, au milieu de tous ces bouleversements, l'ineffable Julián Sempere se contentait de se livrer le jour à l'industrie mercenaire de la publicité, et la nuit à la vierge immaculée de la littérature. Pas exactement. Le processus d'écriture des quatre romans prévus avec Carax cessa d'être une escapade au paradis pour se transformer en monstre qui dévora progressivement tout ce qui se trouvait autour de lui. En commençant par le plus proche, c'est-à-dire moi. Arrivé dans ma vie sur mon invitation, le monstre ne voulut plus jamais en repartir, et il dut apprendre à cohabiter avec les autres fantasmes de mes jours. En l'honneur de mon autre grand-père, David Martín, je me penchai moi aussi sur l'abîme que tout écrivain porte en lui, au point de me retrouver un jour accroché du bout des doigts au bord du précipice.

En 1981, Valentina réapparut, de retour de ses propres ténèbres, dans une scène que Carax aurait volontiers signée. Un après-midi où j'avais la cervelle à l'envers, je m'étais réfugié à la Librairie française, la scène de crime originelle. J'errais entre les tables des nouveautés quand je la vis de nouveau. Je restai cloué sur place, transformé en statue de sel, jusqu'à ce qu'elle tournât le regard. Elle me sourit et je pris mes jambes à mon cou.

Elle me rattrapa au feu rouge de la rue Rosellón. Elle m'avait acheté un livre, et quand je le pris sans regarder ce que c'était, elle posa la main sur mon bras.

— Dix minutes ?

Bien entendu, la pluie ne tarda pas à tomber. Mais ce ne fut pas le plus important. Trois mois plus tard, après des retrouvailles furtives dans un autre studio perché d'où on voyait la moitié de l'hémisphère nord, nous décidâmes de vivre ensemble. Plus exactement, Valentina vint vivre avec moi, dans mon luxueux appartement de Sarrià, où j'avais à la fois tout l'espace qu'il me fallait et aussi des vides. Cette fois, Valentina resta deux ans, trois mois et un jour. Mais elle ne se contenta pas de me briser le cœur, elle m'offrit surtout le plus beau cadeau que personne jamais n'aurait pu me faire : une fille.

Nous baptisâmes Alicia Sempere en août 1982. L'année suivante, après plusieurs allées et venues qui demeurèrent incompréhensibles pour moi, Valentina repartit pour ne plus revenir. Alicia et moi restâmes ensemble. Je ne fus jamais seul. La petite me sauva la vie et elle m'apprit que tout ce que je faisais n'avait aucun sens si ce n'était pas pour elle. Pendant les années où je travaillais à ces satanés livres, ne serait-ce que pour qu'ils me laissent tranquille un jour, Alicia resta à mes côtés et me rendit ce en quoi j'avais appris à ne pas croire : l'inspiration.

J'eus des compagnes fugaces, des projets de mère adoptive pour Alicia et des propositions d'esprits généreux que je finis toujours par éloigner. Ma fille me disait qu'elle n'aimait pas me voir seul, et je lui répondais que je ne l'étais pas.

— Tu es là, toi.

Je l'avais, elle et toute ma galerie d'ombres prises entre la réalité et la fiction. En 1991, persuadé que si je ne sautais pas du train une bonne fois pour toutes je perdrais le peu d'âme qui me restait, je délaissai définitivement ma carrière lucrative d'artisan de publicités de luxe et je consacrai le reste de l'année à terminer mes livres.

Je ne pouvais continuer à ignorer que Julián Carax allait mal. Je m'étais habitué à considérer qu'il n'avait pas d'âge, qu'il ne pouvait rien lui arriver. J'avais commencé à penser à lui comme à un père, quelqu'un qui ne vous abandonnerait jamais. *Je pensais qu'il vivrait toujours.*

Julián Carax ne commandait plus de glace à la fraise quand nous nous retrouvions, et lorsque je lui demandais conseil, il faisait à peine quelques ratures et corrections. Je savais désormais voler de mes propres ailes, me disait-il, j'avais bien mérité mon Underwood et je n'avais plus besoin de lui. Je mis du temps à me rendre compte qu'il déclinait. Je ne pouvais pas continuer à fermer les yeux et je compris que cette tristesse monstrueuse qui l'avait toujours habité était revenue pour lui porter le coup fatal.

Une nuit je rêvai que je le perdais dans le brouillard. Au petit matin, je partis à sa recherche. Je fis le tour de tous les lieux où nous nous étions retrouvés ces dernières années. Je le trouvais allongé sur la tombe de Nuria Monfort, le 25 septembre 1991 à l'aube. Il tenait dans la main un étui contenant le stylo à plume ayant appartenu à mon père, avec une note :

Julián,

Je suis fier d'avoir été ton ami, et de tout ce que j'ai appris de toi.

Je suis désolé de ne pas pouvoir être à tes côtés pour te voir triompher et obtenir ce que je n'ai jamais pu et su obtenir, mais il me reste la tranquillité de la certitude que, même si tu as eu du mal à le croire au début, tu n'as plus besoin de moi, pas plus que tu n'as eu besoin de moi un jour. Je vais retrouver la femme que je n'aurais jamais dû quitter. Prends soin de tes parents et de tous les personnages de notre récit. Raconte au monde nos histoires et n'oublie jamais que nous existons tant que quelqu'un se souvient de nous.

Ton ami,

JULIÁN CARAX

L'après-midi, j'obtins l'information que la parcelle voisine de la tombe de Nuria Monfort appartenait à la mairie de Barcelone. La voracité de recouvrement des institutions espagnoles ne faiblissant jamais, nous arrivâmes à un chiffre astronomique que je payais sur-le-champ, faisant pour une fois bon usage de cet argent obtenu en abondance grâce à la poésie des voitures de sport et des publicités de Noël pour le cava peuplées de plus de danseuses encore que l'inconscient de Busby Berkeley.

Nous enterrâmes mon maître un samedi de la fin du mois de septembre. Ma fille Alicia m'accompagnait. En voyant les deux tombes côte à côte, elle serra fort ma main et elle me dit de ne pas m'inquiéter, mon ami ne serait plus jamais seul.

Il m'est difficile de parler de Carax. Je me demande parfois si je n'ai pas en moi un peu de mon autre grand-père, le malheureux David Martín, et si je n'ai pas inventé Carax comme lui son *monsieur* Corelli pour pouvoir raconter ce qui ne s'est jamais passé. Deux semaines après l'enterrement, j'écrivis à *madame* Currygan et au *signor* Coliccio à Paris pour leur faire part de sa disparition et leur demander de bien vouloir prévenir son ami Jean-Raymond et les personnes qu'ils jugeaient opportunes. Mme Currygan me remercia et elle me révéla que peu avant de mourir Carax lui avait écrit pour lui parler du manuscrit auquel nous travaillions ensemble depuis des années. Elle me demanda de le lui faire parvenir dès qu'il serait terminé. Carax m'avait appris qu'un livre n'est jamais terminé, et que, par chance, c'est lui qui nous quitte pour que nous ne passions pas le reste de l'éternité à le réécrire.

À la fin de 1991, je fis une copie du manuscrit, presque deux mille feuillets dactylographiés, sur une Underwood cette fois, et je l'envoyai aux anciens agents de Carax. Pour être honnête, je ne pensais plus avoir de leurs nouvelles. Je commençai à travailler à un autre roman, suivant le conseil de mon maître, une fois de plus. *"Il vaut parfois mieux faire travailler le cerveau et l'épuiser que de le laisser au repos, au risque qu'il nous dévore tout cru lorsque l'ennui le gagne."*

Les mois passèrent, entre l'écriture de ce roman qui n'avait pas de titre et de longues promenades dans Barcelone avec Alicia, qui avait commencé à vouloir tout savoir.

— Le nouveau livre, il est sur Valentina ?

Alicia ne parlait jamais d'elle en disant maman ; elle l'appelait toujours par son prénom.

— Non. Il est sur toi.

— Menteur.

Au cours de nos promenades, j'appris à redécouvrir la ville à travers les yeux de ma fille, et je compris que la Barcelone ténébreuse dans laquelle avaient vécu mes parents s'était lentement éclaircie sans que nous ne nous en rendions compte. Ce monde dont j'avais imaginé me souvenir gisait aujourd'hui démantelé dans un décor parfumé et tapissé pour les touristes, et ces bonnes gens amis du soleil et de la plage regardaient beaucoup mais refusaient de contempler le déclin d'une époque qui, plutôt que de s'effondrer, s'était délitée en une fine pellicule de poussière encore perceptible dans l'air.

L'ombre de Carax continua de m'accompagner partout. Ma mère venait souvent à la maison avec la petite Isabella pour que ma fille lui montre tous ses jouets et tous ses livres, très nombreux, mais pas de poupée. Ma fille détestait les poupées et elle leur tirait dans la tête avec un lance-pierre dans la cour de l'école. Elle me demandait régulièrement si c'était bien, sachant parfaitement que la réponse était "non", et si j'avais des nouvelles de Valentina, sachant que la réponse était également "non".

Je ne voulus jamais rien raconté à ma mère au sujet de Carax, des mystères et des silences de toutes ces années. Je devinai qu'elle se doutait de tout parce que je n'ai jamais eu aucun secret pour ma mère au-delà de ceux qu'elle feignait d'accepter.

— Ton père s'ennuie de toi, me disait-elle. Tu devrais passer plus souvent à la librairie. Même Fermín m'a demandé l'autre jour si tu étais devenu un moine chartreux.

— J'ai été très occupé, j'essayais de terminer un livre.

— Pendant quinze ans ?

— La tâche s'est révélée plus difficile que je le pensais.

— Pourrai-je le lire ?

— Je ne suis pas certain qu'il te plaira. Je ne suis même pas sûr que ce soit une bonne idée d'essayer de le publier.

— De quoi parle-t-il ?

— De nous. De nous tous. C'est l'histoire de la famille.

Ma mère me regarda en silence.

— Je ferais peut-être mieux de le détruire.

— C'est ton histoire. Fais-en ce que tu crois opportun. Maintenant que grand-père n'est plus là et que les choses ont changé, je crois que nos secrets ne comptent plus pour personne.

— Et papa ?

— Peut-être est-ce celui à qui cela fera le plus de bien de lire cette histoire. Ne crois pas que nous n'imaginions pas ce que tu étais en train de faire. Nous ne sommes pas si bêtes.

— J'ai ta permission alors ?

— La mienne, tu n'en as pas besoin. Quant à celle de ton père, si c'est ce que tu veux, il faudra aller la lui demander.

Je rendis visite à mon père un matin de bonne heure, le sachant seul à la librairie. Il dissimula sa surprise en me voyant. Quand je lui demandai comment allait le commerce, il occulta l'état désastreux des comptes de Sempere & Fils. Il avait déjà reçu au moins deux offres de rachat de la librairie pour ouvrir à la place une boutique de *souvenirs** remplie de petites reproductions de la Sagrada Família et de maillots du Barça.

— Fermín m'a prévenu. Si j'accepte, il s'immolera là, juste devant la porte, comme un bonze.

— Quel dilemme !

— Tu lui manques, me dit-il.

Comme à l'accoutumée, il attribuait aux autres les sentiments qu'il était incapable de reconnaître en lui.

— Et toi, comment vas-tu ? Ta mère me dit que tu as cessé ton travail dans la publicité pour te consacrer uniquement à l'écriture. Quand y aura-t-il un livre que je pourrai vendre ici, dans la librairie ?

— T'a-t-elle dit quel genre de livre c'était ?

— J'ai supposé que tu avais changé les noms et quelques détails scabreux, ne serait-ce que pour ne pas scandaliser les voisins.

— Bien sûr. Le seul qui montre ses parties honteuses, c'est Fermín, ça je l'ai laissé, ça lui va bien. Il aura plus de fans qu'El Cordobés.

— Alors, je commence à faire de la place dans la vitrine ?

Je haussai les épaules.

— Ce matin, j'ai reçu une lettre des deux agents littéraires auxquels j'ai envoyé le manuscrit, une série de quatre romans. Un éditeur parisien, Émile de Rosiers, est intéressé. Et une éditrice allemande, Michi Strausmann, a également fait une offre pour les droits. Les agents pensent qu'il y aura d'autres offres, mais auparavant je dois régler un million de détails. J'ai posé deux conditions : la première est que je dois d'abord obtenir l'accord de mes parents pour raconter cette histoire. La seconde, que le roman sera publié sous le nom de Julián Carax.

Mon père baissa la tête.

— Comment va Carax ?

— Il est en paix.

Il fit oui de la tête.

— Ai-je ton accord ?

— Te souviens-tu du jour, quand tu étais petit, où tu m'as promis de raconter cette histoire à ma place ?

— Oui.

— Pendant toutes ces années, je n'ai pas douté un instant que tu le ferais. Je suis fier de toi, mon fils.

Mon père me prit dans ses bras comme il ne l'avait plus fait depuis mon enfance.

En août 1992, je rendis visite à Fermín dans ses dépendances du Cimetière des Livres oubliés. C'était le jour de l'inauguration des Jeux olympiques. Barcelone s'était parée de lumière et un parfum d'optimisme et d'espoir que je n'avais jamais senti, et ne sentirai probablement jamais plus dans les rues de ma ville, flottait dans l'air. Fermín m'accueillit avec un sourire et il me gratifia d'un salut militaire. Je le trouvai très vieilli.

— Je vous croyais mort, me dit-il.

— On y travaille. Vous, je vous trouve fort comme un taureau !

— C'est grâce aux Sugus. Ils me caramélisent.

— Ça doit être cela.

— Mon petit doigt m'a dit que vous alliez nous rendre célèbres !

— Surtout vous. Quand on vous fera des propositions pour jouer dans des publicités, n'hésitez pas à me consulter, je m'y connais.

— Je ne pense accepter que celles pour les sous-vêtements masculins.

— Ai-je votre accord ?

— Vous avez ma bénédiction *urbi et orbi*. Mais vous n'êtes pas venu que pour cela, je pense.

— Pourquoi m'attribuez-vous toujours des raisons cachées, Fermín ?

— Parce que vous avez l'esprit aussi tordu qu'un ressort. C'est un compliment.

— Pourquoi croyez-vous que je suis venu ?

— Pour profiter de mon verbe élégant, et peut-être pour une chose que nous avons laissée en suspens.

— Laquelle ?

Fermín me conduisit dans une pièce toujours fermée à clef pour la protéger des équipées de ses multiples rejetons. Il m'invita à m'asseoir dans un fauteuil d'amiral qu'il avait acheté au marché aux puces des Encantes et il s'installa sur une chaise à côté de moi. Il prit une boîte en carton qu'il posa sur ses genoux.

— Vous souvenez-vous d'Alicia ? C'est une question de pure rhétorique.

Mon cœur s'emballa.

— Elle est vivante ? Avez-vous eu de ses nouvelles ?

Fermín ouvrit la boîte et il en sortit une poignée de lettres.

— Je ne vous en ai jamais parlé parce que je pensais que c'était mieux pour tout le monde, mais Alicia était revenue à Barcelone en 1960 avant de repartir pour toujours. C'était un 23 avril, le jour de la Sant Jordi. Elle était revenue faire ses adieux, à sa manière.

— Je m'en souviens parfaitement. J'étais très petit.

— Et vous l'êtes toujours.

Nous nous regardâmes en silence.

— Où est-elle partie ?

— Je lui ai dit au revoir sur le quai avant qu'elle embarque sur un navire en partance pour les Amériques. Depuis, j'ai reçu une missive chaque année pour Noël, sans adresse d'expéditeur.

Fermín me tendit le paquet de lettres, plus d'une trentaine, une par an.

— Vous pouvez les ouvrir.

Toutes les enveloppes contenaient une photographie. Selon les tampons d'affranchissement, les courriers avaient tous été envoyés d'une ville différente : New York, Boston, Washington D.C., Seattle, Denver, Santa Fe, Portland, Philadelphie, Key West, La Nouvelle-Orléans, Santa Monica, Chicago, San Francisco...

Je regardai Fermín, stupéfait. Il se mit à chantonner l'hymne des États-Unis qui, dans sa bouche, prenait des airs de sardane. Les photographies, prises à contre-jour, montraient une ombre, la silhouette d'une femme découpée sur un paysage de parc, de gratte-ciel, de désert ou de forêt.

— C'est tout ce qu'il y avait ? Pas un mot ? Quelque chose ?

Fermín fit non de la tête.

— Jusqu'à la dernière. Elle est arrivée à Noël dernier.

Je fronçai les sourcils.

— Comment savez-vous que c'était la dernière ?

Il me tendit l'enveloppe.

Le timbre indiquait qu'elle avait été postée à Monterrey, en Californie. Je sortis la photo et je me perdis dans sa contemplation. Pour une fois, l'image ne montrait pas une ombre. Elle était là, Alicia Gris, trente ans plus tard. Elle regardait l'appareil en souriant, au milieu de ce qui me parut être le plus beau paysage du monde, une sorte de péninsule de falaises et de forêts irréelles qui pénétraient dans la mer, fendant la brume de l'océan Pacifique. Sur un panneau dans un coin, on pouvait lire : POINT LOBOS.

Je retournai la photographie et je vis l'écriture d'Alicia :

La fin du chemin. Cela valait la peine. Merci encore de m'avoir sauvée, Fermín, une fois et tant d'autres. Sauvez-vous aussi et demandez à Julián de nous rendre tous immortels, nous comptons toujours là-dessus.

Je vous aime

Alicia

Mes yeux s'emplirent de larmes. Je voulus croire que dans ce lieu de rêve si éloigné de notre Barcelone Alicia avait trouvé la paix et sa destinée.

— Puis-je la garder ?

— Elle est à vous.

Je sus alors que j'avais enfin trouvé la dernière pièce de mon histoire et qu'à partir de ce moment la vie m'attendait, et avec un peu de chance, la fiction.

ÉPILOGUE

Barcelone

9 août 1992

Un homme jeune, avec déjà quelques cheveux blancs, marche dans les rues d'une Barcelone d'ombres sous la lune qui se déverse sur la Rambla de Santa Mónica telle une ceinture d'argent guidant ses pas. Il donne la main à une petite fille de dix ans au regard ivre de mystère devant la promesse faite par son père à la tombée du jour. La promesse du Cimetière des Livres oubliés.

— Alicia, ce que tu vas faire cette nuit, tu ne peux le raconter à personne. Personne.

— Ce sera notre secret, alors.

Son père soupire, s'abritant derrière ce sourire triste qui le poursuit toujours.

— Bien sûr. Ce sera notre secret.

Le ciel s'embrase alors en une arborescence de lumière et les feux d'artifice de la cérémonie de clôture des Jeux figent un instant la nuit d'une Barcelone qui ne reviendra jamais.

Le père et la fille, statues de vapeur, se fondent bientôt dans la foule qui inonde les Ramblas, leurs pas à jamais perdus dans le labyrinthe des esprits.

Illustration inspirée d'une image
de l'intérieur de la Sagrada Família
photographiée par Francesc Català-Roca.

TABLE

Ouvrage réalisé par l'atelier graphique Actes Sud reproduit et achevé d'imprimer en mars 2018 par Normandie Roto Impression s.a.s., à Lonrai pour le compte des éditions Actes Sud Le Méjan place Nina-Berberova 13200 Arles.
Dépôt légal
1ʳᵉ édition : mai 2018
N° impr. : 1801035
(Imprimé en france)